CRITIQUE DU POST-SIONISME

CRITIQUE DU POST-SIONISME

Réponse aux « nouveaux historiens » israéliens

sous la direction de
Tuvia Friling

Traduit de l'hébreu par
Fabienne Bergmann

Collection *Lettres promises*
dirigée par Shmuel Trigano

ÉDITIONS IN PRESS
Tél. : 01 43 35 40 32
Fax : 01 43 21 05 00
E-mail : InLine75@aol.com

www.inpress.fr

Maquette : Christian Millet

Traduit de l'hébreu. Titre original : *Techouva le amit post tsioni*
Tunia Fuling (Ed.), Yediot Acharonot Publication – Hemed Books, 2003.

CRITIQUE DU POST-SIONISME
ISBN 2-84835-035-0

Les auteurs

Tuvia Friling
Directeur des Archives de l'État d'Israël depuis 2001. Historien, enseignant-chercheur au Centre de promotion du patrimoine de Ben-Gourion de l'université Ben-Gourion du Néguev. Il dirigea ce centre entre 1993 et 2001. Parmi ses publications : *Flèche dans les ténèbres, David Ben-Gourion, le leadership du yichouv et les tentatives de sauvetage pendant la Shoah* [en hébreu. Titre anglais : *Arrow in the Dark*], Centre de promotion du patrimoine de Ben-Gourion ; Institut Avraham Herman du Judaïsme contemporain, Université hébraïque de Jérusalem ; éditions de l'université Ben-Gourion du Néguev, Kiriat Sdé-Boker 1998. Le livre a reçu le prix Mordehai Ish-Shalom remis par l'institut Yad Ben-Tsvi et le prix du Premier ministre remis par le Conseil public de commémoration des présidents et Premiers ministres disparus.

Zéev Tzahor
Professeur d'histoire à l'université Ben-Gourion et président du collège universitaire Sapir. Parmi ses œuvres : *Les racines de la politique israélienne* [en hébreu], Hakibboutz Hameuhad, Tel Aviv, 1987 ; *Vision et Pratique : Ben-Gourion, idéologie et politique* [en hébreu], Sifriat Hapoalim, Tel Aviv, 1994 ; Yaakov Hazan, une biographie, Yad Ben-Tsvi et Yad Yaari, Jérusalem, 1997.

Moshe Lissak
Professeur de sociologie à l'Université hébraïque de Jérusalem. Lauréat du prix d'Israël en 1992. Parmi ses écrits : *Du Yichouv à l'État, Les Juifs en Terre d'Israël sous le Mandat britannique : communauté politique* [en hébreu], Am Oved, Tel Aviv, 1977 ; *Infortune dans l'utopie, Israël, société sous haute pression* [en hébreu], Am Oved, Tel Aviv, 1990 (les deux livres ont été écrits en collaboration avec Daniel Horowitz) ; *Les élites du Yichouv en Terre d'Israël sous le Mandat britannique* [en hébreu], Am Oved, Tel Aviv, 1981 ; *L'émigration de masse des années cinquante, l'échec du creuset social* [en hébreu], Mossad Bialik, Jérusalem, 1999.

Yoav Gelber
Professeur au département d'Études de la Terre d'Israël, dirige la chaire d'Histoire et l'Institut Herzl de Recherches sur le sionisme et son enseignement à l'université de Haïfa. Parmi ses œuvres : *Le Renseignement au temps du Yichouv 1918-1947* [en hébreu], éditions du ministère de la Sécurité, Tel Aviv, 1992 ; *Histoire du bénévolat* [en hébreu], Yad Yitshak Ben-Tsvi, Jérusalem, 1979-1983 ; *Le Renseignement pendant la guerre d'Indépendance 1948-1949* [en hébreu], éditions du ministère de la Sécurité, Tel Aviv, 2000.

Nissim Calderon
Est né en 1947 à Tel Aviv. Auteur de : *Dans le contexte politique* [en hébreu], Hakibboutz Hameouhad, Tel Aviv, 1980 ; *Sur Nathan Zach dans les années soixante* [en hébreu], Hakibboutz Hameouhad, Tel Aviv, 1985 ; *En temps de guerre* [en hébreu], (écrit en collaboration avec Ayelet Shamir-Tolipman), Kinéret, Or Yehouda, 2000. Enseigne la littérature hébraïque et le cinéma à l'université de Tel Aviv et à l'université Ben-Gourion du Néguev. Dirige avec Gadi Taub le périodique *Mikarov*.

Gadi Taub
Est né à Jérusalem en 1965. Journaliste de presse et présentateur de télévision. A publié des livres pour enfants, dont un livre de contes : *Que se passerait-il si on oubliait Dov* [en hébreu], Hasifria Hahadacha, Hakibboutz Hameouhad, Tel Aviv, 1992, Son recueil d'articles *La révolte découragée – Essais sur la culture israélienne contemporaine* [en hébreu], Hakibboutz Hameouhad, 1997. Dirige avec Nissim Calderon, le périodique *Mikarov*. Prépare une thèse de doctorat en histoire américaine à l'université de Rutgers. Vit à Tel Aviv.

Daniel Gutwein
Enseigne au département d'Histoire d'Israël de l'université de Haïfa. Ses recherches portent sur les relations entre l'économie, la société, la politique et la culture et le processus de modernisation de la société juive et de la société israélienne. Parmi ses livres : *Droit et Histoire* [en hébreu], (dirigé en collaboration avec Menahem Mautner), Mercaz Zalman Shazar, Jérusalem, 1999.

Anita Shapira
Historienne, spécialiste de l'histoire du sionisme et de l'État d'Israël, dirige la chaire Ruben Merenfeld d'Études sionistes de l'université de Tel Aviv. A publié de nombreux livres et articles, dont *Berl* [en hébreu], Am Oved, Tel Aviv, 1980 ; *L'épée de la colombe* [en hébreu], Am Oved, Tel Aviv, 1992 ; *Juifs nouveaux, Juifs anciens* [en hébreu], Am Oved, Tel Aviv, 1997. Ces dernières années, traite surtout d'histoire sociale et culturelle.

Avi Bareli
Historien et rédacteur du périodique *Études sur la renaissance d'Israël* [en hébreu], Centre de Promotion du Patrimoine de Ben-Gourion. Enseigne à l'université de Tel Aviv.

Yisraël Bartal
Professeur au département d'Histoire du Peuple juif de l'Université hébraïque de Jérusalem, il dirige le Centre d'études de l'histoire des Juifs de Pologne et de leur culture. Fonda le périodique *Cathedra* et pendant de longues années fut l'un de ses rédacteurs. Cette revue publie des recherches concernant la Terre d'Israël et sa population juive. Entre 1976 et 2000, il présida la commission de préparation de nouveaux programmes d'Histoire pour les Lycées d'État. Auteur ou directeur de publication de : *Diaspora en Israël* [en hébreu], Hasifria Hatsionit, Jérusalem, 1995 ; *Poles and Jews : a Failed Brotherhood*, Hanover ,1992 ; *Existence et Cassure I – II* [en hébreu], Mercaz Zalman Shazar, Jérusalem, 1997-2001 ; *La charrette pleine : 120 ans de culture israélienne* [en hébreu], Magnes, Jérusalem, 2002.

Yoram Hazony
Directeur de recherche au Centre Shalem à Jérusalem. Fondateur et président de ce centre entre 1994 et 2002. Membre de la délégation des pourparlers de paix à Madrid. Auteur de : *The Down : Political Teaching of the Book of Esther*, Jérusalem, 1995 ; *The Jewish State : The Struggle for Israel's Soul*, New York, 2000.

Ofir Haivry
Est né en 1964. Étudia à l'université de Tel Aviv et à l'université de Londres. Rédacteur de la rubrique de politique étrangère à l'hebdomadaire *Haolam Hazé,* il dirige aussi le périodique de pensée israélienne *Thélet.* Dirigea l'édition hébraïque du livre de F.A. Hayek, *Le chemin de la servitude*, Mercaz Shalem, Jérusalem, 1998. Est actuellement chercheur au Centre Shalem à Jérusalem.

Shlomo Aronson
Professeur au département de Sciences politiques de l'Université hébraïque de Jérusalem. Ses recherches portent sur la Shoah, l'impact qu'elle eut sur la création de l'État d'Israël et sur la pensée sécuritaire de David Ben-Gourion et d'autres dirigeants, les guerres d'Israël et l'arme atomique au Moyen-Orient. Auteur de : *La politique et la stratégie de l'arme atomique au Moyen-Orient, brouillard, théorie et réalité, 1948-1993* [en hébreu], Akadémon, Jérusalem, 1994 ; *Israel Nuclear Programme, the Six Day War and its Ramifications*, London, 1999 ; *David Ben-Gourion : déclin d'un dirigeant de renaissance* [en hébreu], Centre de promotion du patrimoine de Ben-Gourion, Campus Sdé-Boker, 1999.

Yosef Gorny
Professeur au département d'Histoire du Peuple juif de l'université de Tel Aviv. Dirigea l'Institut Haïm Weitzman de recherche sur le sionisme et l'école Haïm Rosenberg de Sciences du Judaïsme. Spécialiste de l'histoire du sionisme et du Yichouv de Terre d'Israël, du mouvement ouvrier en Terre d'Israël, du conflit israélo-arabe, des relations entre l'État d'Israël et les diasporas juives, de la mémoire de la Shoah et de sa place dans l'identité juive, du « Bund » et de la question nationale. Parmi ses œuvres : *Entre Auschwitz et Jérusalem* [en hébreu], Am Oved, Tel Aviv,

1998 ; *Ahdout Haavoda 1919-1930 : fondements idéologiques et méthode politique* [en hébreu], Hakibboutz Hameouhad, Tel Aviv, 1973 ; *La question arabe et le problème juif : courants politiques et idéologiques au sein du sionisme et son rapport à l'entité arabe en Terre d'Israël durant les années 1882-1948* [en hébreu], Am Oved, Tel Aviv, 1985.

Sommaire

Préface

QU'EST-CE QUE LE POST-SIONISME ? Est-ce un mouvement monolithique ou en existe-t-il de nombreuses variantes ? Et dans la mesure
où le post-sionisme est apparu sous différentes formes et s'est manifesté de diverses façons, y a-t-il entre elles un dénominateur commun ? Peut-
être en ont-elles plus d'un ou au contraire, n'en ont-elles pas du tout ? Quels
domaines de discussion cette polémique passionnante recouvre-t-elle ? Et
pourquoi apparut-elle à l'ordre du jour de la société israélienne, justement au
cours de ces deux dernières décennies ? Quelle est la différence, pour autant
que celle-ci existe, entre ce qui existe concrètement (soit la réalité israélienne)
et ce qui est souhaitable ou désirable (soit le sionisme) ? entre la critique du
sionisme – émanant également de véritables sionistes – et entre l'éventail de
la critique post-sioniste ? En d'autres termes, où se termine la critique sioniste
du sionisme et où commence la critique post-sioniste ? Quelles sont les racines
historiques, idéologiques, méthodologiques et émotionnelles de cette discussion et quelles en sont les différentes formes ? Parmi ces racines et manifestations, quelles sont celles qui puisent directement aux sources de « la Terre
sainte », qui sont « made in Israel » et quelles sont celles qui furent importées
de l'étranger ? Qui sont les principaux locuteurs de cette polémique, quels
groupes d'opinion représentent-ils et quel est leur jargon ? Que nous dit Clio,
la muse de l'Histoire, sur le lien entre l'infrastructure du domaine d'opinion
qu'elle représente et les éléments de ce débat capital ?

Nous essaierons de répondre à ces questions dans ce recueil qui, comme
son nom l'indique, a pour objectif de présenter des réponses à ce qu'on appelle
« le post-sionisme ». Qui voudra approfondir et connaître les théories post-
sionistes au-delà de ce qui découle des réponses apportées ici, devra se reporter à une autre littérature, citée en partie dans les articles, les notes ou la liste
des livres « à consulter pour plus d'informations », figurant en appendice.
Pour faciliter la tâche du lecteur non versé dans les arcanes de ce débat, nous

avons également joint un glossaire. Tous les concepts ou noms s'y rapportant sont signalés dans les articles par un astérisque.

Il s'agit donc d'un recueil dont l'esprit est une sorte de critique de la critique. On constatera aisément que celle-ci est loin d'être homogène ou monolithique, mais qu'elle recouvre au contraire diverses opinions – qui souvent coexistent difficilement. Ceci n'implique certainement pas que cette diversité est obligatoirement l'aveu d'un relativisme où tout serait justifiable, compréhensible ou acceptable. Il y a donc là une manifestation supplémentaire de ce phénomène de pluralité d'opinions des critiques mais également de la diversité de points de vue des critiques des critiques.

Je tiens à remercier tous ceux qui ont contribué à la compilation de ce recueil, soit mes collègues des différentes universités et instituts de recherche d'Israël, pour m'avoir permis de publier leurs articles ; mon ami, le professeur Shmuel Trigano, qui dirige cette collection et qui a bien voulu nous y accueillir ; la traductrice, madame Fabienne Bergmann et *last but not least*, mon assistante, madame Hadas Blum.

La responsabilité des opinions exprimées dans les articles revient aux auteurs, mais bien entendu, j'assume moi-même celle de l'ensemble de l'ouvrage.

Tuvia Friling
Campus de l'université Ben-Gourion,
Sdé-Boker 2002

Depuis le début des années 1960 et de façon indissociable de l'évolution enclenchée par les « accords d'Oslo », le discours du post-sionisme, plus connu sous le nom de ses protagonistes comme celui des « Nouveaux historiens », a pris une ampleur considérable dans la discussion sur Israël ou plutôt sa stridente absence.

Invoqué comme un argument qui conteste à Israël sa légitimité et sa moralité nationales et pas seulement ses supposées politiques, il a totalement occulté dans l'opinion publique occidentale l'épaisseur du débat en Israël même, débat bien sûr idéologique mais aussi politique, national, voire épistémologique, qui dépasse de bien loin la thèse soutenue. L'importance du discours post-sioniste dans l'intelligentsia occidentale est en effet inversement proportionnelle à la place qu'il occupe dans l'opinion israélienne, privée, de ce fait, de voix sur le plan international.

Un des malentendus de la réflexion sur Israël, dont on a oublié qu'il constitue une société, une culture, une histoire, positives et respectables, est sans aucun doute l'authentification universitaire qui accrédite le discours accusateur, réputé émaner de savants et de chercheurs impeccables. Produits de l'université israélienne, certes, beaucoup de ces essayistes sont avant tout des littéraires ou des sociologues, voire des journalistes. La présentation de soi fait ici effet de persuasion. De très sérieuses études de méthode ont contesté leur science. S'ils rejettent « l'historiographie sioniste » pour son caractère idéologique, ils pourraient ainsi n'en être pas moins, eux aussi, des « idéologues ». Or, c'est justement sur ce terrain que se situent les textes réunis par Tuvia Friling.

Les analyses que ce livre rassemble viennent de tout l'arc politique israélien, de la gauche à la droite, à l'image de la diversité des courants du sionisme, alors que les post-sionistes ne s'identifient qu'à une nouvelle extrême gauche.

Leur écho symphonique redonne voix et chair à la société israélienne mais aussi fait entendre le contre chant des théories qui l'ont occultée, sur le plan même où elles ont l'ambition de se situer : histoire, sociologie, politologie.

Derrière cette scène de conflit idéologico-politique, on s'apercevra cependant que la société israélienne vit une crise et un divorce intime qui lui sont propres sans aucun doute mais qui sont aussi partagés par toutes les démocraties contemporaines et uniquement elles. Derrière la question du caractère sioniste de la société israélienne et de la place de l'identité juive dans son identité nationale se profile en effet une question plus vaste mettant en jeu la permanence de la nation dans le souci des droits de l'homme. La philosophie politique aux États-Unis connaît ainsi aujourd'hui une controverse qui oppose libertariens et communautariens, pour savoir s'il faut prendre en compte l'identité des minorités dans la citoyenneté.

Autant que les États-Unis et pas moins qu'Israël, la France est traversée elle aussi par ces enjeux avec le problème du « communautarisme » qui remet en question la légitimité et la pertinence contemporaine de ce qui faisait le lien social jusqu'alors : l'identité nationale. La seule différence, c'est qu'en Israël, du fait de l'état de guerre, de la réalité d'une démocratie solitaire au sein d'un univers politique résolument despotique, la polémique prend une ampleur excessive et radicale. Il suffit d'un peu de malveillance pour lui conférer un caractère unique au monde et donc caricatural, bouc émissaire facile du trouble et de l'inquiétude de la conscience démocratique contemporaine. Ici encore, la société israélienne est un laboratoire de ce qui se trame dans le plus profond de la conscience occidentale.

Shmuel Trigano

Introduction*
Développements de maturation d'une identité fissurée

Tuvia FRILING

L A POLÉMIQUE qui aura ces jours-ci une vingtaine d'années d'existence, est surtout, l'expression d'un processus de maturation d'une
identité fissurée [1].

Les racines historiques et idéologiques de cette polémique sont aussi
anciennes que le sionisme lui-même et l'ont toujours accompagné. Certaines
ont évolué dans des directions politiques ou sociales mais sont tout d'abord

(*) Je tiens à remercier David Ohana, Avi Bareli, Daniel Gutwein, Gideon Katz, Nir Kedar, Nahum
Karlinsky, Orit Rozin et Smadar Rothmann qui ont bien voulu lire cette introduction, pour leurs
remarques et leurs observations pertinentes. La responsabilité de ce qui est dit dans cette introduction n'incombe évidemment qu'à moi.

Alors que je soumettais cette introduction à des collègues, parut une critique de Aviva Halamish,
intitulée « Les affres de l'adolescence de la société israélienne » [en hébreu], (*Guesher*, 145, 2002,
p. 85-96). Dans cet article, l'auteur passe en revue quelques livres touchant la question qui nous
occupe. Elle termine son article par ces mots : « Les livres dont nous avons parlé et les phénomènes
que ceux-ci étudient, font partie du processus de maturation de la société israélienne. Celle-ci est
déjà sortie de l'enfance et a perdu son innocence, mais elle n'a pas encore atteint de havre de paix
pouvant se comparer au calme de l'Europe occidentale ou au flegme anglo-saxon », *ibid.*, p. 95.
Comme on pourra le constater, il me plaît d'être totalement d'accord avec ces propos.

1. Ainsi – sur tous les problèmes et les incertitudes entourant le concept *d'identité* et celui *d'identité
de génération,* voir par exemple : Anita Shapira, *Premiers Juifs, derniers Juifs* (en hébreu), Am
Oved, Tel Aviv 1997 ; Eliezer Ben-Refael, *Identités particulières – les réponses des sages d'Israël
à Ben-Gourion* (en hébreu), Centre de Promotion du Patrimoine de Ben-Gourion et Université Ben-
Gourion, Kiriat Sdé-Boker 2001, Introduction, p. 15-19 ; Tom Segev, *Les nouveaux sionistes* (en
hébreu), Keter, Jérusalem 2001 ; Fania Oz-Zalzberger, *Les Israéliens, Berlin* (en hébreu), Keter,
Jérusalem 2001 ; Reuven Rosental, *Le deuil est-il mort ?* (en hébreu), Keter, Jérusalem 2000 – parus
dans le cadre de la collection « Israéliens » ; Ilana Pardes, *Biographie de l'ancien Israël – littérature
et nationalisme dans la Bible* (titre original : Biography of Ancient Israel ; traduction de l'anglais
vers l'hébreu de Mihal Alpon), Institut Van-Leer, Jérusalem 2001 ; Ruth Gavison, *Israël, État juif
et démocratique – tensions et chances* (en hébreu), Hakibboutz Hameouhad, Tel Aviv 1999 – parus
dans la collection « Contextes » ; et également : Joseph Mali (éd.), *Guerres, révolutions et identité
de génération* (en hébreu), Centre Rabin – Am Oved, Tel Aviv 2001.

une critique du judaïsme lui-même[2]. Ce débat s'inspire également des développements de nouvelles Écoles de recherche dans différents domaines de
savoir, qui donnèrent une base à l'élaboration des représentations du passé
faisant l'objet de cette polémique et se chargèrent de les expliquer.

Il s'agit d'une critique de ce que le sionisme aurait voulu être et ne fut pas
et de ce qu'il fut sans l'avoir voulu[3]; une critique d'un mouvement national
et d'un phénomène historique, qui selon les post-sionistes, fut conçu et est
né dans le péché, qui a fait son temps et qui n'a plus d'avenir devant lui. C'est
une critique de l'aspect optimiste de ce mouvement et de la concrétisation de
cette utopie au prix d'un travail considérable, qui fut le fait d'un mouvement
que même ses ennemis les plus farouches reconnaissent être le seul courant
idéologique du peuple juif ces deux derniers siècles, qui soit parvenu à réaliser la majorité de ses plans[4].

Le post-sionisme, dans ses manifestations essentielles, signifie une négation du nationalisme juif, tel qu'il apparaît actuellement. Il souhaite « tout
simplement un État normal », un nationalisme israélien se contentant d'un
État aux frontières minimales. Il tend à se défaire de l'idée d'une spécificité
juive, même dans ses interprétations laïques ainsi que de toute aspiration
sociale et morale spécifique. Il vise à établir une société qui aurait rompu
avec les éléments de sa culture traditionnelle, avec ses rêves et ses visions
messianiques. Il appelle à renforcer « la normalité » du statut d'Israël parmi
les nations et à une intégration spirituelle, sur un pied d'égalité, dans d'autres
cultures. Il souhaite établir une société entièrement fondée sur des valeurs
universelles, sur un rationalisme pur, sur une entière autonomie de l'individu

---

2. Parmi les critiques, on peut trouver les cercles communistes, bundistes et universalistes. Voir par
   exemple : Haim Avni et Shimon Guidoni (eds.), *Le sionisme et ses détracteurs au sein du peuple
   juif* (en hébreu), Hasifria Hatsionit, Mossad Bialik, Jérusalem 1990 ; George Steiner, *Errata : équilibre de vie* (en hébreu), Am Oved, Tel Aviv 2001 ; Shiri Lev-Ari, « George Steiner, le juif de l'Exil »,
   Haaretz, « Galerie », 7 novembre 1999. Et également : George Steiner, *George Steiner : A Reader*,
   Harmondsworth 1984.

3. Yaacov Shavit, « Messianisme, utopie et pessimisme au cours des années cinquante – Étude de la
   critique de L'État Ben-Gourionien » (en hébreu), *Réflexions sur la renaissance d'Israël*, 2 (1992),
   p. 56-78.

4. Le sionisme a gagné la bataille idéologique pour gagner l'esprit des Juifs. Bien avant sa victoire, le
   mouvement sioniste était déjà devenu un large mouvement national de masse, bien que ses principaux opposants, aient eux aussi joui d'un très large soutien. Le mouvement sioniste, dans ses différentes tendances, reconstitua l'établissement d'une population juive en terre d'Israël, édifia l'État
   d'Israël et forgea la société israélienne. Les problèmes et les contradictions qui éclatèrent en son
   sein insufflèrent et insufflent toujours de nouveaux espoirs parmi ses adversaires. Voir : Pinchas
   Ginosar et Avi Bareli (eds.), *Sionisme – débat contemporain, attitudes de recherches et positions
   idéologiques*, Centre de Promotion du Patrimoine de Ben-Gourion, Kiriat Sdé Boker, Institut Haim
   Weizman de Recherche sur le Sionisme, Université de Tel Aviv, Éditions de l'Université Ben-Gourion,
   Kiriat Sdé-Boker 1996, « Propos des éditeurs », p. III.

par rapport à la société. Une société libérée de tout particularisme, tribalisme ou ethnocentrisme, exempte d'irrationalité, de mythes collectifs et – Dieu nous en préserve – d'un « Dieu institutionnalisé », de « saints » et de « pierres saintes », de « symboles nationaux constituants » et aussi de tout « patrimoine », de « conscience historique », de mythes et de « pères fondateurs ».

Le post-sionisme, ainsi conçu, signifie un rejet de toute argumentation sur l'existence de liens occultes rattachant ensemble des phénomènes séparés, d'une connexion intrinsèque entre le peuple d'Israël historique et celui qui s'échafaude de nos jours, entre celui-ci, dans ses différentes métamorphoses israéliennes et celles élaborées dans les diasporas. Il annule le lien entre la culture d'Israël et ses origines, entre la langue hébraïque de souche qui puise, selon la formule de Yossef Dan, à ses sources et son histoire[5].

Le post-sionisme est également la plate-forme d'un programme politique proposant à la société israélienne un ordre du jour alternatif ainsi que des « amendements » au sionisme historique. Il appelle Israël à devenir un État libéral, rationnel et éclairé, comme la France révolutionnaire en son temps, sans ses manifestations totalitaires et dictatoriales, robespierriennes ou napoléoniennes. Ou alors il propose de devenir une société multinationale et « multiculturelle », comme l'est la société américaine ou plutôt comme elle devrait l'être. Mais là aussi, sans sanctification de la constitution et du drapeau, sans le « *Mayflower* » et « la Terre promise », sans le « *Thanksgiving Day* » et la première dinde dont les premiers immigrants honorèrent la tribu indienne voisine, soit les habitants de ce qui sera plus tard « les réserves ». Sans non plus le « Jour de Martin Luther King », avec tout ce qu'il représente pour les développements de maturation de cette grande nation, de cette passionnante démocratie, où jusqu'à il n'y a pas si longtemps, on pouvait encore voir dans certains endroits, des pancartes affichant : « Interdit aux chiens et aux Nègres ». Il s'agit d'une conception où certains vont jusqu'à imaginer une société universelle et démocratique, où ni la tradition nationale, ni aucun groupe ethnique n'aurait de statut particulier. Un « État de tous ses citoyens » ou une « société civile multiculturelle » où le nationalisme juif, « artificiel », « superficiel » et « sans avenir », disparaîtrait dans l'environnement arabe[6].

---

5. Yossef Dan, « Sur le post-sionisme, l'hébreu entendu et le faux messianisme » (en hébreu), *Haaretz*, 25.3.1994 (sera cité plus loin comme : Dan, Sur le post-sionisme, *Haaretz*). Sur l'origine du concept, à qui il « appartient » et l'évolution de la polémique, voir : Yaïr Sheleg, « Sionisme, la bataille de l'audimat » (en hébreu), *Kol Haïr*, 6.10.1995. Parmi ceux qui prétendent avoir été les premiers à employer le terme : Menahem Brinker, Yigal Elam, Éric Cohen. Voir également l'article de Éric Cohen, « Israël, société post-sioniste » (en hébreu), dans : David Ohana et Robert Wistrich (eds.), *Mythes et mémoire, l'évolution de la conscience israélienne* (en hébreu), Institut Van-Leer, Jérusalem 1996, p. 156-166. Sur « la chute » du post-sionisme, voir : Neri Livné, « Montée et chute du post-sionisme » (en hébreu), *Supplément du Haaretz*, 21.9.2001.

Un État dans lequel seraient annulées « la Loi du Retour », « la loi sur la Fédération sioniste », « la loi sur le *Keren Kayemet* » et d'autres lois encore, destinées à marquer sa dimension juive et à donner à ses citoyens juifs un statut particulier, en tant que citoyens de l'unique État juif du monde. Un État où les symboles juifs – comme le drapeau où figure l'étoile de David, l'emblème de l'État qui est le chandelier du Temple, l'hymne national la « *Hatikva* » etc. – seraient modifiés ou vidés de leur sens premier et détachés de la promesse impliquée par le passé.

Une conception où quantité de concepts « sionistes », comme « la Diaspora », « l'affranchissement de la Diaspora », « les diasporas », « notre droit historique à cette terre », « le lien à Sion », « la montée [*aliya*] vers la terre d'Israël », « la rédemption des terres », « l'État juif », « la guerre d'Indépendance », seraient convertis en termes neutres, en une sorte de « supra-langage » déconnecté de son contexte culturel et historique spécifique et particulariste. Cette terminologie fournirait des expressions comme « le passage vers la terre d'Israël », « l'émigration en Palestine », « l'État des citoyens », « les communautés juives », « la guerre de 1948 » ou très souvent aussi des termes totalement « libres » de toute association, de stéréotypes et de préjugés comme le sont par exemple les locutions « conquête des terres », « conduite territoriale colonisatrice », « transfert », « colonialisme sioniste », « institutions établies », « insatisfaction par rapport à la mémoire nationale officielle » etc. [7]

Pour nombre d'adhérents à cette conception, le conflit israélo-palestinien n'est pas un conflit entre deux peuples se trouvant acculés à une expérience tragique et à une lutte inévitable. D'après eux, une des parties est entièrement coupable tandis que l'autre est totalement innocente [8]. Certains d'entre eux tiennent « Le bloc de la Foi » [*Gouch Emounim*] ou d'autres manifestations de ce qu'ils définissent comme un « nationalisme ultra-orthodoxe », comme une conséquence obligée du lien entre le sionisme et le judaïsme. Certains pensent même que le sionisme n'est qu'un pur et simple nationalisme, qui en son temps revêtit des atours socialistes mais qui à l'heure actuelle n'est plus hélas qu'une société capitaliste accablée de maux et un bastion impérialiste confus et épuisé, au Moyen-Orient [9].

Même la Shoah – unanimement considérée comme un événement déterminant de l'histoire mondiale, du peuple juif, du *yichouv* et de l'État d'Israël – fut soumise à controverse. Certains post-sionistes ont écrit qu'« il n'est pas prouvé que la Shoah ait eu lieu ». Étant donné qu'il n'y eut pas d'ordre écrit

---

6.   Voir à ce propos : Nissim Calderon et ses définitions du post-sionisme, dans le dernier chapitre de son article figurant dans ce recueil ainsi que le développement théorique des thèses de Charles Taylor et Michael Walzer : Charles Taylor, *Multiculturalism and the Politics of Recognition*, Princeton, N.J. 1994 ; Michael Walzer, *What it Means to be an American*, New Dehli 1992.

de Hitler concernant « la solution finale », on peut affirmer n'importe quoi à ce sujet ; qu'il n'y eut pas une Shoah, mais plusieurs » ; que la *Nakba* palestinienne en est également une ; que le mouvement sioniste et l'État sioniste ont « nationalisé » la Shoah dans le but de réaliser leurs objectifs ; qu'ils se sont même approprié l'argent des réparations allemandes des victimes ; que les soldats israéliens dans les territoires occupés se conduisent comme des nazis et certains ont porté leur critique sur la question de ce qu'avaient fait le *yichouv* et ses dirigeants pour sauver les Juifs d'Europe pendant la Shoah. Ce débat a précédé la polémique présente. Dès les années cinquante, il dépassa

---

7. Voir par exemple : Shlomo Sand, *L'intellectuel, la vérité et le pouvoir – De l'Affaire Dreyfus à la Guerre du Golfe* (en hébreu), Am Oved, Tel Aviv 2000 ; Moshe Zuckermann, *Dynamisme de l'israélienneté – : Mythe et idéologie d'une société conflictuelle* (en hébreu), Patish – collection de critique culturelle des éditions Resling, Tel Aviv 2001 (sera désormais cité : Moshe Zukerman, Dynamisme de l'israélienneté) ; « Il n'y a pas d'histoire, il n'y a que des historiens » (en hébreu), Interview de Ilan Pappé par Yona Hadari-Ramage, *Yediot Aharonot, Supplément littéraire*, 27.8.1993. Voir aussi l'article de Pappé, « La nouvelle histoire de la guerre de 1948 » (en hébreu), *Théorie et critique*, 3 (1993), p. 99-114 (sera dorénavant cité : Ilan Pappé, La nouvelle histoire). Voir, Dan, « Sur le post-sionisme » (en hébreu), *Haaretz*, et également Uri Ram dans le courrier des lecteurs de *Haaretz*, 8.4.1994 ; Shlomo Aronson, « Sionisme et post-sionisme – le contexte historique et idéologique » (en hébreu), dans : Yehiam Weitz (éd.), *Entre la vision et la révision – cent ans d'historiographie sioniste*, Centre Zalman Shazar, Jérusalem 1997, p. 291-309 ; Baruch Kimmerling, « Religion du nationalisme face à une religion des citoyens » (en hébreu), *Haaretz*, 29.9.1995 et aussi l'article « L'histoire, ici et maintenant », p. 257-274, dans : *Entre la vision et la révision*. Sur le début de la polémique, voir : Anita Shapira, « Politique et mémoire collective – le débat sur 'les nouveaux historiens' » (en hébreu), *ibid.*, p. 367-391. Le débat commença vers la fin des années quatre-vingt, quand parurent, l'un après l'autre, les livres de Benny Morris, d'Avi Shlaim, de Ilan Pappé et de Simha Falpan. Ces livres ont deux points communs. D'une part, ils traitent des « années constituantes » de l'État (1947-1952) et d'autre part, ils déclarent être les premiers à rapporter « la vraie histoire » de la création de l'État, tout ce qui fut écrit avant eux sur ce sujet, n'étant que propagande sioniste. Selon Ram, le débat commença à la publication d'un article de Benny Morris, vers la fin de l'année 1988, dans une revue juive américaine, *Tikkun*, dans lequel il usa pour la première fois du terme « nouveaux historiens ». Voir plus haut, note 5, la version de Yaïr Sheleg sur les inventeurs de cette locution. Au sens laïc, on avait toujours vu une « singularité » chez Ben-Gourion, *Avec singularité et vocation – propos sur la sécurité d'Israël* (en hébreu), Maarahot, Tel Aviv 1971, et très souvent ailleurs, autour de l'idée de « peuple élu », de « Lumière des nations » ou de « société modèle ».

8. Voir Yehiam Weitz, *Entre vision et révision*, Introduction, p. 7-29.

9. Sur le choix fait par le mouvement travailliste entre l'élaboration d'une nation et l'établissement d'une société et entre le nationalisme et le socialisme, voir : Zéev Sternhell, *Construction d'une nation ou réforme de la société ?* ; Am Oved, Tel Aviv 1995 et également l'article de Anita Shapira figurant dans ce recueil. Entre autres : « Dès le début, tous les désirs, toute la puissance, toute l'énergie existant au sein du mouvement travailliste furent mobilisés pour la renaissance nationale. Par conséquent, le mouvement était dépourvu de véritable vision de transformation sociale » (Sternhell, *ibid.* p. 31). « Très vite, le socialisme devint un instrument de réalisation d'objectifs nationaux et non le moyen d'élaboration d'un nouvel ordre social » (*ibid.*). Donc selon Sternhell, « Il n'y eut pas en terre d'Israël, dans les années vingt et trente, de véritable effort pour établir une société radicalement différente de la société matérialiste habituelle ». Voir également : C.D. Yisraeli (Walter Laqueur), *Du Mapam au Maki : histoire du parti communiste en Israël* (en hébreu), Am Oved, Tel Aviv 1953.

les frontières de l'étude d'une question historique, enracinée dans un contexte et des circonstances définis et très vite, devint un instrument de lutte idéologique pour l'image de marque de l'État d'Israël.

Il s'agit d'un débat public et scientifique qui s'est transformé en une interrogation sur la mesure de « probité » de la révolution sioniste, sur la légitimité de l'État d'Israël et sur les modes de réalisation pratique de cette révolution. Ces interrogations furent mises à contribution pour approfondir et baser la conception post-sioniste – elles l'ont nourrie et furent nourries par elle – et ont fait boule de neige dans les aires de douleur, de frustration et de nervosité attisée, pour donner plus de poids au stéréotype négatif selon lequel le *yichouv* était uniquement occupé à ses besoins et à ses affaires. Certains travaillaient à la colonisation, à la défense et à la construction de sa force et entre l'acquisition d'une « chèvre » supplémentaire ou d'un « dounam » de plus [10], dansaient au festival de danses folkloriques du kibboutz Dalia, tandis que d'autres festoyaient dans les cafés de Tel Aviv, jouissant de la prospérité due à la guerre.

Le feu sacré de la négation de la diaspora aurait donc tant ébloui et aveuglé les habitants du *yichouv* (qui à l'époque était surtout composé de jeunes ashkénazes) et leurs dirigeants, au point que le sauvetage de leurs parents, de leurs frères et de leurs sœurs, brûlés dans les crématoires d'Europe n'était plus pour eux un devoir et ne les concernait pas. C'est la raison pour laquelle ce sont des responsables subalternes et des exécutants subordonnés qui s'en sont occupés. Les supérieurs exercés et audacieux étaient occupés à d'autres affaires plus « importantes » et leur dirigeant impitoyable n'était préoccupé que par un seul but, la création d'un État (pour quel peuple ?) ; il alla jusqu'à frayer son chemin vers Jérusalem, en passant à Latroun, sur les cadavres d'enfants rescapés de la Shoah [11]. Inutile de dire que cette conception englobe d'une part, un déni de la spécificité de la Shoah et de sa place en tant que clé

---

10. Allusion à un refrain illustrant le côté pratique du projet sioniste en terre d'Israël, qui triompha progressivement par l'achat de terres, dounam par dounam ou de troupeaux, chèvre par chèvre, N.D.T.

11. L'image de Latroun est empruntée au poème du professeur Benjamin Harshav : Pierre le Grand / construisit sa capitale Petersbourg / sur les marécages du Nord / sur les ossements des paysans. / David Ben-Gourion pava une voie / vers la capitale Jérusalem / avec les ossements d'adolescents venus de la Shoah. Il publia le poème sous son pseudonyme « Gaby Daniel » dans : *Recueil de poèmes*, Agra II, Jérusalem 1985-1986, p. 199-200. Dans le même esprit, pour comparaison, voir : Moshe Zuckermann, *Sur la fabrication de l'israélienneté* (en hébreu), p. 105-106. Pour ce qui est de l'utilisation de la Shoah dans des polémiques ou des débats contemporains, voir aussi les articles de Shlomo Aronson, Yoav Gelber et Tuvia Friling, dans ce recueil et également : la réponse de Dan Miron à la critique de Avi Katzman, « Face aux larmes de crocodile » (en hébreu), dans : *Ephes Shtaïm*, 2 (1993), p. 106-119. Yosef Grodzinsky, « La Shoah, le yichouv, ses dirigeants et ses historiens » (en hébreu), *Haaretz*, 15 avril 1994.

de voûte d'une particularité juive et israélienne distinctive et d'autre part, l'accusation d'avoir abandonné les Juifs d'Europe à leur sort, par le prêt de considérations « palestinocentristes » égoïstes, étroites et sadiques, au *yichouv* et à ses dirigeants de l'époque [12].

Participent à cette polémique émotionnellement chargée et passionnante, des historiens et des sociologues, des littérateurs et des journalistes, des universitaires ou des personnes appartenant à d'autres cercles. Dans ce débat, les post-sionistes se désignent eux-mêmes comme des « nouveaux historiens » ou des « sociologues critiques » et qualifient ceux qu'ils défient, d'historiens « anciens », « institutionnels » ou « prisonniers de leur rêve sioniste ». Certains de leurs opposants font la distinction entre les « post-sionistes négateurs » ou les « anti-sionistes » absolus « prisonniers d'un rêve qui n'est pas le leur » et les « post-sionistes positifs ». Selon cette distinction, les « post-sionistes positifs » jugent que le sionisme eut un rôle vital dans l'histoire du peuple juif, mais qu'il est maintenant près d'atteindre ses objectifs ou les a déjà atteints [13] et donc ferait mieux de renoncer à ses clichés rancis et à « la naphtaline du KKL », devenus totalement superflus [14]. S'opposant à ceux-ci, les « anti-sionistes » ou les « post-sionistes négateurs » considèrent le sionisme comme un mouvement qui joua un rôle négatif dans l'histoire du peuple juif, de l'État d'Israël et du Moyen-Orient et qui par conséquent, aurait mieux fait de ne pas naître. Mais puisqu'on ne peut revenir en arrière, il faudrait se hâter de l'effacer ou du moins de s'en défaire. La légitimité de sa création principale – l'État d'Israël – ne résiste pas, selon eux, à l'examen d'une critique scientifique et morale et sa logique et sa finalité est de disparaître, comme ont disparu des régimes ou des entités étatiques et sociales empoisonnés, tel l'apartheid en Afrique du Sud [15]. Cette comparaison ignore, comme le rappellent ceux qui rejettent cette position, le prix toujours payé dans les procédures de construction de nation et de société – même par des nations qui établirent indéniablement des États de droit. Dans le cas de la création de l'État d'Israël, on ne peut faire abstraction du fait que la majeure partie du camp sioniste –

---

12. Sur l'apport des positions de Hannah Arendt à la polémique présente, voir dans ce recueil, les articles de Shlomo Aronson et de Yoav Gelber. Sur le débat public portant sur la question de la manière dont il faut marquer dans les écoles le Jour de la Shoah, voir entre autres : Gal Lévy et Tamar Barkaï, « Le Jour de la Shoah dans un esprit de progrès : ethnicité, statut et éducation en Israël » (en hébreu), *Politique – revue de science politique et de relations internationales*, 1 (1998), p. 27-46.

13. Pinchas Ginosar et Avi Bareli, *Le sionisme, un débat contemporain* (en hébreu), « Propos des éditeurs », p. III- XIII.

14. Tami Katz-Friedman, « La juste distance, ce qu'on voit d'ici et ce qu'on voit de là » (en hébreu), dans : *Cliché de désert, Israël aujourd'hui – images locales*, Forum des Musées des Beaux-arts d'Israël, Tel Aviv 1996, p. 124-126 (sera cité dorénavant : Tami Katz-Friedman, La juste distance, *Cliché de désert*).

15. Voir note 12.

toutes nuances confondues – s'opposa à des conceptions nationalistes basées sur le sang et la terre et accepta tous les plans de partage [16] – malgré les violentes discussions que ceux-ci soulevèrent. Dans la polémique qui nous occupe, certains débatteurs sont des hommes politiques. D'autres sont à la fois des scientifiques et des hommes politiques. D'autres encore sont des scientifiques prétendant faire œuvre de vraie recherche ou des journalistes ayant des prétentions de recherche, selon la typologie succincte établie par Shlomo Aronson [17].

Il s'agit là d'un débat où certains éloignent ses objets et ses sujets, du domaine humain de jeu et d'action et les transportent dans des contrées imaginaires séraphiques, dans des sociétés qui n'ont jamais existé dans aucun Etat-nation industrialisé et éclairé – ni même dans des communautés imaginaires [18]. Une telle argumentation est en général le fait de chercheurs ou d'écrivains lassés du présent et désespérant de l'avenir. C'est un débat évoquant parfois un mouvement de vagues, fait souvent de sauts, évoluant entre l'orthodoxie, le révisionnisme et le début du post-sionisme, le *yichouv* et l'État d'Israël [19]. Ce phénomène se nourrit de temps à autre du fait simple et trivial que les représentations du passé se modifient, tout simplement parce que la documentation touchant des questions fondamentales concernant les étapes de la création de l'État, devient accessible dans les Archives, du fait de l'application de la loi de confidentialité – existant dans tout pays démocratique – et également dans l'État sioniste. La documentation qui aujourd'hui – ô miracle – est à la disposition des chercheurs de cette génération, n'était, vu les impératifs de cette même loi, pas accessible aux chercheurs de l'autre génération… [20]

---

16. Voir pour plus de détails à ce propos : Meïr Avizohar, Isaiah Friedman (eds.), *Réflexions sur le Plan de Partage 1937-1947* (en hébreu), Centre de Promotion du Patrimoine de Ben-Gourion, Kiriat Sdé-Boker 1984.

17. Shlomo Aronson, article figurant dans ce recueil. Pour l'analyse de la polémique et de ses participants, selon le point de vue d'une chercheuse juive et américaine, voir : Laurence J. Silberstein, *The Postzionizm Debates : Knowledge and Power in Israeli Culture*, New York 1999.

18. À ce propos, voir : Éric Hobsbawm, père de la « tradition utopique » et Benedict Anderson, auteur d'un livre au titre ressemblant – *communautés imaginaires* – *réflexions sur les sources du nationalisme et sur son expansion*, Université Ouverte, Tel Aviv 1999. Éric Hobsbawm, *The Invention of Tradition*, Cambridge 1983. Sur les prises de position de Hobsbawm dans ce débat, voir aussi l'article de Shlomo Aronson dans ce recueil.

19. Voir : Uri Bialer, « Nouvelle écriture historique sur la politique étrangère – les cas américain et israélien » (en hébreu), dans : *De la vision à la révision*, p. 219-234.

20. Voir à ce sujet, Ilan Pappé, La nouvelle histoire, 99 : « … Ma principale thèse dans cet article est que le développement de l'historiographie sioniste et israélienne du *yichouv* et du conflit israélo-arabe est très lent et ne suit pas comme il le devrait les évolutions évoquées dans les écrits historiques. De plus, la vague de la nouvelle histoire de 1948, découle surtout de découvertes faites dans des Archives, et pas particulièrement d'une conscience de ce qui est différent, qui serait apparue dans la perception que les historiens ont d'eux-mêmes ni même d'une conscience de l'écoulement du temps… ».

Il se peut aussi que ce phénomène découle d'un fait encore plus trivial, soit qu'une partie de l'historiographie mauvaise et non-professionnelle – à l'époque tout comme aujourd'hui – n'est pas le fruit du travail d'historiens ou de sociologues « anciens », « institutionnels » ou « engagés », mais « seulement » celui d'artistes, d'artisans ou de gens de métier peu doués. Il se peut aussi qu'elle soit, du moins en partie – moins une recherche critique de l'histoire sioniste, qu'un de ses aspects et l'un des produits spirituels lui appartenant. Il s'agit de symptômes professionnels auxquels, comme on le verra, ni ces générations ni les générations à venir, en Israël ou dans le monde, ne peuvent échapper [21].

Un tissu serré et chargé de composantes fondamentales, idéologiques, historiques et méthodologiques apporte des éléments à cet interminable débat public et scientifique. Les mêmes éléments – à différentes doses – alimentent la plupart des articles du présent recueil dont l'essence, comme son nom l'indique, est de donner une réponse ou plus exactement des réponses à un collègue post-sioniste [22].

---

21. Yisrael Bartal, « Les concepts « peuple » et « terre » dans l'historiographie sioniste jusqu'à 1967 » (en hébreu), dans : *De la vision à la révision*, p. 37-49. Voir aussi à ce propos l'article de Yoav Gelber « L'écriture de l'histoire du sionisme : de l'apologie au dénigrement » (en hébreu), *ibid.*, p. 67-87. Gelber passe en revue quatre générations d'écriture sioniste. Selon cette classification, les chercheurs de la première génération n'étaient pas des historiens professionnels, mais des « sionistes qui, vu les circonstances, sont devenus historiens ». Leur écriture était apologétique et était destinée à justifier l'idéologie sioniste et le projet sioniste. Elle s'adressait surtout aux contestataires du sionisme au sein du peuple juif. La deuxième génération, qui œuvra au cours de la première décennie de l'existence de l'État, traita surtout de l'histoire du *yichouv* et non de l'histoire du sionisme. La troisième génération, qui commença à travailler dans les années soixante, fut en fait la première à faire œuvre de véritable recherche et à traiter l'histoire du sionisme de manière scientifique et critique. Cette recherche intègre d'autres disciplines que la seule histoire. Elle use de nouvelles méthodes de recherche, en usage en science politique et en sciences sociales.
La quatrième génération, qui ne commença à travailler que ces dernières années, est celle des « nouveaux » historiens. Pour Gelber, leur prétention selon laquelle, contrairement à la génération précédente devenue l'establishment universitaire, leur écriture est équilibrée et objective, ne repose sur rien. Celle-ci est idéologique et de ce point de vue, ils ont les mêmes défauts que ceux qu'ils accusent. Si la première génération était mobilisée pour promouvoir certains objectifs, la quatrième l'est tout autant. Elle est bel et bien engagée, mais pour un but différent. Alors que l'objectif des premiers était de justifier l'idéologie sioniste, celui des derniers est de la saper et de ce point de vue, il n'y a aucune différence. Dans : l'avant-propos et l'introduction de Yechiam Weitz du recueil d'articles : *De la vision à la révision*, p. 7-29. Voir également l'article de Yoav Gelber dans le présent recueil ainsi que l'article de Israël Kollat, « Sur la recherche et le chercheur de l'histoire du yichouv et du sionisme » (en hébreu), *Cathedra*, 1 (1976), p. 3-35 (sera dorénavant cité : Sur la recherche et le chercheur).

22. Sur l'histoire, considérée comme un tissu, voir : G.P. Maitland, « L'histoire est un tissu d'un seul tenant ». M. Oakeshott : l'événement est tissé et planté dans la continuité de processus, à tel point qu'il est impossible d'isoler un événement de son arrière-fond. Pour plus de précisions, voir : Elazar Weinryb, *Pensée historique – chapitres de philosophie de l'histoire* (en hébreu), Université Ouverte, Tel Aviv 1987, tome I, p. 43.

La structure théorique de la polémique et ses principales composantes

La structure intellectuelle et professionnelle du débat et de la polémique alimentant les pages du présent recueil se compose donc de divers éléments méthodologiques, idéologiques et méthodologiques-idéologiques.

Parmi ceux-ci, une place d'honneur revient à la critique historique du peuple juif en général et du mouvement sioniste à ses débuts, en particulier ; de la conception d'ascendance et de spécificité du judaïsme en tant que religion et du phénomène séparatiste en tant que peuple ; de ce qui a été défini comme un rejet du judaïsme, de tout ce qui se trouve au-delà des hautes murailles du ghetto où il s'est réfugié ; de l'immense écart existant entre ces conceptions et ce qui est représenté en littérature, dans la recherche et dans le débat public comme l'existence de leur vie et son caractère bafoué, sali et dégénéré, dans le marécage de la présence juive de la bourgade primitive d'Europe de l'Est ou de celle de villes ou de villages du Moyen-Orient ou d'Afrique du Nord. C'est une critique du judaïsme, mais aussi du caractère de l'histoire juive, qui selon certains critiques n'est pas du tout une histoire juive, puisque ce ne sont pas les Juifs, mais les gentils qui l'ont faite pour eux, selon les mots que Haïm Hazaz met dans la bouche de Yodke le paysan[23] ; une critique de l'idée selon laquelle le sionisme dans sa totalité est basé sur « la négation de la diaspora », sur une culture de négation et un processus de négation ; sur « le rejet de l'autre » – pour des raisons nationales, religieuses, ethniques ou génériques – et sur son audace à intervenir dans un procédé historique, sans attendre le Messie et même à oser annuler la structure hiérarchique de la société juive, à vouloir « renverser la pyramide » sociale et prétendre créer un nouveau type de Juif[24].

Le développement d'écoles postmodernes en philosophie, en littérature, en art et également de la recherche en sciences humaines et sociales, a grandement influencé les observations, les analyses et les évaluations des conceptions post-sionistes sur la révolution sioniste. Ces opinions ont à leur manière

---

23. Haïm Hazaz dans : « Le sermon » (en hébreu). Voir : Benjamin Harshav, « La révolution juive moderne, lignes de compréhension » (en hébreu), *Alpaïm*, 23 (2002), p. 9-75. Je tiens à remercier mon collègue et ami, Gideon Katz, qui m'a fait prendre connaissance de cet article important. D'autres encore prétendent que l'histoire de toute communauté juive est liée, pour le meilleur et pour le pire, à l'histoire de ses voisins non-juifs, plus qu'à l'histoire d'autres communautés juives éloignées. Ce point de vue s'oppose également à des thèses non-sionistes comme celles d'historiens non-sionistes comme Zvi Graetz, Abraham Geiger et Shimon Dubnov.

24. Voir à ce propos Shmouel Noah Eisenstadt, « Le sionisme a-t-il vraiment été un retour des Juifs à l'histoire ? » (en hébreu), dans : Shmouel Noah Eisenstadt et Moshe Lissak (eds.), *Le sionisme et le retour à l'histoire – réévaluation*, Yad Yitzhak Ben-Zvi, Jérusalem 1999, Introduction.

et par elles-mêmes beaucoup contribué à ranimer le débat sur la philosophie de l'histoire et sur l'historiographie en Israël et l'ont enrichi ; ces idées sont pour la plupart nées en Europe, puis elles ont été importées aux États-Unis. Parmi leurs principaux porte-parole, se trouvent Michel Foucault, Jacques Derrida, Jean-François Lyotard, Éric Hobsbawm et d'autres [25] ; Ces conceptions ont en commun une sorte de révolte contre les idéologies d'ensemble, contre les exigences de détenteurs de telles conceptions d'expliquer tout ce qui se passe dans le monde, selon un seul système, une critique de la religion et du nationalisme, du marxisme, du socialisme et des autres grandes idéologies, de l'historiographie et en fait de tout « supra-narratif » – de tout « meta-narratif » – ou ensemble de principes ou de points de vue fait d'un assemblage de détails et leur imposant sa signification. C'est une sorte d'anarchisme spirituel, brouillant la limite entre l'imaginaire et le réel, entre l'impression et la réalité, qui tend à supprimer tous les critères, qui singularise des phénomènes dans leur particularité, qui insiste sur leur caractère individuel, qui exalte et glorifie le relativisme – et parfois le relativisme barbare – et reconnaît l'indépendance phénoménologique de faits isolés, non soumis à un système de lois [26]. L'essence de ces représentations apparaîtra avec plus ou moins de profondeur et de détails dans les articles de certains auteurs de ce recueil [27]. Une autre clé de voûte relative à l'aspect méthodologique des arguments post-sionistes – dans toute la diversité de leurs représentations et de leurs apparitions – est fournie par l'École des Annales, que ce soit dans ses représentations originales ou dans ses évolutions plus tardives, néo-analystes [28]. Nous allons revenir sur ce point plus loin.

---

25. Jacques Derrida – le chevalier de l'instinct de démantèlement, de la détermination de saper ou de procéder à une « déconstruction » du « discours hégémonique ». Voir également là-dessus : Jacques Derrida, « On Forgiveness », in : *On Cosmopolitanism and Forgiveness,* London and New York 2001. Sur Foucault : Michel Foucault, *Anti-Oedipus : Capitalism and Schizophrenia*, Minneapolis 1998. Sur Lyotard : Benjamin Andrew (éd.), *The Lyotard reader*, New York 1988 ; Jean-François Lyotard, *The Differend – Phrases in Dispute*, Minneapolis 1988. (Pour ces trois ouvrages, il faudrait trouver le titre original en français.)

26. Dan, sur le post-sionisme, *Haaretz* et aussi : Jurgen Habermas, « La modernité, projet non achevé » (traduction : Yaakov Gotshlak), dans : Azmi Bishara (éd.), *Les Lumières – projet non achevé*, Hakibboutz Hameouhad, Tel Aviv 1997, cité dans l'article de Nissim Calderon de ce recueil. Voir la définition de Calderon : Nous avons perdu « le vertige de la grandeur » et gagné « le vertige de la diversité ».

27. Voir à ce sujet les articles de Gadi Taub, Nissim Calderon, Yoav Gelber, Israël Bartal et Shlomo Aronson figurant dans ce livre.

L'affaiblissement du statut de la « vérité » historique

L'écriture historique, au xxᵉ siècle se caractérise par un débat continu sur l'essence de la science historique, sur les instruments de travail de l'historien et sur la question du statut de la vérité par rapport à cette écriture. Un débat semblable existe dans le domaine de la sociologie et les deux irradient sur la place de la vérité dans l'historiographie sioniste et dans celle de la révolution sioniste. Ce sujet est également traité par plusieurs de nos auteurs.

Leopold van Ranke, qui passe pour avoir fait de l'histoire une discipline scientifique, et la question qu'il posa – « que s'est-il passé en vérité » – qui selon sa conception, constitue le noyau de la recherche historique, a été examinée dans le détail et soumise à l'épreuve d'un débat sur l'historiographie.

Certains considèrent l'année 1929 – où Lucien Febvre et Marc Bloch fondèrent en France l'École des Annales – comme une croisée de chemins. D'autres voient dans la création de la revue *The American Historical Review* l'annonce d'une nouvelle vague de l'historiographie mondiale. [29] Cette vague fut appelée *The New History* (la Nouvelle Histoire) et il est possible que l'un des chefs de file de la polémique qui fait l'objet de ce recueil, y puisa le nom qu'il donna à son groupe de pensée – « les nouveaux historiens ».

Tous ceux qui ont participé à un tel débat sur le statut de la « vérité », de « l'objectivité », du « fait », de la faculté de « représenter » la réalité, sont conscients que le statut de « la vérité objective » est plus problématique en histoire et en sociologie qu'il ne l'est dans les sciences exactes ou les sciences de la vie, quoique là aussi il n'échappe pas à la controverse. Il faut dire avant tout que ce débat abrite et oppose deux attitudes principales. Selon l'une, il n'y a aucune chance d'arriver à connaître la vérité et d'ailleurs il n'existe pas

---

28. Dans les années soixante-dix du xxᵉ siècle, s'est formé un nouveau courant « néo-analyste ». Les membres de ce courant commencèrent leur carrière autour de la revue *Past and Present* et ensuite ce courant gagna d'autres revues historiques. Ils s'étaient libérés de la conviction qu'il était possible d'écrire une histoire totale et étaient revenus à traiter d'histoire politique, tout en ayant adopté l'intégration interdisciplinaire de l'histoire et des sciences sociales. Comme leurs prédécesseurs, ils se sont surtout concentrés sur l'histoire sociale. Voir à ce sujet : W.H. Walsh, William H. Dray, Carl L. Becker et Charles A. Beard : W.H. Walsh, *An Introduction to the Laws and Explanation in History*, London 1967 ; William H. Dray, *Philosophy of History, People's History*, in : R. Samuel (éd.), « The politics of Theory », E.P. Thompson ; « What are Historical Facts ? », in : Hans Meyerhoff (éd.), *The Philosophy of History in Our Time*, New York 1959 ; Charles A. Beard, *The Varieties of History*, London 1970, in : Fritz Stern (éd.), « The Nobele Dream » dans : Ilan Pappé, La nouvelle histoire, p. 101-106. Sur le passage des conceptions postmodernes aux États-Unis, voir dans ce recueil, l'article de Gadi Taub.

29. Ainsi par exemple, l'historien Lawrence Stone. Parmi ceux qui traitent de cette question de principe, on compte aussi E.P. Tompson, Fernand Braudel et Éric Hobsbawm. Voir : Ilan Pappé, la nouvelle historiographie, p. 100.

de langage pouvant servir de véritable lien entre les représentations de la vérité, telles qu'elles apparaissent dans la recherche et ce qu'en comprendront les lecteurs en fin de compte. Les détenant de cette opinion se déclarent « relativistes » ou « postmodernes ». Les principes de leur conviction tiennent à la multiplicité des points de vue, à la glorification de la concurrence entre différents critères de jugement, à la mort des grands narratifs et à l'abondance de narratifs, à la quantité de durées historiques et à une obsession continue de suivre la mode, à l'ouverture illimitée de l'interprétation, etc. [30] Pour ceux qui jugent ainsi, les historiens, sociologues, anthropologues ou autres chercheurs en sciences humaines ou sociales devraient reconnaître être incapables de présenter une représentation du passé qui soit « la vérité ». Ils ne peuvent par conséquent, que raconter une histoire partiale ou en adopter une autre qui leur est chère mais tout aussi partiale et ensuite, aborder l'objet de leur recherche avec des instruments en usage dans la recherche littéraire et le monde de la littérature, qui eux aussi éloignent « leur production » de celle dont rêvait Ranke [31].

D'après l'attitude opposée – qui elle non plus n'est pas uniforme – il y a lieu de chercher à savoir ce qui s'est passé et pourquoi, malgré toute la difficulté de la chose. Pour cela, l'historien et le sociologue doivent être conscients des problèmes que posent les témoignages et de leur subjectivité même. Ils doivent comprendre le caractère dialectique de l'observation projetée sur passé. Celle-ci oblige d'une part à tenter de pénétrer l'événement de l'intérieur, de rentrer dans la mêlée des différentes significations d'une même réalité

---

30. Adi Ophir, « Postmodernisme : point de vue philosophique » (en hébreu), dans : Ilan Gur-Zéev (éd.), *L'éducation à l'ère du discours postmoderne*, Magnes, Jérusalem 1986, p. 159, cité dans l'article de Nissim Calderon de ce recueil. Dans l'article de Yoav Gelber de l'ouvrage présent, voir la note sur le relativisme historique précoce et salutaire de Charles A. Beard ou de Raymond Aron, aux années trente et quarante du XXe siècle : Charles A. Beard, « Written History as an Art of Faith », *The American Historical Review*, Vol. 39 (1934), 2, p. 219-231. La question de savoir si tous les postmodernes sont relativistes demanderait une étude approfondie que nous ne pouvons faire ici. Quoi qu'il en soit, il faut insister sur le fait que tous les postmodernes ne sont pas obligatoirement relativistes.

31. Dans Pinchas Ginosar et Avi Bareli (eds.), *Sionisme – débat contemporain*, « Propos des éditeurs », p. III- XIII. Sur l'apport de Ranke à l'historiographie, voir : Akiba Ernst Simon, « La signification de Leopold Ranke pour le développement de l'historiographie » (en hébreu), dans : Shmuel Ettinger, Haïm Hillel Ben-Sasson, N. Zon et A. Fuks (eds.), *Historiens et Écoles historiques*, Société d'Histoire Israélienne, Jérusalem 1963, p. 53-72. sur Ranke, voir également : Elazar Weinryb, *Réflexion historique*, tome I, p. 11-13 ; Il faut noter qu'on présente quelquefois le point de vue de Ranke comme une conception positiviste étroite et naïve, en ignorant ses intentions profondes et le large contexte de ses propos, qui est de tenter d'éclaircir « ce qui est vraiment arrivé ». Tel est l'objectif de sa recherche. C'est un effort méthodique et continu d'arriver à des représentations du passé sans que celles-ci ne soient considérées comme résultant obligatoirement d'un plan d'ensemble visant à réaliser un grand objectif social ou philosophique. Ranke voulait, dans la mesure du possible, revenir au processus d'observation scientifique, dans l'esprit des idées des Lumières, en opposition et en réaction au discours idéaliste romantique allemand (de Fichte, Hegel et d'autres).

et d'autre part, à garder un recul scientifique et à se protéger de l'embrassade exigeante d'une empathie non maîtrisée. Ils doivent essayer de pénétrer le monde des significations de l'autre, sans faire intervenir la teneur de leur propre monde, qui est bien sûr différente et parfois repose sur une autre culture. Ils doivent chercher à isoler leur propre expérience et leur bagage culturel, tant qu'ils risquent de « s'imposer » au monde étudié, de « dominer » la situation où ils se trouvent, leurs douleurs, leurs ambitions, leurs désirs. Ils doivent s'efforcer de voir l'histoire locale et ponctuelle et en même temps, tendre à donner une explication plus large des ordres de la réalité, s'évertuer à arriver à des compréhensions et à des généralisations allant au-delà du cas étudié. Certains vont même jusqu'à recommander de s'appliquer à atteindre une compréhension des « lois » de la nature de la société humaine. L'historien et le sociologue doivent s'efforcer d'expliquer le phénomène étudié par l'examen de ses composantes et leur comparaison à des phénomènes ressemblants, appartenant à d'autres contextes culturels. Tout cela, tout en étant conscient du risque qu'il y a à comparer deux choses différentes, à sortir les choses de leurs contextes et de leurs tissus complexes. Le chercheur doit également savoir que toute interprétation peut mener aux pires erreurs.

Un tel effort oblige aussi à construire des enchaînements causaux dans le film des événements, pour tenter de présenter et d'expliquer comment chaque protagoniste voulut agir dans la représentation de l'événement pour atteindre les objectifs qu'il s'était fixés ainsi que d'autres plus fortuits, les buts définis et ceux qui ne l'étaient pas, les intentions avouées aussi bien que les secrètes avec tout ce que cela implique dans le monde conceptuel qui était le sien. Il s'agit du même effort « constituant », fait des représentations du passé, qui referme toujours une certaine tension entre le monde du commentaire et celui de l'explication. Ce travail doit se baser sur des règles d'éthique professionnelle, obligeant le chercheur à soumettre ses hypothèses premières au jugement des lecteurs, sans les rejeter si elles ne conviennent pas à ses préférences subjectives. De même, le chercheur doit être assez modeste pour avoir conscience en tant que « créateur du texte », de connaître « le mot de la fin », et savoir, contrairement à ceux qui firent les événements, dès la première ligne de son ouvrage, comment ceux-ci s'achèveront. C'est pourquoi, les premières lignes de son histoire sont déjà imprégnées du goût de sa fin et du savoir de l'expérience. En tant qu'auteur, il jouit également de la liberté d'inventer ou de compléter, grâce à quoi il peut remplir de nombreux « trous » dans la continuité des événements. Celle-ci est d'ailleurs aussi basée sur son imagination, sur sa faculté d'interprétation et de jugement, sur ses hypothèses, ses analogies (et sans doute aussi ses intuitions). Tel le spectateur d'un film projeté en *slow motion* à partir de la fin, ce privilège lui est réservé. Il ne le partage pas avec les héros de l'événement qui eux, ont vécu dans l'incertain, sans savoir de quoi le lendemain ou l'instant d'après sera fait. Il faut donc un travail d'analyse, de tressage et d'évaluation demandant une capacité d'entière application, aussi bien sur ce qui est normal que sur ce qui ne l'est qu'à moitié, sur le naturel comme sur le surnaturel, sur ce qui est réaliste comme sur ce qui tient du miracle ou du prodige, avec pour tous, la même mesure d'intérêt, de critique et une totale absence de sentiment de supériorité par rapport à la situation ou à ceux qui la vivent [32].

Cette étude méthodologique traite donc aussi de la question de savoir s'il existe un moyen d'examiner la valeur de la vérité – que celle-ci existe ou qu'elle n'existe pas – telle qu'elle apparaît dans les hypothèses de la recherche, des arguments et des modes d'argumentation, des raisons données, des clés explicatives et des thèses, pouvant servir de structure méthodologique minimale et communément agréée et donc comme base de discussion. Y a-t-il une aune acceptable par tous, à laquelle se référer pour préférer ceci ou cela, ceux-ci ou ceux-là ou au contraire, une telle éventualité n'existe pas, puisque tout est relatif, et que « tout est bon » [33]. Y a-t-il une quelconque base pratique et méthodologique commune, pour la discussion qui se tient ou est-on en présence de deux gerbes d'idées évoluant l'une à côté de l'autre en lignes parallèles ? Ces questions apparaissent, comme on pourra le constater, dans plusieurs articles de ce recueil.

Les détracteurs de la critique post-sioniste insistent sur le fait que l'écriture de leurs collègues se désignant eux-mêmes comme des historiens ou des sociologues « post-sionistes » ou « nouveaux », est entachée de tous les maux dérivant selon eux des conceptions postmodernes. Au lieu de se mesurer à la problématique inhérente à l'examen des faits et à la subjectivité des témoignages, en l'absence de toute perspective de temps, quand on est proche dans le temps et l'espace de la source de la tempête – les postmodernes, et à leur suite les post-sionistes, ont choisi de renoncer au statut des « faits ». Ils ont choisi d'accepter n'importe quel témoignage, d'exalter tout narratif et de désigner cela dans un jargon professionnel soi-disant élogieux et non-obligeant comme une « multiplicité de points de vue ». Leur ouverture infinie à l'œuvre d'explication, l'établissement d'une concurrence entre différents critères de jugement, la liquidation du cadre d'ensemble, l'abondance de durées de temps historique et leur obsession continue de suivre la tendance à la mode – tout cela enlève toute base à l'examen de ce qui est « juste », « louable », « impropre », ou « blâmable » et en fait, supprime toute base méthodologique permettant un examen et une quantification ayant quelconque validité. En

---

32. Sur la « constitution » du passé, voir Weinryb, *ibid.* tome I, chapitre 9, p. 349-359.
33. Ernest Gellner, « Tout est bon » (en hébreu), dans : *Le sionisme, débat contemporain*, p. 116-125.

effet, leur écriture rayonne de la « compréhension d'après coup », de la domination de leur expérience personnelle et de leur bagage culturel sur le monde des personnes et de la situation qu'ils étudient. Tout cela, dans un mépris absolu de la situation historique et des héros de l'époque. Cette arrogance est aussi basée – et comment ne le serait-elle pas ? – sur la connaissance de ce qui se passa en fin de processus et des conséquences des décisions prises. Il s'agit d'une analyse et d'une écriture venant d'un point de vue où tout est clair, où il existe déjà une souveraineté et un État, un foyer et une armée. Les gens de l'époque avaient tracé leur chemin vers l'avenir, dans l'incertitude, dans une expérience première et embryonnaire où ces éléments n'existaient pas. Ils ont pris des décisions « en temps réel », n'avaient accumulé aucune expérience et ne pouvaient avoir l'intelligence et la compréhension qu'on acquiert avec celle-ci.

Les adversaires de l'attitude rankienne « positiviste », se moquent de ceux qui prétendent définir ce domaine du savoir qu'est l'histoire – comme une science. Ils reconnaissent bien que ce domaine de savoir s'est professionnalisé ces deux derniers siècles, mais l'ambition rankienne d'atteindre « ce qui est en fait arrivé », est à leurs yeux naïve et romantique et n'est au mieux qu'un « noble rêve », un désir anachronique et impossible [34]. Il n'y a pas « d'histoire » – il y a « des historiens », qui sont tous, eux et leurs œuvres, le reflet du paysage de leur patrie, de leur éducation et de leur époque [35]. Il n'y a pas de « vérité », il y a « des vérités » ; il n'y a pas de « narratif », il y a « des narratifs » ; il n'y a pas de « passé », il y a des représentations de celui-ci. Tout, absolument tout, est relatif. Les signes que le passé a laissés – et qui peut prétendre que les chercheurs trouvent forcément *tous* ces signes ? – ne suffisent pas pour constituer une base digne de ce nom, pour remémorer la plénitude, la diversité, l'ensemble et la complexité qui existait dans le passé et il serait bon, souhaitable et même nécessaire de le reconnaître.

La meilleure historiographie positiviste était narrative et se basait sur un important matériel d'archives. L'historien examinait la véracité de ses sources, filtrait les informations qui lui étaient nécessaires et présentait une synthèse

---

34.   Sur Ranke, voir : Weinryb, *ibid.*, tome I, p. 11-13 ; Sur Carr, *ibid.*, tome I, p. 4. L'historien E.H. Carr se gausse tant de la prétention à l'objectivité que du rapport presque religieux aux documents. Carr ne discute pas la précision de ces travaux mais ajoute : « Celui qui félicite l'historien pour la précision de son travail, ressemble à celui qui louerait un architecte qui aurait utilisé des poutres parfaitement travaillées ou du ciment bien mélangé ». Pappé, la nouvelle histoire, p. 100-101. Sur « le noble rêve », voir les historiens Carl Becker et Charles Beard, chez Pappé, *ibid.*

35.   À ce propos, voir ce que dit le philosophe italien Benedetto Croce, Carr, Nietzsche, Marx, Heidegger et d'autres, par exemple chez Elazar Weinryb, *Compréhension historique*, vol. I, p. 285, 4, 352, dans l'ordre et également l'interview de Ilan Pappé avec Yona Hadari-Ramage (en hébreu), *Yediot Aharonot, Supplément littéraire*, 27 août 1993.

du matériel, en s'efforçant au maximum de taire ses opinions sur les événements. Là-dessus, même leurs adversaires sont d'accord. Cependant, selon leurs opposants, cette école, avait en général tendance à se replier et à se limiter aux domaines de l'histoire politique et diplomatique, aux cours des rois, des dirigeants ou des gouvernements, alors que l'objet de la recherche de l'historien doit être l'expérience humaine tout entière. Son histoire doit être totale. Il doit se garder de se concentrer sur les « grands » événements politiques, sur les hauts faits des dirigeants et des élites. A lui de traiter aussi des « simples pions », de l'histoire de la souffrance et de sa guérison, de la folie et des rêves, de l'évolution des cultes, des cérémonies et des coutumes, de la nourriture, des prostituées et des tombes, de la vie quotidienne de toutes les couches de la société, même des plus humbles, bref, de tout ce qui est humain [36]. Et en l'occurrence pour ce qui nous concerne, non seulement de l'histoire des élites sionistes, des forts et des vainqueurs, mais aussi de l'histoire et de la souffrance des « autres », de ceux qui ont survécu à la Shoah et qui ont été mobilisés pour la guerre, des habitants des campements provisoires [*maabarot*], des Orientaux qui se sont vus relégués dans des villages perdus, dans des régions frontalières, des femmes au foyer, des Palestiniens, bref de tous ceux qui jusqu'à présent, comme l'affirment nombre de post-sionistes, sont restés des inconnus et dont on ne se souvient pas [37].

Traiter de ces sujets oblige l'historien à constamment perfectionner et adapter les outils dont il se sert, à en inclure d'autres, en usage dans le domaine de la littérature ou des sciences politiques, de la sociologie et de l'anthropologie, de la psychologie et de la psychologie sociale, à se servir également d'instruments et de méthodes de recherche quantificateurs. A lui d'élargir la définition d'une source première au-delà de ce qui se trouve dans les archives, pour y inclure aussi des films et des pièces de théâtre, la littérature et la musique, des produits durables, l'habillement et en fait, tout. Toutefois, objec-

---

36. Voir par exemple à ce propos : Emmanuel Le-Roy Ladurie, *Le carnaval de Romans,* Paitiers 1979 et également : Michel Foucault, *Histoire de la folie à l'ère de la Raison (?)*

37. Voir à ce propos : Ilan Pappé, La nouvelle histoire, p. 103. Selon lui, l'historiographie israélienne est l'histoire des vainqueurs. D'éminents historiens sionistes comme David Vital (« Histoire des sionistes et histoire des Juifs » (en hébreu), *Hatsionout*, VII (1982), p. 9-49) et Israël Kollat (Sur la recherche et le chercheur, *ibid.*) ont selon lui, adopté une telle attitude. De même le positivisme historique et la conception de l'histoire des vainqueurs ont été mobilisés pour servir d'instruments scientifiques afin de construire un narratif sioniste et démontrer la légitimité du sionisme. Il faut ajouter qu'il est clair qu'entre l'historiographie positiviste et l'historiographie post-sioniste, il existe d'autres courants, mais leur développement dépasse ce qu'il est possible d'exposer dans cette introduction ; Nous nous sommes focalisés sur ces deux extrêmes parce qu'ils servent les débatteurs des deux camps. Sur la question du statut des femmes dans l'État d'Israël, voir entre autres, Sylvia Fogel-Bijoy, « Femmes et citoyennes en Israël, analyse d'une réduction au silence » (en hébreu), *Politique – Revue de Science politique et de relations internationales*, I (1998), p. 47-71.

teront les plus prudents parmi les détenteurs de cette conception, il doit se garder de sortir d'un terrain, d'une discipline, sans parvenir à atteindre une autre terre promise [38].

L'écriture d'une histoire prétendant être une histoire totale, écrivent les post-sionistes, proposerait au moins un narratif – ou peut-être des narratifs – formant une mosaïque plus riche, plus distincte et donc de là plus précise et plus professionnelle. Un tableau aux composantes plus fines ayant plus de nuances et donc par là une image plus honnête et plus juste que celle qui nous a été donnée jusqu'ici par l'historiographie sioniste « institutionnalisée ». Le supra-narratif sioniste, s'accordent-ils à dire, a dans le meilleur des cas, proposé l'histoire des vainqueurs, des puissants, de ceux qui en fait est celle de ceux qui l'écrivirent. Par conséquent, qu'y a-t-il d'étonnant à ce qu'il ait produit une histoire qui ne reflète aucunement celle des « autres » ?

La langue comme agent de liaison

Une autre question de ce débat, elle aussi d'ordre méthodologique, est liée à un autre outil essentiel que l'historien – et en fait tout chercheur en sciences humaines ou sociales – utilise pour mettre au monde les fruits de ses recherches minutieuses, encore « enfermées » dans son cerveau et les « offrir » à ses lecteurs. Même le produit de recherche le plus proche de l'idéal rankien, soit le récit de ce qui s'est « vraiment » passé, doit être livré au public par le biais de la langue et de moyens littéraires pour « améliorer » ses chances « de distribution ». Cet intermédiaire a également de quoi éloigner la représentation du passé, du passé lui-même. Qui a survécu à Foucault et à son attaque de la « vérité » – selon laquelle « la vérité est un produit de ce monde » et n'est donc ni transcendante ni absolue, étant la résultante de rapports de force et de régimes de discours – ou au philosophe américain Richard Rorty – pour qui la vérité est la reconnaissance d'un credo qui nous plaît et une sorte de label

---

38. Sur les méthodes quantitatives, voir par exemple les publications de la AHC (Association of History and Computing). Avec sa guerre contre « la vérité », Michel Foucault apporta une contribution de marque au courant postmoderne. Quiconque ayant ressenti une quelconque insatisfaction par rapport au statut du « fait » ou de la « vérité » dans ce domaine, pouvait se référer à Foucault. La violente attaque de Foucault contre la « vérité », son argument sur la relativité de la « vérité », sa reconnaissance de l'existence de plusieurs sortes de vérité, d'une « vérité » de chaque partie, de chaque groupe, ont constitué un terrain favorable pour tous ceux qui ne se sentaient pas à l'aise dans leur « vérité ». Pour une critique de Foucault, voir le livre de Habermas, *The Philosophical Discourse of Modernity*, Cambridge 1987. Sur l'importation de ces arguments dans le débat israélien, voir les articles de Gadi Taub, Nissim Calderon, Avi Bareli, Ophir Haivry, Shlomo Aronson, Moshe Lissak et Yoav Gelber, de ce recueil. Voir plus particulièrement la distinction établie par Gelber entre la « recherche interdisciplinaire » et la « sur-discipline ».

d'évaluation accordé par le public – qui est parvenu à s'habituer à la conception pragmatique selon laquelle toute « vérité » ne fonctionne que dans un contexte donné et a également accepté les conceptions d'autres relativistes[39], se trouve maintenant pris dans un nouveau combat, face à des chercheurs comme Hayden White et d'autres, partageant ses vues. De toute manière, l'historien, qu'il en soit ou non conscient, se trouve devant une double tâche. Il se doit d'être fidèle à ses données et en même temps, de remplir son devoir envers ses lecteurs. Et ces derniers ne sont en général pas prêts à se contenter d'un rapport sec et stérile sur ce qui s'est passé, mais désirent être emmenés et guidés dans ce voyage, par un historien capable pour eux de faire « revivre » ce passé.

Pour ce faire, l'historien utilise un ensemble de stratagèmes littéraires. Tel un dramaturge ou un metteur en scène, il crée un monde, imagine des réalités, crée une intrigue et même s'il fait preuve d'une grande circonspection, il peut très bien – et c'est ce qu'il fait la plupart du temps – franchir la frontière entre l'imaginaire et la réalité[40]. Et ce n'est pas tout ! Comme on l'a déjà dit, qu'il en soit ou non conscient, il utilise des structures d'écriture empruntées au monde de la littérature et du théâtre, comme la tragédie ou la farce, la parodie ou la comédie. Il définit les héros, construit leur personnage et les habille ou les déguise. Il crée une tragédie, définit la scène, ses limites et ses niveaux et construit les décors. Il divise la pièce en actes qu'il sépare par des entractes dont il fixe la durée, etc.[41] Il n'hésitera pas non plus à insuffler vie ou répandre l'ennui – selon les besoins de l'intrigue – à l'objet de son étude. Ainsi, il présentera les choses par ordre chronologique ou au contraire brisera cet ordre, fera des retours en arrière, réduira ou s'étendra sur un temps, accélérera l'action ou la freinera, se taira, procédera par allusion ou explicitera ; il écrira correctement, sèchement ou fonctionnellement ou usera d'un langage populaire, riche, provocateur ou pittoresque.

---

39. Voir à ce propos les articles de Gadi Taub, Nissim Calderon, Yoav Gelber et Avi Bareli de ce recueil.
40. Parmi ceux qui mettent le plus en garde contre ce danger, voir C.V. Langlois et C. Seignobos, dans : Weinryb, *Pensée historique*, tome I, p. 392. Voir également à ce sujet les distinctions de Hayden White et William Walsch chez Weinryb, *ibid.*, tome I, p. 402-405 et p. 391, dans cet ordre. Voir aussi l'article de Yoav Gelber dans ce recueil présent. D'après lui, l'application en historiographie de la théorie du savoir et du pouvoir de Michel Foucault, sert surtout aux historiens postmodernes à expliquer leur peu d'enthousiasme à faire l'effort nécessaire pour s'approcher de la vérité en neutralisant l'influence subjective du pouvoir sur celle-ci. En appliquant sa théorie, les adeptes les moins astucieux de Foucault, sont allés bien au-delà de ce que Foucault lui-même pensait. Voir : Michel Foucault, « Truth and Power », in : Paul Rabinow (éd.), *The Foucault Reader*, New York 1984, p. 51-75.
41. La division en actes reflète la périodisation (ou division de l'histoire en périodes) que fait l'historien et dont le foyer est un événement formateur. Un tel événement est par essence défini comme tel, du fait de la conception de l'historien. Voir à ce propos, la « périodisation sioniste » des vagues d'immigrations [*alyiot*] successives, dans l'article de Moshe Lissak de ce recueil.

Il écrira dans un style personnel homogène ou usera de styles et de niveaux différents. Les considérant comme des entraves pédantes, il fera fi des frontières pointilleuses entre le fictif et le réel et se permettra d'inventer de toutes pièces différentes réalités – pour des besoins de comparaison, de distanciation, de perspective ou pour tout autre but théorique ou artistique. De même, il se placera lui-même dans le décor ou se retirera dans les coulisses. De toute manière, nous dit-on, l'historien ne veille pas moins consciencieusement que l'auteur de romans, à aiguiser son style, parce qu'il sait parfaitement qu'aucun contenu historique, tout passionnant soit-il, ne sera lu, s'il n'est pas écrit de main de maître. En manquant à ce devoir, il risque d'endurer la critique sarcastique de Barbara Tuchman pour qui « le vrai savant doit choisir une vérité, qu'il est préférable de présenter si laidement, au point que personne ne pourra douter de sa virginité »[42]…

Il est superflu de noter, ajoutent les adeptes de cette pensée, que tout cela brouille et rend encore plus floues, les lignes de démarcation entre ce qu'on peut appeler la réalité et ce qui n'est que fictif. Cela est d'autant plus vrai pour ce qui concerne les principales questions, forcément chargées, de l'histoire du projet sioniste. Pour s'en convaincre, il suffira au lecteur de gratter quelque peu la couche de poussière recouvrant son histoire personnelle ou familiale, et de plonger dans la grande épopée des Lumières et de l'émancipation, d'idéologies ayant agité le monde, de la montée et du déclin de régimes, de révolutions mondiales, de migrations, de guerres mondiales et de la Shoah. Une simple lecture des objets de cette polémique met en évidence l'importance de la question de la terminologie, du point de vue de son chargement émotionnel, des valeurs transmises, de son aspect didactique – tant pour les partisans de la thèse présentée que pour leurs adversaires. Sur la question de la présence de l'historien ou de son éloignement dans le récit, de la fine membrane existant entre le théâtral et le réaliste, de ce qu'il y a de théâtral dans la réalité, de la grande tentation pour des chercheurs, d'être comme le héros du film *La rose pourpre du Caire*, à la fois sur scène et dans le public, d'occuper la place tant du metteur en scène que du scénariste…

---

42. Barbara Tuchman, dans : Weinryb, *Pensée historique*, tome I, p. 392. Voir également Hayden White, pour qui « l'histoire s'écrit toujours comme si elle prenait part à une compétition entre différents agencements poétiques, se mesurant l'un à l'autre ». « Le texte historique en tant que produit littéraire », dans : Weinryb, *ibid.*, tome II, p. 305-332. Et aussi Assaf Inbari, « Vers une littérature hébraïque » (en hébreu), *Tehelet – revue de pensée israélienne*, 9 (2000), p. 35-81.

La « mémoire » et la nostalgie ne sont plus
ce qu'elles étaient…

Parallèlement aux conceptions tendant à ébranler la valeur de « la vérité » dans les domaines essentiels du savoir, existent aussi des entendements, résultant de l'étude de la mémoire collective. Ces derniers irradient sur le rapport à l'histoire en tant que domaine du savoir et de là sur la polémique qui nous occupe. Le point de vue selon lequel même la mémoire et la nostalgie « ne sont plus ce qu'elles étaient… », rejoint l'argument des critiques du sionisme selon lequel « la mémoire collective » fut un sournois instrument politique qui servit à perpétuer l'hégémonie des élites, à exalter les solides hiérarchies et à éloigner tous ceux qui doutaient de tout cela. Selon cette conception, « la mémoire collective » sioniste servit de plate-forme à une agressive « politique des identités »[43]. Avec celle-ci apparut la définition de « l'autre », de celui qui est exclu et qu'on doit éloigner. Comme nous le verrons plus loin, ce ton accompagne également les arguments postmodernes pour ce qui est de la place du nationalisme dans la mémoire collective et l'identité israélienne.

Il s'agit là d'un élément important remontant aux racines de cette polémique, du fait de la place de « la mémoire collective » dans la formation de cette nouvelle identité, dont il est inutile de rappeler qu'elle constituait l'un des objectifs principaux du projet sioniste. Le désir de créer un nouveau Juif – et ce point est consensuel – incluait également l'impératif de lui créer non seulement un nouvel avenir, mais aussi un passé « adéquat ». Sur arrière-fond des Lumières, de l'émancipation et des processus centrifuges et centripètes qui suivirent[44], des développements de laïcisation qui touchèrent la plus grande partie du peuple juif, il était naturel qu'il y ait également des

---

43. Voir l'introduction de Yehouda Shenhav à *Théorie et critique* (en hébreu), 19 (2001), Préface : L'identité dans une société postmoderne. Et aussi : Yehouda Shenhav (éd.), *Les Orientaux en Israël* (en hébreu), Hakibboutz Hameouhad, Institut Van Leer, Tel Aviv 2002.
44. Il s'agit des processus de réaction à ce qui fut perçu par une partie de l'opinion juive comme une occasion extraordinaire pour les Juifs de s'intégrer dans la société environnante générale, sous condition de renoncer à certaines composantes de leur identité – principalement la composante nationale et certains aspects de la religion. Il s'agissait d'un renoncement qui produisit un éventail d'identités « d'allemands/de français, etc. de religion mosaïque », de Juifs libres, réformés, conservateurs etc. Tel est le côté centrifuge du processus, soit un éloignement par rapport au centre, de l'identité authentique.
    D'autres Juifs virent dans ces mêmes conditions se trouvant à la base de l'émancipation – soit changer l'identité première du Juif – une grande menace. Ce qui les amena à plus de repliement sur eux-mêmes, à aiguiser les différents éléments de l'identité juive et plus particulièrement sa dimension religieuse. Ceci est le processus centripète de repliement vers le noyau, vers le centre – processus qui caractérise certains cercles ultra-orthodoxes extrémistes, qui même aux yeux de Juifs religieux plus modérés semble un effort pour s'accrocher de force à quelque chose, en mettant l'accent sur des éléments ésotériques du mode de vie juif.

changements dans la façon de conserver la mémoire collective et ses différentes essences. Les vagues d'immigration vers Israël, les nouveaux points
de vue découlant des changements de l'environnement géographique et des
évolutions mentales et culturelles, influèrent non seulement la conception
de l'avenir, mais aussi la question de savoir quel serait le tissu de significations dans lequel sera reléguée la mémoire du passé. À mesure que grandit
le besoin de se couper de l'identité précédente, se renforça aussi celui de
créer une nouvelle mémoire.

Le sionisme aspirait à fomenter une révolution sur plusieurs niveaux,
notamment pour ce qui est du rapport des Juifs à la mémoire du passé. Pour
de nombreux dirigeants, le «Livre de prières» [le *Sidour*], l'injonction de
«se souvenir» [*Zahor*], les cérémonies et les coutumes religieuses, ne
pouvaient plus servir «d'océan essentiel de mémoire»[45], selon l'expression
de Pierre Nora[46]. À leur place vient la rencontre directe du peuple en formation avec la terre historique, sur laquelle s'est constituée cette mémoire antique
et se sont formées et renforcées ses différentes formes. Un intérêt profond
pour l'archéologie, des programmes scolaires, des cérémonies de commémoration, des fêtes ayant un sens nouveau et surtout des excursions et des
randonnées dans le pays ont remplacé la religion en tant qu'élément constituant et préservateur de la mémoire. «La terre d'Israël a cessé d'être une
mémoire de paysage et est devenue le paysage d'une mémoire», pour employer
les termes de Bar-On[47]. La normalisation que voulait apporter le sionisme
au peuple a exigé de libérer des espaces spirituels pour des choses appartenant au monde de la réalité, pour des valeurs et des associations universelles,
pour des événements récents influençant directement le monde présent, sous

---

45. Il faut cependant rappeler que dans les premières localités créées par les pionniers, on construisit
une synagogue au centre de l'agglomération et s'il y avait une colline, sur le point culminant – signe
et preuve signalant quel était le lieu central pour l'identité et l'expérience des habitants, bien que
pour la plupart, ceux-ci n'étaient pas des Juifs pratiquants. Aujourd'hui, dans de nombreux quartiers, le foyer est le centre commercial et dans d'autres endroits où se tient une activité culturelle,
un centre communautaire côtoie le centre commercial…

46. Voir : Pierre Nora, «Entre la mémoire et l'histoire – les lieux de mémoire», *Représentation*, 26,
Printemps 1989, p. 7 (ci-après dénommé : Nora, 1989). Michael Feige, *Un espace, deux lieux, Gouch
Emounim, la Paix maintenant et la construction d'un espace israélien* (en hébreu), Magnes, Jérusalem
2002, p. 22-35 (ci-après dénommé : Feige, Un espace, deux lieux) ; et également : Mordehaï Bar-
On, *Frontières fumantes* (en hébreu), Yad Yitsak Ben-Zvi, Centre de Promotion du Patrimoine de
Ben-Gourion et les Éditions de l'université Ben-Gourion, Jérusalem, Sdé-Boker 2001, p. 21-22. Voir
également sur le sujet : David Lowenthal, «Past time Present Place, Landscape and Memory», *The
Geographical Review*, 65 (1975), 2, p. 28.

47. Dernièrement, Mordehaï Bar-On, dans son introduction au livre *Frontières fumantes*, p. 9-17 et
quelques articles de l'ouvrage. Également : David Ohana, *Le mythe de la mémoire* (en hébreu),
«Introduction : Présence des mythes dans le judaïsme, le sionisme et l'israéliennité», p. 11-37, *ibid.* ;
Michael Feige, Un espace, deux lieux, *ibid.*

tous ses aspects et ses liens complexes. Le sionisme laïc avait proposé au « nouveau Juif » de nouveaux principes d'organisation pour son identité collective et bien sûr également pour sa mémoire collective [48]. La question qui se pose maintenant avec acuité à la société israélienne et aux post-sionistes, est la suivante : qu'est-ce qui appartient à cette mémoire collective et qu'est-ce qui en est exclu ?

La mémoire collective est un élément essentiel de l'identité personnelle ainsi que de l'identité collective. Sur ce point également, l'accord est pratiquement unanime. En effet, dans la mémoire collective est en général consigné le point de départ de la formation du peuple. Chez les Romains, l'histoire débute avec « la fondation de la ville » (Rome) sur les sept collines surplombant le Tibre. Les Américains se réfèrent au « Mayflower ». Dans d'autres cultures, on va même au-delà d'une mémoire basée sur une expérience humaine. Il en va ainsi, par exemple chez les Juifs. Cette mémoire est en elle-même constituante, elle définit les frontières du groupe, de la tribu, du peuple et à l'inverse définit aussi qui n'appartient pas à ceux-là. La mémoire alimente donc l'identité, puisque celle-ci fixe l'objet de la mémoire tandis que la mémoire fournit à l'identité des essences et des orientations [49]. Nous sommes donc en face d'un cercle vicieux et c'est là le drame. Quand l'identité est conflictuelle et minée, son rayonnement sur la mémoire l'est aussi. Et quand la mémoire collective – et surtout le tissu de principes lui donnant sa signification – est mis en question ou se fracasse en mille éclats, l'identité elle aussi se fend ou s'effrite et réciproquement. C'est ce qui ressort des propos des locuteurs de ce recueil, la polémique dont nous traitons n'étant pas seulement un débat sur l'historiographie sioniste, mais aussi sur « la mémoire collective » de la société israélienne en tant qu'élément essentiel de son identité fêlée [50].

Le rejet et l'éclatement du « supra-narratif », qui reflétait une disponibilité à considérer le passé dans un esprit de communion, dissipèrent évidemment aussi ce qu'on définit par la « mémoire collective » ou « mémoire d'ensemble », dans toute la complexité que peuvent revêtir ces termes. À mesure que s'ébranlait le consensus sur le présent et sur l'avenir, l'entente sur l'histoire et évidemment sur « la mémoire collective » fut, elle aussi atteinte. Cette

---

48. Bar-On, *ibid.*, p. 41-42, ainsi que : Ohana, *ibid.*, et Feige, *ibid.* Voir aussi : Yehouda Shenhav, « Espace, terre et home : sur le processus de normalisation du « nouveau discours » (en hébreu), *Théorie et critique*, 16 (2001), p. 3-12.

49. Bar-On, *ibid.* ; Ohana, *ibid.* et Feige, *ibid.* Voir également : Barry Shwartz, « The Social Context of Commemoration : A Study of Collective Memory », *Social Forces,* vol. 61 (1982), 2, p. 374-402.

50. Voir à ce propos les articles de Mordehaï Bar-On dans un recueil paru il y a peu où on trouvera aussi : « Se souvenir et rappeler - mémoire collective, communautés de mémoire et patrimoine » (en hébreu), dans : *Frontières fumantes*, p. 21-26. Voir aussi les articles de Yoav Gelber et Nissim Calderon de ce recueil.

concorde était si compromise, que quelques chercheurs post-sionistes, à la suite de Éric Hobsbawm, de Michel Foucault, du philosophe marxiste italien Antonio Gramsci et d'autres, ont non seulement affirmé qu'une telle « mémoire » n'existait pas, ce qu'il y avait n'étant qu'une mémoire et une tradition inventées, mais ils penchaient même à voir les racines de cette mémoire dans l'action manipulatrice et l'utilisation intéressée et utilitaire du gouvernement et des élites sionistes qui auraient pétri et façonné le passé pour établir une légitimité, préserver leur statut dans le présent et assurer sa continuité à l'avenir. C'était là l'un des moyens utilisés pour assurer un noyau de formation, unifiant la communauté autour de l'ordre établi. L'histoire « n'est pas ce qu'a réellement conservé la mémoire populaire, mais ce qu'ont choisi, écrit, dessiné, répandu et institutionnalisé ceux dont c'était le rôle ». [51] Si la religion, selon le point de vue marxiste et voisin, avait été « l'opium » du peuple, vient maintenant le tour de « la mémoire collective », devenue pour les post-sionistes, une nouvelle sorte de drogue apaisante. Il n'y a qu'un pas, qui n'est pas très difficile à franchir, de Hobsbawm et ses semblables aux utilisations locales apparaissant dans notre polémique. En résumé il s'agit de la thèse affirmant que les forces hégémoniques de la société sioniste – les « WASP » israéliens [52] ou les *Ahouselim*, selon le sigle hébraïque de la définition de Baruch Kimmerling [53] – se sont approprié le monopole de choisir les héros et les événements, les sites et les paysages qui servirent de modèle et d'exemple à la formation de la société, conformément à ce qu'elles désiraient et pour obtenir une conduite sociale appropriée. Les œuvres de commémoration publiques, le choix d'une version du passé tirée de la réserve des « faits historiques », découlent d'un système soumis à des directives idéologiques et morales, sionistes bien entendu. Trumpeldor et le corps de garde « *Hachomer* », Hanna Szenes, et Mordehaï Anielewicz, « Elik venant de la mer »[54], Bab-el-oued, ainsi que d'autres motifs de chansons populaires de l'époque héroïque du *Palmah*, furent sélectionnés et servirent de modèles.

---

51. Voir : Éric Hobsbawm, « Inventing Tradition : Introduction » in : E. Hobsbawm and T. Ranger (eds.), *The Invention of Tradition*, p. 12-13. Voir aussi l'article détaillé sur les développements en Europe à la charnière entre les XIXe et XXe siècles, où Hobsbawm compare de manière passionnante, la « production de masse de traditions nationales » en France et en Allemagne : Hobsbawm, « Mass-Productiong Traditions : Europe 1870-1914 », *ibid.*, p. 263-308, cité par Bar-On dans *Frontières fumantes*, p. 27. Voir également : Feige, *ibid.* ; Ohana, *ibid.*

52. White, Ashkenazi, Sabra, Protectionist, se greffant sur l'appellation américaine White, Anglo-Saxon, Protestant.

53. Ashkénazes, laïcs, vétérans, socialistes, libéraux – Baruch Kimmerling, *Fin de l'hégémonie ashkénaze* (en hébreu) [le titre hébraïque est : fin de l'hégémonie des *Ahouselim*], Keter, Jérusalem, 2001.

54. Elik est le héros d'un célèbre livre de Moshé Shamir, « Epoques de la vie d'Elik », qui symbolise l'idéal du jeune sabra, courageux, beau, moral, altruiste, etc. Ce livre commence par les mots : « Elik vient de la mer », N.D.T.

Ceux qui ne les acceptèrent pas, furent écartés du cercle de ceux qui forment la mémoire collective et sont formés par elle. Ce sont également les puissants et les vainqueurs, qui ont élaboré l'histoire et « la mémoire collective » qui est sa corollaire[55].

L'étude de « la mémoire collective », ces dernières décennies, est devenue très répandue parmi les historiens, les anthropologues, les sociologues et les psychologues[56]. On y voit en général un phénomène social et on insiste sur le tissu social et sur l'étendue de significations, d'orientations et de discours lui donnant une signification. La mémoire collective se forme et se développe aussi d'elle-même, à partir de l'océan d'expériences personnelles des individus vivant dans une société, de ce que les gens tiennent de deuxième ou de troisième source et de toute une série de « lieux de mémoire », selon la définition de Pierre Nora[57]. Parmi ces lieux, il y a des sites géographiques, des édifices historiques, des lieux de bataille, des objets et des accessoires, des événements, des cérémonies et des jours de fête ou de commémoration. Tous sont d'avance destinés à établir la mémoire collective et à la préserver dans le discours public[58]. Pour que « la mémoire collective » perdure en tant que phénomène social, elle doit se greffer et s'implanter dans la conscience d'individus – mais elle ne dépend pas obligatoirement de la manière dont ces mêmes individus s'en « souviennent ». « La mémoire » se forme et existe dans le paysage, la littérature, les médias et le discours courant. Elle a une existence autonome sur le plan collectif. Elle est présente dans la société de la même manière qu'y existent des institutions et des croyances. La mémoire collective purifie le passé et le façonne en icônes identitaires. Cette identité relie les gens de cette société à ceux qui les ont précédés et à la promesse de ceux qui viendront après eux. Le souvenir communautaire les définit et apporte encore un élément supplémentaire à « la mémoire collective ». En même temps, il les caractérise, les singularise et définit tous ceux qui n'appartien-

---

55. Bar-On, *ibid.*, p. 29 : Selon Gramsci, le tableau est plus complexe, étant donné que l'hégémonie du discours public en régimes démocratiques se forme sur fond de luttes et de controverses qui représentent pour elle des défis et limitent sa capacité à entraîner l'ensemble du mouvement sans résistance. La mémoire collective se construit selon un processus complexe de différentes forces sociales et idéologiques, souvent contradictoires. Ceci, même quand l'establishment est d'avance agréé à déterminer le résultat final. Voir aussi : Michael Feige, Un espace, deux lieux, chapitre II et Ohana, Mythe et mémoire, Introduction, *ibid.*

56. Voir aussi là dessus le numéro spécial de *History and Memory*, Vol. 7 (1995), I Special Issue : Israel Historiography Revisited.

57. Les principales nouveautés théoriques dans ce domaine de recherche viennent de l'école du psychologue anglais F.C. Bartelett et du sociologue Maurice Halbwacs et de l'historien français Pierre Nora. Voir : Bar-On, *Frontières fumantes*.

58. Bar-On, *ibid.*, p. 23. Et également : Maoz Azaryahu, *Cultes d'État*, Centre de Promotion du Patrimoine de Ben-Gourion et les Éditions de l'université Ben-Gourion, Kiriat Sdé-Boker 1995, Introduction, p. 1-15.

nent pas à cette société comme « les autres »[59]. Il y a là à nouveau source de controverses – existant également au sein de l'expérience israélienne – entre ceux qui y « appartiennent » et ceux qui y sont « étrangers ».

De là, il apparaît clairement que le souvenir collectif est un concept friable qui est façonné et irradié par ces mêmes forces sociales agissant au sein de la société. Quand celles-ci ne parviennent plus à élaborer une image unique du présent et de l'avenir, elles fissurent aussi l'image du souvenir collectif du passé et vont même jusqu'à l'effriter. Celle-ci vit et est répandue uniquement parce qu'elle est taillée, simple, que c'est un cliché et un stéréotype, comme des « coquillages vides restés sur la plage après que le souvenir s'en soit retiré », selon l'évocation poétique de Nora[60].

Si les souvenirs personnels sont des sortes de narratifs et « la mémoire communautaire », une sorte de supra-narratif qui forme les narratifs particuliers et leur fixe une place dans le débat public et dans le cadre des idéologies en vogue dans l'opinion publique, les conceptions postmodernes – et à leur suite également de nombreuses vues post-sionistes – démolissent ces structures pseudo-uniques. De même qu'il n'existe pas de narratif unique, mais des narratifs, il n'y a pas de « souvenir communautaire » unique, il y en a plusieurs, chacun ayant ses impératifs particuliers et sa nature propre. Le lecteur, j'ose l'espérer, abondera dans ce sens en lisant les critiques des thèses déconstructionnistes qui sont l'objet de cette compilation.

Toutefois, comme les détracteurs de la critique post-sioniste nous le rappellent, affirmer qu'il y eut une opposition catégorique entre la société unie et solide de l'époque du *yichouv* et celle d'aujourd'hui, pluraliste et multiculturelle jusqu'à éclater, ne repose sur rien. Un simple examen superficiel de la société du *yichouv*, révèle une société comprenant au minimum trois secteurs principaux : le mouvement travailliste – soit le secteur ouvrier, le secteur « civil » ou « privé » et le secteur religieux. Chacun de ces secteurs était lui-même divisé et varié et nous ne pouvons nous étendre là-dessus dans le cadre restreint que nous nous sommes fixé. Rappelons seulement que dès les élections pour la première « Assemblée des élus », le nombre et les divisions des fractions étaient frappants. Cet état se perpétua pendant toute la période pré-étatique et même pendant les premières décennies de l'existence de l'État.

Le nombre d'organisations de nouveaux immigrants (plus de quarante) qui firent partie du « comité de sauvetage » pendant la Deuxième Guerre mondiale jusqu'à faire de celui-ci un « parlement » impotent selon l'étiquette moqueuse qu'on lui avait appliquée à l'époque, le nombre de partis qui se présentèrent aux élections de la première Knésset, les deux principaux systèmes

---

59. Le géographe David Lowenthal, dans : Bar-On, *Frontières fumantes*, p. 47-48.
60. Voir : Nora 1989, p. 7.

de « gouvernement » du *yichouv* : le parlement pré-étatique [*Knésset Israël*], d'une part et l'Agence Juive d'autre part, le « Syndicat ouvrier de la terre d'Israël », les ashkénazes et les séfarades, les citadins et les habitants des communautés agricoles, les religieux et les non religieux [61], la scission du *Mapaï* au printemps 1944 et la création de « la deuxième fraction », les deux « saisons », « Altalena », le démantèlement du *Palmah*, la révocation du commandant national des forces terrestres, Yisrael Galili, les « dissidents » et ceux qui firent scission – tout cela nous montre que même à l'époque de « l'enthousiasme révolutionnaire », le *yichouv* était hétérogène et pluraliste et qu'il n'y avait pas en ce temps-là qu'un seul narratif, une seule mémoire et une « identité unique ». Si le passé n'a pas tant changé, il se peut que ce qui a changé soit surtout la façon de le considérer.

Les résultats de la recherche actuelle de l'historiographie de la guerre d'Indépendance et des premières décennies de l'existence de l'État d'Israël, prouvent que la lutte à propos de la mémoire communautaire n'a pas attendu le postmodernisme ou « les nouveaux historiens ». Celle-ci commença alors que cette « mémoire communautaire » était encore fraîche et n'en était qu'à sa phase embryonnaire. On constate que dès cette période, l'éventualité qu'il puisse n'exister qu'un seul agent principal pour établir cette « mémoire communautaire », ne faisait pas l'unanimité. Avec la création de l'État, les mouvements et les organisations sociales se sont empressés de raconter leur histoire par le biais de projets d'historiographie d'envergure, où ils faisaient ressortir leur apport et leur place dans le processus de construction de la nation et de la société. C'est ainsi que très vite, furent publiées trois versions différentes de l'histoire du mouvement ouvrier de terre d'Israël. La première, mettait en avant le *Mapaï*, la seconde magnifiait le « *Kibboutz Hameouhad* » et la troisième exaltait les actions du « *Kibboutz Haartzi* ». Il en allait de même pour les deux volumes du *Livre du Palmah* et du célèbre ouvrage de Menahem Begin, La révolte. Le procès Grünwald, resté célèbre dans le souvenir collectif comme « le procès Kastner » et le rôle de l'avocat Shmuel Tamir et de ses collaborateurs du journal *Haolam Hazé*, furent un immense effort de briser non seulement le présent et le futur du *Mapaï* en particulier et du mouvement travailliste en général, mais également de saper son passé. Tous ces exemples expriment un effort concentré de groupes d'opposition, au cours des cinquante premières années d'existence de l'État, d'enrayer la suprématie du « narratif

---

61. Sur la structure de la population du *yichouv* durant les années trente et quarante, voir par exemple : Tuvia Friling, *L'arc dans le brouillard – Ben-Gourion, le leadership du yichouv et les tentatives de sauvetage pendant la Shoah* (en hébreu), Centre de Promotion du Patrimoine de Ben-Gourion ; Institut Abraham Herman d'Études du Judaïsme contemporain, Université Hébraïque de Jérusalem ; Éditions de l'Université Ben-Gourion, Kiriat Sdé-Boker 1998, Introduction, p. 1-14.

de Ben-Gourion et du *Mapaï* dans la conscience de l'opinion publique et de proposer leur propre « narratif ». Plus tard, toute une série d'instituts de recherche ou de commémoration, affiliés à des mouvements, des partis ou d'autres établissements érigés dans le sillon d'une personnalité particulière, témoignent pour le moins de la vivacité de cette lutte prolongée pour la mémoire collective qui se tint en Israël et attestent du caractère hétérogène des versions ainsi que de l'absence d'une orientation centrale et unique qui aurait tout façonné pour tout le monde [62].

Cependant, avouent les détracteurs des arguments post-sionistes, pour les gens de cette génération et aussi pour la plupart des institutions de commémoration, il existe bel et bien un fil conducteur qui leur confère à tous un dénominateur commun. Leur travail montre que la lutte pour l'indépendance, l'histoire de la guerre d'Indépendance et des événements des premières décennies d'existence de l'État, ne sauraient être racontées sur un mode neutre. Le récit doit présenter les immenses difficultés qui ont accompagné l'entreprise, l'héroïsme de l'action et la fierté devant le résultat. Car ce narratif « doit » être basé sur une identification avec l'un des protagonistes, même s'il s'y mêle des manifestations d'empathie par rapport au malheur du côté palestinien – manifestations de compréhension devant s'accompagner de la conscience que ce sont bien les Palestiniens qui sont responsables de cette catastrophe du fait de leur refus des propositions de compromis, par exemple. Un récit basé sur l'image du bon droit des assiégés, comme en écrivirent Nathan Alterman et Haïm Gouri, par opposition à l'image du péché et de la responsabilité, à la manière des post-sionistes [63].

En examinant plus attentivement l'attitude de Ben-Gourion, on constate qu'il ne faisait pas tellement confiance aux « corps » chargés de consigner la chronique de l'époque et donc par conséquent de former la « mémoire collective ». De ce point de vue, c'est un peu comme s'il avait « entendu » avant l'heure, la mise en garde des post-sionistes contre le danger inhérent à un « narratif » central et unique. Sa défiance était telle, qu'il ne comptait pas le moins du monde sur ce « mécanisme » national, que selon ces post-sionistes

---

62. Voir à ce propos : Yad Ben-Zvi, Centre de Promotion du Patrimoine de Ben-Gourion, Yad Yaari et Yad Tabenkin, le Centre du Patrimoine de Menahem Begin et le Centre Rabin, le Centre Golda et dernièrement l'association pour la promotion du patrimoine de Moshe Sharet ainsi que Yad Echkol. Voir également les institutions Yad Vashem, Lohamei Hagetaot, Massua et bien d'autres encore. La fondation de la Maison du Palmah et l'initiative de la production de films documentaires sur l'histoire du *Palmah*, sur lesquels travailla Haïm Gouri ces dernières années, appartiennent aussi à ce phénomène.

63. Voir Anita Shapira, « À qui diable appartient cette histoire » (en hébreu), *Haaretz, Supplément littéraire*, 30.1.2002 (sera cité ci-après : Shapira, À qui est cette histoire) ; Zéev Tsahor, « L'histoire – politique et académie » (en hébreu), dans : *Entre vison et révision*, p. 209-217 et également : Bar-On, *Frontières fumantes*, p. 29-30.

il avait « mobilisé » afin de construire une mémoire collective selon une formulation unique et nationale. C'est pourquoi, selon leurs propositions (qui viendront trente ans après…), dès 1963, peu après son ultime démission du poste de Premier ministre, Ben-Gourion fit œuvre de recherche indépendante afin d'écrire ses mémoires et raconter son action et celle de ceux qui avaient œuvré avec lui dans le cadre de la révolution sioniste. Cette version, pensait-il, pourra en temps voulu, tenir une place d'honneur parmi les écrits canoniques.

L'amer dénouement qui clôtura les pourparlers engagés pour que Jacob Talmon écrive sa biographie, les rapports de plus en plus mauvais avec toutes les équipes regroupées autour de Jacob Talmon, Nathan Rotenstreich, Yeshayahu Leibowitz et d'autres, les échos de « l'Affaire », ont alimenté sa décision de ne pas laisser à des intellectuels ou à des historiens, ni à tout autre intermédiaire, la tâche de faire le tri et de déterminer ce dont on devra se souvenir et ce qui sera jeté aux poubelles de l'histoire [64]. Ainsi, Ben-Gourion, le leader constituant, considéré comme « tout-puissant » – dans « le souvenir collectif » et selon de nombreux post-sionistes – dut démissionner ou menacer de démissionner pour faire passer presque chacune de ses décisions stratégiques. Il était à ce point « tout-puissant », que tout de suite après des réussites étonnantes comme la Déclaration d'indépendance de l'État, la victoire de la guerre d'Indépendance et la décision sur l'immigration massive, il dut se retirer à Sdé-Boker et attendre qu'on l'en rappelle.

---

64. Sur les pourparlers entre Talmon et les collaborateurs de Ben-Gourion à propos de la rédaction de la biographie de Ben-Gourion, voir : Shlomo Aronson, *David Ben-Gourion, déclin d'un dirigeant de renaissance* (en hébreu), Centre de Promotion du Patrimoine de Ben-Gourion et les Éditions de l'Université Ben-Gourion, Kiriat Sdé-Boker 1999, p. 362-363 ; Michael Keren, *Ben-Gourion et les intellectuels* (en hébreu), Centre de Promotion du Patrimoine de Ben-Gourion, Kiriat Sdé-Boker 1988, p. 12-13, 65. Dans la correspondance entre Jacob Talmon et Ben-Gourion au début des années soixante, quand Talmon revint sur son accord d'écrire la biographie de Ben-Gourion, Talmon écrivit entre autres : « J'éprouve un profond regret d'être dans l'obligation, après de longues considérations et de cuisantes hésitations, de conclure que la mission qu'on m'a demandé d'entreprendre et que je voulais de tout cœur accomplir, est impossible à exécuter. C'est un surplus d'honneur et de crainte par rapport à cette haute mission de responsabilité qui me pousse à cette décision. On ne peut exécuter cette mission, la plus importante dans l'histoire d'Israël depuis l'époque du second Temple, quand celle-ci se focalise autour de la personnalité que le Destin a choisie sans que l'accès à tous les documents sans exception soit d'avance assuré et sans entière garantie que l'historien sera entièrement libre de juger selon la voix de sa conscience scientifique ». David Ben-Gourion et Jacob Talmon, « Correspondance à propos de la biographie de Ben-Gourion » (en hébreu), *Haaretz*, 3 juin 1960.
La presse de l'époque ne fit pas dépendre la décision de Talmon, des limites imposées à l'utilisation d'une certaine documentation, définie comme confidentielle selon la loi sur la protection de l'État, mais par ce qu'elle définit alors comme la déception de Talmon du rôle de Ben-Gourion dans « l'Affaire Lavon ». Sur les échos que cette décision entraîna, voir : *Kol Haam*, 19 janvier 1961 et aussi *Davar*, 4 janvier 1961. Voir également l'article de Talmon de février 1961 dans *Haaretz*. Voir aussi l'étude détaillée de Zéev Tsahor dans ce recueil, sur les habitudes d'écriture de Ben-Gourion,

65. Site de l'Université Hébraïque, N.D.T.

Il était « tout-puissant » au point de dicter sa version de l'histoire du projet qu'il mena, version qui « fut écrite spécialement pour lui », selon les directives qu'il laissa à l'équipe de ses « écrivains de cour » sur le campus de l'université de Guivat-Ram [65], jusqu'à ce qu'il décide de remplir lui-même cette tâche afin de pouvoir aussi présenter sa propre version. Et il « réussit » – du moins à court terme – à ancrer sa personnalité et à établir sa place dans ce narratif unique et exhaustif au point de prendre l'initiative de la célèbre caricature le représentant tenant un marteau et brisant son effigie sur la place publique et d'aller jusqu'à semer dans la presse quotidienne et le langage de l'époque, des expressions comme « le roi Salomon qui a perdu sa bague magique », « le roi Lear parjurant », « le vieux chef tendant un piège à ses successeurs », « Lancelot, le chevalier audacieux… » se retrouvant dans le personnage de Don Quichotte, le chevalier tragique de Savedra Miguel de Cervantes. Ces exemples prouvent clairement « l'existence » d'un supra-narratif, la « toute-puissance » de Ben-Gourion sur l'élaboration de ce narratif exhaustif, national et unique et par là même, le profond ancrage de sa version au cœur de « la mémoire collective » et de l'espace canonique [66].

Il est clair en tout cas – et tous les participants à ce débat sont d'accord sur ce point – que dans le narratif le plus proche de ce qu'on peut appeler le « supra-narratif sioniste », le principe directeur religieux a été remplacé par un principe directeur national. « La version laïque s'est substituée à la mémoire sacrée » biblique et religieuse : ce n'est plus Dieu qui est au centre, mais l'homme qui par son action, façonne son avenir ou du moins pense qu'il peut le faire. Ben-Gourion constitue lui-même un exemple de cette tendance, par le choix de son nom, les utilisations qu'il fit de la Bible, son cercle biblique et son adhésion à la « Société de Recherche de Terre d'Israël et de ses Antiquités ». Les éléments essentiels à l'établissement d'une identité, à la mémoire collective et au nouvel ethos furent pris dans les sources sacrées. Le salut de l'individu fut désormais lié à la rédemption – le rassemblement des exilés, la rédemption de la terre, la désertification de la terre et son peuplement. Les versets bibliques : « Je dirai au Nord : "Donne !" – au Midi : "Ne les retiens pas ! Ramène des pays lointains mes fils et des confins de la terre mes filles" » (Isaïe, chapitre XLIII, 6), « Vous serez pour moi privilégiés parmi tous les peuples » (Exode, XIX, 5), « Je veux faire de toi la lumière des nations » (Isaïe, chapitre XLIX, 6) et de nombreux autres encore, furent mis à contribution pour renforcer les esprits au moment de décisions cruciales comme

---

66. Voir à ce propos : Tuvia Friling, « Entre la puissance et le savoir » (en hébreu) – suite à : Shlomo Aronson, « David Ben-Gourion, déclin d'un dirigeant de renaissance », *Israël – Revue de recherche sur le sionisme et l'État d'Israël, histoire, culture, société*, 2, sous presse.

celles sur l'immigration massive, le rassemblement des dispersés ou justifier la conception du « creuset social ».

Des éléments essentiels de la doctrine sioniste – parmi lesquels la justification de la migration du peuple vers son pays, la conquête du pays, la constitution du peuple, le passage du tribalisme à une conception étatique, la formation de cadres nationaux et politiques, le leadership visionnaire d'avant-garde et son caractère messianique – toutes ces composantes s'appuyaient sur des versets et sur des récits bibliques adéquats. Ben-Gourion et certains de ses collaborateurs s'appuyaient sur des passages de la Bible ou sur des versets bibliques pour renforcer leurs positions sur la question des frontières ou du droit sur le pays ainsi que sur la question de base du sionisme – soit pourquoi Abraham avait-il quitté un pays fertile et riche, doté d'une culture développée comme Ur en Chaldée, pour aller vers la terre promise, définie aussi comme le « pays de lait et de miel », mais qui à l'époque était pauvre et sous-développé. Les idéaux sociaux de la tradition biblique juive ainsi que les valeurs universelles que le peuple juif avait apportées à l'humanité il y a des milliers d'années – avant les Lumières, avant la révolution française, avant les grands réformateurs américains, anglais ou russes – ces idéaux qui s'accordaient aux idées socialistes ou même utopiques d'une société basée sur des principes de droit et d'égalité, furent mobilisés, intégrés et coulés dans des moules laïcs – afin de former une base idéologique pour cette nouvelle réalisation – dans une forme de conscience nouvelle, devant à l'avenir, du moins on l'espérait, établir une « société modèle »[67].

Remplaçant une histoire ancienne achevée il y a des milliers d'années, le sionisme se servit de l'histoire en tant que scène sur laquelle le peuple accomplit lui-même son histoire au présent. Le sionisme n'a donc pas délaissé les anciens souvenirs et les sources traditionnelles de la religion d'Israël, mais il les utilisa dans un esprit laïc et typiquement révolutionnaire. Il y eut des changements concernant l'essence du souvenir et les significations qui s'y appliquaient. L'histoire de Massada (dans la version de Joseph Flavius, soit Yossef Ben-Matityahou), la famille des Macabées ou des Asmonéens et la fête de Hanoucca, Bar-Kokhba et Lag Baomer – se joignirent à Trumpeldor

---

67. Sur Ben-Gourion et la Bible, voir : Anita Shapira, « Ben-Gourion et la Bible : création d'un narratif historique ? » (en hébreu), *Alpaïm*, 14 (1997), p. 207-231. Sur les utilisations de la Bible dans la formation d'une identité israélienne et sur la polémique soulevée ces derniers temps à propos de la Bible en tant que source historique, voir : Zéev Herzog, « L'époque biblique n'a pas existé », *Supplément de Haaretz*, 29.10.1999. Et aussi Lee Israel Levine, Amihai Mazar (eds.), *Controverse sur la vérité historique dans la Bible* (en hébreu), Yad Yitshak Ben-Zvi, Jérusalem 2001 et surtout les articles de Amnon Ben-Tur, « Archéologie, Bible et histoire » ; Yaïr Zakovitch, « Mots, pierres, mémoire et identité » ; Uriel Simon, « Archéologie post-biblique et post-sioniste ».

et au sabra Elik et furent adoptés et accordés aux besoins de la construction de la nation [68].

Le nouveau principe dirigeant donnait donc à l'action sioniste actuelle une place innovatrice. Les paysages du pays – tant les paysages physiques que spirituels ou culturels – se remplirent très vite de lieux de mémoire commémorant le souvenir d'actions très anciennes et seul, l'établissement de tombes de saints (qui pour une bonne part, n'existaient pas) ces derniers temps ou au contraire dans un autre ordre d'idées, l'adoption de héros culturels venant d'un espace situé entre la rue Shenkin et le quartier de Ramat Aviv C [69], peut se mesurer par sa rapidité, à celle avec laquelle fut établie « l'ancienne » mémoire collective [70].

La tentative et l'aspiration à former cette nouvelle mémoire collective faisaient partie – s'accorde-t-on à dire – de l'élaboration d'une nouvelle identité, s'inscrivaient dans l'ensemble du processus de construction de la nation et de la société et même constituaient une obligation louable. Toutefois, disent les post-sionistes, n'y furent pas inclus, ceux ou ce « qui ne convenaient pas » à la nouvelle identité désirée, soit ceux qui transportaient dans leurs ballots des matériaux ne convenant pas au nouvel ethos ou qui n'étaient pas assez forts pour pouvoir survivre à l'affrontement politique avec cette mémoire et cette identité ; ceux-là en ont été écartés et ils portent dans leur chair, si ce n'est dans leur conscience, les cicatrices de ce rejet.

---

68. Bar-On, *Frontières fumantes*, p. 42. il est intéressant de noter que Ben-Gourion lui-même ne s'empressa pas de faire de l'épopée de Massada un symbole national. Dès le début des années quarante, il parla d'une politique qui « ne devrait rien ni à Massada, ni à Vichy ». Sur ceux qui se démarquaient de Bar-Kohba en tant que symbole national, voir la polémique autour du livre de Yehoshafat Harkabi sur Bar-Kohba : *Une vision et non une fantaisie : leçons de la révolte de Bar-Kohba et réalisme politique de nos jours* (en hébreu), Domino, Jérusalem 1982, qui s'engagea alors dans la presse quotidienne et les articles sur ce livre dans les revues scientifiques.
69. La rue Shenkin est considérée comme le quartier « branché » de Tel Aviv et Ramat Aviv C, comme le quartier des nantis, laïcs et modernes « yappies » israéliens.
70. Parmi les nouveaux sites de mémoire qui furent alors établis : le texte du *Yizcor* [nom d'une prière traditionnelle de commémoration, N.D.T.] rédigé par Berl Katznelson immédiatement après avoir appris la nouvelle de la mort de Yossef Trumpeldor et de ses hommes à Tel-Haï. Ce texte devint en quelques mois, une sorte de « prière laïque canonique ». La création de nouvelles localités, commémorant le souvenir de soldats tombés dans la région, quelques semaines plus tôt, par exemple : Maalé Hahamicha [littéralement : Montée des Cinq], Michmar Hachiva [littéralement : Garde des Sept], Kiryiat Shmona [littéralement : Ville des Huit], etc. Dans : Bar-On, *Frontières fumantes*, p. 42. Voir aussi à ce propos : Maoz Azaryahu, *Cultes d'État* ; Feige, Un espace, deux lieux ; Ohana, *Mythe et mémoire*. Sur le « Yizkor », voir : Jonathan Frankel, « Livre du « Yizkor » de 1914 – Note sur les mythes nationaux à l'époque de la deuxième vague d'immigration » (en hébreu), *Yahadout Zmaneinou*, 4 (1988), p. 67-96.

Le nationalisme :
les rumeurs sur sa mort ont été prématurées

Les théories modernistes sur le nationalisme qui trouvent leur expression concrète dans les conceptions post-sionistes, appartiennent également à ce débat. Nous avons déjà évoqué plus haut certaines d'entre elles. Selon l'une des définitions les plus courantes, le nationalisme est un phénomène visant essentiellement à établir une symbiose entre un groupe culturel et un État politique. Étant donné qu'il n'y a pas de consensus sur la question de qui est inclus dans ce « groupe culturel », ni quel caractère doit revêtir l'entité politique, on peut dès ce stade, localiser le potentiel polémique existant dans cette composante. Certains affirment que le nationalisme est une sorte de réaction à la blessure causée à la société du fait de la modernisation, blessure remontant au démantèlement des institutions traditionnelles comme la tribu ou la famille, la religion surtout, l'expérience et le mystère religieux, au cours des processus d'industrialisation et le fonctionnement des chaînes de production – que Charlie Chaplin excella à présenter dans les *Temps modernes* – à la solitude et l'aliénation qui sont le lot de nombreux habitants des grandes villes. Là aussi évidemment, la controverse trouve un énorme potentiel, même si les processus de construction de la nation et de la société en Israël n'ont engendré, du moins pour le moment, ni de véritables métropoles ou de gigantesques entreprises industrielles, riches en chaînes de fabrication aliénantes, ni une indigne exploitation. D'une manière ou d'une autre, selon cette conception, le nationalisme serait une sorte de mécanisme de réparation ou de compensation à cette atteinte systématique, capable de restituer ce sentiment fondamental d'appartenance que la modernisation avait fait disparaître chez certains. C'est un système de cerclage et de rayons, de forces d'attraction et de nouveaux centres d'identification de la société, remplaçant les anciens – devenus impotents ou affaiblis[71]. Selon cette conception, le nationalisme vient réparer les dommages du déracinement d'une culture et d'un milieu préalables, de l'immigration, de la nécessité de prendre racine dans un autre milieu et une autre culture, des changements intervenus dans la famille et la société, de l'affaiblissement de la religion et des processus de mondialisation économiques et culturels qui ont marqué la société israélienne. C'est « le

---

71. Sur le nationalisme, voir Hedva Ben-Israel, « Théories sur le nationalisme et leur mesure d'application au sionisme » (en hébreu), dans : *Sionisme, un débat contemporain*, p. 203-222 ; Ernest Gellner, « Tout est bon » (en hébreu), *ibid.* p. 116-125 ; et dans le contexte israélien : Shmuel Almog, « Ce peuple restera seul » dans la réalité et en historiographie » (en hébreu), dans : *Entre vision et révision*, p. 51-66 (sera désormais cité : Almog, Ce peuple restera seul). Et également l'article de Nissim Calderon de cette compilation et plus particulièrement les notes 7 et 8.

drapeau sous lequel peuvent se rassembler et se regrouper tous ceux dont les modes de vie traditionnelles ont été dérangés », selon l'expression de Isaiah Berlin, citée par l'un de nos auteurs [72].

Selon les deux branches de critique du sionisme, celle de droite comme celle de gauche, le contexte existant – à l'heure qu'il est – est aussi porteur d'une grande opportunité. À gauche, on entend surtout deux sortes de discours. Le premier est prêt à reconnaître la présence du nationalisme et sa force sociale dans l'existence israélienne, mais il tendrait plutôt à un nationalisme israélien dilué et édulcoré. Un nationalisme faible et insignifiant, qui abandonnerait l'idée de la spécificité juive ainsi que ses nostalgies et ses visions messianiques. Un nationalisme qui produirait une société dégagée de toute trace de tribalisme ou d'ethnocentrisme, entièrement basé sur des valeurs universelles, sur une rationalité pure, sur l'entière autonomie de l'individu par rapport à la société et d'autres éléments déjà évoqués plus haut.

La seconde voix entendue à gauche est plus nette et plus vigoureuse et elle-même recouvre deux directions. Selon la première, le nationalisme n'est au mieux qu'une sorte de « compensation à la Pyrrhus », une sorte de victoire porteuse de plus de mal que de bien. C'est pourquoi, les porte-parole de cette tendance appellent à renoncer à toute sorte de nationalisme, celui-ci n'étant plus selon eux qu'une idée anachronique dépassée. Une sorte de poison qu'avait apporté le judaïsme et que le sionisme renforça – l'idée de spécificité et de séparation – dont il est grand temps de se défaire pour rejoindre ceux qui pensent que le nationalisme est mort ou du moins est en train d'agonir et que le monde va vers une fraternité générale qui s'incarne dans les entités supra-nationales et a-nationales surgissant de partout. Si celles-ci ne nous ont pas encore atteints, elles ne sont certainement pas loin et peut-être sont-elles tout juste à notre seuil.

L'autre ton de cet appel visant à annuler le nationalisme n'émane pas d'une conception eschatologique de fraternité mondiale, mais de ce qu'il définit comme la face laide du nationalisme israélien, telle qu'elle est apparue, selon ses détenteurs, depuis qu'Israël exerce son pouvoir dans les territoires de Gaza, de Judée et de Samarie. Nous allons revenir plus tard sur ce point.

La droite elle aussi, voit dans le relâchement des centres d'identité imposés selon ses adhérents, par le nationalisme juif à orientation sioniste, socialiste et laïque, une opportunité inespérée. Elle en tire cependant d'autres conclusions et ce qu'elle propose est un nouveau nationalisme, renforcé, arborant fraîchement les couleurs bleu-blanc. Il s'agit d'un nationalisme basé sur la conception selon laquelle le sionisme était une des réactions à l'affaiblissement du modèle traditionnel de la vie juive et sur la croyance que le destin

---

72. Calderon, *ibid.*

juif collectif ne sera assuré qu'avec la création d'une entité juive collective revenant vers son milieu historique originel et s'y appuyant. Le lien entre une telle conception et ceux voulant renforcer l'attache avec les sources traditionnelles et religieuses de l'identité juive, s'implanter dans ces parties historiques de la terre d'Israël – qui pour des raisons politiques et militaires étaient restées au-delà des frontières du partage et plus tard de celles de 1948 et s'y sont rattachées après 1967 – est évident.

Ainsi donc, ce que les post-sionistes de gauche considèrent comme les convulsions de l'agonie du nationalisme israélien et ce qui nourrit la critique des cercles de droite dans toutes les manifestations politiques, sociales et économiques de ce nationalisme – nous enseigne pour le moins que les propos acerbes de Isaac Bashevis Singer sur la prochaine « disparition » du yiddish s'appliquent également – par analogie – aux chances de disparition de la composante nationaliste de l'identité juive, sous sa forme israélienne. Des expressions sur « l'agonie » accélérée du nationalisme, alors qu'il est plein de vie et sur sa « disparition » du débat public et scientifique, qui n'est ressentie par personne, se trouvent dans la plupart des articles de cette compilation.

Un autre point que certains auteurs se référant à cet élément de la critique post-sioniste, veulent rappeler est que le nationalisme juif dans son expression sioniste ne fut jamais homogène. C'est justement en l'examinant avec les outils du postmodernisme, toujours friand d'une multiplicité de versions, qu'on ne peut manquer d'y distinguer, ô miracle, de nombreuses nuances. L'un de nos auteurs rappelle à ce propos les dires de l'écrivain Amos Oz, selon lesquels le sionisme n'était « qu'un nom générique pour une variété de formes, de positions, de points de vues et de conceptions sur l'histoire juive du passé et sur ce qu'elle sera à l'avenir ». Pour peu qu'on se donne la peine d'examiner les choses, on constate qu'il ne s'agit pas là d'un simple trait littéraire [73]. La base idéologique du mouvement sioniste ne fut jamais unique et consensuelle.

Il y eut de tout temps plusieurs sortes de sionisme, présentant des vues différentes sur chacun de ses points essentiels. Il y eut toujours sur tous les sujets – la nature du judaïsme et la place du sionisme, le rapport entre la religion et l'État, la question de justice sociale et le caractère démocratique de l'État à venir – plusieurs points de vue. Même les questions les plus fondamentales – à savoir si les Juifs doivent avoir un État comme les autres, si tout Juif pourra considérer cet État comme sien, etc. – ne trouvèrent jamais de réponse unique. De même il n'y eut jamais une seule réponse à la question si le nationalisme juif devait être laïc ou religieux et traditionnel. La définition du nationalisme juif en diaspora, qui se centrait surtout autour de l'élément religieux de l'identité d'avant l'émancipation, était totalement diffé-

---

73. Voir l'article de Moshe Lissak de ce recueil.

rente de celle du nationalisme juif du *yichouv* juif de terre d'Israël et plus tard de l'État d'Israël. Il a toujours existé plusieurs réponses à tout ce qui se rapportait à la diaspora et au rejet de celle-ci. En d'autres termes, les questions à l'ordre du jour pouvaient se formuler ainsi : l'entité politique du peuple juif exigeait-elle la fin de la diaspora ou la terre d'Israël serait-elle un jour, pour autant qu'elle devienne un jour significative, un centre spirituel, comme le préconisait Ahad-Haam, le centre d'inspiration et le foyer d'unité d'un peuple éparpillé.

Les solutions politiques élaboraient toutes sortes de compromis, de formules, sujettes à différentes interprétations. La Déclaration Balfour, le programme de Biltmore, le « programme de Jérusalem », la Déclaration d'Indépendance et certains produits plus tardifs comme l'accord Jacob Blaustein-Ben-Gourion [74] en sont des exemples frappants. Le concept de justice sociale devant être réalisé dans la société juive en formation en terre d'Israël, était également flou. Celui de démocratie ne l'était pas moins. Le débat aussi vieux que l'État lui-même, sur la question de l'établissement d'une Constitution en Israël, n'en est qu'un exemple de plus. La question de savoir comment agiront au sein du *yichouv,* les contradictions fondamentales entre des valeurs particulières – les particularismes juifs se reflétant dans l'aspiration à un Etat-nation – et les valeurs humanistes et universelles, antinomie qui alla en s'aiguisant dès qu'il fut clair qu'il ne s'agissait pas de « l'installation d'un peuple sans terre sur une terre sans peuple [75] » – produisit également toute une variété de réponses.

Ces questions ne sont donc pas nées lors de la polémique actuelle, mais elles ont accompagné le mouvement national sioniste juif presque dès ses débuts, dès l'époque de Herzl et de Pinsker, de Ahad-Haam et de Buber, du Rav Kook, de Ben-Gourion et de Jabotinsky. Elles comprenaient, comme nous l'avons déjà mentionné plus haut, des points de déchirure presque totale – comme la « petite saison » et la « grande saison », *Altalena*, le renvoi du Commandant Général des forces terrestres, la dissolution du *Palmah* – symbole si significatif parmi les élites – « des dissidents » et d'autres qui initièrent des « scissions ». On trouvera dans plusieurs articles de cette compilation, une longue liste de points taillés sous le signe de la multiplicité et non de l'unité. Il en est de même pour les éléments de ce débat.

D'autres composantes de la polémique entre sionistes et post-sionistes mêlent également les deux attitudes apparaissant dans l'étude du nationalisme. L'attitude « primordiale » considère le nationalisme comme l'évolu-

---

74. Voir par exemple : Avraham Avichay, *David Ben-Gourion, constructeur de l'État*, Keter, Jérusalem 1974, p. 184-185.
75. Voir l'article de Lissak du présent recueil.

tion moderne de la tradition culturelle ou de l'identité ethnique vieille de nombreuses générations, conception supposant que les nations modernes sont les héritières naturelles d'identités collectives anciennes. L'attitude « moderniste », par contre, voit dans le nationalisme une nouveauté du XVIIIe siècle n'ayant pas de racines ou de prémisses à une époque antérieure.

Le post-sionisme, du moins dans quelques-unes de ses manifestations, rejette toute existence d'un lien interne entre le peuple historique d'Israël et le peuple qui s'est construit de nos jours. De ce point de vue, il rejoint tout naturellement la conception moderniste. Cependant, les deux points de vue – tant le point de vue primordial que le moderniste – selon certains auteurs de ce recueil, sont imprégnés de nationalisme juif sous sa forme sioniste et il est difficile de les en séparer. En effet, le sionisme incarnait simultanément deux tendances contradictoires et nous avons observé la projection de ce phénomène dans les brefs propos cités plus haut au sujet de « la mémoire collective ». D'une part, le sionisme tendait à fomenter une révolution dans l'existence juive sous tous ses aspects et de ce point de vue, il voulait rompre avec le présent et le passé juif tels qu'ils étaient alors, mais d'autre part, c'était un mouvement de renaissance, visant à renouveler l'existence nationale autonome du judaïsme. et dans cet esprit, il aspirait à faire revivre un passé ancien dans des cadres et des conditions modernes. Il contenait simultanément un aspect révolutionnaire et un autre, tout de continuation. Du point de vue primordial extrémiste, le peuple juif est un groupe ethnique et culturel, en attente de sa rédemption depuis la destruction du Temple [76]. Son évolution au cours de ses années d'existence en diaspora prouve « que les Juifs partout dans le monde forment une entité unique et qu'il existe une continuité entre les anciens royaumes d'Israël et de Juda et le judaïsme moderne » [77], pour lequel « la terre d'Israël est toujours restée centrale, à l'évidence si ce n'est dans la conscience [78] ». Ce sont les conditions extérieures ou sa volonté collective qui l'ont fait progresser ou au contraire, ont prolongé cette attente. L'expectative de salut, est un impératif culturel profond existant par lui-même, indépendamment de la détresse de la diaspora. Ceux qui pensent ainsi, désignent l'existence d'un ensemble dont les composantes prennent plus ou moins d'importance selon les différentes évolutions historiques, étant entendu que cet ensemble s'appuie sur une continuité de l'histoire, basée sur la Tora d'Israël [79].

Selon le point de vue moderniste, l'essence du sionisme était une modernisation du peuple juif et l'établissement d'institutions nationales souveraines

---

76. Pinhas Ginosar et Avi Bareli, *Sionisme, débat contemporain*, « Propos des directeurs de l'ouvrage », p. III – XIII.
77. Almog, Ce peuple sera seul.
78. Almog, *ibid.*
79. Voir note 72 plus haut.

en terre d'Israël. Il n'aurait pu voir le jour sans une révolte contre le passé, mais n'aurait pu percer et se diffuser sans y être attaché. Vu sa propre logique, il n'aurait pu rompre avec le passé, mais il faut dire aussi que la société ambiante, occidentale, chrétienne ne lui avait jamais permis une telle rupture. La discussion que suscita le programme de l'Ouganda, la guerre des langues, le parti Shass et le Rabbin Ovadia Yossef, ne sont pas les seuls exemples de l'impossibilité de séparer le sionisme de Sion, de l'hébreu, de la religion et de la profondeur historique qui en fait partie. Même le nationalisme de Ben-Gourion et son camp d'une part ou celui de Jabotinsky et son camp d'autre part, n'auraient pu exister ni n'existeraient, sans une composition entre ces deux extrêmes.

Parmi les chercheurs, certains désignent le nationalisme comme une invention du mouvement sioniste. Selon les porte-parole extrémistes de la théorie moderniste sur le nationalisme, exactement comme pour le domaine de « la mémoire collective », ce sont les différentes vagues d'immigration qui inventèrent le nationalisme pour répondre à leurs intérêts. Comme pour la « mémoire », on se sert du nationalisme comme d'un moyen expérimenté pour construire une communauté, lui donner une signification, définir des cartes cognitives pouvant à nouveau nourrir l'impératif d'une organisation sur la base d'identités, fixant les frontières de la tribu et de ce fait bien sûr, éloignent l'autre. Et si cela n'est pas suffisant, le nationalisme sert également à inculquer une sensibilité sociale aux faibles et à les éloigner de la lutte pour leurs droits. L'une des expressions actuelles de cette conception voit dans la glissade vers la guerre des Six-Jours, autour de laquelle ont été avivés de vifs sentiments nationaux, un moyen cynique des dirigeants du pays de détourner l'opinion publique et la critique, des problèmes économiques et sociaux, de la profonde récession économique et du sentiment d'abattement qui sévissait alors en Israël [80].

Le débat sur le nationalisme est également au cœur de cette polémique parce qu'il oppose le mouvement national du peuple juif au mouvement national du peuple palestinien. En effet, ceux qui définissent le nationalisme juif comme « une conscience mensongère » ou « une communauté imaginée » en arrivent à enlever sa base théorique à la validité du mouvement national palestinien.

L'établissement d'implantations juives après 1967, dans la bande de Gaza, en Judée et en Samarie, l'apparition du « Bloc de la Foi » [*Gouch Emounim*], les événements de la première Intifada et de l'Intifada actuelle, enflamment le débat sur des sujets nationaux et les dernières découvertes de la recherche

---

80. Voir à ce propos : Yoav Peled, Conférence donnée lors d'une journée d'études à l'université de Tel Aviv en mars 2002, à l'occasion de la parution du livre du professeur Matityahu Meizel, *La bataille du Golan, juin 1967* (en hébreu), Maarahot, Tel Aviv 2001.

sur le phénomène du colonialisme sont mises à contribution. C'est ce dont traitent certains articles de ce recueil[81].

L'établissement de localités juives – l'occupation et les implantations – explique l'un de nos auteurs, fut saisi comme un affaiblissement du cœur même du sionisme et comme une déviation morale de l'ensemble des valeurs les plus chères à de nombreux Israéliens et certainement à la plus grande partie de la gauche. Étant donné que la gauche, non seulement ne réussit pas à changer ce qui à ses yeux était impropre et insupportable – ses représentants politiques ayant même figuré parmi les principaux architectes de l'entreprise – le rejet absolu du sionisme – dans toutes ses composantes – devint à leurs yeux une alternative émotionnelle tentante. A mesure que cette entreprise s'amplifiait, que la voix de ses partisans se faisait plus forte et que les manifestations de tension entre les colons et la population palestinienne se faisaient plus nombreuses, les gens de gauche avaient de plus en plus de mal à s'identifier à leur nationalisme et à s'y accrocher. Plus les symboles nationaux furent exploités dans le mauvais sens, pour justifier ce que les gens de gauche considéraient comme une violation continue des droits de l'homme, à mesure que l'occupation déteignait sur le nationalisme et le salissait à leurs yeux, et que les gens du « Bloc de la Foi » apparaissaient comme de plus en plus attachés à la colonisation de l'ensemble de la terre d'Israël, comme des nationalistes fanatiques déconnectés de la réalité, voulant imposer leurs vues nationalistes à la politique de l'État d'Israël sans prendre en considération les dangers ou les difficultés – à mesure que ces processus s'approfondissaient, le nationalisme suscita un rejet et il fut de plus en plus difficile de s'y référer. La gauche sioniste fut donc acculée à une position complexe. Oui au nationalisme, mais non au nationalisme sur une telle base. Oui au nationalisme, mais non au nationalisme au-delà de la ligne verte. Par opposition, la gauche anti-sioniste adopta une optique où il n'y avait plus aucun « mais ». Pour elle, le nationalisme était la racine du mal et la réponse au mal ne pouvait être que l'anéantissement pur et simple du nationalisme.

Pour justifier leur position contre le nationalisme et ses manifestations, les post-sionistes et les anti-sionistes de gauche tentèrent d'enseigner et d'expliquer que le nationalisme ne fut jamais un processus de libération des hommes, mais toujours les asservit. Le résultat fut particulièrement ironique. La délégitimation du nationalisme permit en effet de porter une grave atteinte à Israël et aux Israéliens, mais les post-sionistes ayant fait un rejet de principe du nationalisme, ils se trouvèrent obligés de négliger également leur reconnaissance du nationalisme palestinien, le combat des Palestiniens pour

---

81. Gadi Taub, et également Nissim Calderon, Avi Bareli, Anita Shapira, Yoav Gelber, Shlomo Aronson et Yoram Hazony.

l'indépendance et ce qu'eux-mêmes avaient défini pour la première fois comme leur droit naturel à l'autodétermination.

La dialectique avait donc frappé à nouveau. D'éminents hommes de gauche se retrouvèrent dans une situation où leur perspective de démolition et leur critique du nationalisme israélien les opposaient – tant sur le plan émotionnel que sur celui de la logique – aux expressions de nationalisme et au droit à l'autodétermination des Palestiniens. Leur appel à se libérer de toute sorte de nationalismes, sous n'importe quel aspect et d'adhérer à l'idée d'un Israël, qui serait un « État de tous ses citoyens », ne se heurta pas moins, à une réaction négative de la part de l'OLP de se libérer de l'idée d'une « Palestine » qui serait un État laïc et démocratique et de celle d'une « Palestine, État de tous ses citoyens ». Ceci pour dire que les Palestiniens non plus ne se hâtent pas de rentrer dans cette fraternité promise, ni ne se sentent à l'aise dans cette embrassade postmoderne. L'attitude des post-sionistes de gauche tente en vain, comme l'explique l'un de nos auteurs, de nous cacher les caractéristiques essentielles les plus fondamentales du conflit, soit la lutte tragique de deux mouvements nationaux pour leurs droits à l'autodétermination, à l'indépendance et à la souveraineté politique [82].

Comme nous l'avons dit, la tentative post-sioniste de construire une alternative de recherche à l'explication des racines du sionisme et de l'État d'Israël tourna également autour de la question de savoir dans quelle mesure le sionisme et l'État d'Israël sont une sorte de colonialisme européen en terre d'Israël, ayant débuté dans les années quatre-vingt du XIXe siècle à la faveur de l'empire ottoman déclinant, puis sous couvert occidental et en deux étapes : la première – par une alliance d'intérêts avec l'empire britannique, et la seconde – comme bastion de l'impérialisme américain. Les partisans de cette conception ont préféré expliquer le projet sioniste comme « une réalité colonialiste » d'exploitation ou d'expropriation dans le cadre de la construction de la société et de l'économie palestinienne en terre d'Israël et du conflit des colons juifs avec les arabes palestiniens. Au lieu de décrire le développement du mouvement national moderne et révolutionnaire du peuple juif, dans son foyer démographique en Europe et de celui de la branche sioniste de ce même mouvement et de son succès à susciter une immigration, un capital et l'installation en terre d'Israël, à y faire venir les rescapés de la Shoah et à rassembler des ressortissants d'Europe et des Juifs des pays du Moyen-Orient et d'Afrique du Nord, pour créer une société politique souveraine, moderne et démocratique de Juifs – cette école post-sioniste propose une explication colonialiste coupant le sionisme et ce qui s'accomplit en son nom en terre

---

82. Voir : Gad Taub, article figurant dans ce recueil.

d'Israël, de ses causes et ainsi « oublie l'Europe ». C'est ce qu'affirme et explique l'un de nos auteurs[83].

Selon ses détracteurs, « l'École colonialiste » oublie les processus économiques, sociaux et culturels qui ont agité la vie des Juifs d'Europe et les ont poussés à émigrer vers la terre d'Israël pendant plusieurs dizaines d'années du XXe siècle, à s'y installer et à y investir des capitaux. D'après eux, cette analyse n'est pas juste, elle ne parvient pas à expliquer les sources de la force et de la pérennité du sionisme, ignore ce qui se passe autour de ce mouvement et aboutit à un édifice imaginaire, sans aucun lien avec le contexte causal essentiel du sujet du débat. Par conséquent, ceux qui la proposent, non seulement se trompent, mais aussi abusent leurs lecteurs, non versés comme eux dans les détails du processus qu'ils étudient. Il s'agit d'une mystification ayant un aspect général – méthodologique et un aspect concret, touchant à l'explication de la nature de ce phénomène historique particulier[84].

Il s'agit d'une analyse convenant aussi bien à la mode postmoderne qu'aux détenteurs d'une attitude morale courante. Sa principale motivation est « d'attraper le malfaiteur » et de le blâmer avec fougue. Cette méthode consiste à « étudier des textes historiques, relever ici ou là une mentalité colonialiste dans quelques expressions écrites ou orales, et ainsi dépister la fumée sortant du canon du pistolet », selon l'expression de l'un des auteurs de ce recueil. La motivation dans ce cas n'est pas de déchiffrer le processus historique et d'atteindre une véritable compréhension, mais d'apporter un jugement épuré, qui ne peut que compromettre l'entendement ou l'arrêter. La problématique « se résout » relativement facilement et de cette manière le véritable affrontement est esquivé. C'est l'expression d'une impatience, de la volonté d'aller directement « à l'essentiel », alors que le débat sur la classification historique du sionisme demande une expérience pratique et patiente. Une telle expérience et non un jugement moralisateur ou une justification au service de l'intérêt israélien, est nécessaire pour situer le sionisme dans son contexte historique et méthodologique. Le lecteur pourra se rendre compte de l'effort entrepris pour se mesurer aux arguments post-sionistes dans ce domaine, à la lecture de plusieurs articles de ce recueil[85].

---

83. Voir l'article de Avi Bareli de cette compilation.
84. Voir : Avi Bareli, Yoav Gelber, Nissim Calderon, et Gadi Taub. Pour les présentations et les analyses décrivant le projet sioniste comme un projet colonialiste ou post-colonialiste, voir par exemple : *Théorie et critique*, Numéro spécial sur le sujet : Regard post-colonialiste, 20 (2002). Et également : Baruch Kimmerling, *Zionism and Territory : The Socio-Territorial Dimensions of Zionist Politics*, Berkeley 1983 ; Gershon Shafir, *Land, Labour and the Origins of the Israeli-Palestinian Conflict 1882-1914*, Cambridge 1987.
85. Voir les articles de Avi Bareli, Moshe Lissak, Yoav Gelber, Nissim Calderon et Gadi Taub de ce recueil.

Là aussi, la corrélation établie entre le sionisme et le colonialisme ne débuta pas avec les « nouveaux » historiens, sociologues ou géographes. Cette correspondance est aussi vieille que le conflit israélo-palestinien lui-même. Son origine, démontre l'un de nos auteurs, remonte au premier congrès palestinien, tenu à Jérusalem au début de l'année 1919. L'essence du sionisme, telle qu'elle est présentée de façon simpliste, est en effet une émigration et une colonisation. Le sionisme s'est appuyé temporairement sur une puissance impérialiste – la Grande-Bretagne – et cet aspect convient au paradigme colonialiste, mais là se termine toute ressemblance. La terre d'Israël se distingue des terres d'immigration caractéristiques, tout d'abord du fait qu'elle était pauvre et non développée. Contrairement aux Européens, qui ont émigré vers des pays riches en ressources naturelles et pauvres en ressources humaines, pour les exploiter, les immigrants juifs sont venus dans une terre si pauvre qu'elle ne pouvait même pas subvenir aux besoins de la population locale. Contrairement à ce qui se passe en général dans les projets colonialistes, le sionisme importa des capitaux vers la terre d'Israël. Ce mouvement de capitaux fut à sens unique, vers la terre d'Israël et non pas de la terre d'Israël. Les puissances impérialistes exploitaient en général les colonies en faveur de la métropole et n'y investissaient pas au-delà de ce qui était nécessaire pour leur exploitation. Le mouvement sioniste, par contre, investit dans le pays tout ce que les immigrants y avaient apporté et tout ce qu'il pouvait obtenir. Si les Juifs (qui d'après le stéréotype antisémite de mauvais goût, sont particulièrement doués pour les affaires) avaient voulu pratiquer un colonialisme d'expropriation et d'exploitation – selon cette même logique tordue, ils auraient sans aucun doute réussi à trouver une meilleure « affaire »…

Les détracteurs de ce paradigme nous rappellent également que pendant toute cette période, les Juifs ont tout fait, par le biais de leur leadership élu, pour politiquement institutionnaliser une sorte de séparation des secteurs nationaux, afin d'éviter une lutte avec les Palestiniens. Par deux fois – en 1937 et en 1947 – les Juifs ont accepté un partage. En 1946-1947, ils ont même engagé une action diplomatique en faveur de son application. C'est dire qu'ils ont agi en faveur d'une coexistence des deux peuples et non de l'exploitation ou de l'expropriation de l'un par l'autre. La guerre éclata parce que les Palestiniens réfutèrent le principe de cohabitation, bien que celui-ci avait été adopté par l'ONU et qu'ils voulurent chasser les colons juifs du pays. Et une fois que ce projet eut échoué, tant à la fin de la guerre d'Indépendance qu'à la guerre de 1967, les Juifs n'acceptèrent plus de revenir à la situation démographique et géographique dangereuse dans laquelle ils se trouvaient vers la fin de l'année 1947[86].

---

86.   Voir : Avi Bareli, *ibid.* Et également : Yoav Gelber et Gadi Taub.

Jusqu'en 1948 le sionisme – contrairement à tous les mouvements colonialistes – acheta des terres en terre d'Israël et ne les conquit pas. La liste des vendeurs comprenait les meilleures familles de l'élite palestinienne, qui malgré leur extrême opposition au projet sioniste, ne purent résister à la tentation que représentaient les prix galopants des terres achetées par le *yichouv*. Et quand des terres privées furent expropriées, l'État accorda une compensation aux propriétaires privés. De la même manière, sous le Mandat britannique et pendant les premières années de l'existence de l'État, les immigrants juifs concurrencèrent les Arabes autochtones sur le marché du travail, en ville et dans les villages, pour ce qui est du travail physique. Une telle concurrence n'existait pas dans les pays coloniaux [87]. À certains stades du début de la colonisation, certains – parmi lesquels Ben-Gourion lui-même – rêvaient et parlaient de syndicats communs rassemblant les Arabes et les Juifs [88].

Il n'y eut pas de concurrence parce que la société et l'économie de Palestine/ terre d'Israël évoluèrent sous le mandat britannique (1918-1848) en une société et une économie divisées en deux secteurs nationaux, assez nettement séparés l'un de l'autre. Cette séparation fut aussi déployée idéologiquement par le mouvement sioniste socialiste, qui s'opposait à une société basée sur des modèles colonialistes. Elle le fut aussi du fait des circonstances du conflit national, à partir des années vingt. Tout ceci empêcha le développement d'une société basée sur l'exploitation des Palestiniens. Il est clair en tout cas que malgré ces tendances séparatrices, le développement économique de la colonisation juive créa des emplois pour les Arabes, du fait aussi que parfois, les Arabes jouissaient d'un avantage relatif dans certains domaines et parce que les Arabes et les Juifs ne se disputaient pas les mêmes domaines de travail [89].

Un examen de l'aspect culturel du projet sioniste place lui aussi le sionisme en dehors du paradigme colonialiste. Contrairement au stéréotype colonial, les Juifs venus en terre d'Israël avaient rompu leurs liens avec leurs pays d'origine et leurs cultures. Au lieu de conserver un attachement à leur culture d'origine, ils ont fait revivre une langue ancienne et ont créé – sur la base de l'hébreu et d'autres éléments de leur passé antique premier en terre d'Israël – une nouvelle culture. De plus, tandis que les émigrants colonialistes dans le monde entier fuyaient un triste passé ou cherchaient un avenir prometteur, les Juifs venus en terre d'Israël, y vinrent certes pour ces mêmes raisons, mais également parce qu'ils voulaient revenir dans leur pays et participer au projet

---

87. Voir : Yoav Gelber, *ibid.* et Moshe Lissak.
88. Par exemple, David Ben-Gourion, avant le congrès du Syndicat Général [*Histadrout Haclalit*] du 26.10 – 3.11.1926. Dans : *Ahdout Haavoda, le Comité exécutif et le cinquième Congrès. rapport* (en hébreu), Tel Aviv 1927, p. 157-159.
89. Voir : Avi Bareli et Shlomo Aronson, *ibid.*

de résurrection de leur ancien patrimoine. A ce propos, il faut rappeler aussi qu'une partie non négligeable des Juifs venus en terre d'Israël, n'ont pas choisi eux-mêmes la date de leur émigration. En Europe, le monde démocratique était pris dans un processus de régression, dûe à la pression nazie et fasciste, après laquelle vint la Shoah qui détermina l'ordre des choses. Dans les pays islamiques, ce sont des processus internes qui ont poussé les Juifs à prendre leurs balluchons et à partir. Longtemps, les Juifs durent se frayer un chemin vers la terre d'Israël et même risquer leur vie et celle de leurs enfants pour pouvoir atteindre le pays qui, pendant une bonne partie de cette période et justement aux moments les plus critiques – était interdit d'entrée pour eux, par les Anglais et la politique du « Livre Blanc ».

Ce n'est pas par hasard qu'on identifie le sionisme au colonialisme. En effet, cette comparaison sert tant l'argumentation post-sioniste que l'argumentation palestinienne. Les Palestiniens sont les victimes de l'impérialisme et du colonialisme d'Occident et les sionistes sont les agents de cet impérialisme. Les Palestiniens sont les victimes d'un système malfaisant, colonialiste et militariste. Si la plupart des autres mouvements de libération nationale ont atteint leurs buts et ont depuis longtemps banni le colonialisme, l'heure des Palestiniens est maintenant venue. Le paradigme de mouvement de libération nationale (palestinien) combattant une force coloniale répressive (le sionisme), a un attrait particulier – ou du moins en avait un, avant la deuxième Intifada. Il sert ceux que cela arrange du point de vue méthodologique et à qui cela convient du point de vue politique. Le lecteur pourra lire d'intéressants développements à ce sujet, dans plusieurs articles de cette compilation [90].

Valeurs construisant une nation, valeurs construisant l'homme et valeurs construisant une société

La question de savoir de quelle manière une société se mesure avec un esprit de « pluralisme obligé », une ambiance générale poussant à glorifier une conception du passé et du présent impliquant de nombreux narratifs et un relativisme extrême – influe également sur le système éducatif en Israël ainsi que sur les manuels scolaires rédigés ces dernières années. Cette question s'aiguise surtout quand une partie de l'opinion ressent un certain malaise et craint que la conception du présent et de l'avenir – aussi disputée soit-elle – ne soit coupée des racines du passé et surtout de la promesse que celui-ci

---

90.   Voir : Yoav Gelber, Avi Bareli, et Shlomo Aronson, *ibid.*

impliquait. Un regard de communion sur le passé renforcerait la sensation de cohérence, si vitale dans le climat de désintégration et de menace extérieure grandissant et dissiperait le sentiment d'égarement qui selon eux, s'est répandu dans une partie de la société en Israël[91]. Ce point prend encore plus d'acuité à l'heure où surgissent des questions de principe sur le rôle de l'État et de ses institutions dans le rassemblement de ses jeunes citoyens, dans l'élaboration de programmes et de livres scolaires et où il existe une certaine tension du fait de l'obligation du système scolaire d'un État d'enseigner à la fois des valeurs nationales, constructives du point de vue de la nation, des valeurs humanistes, constructives pour l'homme et des valeurs démocratiques, constructives pour la société. Se pose un véritable dilemme entre la nécessité pour la société d'établir une identité et une mémoire communautaire et celle de susciter chez ses jeunes une curiosité et un doute productif, une pensée critique et autonome, qui par essence soumet aussi à l'épreuve de la critique les décisions du système éducatif.

Ce dilemme découle d'une perplexité sur l'intelligence et du besoin de définir « un patrimoine de savoir » commun, un ensemble d'écrits canoniques consensuel, un programme de base accepté par tous les mouvements et les courants de la société israélienne. Il découle d'interrogations sur le rôle du professeur d'histoire ou de sciences sociales dans une société où le statut de la « vérité » est érodé et où la mode est de présenter aux élèves différentes alternatives d'explications de processus historiques, sans trancher entre elles ; d'une existence où sont exposés une abondance de modèles de « bon », de « juste » et de « souhaitable » ; il découle d'une attitude dont ses détracteurs pensent qu'elle ronge les chances d'existence d'une base méthodologique commune et stable, indispensable pour diriger toute étude ou débat sérieux et réduit la connaissance, à un dialogue entre des narratifs concurrents qui ne saurait être une étude critique du passé et ne peut être qu'une étude de « l'histoire de la mémoire ». Ces questions ont dépassé le cadre des universités et sont devenues un problème public qui produisit un débat d'opinion orageux, une commission chargée d'examiner un livre scolaire et une consigne de retirer un livre d'histoire du système scolaire[92].

L'essentiel de la critique fut dirigé contre quelques manuels d'histoire, édités ces dernières années en Israël. Leurs détracteurs affirmaient que ceux-ci n'insistaient pas assez sur la description et l'analyse de la place du peuple juif dans le narratif historique, puisque ces livres choisissaient d'ignorer des

---

91. Voir là-dessus les développements de l'article de Ophir Haivri dans ce recueil. Il y cite entre autres pour exemple, la première phrase de la *Divine comédie*, où le poète Dante Alighieri décrit une situation d'égarement : « Au milieu de la vie, je me suis trouvé dans une forêt sombre, loin du droit chemin ».

événements et des personnalités, essentiels pour l'histoire sioniste, affaiblissant chez l'élève la conscience du bien-fondé du sionisme et de la création de l'État d'Israël, au point de mettre totalement en doute le droit du peuple juif à sa terre. D'autres ont écrit que l'esprit général de ces livres reflétait un effort de plaire à tout le monde, de reconnaître la multiplicité des opinions et des cultures en Israël, de donner à toutes une représentation adéquate et d'exalter un tableau comprenant une infinité d'éventualités et de voies éducatives, toutes légitimes. Ceci équivaut à adopter une attitude de relativisme historique sous couvert de « variété d'opinions ». C'est une déviation par rapport à la conception de la réalité unique et objective du positivisme et une tentative d'intégration à l'existence postmoderne, qui rejette non seulement l'existence d'une « vérité » et d'un mode de recherche aspirant à la « vérité », mais aussi toute hiérarchie de valeurs communes et de textes canoniques ayant une valeur constituante [93].

Les critiques de cette conception s'accordent cependant à dire que la réévaluation du passé n'est pas une invention israélienne et qu'elle se pratique dans toute société démocratique. Toutefois, ils ajoutent que des pays comme la France, l'Angleterre ou les États-Unis – qui sont aux yeux de nombreux post-sionistes, autant de symboles de droit politique – n'ont pas la même tendance à faire une autocritique libre et douloureuse, comme on l'exige pour Israël. Les pionniers du « Mayflower » ne sont pas présentés comme des colonialistes qui dépossédèrent les Indiens et les nouveaux programmes scolaires

---

92. Professeur Israël Bartal, courrier des lecteurs, *Haaretz, supplément littéraire*, 6.3.2002, en réponse à l'article du professeur Anita Shapira dans le même supplément. Voir aussi à ce sujet, l'article de Bartal dans le recueil présent. De 1995 à 2000, Bartal fut président de la commission chargée de proposer un schéma d'ensemble pour les études d'histoire de l'enseignement secondaire des écoles d'État en Israël. Bartal traite l'affirmation selon laquelle la commission qu'il présidait était soumise à une pression politique quelconque, de « fiction ». Sur la position du Centre Shalem à ce sujet, voir : Yoram Hazony, *Histoire et dérobade, réponse au Ministère de l'Education et au Professeur Israël Bartal à propos du livre « Monde d'évolutions »* (en hébreu), Centre Shalem, Jérusalem 2000 ; Yoram Hazony, Daniel Poliser et Michael Oren, *la révolution silencieuse de l'enseignement de l'histoire du sionisme : Étude comparative des manuels scolaires édités par le Ministère de l'Education sur le xxe siècle (classe de troisième)* (en hébreu), Centre Shalem, Jérusalem 2000.

93. Voir à ce propos : Israel Bartal, courrier des lecteurs, *Haaretz, ibid.* Bartal cite aussi les réactions contradictoires des deux parties s'affrontant dans la polémique. Les propos de l'organisation « Les femmes en vert » qui avait publié une annonce appelant à boycotter l'histoire traîtresse : « S'opposer ! ne pas acheter ! Ne pas apprendre et ne pas enseigner ! ». Et celle de gens de gauche qui réagirent en s'étonnant de la grande émotion provoquée et qui affirmèrent entre autres : « Il n'y a là rien de révolutionnaire, rien de vraiment provocateur » (Tom Segev). Amnon Raz Krakotzkin vit même dans les nouveaux manuels scolaires un subtil acte d'imposture destiné à perpétuer la domination du narratif sioniste. Non seulement les manuels maintiennent l'ancienne version, mais ils font pire : un examen plus sérieux montre qu'il n'y a pas de changement de principe, et sous certains aspects, il y a même un recul ». Voir également : Avi Bareli, Daniel Gutwein et d'autres dans : « Discussion sur l'enseignement de l'histoire dans les lycées » (en hébreu), *Israël – revue d'étude du sionisme et de l'État d'Israël*, 1 (2002), p. 155-191.

aux États-Unis commencent avec l'installation dans le pays des premiers immigrants blancs. L'Américain moyen n'a aucune difficulté à accepter les signes américains de souveraineté de l'hymne et du drapeau au cours des cérémonies officielles dans les écoles ou d'autres institutions éducatives. Alors que j'écris ces lignes, les États-Unis sont entraînés dans un débat houleux à propos de la décision d'un juge de ne plus permettre dans les écoles américaines, de chanter le vers de l'hymne national : «Que Dieu garde l'Amérique». La chambre des représentants s'en étant émue, un tribunal de grande instance a finalement annulé cette décision.

Il en est en France et en Angleterre, rappellent les détracteurs de la critique post-sioniste, comme de la démocratie américaine. Dans les manuels scolaires de France ou d'Angleterre, des sujets comme l'Algérie, la domination de l'Angleterre en Inde ou dans d'autres colonies ne sont pas traités selon les critères exigés des nouveaux manuels d'enseignements des écoles primaires et secondaires en Israël. Ceci signifie-t-il que la France, l'Angleterre ou les États-Unis n'ont pas entendu parler de Foucault, de Lyotard et des postmodernes, ni de l'importance d'une vision critique et de la formation d'un élève autonome et réfléchi ? Ces questions pertinentes nourrissent plusieurs articles du présent volume [94].

L'histoire, l'enseignement de l'histoire et la tour d'ivoire

La question d'une base méthodologique commune exigée pour l'examen des arguments ou des conclusions dans la discipline de l'histoire ne s'est pas arrê-

94. Voir à ce sujet les articles de Israël Bartal, Yoram Hazony et Yoav Gelber de ce recueil et également le débat sur «la discussion sur l'enseignement de l'histoire dans les écoles secondaires (voir plus haut). Et aussi : Baruch Kimmerling, «La religion du nationalisme face à la religion des citoyens» (en hébreu), *Haaretz*, 29.9.1995 (page 2 B) ; Orit Shohat, «Qui est post-sioniste ?» (en hébreu), *Haaretz*, 1.9.1995 (page IB), réponse à l'attaque du ministre de l'Education, Professeur Amnon Rubinstein contre «le courant post-sioniste». Shohat affirme que le post-sionisme découle du sionisme, ne s'y oppose pas mais présente une version raisonnable et une attitude pacifique envers ses voisins arabes. Ses opposants, affirme très justement Shohat, tentent d'en faire un terme dépréciateur pour étouffer toute critique légitime des expressions extrêmes du sionisme. Voir aussi : Anita Shapira, À qui appartient cette histoire, critique du livre : *Histoires en vue d'un dialogue avec le passé*, de Eyal Naveh et Esther Yogev, éditions Bavel, Tel Aviv 2002. Parmi les autres ouvrages ayant suscité une polémique : Danny Jacoby, *Un monde d'évolutions* (en hébreu), Maalot, Jérusalem 1999 et Eyal Naveh, *Le XXᵉ siècle à la veille de demain* (en hébreu), Sifrei Tel Aviv, Tel Aviv 1999. La critique de ces livres va de l'accusation de falsification de l'histoire et d'atteinte à l'image du peuple israélien, à l'énumération de fautes, de lacunes et d'autres faiblesses d'historiographie. Anita Shapira montre qu'il y eut une intervention ministérielle pour ce qui concerne les programmes scolaires, sous le mandat du ministre de l'Education Yossi Sarid. D'autres évoquent aussi l'influence de Shulamit Aloni et de Zvoulon Hamer.

tée aux polémiques sur les manuels d'enseignement destinés aux élèves de collège et de lycées, mais atteint aussi les universités. Elle donna cours à un débat public pertinent à propos d'une thèse de maîtrise remise à l'université de Haïfa qui fit l'objet d'une accusation de calomnie portée devant les tribunaux. L'un de nos auteurs analyse minutieusement cette affaire et ses suites [95] et pose la question de principe à savoir si l'historiographie est toujours une discipline de savoir, basée sur des principes, des méthodes de recherche, des règles strictes sur ce qui est permis et ce qui ne l'est pas et des normes agréées quant aux interprétations acceptables et celles qui ne le sont pas [96]. Comment doit-on, pour autant que ce soit possible, examiner la mesure d'authenticité des sources historiques, la valeur et la validité des méthodes d'analyse et d'interprétation des historiens par rapport à celles-ci. De nouvelles méthodes de recherche, développées en sciences sociales – comme l'anthropologie, la psychologie ou la sociologie politique – ou des instruments sémiotiques et herméneutiques développés dans d'autres domaines de recherche de culture et de société, peuvent-ils aller de pair avec une position historiciste s'appuyant sur des documents authentiques en tant que matériel primordial de sources premières, pour les renforcer et améliorer leur qualité ? À moins que ces nouveautés ne rendent le matériel traditionnel superflu et ne le remplacent ?

L'accusation de calomnie aiguisa le débat, toucha une corde sensible et porta la question de la multiplicité des narratifs et de la mesure de leur validité devant les tribunaux. Elle ajouta au débat interdisciplinaire, des questions de principe sur la nature des « faits » historiques et leur poids dans la procédure judiciaire et sur la capacité des juges et des tribunaux de juger des questions historiques – autant de questions qui ne datent pas de cette polémique particulière. Elle posa également avec acuité la question des frontières du slogan sur « la liberté du chercheur », la responsabilité des professeurs d'université par rapport aux productions de leurs élèves et celle des frontières mises par le règlement universitaire devant les universitaires. Elle suscita des conflits ouverts ou latents au sein des universités et donna au grand public – convaincu que dans la tour d'ivoire ne siègent que des savants mus par de pures considérations intellectuelles – un aperçu sur les luttes de pouvoir qui s'y déroulent, les questions de principes et les problèmes pratiques qu'impliquent ou que suscitent les méthodes de jugement et la capacité de quantifier l'apport scientifique dans les espaces relatifs des sciences humaines et sociales, les processus d'avancement universitaire et de sa fragilité et d'autres questions qui jusque-là étaient taboues et qu'il était grand temps de discuter, indépendamment de cette polémique passionnante [97].

---

95.   Voir l'article de Yoav Gelber de ce recueil.
96.   À ce propos, voir les articles de Yoav Gelber, Moshe Lissak, Gadi Taub et Avi Bareli de cet ouvrage.

Quoi qu'il en soit, la question de savoir comment il faut enseigner l'histoire du peuple juif et du mouvement sioniste n'a elle non plus pas attendu le débat de ces deux dernières décennies. Elle fut soulevée dès le début de l'existence de l'État. Le débat portait d'une part, sur le lien entre l'histoire juive et l'histoire générale et d'autre part, sur l'histoire du mouvement sioniste et de l'État d'Israël. Le professeur Ben-Zion Dinur – historien éminent et également ministre de l'Education qui œuvra à introduire la discipline dans le cadre universitaire – devint au fil du temps l'une des principales cibles de la critique post-sioniste. Ses adversaires estiment qu'il fut l'un des architectes de la mobilisation de la recherche et de l'enseignement pour les besoins de la cause de la construction de la nation et de la société et qu'il identifia l'histoire juive, particulièrement l'histoire juive moderne, à l'histoire du sionisme en mettant l'accent sur la continuité historique entre les étapes de souveraineté ancienne du peuple juif et ses expressions actuelles [98]. Il fut, affirment ses critiques, une cheville essentielle de ce fameux « système » central qui fit de l'historiographie du mouvement sioniste une historiographie institutionnelle et parallèlement, « la mémoire collective » s'alimenta donc aux mêmes sources.

De plus, affirment les chercheurs post-sionistes, ceux qui écrivirent l'histoire sioniste s'abstinrent pendant des années, pour toutes sortes de raisons, de toucher à des sujets sensibles et participèrent donc au complot de silence qui entourait ces sujets embarrassants. Pour cette raison, furent réduits au silence ceux qui prétendaient que la terre d'Israël n'était pas inhabitée quand une population juive s'y reforma, que la majeure partie du temps où les Juifs étaient en diaspora, il n'y avait pas de Juifs dans le pays et que ceux qui voulurent traiter de la question des réfugiés palestiniens pendant la guerre d'Indépendance, de sujets touchant l'intégration des Orientaux ou de tout ce qui était « différent » et n'était pas du goût des élites sionistes – tous ceux-là furent relégués aux marges de la communauté universitaire ou complètement évincés [99]. Les universités et les instituts de recherche n'intégrèrent pas dans leurs rangs de chercheurs critiques ; bourses et prix accordés à la recherche

---

97. Voir à ce propos les articles de Yoav Gelber, Moshe Lissak, Gadi Taub et Daniel Gutwein de ce recueil.
98. Voir à ce propos : Yehiam Weitz, *Entre vision et révision*, Introduction, p. 7-29 ; l'article de Shlomo Aronson de ce recueil et aussi : Jacob Katz, « Eclaircissement du concept "annonciateurs du sionisme" (en hébreu), *Chivat Zion*, 1 (1950), p. 93 ; Israel Kollat, « Sur la recherche et le chercheur ». Et également : Shmuel Almog, « La multiplicité des aspects de l'histoire du sionisme et du yichouv » (en hébreu), dans : Moshe Zimmermann, Menaham Stern et Joseph Salmon (eds.), *Études en historiographie*, Centre Zalman Shazar, Jérusalem 1978, p. 191-208 – tous cités chez Pappé, La nouvelle histoire, *Théorie et critique*, 3.
99. Voir à ce propos l'article de Moshe Lissak de ce recueil et également Bar-On, *Frontières fumantes* et les compilations de Yehiam Weitz – *Entre vision et révision* – et de Pinhas Ginossar et Avi Bareli – *Sionisme, un débat contemporain*.

ne leur furent pas accordés ; ils n'eurent droit à aucun honneur scientifique et les archives leur furent interdites d'accès. Ce n'est que ces dernières années, continuent-ils à affirmer, que les choses changèrent. Ceci, parce que les « chercheurs critiques » réussirent à percer et à « conquérir » de l'intérieur d'importants départements des universités israéliennes et qu'ils parvinrent par ailleurs à établir « un système parallèle » d'instituts de recherche, de revues, de congrès scientifiques et de groupes de réflexion sympathisants pouvant apporter le soutien scientifique international vital aux processus d'avancement.

Ces arguments et les réponses qui leur sont données sont traités dans plusieurs articles de ce recueil [100].

Du sionisme perçu comme « l'âne du Messie » au post-sionisme religieux de droite ?

À quel moment la critique du mouvement sioniste, du *yichouv* ou de l'État d'Israël – aussi violente soit-elle – dépasse-t-elle les limites d'une simple critique et peut être qualifiée de post-sioniste ? Y a-t-il en Israël, au sein de la droite nationaliste religieuse – et également laïque – aussi curieux que cela puisse paraître, des manifestations post-sionistes ? De telles manifestations de la droite – bien que situées à l'autre extrême de l'éventail politique – se rattachent-elles par une sorte d'alliance, aux positions de l'extrême gauche post-sioniste ? Ces questions sont, elles aussi évoquées dans des articles de ce recueil. Nous clorons ce débat par des ébauches de réponse à ces questions.

Pour certains auteurs de ce recueil, la réponse à la deuxième et à la troisième question est sans aucun doute positive. Il existe aussi un post-sionisme nationaliste de droite – dans sa manifestation la plus pittoresque, il considère le sionisme comme « l'âne du Messie » [101] – qui se rapproche de l'essence du post-sionisme de gauche. Selon ce point de vue, ces deux courants s'appliquent au même effort de faire éclater la légende de l'innocence des premiers temps du sionisme et ils partagent la conviction que vu ce que le sionisme est devenu, il eût mieux valu qu'il n'apparaisse pas du tout. Les représentants de cette conception proposent deux solutions pour expliquer le phénomène. La première explication tient dans l'affirmation que la droite religieuse qui s'oppose fermement aux post-sionistes de gauche, les rejoint cependant, sans le vouloir. Comme eux, elle attaque les méfaits et les manifestations du

---

100. Voir là-dessus les articles de Yoav Gelber, Daniel Gutwein, Zéev Tsahor, Moshe Lissak et Gadi Taub de cette compilation.

101. Cette expression est le titre du livre de Seffi Rachlevsky, *L'âne du Messie* (en hébreu), Yediot Aharonot, Sifrei Hemed, Tel Aviv 1998, l'ouvrage traite du fondamentalisme religieux et de son rapport au mouvement sioniste.

sionisme et son attaque frontale n'est pas seulement dirigée contre les agissements du sionisme, mais aussi contre le sionisme lui-même.

La deuxième explication lie les conceptions de ce courant religieux de droite aux processus de privatisation. Ceux-ci débutèrent par une attaque de l'idée du collectivisme sioniste et de ses institutions dans le but d'en saper les bases, de la démonter et la privatiser. Ils se poursuivirent par l'établissement d'un régime de privatisation qui bâtit un nouvel ethos de glorification de l'ego et des valeurs de l'individualisme, de la concurrence et du marché, dégagées de toute considération qui ne soit pas économique – dans l'esprit du plus pur capitalisme. Il s'agit d'un ethos qui vibrait dans ce camp dès ses débuts, qui voulait évincer les valeurs fondamentales de la conception sioniste et qui attendit impatiemment son heure jusqu'à ce que celle-ci arrive. La droite arriva à cette position par un processus clair et naturel, tandis que la gauche y parvint du fait de la dialectique de ses positions déconstructionnistes [102].

Les racines idéologiques du courant religieux de droite, créé dans le pays, se réfèrent à une certaine sorte de « nouveau conservatisme » qui s'est développé dans les cercles de la droite juive (et non-juive) aux États-Unis qui, prétendent ses dénigreurs, fonde son sionisme sur un cléricalisme (la domination de la religion sur la vie publique), sur un repliement sur soi et sur une aversion des étrangers. Selon cette optique – et pour adapter l'histoire et l'image de l'avenir à une conception du monde – ce groupe inventa de toutes pièces un récit historique totalement fictif. Ainsi, expliquent leurs critiques, Herzl devient pour eux le précurseur d'un nouveau conservatisme de style américain, tandis que Jabotinsky et David Ben-Gourion, les rabbins Yehuda Haï Alcalay, Zvi Hirsch Kalisher et Avraham Yitshak Hacohen Kook, sont considérés comme des « anti-sionistes » absolus. En quoi ont-ils fauté ? En distinguant aussi dans le sionisme une dimension universelle ! Zéev Jabotinsky a le tort d'être un nationaliste libéral qui loua et vanta les cultures européennes et s'en inspira pour sa pensée nationaliste ; David Ben-Gourion est coupable d'avoir considéré que la révolution sioniste s'inscrivait dans la révolution mondiale à laquelle il se référait ; le rabbin Yehuda Haï Alcalay et le rabbin Zvi Hirsch Kalisher ont osé penser que l'émancipation allait de pair avec la vision de la rédemption d'Israël et le rabbin Avraham Yitshak Hacohen Kook, porte la lourde responsabilité d'avoir voulu mêler ce qu'il y avait de meilleur dans la culture des peuples à l'esprit d'Israël.

Pour établir leurs thèses, affirment leurs opposants, ce cercle de pensée nie aussi au sionisme, la grande création intellectuelle des écrivains, des poètes et des penseurs politiques de tout l'éventail politique, depuis Yossef

---

102. Voir à ce sujet les articles de Daniel Gutwein, Israël Bartal, Gadi Taub, Nissim Calderon et Anita Shapira, dans ce recueil.

Klausner jusqu'à Martin Buber. Tout cela pour « servir la thèse bizarre et sans fondement que les intellectuels juifs furent depuis toujours les « ennemis du nationalisme juif », des « intrigants infatigables », des sortes « d'adeptes cachés du faux messie Shabbtaï Zvi », se présentant ouvertement comme des sionistes, mais qui en vérité agissent en coulisses pour extirper le judaïsme de l'État d'Israël et rapprocher la fin de l'État [103].

Pour adapter Herzl et ses idées à la conception de l'État, les porte-parole de cette école, présentent Altneuland (le pays ancien-nouveau) de Herzl, comme un ouvrage et un point de vue n'ayant aucune incidence sur sa vision de l'État. Sa vision concernant l'État futur des Juifs – un état universaliste, ouvert et tolérant, où domine la culture européenne et où le judaïsme n'a qu'une place mineure – « est adaptée » jusqu'à devenir une conception totalement opposée qui, comme on l'a dit et comme l'affirment ses critiques, repose sur un chauvinisme et un cléricalisme, un repli sur soi-même et une haine des étrangers [104].

Ce groupe, continuent leurs critiques, ancre dans la tradition religieuse, un capitalisme de marché prônant la concurrence et une politique extérieure ferme. Il fournit, ajoutent ces critiques, un cadre intellectuel et idéologique pour promouvoir une privatisation de l'économie et démolir l'État providence. Il s'oppose fermement au « camp national » en général et au camp national-religieux en particulier, tel qu'il s'exprime par le biais du « Bloc de la Foi » par exemple, ce camp étant lui aussi, d'après eux, prisonnier de slogans sionistes de gauche, vides de sens au point d'être devenus l'expression religieuse de l'esprit du *Mapaï*, avec tous ses péchés. Il stigmatise les « squelettes » qui se trouvent dans « l'armoire sioniste », et établit dans le détail la liste des échecs du sionisme sous sa forme socialiste. Il évoque le « péché originel » sur lequel repose le sionisme et de ce point de vue, il n'apporte rien de nouveau par rapport à ce qu'ont dit jusqu'à présent les post-sionistes situés à l'opposé de l'éventail politique [105].

Les innovations de ce groupe sont de trois ordres, écrivent leurs détracteurs. Le premier est sa philosophie économique conservatrice de droite. L'un des articles de ce recueil analyse en profondeur ce phénomène [106]. Le deuxième est l'appel lancé à tous ceux qui se disent sionistes de se libérer du devoir moralisateur et superflu d'expliquer les injustices que commit le mouvement sioniste dans ses efforts pour peupler le pays. Il s'agit là d'un effort superflu étant donné que personne ne se laisse plus convaincre par ce genre d'argu-

---

103. Voir l'article de Israël Bartal de ce recueil.
104. Israel Bartal, *ibid.* et les réponses de Yoram Hazony et de Ophir Haivry, dans ce recueil.
105. Comparer les articles de Ophir Haivry et Yoram Hazony de ce recueil.
106. Voir l'article de Daniel Gutwein de cet ouvrage.

ment. Dans un monde qui a déjà tout vu, le chauvinisme et le racisme, le colonialisme et l'exploitation odieuse – il n'est nul besoin d'expliquer ou de prouver quoi que ce soit. D'autant plus que ces actions ne dépassent absolument pas ce qu'ont fait d'autres peuples, dans les processus de leur renaissance ou quand leur intérêt national est en contradiction avec l'intérêt d'autres populations. Celui que cette logique mettra mal à l'aise, trouvera sa voie dans les étendues du postmodernisme et du relativisme. Là, il n'y a ni degré, ni valeurs. Il n'y a pas de valeurs qui soient meilleures et plus justes que d'autres. Là, chacun peut avoir ses propres convictions et ses propres valeurs – quelles qu'elles soient – même si certaines d'entre elles sont extrêmement intolérantes. C'est une infrastructure intellectuelle permettant de trouver une justification « morale » à chaque injustice, une sorte de pragmatisme philosophique où, non seulement « tous les hommes ont été créés égaux », mais où l'ont été également toutes les valeurs, comme nous le fait bien comprendre l'un de nos auteurs [107].

La troisième nouveauté se cache dans la description de l'espace culturel et moral, né du courant sioniste, dans sa forme laïque et socialiste, une sorte de décadence occidentale *made in Israel*. Selon cette conception, la société israélienne se trouve engagée dans un processus de démolition et se nourrit de l'effondrement de la crédibilité de l'ancien ethos sioniste, de son incapacité à résister au temps et à proposer une nouvelle croyance ou un nouveau fil conducteur significatif [108]. L'une des expressions de cet état se reflète dans la littérature hébraïque moderne qui, toujours selon le post-sionisme de droite, n'est tout au plus qu'une littérature de langue hébraïque et non une littérature hébraïque. Il s'agit d'une littérature ayant uniquement conscience du temps actuel, qui ne puise plus rien dans le monde de la création juive et n'est plus « qu'une pâle imitatrice de la mode culturelle actuelle de l'Occident », ce qui ne peut la mener qu'à une « auto-destruction » [109]. Une autre expression de cette situation est la décadence bacchanale de la jeunesse israélienne, coupée des valeurs et des racines juives, qui s'exprime par son ordre du jour, ses centres d'intérêt et sa culture des loisirs, les battements de rythme mono-

---

107. Voir l'article de Gadi Taub de cet ouvrage.
108. Daniel Gutwein, *ibid.* Gutwein se réfère longuement à une série d'articles publiés dans la revue *Tehelet* [Azur] éditée par le Centre Shalem, et plus particulièrement les articles de Assaf Inbari, Assaf Sagiv, Ophir Haivry et Yoram Hazony. Voir également à ce propos, les articles de Ophir Haivry et de Yoram Hazony de ce recueil et aussi Daniel Gutwein, « Post-sionisme de droite » (en hébreu), *Haaretz, Supplément littéraire*, 18.10.2000.
109. Ophir Haivry, *ibid.* et Mor Altschuler, » L'État des Juifs – la génération suivante » (en hébreu), *Tehelet*, 6 (1999), p. 30-31 (sera cité plus loin : Altschuler, L'État des Juifs) ; et la réponse de Daniel Gutwein, dans ce recueil.

tone de leurs soirées de musique de transe ou de techno, la fuite et la déban-
dade devant le joug pesant de tout cadre non-hédoniste ou nihiliste [110].

Le principal facteur de l'échec du sionisme, toujours selon ce groupe, se
trouve dans le recul du sionisme par rapport à la vision originelle de Herzl,
telle que celui-ci l'interprète. Ce qui réussit encore à se maintenir jusqu'au
départ de Ben-Gourion en 1963, que ce soit grâce à sa personnalité ou du fait
du pouvoir aguerrissant de la menace sécuritaire extérieure, s'est épuisé et
n'existe plus. L'appel à la normalité et à la réalisation personnelle, marque
le début du post-sionisme et selon les chefs de file de cette école de pensée,
ce besoin de tout obtenir tout de suite, suscita l'émergence des mouvements
«La Paix maintenant» ou «Les Quatre Mères» ou encore d'autres organisations exigeant «une paix instantanée» ou une société «normale», qui sont
leurs produits idéologiques, politiques et sociaux [111].

Après le déclin et l'effondrement du mouvement travailliste, «la seule
idée sioniste restant encore vivace» se trouvait dans les rangs du sionisme
religieux, tel que l'incarnait la *yeshiva* du Rav Kook. Cependant, «le nationalisme des écoles talmudiques *(yechivot)*» échoua aussi et ne parvint pas à
devenir une force d'envergure dans l'opinion, du fait qu'il ne constituait pas
une véritable alternative au mouvement travailliste. Il en avait hérité les
valeurs – colonisation, armée, immigration et agriculture – mais très vite
rappela «à en trembler» le ben-gourionisme et ses méthodes politiques. «Le
camp national» devint un «nouveau *Mapaï*» et la Kippa tricotée remplaça
les couleurs bleu et rouge des insignes du *Mapaï*. Qui avait grandi dans la
haine du *Mapaï*, n'éprouva pas plus de sympathie pour son émule, et il y avait
là un beau terrain pour une contre-réaction, pour le renforcement et la consolidation des idées post-sionistes.

Cette interprétation touche deux éléments, résume l'un de nos auteurs –
d'une part *Mapaï* et l'effondrement de tout ce que ce parti avait représenté
et d'autre part, le judaïsme national-religieux qui ne parvient pas et ne mérite
pas de porter ce qui s'est effondré. Cette interprétation permet au camp conservateur juif religieux de gagner sur tous les tableaux : «d'une part, s'approprier la vision sioniste et apparaître comme le plus fervent de ses partisans
et le seul à la continuer et d'autre part, nier toutes les manifestations réelles
du sionisme et apparaître comme le plus violent de ses critiques» [112].

Ceux que leurs adversaires définissent comme des post-sionistes de droite
repoussent totalement ces étiquettes d'évaluation. Ils affirment qu'ils criti-

---

110. Voir l'article de Assaf Sagiv, «Dionysos à Sion – naissance d'une musique de l'esprit de tragédie»
     (en hébreu), *Tehelet*, 9 (2000), p. 120 et suite.
111. Pour plus d'informations sur les arguments avancés dans cet esprit, voir la revue *Tehelet*, éditée par
     le Centre Shalem.

quent en effet le mouvement sioniste, ses dirigeants et certaines de ses actions, mais rejettent absolument l'appellation de post-sionisme et refusent une quelconque analogie avec la gauche post-sioniste ou anti-sioniste. Les lecteurs pourront trouver dans les articles de deux représentants de ce groupe, inclus dans ce recueil, un écho de ses positions. Dans l'un, l'auteur repousse l'argument selon lequel Herzl ne souhaitait pas créer un État juif, mais seulement un « État de Juifs » universel et neutre. Il affirme que penser que Herzl aurait tout imaginé, excepté un État juif, n'est pas seulement une question académique et que le moment où cette question est traitée est loin d'être anodin ou aléatoire. Cela relève de la tendance post-sioniste visant à affaiblir le lien des Juifs au sionisme et celui du sionisme au judaïsme. Selon cet auteur, le fondateur du sionisme lui-même formula le terme d'« État juif ». Ce n'est pas parce qu'il ne le comprenait pas ou ne trouvait pas un autre titre qu'il intitula ainsi son livre. Il passa ses dernières années à s'activer à faire de ce terme contraignant un concept accepté dans le monde entier. Il ne s'agissait donc pas seulement d'un choix sémantique ou d'un calcul de marché. Herzl était incontestablement engagé pour la création d'un État qui serait juif par essence : non pas un État n'ayant qu'une majorité démographique juive, mais un État qui soit aussi juif par sa constitution, ses objectifs et ses institutions et aussi ses liens avec le peuple juif et la religion juive. De plus, en examinant objectivement l'ensemble des écrits de Herzl ainsi que son activité politique, on voit que l'idéal d'un État juif, tel que l'entendait David Ben-Gourion et le courant central du mouvement sioniste et tel qu'il s'exprima dans la Déclaration d'Indépendance, recoupe entièrement la vision du fondateur de l'Organisation sioniste. De ce point de vue, Herzl, de même que ses continuateurs, voulait bel et bien un État juif et ils agirent tous en conséquence.

Selon les gens de ce groupe de pensée, l'effort investi afin de prouver que Herzl tendait à établir un « État des Juifs » et non un « État juif », n'est ni le fait du hasard, ni innocent, pas plus qu'il n'est un travail purement intellectuel ou académique. L'idée d'un État d'Israël qui serait un État des Juifs s'accorde avec le concept d'un « État de tous ses citoyens » et en lui prêtant un

---

112. Daniel Gutwein, *ibid.* Et aussi : « Post-sionisme de droite » *Haaretz, Supplément littéraire* où Gutwein résume ainsi les choses : « La nouvelle droite » que propose le Centre Shalem et *Tehelet*, est assurément d'essence post-sioniste. Les rapports réciproques entre le post-sionisme de droite et de gauche donnent à tous les deux une puissance politique allant au-delà de la valeur idéologique ou de la qualité de propagande des messages de chacun d'eux. Les explications contredisant la critique éclairée, la politique d'identité et de préférence des forces de marché – sur lesquels s'élabore la négation commune de l'ethos de construction sioniste – aident les post-sionismes, de gauche comme de droite à construire un champ idéologique, sur lequel ils entretiennent une lutte illusoire entre de fausses alternatives, qui non seulement aide à ratifier un ordre de privatisation, mais et surtout empêche une discussion sur une réelle alternative à la situation existante, soit la régularisation et la formation solidaire de l'économie et de la société ».

tel point de vue, Herzl lui-même devient post-sioniste. C'est donc là-dessus que ces thèses rejoignent l'effort post-sioniste. Cela s'inscrit dans l'effort idéologique continu entrepris par le camp post-sioniste et ses partisans pour délégitimer l'idée d'un État juif en tant qu'idée fondatrice de l'État d'Israël, qui est une tentative de déraciner l'idéal de l'État juif de la tradition politique israélienne et de saper la croyance en cette idée aussi bien dans l'opinion publique juive en Israël, que chez les Juifs de diaspora ou parmi les nations[113].

En imaginant un arc se fermant à la base, on se représente facilement que très souvent, les extrémités inférieures et ouvertes de cet arc, sont très proches l'une de l'autre. Souvent, la distance qui les sépare est plus petite que celle de chacune d'elles au centre de l'arc. Un tel phénomène, où des cercles d'extrême droite et d'extrême gauche se retrouvent très proches l'un de l'autre dans leur opposition et souvent dans leur haine au courant central et par conséquent collaborent – par intérêt, d'une collaboration ad hoc ou même d'une collaboration plus profonde et continue – n'est pas une nouveauté israélienne ou moyenne-orientale. La question se pose aussi de savoir si ce courant religieux néo-conservateur ou les cercles du fondamentalisme religieux considérant le sionisme comme « l'âne du Messie », se trouvent vraiment aux côtés de la gauche post-sioniste. Une réponse exhaustive à cette question demanderait une étude approfondie, dépassant les possibilités de notre cadre. Cela obligerait également à étudier les variantes, apparemment essentielles, existant au sein des cercles religieux eux-mêmes ainsi que celles séparant ce qui jusqu'à présent a été défini comme le post-sionisme et ce qui est attribué à ce groupe de pensée par ses critiques.

La première différence réside dans la conception nationale. Il s'agit d'un camp qui dans sa grande majorité, ne nie ni l'existence d'un nationalisme juif, ni le droit à l'autodétermination des Juifs ni leur droit à avoir un État. La deuxième différence consiste dans le fait que ce camp appelle à sa façon, à renforcer et à approfondir la relation entre le projet national sioniste actuel – avec tous ses défauts – et son passé. Loin d'eux de souhaiter une dilution ou un appauvrissement de ce lien – comme le proposent les post-sionistes modérés de gauche. De ce point de vue, c'est un courant primordial qui s'appuie tant sur le nationalisme, que sur des périodes de souveraineté en terre d'Israël ou sur la terre d'Israël historique. Sa principale critique n'est pas dirigée contre l'existence d'un tel lien, mais contre ses formes politiques et sociales actuelles. Il s'agit d'un courant s'inspirant non seulement de ce qu'il appelle la Tora et l'amour de la terre d'Israël, mais également de conceptions conservatrices américaines – qui tend à approfondir ce qui dans l'identité israélienne relève de ses racines hébraïques premières, à renforcer l'attache du projet sioniste

---

113. Voir l'article de Yoram Hazony de ce recueil.

avec la terre d'Israël et s'opposant de toutes ses forces à l'idée d'un État d'Israël qui soit « un État de tous ses citoyens ». De ces points de vue également, il ne peut être défini comme « post-sioniste ». De plus, une observation superficielle des conceptions sociales et économiques du courant religieux conservateur – marquées de l'empreinte de la privatisation – montre qu'il en existe de semblables et même de plus accentuées, dans d'autres cercles de droite dont le sionisme ne peut être mis en doute. D'autant plus que dans la forme actuelle de la social-démocratie israélienne (le parti travailliste), on peut tout trouver, y compris de telles idées. Des mesures prises sous son gouvernement par ses dirigeants sont, d'ailleurs elles aussi, faites des mêmes matériaux.

Il s'agit et sur ce point, tout le monde est d'accord, d'une critique très acerbe des dirigeants du mouvement sioniste. C'est une profonde critique de la manière dont les représentants de la majorité du camp sioniste appliquèrent le sionisme. Cette critique comprend aussi une disqualification, très souvent fielleuse, d'éléments parmi les plus essentiels et importants de la pensée, de la littérature, de la culture et de l'art, qui surgirent de la plate-forme du projet sioniste. C'est une critique du nihilisme, de l'hédonisme, du vide et de l'ignorance qui selon ce camp est « l'heureux résultat » de cette création hébraïque laïque. Cette thèse est exprimée dans un autre article de cette compilation et nous laissons au lecteur le soin d'en juger [114].

De toute manière, la critique provenant de la droite religieuse, contre les théories post-sionistes, que certains critiques du post-sionisme identifient à une expression supplémentaire de celui-ci, enseigne du moins que s'il n'existe pas un « post-sionisme » unique, il n'y a pas non plus de réponse unique à cet « adversaire post-sioniste ». Il existe plusieurs réponses, parfois fondamentalement différentes les unes des autres, venant de différents points de l'éventail des idées du discours scientifique et culturel de l'État d'Israël. Ce phénomène nous montre entre autres, que les rangs du camp qui repousse les théories post-sionistes pour des raisons méthodologiques ou idéologiques ne sont pas si serrés ou si accordés que certains le disent. S'il existe un « mécanisme » secret sioniste qui dirige méthodiquement la lutte contre de telles idées, il doit être tout aussi réel que les chevaliers que voyait don Quichotte quand il attaquait les moulins à vent [115].

---

114. Voir l'article de Ophir Haivry et aussi : Altshuler, L'État des Juifs. L'ouvrage édité par Israël Bartal, *La charrette pleine, cent vingt ans de culture d'Israël* (en hébreu), Magnes, Jérusalem 2002, rejette totalement, fondamentalement et de manière non équivoque la théorie de « la charrette pleine ».

115. Voir à ce propos les articles de Nissim Calderon, Gadi Taub, et Daniel Gutwein d'une part et d'autre part ceux de Yoav Gelber, Yoram Hazony et Ophir Haivry.

Et au nom du mouvement travailliste, toutes générations confondues...

La grande vague d'immigration de la fin de la guerre d'Indépendance et du début des années cinquante, de même que la question de la politique du « creuset social » – toutes deux résolutions stratégiques de Ben-Gourion et des dirigeants de l'État hébreu – appartiennent, elles aussi à ce débat, et sont traitées dans ce recueil [116]. Ces décisions ont produit, longtemps après, soit il y a quelque temps, une demande de pardon devant les Orientaux, au nom « des dirigeants du mouvement travailliste, toutes générations confondues » pour le prix payé pour cette intégration et aussi leur projection actuelle dans une société multiculturelle et un « pluralisme involontaire » [117]. Il s'agit d'un débat sur les processus d'émigration et le prix qu'ils exigent, sur la vague d'immigration massive des années cinquante, sur la nature de l'intégration des rescapés de la Shoah. Sur la boue des campements provisoires pour immigrants et la poussière des sentiers des kibboutzim, sur les vagues « héroïques » d'immigration d'avant la Shoah et tout de suite après celle-ci, sur l'avant-garde et « les masses », sur Sarale et Yankele, Naïm, Sabbah et Allegra [118], sur le centre et la périphérie, sur les utilisations politiques qu'en firent tous les éléments de l'éventail politique et leurs maîtres d'œuvre.

La question du caractère économique et social – capitaliste dans sa version locale, socialiste comme il le fut en son temps ou social-démocratique selon l'esprit qui inspira « la troisième voie » – trouve elle aussi une place dans cette étude. Selon les adversaires de cette nouvelle voie, elle eut même un résultat dialectique où, comble de l'ironie, ce sont justement des gens de gauche, partant d'un contexte plus ou moins marxiste, qui adhérèrent et prônèrent l'adhésion à une conception déconstructionniste, allant jusqu'à glorifier des processus de privatisation de la société, dans une sorte de néo-libéralisme d'extrême droite, atomisée à l'extrême et pragmatique. Ces gens de gauche s'inspirent de théories d'extrême droite et en fin de compte meurtrissent tout ce qui dans la société est faible et périphérique. Un tel ego se donne la légitimité morale d'avoir ses propres aspirations de vie et de bonheur, d'afficher un matérialisme conscient, une tendance à utiliser la force ou une compétitivité sans limite et une mentalité d'oiseau de proie sur le plan économique, social et culturel. Tout cela sur fond de la distanciation caractérisant les rela-

---

116. Voir à ce propos les articles de Nissim Calderon, Daniel Gutwein, Moshe Lissak, Anita Shapira et Yossef Gorny de ce recueil.

117. Voir à ce propos l'article de Nissim Calderon. Calderon considère la politique du « creuset social » comme un grand échec, un rêve qui suscita plus de mal que de bien.

118. Noms juifs courants de l'époque des premières vagues d'immigration reflétant l'éventail des ethnies venues dans le pays. Certains noms sont typiquement ashkénazes, d'autres séfarades (N.D.T.).

tions de l'État moderne, du fait même de sa définition et du vide spirituel créé suite à la tendance à se replier sur soi-même, qu'implique tout cela, avec le nihilisme, l'aliénation, le vertige et le désespoir qu'ils accompagnent parfois, et que le poète T.S. Elliot appelait « les immenses forces impersonnelles » qui avalent le monde.

Cette polémique produit aussi des phénomènes linguistiques, littéraires [119] et artistiques [120] dont on devrait parler et qui seraient dignes d'être étudiés pour eux-mêmes. Parmi ceux-ci, il y a les différents modes d'expression souvent contradictoires, des artistes israéliens. Ces derniers ont devancé le débat entre ce qu'on appela « les historiens institutionnels » et les « nouveaux historiens et sociologues critiques ». Dès les années soixante-dix, ils examinèrent l'ensemble des rapports réciproques entre les images collectives et la question de l'identité de l'individu ou de l'identité collective [121]. C'est ce que ce groupe d'artistes et les chercheurs en histoire de l'art appellent un examen critique des symboles, des mythes et des clichés et l'étude de leur place dans les processus de constitution d'images, dans un monde et des conditions exigeants, à l'ombre d'une confrontation prolongée accompagnant des situations extrêmes de changement de valeurs [122]. Selon eux, il s'agit d'une activité d'où n'est pas absente « la banalité israélienne », avec les relents d'histoire, les mythes, les ethos anciens et les stéréotypes qui lui ont été attachés « à l'âge de l'innocence » – âge où l'auréole de telles images chargées, ne

---

119. Voir à ce propos Nissim Calderon dans ce recueil. Calderon cite Orly Castel-Blum, qui stigmatise ce sentiment par le vocable « sans histoire » : « Il existe aujourd'hui une politique qui tire sa force du fait qu'elle honnit l'histoire et il existe une bonne littérature, extrêmement sensible à la sensation du « sans histoire ».

120. Voir par exemple : Tami Katz-Friedman, La juste distance, *Cliché du Désert*, et aussi Shmuel Haspari, dans les propos qu'il met dans la bouche du héros de la pièce *Objet* ou ce qu'il dit à Yehuda Koren, « Les enfants doivent manger des galettes à l'huile d'olive et oublier », *Yediot Aharonot, Supplément Sept Jours*, 20.1.1995 ; Yitshak Laor, *Nous t'écrivons, patrie – Essais sur la littérature israélienne* (en hébreu), Hakibboutz Hameouhad, Tel Aviv 1995.

121. Tami Katz-Friedman, *ibid.*, p. 124-126. Parmi ce groupe des années soixante-dix figurent entre autres : Yigal Tomarkin, Micha Ullman, Joshua Neustein, Avital Geva, Michal Naaman et Tamar Getter. Voir aussi à ce propos : Yaïr Sheleg, « Sionisme, la lutte pour l'audimat » (en hébreu), *Kol Ha-ir*, 6.10.1995, chapitre « Art » où il évoque aussi Ran Shehori, David Reeb, Gil Meisler, Nir Nadar, Erez Harudi et Larry Abramson qui explique son point de vue :
« On peut définir l'exposition [il s'agit de l'exposition « Tsuba » où il présenta le village arabe Tsuba, perçant sous le kibboutz du même nom. Cette exposition se voulait une réponse à la série de tableaux du peintre Joseph Zaritsky, dans laquelle il n'y avait pas trace des restes du village arabe.] comme post-sioniste dans le sens où il s'agit d'un examen des mythes sionistes, mais je voulais surtout étudier notre manière de voir les choses, de quelle façon nous regardions le paysage et ce que nous voyons. Le temps que dura cette exposition, j'ai senti que je ne cherchais pas une vérité alternative pour remplacer le sionisme, mais que je voulais ouvrir les yeux et voir ce que je n'avais pas vu avant. Mon but n'est pas de dire qui avait raison et qui avait tort en 1948, ni de remplacer l'engagement sioniste par un autre, mais seulement de corriger notre vue, pour elle-même… »

122. Tami Katz-Friedman, La juste distance, Introduction, p. 134.

s'était pas encore altérée. Aux yeux des artistes israéliens qui furent les premiers à affronter ce qu'ils appelaient « des stéréotypes moisis », il s'agit d'expressions d'un regard critique. C'est « une ligne artistique examinant, analysant et présentant l'ensemble des représentations des « clichés nationaux », dans le but affirmé de faire éclater les mythes et de détruire la base historique et idéologique sur laquelle ils s'appuient, comme le définit Tami Katz-Friedman, la conservatrice de l'exposition de ce courant artistique. Ce sont des « représentations de contenus de la réalité politique et sociale, à partir d'une variété de points de vue, allant à l'encontre du monolithisme du narratif sioniste… et émettant d'autres sons dans ce « trouble zigzag postmoderne de renversements et d'écrasements » [123]. Il s'agit d'un effort intellectuel et artistique d'examiner « l'utopie », l'image conceptuelle d'Israël en tant que « miracle du désert », expérience, selon l'avis des membres de ce groupe, d'ôter ce qu'ils appellent « la couverture mythique » de la réalité telle qu'elle se dégage aux yeux critiques (et subjectifs) d'artistes israéliens [124].

On pourra se faire une idée de cette tendance dans *Cliché de Désert* [125]. Elle ne peut, au mieux, que mettre en appétit pour une étude et un approfondissement supplémentaires de cet aspect de la polémique.

Développements de maturation d'une identité détériorée

Nous conclurons par le noyau de l'argumentation et le fil conducteur qui selon nous, se dégage de cette discussion et des articles de ce recueil. En fin de compte, comme ces articles le montrent bien, il s'agit d'une polémique dont l'essence tourne autour de la question de l'identité collective de la société israélienne sous toutes ses composantes – que ce soient ses composantes

---

123. *Ibid.*, p. 127.
124. *Ibid.*, p. 127. Voir aussi à ce sujet, ce que dit Yigal Zalmona dans *Prologue – Catalogue de l'exposition « Chemins d'errance »*. Voir également l'article de Nissim Calderon de ce recueil. Quand Jurgen Habermas discute avec Foucault et traite le postmodernisme de « nouveau conservatisme », il distingue très bien le coup de foudre de Foucault et de ses disciples pour le flou et l'hystérique et voit que cette indétermination spécifique est liée à l'effacement de frontières entre l'imaginaire artistique et la réalité. « Toutes les tentatives, écrit Habermas, d'annuler les différences de niveaux entre l'art et la vie, entre l'illusion et l'expérience, entre l'apparence et la réalité […] les tentatives d'élever toute chose au rang de l'art et de faire de chacun un artiste, de supprimer tout critère, de comparer des jugements esthétiques à des expressions d'expériences subjectives – ces tentatives, qui depuis ont été analysées en profondeur, peuvent être comprises aujourd'hui comme des expériences de l'invariabilité.
125. Œuvre d'Ariane Littman-Cohen, *Terre Sainte à vendre*, 1996, dans : *Cliché de Désert*. Voir dans cet esprit, les travaux de David Tartakover, par exemple l'affiche « Qui dira les hauts faits d'Israël » et « Nous t'aimons, patrie, dans la joie, la chanson et le travail ».

nationales ou la nature de cette nationalité, avec ses formes de consciences collectives, sa mentalité et ses fronts idéologiques communs ; ce qu'on a tenté de tisser, ce qui a pu se réaliser et ce qui n'a pas pu prendre forme. Sur des consciences dont le développement et le mûrissement – si tant est qu'ils soient possibles au sein d'une société hétérogène, variée, assertive et sceptique, comme le furent toujours les parents et tous les ancêtres des fils et des filles de cette nation et de ce peuple – obligent à avoir des horizons de processus de « longue durée » [126]. Mais le débat sur les questions d'identité collective se déroule avant terme, avec une puissance et un enthousiasme destructifs, dès cette étape embryonnaire d'une société qui cherche son identité dans des laps de temps recouvrant tout au plus les étapes de métamorphose d'un papillon – selon des processus de « courte durée ».

De plus, et cela aussi est ironique, c'est justement ce même camp qui apporta une si importante contribution en mettant l'historiographie à l'ordre du jour, soulevant un débat passionnant, fertile et fondamental touchant les principaux domaines de savoir à la base de la polémique présentée ici, ce camp qui amena des entendements essentiels sur les processus d'élaboration d'identités et de conscience, sur « les contrées de la mémoire » et « les communautés de mémoire », sur les différentes sortes de temps et les « processus de temps court, moyen ou long » – ce camp donc examine à la hâte des processus de formation d'identité, développements qui par essence sont des processus de « longue durée », avec les instruments et la réserve de ceux qui ne peuvent supporter l'imprécision, incontournable pourtant même dans l'examen de processus de « courte durée… »

Il y a pire et cela relève du paradoxe ! Dans ce domaine justement, certains chercheurs avec exactement les mêmes instruments, se sont risqués à définir les assentiments à la base des premières démarches de construction de la société et de la nation – malgré l'étiquette qui les accompagne – comme un succès social et politique particulier, presque un miracle, un phénomène sans précédent dans le monde ; processus de construction de société et de nation, dont les constructeurs et les protagonistes venaient d'une diversité infinie de cultures et de langues, agirent dans les cadres d'un régime basé sur le volontariat et sans instruments coercitifs d'aucune sorte, sur fond de combat contre une population locale adverse – même si son mal était vrai – celle-ci, en partie véritablement assassine et hargneuse dès l'arrivée des premiers colons juifs et dans des conditions de guerre contre la plupart des pays arabes, sous un gouvernement étranger, d'abord ottoman puis britannique ; avec la Shoah qui

---

126. À ce sujet, voir : Fernand Braudel, sur « la longue durée » ou « la longévité du temps », « le temps intermédiaire » et « le temps court » ou « la courte durée », par exemple dans : Shlomo Ben-Ami, « sur la longue et la courte durée » (en hébreu), *Zmanim*, 55 (1996) p. 14-27.

anéantit le peuple, une guerre d'Indépendance sanglante, et tout de suite après les anciens de cette société durent intégrer des centaines de milliers de leurs frères dans des proportions et un rythme sans précédent dans l'histoire des peuples et des migrations des temps modernes ; une entreprise de milliers d'ouvriers, qui ne connut cependant ni travail d'enfants, ni exploitation odieuse, ni forte mortalité et autres maux des processus d'urbanisation et d'industria-lisation. Tout cela, par la force d'une société jeune et peu nombreuse et de son leadership qui de conjoint, réussirent à orienter dans ces processus et ces défis, sur des bases de larges assentiments, une pratique essentiellement démo-cratique – même si elle en était encore à l'état embryonnaire – et cela, presque sans en arriver à la guerre civile. « Un prix de rabais », nous enseignera toute étude comparative, « au tableau mondial des tarifs » de tels processus.

Pour étudier cette polémique, il faut se rappeler que celle-ci traite d'une époque réunissant presque tout : aussi bien l'enthousiasme idéologique d'une époque révolutionnaire, « la passion et la fougue » d'une avant-garde prête à mener cette révolution, tout comme le « train-train quotidien » qui suit ; une concentration idéologique exceptionnelle où chaque signe et chaque indice est décisif, pour lesquels il vaut la peine de mourir et au nom desquels des mouvements, des partis, des kibboutzim se sont scindés ; et également des gens qui voulaient construire une société reconnaissant l'importance de la vie privée et du train-train quotidien ; et aussi un « État et une société modèle » de même qu'un État modeste reconnaissant ses limites spirituelles et physiques, allant directement à l'étape pragmatique et veillant au bien-être de ses citoyens. « Tout simplement un État normal », qui puisse vivre en paix, avec des gens prêts à se contenter de ce qu'ils ont, à rentrer chez eux et enlever leurs chaus-sures, étirer leurs membres endoloris, jouir du « quotidien » et vivre leur vie, sans s'embarrasser de « rédemption » ou de « renaissance » ; et aussi des gens qui voulaient participer à de grands projets et à des expériences uniques et d'autres – des Juifs de tous les jours – qui veulent tout simplement atteindre enfin le repos, aller se coucher tranquillement et quand viendra l'heure, mourir tout simplement dans leur lit ; une société où certains pensaient que l'indi-vidu n'existe que par rapport à la collectivité et que son façonnement concret n'a pas de quoi l'étouffer mais est justement une forme décisive de réalisa-tion de soi, de son existence, donnant une signification à sa vie en tant que créature sociale ; et s'opposant à ceux-ci, d'autres pensant et prônant le contraire. Une société qui du moins pour une partie d'entre elle, est toute pénétrée d'enthousiasme idéologique et prête à accomplir des miracles alors qu'une autre est un assemblage idéologique et social, caractéristique d'un peuple d'immigrés en provenance de nombreuses langues et de cultures – des régions politiques de Russie et d'Europe de l'Est et des pays arabes, dont aucune n'était le berceau de grandes démocraties ; d'une existence où les

signes de processus centrifuges et centripètes, les Lumières, le choc de l'émancipation et la réaction qui suivit avaient imprimé leurs marques dans la chair
et la conscience [127]. Ainsi donc, tous les désirs romantiques existant à une
telle époque, avec leurs tourments, leurs difficultés d'enfantement et leurs
peines, accompagnaient les bourgeons de maturation.

Et avec tout cela, il y avait aussi les guerres et leur terrible prix. Et on
pouvait voir le doigté mesuré de Clio – la muse chargée de la mémoire qui
est aussi la muse de l'histoire – programmant une guerre par décennie. Ces
guerres – affirment les post-sionistes – étaient le fait de la société. Au moins
deux d'entre elles – et là dessus tout le monde s'accorde, celle de 1967 et
celle de 1973 – représentent un tournant fatidique. Nous verrons dans les
articles qui suivent, à quel point elles attisèrent la discussion [128].

Nous avons donc là un terrain favorable à la création de nouveaux narratifs reflétant la formation et le développement d'identités oubliées, refou-
lées ou réprimées, comme le prophétisent les post-sionistes ou comme d'autres
osent le prédire, il y a là des chances de formation d'une nouvelle identité,
nationale et sioniste qui se placera quelque part entre l'idéologie du « grand
Israël » et celle de « tous les territoires en échange de la paix » ; entre la laïcité
n'accordant pratiquement aucune valeur au judaïsme et l'orthodoxie n'en
donnant pratiquement aucune à ce qui lui est étranger ; et entre Zébulon et
Issachar et tout ce qu'impliquent leurs relations [129]. Une société où la liberté
et l'initiative économiques ne se transforment pas obligatoirement en darwi-
nisme social et en privatisation à outrance du peuple et de l'État ; une société
où une économie de « haute technologie » ne vient pas prendre la place d'une
société « *high tech* ». Une sorte « d'accord » venant aussi après l'échec des
solutions radicales et des « programmes maximaux », basé sur les cruelles
déceptions et les douloureux sacrifices découlant des processus dramatiques
de changement que connut le peuple juif avec ces programmes ; un accord

---

127. À l'époque de ces processus dialectiques, se développa un éventail passionnant d'identités – de la
droite politique à la gauche universaliste ; du religieux ultra-orthodoxe au juif assimilé. Entre ceux-
là grandit toute une série de partis juifs et de mouvements politiques juifs dont différentes sortes de
socialisme et d'anarchisme – le « Bund », le « Sejmism », « Renaissance », le « Folkisme », le « territorialisme », plusieurs nuances de sionisme sans oublier une énorme activité juive dans les rangs des
divers partis non-juifs. Voir pour éclaircir cela, Harshav, « La révolution juive moderne » (en hébreu),
Alpaïm, 23 (2002), p. 35, et Haïm Avni et Guidon Shimoni (eds.), *Le sionisme et ses opposants au
sein du peuple juif.*

128. Sur les deux guerres en tant que croisées de chemin de la société israélienne, voir l'article de Nissim
Calderon de ce recueil.

129. Selon l'accord passé entre les deux tribus Zébulon et Issachar, Zébulon navigue, fait des affaires,
du commerce, représente donc le côté « pratique » qui entretient Issachar – tribu qui étudie la Tora
et est le gardien du trésor. Ceci, bien entendu à condition que Issachar soit une tribu et non pas tout
le peuple…

qui puise sa force tant de l'exhaustion des discussions passionnées entre les grandes idéologies, que de l'avènement d'une génération dont l'expérience personnelle et concrète sera libérée de ces étapes révolutionnaires et pré-révolutionnaires.

Cette finalité se basera aussi sans doute sur la conscience qui filtre de l'immense acquis des dernières générations, d'avoir seulement survécu et résisté à des développements qui les ont forcés à quitter leurs parents, leur pays, leur patrie, à abandonner leur langue maternelle, leurs croyances, leur culture et leur mode de vie et à aller vers une terre hostile, qui en fin de compte fut le terrain de développement d'un État et d'une société, d'une langue et d'une culture, d'une science et d'un enseignement supérieur, d'une industrie et d'une économie qui ne sont après tout, pas les pires que connut le monde. Et cela, même les post-sionistes les plus extrémistes l'admettent [130] !

Ainsi donc, il ne s'agit pas seulement d'une discussion sur l'histoire de la révolution sioniste et les processus de construction de la nation et de la société en Israël, mais d'une discussion qui est en fait un débat sur l'identité de la société israélienne, aujourd'hui et dans le futur. C'est également une discussion sur la question de savoir dans quelle mesure cette société saura entendre les voix qu'elle n'a pas entendues, voir la douleur qu'elle a ignorées, sentir ce que les gens n'ont pas l'habitude de dire pour ensuite pouvoir souder ses fissures et non pas seulement les enduire de plâtre.

Il est bon que celui qui préside à l'ouvrage déclare ses penchants

Le nom de ce recueil comme le choix des articles qui y figurent peuvent témoigner de la ligne choisie et il est juste que le lecteur connaisse, avant d'en commencer la lecture, les penchants de celui qui en prit l'initiative. Le lecteur trouvera dans les paroles du poète Yehuda Amihaï, une évocation claire et nette de ces penchants :

> … Je veux chanter les louanges de tout ce qui reste
> Ici avec nous et ne quitte ni ne vagabonde comme des oiseaux volages
> Ne fuit ni vers le Nord ni vers le Sud ni ne chante « mon cœur est à l'Est
> Et je suis aux confins de l'Ouest ». Je veux chanter pour les arbres
> Qui conservent leurs feuilles et souffrent la chaleur de l'été et le froid de l'hiver

---

130. Voir à ce propos dans ce recueil, le point de vue de Yossef Gorny, sur les objectifs du sionisme aujourd-d'hui.

Et pour les hommes qui préservent leurs souvenirs
Et souffrent plus que ceux qui rejettent tout.
Mais plus que tout je veux chanter les louanges
Des amants qui restent ensemble dans la joie, la tristesse et la joie.
Pour faire un foyer, faire des enfants, maintenant et en d'autres saisons.

Yehouda Amihaï, « Automne, amour, publicité »,
Ouvert fermé ouvert, Shoken, Tel Aviv 1998

Histoire de l'Etat d'Israël
Académie et politique*

Zéev TZAHOR

E N 1963, quand David Ben Gourion démissionna du gouvernement, cet homme de soixante-dix-sept ans déclara qu'arrivé à ce stade, il désirait se consacrer à la tâche la plus importante de sa vie. À qui pourrait se demander quelle pouvait être la tâche si importante qui attendait celui qui fut président de la direction de l'Agence juive avant la fondation de l'État et le premier chef de gouvernement de l'État d'Israël, est réservée une réponse étonnante : écrire l'histoire de la fondation de l'État d'Israël[1]. Ben Gourion croyait en effet que l'historiographie avait assez de pouvoir pour influer sur la formation de la société qui était en train de se créer dans le nouvel état.

Après s'être essayé à plusieurs modes d'écriture, il décida de se concentrer sur la rédaction de souvenirs et de tracer le point de vue du participant-observateur ; son intention n'était pas d'écrire une autobiographie racontant sa vie mais de retracer l'Histoire écrite par quelqu'un « qui y était », qui était à la croisée des événements, et les avait consignés dans sa mémoire et dans ses journaux intimes, à l'époque où ils se sont déroulés. Ben Gourion était convaincu de sa capacité d'écrire une historiographie fidèle, s'appuyant sur une large documentation, une connaissance de première source et une faculté de jugement. Le rôle éducatif considérable que Ben Gourion accordait au narratif national venait de l'importance qu'avaient eue pour lui les livres dans sa propre formation. Ainsi par exemple, il croyait que ses débuts dans la voie

(*) Cet article est une adaptation élargie de l'article du même nom qui fut publié pour la première fois dans la parution spéciale pour le centenaire du périodique *Kathedra* de Yad Ben Zvi à Jérusalem. Nous remercions la direction de *Yad Ben Zvi* et la rédaction de *Kathedra* de nous avoir accordé la permission d'utiliser cet article.
1. À ce propos, voir mon article : « Ben Gourion écrit son autobiographie », *Keshet,* 65 (1974).

du socialisme furent le fruit de l'enthousiasme qu'il ressentit étant jeune garçon, à la lecture du livre de Harriet Beecher Stowe, «La case de l'oncle Tom[2]».

Le statut spécial qu'il accordait à l'historiographie n'était pas exceptionnel. Zéev Jabotinsky, Arthur Ruppin[3], Berl Katznelson, Yossef Haim Brener et de nombreux autres, ont laissé des journaux intimes où ils parlaient de l'influence directe que la littérature historique exerça sur leur vie et sur l'élaboration de leurs conceptions du monde. Ils citaient très souvent Till Eulenspiegel et Pan Tadeusz, Michel Strogov et Garibaldi, des personnages réels ou imaginaires, des fictions ou des ouvrages de popularisation, pour expliquer l'expérience de découverte qu'ils connurent et grâce à laquelle ils sont devenus sionistes ou socialistes ou les deux.

Ces journaux qu'ils ont tenus nous permettent de découvrir, par divers héros interposés et la place qu'ils y tiennent, la dynamique idéologique qui réunira plus tard les lecteurs en sous-groupes à caractéristiques idéologiques. Ainsi par exemple le livre de Jabotinsky «les flammes» joua un rôle important dans l'élaboration de l'idéologie du mouvement Hachomer Hatsair[4], et les récits décrivant les aventures de De-Valera et de Pilsudski influencèrent le développement du mouvement Betar[5].

En écrivant ses mémoires, Ben Gourion avait à l'esprit l'œuvre d'historiographie personnelle de Winston Churchill. Ses livres sur l'histoire des peuples anglophones et surtout son ouvrage monumental sur la Deuxième Guerre mondiale représentaient pour lui un chef-d'œuvre à imiter. Pendant la dizaine d'années qui lui restait à vivre, Ben Gourion n'écrivit pas moins de dix volumes traitant de l'histoire des Juifs depuis la naissance de la nation («Réflexions sur la Bible») jusqu'à la création de l'État d'Israël (deux volumes sur «le nouvel État d'Israël»). Il rassembla du matériel pour cinq volumes supplémentaires, dont trois furent publiés de son vivant sous le titre de «Souvenirs» et deux constituent un recueil de ses lettres. Il écrivit trois autres volumes qui furent publiés après sa mort.

---

2. Voir : David Ben Gourion, *La maison de mon père*, hakibboutz hameouhad, Tel Aviv, 1975, 34 p.
3. *Arthur Ruppin* – (1876-1944) : Directeur du département de la colonisation sioniste de la fédération sioniste. Initiateur d'entreprises de colonisation de grande envergure en terre d'Israël. Entre autres, la fondation des «fermes nationales», Kinereth, Houlda et Ben Shemen ; fondateur de la société *hahcharat hayichouv* qui devait être l'un des principaux instruments de l'acquisition de terres ; l'un des plus grands soutiens de *Ahouzat Bait,* quartier précurseur de la ville Tel Aviv – et de nouveaux quartiers de Jérusalem et de Haifa. A écrit une série de livres sur la terre d'Israël, dont une autobiographie *My life and Work,* Am Oved, Tel Aviv, 1968 ; Trente ans de construction en Terre d'Israël, Shoken, Jérusalem, 1901.
4. Sur l'influence du livre dans la conception de Hachomer Hatsair, voir : Zvi Lam, *La méthode d'éducation du Hachomer Hatsair*, éditions Magnès, Jérusalem, 1998, 49 p.
5. Voir Yaacov Shavit, *Les mythologies de la droite*, édité par Beit Berl et l'institut Moshe Sharett, Beit Berl, 1979.

Les efforts d'historiographie de Ben Gourion ne débutèrent pas au moment de sa démission. À l'âge de trente ans, il composa une sorte de recherche historique sur l'origine des Arabes de Palestine. Il écrivit donc son premier livre, une étude historique dont l'objet était l'histoire de la Palestine [6], cinquante-quatre ans avant la publication de l'ouvrage « Le nouvel État d'Israël ». En tout, Ben Gourion laissa après sa mort une trentaine de livres et des centaines d'articles où le facteur dominant relève souvent de l'historiographie.

On ne peut expliquer cette profusion par l'ambition d'un père fondateur de laisser aux générations suivantes une Histoire dont il serait le héros. Nous sommes là en présence d'un exemple saillant par son ampleur mais non exceptionnel par son ambition, de l'attention particulière qu'accordaient les dirigeants de « l'État en formation » à l'élaboration de l'historiographie du yichouv et ensuite de celle de l'État. Moshe Smilansky [7], Mordehai Ben Hillel Hacohen [8], Berl Katznelson, Arthur Ruppin, Itshak Tabenkin, Méir Yaari et de nombreux autres membres du mouvement sioniste ne se contentaient pas de ce qu'on appelait alors « l'action ». Ils s'appliquaient aussi à établir la structure de l'action à laquelle ils participaient en insistant sur deux plans : donner une dimension théorique à leur action et l'intégrer dans un cadre idéologique cohérent ; relater l'action comme on raconte une histoire.

Les dirigeants des organisations armées, comme Ysrael Chohat [9], Menahem Begin, Nathan Yalin-Mor [10], Moshe Sneh [11] et Yitshak Sadeh [12], ont tenu eux aussi à consigner leurs actions, à en laisser un témoignage à les relater dans

---

6. Ben Gourion écrivit en collaboration avec Yitshak Ben Zvi un article intitulé : « l'origine des fallahs » qui fut incorporé dans leur livre commun, *la Terre d'Israël dans le passé et aujourd'hui*, New York 1918.

7. M*oshe Smilansky* (1874-1953) : dirigeant agricole et publiciste. L'un des fondateurs de « l'association des collectivités agricoles » (*mochavot*) en 1913 et l'un des activistes pour l'engagement au « gdoud ha-ivri ». S'activa à l'achat de terres et fut rédacteur-fondateur de « Boustenai » à partir de 1929.

8. *Mordehai Ben Hillel Hacohen* (1856-1936) : écrivain, fut parmi les premiers membres du mouvement des « Amants de Sion ». Monta en terre d'Israel et y développa une large activité dans le secteur des affaires et celui du commerce et soutint et initia des projets culturels. Compte parmi les fondateurs de Tel Aviv et des dirigeants du pays pendant la Première Guerre mondiale. Membre du « comité provisoire » et membre de la deuxième assemblée des élus. Publia des livres de souvenirs et des articles, dont : *Mon monde*, Defouss Hapoalim, Jérusalem 1927-1928, *Du matin au soir*, Hamadpis, Jérusalem 1925 ; *Le livre du cinquantenaire*, Jérusalem 1925.

9. *Yisrael Chohat* (1886-1961) : fondateur des organisations « Bar Guiora » et « Hachomer ». Est venu en Israël en 1904 et fut l'un des symboles de la deuxième vague d'immigration. S'installa en Galilée et y fonda l'organisation « Hachomer » (1909) qu'il espérait transformer en force militaire de la population juive en terre d'Israël. Après la Première Guerre mondiale, il fut l'un des fondateurs du parti « ahdout avoda » et de la « histadrout haovdim » (syndicat des ouvriers , N.D.T.) Dans les années vingt une violente querelle éclata entre lui et les dirigeants de la « Ahdout avoda » et de la « hagana » parce qu'il refusa de dissoudre l'organisation « Hachomer » et de l'intégrer à la « hagana ». Membre du « comité national » dans les années 1921-1926 et l'un des fondateurs du « hapoel ». Après la création de l'État, il fut pendant quelques années, directeur général du ministère de la police.

un cadre idéologique et narratif. L'importance toute particulière que ces gens-là ont accordée à l'historiographie s'exprime, après la création de l'État par l'effort qu'ils investirent dans la diffusion de leurs livres et l'enseignement de leur contenu. À ces fins, ils fondèrent des instituts de recherche où furent employés des sortes d'« écrivains de cour » qui s'appliquaient à répéter le récit des événements selon les grandes lignes d'historiographie qu'avaient tracées les dirigeants de l'organisation à laquelle ils appartenaient. Bracha Habas et Yehouda Erez, Yossef Shechtman et Yossef Nedava, Yossef Shapira et Yossef Braslavski ont développé le premier narratif de leurs chefs et l'ont transformé, chacun pour le sien, en historiographie professionnelle, chaque mouvement ayant sa propre historiographie.

De nombreux dirigeants du Yichouv et de dirigeants sionistes étaient doués pour l'écriture et étaient capables de produire une autobiographie intégrée dans un contexte historique. Leur récit, affiné par les « écrivains de cour », était lu avec enthousiasme et en toute confiance par un public de lecteurs féru de socialisation sociale et idéologique, ce qui l'avait transformé en consommateur assoiffé d'historiographie des mouvements politiques. La bibliothèque privée constituait donc une sorte de carte d'identité collective.

---

10. *Nathan Yalin-Mor* (1913-1979) : l'un des chefs du Lehi (combattants pour la liberté d'Israël). Vint s'installer en terre d'Israël en 1941 et se joignit au Lehi. Fut condamné à huit ans de prison à la suite de l'attentat contre le conte Bernadotte (1948) et fut libéré suite à une amnistie générale qu'accorda le premier président de l'État d'Israël après son élection. Se tint à la tête de la « liste des combattants », formée d'anciens membres du Lehi et fut membre de la première Knesseth. Écrivit une autobiographie : *The Fighters for the Freedom of Israel*, Chakmona, Jérusalem, 1974.

11. *Moshe Sneh (Kleinbaum)* (1909-1972) : médecin, fut l'un des chefs de la « Hagana » et termina sa carrière politique comme l'un des dirigeants du parti communiste d'Israël. Président du comité exécutif de la fédération sioniste en Pologne pendant les années 1935-1939 et président du « bureau palestinien » en Pologne de 1935 à 1937. Quand la Pologne tomba, il s'enfuit en Palestine où il se joignit au commandement de la « Hagana ». Fut nommé chef du commandement national de la « Hagana » et remplit cette fonction jusqu'en 1946. En 1945 se joignit à la direction de l'Agence juive et en 1948 rallia les rangs du parti Mapam et fonda le parti de la « gauche socialiste » qui se joignit au Maki (parti communiste israélien, N.D.T.) qu'il dirigea jusqu'en 1965.

12. *Yitshak Sadeh* (1890-1952) : l'un des chefs de la « Hagana ». Est né en Russie, a servi dans l'armée du tsar comme chef de compagnie. Rencontra Trumpeldor et se rapprocha du sionisme. Aida Trumpeldor pour la création de l'organisation « Hehalutz » et en 1920 après l'affaire de Tel Haï, vint s'établir en terre d'Israël. Fut l'un des fondateurs du « gdoud haavoda ». Après le démantèlement du gdoud, il rejoignit la « Hagana » et se distingua comme officier sachant faire preuve de présence d'esprit. Il créa les « bataillons de campagne » et les « bataillons spéciaux ». Fut l'un des initiateurs de la création du Palmah et en fut son premier commandant (1941-1945). Quand éclata la guerre d'indépendance, il mit sur pied la première compagnie de blindés de Tsahal (la huitième compagnie) et en fut le commandant au cours de « l'opération Dani » de libération de Lod et de Ramlé. Après le démantèlement du Palmah, il fut démobilisé de Tsahal avec le grade de général. Ses impressions sur l'ambiance qui régnait au Palmah et sur les sujets d'actualités sont réunies dans son livre *Autour du feu*, Ahdout haavoda, Tel Aviv, 1946.

Sur le plan de l'historiographie également, la création de l'État devait être un nouveau commencement. Les centaines de milliers d'immigrants qui y étaient venus les premières années n'avaient pas passé par le processus de socialisation sociale et idéologique qui marqua la population pré-étatique. Les nouveaux israéliens, qui très vite devinrent la majorité de la population avaient apporté avec eux d'autres narratifs, chaque groupe ayant son histoire particulière. *A priori*, la situation était mûre pour une nouvelle historiographie, libre du poids des discussions qui avaient divisé le yichouv et des clans politiques qui les avaient exprimées. Mais voici qu'en venant à examiner les choses avec le recul du temps, on découvre que le narratif pluraliste qui fut élaboré pendant la période pré-étatique fut aussi celui du nouvel état dans lequel il fut implanté avec ses symboles et ses anciens instruments de formation.

L'ambition de créer une historiographie convenant au narratif collectif, qui fut celle des colons sionistes pendant toute la durée du yichouv, engendra avec la création de l'État un effort particulièrement intensif. *A priori* il semble que la raison de cette intensité fut le plein accomplissement de la tâche ; avec la création du nouvel état s'achève la période de « l'état en gestation », et les immigrants, les partis et les institutions voulurent prendre leur place devant la postérité dans le récit héroïque de cette renaissance. Mais il y existe une raison encore plus cruciale, celle du droit de diriger l'État. Dans cette lutte, qui se focalise sur la conquête de l'opinion publique, l'historiographie récente joue un rôle prépondérant pour l'élaboration de la démocratie israélienne. La question de « qui a créé l'état » devint un sujet idéologique et politique. Aux élections pour la première Knesseth, soit les élections formatrices de la démocratie israélienne, cette question était au cœur de la propagande électorale des principaux partis. Chacun basait son exigence de diriger la nation sur la part décisive qu'il eut dans la création de l'État et chacun dénonçait ses opposants comme le facteur qui retarda la renaissance nationale ou l'en empêcha sciemment [13]. L'histoire récente, que ceux qui l'avaient faite ne cessaient d'évoquer dans leurs discours sur les places publiques, est devenue après les élections l'objet d'une série de projets qui devaient ancrer au plus vite dans la conscience publique, un narratif fondateur au centre duquel se trouvait le chapitre de la lutte pour la création de l'État, vu d'un point de vue très particulier.

---

13. Sur la place prépondérante de la question « qui a créé l'État ? » lors des élections pour la première Knesseth voir mon article « Mapai, Mapam et l'établissement du premier gouvernement d'Israël », *Réflexions sur la renaissance d'Israël,* vol. 4, Pinchas Ginsor (éditeur), Centre de l'héritage de Ben Gourion, Kiriat Sdé Boker, 1994. Comparer avec : Yossef Nedava, *Qui chassa les Anglais de la terre d'Israël,* association pour la diffusion d'une conscience nationale, Tel Aviv, 1988.

L'application mise à établir un narratif fondateur expliquant la création de l'État, se tint dans les vieux cercles politiques, chaque camp établissant son projet et chaque projet ayant ses propres historiens. À ce stade, les cercles s'étaient développés et s'étaient transformés en instituts de recherche. « Après leur mort », ils devaient prendre les noms de l'organisation ou des pères fondateurs, comme ce fut le cas pour le « musée Hachomer » de Kfar Giladi en haute Galilée ou de « l'institut de l'héritage de Ben Gourion » au mont du Neguev. Des institutions comme « l'institut du Rav Kook », « l'institut Jabotinsky », « Yad Yaari », « Yad Tabenkin » ou également d'autres qui devaient perpétuer le souvenir de l'Etzel, de la Hagana ou du Lehi ne sont que quelques-uns parmi toute une série d'institutions destinées à transmettre l'histoire d'une organisation ou d'un mouvement. En général, l'institut tenait un service d'archives, une bibliothèque et parfois un musée ou un département d'éducation. La plupart employaient des chercheurs professionnels qui publiaient les fruits de leur travail dans des revues, elles-mêmes liées à l'institut et à l'idéologie qu'il professait.

Cet effort intensif produisit d'épais livres didactifs dont celui de « l'histoire de la Hagana » en huit volumes, « les batailles de l'Etzel » en six volumes et les énormes volumes du « livre du Palmah », du « livre du Hachomer Hatsaïr », du « livre du Betar », etc. Étant donné l'ampleur des divergences idéologiques entre les différents mouvements et les profondes différences de leur structure d'organisation, il est surprenant de voir à quel point ces différents instituts se ressemblaient en ce qui concerne les moyens de rassembler du matériel et de le réunir, de le classer, d'écrire des essais et de les publier. Cependant, même si les différentes recherches se basaient sur les mêmes documents, les conclusions variaient et étaient même très souvent contradictoires. Ainsi par exemple, les trois courants du mouvement travailliste sioniste publièrent trois livres ayant pour thème l'histoire du mouvement travailliste. Les trois se basaient sur le même matériel et arrivèrent à des conclusions différentes – chaque mouvement se donnant le rôle principal dans l'établissement de la structure qui permit la création de l'État[14].

Chaque institut était pressé d'enseigner son narratif. La droite révisionniste créa une maison d'édition qui se spécialisa dans l'écriture d'une version spéciale à l'usage des enfants et des adolescents, sur les opérations de l'Etzel. Dans ce cadre fut publiée une série de fascicules où se mêlaient des récits

---

14. Sur le point de vue du « Kibboutz Meouhad » voir : Yossef Braslavski, *Histoire du mouvement ouvrier en terre d'Israël*, 1-4, Tel Aviv, 1956 ; sur le point de vue de Mapaï voir : Zvi Even Shoshan, *Histoire du mouvement ouvrier en terre d'Israël*, 1-3, Am Oved, Tel Aviv 1963. Le livre de Peretz Merchav, *Histoire internationale du mouvement ouvrier*, 1-2, Hakibboutz Haartzi – Hachomer Hatsair, Merhavia, 1959, trace bien l'histoire internationale du mouvement ouvrier mais pour ce qui est de la lutte interne pour la primauté dans le pays, présente le point de vue de « Hachomer Hatsair ».

héroïques, des dessins en couleurs et des extraits de documents [15]. Dans les hebdomadaires pour enfants émanant de la gauche, une place importante était réservée au récit de la création de l'État selon le narratif qui s'était formé dans les livres scientifiques destinés aux adultes [16]. Désormais, les différents mouvements ne se contentaient plus de s'adresser aux lecteurs de leur propre camp, ils se tournaient vers le grand public, voulaient imposer à l'ensemble de l'opinion leur propre version, chaque parti affrontant tous les autres.

Ces publications firent beaucoup de bruit et suscitèrent de nombreuses réactions. Dans son propre camp, elles eurent un retentissement positif et en dehors de ce camp elles suscitèrent des oppositions, sous prétexte qu'elles déformaient l'Histoire. Le « livre de l'Histoire de la Hagana » suscita une opposition particulière. Ce livre fut publié par fragments durant plus de vingt ans. Afin de lui conférer un statut d'histoire officielle, le comité d'édition était composé d'éminentes personnalités, dont Yitshak Ben Zvi, le président de l'État. La rédaction professionnelle était dirigée par Benzion Dinur, professeur à l'université Hébraïque et également politicien actif du mouvement Mapai et ministre. Parmi les rédacteurs, on comptait des universitaires comme Haim Hillel Ben Sasson [17] et Yehouda Slutsky [18]. Dans un pays qui venait de se doter de critères étatiques, la production du livre dans le cadre des éditions « Maarahot », qui était l'organe officiel de l'armée, suscita de la colère. Malgré les efforts investis pour donner au livre une crédibilité professionnelle, l'esprit

---

15. Cette édition s'appelait « Shela h », qui en fait représente les initiales de : « Réhabilitation des Combattants de la Liberté ». On pensait que la parution serait lucrative. Elle était dirigée par des vétérans invalides de l'Etzel. Elle publia également une série de livres pour enfants ou pour la jeunesse, entre autres : « Plus prompts que les aigles, plus courageux que les lions », « Dix-sept hommes dans une jeep ». Des livres sur des opérations du Etzel, sortirent en premières éditions, sans mention du nom de l'auteur. Une autre édition proche de la droite était « Hadar » et appartenait à l'un des chefs du Etzel, Joël Amrami.

16. Les hebdomadaires pour enfants de la gauche – « Michmar leyeladim » et « Davar leyeladim » (la garde pour enfants, la chose pour enfants, NdT). Les hebdomadaires pour enfants de la droite – « Haboker leyeladim », « Herout lanoar ». (le matin pour enfants, la Liberté pour la jeunesse NdT)

17. *Haim Hillel Ben Sasson* (1914-1977) : historien, professeur à l'Université Hébraïque. Issu d'une prestigieuse famille de rabbins de Russie. Vint s'installer en Israël en 1934 et rejoignit les rangs de la « Hagana ». En 1949, débuta dans l'enseignement de l'histoire du peuple juif à l'Université Hébraïque de Jérusalem. Parmi ses œuvres : *Continuité et changement idéologiques dans l'histoire du peuple juif au Moyen Âge et aux temps modernes* (Joseph Hacker, éditeur), Am Oved, Tel Aviv, 1984 ; *Histoire du peuple juif au moyen âge* (dirigea la parution du deuxième volume), Dvir, Tel Aviv, 1969 ; *Pensée et leadership, conceptions sociales des Juifs de Pologne à la fin du Moyen Âge*, Mossad Bialik, Jérusalem, 1959.

18. *Yehuda Slutsky* (1915-1978) : historien. De 1935 à 1945, enseigna l'histoire dans différents lycées puis devint professeur d'université. Publia de nombreux livres pour enfants et pour adolescents sur les expériences et les aventures des enfants du Pays ainsi que des études historiques sur l'histoire des Juifs de Russie et sur celle du sionisme et du yichouv. Membre du comité de rédaction, il rédigea la majorité des volumes de « l'Histoire de la Hagana ». Fut aussi rédacteur de la revue d'étude du judaïsme de Russie, « Haéver ».

des membres de la « Hagana » y planait. Shaul Avigur, qui était alors l'un des dirigeants du ministère de la Défense, était le personnage dominant de la rédaction du livre. A l'époque qui précéda la création de l'État il était l'un des dirigeants de la « Hagana », et sur les sujets sensibles comme la poursuite de membres du Etzel ou des affaires liées à des faits embarrassants, c'est lui qui décidait ce qui serait publié et surtout ce qui ne le serait pas. Les universitaires de la rédaction acceptaient son point de vue et ne tentaient pas d'avancer d'autres critères scientifiques. Le livre fut considéré pour ce qu'il était : « un livre émanant d'une cour », écrit à la gloire des membres de la « Hagana ». Le ministre de la défense, Ben Gourion, préposé aux éditions « Maarahot », feignit d'ignorer la critique publique ; tout pointilleux fut-il sur les critères « étatiques », il ne les appliquait pas à l'historiographie. Ce n'est que quand Lévi Eshkol devint Premier ministre et ministre de la défense qu'il ordonna aux éditions « Maarahot » de s'abstenir de participer à un projet de parti. Les derniers volumes du « Livre de l'Histoire de la Hagana » furent publiés aux éditions Am Oved, d'obédience histadroutique [19].

Chaque camp investit dans la rédaction de l'historiographie des efforts immenses. Ainsi l'affaire de la traversée et du sabordage du bateau de l'Etzel « Altelena » fut racontée dans tous ses détails dans le livre de Menahem Begin, « La révolte » qui parut en 1950 ; Elyahou Lankin, commandant du bateau publia son livre « J'étais commandant de l'Altelena », en 1956 ; tandis qu'en 1978 sortirent simultanément deux livres, l'un « Altelena », écrit par Shlomo Nakdimon selon le point de vue de l'Etzel, et l'autre, portant le même titre et écrit par Uri Brener, commandant adjoint du Palmah, rapportant le point de vue de ceux qui coulèrent le bateau. Le récit que fait Nakdimon ressemble à ceux de Begin ou de Lankin et à celui du livre « les batailles de l'Etzel » tandis que l'ouvrage de son challenger Brener ressemble à l'exposé que fait Ben Gourion dans son livre « le nouvel État d'Israël » et à celui du « Livre de l'Histoire de la Hagana ». Les livres de Nakdimon et de Brener se basent sur les mêmes sources et relèvent de la même méthodologie, cependant leurs conclusions sont opposées, chacun suivant l'historiographe fixée avant lui par les dirigeants de son cercle politique.

Pendant les années cinquante l'historiographie se pratiquait surtout dans des instituts aux liens politiques évidents, mais d'autres facteurs s'y adonnaient également. En 1948, avec la création de l'État, la famille Peli instigua un projet de grande envergure selon les critères de l'époque : la parution de l'encyclopédie hébraïque. L'initiative était certes privée mais l'orientation en était nationale, toute pénétrée de l'enthousiasme de l'esprit sioniste de

---

19. L'histoire du livre « Livre d'Histoire de la Hagana » est passionnante en soi et est digne d'une étude à part.

l'époque. Dans les premiers volumes de l'encyclopédie, écrits en pleine guerre d'Indépendance, on constate une différence notable entre deux sortes d'entrées. Celles traitant de sciences naturelles ou de sujets universels sans lien avec le nationalisme juif, furent rédigées par des scientifiques. La rédaction de l'entrée devait être confiée à une personne compétente, spécialiste du sujet auquel se réfère cette entrée. Par contre, les entrées traitant du sionisme ou de l'histoire de l'État furent écrites par des auteurs dont l'orientation idéologique était définie.

Tout un volume de l'encyclopédie fut consacré à la Terre d'Israël. Ben-Zion Netanyahu dirigeait la rédaction de ce volume. Pour le choix des rédacteurs, entrèrent en jeu des considérations semblables à celles qui avaient cours dans les institutions à orientation politique. Ainsi par exemple, l'étude sur l'histoire de l'État d'Israël fut confiée à Haim Yahil qui n'était pas considéré comme un éminent chercheur sur le sujet mais dont les positions idéologiques sur le sionisme et l'État étaient imprégnées d'enthousiasme nationaliste. La rédaction de l'entrée sur la Transjordanie fut confiée à Yossef Shechtman, plus connu pour avoir écrit une biographie de Zéev Jabotinsky que comme chercheur reconnu de la Transjordanie. La recherche sur l'époque mandataire et le parcours fait jusqu'à la création de l'État fut confiée à un chercheur de l'université Hébraïque, mais le choix se porta sur Benjamin Akzin, qui n'était pas historien mais juriste et homme de science politique. D'autre part, Akzin et Shechtman avaient tous deux été des auxiliaires attitrés de Jabotinsky, tout comme d'ailleurs le rédacteur en chef, Ben-Zion Netanyahu.

L'écart manifeste entre la rigoureuse attitude scientifique des rédacteurs de l'encyclopédie hébraïque pour les entrées universelles et leur orientation évidente pour celles liées à l'historiographie sioniste et israélienne accentuait la difficulté particulière à laquelle se heurtaient les historiens professionnels dans les universités. Ces derniers, et pour ces années-là il ne s'agissait que de ceux de l'Université Hébraïque de Jérusalem qui était alors la seule université existante, ne participaient pas à la direction des grands projets d'historiographie des années cinquante. Les quelques chercheurs universitaires ayant pris part à ces projets, comme Ben-Zion Dinur, Haim Hillel Ben Sasson, Benjamin Akzin et Yehouda Slutsky, l'on fait « ex cathedra », dépouillés en quelque sorte de leur ethos scientifique. Pour l'élaboration de programmes scolaires également, la participation d'historiens universitaires était marginale. Là aussi, Ben-Zion Dinur, ministre de l'éducation au début des années cinquante, qui prit une très grande part dans l'élaboration des programmes scolaires en histoire, fut une exception. Dans les programmes scolaires, l'utilisation du narratif fut un facteur de formation nationale. Des concepts chargés de pathos nationaliste comme « Destruction et Révolte », « Catastrophe et Renaissance » (en hébreu : Choah et Résurrection, N.D.T.), « les Événe-

ments », « l'immigration illégale » (en hébreu : la montée, N.D.T.) pénétrèrent les programmes scolaires d'histoire et dans certaines écoles les cours
d'histoire étaient même désignés par le terme de « cours patriotiques ». Certains
épisodes historiques, comme l'envoi de parachutistes en Europe pendant la
Deuxième Guerre mondiale ou d'autres opérations de la guerre
d'Indépendance, furent exaltés ; Trumpeldor et Hannah Senesh furent présentés comme des héros nationaux et leur biographie fut structurée en conséquence.

Les liens entre les programmes scolaires d'histoire et l'idéologie dominante étaient évidents. Durant les premières années qui suivirent la création
de l'État, le système scolaire était divisé en « courants », dépositaires d'une
idéologie. Même quand au début des années cinquante, fut votée une loi
établissant une éducation nationale, l'enseignement de l'histoire du yichouv
et de l'État eut encore un rôle mobilisateur. Ainsi par exemple, la place donnée
aux organisations politiques qui agirent dans le cadre de la lutte pour la création de l'État n'était pas sans lien avec l'amère discussion sur des questions
politiques comme celle de « qui a créé l'État ? » Dans les années cinquante
et soixante on enseignait dans les écoles que la force combattante du « yichouv
organisé » était la « Hagana » et que les organisations « dissidentes » de Etzel
et de Lehi étaient marginales. La modification qui s'opéra quand changea la
direction politique du pays ne fut pas moins politisée : on parla alors dans les
écoles de trois organisations clandestines, la « Hagana », l'Etzel et le Lehi,
comme si les trois étaient d'importance égale et avaient eu le même impact.

Dans les années cinquante et soixante, l'Université Hébraïque forma des
historiens qui avaient déjà brillé pour leur apport à l'étude de l'histoire moderne
des Juifs. Shmouel Ettinger, Meir Vereté, Yitzhak Baer, Israël Halprin, Jacob
Talmon, Yakov Katz [20] publièrent alors des recherches sérieuses sur l'histoire
du nationalisme juif. Mais ils se gardaient bien de traiter des sujets touchant
à l'histoire de l'État d'Israël. Même Ben-Zion Dinur, historien et homme
politique connu pour son enthousiasme nationaliste, qui se faisait aussi entendre
dans l'enceinte de l'université, préféra, quand il en vint à s'adonner à la
recherche, se concentrer sur le XVIIIe et le XIXe siècles et éviter l'étude directe
de l'histoire contemporaine.

Puisque ces historiens évitaient sciemment d'entreprendre une recherche
sur l'histoire de l'État d'Israël, on ne s'étonnera pas que les revues scientifiques publiées dans le pays, « Zion » en particulier, ne publièrent jusqu'aux
années soixante-dix aucune étude traitant de la lutte pour la création de l'État
ou de sa formation pendant les premières années de son existence. *A priori*,
il n'y a là rien d'étonnant. On sait que la recherche historique exige une
certaine perspective, et que celle-ci oblige à attendre un certain laps de temps
entre le moment où les événements ont eu lieu et leur étude. D'autant plus

qu'il existe une limite de temps, qui peut aller jusqu'à dix ans, pendant laquelle les archives ne peuvent être consultées. Il est vrai qu'au cours des temps, la discipline historique développa des instruments lui permettant un examen scientifique du processus historique, au moment où il se fait. Dans certaines prestigieuses universités du monde, il existe des instituts spécialisés d'études contemporaines. À l'Université Hébraïque également fut créé un tel institut, spécialisé dans le « judaïsme contemporain » et les éminents chercheurs qui s'y rassemblent réussirent à surmonter le manque de perspective historique et l'inaccessibilité des archives [21]. Il est remarquable que jouissant d'une très courte perspective, ils aient réussi à étudier la Choah des Juifs et leurs publications sur le sujet eurent un écho international. De même, une recherche sérieuse fut consacrée à l'étude des Juifs des États-Unis et des Juifs d'Amérique latine de nos jours. L'étude des Juifs d'Union soviétique fut si proche chronologiquement des événements qui se tramaient dans ce pays, qu'elle put même servir des facteurs derrière le rideau de fer, qui agissaient en faveur de ces Juifs [22].

20. Voir à ce sujet : Shmuel Ettinger, *Histoire du peuple d'Israël depuis l'époque de l'absolutisme jusqu'à la création de l'État*, Akademon, Jérusalem, 1968 ; Shmuel Ettinger, *Histoire du peuple d'Israël aux temps modernes*, vol. 3 de : History of the Jewish People, edited by H.H. Ben-Sasson, S. Ettinger), Dvir, Tel Aviv, 1969 ; Shmuel Ettinger, *Traits fondamentaux de l'histoire du peuple d'Israël à l'époque moderne*, Université Hébraïque, Jérusalem, 1955 ; Shmuel Ettinger, *Histoire du peuple d'Israël des révolutions de 1948 jusqu'à la création de l'État d'Israël*, Shalom Bar-Asher, ed., Academon, Jérusalem, 1966, ; Meir Vereté, « Sur la déclaration Balfour et ceux qui l'ont faite », *The Nation (Ha-Umma)*, fascicule 3 (23), février 1968 ; Meir Vereté, *Documents de l'histoire diplomatique de la terre d'Israël*, Université Hébraïque de Jérusalem, faculté des humanités, département des relations internationales, 1958 ; Yitshak Baer, *Fondements de recherche sur l'histoire d'Israël, introduction à l'histoire du Moyen Âge*, société de diffusion de livres de l'université, 1931 ; Yitshak Baer, *La terre d'Israël et l'exil aux yeux des générations du Moyen Âge*, Zion 6, 1924, p. 139-171 ; Yitshak Baer, *A History of the Jews in Christian Spain*, I – II, 1961 – 1966 ; Yitshak Baer, *Fondements et débuts de l'organisation communautaire juive au Moyen Âge*, Zion 15, 1950, p. 1-41 ; Yitshak Baer, *Studies in History of the Jewish People*, Société historique israélienne, Jérusalem, 1986, ; Israël Halprin, *livre sorti à l'occasion de son quatre-vingtième anniversaire, Anthologie historique littéraire*, Am Oved, 1940 ; Jacob Talmon, *Political Messianism, The Romantic Phase*, Am Oved, Tel Aviv, 1965 ; Yakov Talmon, *The Age of Violence*, Am Oved, Tel Aviv, 1977 ; Yakov Talmon, *The Myth of Nation and vision of Revolution : The Origins of Ideological Polarzation in the 20th Century*, Am Oved, Tel Aviv, 1982 ; Jacob Talmon, *The Origins of Totalitarian Democraty*, Dvir, Tel Aviv, 1955 ; Yakov Katz, *Between Jews and Gentiles*, Mossad Bialik, Jérusalem, 1960 ; Jacob Katz, *Tradition and Crisis, Jewish Society at the End of the Middle Ages*, Mossad Bialik, Jérusalem, 1958 ; Jacob Katz, *Tradition and Crisis,* traduction anglaise, 1961 ; Jacob Katz, *Histoire du rabbinat à la fin du Moyen Âge*, livre paru en souvenir de Benjamin de Pris, 1969, p. 281-294.
21. Sur la conception qui mena à la fondation de l'Institut du judaïsme contemporain à l'Université Hébraïque de Jérusalem et sur ses débuts – voir ce qu'en a dit son fondateur, le professeur Moshe Davis : « From the Vantage of Jerusalem », *American Jewish Historical Quarterly*, 4, juin 1974, p. 313-333 et également la liste des chercheurs affiliés à l'institut, des chercheurs invités et des sujets de thèse et aussi les premières publications éditées par l'institut.
22. Voir là-dessus le livre de Nechemia Levanon, fondateur de « Nativ », l'organisation clandestine d'Israël en Union Soviétique : *Le code – « Nativ »*, Am Oved, Tel Aviv, 1995, p. 328-329.

La distance consciente à laquelle se sont tenus les historiens pour ce qui est de l'étude de l'État d'Israël au cours de ses premières années est d'autant plus frappante comparée à l'ampleur de la recherche contemporaine sur l'histoire des Juifs, qui se tient dans les différentes universités. Mis à part quelques essais individuels, l'étude de l'histoire de l'État dans un cadre universitaire ne commença que dans les années soixante-dix. Et encore, à ce stade, ne s'intéressèrent au sujet que quelques chercheurs qui agirent avec prudence. Anita Shapira, Yosef Gorni, Yoav Gelber, Yehuda Bauer ont abordé le sujet, suite à leur examen de l'époque qui préstra la création de l'État. La pénétration progressive de l'Université dans le domaine de l'historiographie israélienne s'est faite parallèlement au recul progressif de l'activité des instituts d'inspiration politique. A ce stade, il semblait que l'intérêt de l'opinion pour l'historiographie nationale commençait à décliner. Cela se traduisait de manière fort intéressante par l'importante baisse relative du nombre d'étudiants qui choisissaient d'étudier à l'université aux départements d'archéologie et d'Histoire du peuple juif.

Dans les années soixante, furent rédigées les premières thèses de doctorat ayant pour thème la lutte pour la création de l'État. Dans la première vague de ces travaux, le lien entre le chercheur et son sujet est évident. Yehouda Bauer, membre d'un kibboutz qui fut fondé à la veille de la création de l'État, pour participer à la lutte du mouvement ouvrier contre les Anglais, rédigea une thèse sur la lutte du mouvement ouvrier contre les Anglais à cette époque ; Yossef Salmon, membre d'une collectivité agricole d'orientation religieuse, choisit d'étudier le sionisme religieux ; Yossef Gorni, qui ne cachait pas ses liens avec la tendance centrale du mouvement travailliste israélien se pencha sur le mouvement de « Ahdout Avoda ». Une thèse de doctorat portant sur l'Etzel en Europe fut rédigée par Eli Tavin, qui fut commandant du Etzel en Europe ; de même que la première thèse de doctorat sur l'Etzel dans le pays fut l'œuvre de Shlomo Lev-Ami qui fut également commandant de cette organisation. Yehouda Nini, originaire du Yémen, traita de la venue en Israël des Juifs du Yémen ; Meir Pail, commandant du Palmah, étudia le Palmah ; et

23. Voir par exemple : Yehuda Bauer, *la Hagana et le Palmah dans la politique sioniste au temps de la Deuxième Guerre mondiale*, Université Hébraïque de Jérusalem, 1960 ; Yossef Salmon, *Le rapport des ultra-orthodoxes au mouvement sioniste à ses débuts : Russie-Pologne (1882-1900)*, Université Hébraïque de Jérusalem, 1974 ; Yossef Gorni, *Ahdout haavoda 1919-1930*, Université de Tel Aviv, Institut Haim Weizman de recherche du sionisme, 1973 ; Eli Tavin, *Le deuxième front, l'Organisation Militaire nationale* (Etzel) *en Europe 1946-1948*, Ron, Tel Aviv, 1973, Shlomo Lev-Ami, *Les organisations clandestines en Terre d'Israël, 1943-1946*, Université Hébraïque de Jérusalem, 1972 ; Yehuda Nini, *Les Juifs du Yémen au XIXᵉ siècle et les poussées d'immigration du Yémen vers la terre d'Israël jusqu'en 1914*, Université de Tel Aviv, 1976 ; Meir Pail, *De la « Hagana » à Tsahal*, Zmoura Bitan, Modan, Tel Aviv, 1979 ; Baruch Ben-Avram, *L'évolution sociale et idéologique de mouvement des kiboutzim 1928-1951*, Université Hébraïque de Jérusalem, 1971.

Baruch Ben-Avram du kibboutz Kfar Hamakabi, affilié au « hever hakvout-sot » (mouvement des kiboutzim, N.D.T.) écrivit une thèse de doctorat sur le mouvement des kiboutzim[23].

Le rapport personnel qui existait entre les chercheurs et les sujets de leur thèse n'échappait pas aux directeurs des premières thèses traitant des racines de la société israélienne. L'indulgence dont firent preuve Shmouel Ettinger, Yakov Katz, Yakov Talmon et d'autres de cette génération pour le rapprochement idéologique entre leurs élèves et l'objet de leurs recherches avait deux causes. La première était la dépendance absolue des premières recherches par rapport aux services des archives des instituts politiques. Ce n'était un secret pour personne qu'il existait un lien entre la permission qu'accordait un tel institut pour ouvrir ses archives et l'orientation du chercheur par rapport au mouvement politique. La méfiance envers celui qui « n'était pas des nôtres »[24] était alors très grande, et les chances d'un chercheur catalogué comme appartenant au camp adverse, de recevoir des documents réputés sensibles, dans un service d'archives fondé par l'autre camp, étaient minimes. Dans cette atmosphère de méfiance, on avait le choix entre renoncer totalement à une recherche scientifique sur ces sujets et la disposition de l'université à accepter que ces études soient menées par des chercheurs ayant un lien personnel avec le sujet choisi. Les directeurs de thèse, vieux historiens qui eux-mêmes s'étaient abstenus de traiter l'historiographie israélienne, considéraient que ceux qui connaissaient les secrets de la langue codée propre aux organisations politiques, avaient bel et bien un certain avantage et que d'autre part, le système de critique scientifique saurait se garder de toute inclinaison politique. L'autre raison de leur indulgence résidait dans leur foi en la faculté de leurs élèves à intérioriser l'ethos professionnel acquis à l'université afin de rester fidèle aux sévères règles de la discipline. Les directeurs de thèse comme leurs élèves étaient conscients du fait qu'il s'agissait de premières recherches, s'appuyant sur des sources partielles se trouvant principalement dans des centres d'archives de mouvements politiques et que viendrait le jour où les recherches s'appuieraient sur un ensemble de sources plus larges. Celles-ci corrigeraient alors ces premières recherches et peut-être même en modifieraient-elles les conclusions[25].

Les choses commencèrent à changer dans les années soixante-dix. La plupart des services d'archives de mouvements politiques étaient devenus publics. À ce stade de déclin du système des mouvements, quand les sources budgétaires des partis se tarissaient, ces institutions durent accepter les condi-

---

24. Voir : Nathan Alterman, « Autour du feu », dans : Nathan Alterman, *Le plateau d'argent*, éditions du ministère de la Défense, Tel Aviv, 1974, p. 316.

25. Ces estimations se basent sur mes conversations avec Shmouel Ettinger quand je choisis le sujet de ma thèse de doctorat.

tions fixées par la loi sur les services publics des archives, qui les obligeait à accorder les mêmes services à tous ceux qui s'adressaient à eux. À partir de ce moment, la divulgation des matériaux détenus se faisait sur la base de critères fixes et définis. Au cours des années quatre-vingt ont été rédigées des dizaines de thèses de doctorat sur un éventail de mouvements et divers fonds d'archives furent accessibles aux chercheurs, sans rapport avec leur appartenance idéologique. La nouvelle recherche, plus étendue, confirma cependant l'intégrité professionnelle des précurseurs qui n'avaient pas caché le lien qui les attachait au sujet de leurs thèses. Il s'avéra que ces thèses de pionniers en la matière respectaient les critères scientifiques. L'obligation de ceux qui les avaient écrites par rapport à l'ethos professionnel était plus forte que leur appartenance idéologique et leurs données de même que leurs conclusions sont encore valables aujourd'hui.

Le processus de pénétration de l'université dans le champ de la recherche des racines de « l'israéliennetté » fut lent et hésitant. Dans les années soixante-dix et quatre-vingt, une grande partie de la recherche dans ce domaine se faisait encore dans les instituts des différents mouvements et s'y consacraient des chercheurs qui n'étaient pas liés par les règles de la discipline historique. Le nombre de revues non scientifiques qui traitaient du sionisme et de l'histoire du yichouv était plus grand que le nombre de revues scientifiques traitant de ces mêmes sujets. Les possibilités de publication qu'offrait à lui seul le mouvement kibboutzique, pour les recherches dans ce domaine (« mibifnim » (de l'intérieur, N.D.T.), « meassef » (le rassembleur, N.D.T.), « bacha'ar » (à l'entrée, N.D.T.), « hédim » (échos, N.D.T.), « chdamot » (le champ cultivé, N.D.T.), « badereh » (en chemin, N.D.T.), etc.) dépassaient de beaucoup celles de toutes les universités réunies. Dans cette fébrilité de recherche aussi large et variée fut-elle, on note un flagrant déséquilibre entre les sujets étudiés. La gauche israélienne et ses racines idéologiques et structurelles bénéficiaient d'une grande attention. Un mouvement relativement peu important comme le « hachomer hatsair » fut l'objet de dizaines de recherches dont la plupart furent menées par des chercheurs de cour, dans le cadre du mouvement. Mais dans les universités également, se faisaient relativement de nombreuses études sur l'histoire de ce mouvement. Par opposition, la pauvreté de la recherche sur les partis ou mouvements de droite était flagrante. De gros efforts furent déployés dans la recherche concernant la lutte politique et diplomatique pour la création de l'État, mais la recherche concernant la lutte militaire était pauvre. Ainsi par exemple, le débat historique sur la guerre d'Indépendance, qui constituait un facteur primordial dans l'élaboration de l'identité israélienne, était très limité et sans rapport avec son importance.

Selon l'une des explications, ce déséquilibre des sujets de recherche historique tenait à des causes intellectuelles, comme la différence du statut de

l'histoire chez la gauche par rapport à ce qu'il est à droite. Selon cette interprétation, la gauche n'avait aucun mal à adopter des paramètres professionnels universels et à les intégrer à l'histoire du sionisme et de l'État, tandis
que la droite était encline à insister sur le particulier, sur ce qui la caractérisait et c'est pourquoi la droite classique ne se montrait pas particulièrement
enthousiaste à développer une recherche historique professionnelle, exigeant
des comparaisons avec d'autres peuples, et obéissant à des critères universels. Selon une autre explication, la faute en est aux sources budgétaires et à
la distribution de bourses de recherche ainsi qu'à la dispersion des archives
et à la disponibilité des sources historiques ; étant donné qu'aux premières
années de l'existence de l'État, le gouvernement était aux mains de la gauche,
celle-ci encouragea les recherches sur des sujets qui lui étaient proches, et la
droite par opposition fut reléguée loin des canaux pourvoyeurs de fonds
publics et donc faute de sources budgétaires, ne pouvait que très peu produire.

Ces explications, même si elles ont du vrai, ne sont que partielles. La
preuve, il y eut dans le camp de la droite d'éminents historiens qui n'eurent
aucun mal à mener leurs recherches sur l'histoire de l'État selon des paramètres universels. On peut aussi argumenter que même après la passation de
pouvoir à la droite, quand furent aussi trouvés des budgets pour les instituts
de recherches lui étant proches, le déséquilibre des sujets de recherche resta
le même. Nous n'avons donc pas de réponse satisfaisante à la question pourquoi les chercheurs préféraient-ils l'étude de la gauche israélienne à celle de
la droite.

Parallèlement à la relative modicité de la recherche sur les mouvements
politiques de droite, la pauvreté du débat portant sur deux autres groupes est,
elle aussi évidente. Il s'agit des Arabes et des Juifs orientaux. L'étude des
Arabes israéliens s'est faite pendant les deux premières décennies de l'existence de l'État avec les encouragements du mouvement « hakibboutz haarztsi ».
Aharon Cohen, Eliezer Beéri, Yossef Washitz et Yossi Amitai [26] ainsi que
d'autres membres de leur parti montrèrent une profonde connaissance du
sujet et ils avaient de bons instruments de recherche, cependant leur point de
départ idéologique influença leurs analyses et leurs conclusions et c'est en
quoi ils continuèrent la tradition des « recherches de cour ». Des chercheurs
n'appartenant pas au mouvement kibboutsique comme Michael Assaf et

---

26. Voir par exemple : Aharon Cohen, *Israel and the Arab World*, Sifriat hapoalim, Merhavia, 1964 ;
    Aharon Cohen, *The Arab East*, Sifriat hapoalim, 1955 ; Aharon Cohen, *Le monde arabe d'aujour-
    d'hui*, Sifriat hapoalim, Haifa, 1960 ; Eliezer Beéri, *The Officer Class in Politics and Society of the
    Arab East*, Sifriat hapoalim, 1966 ; Yossef Washitz, *Le monde des Bédouins*, Centre d'études arabes
    de Guivat Haviva, 1976 ; Yossef Washitz, *Réflexions sur la pensée politique palestinienne*, Centre
    d'études arabes de Guivat Haviva, 1979 ; Yossi Amitai, « Problèmes d'éducation et de culture des
    Arabes d'Israël », *Bachear* 29, vol. 3, 1960.

Yaakov Shimoni [27] ne se libérèrent pas des liens politiques touchant le débat sur les Arabes. Ce n'est que dans les années soixante que s'établirent des départements d'études du Moyen-Orient dans les universités et que commencèrent à s'y détacher de jeunes chercheurs qui deviendront des orientalistes réputés. Cependant leur principal centre d'intérêt fut la politique au Moyen-Orient alors que le débat sur les Arabes d'Israël était et resta marginal dans leur recherche. Dans les années quatre-vingt-dix, commencèrent à apparaître dans différents cadres universitaires du pays, des chercheurs arabes, surtout des sociologues et des hommes de sciences politique qui traitaient de l'historiographie des Arabes du pays. Mais leur travail se caractérisait surtout par une exagération de la dimension politique et apologétique [28], ce qui fait que l'étude de cette importante question en est encore à ses débuts.

Les originaires des pays orientaux n'ont eux non plus pas bénéficié de la place qu'ils méritent dans l'historiographie de l'État d'Israël. Ce fait attira l'attention de l'opinion publique et fut utilisé comme pièce d'accusation par des politiciens-historiens et des historiens-politiciens qui exploitèrent le potentiel de discrimination qui se trouvait là, comme preuve supplémentaire de répression volontaire des « autres » [29]. La grande sensibilité pour tout ce qui a trait au sujet suscita une série de solutions artificielles. Au ministère de l'éducation, fut créé un département spécial dans le but d'enseigner la tradition orientale. Son rôle est entre autres d'encourager la recherche sur les Juifs orientaux. Dans toutes les universités, on créa des centres spéciaux et on libéra des budgets pour faire progresser la recherche. Shmouel Ettinger, l'un des piliers de « l'école hiérosolymite » de l'histoire des Juifs, décida de ne pas attendre le lent processus de l'éveil de sujets de recherches ou du mûrissement de recherches historiques. Tout à fait conscient des obstacles existants à un large projet dont la base de recherche « en était encore à ses premiers stades et subissait l'influence de tendances apologétiques », il prit dans les années soixante-dix, l'initiative de publier un livre en trois volumes sur l'his-

---

27. Michael Assaf, *Arab-Jewish Relations in Palestine (1860-1948)*, Tarbout vehinouh, Tel Aviv, 1970 ; Michael Assaf, *The Arab under the Crusaders the Mamluks and the Turks*, Davar, Tel Aviv, 1940 ; Yakov Shimoni, *The Arab States, Their Contemporary History and Politics*, Am Oved, Tel Aviv, 1959 ; Yaakov Shimoni, *Les Arabes de Palestine*, Am Oved, Tel Aviv, 1947.

28. Voir : Azmi Bishara, « Y a-t-il une dimension coloniale au sionisme ? », *On fait un pays*, N. Barzel ed., Oranim, 1997.

29. Voir par exemple : Yehouda Shenhav, *Les fossés se comblent-ils ? Directions dans la discrimination des salaires des femmes et des orientaux dans le système de recherche et de développement scientifique en Israël 1972-1983*, Centre Pinhas Sapir de développement, 1989 ; Henriette Dahan-Kalev, l'un tue son prochain qui tue son prochain, chap. 9, *Elites et élitisme en Israël*, Hava Halevy-Etzioni (ed.), Tcherikover, Tel Aviv, 1997 ; Yossi Yona, *Education in an Evolving Society*, rédaction israélienne, Ackerman, Arik Carmon, David Zucker (ed.), Hakibboutz hameouhad, Tel Aviv, 1985 ; Sami Shalom Chetrit, *La révolution achkenaze est morte, Réflexions sur Israël sous un angle flou : recueil d'articles 1992-1999*, Bimat Kedem, Tel Aviv, 1999.

toire des Juifs dans les pays de l'Islam. Ce livre dont la rédaction et la direction furent confiées à Michel Abitbol, Joseph Tobi, Yakov Barnai et Shalom Bar-Asher, parut au début des années quatre-vingt [30]. À la quatrième décennie d'existence de l'État, il s'avérait qu'il n'existait encore aucune base de recherche valable permettant d'examiner à fond l'histoire des Juifs orientaux en Israël. C'est justement une telle œuvre d'historiographie qui révéla à quel point était insignifiante la recherche sur le rôle des Juifs orientaux en Israël. Vers la fin des années quatre-vingt-dix, s'amorça un réveil annonçant un tournant et peut-être un épanouissement de la recherche sur les Juifs orientaux et parallèlement, de celle des « autres ». Là aussi ce furent les sociologues qui ouvrirent la voie et jusqu'à maintenant, le ton apologétique est toujours flagrant [31].

Un autre domaine où le fait qu'il fut si peu traité suscite l'étonnement, est celui de l'histoire militaire. Il est vrai qu'après chaque guerre, de nombreux livres parurent sur le sujet ; des livres à la gloire des unités combattantes, des livres à la mémoire de ceux qui étaient tombés, des reportages journalistiques et des albums de photos remplirent les étagères des bibliothèques. Souvent, du matériel historique d'importance et des descriptions de bataille y étaient inclus. Ici et là paraissaient des livres sérieux, voulant approfondir et comprendre les événements de la guerre ainsi que ses causes, mais ce genre de livres, même les meilleurs d'entre eux, se basaient sur la presse, sur des interviews de personnalités et des parutions officielles et ils ne répondaient pas aux attentes d'une recherche professionnelle, basée sur des sources plus dignes de confiance. En général ces livres, et surtout la grande vague de ceux qui sortirent après la guerre d'Indépendance, ont conféré à l'historiographie son monde de représentations, si ancré dans la conscience israélienne. Selon ces clichés, les guerres étaient menées par « peu contre beaucoup » alors que « le monde entier est contre nous », et elles s'achevaient par une écrasante victoire malgré l'infériorité israélienne et la supériorité arabe. Des livres semblables parurent après la guerre du Sinaï en 1956 et surtout après la guerre des Six-Jours en 1967.

La plupart des livres sur ces trois guerres furent rédigés dans une atmosphère d'enthousiasme héroïque. Le regard de l'écrivain y avait sa place. Les livres écrits immédiatement après une guerre tendent à se focaliser sur le champ de bataille et à réduire la part du système complexe qui le conditionne ; ils concèdent une grande dimension aux récits d'héroïsme et accordent beau-

---

30. Shmouel Ettinger, *Histoire des Juifs dans les pays de l'islam*, Centre Zalman Shazar, Jérusalem, 1981. La citation est de la page 11.
31. Recueil intéressant des positions des sociologues critiques, voir : Uri Ram (ed.), *La société israélienne : aspects critiques*, Brerot, Tel Aviv, 1993.

coup d'attention aux chefs militaires charismatiques ; il y manque une analyse professionnelle basée sur de la documentation. Le livre « Histoire de la guerre d'Indépendance », qui fut rédigé dans le cadre du département d'histoire de Tsahal, qui avait à sa disposition les documents voulus, est influencé par le style héroïque qui était alors d'usage. Furent mises en relief les valeurs que l'armée voulait donner à ses soldats, comme « la pureté des armes », l'héroïsme des soldats qui combattaient « acculés au mur », la « présence d'esprit » et la « persévérance à atteindre le but » qu'ils manifestaient, et tout cela primait la fidélité historique [32].

Il faut dire que Tsahal lui-même comprit que les publications qu'il avait fait paraître après la guerre d'Indépendance ne répondaient pas à des critères rigoureux. Le département d'histoire continue à déployer une grande activité au sein de l'armée, mais depuis les années soixante, Tsahal se garde soigneusement de publier toute histoire officielle. Le produit de la recherche du département d'histoire de Tsahal ne dépasse pas ses limites. La grande majorité est classée comme secret militaire, une partie est top secret et ne peut être consultée, même par des officiers supérieurs.

L'enseignement des valeurs militaires est la tâche d'une unité spéciale qui se nomme « tradition de combat ». Lors des activités organisées par cette unité, les soldats découvrent des histoires de batailles où un accent particulier est mis sur les actes d'héroïsme et les combats où peu d'hommes affrontent une force supérieure en nombre. Cette unité ne prétend pas tracer un narratif exhaustif mais les soldats n'ont pas toujours les moyens de faire la distinction entre la tradition de combat qui se focalise sur des récits héroïques isolés et l'historiographie professionnelle. Des activités pour inculquer la tradition de combat se tiennent dans différents cadres, dans chaque unité de l'armée et là, les soldats sont confrontés à une forme de discussion simpliste, de vision étroite, dont le but déclaré est le développement de valeurs militaires et non l'étude de l'histoire militaire. Il ne serait pas exagéré d'estimer que l'information d'une grande partie de l'opinion, y compris de ceux qui jouent un rôle dans la formation de l'opinion et les journalistes eux-mêmes, provient de sources comme les « cercles de mouvements politiques » et les récits héroïques comme ceux qui sont enseignés par l'unité de la tradition de combat. Sans accès à des sources fiables ou aux études du département d'histoire de l'état major, l'information du public sur les guerres ne peut être que partielle.

Ainsi, on trouvera sans difficultés des chaînons branlants dans les récits héroïques des unités combattantes, les hauts faits de la tradition de combat et également les publications officielles de la guerre d'Indépendance qui furent

---

32. *Histoire de la Guerre d'Indépendance*, Tel Aviv, 1959. Le livre parut avec une introduction de Ben Gourion. Le nom de l'auteur n'est pas mentionné.

diffusés dans l'opinion. La contestation généralisée de la validité du narra-tif, qui s'est enracinée dans la société, débuta à la suite des événements de la guerre de Kippour. A ce moment-là, la gloire pâlit et la perplexité surgit. Comme cela avait été le cas pour la vague de livres de gloire, la littérature de contestation fut elle aussi écrite sans structure documentaire digne de ce nom. Des personnes intéressées, comme des chefs militaires ou des politi-ciens et très souvent aussi des charlatans, contestèrent l'historiographie, qui s'était d'abord nourrie de matériaux que lui fournissaient différents facteurs, y compris des intéressés, des amateurs et des charlatans. Où se trouvaient donc les chercheurs professionnels ?

Il existe dans toutes les universités du pays des départements d'histoire générale et d'histoire juive, qui comprennent parfois des départements spécia-lisés en histoire de la terre d'Israël. Les enseignants y professant ont servi dans l'armée, certains y furent des officiers haut gradés et voilà que dans aucune des universités, n'existe de chaire indépendante d'histoire militaire, comme c'est le cas dans certaines universités prestigieuses dans le monde. Ceci ne résulte pas d'un désintérêt ; dans certaines universités furent créés des centres d'histoire militaire où une recherche modeste se tient, mais ces centres ne se sont pas développés. On explique en général cet état de fait par les difficultés d'accessibilité aux documents. Ceux issus de l'armée sont gardés principalement aux archives de Tsahal. En principe ces archives sont régies par la loi sur les archives et sont ouvertes au public comme l'exige la loi. Cependant la consultation des dossiers ne peut être possible que si elle n'entraîne aucune atteinte à la sûreté de l'État, aux relations extérieures ou à la vie privée. Les directeurs d'archives, toutes générations confondues, ont interprété à la lettre ces limitations et c'est pourquoi, parmi les plus de 70 000 dossiers concernant la guerre d'Indépendance, un dixième seulement est ouvert aujourd'hui aux chercheurs [33]. L'accès aux archives militaires des pays arabes est encore plus difficile et dans ces conditions, le chercheur se voit privé de toute possibilité d'entreprendre une recherche digne de ce nom.

Cette recherche dans le domaine de l'histoire militaire, même si elle n'est que de modeste ampleur existe malgré les limitations et en cela, elle prouve que l'on peut surmonter les barrages que posent les institutions militaires. Ainsi, sur les batailles de Latroun en 1948 a été publiée une série de recherches qui peuvent à elles seules nourrir un article d'historiographie traitant de la description des combats de Latroun [34].

---

33. Ces informations proviennent d'un colloque qui s'est tenu au Centre Rabin le 1er juin 2000 sur le sujet : « Vrai ou faux et pourquoi en parler – polémique sur l'ouverture des dossiers ». Parmi les participants, Michal Tsour, directrice des archives de Tsahal ; Shoulamit Keren, directrice du dépar-tement des musées au ministère de la défense.

Il semble que comme pour d'autres problèmes que nous avons soulevés, la raison de l'extrême prudence que mettent les chercheurs universitaires à se risquer à traiter des guerres, est la place centrale que tient le sujet de la sécurité dans l'ordre du jour politique. Comme d'autres domaines, religieux, ethnique ou national, le domaine militaire est chargé et sert d'argument dans les discussions politiques qui partagent la société israélienne. Une recherche sur les batailles du plateau du Golan pendant la guerre de Kippour par exemple, soulèverait forcément la question de savoir si le peuplement du Golan avait ou non un rôle sécuritaire ou au contraire, si celui-ci constituait un obstacle pour l'état Major. Il n'est pas exclu qu'une sérieuse étude du déroulement des guerres révèle que la gloire des chefs militaires, qui souvent leur a servi à devenir des chefs politiques, reposait sur un mensonge. Le vrai chercheur, conscient du rôle de l'ethos et qui exige une fidélité totale à la vérité, tient à s'éloigner de la politique et des politiciens, et c'est pourquoi il hésitera à travailler sur l'histoire militaire d'Israël.

De nos propos il ressort que l'historiographie israélienne n'est jusqu'ici pas arrivée à de très grands résultats. Les chercheurs enclins au conformisme professionnel peuvent y voir un signe positif : il est bon que la recherche historique ne se fasse pas à la hâte. À l'échelle de l'histoire, cinquante ans ne représentent qu'un clin d'œil et de toute façon ne sont pas un laps de temps suffisant pour permettre l'élaboration d'un narratif historique résistant à l'examen de tous les matériaux. Ceci n'est pas une mince consolation. Tandis que les départements d'histoire dans les universités se sont surtout penchés sur des sujets appartenant à l'histoire ancienne, les disciplines voisines comme la sociologie et les sciences politiques étaient plus dynamiques et leur empreinte dans l'étude de l'État d'Israël est dores et déjà bien connue. Ainsi par exemple la plupart de ce que l'on sait sur l'intégration des immigrants durant les premières années de l'existence de l'État, est le résultat du travail des sociologues, de recherche en éducation ou en géographie [35]. En l'absence de recherche historique suffisante, censée leur servir de toile de fond et de point de départ, ces chercheurs sont obligés de limiter l'étendue de leurs recherches à une observation circonscrite. Des sujets passionnants et cruciaux dans l'historiographie israélienne comme le passage du yichouv à l'État, la grande vague d'immigration au début des années cinquante et l'intégration

---

34. Anita Shapira, « Historiographie et mémoire : le cas de Latroun 1948 », A. Shapira, *Juifs nouveaux, Juifs anciens*, Am Oved, Tel-Aviv, 1997.

35. Voir par exemple : Moshe Lissak, *La grande vague d'immigration des années cinquante : l'échec du melting pot*, Mossad Bialik, Jérusalem, 1999 ; Zvi Zameret, *Le temps du melting pot*, Centre de l'héritage de Ben Gourion, Kiriat Sdé-Boker, 1993 ; Elisha Efrat, « Les villes en développement », *La première décennie : 1948-1958*, Zvi Tsameret, et Hanna Yablonka (ed.), Yad Yitshak Ben-Zvi, Jérusalem, 1997.

de ces immigrants, la construction de la démocratie et l'élaboration de la société furent certes étudiés, certains furent même traités brillamment, cependant ils le furent sans base historique suffisante, cette étude restant limitée et jusqu'à ce jour, l'image de la création de l'État avec son système de gouvernement et sa société n'est pas entièrement claire.

En voulant désigner les facteurs qui éloignèrent les chercheurs de l'historiographie israélienne, nous sous sommes arrêtés principalement sur le lien étroit reliant celle-ci à la politique. Depuis le changement politique survenu aux élections de 1977, la société israélienne s'est clivée en deux. Dans la terminologie d'usage, ces deux moitiés sont appelées droite et gauche. Cette division dichotomique revêt de fortes expressions idéologiques et également une signification électorale. Certaines élections parmi les plus cruciales furent emportées avec une majorité d'une fraction de pour-cent. Les questions que cherche à éclairer la recherche historique scientifique, y compris celle traitant des cinquante dernières années ou plus, sont très souvent les mêmes que celles qui agitent le débat politique aujourd'hui. Le chercheur voulant se pencher sur l'étude d'une question comme les rapports entre la religion et l'État dans les premières années de l'existence de l'État, risque de se trouver dans une position où il donnerait un avis scientifique sur l'un des sujets les plus sensibles de la bataille politique d'aujourd'hui. Non moins sensible est le débat historique sur le thème de « la paix en échange des territoires », qui représentait un sujet essentiel dans le débat public, déjà une décennie avant la création de l'État et qui aujourd'hui encore, plus de cinquante ans après, ne semble pas sur le point d'être réglé.

De temps à autre une étude peut soulever une violente polémique ou un tollé. À l'heure où j'écris ces lignes, est assigné en justice un chercheur ayant écrit une thèse de maîtrise sur la conquête d'un village arabe par Tsahal pendant la guerre d'Indépendance. Au cours de son travail, ce chercheur est arrivé à la conclusion que les soldats de Tsahal ont massacré les habitants du village conquis. Plusieurs combattants du régiment ont intenté un procès en diffamation au chercheur, à son directeur de thèse et à l'université qui cautionna la recherche [36]. Il est inutile de dire que les sujets qui agitent l'opinion, qui font intervenir des facteurs politiques ou entraînent une action judiciaire ne sont pas particulièrement attirants pour des chercheurs éduqués sur la base d'une éthique scientifique. La jeune génération de chercheurs universitaires concernés par des sujets touchant à la Terre d'Israël, continua la tradition de ses maîtres et choisit des sujets de recherche situés à mille ou deux mille ans

---

36. Teddy Katz, auteur de la thèse « Comment les Arabes sont sortis des villages au pied du Carmel du sud », Université de Haifa, 1998, me confia que s'il avait su au départ ce qu'il découvrirait au cours de sa recherche, il se peut qu'il aurait choisi un autre sujet.

en arrière. Le peu qui fut écrit sur la Terre d'Israël à l'époque moderne s'arrête juste avant la création de l'État. Étant donné la grande prudence des chercheurs universitaires, toute recherche ayant pour sujet l'État d'Israël est donc traitée par d'autres facteurs.

En fin des années quatre-vingt, alors qu'il semblait que l'historiographie nationale avait cessé de tenir une place centrale dans le débat public et était devenue marginale, s'engagea une polémique professionnelle et idéologique qui suscita un violent débat et ramena l'historiographie à l'ordre du jour. Quelques chercheurs se désignant eux-mêmes comme « nouveaux historiens »[37], prétendirent que la recherche historique est engagée. Selon eux, les historiens ont mis leur table de travail au service de l'establishment et de concert, ils ont élaboré un narratif national unique centré autour du récit du rétablissement de la souveraineté juive. Dans ce récit sur commande, ont-ils prétendu, les Palestiniens qui étaient la communauté la plus importante et la plus dominante dans le pays furent présentés de manière déformée. D'après cet argument, la formation d'une dichotomie entre les Juifs et les autres habitants avec lesquels ils vivaient, les deux communautés étant entièrement séparées, est une structuration arbitraire de l'historiographie. L'image collective des Palestiniens fut faussée selon un mécanisme développé par les orientalistes européens et la description du système de relations entre les Juifs et les Palestiniens et surtout celle du développement du violent conflit entre eux étaient mensongères[38].

La remise en question de la validité de la recherche traitant de la lutte pour la création de l'État et ses voies de formation a glissé de la discipline historique à la sociologie et aux sciences politiques et, d'une remise en question de crédibilité du débat sur les Arabes, est devenue une contestation généralisée du statut des « autres », soit les ethnies, les femmes, les immigrants, les religieux, dans l'historiographie. Cette violente polémique a eu un grand retentissement, d'autant plus que le débat s'est surtout tenu en dehors des universités, dans les média. Les participants les plus marquants de cette discussion étaient des journalistes et des politiciens, alors que la plupart des chercheurs férus de professionnalisme n'y prirent pas part. Cette discussion a joué un rôle important pour ramener le débat historique sur la scène publique, mais il en a coûté du point de vue du caractère du débat.

---

37. Le terme est attribué à Benny Morris à propos de son article : « The New Historiography : Israel Confronts Its Past », *Tikkun*, 6 1988.
38. Voir par exemple : I. B., *The Making of the Arab-Israeli Conflict 1947-1951,* Ilan Pappe, *The Birth of Israel : Myths and Realities*, Tauris, London 1992 ; Croom Helm, London, 1987. Simha Flapan ; 1992.

Ce débat démontra que du fait de son caractère public il manqua de rigueur professionnelle, confondit la recherche faite dans des « cours politiques » qui par essence est mobilisée et celle faite dans un cadre universitaire qui se cantonnait toujours à l'histoire européenne et à celle des Juifs en Europe. Participèrent surtout à ce débat, des gens qui pour des raisons idéologiques exploitèrent la discussion pour mobiliser des adhérents à leurs positions. Ainsi, de façon inattendue, l'historiographie israélienne revint à son point de départ, soit une place de choix dans le débat public et l'objet d'une manipulation comme instrument idéologique.

La grande attention que suscitèrent « les nouveaux historiens » réside dans l'acceptation qui mûrit au cours des ans que l'historiographie israélienne, telle qu'elle fut élaborée par les « cercles idéologiques », était en fait une historiographie « de commande » dont la première obligation était la mobilisation politique en faveur du camp pour lequel elle était écrite. Il n'est pas difficile de voir que les programmes scolaires subirent eux aussi l'influence de considérations politiques, et que les changements intervenus dans le poids donné à différents sujets recoupent les remplacements successifs des ministres de l'éducation [39].

Au cours des ans, quand disparurent les journaux d'obédience politique, qui étaient d'importants organes de diffusion de l'historiographie de parti, les déformations d'historiographie furent révélées au grand jour et ceci entraîna par contrecoup d'autres déformations. Un exemple qui revient souvent est celui de l'argumentation des ultra-orthodoxes dont l'une des composantes est que le mouvement sioniste abandonna les Juifs orthodoxes d'Europe de l'Est à leur sort pendant la Shoah [40]. Cet argument, émis généralement par des facteurs politiques ou leurs exécutants, déchaîne de temps en temps une tempête. Malgré ses bases douteuses, la puissance émotionnelle de l'argument est suffisante pour ébranler la vérité des manuels scolaires et bien sûr de l'historiographie en général, qu'elle soit idéologique ou professionnelle et ceci explique comment a pu se créer dans l'opinion publique une plateforme accueillante pour une autre historiographie.

Les « nouveaux historiens » ne sont pas la continuation directe des « auteurs de cour » qui construisirent une historiographie sur commande. Les « recherches de cour », produits d'historiographie de première importance

---

39. Le « centre Shalem », lui aussi institution à orientation idéologique, publia dernièrement une recherche comparée sur les changements dans les manuels scolaires du ministère de l'éducation concernant l'enseignement du sionisme. Voir : Y. Hazony, D. Polisser et M. Oron, *La révolution silencieuse dans l'enseignement du sionisme*, Jérusalem, 2000.

40. La publication du livre de Dov Weissmandel, *Du fond de l'abîme : souvenirs des années 1942-1945*, Jérusalem, 1960, suscita une violente polémique. Celle-ci se renouvela lors de la publication de la réédition du livre à New York en 1980.

pendant les premières décennies de l'État, étaient dès le départ étiquetées comme des études provenant de sources idéologiques définies. L'engagement idéologique des chercheurs par rapport à l'idéologie de la « cour » à laquelle ils appartenaient, n'était pas un secret pour les lecteurs. Le public auquel ces recherches s'adressaient était des sympathisants de cette « cour » et le produit de la recherche était entiché d'un label idéologique clair et assumé. Ce dernier était même revendiqué fièrement. Les lecteurs qui n'appartenaient pas à cette cour savaient d'avance quel était le point de vue idéologique et politique du chercheur. La recherche universitaire (minime, comme nous l'avons déjà mentionné), différait totalement par son point de départ, sa méthode et bien entendu son produit. L'accent y était mis sur l'engagement par rapport à l'éthique universitaire, et ce qui la caractérisait avant tout autre chose, était l'effort pour parvenir à la vérité tout en s'efforçant sciemment d'éviter toute inclination idéologique. Par opposition, les recherches des « nouveaux historiens », dont beaucoup d'entre eux souffrent d'inclinaison idéologique, ne sont pas étiquetées. Bien au contraire, leurs auteurs prétendent se parer d'une auréole scientifique de chercheurs souscrivant uniquement à des critères professionnels.

En 1976, lors de la publication du premier exemplaire de « Kathedra », il semblait que le centre de la recherche historique passait des institutions de partis aux instituts universitaires. Dans le premier article de la revue, Israël Kolatt, l'un des premiers chercheurs universitaires ayant choisi de traiter l'histoire du yichouv, exprimait l'espoir que la jeune génération de chercheurs réussisse à se dégager du poids de l'apologétique sioniste et de l'idéologie nationale. Il signalait quelques symptômes témoignant d'une percée dans la recherche et aussi quelques jeunes chercheurs, libérés d'entrave idéologique et que seule l'éthique scientifique obligeait. Parallèlement au ton optimiste de l'article voici que déjà à l'époque, quelques années avant l'apparition des « nouveaux historiens », Kolatt pensait que la critique de l'historiographie sioniste pourrait susciter des recherches amenant à son « réexamen », au cas où ce ne serait pas la vérité, mais de nouvelles exigences politiques[41] qui serviraient de guide (à cette nouvelle recherche). Kolatt craignait que la juste critique de l'historiographie des « cours » sionistes qui était alors courante, engendrerait son contraire, soit une historiographie « de cour » anti-sioniste. Vingt-cinq ans après la publication de l'article, il s'avère que les prévisions de Kolatt, tant les optimistes que les pessimistes se sont réalisées.

La cinquantième année de l'existence de l'État, fut inauguré à l'Université Ben Gourion un département indépendant d'études de l'État d'Israël.

---

41. Yisrael Kolatt, « Sur la recherche et le chercheur de l'histoire du yichouv et du sionisme », *Kattedrah*, 1 (septembre 1976), p. 24.

L'autorisation d'ouverture donnée par le Conseil des Hautes Études démontre l'existence d'un corps enseignant valable spécialisé dans le sujet. Des départements semblables s'ouvriront sans doute dans d'autres universités. Ce développement, signifiant une nouvelle étape, annonce que les premières ébauches de recherches auront prochainement une suite. Le côté pessimiste de ce développement touche à ses significations politiques et idéologiques.

Durant les premières décennies de l'existence de l'État, il y eut une division claire entre les recherches intensives effectuées sous l'égide d'institutions idéologiques et le petit nombre de recherches faites dans un cadre universitaire. Les premières étaient d'abord redevables du narratif développé par les dirigeants du mouvement, tandis que la recherche scientifique relevait des règles sévères de la discipline professionnelle. Ces dernières années, s'opérèrent des changements dialectiques dans cette répartition. Ces changements eurent lieu du fait de l'extinction progressive des anciens mouvements. Quand s'éteignit l'enthousiasme idéologique et s'effondra le mouvement kibboutzique, cessa le crédit des « recherches de commande » et on n'en voulut plus. Certaines institutions de recherche, affiliées à des mouvements politiques, s'éteignirent lentement. « Beit Berl » par exemple cessa ses activités dans les années soixante-dix et « l'institut Lavon » cessa toute activité indépendante en 2000. Les institutions tenant à se maintenir sont obligées d'évoluer. La plupart choisirent de se déconnecter de l'idéologie du mouvement. Ce changement significatif les força à se transformer du point de vue professionnel et à adopter les méthodes des disciplines universitaires. Celles qui choisirent cette voie s'adressèrent aux universités et demandèrent à être soumises à un conseil de tutelle universitaire. De tels conseils sont composés d'éminents professeurs et bien entendu, les chercheurs universitaires qui acceptèrent d'y participer y ont mis comme condition une totale liberté académique et la rupture de tout lien idéologique. Le « centre de l'héritage de Ben Gourion » est directement affilié à l'Université Ben Gourion et en fait partie intégrante, « Yad Ben Zvi » a des liens avec toutes les universités. Des institutions plus modestes comme le « centre Herzog », « Yad Tabenkin » ou « Yad Yeari » ont, elles aussi, trouvé le moyen de s'affilier à une université. L'examen des méthodes d'investigation, de ces institutions anciennement liées à des mouvements politiques, ainsi que l'analyse des fruits de cette recherche, montrent aujourd'hui que c'est précisément dans ces institutions, que la recherche est la plus critique et la plus dégagée de chaînes idéologiques. Les recherches menées dans leurs cadres sont examinées avec soin, selon les règles sévères qui étaient dans le passé, appliquées dans les seules universités.

Paradoxalement, se produit au même moment dans les universités un processus inverse. Certains chercheurs qui se sont orientés vers des domaines jusque-là délaissés dans l'étude de l'État d'Israël, comme les ethnies, les

Arabes ou l'histoire militaire, se sont attelés à leur recherche, tout pénétrés d'idéologie et bien décidés à rendre des comptes. En l'absence d'étiquetage politique qui était autrefois la caractéristique des recherches d'institutions de parti, ces recherches orientées entravent la distinction entre l'historiographie idéologique et l'historiographie universitaire. Ainsi, alors qu'il semblait que la recherche sur l'histoire de l'État devait se libérer du poids de la politique, voici qu'elle sert à nouveau ses impératifs. La voie par laquelle la nouvelle politique pénètre l'historiographie israélienne menace également les universités qui jusque-là ont réussi à garder les politiciens à distance. Voici que l'aspect négatif de la situation est maintenant l'altération de la faculté de distinguer entre l'historiographie professionnelle et l'idéologie. Le côté positif est le développement important du nombre de chercheurs et l'intérêt que suscite la nouvelle recherche dans l'histoire de l'État d'Israël.

Plus de cinquante ans après la fondation de l'État, l'historiographie cherche encore sa voie. Dans l'état actuel de la recherche, on ne peut parler de caractéristiques claires lui étant propres. Ainsi par exemple il n'est pas encore clair si sa tendance est de lier l'histoire d'Israël à celle des Juifs et du judaïsme en général ou au contraire, la reliera-t-elle à l'avenir à celle du moyen orient en la déconnectant du judaïsme et des Juifs du monde. On peut voir cependant que la tendance «cananéenne» qui était forte dans les premières années de l'existence de l'État est en train de disparaître.

Comme pour le développement de disciplines en occident, une spécialisation secondaire s'annonce dans l'historiographie israélienne. Ainsi par exemple, se développe une école politologue, traitant surtout du système de gouvernement en Israël. Cette école développe ses propres instruments de recherche, alliant les sciences humaines et les sciences sociales. Une école qui ne s'est pas développée ici, contrairement aux tendances existant en occident, est celle de l'histoire psychologique. Les quelques rares recherches faites selon cette méthode n'ont pas eu de suites. On note quelques signes annonçant une nouvelle jeunesse de la biographie. Alors que dans des pays comme la Grande-Bretagne, la biographie est un genre très illustre, en Israël cette branche était considérée dans le passé comme inférieure parce qu'elle constituait le domaine réservé des institutions politiques. Après la publication de quelques biographies appréciées, rédigées dans un cadre universitaire, il semble qu'un changement doive se produire dans ce domaine majeur et qu'à l'avenir se publieront beaucoup plus de biographies. Une autre évolution est l'introduction de nouvelles méthodes de recherche de qualité. Dans la mesure où ces méthodes s'incrusteront, les interviews de personnalités, qui jusqu'ici étaient considérées comme une source historique problématique, pourraient être l'objet d'un nouveau statut.

Une nouveauté essentielle est la collaboration qui se développe entre les différentes écoles. Ces dernières années se sont créés dans les universités des centres de recherche multidisciplinaires et interdisciplinaires où se côtoient surtout l'histoire et des disciplines de sciences sociales comme la sociologie, l'anthropologie, la géographie et les sciences politiques et aussi dernièrement la littérature, le théâtre et le cinéma. L'expression la plus visible de cette collaboration est la direction conjuguée de thèses de doctorat dans ces domaines. Ces développements ainsi que l'augmentation numérique de chercheurs et la création de départements indépendants dans les universités, montrent que nous sommes à l'orée d'une époque de grands changements pour ce qui est des tendances de recherche et de l'historiographie en général.

Sociologues « critiques » et sociologues « institutionnels » de la communauté scientifique israélienne

Luttes idéologiques ou discours scientifique objectif ?

Moshe LISSAK

C ES DERNIÈRES ANNÉES, une ardente polémique, dont les échos se sont fait entendre également chez les chercheurs de la société israélienne à l'étranger, se tient dans les milieux universitaires israéliens. Il s'agit de la discussion entre ceux qui se désignent eux-mêmes « sociologues critiques » et les « sociologues institutionnels », comme les nomment ces mêmes « sociologues critiques ». Un débat semblable se déroule chez les historiens. Cependant, dans cette discipline, la distinction se fait plutôt entre les « nouveaux » historiens et les « anciens » historiens. Au départ, on pouvait considérer cette discussion avec une certaine légèreté et y voir l'expression d'une opposition de générations, au sein de la communauté scientifique ou encore comme une sorte de mode passagère importée de l'étranger, principalement des États-Unis. Aujourd'hui, au stade avancé où se trouve cette dispute, il y a lieu de la considérer pour ce qu'elle est réellement et d'examiner les arguments avancés, écrits ou oraux, étant donné qu'elle touche les fondements même des sciences sociales et de l'histoire israélienne. La suprématie de l'une des parties est susceptible d'avoir une influence déterminante sur la recherche et l'enseignement dans les départements de sociologie et d'anthropologie ainsi que dans ceux de sciences politique des universités d'Israël. L'enjeu en est l'avenir et l'essor de ces disciplines ou au contraire leur déclin et leur dépréciation.

La discussion se tient sur plusieurs niveaux qu'on peut définir de différentes façons, selon l'orientation adoptée. Ainsi, on peut définir l'essence de ce débat d'une part comme une discussion sur la « scientificité » des sciences sociales. Dans ce contexte, la question est alors de savoir non seulement si on peut établir ou améliorer cette « scientificité » des sciences sociales, mais si un tel exercice intellectuel est possible, nécessaire et s'il a une finalité, étant donné qu'il est soi-disant destiné à l'échec.

D'autre part l'enjeu est aussi celui de la question de l'identité idéologique des « sociologues institutionnels » ou de « l'historiographie ancienne ». En d'autres termes, il existe une polémique entre ceux qui prétendent que la communauté scientifique établie a été « contaminée » par le virus « sioniste » et ceux qui pensent que le sujet n'a pas autant d'incidence sur la recherche que cela pourrait paraître à première vue.

En d'autres termes on peut également considérer que cette discussion est débattue sur deux plans qui, bien que liés l'un à l'autre, diffèrent cependant du point de vue analytique. Le premier est principalement méthodologique et théorique. Le second concerne l'essence et le contenu, c'est-à-dire l'interprétation des événements historiques et des tendances politiques, économiques, sociales et culturelles de ces cent dernières années.

S'il ne s'agissait que d'une diversité de paradigmes théoriques se proposant d'interpréter différemment les mêmes événements, il y aurait de quoi se féliciter. La profusion de paradigmes qui se complètent et se corrigent réciproquement est en soi excellente. Mais ce qui se passe ces dernières années, ne conduit pas à un tel cas de figure. La tendance existante, du moins chez certains sociologues « critiques », est de dénigrer totalement les paradigmes des sociologues « institutionnels » et de les repousser pour des raisons idéologiques. Ironiquement, c'est justement ceux qui tendent à la disqualifier, qui voient dans l'inclination idéologique une part immanente de la pensée scientifique de notre époque. Il n'est nul besoin de s'étendre là-dessus pour expliquer en quoi cette attitude mine toute base de discussion constructive entre les détentants de paradigmes différents. On peut affirmer sans exagération qu'une telle situation est susceptible de faire régresser les sciences sociales d'une dizaine d'années en arrière, de les ramener au stade où elles étaient au début du XXe siècle, si ce n'est pas plus loin encore dans le passé.

Cet article traite principalement de la polémique au sein de la communauté de sociologie, d'anthropologie et de sciences politiques en Israël. La discussion entre historiens apparaîtra cependant par-ci par-là entre les lignes. La raison de cette réduction découle d'abord du fait qu'une attitude large et méthodique comprenant l'historiographie nous obligerait à traiter systématiquement de méthodologie, de terminologie et de sémantique propres aux historiens. Comme on le sait, ceux-ci sont sensiblement différents de ceux en usage dans les sciences sociales et les inclure dans notre propos irait au-delà du cadre de cet article.

Chronologiquement, on s'en tiendra pratiquement à la période pré-étatique d'avant 1948. Certes, la polémique a aujourd'hui dépassé ce cadre, mais au départ, elle se limitait à la période de l'état en gestation. Débattre de la période de l'État d'Israël justifierait un article à part. Venant à traiter ce sujet, apparaît une difficulté supplémentaire du fait que ceux qui se disent « critiques », et dans une moindre mesure ceux qui se définissent comme « institutionnels », ne forment pas un groupe homogène. Une critique faite à l'encontre d'un chercheur « critique » sur un certain point ne s'applique pas toujours à un autre. Néanmoins, discuter de chaque chercheur séparément alourdirait cet article et obligerait à une attitude trop particulariste. C'est pourquoi nous avons essayé de trouver le juste milieu et de nous référer principalement au dénominateur commun caractérisant ces « sociologues critiques ».

Les paramètres de la recherche sociologique et historique de la société israélienne

La critique essentielle et également la plus lourde faite à la sociologie et à l'histoire « institutionnelles » est, comme on l'a dit, qu'elles soient saturées de sionisme. Cela signifie qu'elles sont partiales, que leur façon de voir les choses est déformée et faussée : elle vante ce qui leur est favorable et ignorent ce qui leur est désagréable. Plus spécifiquement, pour le moins une partie des « critiques » prétendent que la sociologie et l'historiographie sont confinées dans une bulle juive – la société juive d'Israël et celle de diaspora. Les « institutionnels » ont soi-disant fait abstraction du conflit judéo-arabe en général et de la société palestinienne en particulier, et également des rapports réciproques entre les deux sociétés, la juive et la palestinienne. Du point de vue des « institutionnels », selon les « critiques », les limites de la collectivité et les paramètres de la recherche se limitent à cette « bulle » juive [1].

L'utilisation d'une terminologie juive-israélienne spécifique constitue aux yeux des « critiques » un témoignage supplémentaire du sionisme de la sociologie « institutionnelle » et de l'historiographie du mouvement sioniste et de la population juive en Terre d'Israël. Ils s'insurgent particulièrement contre des concepts comme *« terre d'Israël, alyah, événements,* et certains répugnent même à utiliser le mot *Shoah.* Selon eux, il ne s'agit pas là de mots neutres ou positivistes mais de concepts liés à la seule mémoire collective du peuple juif.

De plus, selon eux, même la périodisation utilisée par les « institutionnels », est presque entièrement d'essence judéo-sioniste – *première alya* (vague d'immigration)*, deuxième alya, troisième alya, avant la Shoah, après la*

---

1. Baruch Kimberling, « Polémique de l'historiographie sioniste », papier présenté au centre de recherche sur le sionisme, la population établie avant l'état, et l'historiographie de l'État d'Israël, non daté, p. 2-3.

Shoah, etc. Cette périodisation selon les « critiques », constitue un handicap sérieux, parce qu'elle rend plus difficile l'identification de tournants dans l'historiographie des deux peuples. En découle notamment que les « institutionnels » se trompent par exemple en insistant sur la continuité marquant le passage du pays pré-étatique à l'État [2] ou des changements survenus à la suite de la guerre des Six-Jours.

Si le plus grand obstacle au rapprochement entre les points de vue des « critiques » et ceux des « institutionnels » ne se réduisait qu'à une terminologie ou à la périodisation, on pourrait l'éviter relativement facilement. Ainsi par exemple, on pourrait utiliser le mot *émigration* à la place de *alya* à condition qu'on puisse classifier l'émigration en Israël comme un cas particulier d'émigration, exprimant plus ou moins fidèlement le concept de *alya* ou au contraire fixer des critères de continuité de prototypes : de l'émigration pour des raisons instrumentales jusqu'à l'émigration d'un groupe demandant à survivre culturellement [3].

Trouver un substitut au concept E*retz Yisrael (Terre d'Israël)* est encore plus difficile. Son utilisation est le fondement même du « narratif sioniste » de même que le concept *Palestine* est au centre du narratif palestinien. Le concept *Terre Sainte,* commun aux trois religions monothéistes, n'est pas le substitut le plus convenant, étant donné sa connotation religieuse et le désaccord concernant le degré de sainteté de cette terre pour les croyants des trois religions.

Le concept *Shoah* a soi-disant un équivalent linguistique, le mot génocide. Mais le terme *Shoah* est devenu un terme consacré appartenant au vocabulaire conceptuel de la culture mondiale, plus particulièrement des cultures européenne et américaine. Il serait donc totalement absurde que ce soit justement des historiens et des sociologues d'Israël qui demandent à rayer ce concept de notre lexique et à le remplacer par un terme étranger, qui ne pourra jamais exprimer la particularité de la Shoah juive.

En ce qui concerne la périodisation (et les concepts utilisés pour ce genre de travail), les différentes écoles ont pu adopter un dénominateur commun. Le sujet de périodisation n'est certainement pas marginal, principalement pour les historiens. Très souvent, la périodisation reflète la thèse centrale de leurs recherches, étant donné que celle de l'histoire de dynasties royales, de mandats de présidence ou de l'histoire diplomatique ne ressemble guère à celle de l'histoire militaire ou de l'histoire sociale ou économique. De même, dans le cas qui nous occupe, il y a très souvent lieu de se détacher en toute

---

2.   Y. Lévy et V. Peled, « La rupture qui n'eut pas lieu : la sociologie israélienne dans le miroir de la guerre des Six-Jours, théorie et critique » (*Theory and Critisim, An Israeli Forum*), 3 (hiver 1993), p. 118, 126.

3.   Il est possible de désigner ce phénomène par « émigration idéologique ».

logique d'une périodisation établie uniquement selon les vagues d'immigration. Il convient de partir du point de vue selon lequel les tournants ne sont pas identiques ou parallèles dans tous les domaines. Ainsi, la périodisation de l'histoire sociale et économique de l'époque pré-étatique [4] par exemple, diffère sensiblement de la périodisation du conflit israélo-arabe ou de celle des développements diplomatiques. Il est cependant incontestable qu'il existe des liens reliant les événements et les moments décisifs de divers domaines.

Mais tout cela ne sont que des points secondaires. Les autres arguments accompagnant la question du « filtre sioniste » de la sociologie israélienne méritent d'être l'objet d'un débat plus large sur les paramètres de traitement de l'historiographie de la population juive en terre d'Israël, pendant les cent à cent cinquante dernières années [5]. Ce qui suit ne reflète que mon opinion personnelle, mais il me semble que de nombreux sociologues partagent mon point de vue [6].

Quels sont donc en gros les paramètres nécessaires pour discuter de l'histoire de la société pré-étatique et israélienne, quels sont les paramètres que les historiens, sociologues, politologues, chercheurs en relations internationales, économistes et autres chercheurs de cette société peuvent utiliser ? Les paramètres présentés plus loin reposent sur l'hypothèse que quatre facteurs ont directement ou indirectement influencé les populations juives et palestiniennes, même s'ils l'ont fait différemment. Commençons par définir et par décrire brièvement ces quatre facteurs avant de nous étendre plus largement sur deux d'entre eux.

1. Les facteurs et les conditions en diaspora ayant provoqué les vagues d'immigration depuis la fin du XIXe siècle. Le sujet comprend entre autres, la composante de ces vagues d'immigration, leur structure et leur qualité humaine d'un point de vue démographique, social et culturel. À ce propos, il y a lieu de tenir compte du fait particulier qu'il s'agit d'un groupe d'immigrants ayant vécu en diaspora durant des centaines d'années, selon leur propre définition. Que ce soit par idéologie ou qu'ils soient poussés par des raisons économiques ou politiques ou par des menaces physiques, ces immigrants désirent reconstruire leur centre politique et culturel sur un territoire qu'ils considèrent comme leur patrie historique. Ce modèle, comme nous le verrons par la suite, est spécifique à ce mouvement de colonisation et diffère des autres mouvements colonisateurs. Cependant, ce particularisme ne devrait

---

4. Sur la proposition d'une nouvelle périodisation, voir N. Gross, « Sur l'histoire de Ertz Israel et du Yishuv à l'époque du mandat », *Cathedra* 18, automne 1981, p. 174-177.

5. Le déroulement du temps est un concept arbitraire lié aux questions de périodisaton dont il a été question plus haut.

6. À ce propos, signalons tout particulièrement mon ami et collaborateur pour de nombreux travaux, Dan Horowitz.

pas nous dispenser d'une étude comparative sérieuse entre les phénomènes coloniaux dans le monde et le sionisme en tant que mouvement de colonisation.

2. Le deuxième facteur qui a façonné la société pré-étatique et israélienne, et certainement l'image de la société palestinienne, fut et reste encore le conflit judéo-arabe. Les résultats de ce long conflit ne sont pas à mesurer seulement en termes de victoires et de défaites, de tués et de blessés, d'acquisition ou de gaspillage de ressources économiques, mais aussi en termes de création d'ethos et de mythes s'exprimant sous formes littéraires et artistiques, et par des attitudes intellectuelles et philosophiques en ce qui concerne les avantages et les limites de la pratique de la violence dans les relations entre peuples et populations ethniques et nationales.

3. Le troisième facteur est le rôle que remplit le gouvernement mandataire, représentant le gouvernement de Grande-Bretagne, dans la création d'une infrastructure, si limitée fut-elle, pour le développement des communautés palestinienne et juive et pour la formation de relations réciproques entre elles.

4. Le quatrième facteur primordial est la place variable de la communauté juive avant 1948 et ensuite celle de l'État dans le parallélisme de forces globales depuis la période ottomane jusqu'à nos jours.

Il serait difficile de contester l'importance de ces facteurs, même si, tout naturellement il devait y avoir des divergences concernant le poids relatif de chacun aux différentes époques. Une telle attitude ne reflète pas obligatoirement une idéologie sioniste ou anti-sioniste. Cependant, des chercheurs libérés du mythe de la totale relativité des différents narratifs, comme le veut l'ethos postmoderne, sont à même d'avoir une approche d'évaluation raisonnable de l'influence accumulée de ces facteurs sur l'histoire de la société pré-étatique et israélienne. Il ne fait pas de doute, malgré tout, qu'il est impossible d'arriver à une évaluation absolue, surtout en ce qui concerne des processus à court terme.

La multiplication des facteurs témoigne des influences convergentes sur la population juive et sur la population palestinienne. En termes plus imagés, on peut dire que les deux communautés ne vivaient pas dans un cercle aux frontières hermétiques et étanches, mais dans plusieurs cercles concentriques, même si tous n'étaient pas communs aux deux communautés. Les règles du jeu caractérisant l'activité de chaque cercle étaient différentes à des époques successives et pour des parties diverses de la population. La possibilité de passage d'un cercle à l'autre était également limitée.

Tout cela a influencé leur définition des « frontières du collectif », qui était beaucoup plus complexe que n'ont tenté de l'esquisser certains chercheurs [7]. Ainsi par exemple, la population juive organisée vivait presque totalement dans le cercle le plus interne, dans le « quartier juif ». Les institutions nationales, les mouvements idéologiques et les partis politiques leur fournissaient une grande partie des services (éducation, culture, santé, travail, habitat, etc.).

La sortie du cercle interne se faisait pour recevoir certains services gouvernementaux : tribunaux, police, services douaniers ou postaux, certains services sanitaires et également, de façon très limitée, des services d'emploi. Ces services desservaient aussi la population arabe. La direction politique de la population juive avait bien entendu des liens de travail continus avec les autorités mandataires sous l'égide du gouverneur suprême.

Les contacts avec la population arabe s'établissaient surtout sur le marché du travail et de l'embauche et également au cours de transactions économiques : achat et vente de produits agricoles et de terres. Avec les années, ces échanges se sont réduits, pour des raisons politiques et sécuritaires d'une part et d'autre part à cause de la volonté d'une grande partie de la population juive de se détacher du marché du travail commun avec la population arabe (dès le début la collaboration était réduite).

Tout ceci concerne surtout la « population juive organisée ». Les Juifs n'appartenant pas à cette catégorie comme les Juifs ultra-orthodoxes et même une partie des Juifs orientaux, avaient sans doute des contacts plus larges avec les autorités mandataires et la population arabe. Leurs relations avec les « institutions nationales » variaient entre la rupture totale, comme c'était le cas pour les ultra-orthodoxes, et des échanges irréguliers et instables, pour cette fraction des Juifs orientaux n'appartenant pas à « la population organisée ».

Les différents éléments de la population juive entretenaient des liens avec la diaspora juive. La communauté ultra-orthodoxe d'une part et les mouvements politiques constituant l'armature de la « population organisée » d'autre part, entretenaient des relations des plus intensives, quoique diverses avec la diaspora. Celles des ultra-orthodoxes se faisaient par les « académies talmudiques » qui constituaient des unités économiques et sociales centrales de la communauté achkenaze [8], tandis que les partis et mouvements politiques de « la population organisée » entretenaient des liens étroits avec les institutions du mouvement sioniste et avec les autres partis et mouvements, principalement en Europe de l'Est.

Cette structure, décrite ici de manière très schématique, a créé les paramètres de l'identité collective particulière des différents secteurs composant la population juive. Ceux qui appartenaient à « la population organisée »

---

7. Par exemple Baruch Kimmerling, « *Boundaries and Frontier of the Israeli Control System : Analytical Conclusions* », in : B. Kimmerling (éd.), *The Israeli State and Society : Boundaries and Frontiers*, Albany 1989, p. 265-284.

8. Menah'em Fridmann, Society and Religion, the Non-Zionist Orthodox in Eretz-Israel 1918-1936, Yad Itschak Ben-Zvi, Jerusalem, 1978, 442 p.

étaient avant tout des « citoyens » du système politique gouvernés par la « Knesset Israël » (parlement pré-étatique, N.D.T.) et le mouvement sioniste [9]. Formellement ils étaient aussi des « citoyens » de l'État mandataire. La citoyenneté dans l'État mandataire impliquait quelques conséquences pratiques, pour recevoir certains services par exemple. Quant aux autres Juifs, n'appartenant pas à « la population organisée », la base de leur « citoyenneté » était surtout ancrée dans leurs communautés ethniques et particularistes. Le cadre mandataire était sans doute plus significatif pour eux, tandis que la perception de « citoyenneté » dans le secteur où régnaient les « institutions nationales » était limitée, discontinue et inconstante. Cette catégorie de citoyenneté réservée et limitée n'était pas du tout le lot de la population orthodoxe (le vieux yishouv achkenaze), qui refusait tout contact avec les institutions de la population juive et du mouvement sioniste.

La population palestinienne vivait dans son cercle interne de manière plus particulière. Ce cercle différait du cercle juif interne pour ce qui est de ses différentes constituantes. Au lieu de partis politiques modernes idéologiques, le cercle interne de la population arabe était composé d'unités structurelles d'appartenance – familles, clans, villages, etc. Les organisations pseudo-politiques et les cadres d'appartenance particularistes se recoupaient dans une large mesure. Les contacts des Palestiniens avec les autres cercles se déroulaient sur le marché du travail, mais il s'agissait là de relations unilatérales puisqu'en fait les Juifs ne travaillaient pas sur le marché économique arabe.

Les contacts avec le gouvernement mandataire étaient plus intensifs, du moins dans les secteurs citadins, parce que, pour différentes raisons, les Arabes n'avaient pas réussi à se créer un centre autonome fort qui leur soit propre. C'est pourquoi, ils étaient redevables d'une plus grande variété de services gouvernementaux. De ce point de vue, leur « citoyenneté » mandataire était plus large, sans pour autant être plus profonde. On définira ici la profondeur de la citoyenneté comme la mesure de loyauté envers le système gouvernemental. De ce point de vue, il existait une grande ressemblance entre les populations juive et arabe. Le moins qu'on puisse dire est qu'aucune ne manifestait de grande loyauté envers le gouvernement mandataire.

La question de la loyauté interne de la population arabe envers son élite politique était bien plus complexe que son parallèle dans la population juive. Pour les Palestiniens, la loyauté essentielle s'adressait aux groupes familiaux et aux cadres villageois de leurs lieux d'habitation. L'identification à une élite

---

9.   Pour une étude plus poussée à ce propos, voir : Dan Horowitz et Moshe Lissek, *The Origins of the Israeli Polity, The Political system of the Jewish Community in Palestine Under the Mandate*, Am Oved, Tel-Aviv 1977, chapitre III (p. 47-88) et chapitre VII (p. 220-271) (hébreu).

terrienne non élue et non démocratique reflétait dans une grande mesure ces loyautés de base.

L'élite politique du secteur juif était élue selon un processus démocratique et jouissait d'une loyauté grandissante, bien que comme on l'a souligné, elle ne jouissait pas d'une loyauté englobant la totalité de la population juive. Une partie des Juifs (les ultra-orthodoxes) ne se sont pas joints à la « Knesset Israël » ; d'autres se plaçaient souvent en marge par rapport à ce concept (les orientaux et les paysans) ; il y avait également ceux qui jamais ne l'avaient abandonné, mais qui n'acceptaient pas l'autorité des « institutions nationales » et la direction du mouvement sioniste (ce sont les organisations qualifiées à l'époque de « dissidents », l'Organisation Sioniste Combattante *(Irgoun)* et les Combattants de la Liberté d'Israël *(Lehi).*

La Palestine mandataire était donc selon les termes du « Livre Blanc » de 1939 « un état non national où vivent deux nationalités sans état »[10]. En d'autres termes : la Palestine mandataire différait sur tous les plans du type idéal de l'État-nation. Tout d'abord, un gouvernement étranger exerçait son pouvoir sans représentation directe de la population. Deuxièmement, c'était une entité bi nationale dont au moins une des communautés la composant – la communauté juive – détenait un système d'institutions semi-autonome reconnues légalement. Troisièmement, chacune des deux communautés était reliée à des entités nationales ethniques, religieuses ou linguistiques, au-delà des frontières du pays.

Chacune de ces déviations par rapport au modèle de l'État-nation intégral, posait des problèmes d'identité et de définition des frontières de la collectivité et de la citoyenneté[11]. La nationalité palestinienne était selon les termes de la commission Peel une « formule légale sans signification morale »[12]. La véritable loyauté des Juifs et des Arabes était comme nous l'avons souligné, acquise à leurs collectivités communautaires. En ce qui concerne la population juive, se posait le problème de la qualité de l'ingérence du judaïsme de la diaspora dans la construction du foyer juif national, étant donné que cette ingérence fut reconnue légalement dans l'acte de mandat de la Société des Nations[13]. Au sein de la population arabe, le problème d'identité se perçut en termes de « Caoumia » par opposition à « Vatnia » – perception de la nationalité panarabe par opposition aux nationalités particulières des différents

---

10. *Ibid.*, p. 11.
11. Dan Horowitz, « La population et la société israélienne, continuité et différence : la population en tant que communauté politique dans un système bi-communautaire », *State, Government and International Relations* 12, printemps 1983, p. 36-38.
12. Palestine Royal Commission Report, July 1937, Cmd. 5479, chap. 14/5.
13. L'autorité partielle de l'Agence Juive est légalisée dans le paragraphe 4 de l'acte de Mandat SUR LA Palestine, *ibid.*, chap. 5, p. 35.

peuples arabes. Pour les Arabes de Palestine, la « Caoumia » était arabe, tandis que la « Vatnia » était palestinienne. Divers groupes au sein de la population arabe mettaient l'accent sur chacune de ces différentes composantes identitaires.

Tout ceci montre bien que le sujet des « frontières de la collectivité » ou ce que personnellement je préfère appeler « les frontières de la citoyenneté », est passablement complexe. Le chercheur voulant « joindre » un certain secteur aux frontières de la collectivité ou de la citoyenneté ou en « écarter » un autre, doit prendre en considération cette réalité complexe. Cette description schématique s'applique bien entendu uniquement à l'époque pré-étatique. Après 1948, il y eut des changements du point de vue de la définition des « frontières de la citoyenneté », mais ce sujet déborde les limites chronologiques de cet article.

L'engagement des Juifs de la diaspora à la construction de la société en terre d'Israël et le récit des vagues d'immigration sont au centre de ce que les « sociologues critiques » appellent « le narratif sioniste ». Il est bon de rappeler que ce terme est toujours employé de façon générale, sans aucune référence aux différentes nuances et aux nombreuses variations existant sous ce titre général. C'est pourquoi, il y a lieu de préciser tout d'abord quelques points à propos de ce narratif, qui a été l'objet de tant de blâmes et de déformations de la part des « critiques ». Comme l'a dit un jour l'écrivain Amos Oz, le sionisme n'était que le nom de famille d'un éventail de formes, de positions, de visions du monde et de conception de l'histoire juive dans le passé et de sa projection future. En d'autres termes, la base idéologique, sous plusieurs plans, en était dès le départ assez floue.

Tout d'abord, les différents courants idéologiques ne définissaient pas le judaïsme, la justice sociale et la démocratie de la même manière. Pour ce qui est du concept « judaïsme », le trouble se porte sur la question des caractéristiques de l'identité juive : la définition du nationalisme juif est-elle laïque ou religieuse-traditionnelle, ou existe-t-il une différence entre la définition du nationalisme juif en diaspora, qui est principalement religieux, et celui de la population juive vivant en terre d'Israël et plus tard dans l'État d'Israël ? Une autre part de flou pour ce qui est de la perception du nationalisme touche au refus de la *Gola* (exil) : L'autoémancipation du peuple juif exige-t-elle la fin de l'Exil ou bien la Terre d'Israël est-elle destinée à n'être que le centre spirituel d'un peuple dispersé ?

Non moins chargé est le concept de justice sociale devant se réaliser dans la société juive en formation vivant en Terre d'Israël. S'agit-il seulement des libertés fondamentales des courants idéologiques libéraux ou également des idées d'égalité et de participation qui sont l'apanage de courants idéologiques socialistes ? Enfin, pour le concept de démocratie : s'agit-il seulement des aspects formels institutionnels ou également des droits démocratiques généraux du citoyen, de valeurs comme la liberté d'expression ou de rassemblement et de l'égalité des citoyens devant la loi ?

Deuxièmement, à la base de l'idéologie sioniste il existait des contradictions internes entre ses différentes composantes, du moins des contradictions potentielles sinon effectives. La plus évidente a éclaté entre les valeurs particularistes juives, qui reflétaient l'aspiration à un État-nation, et les valeurs humanistes universelles. Une telle contradiction apparut dès qu'il fut évident qu'il ne s'agissait pas de « l'établissement d'un peuple sans terre sur une terre sans peuple » [14], mais de la construction d'une société nouvelle sur une terre peuplée. La tradition de particularisme juif est liée au problème de l'isolement juif, qui fait des Juifs une communauté au sein d'un état ; Par opposition, la réalisation de la souveraineté juive a entraîné la création d'un état comme les autres, dont tous les citoyens ne sont pas juifs ; ces citoyens non juifs auront-ils en toute chose les mêmes droits, y compris le droit de changer légalement les rouages reflétant le caractère juif de l'état ?

Une autre contradiction interne est celle existant entre deux fondements du sionisme, le vocationnel et le normalisateur. Une part de l'idéologie sioniste repose sur le désir de construire une société élue qui serait une sorte de Lumière des Nations. D'autre part, le sionisme tend à transformer le peuple juif en un peuple comme les autres ; est-ce que la population juive d'avant la création de l'État, et aujourd'hui celle de l'État d'Israël doit préférer la construction progressive d'une société de qualité, qui ne peut se réaliser que graduellement et par une immigration sélective ? Ou bien le salut des Juifs ou du judaïsme passe-t-il par une immigration de masse même si celle-ci doit se faire au détriment de la qualité sociale de la société juive vivant en terre d'Israël ?

L'opacité, les contradictions et le désaccord pour ce qui est de la relation entre les moyens et les objectifs ont donné lieu à des fluctuations de définitions des frontières du consensus sioniste. Dans ce contexte, il est important de souligner les graves divergences de vue sur la question de la rencontre avec le mouvement national arabe et avec la population palestinienne. Celle-ci a placé le mouvement sioniste et la population juive devant un dilemme idéologique et politique, et les réponses qui lui furent données reflètent d'une part des positions fondamentales et d'autre part des considérations opérationnelles, stratégiques ou tactiques [15].

Les positions quant au problème du particularisme par rapport à l'universalisme à la base de l'idéologie sioniste relevaient d'une dimension spéci-

---

14. Phrase de Israël Zangzill citée par Amos Eylon, les Israéliens : fondateurs et fils, Shoken, Jérusalem et Tel Aviv, 1972, p. 149-150 (hébreu).
15. Yossef Gorny, The Arab Question and the Jewish Problem, Am Oved, Tel Aviv 1985, 443 p.

fique découlant de concepts comme « Tu nous as choisis parmi tous les peuples » ou « le peuple restera seul », ancrés dans la tradition juive ; mais ils reflétaient aussi le désaccord idéologique entre deux conceptions opposées de la nationalité, dont le conflit a marqué l'histoire des peuples au XXe siècle : d'une part la conception d'un nationalisme reconnaissant le droit universel à l'autodétermination de tous les peuples et d'autre part, celle d'un nationalisme privilégiant la dimension égoïste nationale ethnocentrique [16].

Le troisième point de divergence est lié au second : la légitimation du nationalisme juif, et donc la légitimation du lien avec la Terre d'Israël, est-il religieux ou laïc ? Avant la création de l'État, cela constituait un sujet de discussion, surtout entre l'aile sioniste religieuse et l'aile laïque du sionisme. Après la création de l'État, l'enjeu était de savoir si l'État d'Israël avait une signification religieuse, au sens de « commencement de la rédemption » ou s'il est une entité laïque n'ayant nul besoin de légitimation transcendantale. Cette fois, la discussion théologique à ce sujet se tient tout d'abord entre le sionisme religieux et la population orthodoxe non sioniste. Les ultra-orthodoxes rejettent l'explication sioniste religieuse. De ce point de vue, ils ont la même conception que le camp laïc, mais pour des raisons totalement différentes.

De tout cela il ressort que parler « d'un narratif sioniste » au singulier ou « du narratif sioniste » est superficiel et simpliste et ne correspond pas à la réalité. Il faut bien reconnaître ces différents narratifs, dont la plupart ont leurs sources en diaspora ou se sont formés et se sont institutionnalisés au sein de la société juive pré-étatique, dont l'une des caractéristique est qu'elle était à la fois nouvelle et ancienne, de même qu'elle était une société d'immigrants.

L'influence des vagues d'immigration sur la société pré-étatique

Avant la création de l'État, la population juive en Terre d'Israël formait une société nouvelle, tant du point de vue des personnes que de celui de ses institutions. Cependant, elle n'était pas une « tabula rasa » du point de vue des traditions sociales et culturelles existantes, qui continuaient à influer les modèles de conduite et de rapport de valeurs des groupes formant cette population. La spécificité de cette société juive (et israélienne) réside dans le fait que ces traditions ne résultaient pas seulement du développement de la société elle-même, mais avaient été importées, du moins en partie, des pays d'ori-

---

16. A. Smith, *Nationalism in the Twentieth Century*, Oxford, 1979, chap. 4.

gine des immigrants. De ce point de vue, il y a lieu de considérer avec sérieux la thèse de l'existence d'une « civilisation juive » [17]. Ce qui est spécifique de cette population juive en tant que société d'immigrants est le fait qu'il s'agisse d'un mouvement d'immigration venant de différents pays vers un centre national en formation. En conséquence de quoi, l'existence parallèle d'un centre et d'une diaspora ne résulte pas d'une émigration du centre vers différents pays, mais d'une immigration en direction opposée. Le lien de la Terre d'Israël avec la diaspora avait différents aspects – immigration, importation de capital et engagement moral et politique réciproque.

L'héritage de la civilisation juive, qui a revêtu différentes nuances dans les centres de la diaspora juive et au sein de la population juive d'Israël avant 1948 comme plus tard de celle de l'État d'Israël, explique dans une grande mesure au moins une partie des écarts sociaux caractérisant cette société. Je veux surtout parler du fossé entre religieux et non religieux, du fossé ethnique et de celui existant entre les classes sociales ainsi que des écarts idéologiques [18], dont une partie fut toujours liée à la lutte pour une solution du conflit judéo-arabe. Dans le passé, ces écarts ont rendu l'unité sociale difficile et tel est encore le cas aujourd'hui. De surcroît, ils ont créé une situation de société surchargée, « à la suite de tâches et de pressions conjuguées et de définitions floues de frontières » [19].

La thèse selon laquelle c'est précisément l'existence de ces fossés et plus particulièrement celle d'écarts idéologiques, qui a donné son surplus de puissance au centre politique en Terre d'Israël et plus tard en Israël [20], n'est qu'en partie vraie. Les limites de cette argumentation proviennent de son hypothèse de base selon laquelle plus les fossés s'élargissent, plus se renforce la puissance du centre politique. Selon ce modèle, l'hypothèse est complètement fausse. Tout débat sur le problème exige de définir le point potentiel de rupture de la puissance du centre par rapport à la grandeur des fossés idéologiques et autres. De plus, cette argumentation ne se réfère pas aux circonstances historiques et au profil politique et idéologique de l'élite politique confronté à de profonds écarts et à une société profondément divisée. Pour différentes raisons, chaque élite affronte de tels écarts différemment et avec plus ou moins de talent, comme le démontre la réalité.

---

17. Sh. N. Eisenschtadt, *The Transformation of Israel Society*, éditions Magnès, Jérusalem 1989, chap. I, p. 13-28

18. Ces écarts sont traités de manière plus approfondie dans : Dan Horowitz et Moshe Lissek, Malheurs de l'utopie, Am Oved, Tel Aviv 1992, chap. 3 (en hébreu).

19. *Ibid.*, p., 28-29.

20. Baruch Kimmerling, « Les rapports État-société en Israël », dans : Ouri Ram (éd.), Israeli Society : Critical Perspective, Breirot, Tel aviv 1993, p. 344. (hébreu)

Les conséquences de ces développements sur le fonctionnement de la société pré-étatique et de la société israélienne, et plus particulièrement sur les systèmes politiques et socio-économiques et même sur la conception de sécurité nationale, ont déjà été l'objet de nombreuses recherches. On doit cependant signaler que la plupart des « sociologues critiques » ont fort peu traité cette question. Dans la mesure où ils l'ont fait, à part quelques vérités connues et assez usées, leurs explications des processus témoignent qu'en fait, elle se nourrit consciemment ou inconsciemment d'une fausse lecture des événements. Comme on le verra plus loin, les « sociologues critiques » se focalisent principalement sur l'influence du conflit judéo-arabe sur la société juive et sur ses échanges avec la population arabe.

Le conflit judéo-arabe et son influence sur la société juive pré-étatique

Il est vrai que les « sociologues institutionnels » n'ont pas beaucoup inclus la population arabe [21] dans leurs paradigmes. Leurs collègues « critiques » par contre ont fait de cette opposition la base des leurs. La question de savoir en quoi cette opposition est-elle pertinente pour expliquer la formation et le développement de la société constituée par la population juive (et israélienne) à partir du XIXe siècle et jusqu'à nos jours, reste cependant sans réponse. En d'autres termes : quel est le poids de ce facteur, d'abord par comparaison avec d'autres facteurs d'explication, et ensuite du point de vue de l'utilité marginale et de la force explicative de l'argumentation qui donne une place centrale au conflit judéo-arabe pour expliquer le développement de la société juive d'Israël. On comprendra, d'après l'énoncé et la présentation des questions, que je partage l'idée de la pertinence de base de ce facteur. La première phrase du livre « de la colonisation à l'État » est significative des prémisses de notre analyse, soit l'affirmation de la commission Peel que la Terre d'Israël était à l'époque « un état sans nationalité où vivaient deux peuples sans état » [22]. L'accusation d'ignorer ce sujet qui a été lancée entre autres, contre mon collaborateur Dan Horowitz et moi-même, ne repose absolument sur rien [23].

---

21. « Les sociologues critiques » font souvent cette critique à Eisenschtadt par exemple, dont la plupart des analyses traitent du secteur juif.

22. Voir : Dan Horowitz et Moshe Lissek, « Du Yeshouv à l'État », p. 11.

23. Sur l'importance de principe attribué à ce facteur, voir : Dan Horowitz et Moshe Lissek,, « Du Yeshouv à l'État », chap. 2 (p. 19-46). De plus, des historiens (« anciens ») ont largement traité le problème des relations entre Juifs et Arabes dans la Palestine mandataire. Voir par exemple : Yossef Gorny, La question arabe et le problème juif ; Anita Shapira, Land and Power, Am Oved, Tel Aviv 1966, 583 p.

Soi-disant pour démontrer l'ampleur de l'influence du conflit sur la population juive de Palestine dans ses années formatrices, les « sociologues critiques » prétendent que depuis l'époque ottomane s'était formée une situation coloniale ou plus précisément un certain type de situation coloniale, puisque comme on le sait, le colonialisme européen n'était pas uniforme. Ainsi, cette situation coloniale s'exprimait tout d'abord dans le caractère des marchés économiques (terre, main-d'œuvre et capital), puis dans l'élaboration de différents systèmes institutionnels, comme les institutions économiques (tels que le KKL ou le Keren Hayessod par exemple) et sécuritaires (la Hagana) dont le but était d'établir une situation coloniale et de la conserver.

L'utilisation du terme « colonialisme » n'est pas fortuite, bien entendu ; il y a là une volonté explicite de blâme moral, le mouvement sioniste et l'État d'Israël étant nés dans le péché. Malgré cette intention, il y a lieu de se réjouir de toute tentative de comparer la colonisation juive en terre d'Israël ou tout autre phénomène de l'histoire pré-étatique, avec des phénomènes soi-disant semblables. Une recherche comparative des institutions et des phénomènes est fondamentale dans la recherche sociologique. Une telle comparaison prouverait justement que bien que structurellement il y eut à l'époque qui nous intéresse des symptômes propres aux situations coloniales, ceux-ci n'évoluèrent pas pour deux raisons principales : tout d'abord, l'immigration en Israël se faisait pour des motifs spécifiques par comparaison à tout autre mouvement de colonisation ; deuxièmement, la politique sociale, économique et idéologique, surtout celle du mouvement ouvrier, ont empêché que ces symptômes n'évoluent vers une situation coloniale.

Les positions et les arguments des sociologues « critiques » tendant à définir le mouvement de colonisation juive en terre d'Israël comme un phénomène colonial sont variés. Les plus extrémistes, soit les idéologues à priori, sont les plus imperméables à reconnaître la spécificité du mouvement de colonisation en Israël, cependant, ils sont obligés de noter quelques traits particuliers le caractérisant [24]. D'autres, sont plus réservés dans leurs critiques. Et bien entendu, il y a ceux qui refusent d'établir d'une façon ou d'une autre toute comparaison avec n'importe quelle sorte de colonisation.

On distingue quelques points faibles dans cette conceptualisation des sociologues « critiques » à propos de « la colonisation sioniste », ceci en plus de l'aspect ironique qui s'y trouve puisque leurs analyses et leurs conclusions sont parfaitement fonctionnelles et positivistes ; peut-être est-ce là la preuve qu'on ne peut échapper à une telle attitude, qui fut et qui restera l'une des voies royales de la recherche historique et sociologique.

---

24. G. Shafir, « Terre, travail et population dans la colonisation sioniste : aspects généraux et particuliers », dans : Ouri Ram (éd.), la société israélienne : aspects critiques, p. 105.

Le point faible central est le désintérêt quasi total du fait que depuis la première vague d'immigration, la colonisation juive fut l'expression la plus concrète du mouvement national moderne du peuple juif. Ce fut son combat, dans la même mesure que d'autres groupes ethniques ou nationaux ont eu le leur, de créer une entité nationale sur ce que le peuple juif dans son ensemble définissait comme son territoire historique. La différence essentielle (entre autres différences) entre le mouvement sioniste et les autres mouvements nationaux est que la création d'un état nation dépendait de l'émigration de la population d'un territoire à un autre. Ceci est un phénomène unique qui n'a pas son pareil dans les autres mouvements colonisateurs.

La création d'un état national signifie également un « retour de l'histoire », c'est-à-dire le fait de cesser d'être un facteur passif dans le jeu des forces politiques régionales ou globales et de devenir un facteur actif et influent. Le syndrome de « retour de l'histoire », a peut-être caractérisé d'autres mouvements de libération nationale en Europe de l'Est ou dans les Balkans, mais pas avec la même intensité et la même ampleur, puisque chez les autres, le temps passé « hors de l'Histoire » n'était pas si long ni l'exil si dispersé. Les Arabes de Palestine furent également au début de la période traitée, « hors de l'Histoire », mais c'est justement la rencontre avec la colonisation juive qui les y a ramenés.

Le besoin d'affronter le « problème arabe » a engendré toute une lignée de propositions et de solutions. Certaines étaient teintées d'une certaine dose de colonialisme, je veux parler de la fondation de nouvelles localités (*mochavot*) ou du moins de certaines d'entre elles. Ces marques auraient pu se développer et se transformer en structure hégémonique tout au long du processus de colonisation juive, mais tel ne fut pas le cas. Le mouvement ouvrier qui en devint progressivement la force motrice, tout d'abord dans le domaine idéologique puis dans le domaine politique, choisit une autre voie. Il préféra se séparer presque entièrement du secteur arabe et construire un système totalement autonome, soit une structure de classification économique, politique et culturelle indépendante de la population arabe. Le seul cadre de référence extérieur important étant la diaspora juive.

Un certain instrumentalisme n'est cependant pas totalement absent des causes qui ont poussé à cette conception de l'ordre social et politique : la misère économique, l'échec dans la lutte pour le travail dans des branches communes aux Juifs et aux Arabes [25] comme les plantations et le bâtiment. L'argument selon lequel la colonie juive reçut à un stade assez critique, de

---

25. Sur l'échec des ouvriers juifs dans leur concurrence avec les ouvriers arabes pour la même portion de marché du travail, voir : Anita Shapira, Futile Struggle, The Jewish Labour Controversy 1929-1939, Hakiboutz Hameouh'ad, Tel Aviv 1976, 420 p. (hébreu).

l'aide du gouvernement britannique a aussi son poids. Celui-ci lui accorda la
légitimation juridique pour l'établissement de ses institutions, et du moins
lors de la troisième vague d'immigration, il aida la population juive en lui
procurant du travail. Si cela n'avait pas été le cas, la crise économique de
cette immigration aurait été plus grande que celle qui se produisit lors de la
quatrième vague d'immigration, pour peu que celle-ci n'arrive dans le pays
après le désastre de l'époque précédente. La Grande-Bretagne a en effet contribué à la création des principaux cadres politiques, sociaux, économiques et
culturels qui ont permis de construire une autonomie juive en Terre d'Israël.
C'est ainsi qu'ont été grandement neutralisées les différentes marques de
structure coloniale.

Ce fut là une issue stratégique de première importance puisqu'en principe
d'autres choix s'offraient à la population juive. Certains restèrent théoriques
jusqu'en 1967, tandis qu'après ce tournant ils devinrent tous de l'ordre du
possible. La première option consistait dans l'adoption de la politique du
« nous au-dessus d'eux », soit une entière domination de la population arabe
sans pour autant lui octroyer de droits politiques. Cette attitude n'était pas
possible à l'époque pré étatique, mais c'était cependant le rêve d'un certain
groupe extrémiste de droite [26]. Une autre option théorique était la politique
du « nous à la place d'eux », c'est-à-dire chasser les Arabes. Au cours de la
guerre d'indépendance il y eut sans doute un processus limité d'expulsion,
mais il existe de nombreuses versions sur le nombre d'expulsés de même que
sur l'existence ou la non existence d'un programme de réserve opérationnel
d'un tel bannissement [27]. Une autre alternative était la politique du « nous et
eux », se traduisant par la création d'un état binational. À la veille de la guerre
d'Indépendance cette éventualité jouissait d'un certain soutien, en particulier de celui du mouvement *Hachomer Hatsair* [28].

La dernière possibilité que nous nommons ici était la politique du « nous
à côté d'eux », signifiant la séparation des deux populations jusqu'à la partition du pays en deux entités politiques distinctes. En 1937 fut évoquée la
solution d'un transfert des Juifs et des Arabes, chaque population vers son
propre pays, pour permettre la création de deux états nationaux, l'un juif et
l'autre arabe. Cette option politique de « nous à côté d'eux », soit séparation
et division politique fut toujours celle du courant central du mouvement

26. Ainsi, « l'alliance des malabars » (*brit habirionim*), la branche radicale du mouvement révisionniste
     sous l'égide de Aba Ah'imeir. Voir : Yossef Ah'imeir et Shmouel Shatski, Nous sommes sicaires :
     témoignages et documents de « l'alliance des malabars », Nitzanim, Tel Aviv, 1978, 240 p. (hébreu).
27. B. Morris, *The Birth of the Palestinian Refugee Problem*, 1947-1949, 1987.
28. S. Dotan, « Le système politique de la colonie juive en Palestine dans les années 1936-1948 », dans :
     Moshe Lissek (éd.), Histoire de la communauté juive en Terre d'Israël à partir de 1882, La période
     du Mandat britannique, 1993, p. 481-482 (hébreu).

ouvrier. Cette option reflète clairement une tendance anti-coloniale. C'est pourquoi, la thèse selon laquelle c'est justement le mouvement ouvrier, en tant que promoteur de la colonisation, qui fut l'avant-garde du colonialisme sioniste, est dépourvue de tout fondement.

Cette idée de « nous à côté d'eux », se nourrit de l'idéologie tendant à créer en Terre d'Israël non seulement une société démocratique et égalitaire, mais aussi une structure illustrant la théorie de Borohov quant au « renversement de la pyramide de travail » du peuple juif. Cette nouvelle pyramide devait garantir que les Juifs seraient présents dans toutes les catégories de la structure de l'emploi, et tout d'abord dans les tâches impliquant un travail physique. D'après l'idéologie du mouvement ouvrier, ce n'est qu'ainsi qu'on arriverait à rendre le peuple juif productif. Pour atteindre cet objectif, il fallait également élaborer une structure économique stratifiée autonome du côté de la population arabe. Une telle situation permettrait des échanges commerciaux, des échanges de capitaux et de main-d'œuvre entre les deux systèmes économiques et politiques élus, même si cela doit être très limité et ceci, sans exploitation acérée et sans qu'aucun partenaire n'exerce de moyens coercitifs.

La stratégie adoptée par le mouvement ouvrier tendait à établir les bases de développement d'une telle situation symétrique entre la société arabe et la société juive. Auquel cas, bien qu'il existât certaines ressemblances entre la colonisation juive et tel ou tel cas de colonialisme, celles-ci ne se traduisent que dans la structure et elles n'altèrent en rien le caractère spécifique du mouvement sioniste. Tout ceci était plus ou moins valable jusqu'en 1967, mais une discussion sur les changements profonds qu'a subis ensuite cette conception irait au-delà du cadre de cet article.

Les sociologues et les politologues « critiques » mettent l'accent sur la lutte sur le marché des terres et du travail, qui prouve d'après eux le caractère colonialiste de l'établissement sioniste en Terre d'Israël. Cette obstination pèche sur un point supplémentaire très grave, soit une incompréhension de l'ampleur réelle de la concurrence entre Juifs et Arabes sur le marché du travail. Les historiens économiques [29] traitent de ce sujet, et nous essayerons d'en résumer les principales données. Avant 1948, des frictions sur le marché du travail entre Juifs et Arabes s'exerçaient surtout au sujet de travaux physiques non qualifiés ou à peine qualifiés. Il s'agissait principalement de travaux agricoles (dans les plantations) et dans le bâtiment ou d'emploi dans les travaux publics ou pour l'écoulement de produits agricoles [30]. Ce genre

---

29. Robert Sharchewski, *Essays on the Stucture of the Jewish Economy in Palestine and Israel*, Jérusalem, 1968, tabeau 1, p. 15 ; Y. Metzer, « Nationalisme économique et stucture de l'économie juive à l'époque mandataire », *The Economic Quarterly*, 98 (septembre 1978), p. 221-231.

30. Y. Metzer, *ibid.*

de friction s'est amenuisé à mesure que le pourcentage de Juifs se livrant à ce genre de travail baissa, relativement et dans l'absolu, par comparaison à l'augmentation du nombre de travailleurs juifs exerçant des tâches professionnelles, professions libérales, administratives ou commerciales [31]. Dans ce genre de professions, il n'y avait pratiquement aucune concurrence entre Juifs et Arabes, étant donné que le marché du travail arabe était surtout composé d'ouvriers agricoles et de travailleurs manuels (paysans ou travailleurs du bâtiment). Au sein de la population juive, le changement de la répartition professionnelle interne, se produisit sans doute dans les années trente, avec la cinquième vague d'immigration.

La répartition de l'emploi dans la Palestine mandataire ne résultait pas seulement du slogan « travail hébreu », de la tendance à vouloir éloigner les Arabes d'emplois aux mains d'entrepreneurs juifs pour permettre à des ouvriers juifs d'y travailler. Ce sont les différences de structure entre la main-d'œuvre juive et la main-d'œuvre arabe, qui s'approfondissaient de plus en plus au cours des années, qui ont provoqué une diminution du nombre de frictions, même si elles n'en ont pas atténué l'ampleur. Le fait que de nombreux travailleurs arabes, surtout parmi les ouvriers agricoles, utilisent le marché juif du travail afin de compléter leurs revenus et pour augmenter leur niveau de vie, a contribué à cette diminution. En effet, la grande majorité d'entre eux possédaient une base économique dans leurs villages, même si celle-ci était des plus précaires.

De plus, les événements politiques et la situation sécuritaire dans la seconde moitié des années trente (soit l'époque de la révolte arabe) ont diminué les contacts de façon dramatique sur cette portion de marché où Juifs et Arabes étaient en concurrence, les plantations et le bâtiment. Cette diminution, on s'en souvient, a d'abord été causée par la grève générale proclamée par le « comité arabe supérieur » puis s'est amplifiée à cause de l'escalade dans la situation sécuritaire.

Quand a éclaté la Deuxième Guerre mondiale et surtout à partir de 1941, quand toute l'économie mandataire a commencé à prospérer, suite à des commandes de l'armée britannique, le niveau de friction baissa encore, mais cette fois, ce fut à cause de la situation de plein emploi qui existait alors dans les deux secteurs nationaux de l'économie mandataire [32].

Il existait en effet en Palestine, un marché du travail divisé selon des bases nationales. Mais le lien entre celui-ci et les sortes de marché caractérisant les

---

31. Nadav Halevy, Le développement économique de la population juive de terre d'Israel 1917-1947, Institut de recherche Morris Falk, Jérusalem 1979, p. 36-42 ; Moshe Lissek, « structure de l'emploi, fluctuation de l'emploi et symboles de statut au sein de la nouvelle population juive en Israël, 1918-1948 », Réflexions sur la renaissance d'Israël, 4 (1994), p. 345-377.

32. Nadav Halevy, *ibid.*, chap. IV.

sociétés coloniales est faible et le plus souvent fortuit. De toute façon, le concept de «parts de marché» demande une sérieuse révision pour ce qui concerne l'époque mandataire. Une telle révision conduirait sans doute à la conclusion que même sur le plan économique, caractérisé par des relations réciproques des plus importantes entre les deux populations, l'importance explicative de ces relations diminue à mesure que le temps passe. En effet, les liens économiques entre les deux secteurs nationaux perdent peu à peu de leur importance pour ce qui concerne une explication de la structure de l'économie juive et de la compréhension de son développement. C'est pourquoi le concept de «parts de marché» et le traitement des rapports économiques entre les deux communautés peuvent d'autant moins soutenir la thèse selon laquelle la colonisation juive serait un exemple caractéristique de colonisation européenne. La question de l'aspect économique du gouvernement militaire des années cinquante et soixante ou du gouvernement militaire des territoires après 1967 est une autre question, malgré la ressemblance touchant à l'existence même d'un marché divisé. Ce sujet mérite en soi qu'on lui consacre un article à part.

De l'affirmation qu'on ne peut accorder qu'une importance relative à la concurrence économique entre Juifs et Arabes pour tout ce qui touche à la formation de la société d'Israël, on ne peut déduire que l'existence de deux groupes ethno-nationaux, emportés dans un conflit long et violent n'eut aucune incidence sur cette société; tout au contraire. Mais là, les «sociologues critiques» n'ont rien innové. Il suffira de citer deux exemples frappants pour le prouver. L'un relève du domaine culturel et éducatif, l'autre du domaine sécuritaire. Pour ce qui est du premier, ont paru ces dernières années, deux ouvrages importants de Yossef Gorni [33] et d'Anita Shapira [34], qui ne comptent pas parmi les «nouveaux historiens», examinant le sujet de différents points de vue. Ces deux ouvrages apportent de nombreuses preuves de l'intérêt de la population pour le conflit et sur les incessantes tentatives de trouver des solutions politiques et sécuritaires; et ce qui est peut-être encore plus important, des preuves sur les changements provoqués par le conflit pour tout ce qui touche à l'ethos central de l'époque, soit le passage d'un l'ethos défensif à un ethos offensif [35].

Pour ce qui est du domaine sécuritaire également, les choses ont été abordées clairement bien avant l'apparition des «sociologues critiques». Le conflit continu, principalement quand il atteint son paroxysme, à l'époque de la révolte arabe des années 1936-1939, contribua directement et indirectement

---

33. Yossef Gorny, La question arabe et le problème juif.
34. Anita Shapira, Le glaive et la colombe (hébreu).
35. *Ibid.*

au renforcement du centre politique juif. Le conflit armé a grandement contribué à acquérir deux sortes de ressources des plus importantes pour toute communauté souveraine ou semi-souveraine, le contrôle des forces armées (la *Hagana*) et le pouvoir de lever des impôts sur la population (*impôt sur la population*) [36].

L'alliance entre un ethos offensif et la force armée a certainement grandement contribué à la mobilisation de la population juive dans le conflit contre la population arabe et les états arabes. Elle concourut à la construction de la société et du système politique de la population juive à la fois avant 1948 et après l'établissement de l'État. Comme ils l'ont fait pour d'autres arguments, certains « sociologues critiques », se sont basés sur cette vérité banale pour édifier leur thèse selon laquelle un comportement militariste s'était déjà développé avant 1948 et a vu son influence et sa diffusion grandir après la création de l'État [37].

Cette thèse est totalement erronée, particulièrement pour ce qui est de son application au *Palmah* (troupes de choc). Ceci, même s'il est vrai que les officiers de ce corps d'armée prônaient un « ethos offensif » pour toute solution du conflit judéo-arabe. Malgré cela, le *Palmah* n'a en rien été contaminé par le militarisme au véritable sens du concept, c'est-à-dire un style de vie et une idéologie prônant la force, la hiérarchie et les symboles de mort et d'héroïsme au champ de bataille. Ces caractéristiques sont beaucoup plus répandues au sein des groupes radicaux de l'extrême droite, dans le mouvement révisionniste par exemple. De les attribuer au *Palmah* relève d'une totale incompréhension de l'essence de ce corps. L'insuccès de Ben Elyézer à diagnostiquer l'esprit du *Palmah* constitue sans doute jusqu'à présent une des preuves les plus extrêmes de l'échec de l'approche idéologique à priori en sciences sociales, approche frôlant l'anarchie de la pensée.

En guise de résumé : où peut mener la « sociologie critique » et réductionniste ?

Dans cet article, nous avons tenté de répondre à quelques critiques émises ces dernières années par les sociologues et politologues « critiques » envers les sociologues « institutionnalisés ». Ces épithètes, collées par les « sociologues critiques » à eux-mêmes et à leurs adversaires sont l'expression symbolique de leur tentative incessante de discréditer leurs collègues.

---

36.   Voir à ce sujet, Dan Horowitz et Moshe Lissek, Du Yishouv à l'État, chap. VII, p. 220-271).
37.   Ouri ben Eliezer, Au travers du collimateur : l'origine du militarisme israélien 1936-1956, Dvir, Tel Aviv 1995, p. 13-34, 280-308 (hébreu).

Comme on l'a déjà mentionné, la polémique est engagée sur deux plans principaux, avec des ramifications diverses – le plan théorique-méthodologique et le plan de signification empirique. De l'examen des dires des « sociologues critiques », il ressort que malgré leurs prétentions (du moins pour ce qui est de certains d'entre eux), non seulement ils ne proposent pas de théorie sociologique alternative du genre méta-théorie ou « théorie moyenne », mais ils abordent à peine cette question, et certainement pas de manière méthodique. Leur rapport aux différents paradigmes théoriques se réduit à un regard de « philosophe de la méthodologie ». Ceci s'exprime par des attaques sans cesse répétées contre la méthodologie positiviste-fonctionnaliste, et surtout dans la négation de toute capacité de faire une recherche objective sans orientation idéologique et libre de toute influence subjective.

L'ironie veut que certains « sociologues critiques » présentent des explications fonctionnelles et systématiques qui ne sont certes pas des plus élaborées ; en fait, ils pèchent justement sur le point qu'ils reprochent aux « sociologues institutionnalisés ». D'autant plus que les « institutionnalisés » n'ont jamais prôné, et certainement pas aujourd'hui, la vulgaire herméneutique du fonctionnalisme telle que les « sociologues critiques » la présentent. Cela fait bien longtemps que priment des interprétations mises à jour allant de pair avec les paradigmes théoriques développés dans les années cinquante.

L'époque des démarches méthodologiques des « fondateurs » donne un message non équivoque : il est impossible d'atteindre l'objectivité en sciences humaines ; ce n'est même pas souhaitable, puisque d'une part, l'écriture du chercheur est totalement soumise à sa biographie personnelle et d'autre part, les sciences sociales se doivent d'être engagées en faveur d'une idée. Soit, tel n'est pas le credo de tous les « sociologues critiques », mais tel est le message hégémonique, pour employer leur langage. Un tel aveu public revient en fait à blâmer les « sociologues institutionnalisés », puisque ce sont eux les « responsables » de l'introduction d'une « science sioniste engagée » dans les universités israéliennes.

La faute des « institutionnalisés » est donc double : non seulement ils ne reconnaissent pas leur faute mais ils servent le faux principe qu'est le narratif sioniste. Le grand « mérite » des « sociologues critiques » à leurs propres yeux, est de dire la vérité et de rejeter le narratif sioniste. L'objet de cet article est de démolir ces arguments et, de démontrer le danger que représente un tel discours pour l'existence de la recherche et de l'enseignement de ces sujets dans les universités israéliennes.

« La sociologie institutionnalisée » n'a jamais ressenti une sécurité totale ou une sensation d'omnipotence quant à l'interprétation des tendances et des processus sociaux ou autres en Israël. Les choses ont toujours été dites ou écrites de façon nuancée. En général, on ne disait rien de définitif, comme on le fait aujourd'hui. S'il existe de nos jours des tendances omnipotentes, c'est justement du côté des « critiques » qu'elles se trouvent, mais je crains que le résultat en soit une bonne dose d'impotence pour ce qui est de la recherche en sciences sociales en Israël.

Si je tiens ces propos, ce n'est ni à cause d'une soi-disant peur de l'ensemble de l'establishment devant la critique ou la présentation de paradigmes alternatifs, ni parce que l'establishment se distingue par une incompréhension des limites inhérentes à l'analyse objective, mais par crainte d'une tentative caustique de délégitimation d'opposants. Il est évident qu'il y a toujours lieu de toujours remettre les choses en question et qu'une critique constante de la valeur des différents paradigmes s'impose constamment. De plus, il faut de temps en temps intégrer aux paramètres de base de nouvelles variables ou donner un nouveau poids aux anciennes variables, mais on ne peut le faire par force ou faire de cela un but en soi. Nous ne contestons pas qu'au passage de l'époque sioniste à l'ère post-sioniste, pour autant qu'un tel passage se fasse prochainement, les chercheurs se doivent d'accorder leurs paradigmes.

Même si un tel passage se produit, il n'est absolument pas certain que l'ère post-sioniste future se caractérise par une « déconstruction » de l'État d'Israël, selon le vœu de certains « sociologues critiques » ; il n'est pas du tout certain que sera justement établie une société démocratique et laïque où tous les citoyens seraient égaux. Il se peut que bien que la « situation sioniste » classique disparaisse, c'est-à-dire qu'il n'y ait plus de communautés juives en détresse formant un réservoir potentiel d'immigrants et qu'en Israël prime justement un esprit ethnique-nationaliste ou un ethos religieux-nationaliste extrémiste, en complète contradiction avec toutes les nuances du sionisme classique. Dans ce cas, on pourrait rapidement aboutir à une grave atteinte au statut actuel d'Israël en tant que centre du peuple juif.

Cet exemple n'est pas donné en vain puisque sur le second plan sur lequel se déroule la polémique, celui du sens, les propos tournent sur la part de sionisme de la sociologie et de l'historiographie « institutionnalisées » et sur l'importance relative des différents facteurs dans l'élaboration de la société juive d'Israël avant et après la proclamation de l'État. Ces questions sont liées au dénominateur commun du cas israélien et d'autres sociétés créées par voie d'immigration ou du régime colonial élaboré dans les années de formation de ces sociétés.

Nous avons ouvert notre propos en disant qu'il fallait considérer sérieusement la polémique sur la voie méthodologique et théorique de la sociologie israélienne, se tenant au sein de la communauté universitaire et au-delà de celle-ci, étant donné que des tendances et des déroulements alarmants sont apparus dans cette discipline. Certains sont liés à l'apparition de la sociologie « critique-réductionniste ».

Le premier développement inquiétant est le processus de division et d'excès de spécialisation au sein de la relativement petite communauté de sociologues et de politologues d'Israël. On trouve aujourd'hui des chercheurs traitant une grande variété de sujets, comme la sociologie de la famille, de la religion, de la culture musicale, des aspects sociologiques dans les modèles de communication de masse, la sociologie des associations, celle du travail ou celle de groupes idéologiques radicaux. Cette division caractérise tous les centres de recherche et d'enseignement de sciences sociales dans le monde, mais la communauté scientifique d'Israël étant petite, le phénomène s'en ressent d'autant plus. L'excès de spécialisation est un des grands obstacles à l'établissement de méta-théories ou de super-paradigmes. Dans ces conditions de divisions et de diffusion, tout chercheur ou tout petit groupe de chercheurs peut adopter son propre paradigme, même si celui-ci se nourrit en général (et il n'y a rien de mal à cela) d'autres paradigmes restreints semblables élaborés par leurs collègues au-delà des frontières. Cette extrême division empêche également l'élaboration d'une «masse critique» de chercheurs collaborant pour mener un certain domaine de recherche jusqu'à former une véritable école.

La «sociologie critique» est intimement liée à un autre développement, encore plus inquiétant – celui de «refus» de traitement de sujets cruciaux qui dans le passé étaient le «pain quotidien» de la sociologie israélienne. Ainsi par exemple, les cadres universitaires abordent à peine aujourd'hui des sujets tels que l'intégration des immigrants russes, la sociologie des partis et la culture politique, l'étude des vagues d'immigration et l'histoire sociale. La tendance vers la microsociologie a gravement touché la recherche et l'enseignement de la macrosociologie de la société israélienne, et plus particulièrement le besoin vital d'examiner les liens cachés et visibles entre des phénomènes relevant de différents domaines institutionnels. Tel est le modèle dominant dans la communauté des chercheurs, bien qu'il y ait quelques exceptions[38].

L'attitude relativiste et réflexive caractérisant le post-modernisme attire plus les chercheurs vers des domaines comme la psychologie sociale, la mémoire collective, l'anthropologie symbolique, etc. Ces derniers sont des champs d'étude et de recherche tout à fait dignes qui n'ont besoin de l'approbation de personne. Cependant cette tendance, de l'éloignement de la recherche des sujets cruciaux de la société et de la politique israélienne est un développement malvenu. Il est susceptible d'entraîner les départements de sociologie vers une crise dont les symptômes sont visibles dès maintenant, et ceci pour deux raisons : tout d'abord en tant que chercheurs (et non

---

38. L'une des exceptions est Michael Shalev qui essaie de faire le lien entre les processus sociaux et économiques. Voir : M. Shalev, *Labour and Political Economy in Israel,* Oxford, 1992.

pas comme citoyens), les sociologues risquent de s'éloigner de plus en plus
des processus dramatiques qui agitent de nos jours la société israélienne ;
ainsi, ils risquent de se transformer en un groupe marginal incapable de contribuer à la compréhension des processus historiques et des tendances se déroulant sous ses yeux ; deuxièmement, même si la génération actuelle d'étudiants
montre de l'intérêt pour des sujets incluant une certaine dose de piquant et
d'ésotérisme, ce serait une erreur de penser que tel sera le cas à l'avenir ; ceux
qui s'intéresseront à des sujets de sociologie ou de sciences politiques ayant
quelqu'ampleur, chercheront leur inspiration dans d'autres départements. Il
faut noter que parallèlement à l'éloignement des sociologues israéliens de
sujets « lourds » et de large portée, s'est dores et déjà produite une extension
d'autres disciplines vers des champs « classiques » de la sociologie israélienne. Quelques exemples en sont la géographie, l'économie et les sciences
politiques. Ceci pourrait être en soi un phénomène louable, si les sociologues
y étaient étroitement associés.

Si à tout ceci s'ajoute le dédain, pour tenter d'atteindre une dose acceptable d'objectivité, la tentative de placer chaque recherche dans une certaine
catégorie spécifique et de la qualifier de « sioniste » d'« anti-sioniste » ou
d'« a-sioniste », et la tendance d'étiqueter chacune de ces catégories de « modernistes » ou d'« anti-modernistes », on se rendra à l'évidence que toute possibilité de dialogue entre collègues de recherche est gravement atteinte.

Il serait souhaitable que les scientifiques des sciences sociales et les historiens de tel ou tel courant ne se fixent pas d'objectifs prétentieux ou utopiques.
Il faut se contenter de conserver une dose maximale d'autonomie du cadre
universitaire et de vouloir dévoiler la vérité à l'aide de différents paradigmes
et sans artifices dans le tirage de conclusions. L'alternative ne peut être que
de sombrer dans des luttes pseudo-idéologiques fatigantes. On peut craindre
qu'à un stade ou à un autre, des groupes politico-idéologiques extérieurs se
joignent à la polémique, dans le seul but d'atteindre à l'indépendance et à
l'objectivité intellectuelle scientifique. Dès maintenant percent déjà ce genre
d'indices.

Enfin, il faut revenir en quelques phrases au sujet du « narratif sioniste »
cher aux sociologues « critiques-réductionnistes ». Ces derniers prétendent
que les sociologues « institutionnels » sont prisonniers de « leur rêve sioniste »
tel que l'ont élaboré les pères fondateurs[39]. Il existe peut-être des chercheurs
captifs de ce rêve, mais il en existe d'autres, captifs des rêves d'étrangers à
la société israélienne. Je me demande ce qui est préférable. De toute façon,
le mieux est que le chercheur soit conscient du besoin d'analyser l'écart entre

---

39. À la suite du livre de Nourit Graetz, *Captive of a Dream, National Mythes in Israeli Culture*, Am
    Oved, Tel Aviv 1995, 206 p. (hébreu).

rêve et réalité. Du moins pour ce qui est de l'époque d'avant l'État et de la guerre d'Indépendance. Je suis d'avis que si une étude comparative de tels écarts était faite, la conclusion n'en serait pas que ce soit justement ici que s'est creusé le plus grand écart de l'histoire moderne entre rêve et réalité.

L'état de l'historiographie en Israël*

Yoav GELBER

Une boîte de Pandore : les ramifications du scandale de « la thèse de Tantura »

Une thèse de maîtrise, présentée en 1998 au département d'histoire du Moyen-Orient de l'université de Haïfa, eut l'effet d'une « boîte de Pandore » en regard de questions qui longtemps avaient été occultées. Cette affaire secoua le monde universitaire israélien [1]. L'auteur de cette thèse, Teddy Katz, se faisait fort de décrire le destin de deux villages arabes pendant la guerre d'Indépendance en 1948. Pour ce, il se base principalement sur des témoignages oraux d'Arabes et de Juifs, mais sans les confronter les uns avec les autres, ni les examiner de façon critique, sans non plus peser quelle était la mesure de participation des témoins aux événements qu'ils racontaient, ni la crédibilité de leurs récits et sans tenter aucunement de résoudre les nombreuses contradictions existant entre les différents témoignages. Lors de l'examen ultérieur de la thèse par une commission de spécialistes, il s'avéra que l'auteur avait déformé des citations de manière à en modifier le sens, avait présenté ses propres écrits comme des citations de témoins, avait dénaturé des témoignages et avait choisi d'ignorer des faits qui ne concordaient pas à ses attentes. En acceptant ce qui n'était que des cancans ou au meilleur des cas, du folklore, Katz affirmait que dans l'un de ces deux villages, la localité de Tantura,

(*) Des amis et collègues ont bien voulu consacrer de leur temps à lire le brouillon de cet article, au stade de sa préparation. Je tiens à remercier Gad Gilbar, Daniel Gutwein, Motti Golani, Oz Almog, Fania Oz, Zvi Zameret, Maoz Azariahu et Judith Baumel pour leurs remarques judicieuses.

1. Théodore Katz, « Le départ des Arabes des villages au pied du Mont Carmel en 1948 » (en hébreu), thèse de maîtrise du département d'histoire du Moyen-Orient de l'université de Haïfa, mars 1998. L'université ayant désavoué ce travail et l'ayant retiré des étagères de la bibliothèque, on peut aujourd'hui en lire des passages sur le site Internet : www.ee.bgu.ac.il/~censor/katz-directory

située sur la côte méditerranéenne, les soldats du régiment *Alexandroni* de l'Armée de Défense d'Israël perpétuèrent des crimes de guerre qui causèrent la mort de deux cents à deux cent cinquante villageois. La note particulièrement élevée, 97 sur cent, que lui conférèrent son directeur de thèse et ses juges fait penser que ceux-ci ont parfaitement lu la thèse, comme il se doit, et exclut l'hypothèse qu'ils l'aient noté sans y prêter attention. Indirectement ces derniers participent donc eux aussi, à ce qui se révélera ultérieurement comme un acte de diffamation.

Cette thèse de maîtrise serait restée méconnue et n'aurait causé aucun mal si un éminent journaliste ne l'avait pas découverte et n'avait publié dans un journal à grand tirage ses principaux arguments et ses conclusions. Il interviewa même certains témoins cités dans cette thèse et rassembla quelques réactions d'universitaires défendant ou attaquant la thèse. Des députés arabes s'empressèrent d'exiger une enquête judiciaire sur les soi-disant « crimes de guerre » et les accusations portées furent largement discutées à la radio et à la télévision. Mon collègue Yossi Ben-Artzi et moi-même, qui avions lu la thèse au moment de sa remise, avons tout de suite présumé qu'il ne s'agissait que de ragots sans fondement, fruit d'une recherche négligente et peu sérieuse. Par contre, le père spirituel de la thèse, Ilan Pappé qui en fut le directeur, les juges et également Méir Païl et Assa Casher, y virent – chacun ayant ses raisons pour le faire – une excellente recherche historique tout à fait objective [2]. Si Païl s'est rétracté quand il prit connaissance de détails supplémentaires concernant cette thèse et la façon dont elle fut écrite, Casher pense sans doute toujours, puisqu'il ne s'est pas dédit, qu'il s'agit d'un bon travail, digne d'être soutenu.

Le procès

L'université de Haïfa ne tint pas compte de la demande des vétérans du bataillon 33 du régiment *Alexandroni* de réexaminer la thèse, étant donné les réserves émises sur son contenu et sur la manière dont l'auteur mena sa recherche. Par conséquent, ces vétérans ont intenté à l'auteur de la thèse un procès et l'ont accusé de diffamation. Un groupe d'activistes juifs d'extrême gauche fit campagne dans le monde pour ramasser de l'argent afin de financer la défense de Katz. Comme il s'avéra dernièrement, une des sources essentielles du financement de la défense fut l'OLP, par le biais de « la Maison

2.   Amir Guilat, « Le massacre de Tantura » (en hébreu), *Ma'ariv*, Le supplément *Fin de semaine*, 21 janvier 2000.
3.   Information de Ezra Daloumi, dans *Yediot Aharonot*, 1er septembre 2002.

d'Orient » à Jérusalem [3]. Les Palestiniens et leurs amis israéliens avaient l'intention de se servir de la procédure judiciaire pour faire un « Procès de *la Catastrophe*, selon l'appellation de la guerre [*Nakba* en arabe] de 1948 par les Palestiniens. Ce procès salirait Israël en le faisant apparaître comme un État couvrant des crimes de guerre et en le rendant responsable des souffrances des Palestiniens, de 1948 jusqu'à nos jours [4].

L'auteur refusa tout d'abord de remettre les enregistrements des témoignages qu'il avait faits au cours de sa recherche, tant à l'université qu'à l'accusation. En fin de compte, il fut malgré tout obligé de s'exécuter, sur ordre du tribunal. Ces enregistrements une fois compulsés, le tableau dressé se modifia du tout au tout. Dès les premières séances du procès, de sérieux doutes s'élevèrent sur la valeur de la thèse du point de vue de la recherche. Non seulement le procès n'encouragea pas de débat public sur la responsabilité d'Israël dans la « *Nakba* », mais il traita des défauts méthodologiques, des falsifications et des déformations, découverts dans la thèse. La procédure judiciaire se termina par des excuses de Katz, ce dont il voulut se rétracter le lendemain, sans doute sous la pression de ceux qui l'avaient financé et qu'il avait déçus. Le tribunal de district et le tribunal suprême ont rejeté d'agréer à ses demandes. Lui-même refuse jusqu'à ce jour de remplir les conditions stipulées dans sa déclaration d'excuse. Vu ces circonstances, l'université de Haïfa a nommé une commission de spécialistes de la langue arabe et de l'histoire du Moyen-Orient, qui examina une nouvelle fois la thèse. Cette commission, comme nous l'avons déjà mentionné, y trouva de nombreux exemples de négligence, de malversations, de déformations et d'ignorance délibérée de certains faits [5].

Le précédent

Le cas Katz n'est pas sans précédent. Il rappelle une affaire qui eut lieu aux États-Unis il y a vingt ans. Parut alors aux prestigieuses éditions de Princeton, un livre de David Abraham qui accusait le capitalisme allemand de la chute de la république de Weimar et donc portait sur celui-ci la responsabilité de la montée des nazis au pouvoir [6]. Des critiques exaltèrent d'abord ses sources

---

4.   Ilan Pappé, « Les affaires Katz et Tantura : histoire, historiographie, procès et monde universitaire » (en hébreu), *Théorie et critique* 20 (printemps 2002), p. 191-217 (et surtout 209-210).

5.   Tous les documents judiciaires, les rapports des commissions, les écrits et les articles de presse, le courrier des lecteurs, les dénis par courrier électronique ou autres sources de matériel concernant l'affaire Tantura, se trouvent sur le site Internet cité plus haut à la note 1.

6.   David Abraham, *The Collapse of the Weimar Republic*, 1st edition, Princeton 1981 and 2nd edition, New York 1986.

tout en notant que le livre était schématique et de structure marxiste et que les arguments de l'auteur étaient si abstraits, qu'il était difficile de s'en servir pour établir une argumentation historique rigoureuse, ceux-ci convenant plutôt aux théories de sciences politiques. L'historien anti-marxiste qui avait travaillé sur ces mêmes sources, Henry Turner, affirma que Abraham les avait déformées. L'auteur reprit donc ses sources et les examina. Comme Katz, il admit quelques petites fautes mineures mais repoussa les accusations les plus graves de Terner et continua à soutenir que sa thèse était fondée[7].

L'historien Gerald Feldman, qui recommanda à l'époque aux éditions de l'université de Princeton de publier le livre de Abraham, s'alerta en lisant la critique de Terner et demanda à ses étudiants de vérifier toutes les citations et références du livre. Cet examen qui fut exhaustif – et non partiel comme celui de la commission de Haïfa – mit en évidence des centaines de fautes graves, du même ordre que celles de Katz : des paraphrases présentées comme des citations ; un amalgame de fragments de notes rédigées par l'auteur lui-même avec des passages copiés, le tout présenté comme des citations ; une fausse attribution de lettres ou d'autres documents à des personnes qui n'en sont pas les vrais auteurs ; la référence à des sources inexistantes ; des fautes de compréhension de textes, de mauvaises traductions de l'allemand ; des affabulations et déformations de sens, par ajouts ou suppression de mots, ceci jusqu'à donner aux citations un sens contraire à leur sens originel[8].

La liste des erreurs fut transmise à tous ceux qui travaillaient sur le sujet et Abraham tenta de défendre sa renommée et son livre en intercédant auprès de la communauté des chercheurs concernés par l'histoire de l'Allemagne. Il publia également une deuxième édition révisée du livre. Dans cette édition, l'auteur avait changé nombre de citations et de témoignages, suite aux critiques qui lui avaient été faites lors de la parution de la première édition. Les critiques de cette deuxième édition s'accordèrent à dire que ses arguments, qui dès le départ souffraient de sérieuses faiblesses, n'avaient plus, les précisions étant faites, aucun fondement.

Comme cela se passa pour Katz, le cas de Abraham mobilisa des chercheurs marxistes pour sa défense. Ceux-ci prétendirent qu'il s'agissait là d'une poursuite politique, intentée à cause de ses idées et de ses découvertes, et non à cause du seul échec scientifique. L'argument n'était pas convaincant, puisque quelques chercheurs marxistes adhérèrent à la critique du livre

---

7.   Lettre de Turner à l'éditeur de la revue, *American Historical Review,* 88 (4), October 1983, p. 1143 ; lettre à l'éditeur Tim Mason, *ibid.,* p. 1143-1144, les explications et la réponse de Abraham, *ibid.,* p. 1145-1149. Professeur Mason publia dans cette revue la critique du livre qui provoqua la réaction de Terner – *ibid.,* 87 (4), octobre 1982, p. 1122-1123.

8.   Sur les accusations de Feldman, voir : Gerald D. Feldman, A Collapse in Weimar Scholarship, in : *Central European History,* XVII (1984), p. 159-177.

et que Feldman avait dans le passé soutenu des travaux d'historiens marxistes, dans la mesure où il les en avait jugés dignes. Il recommanda même la publication du livre d'Abraham, malgré son caractère « marxiste ». En fin de compte, Abraham ne réussit pas à obtenir de poste universitaire, il abandonna l'histoire et passa à un autre domaine.

Tout comme les circonstances de la chute de la république de Weimar, le soi-disant massacre de Tantura suscita dans toute leur ampleur des questions essentielles pour les historiens : quels sont les faits, comment en évaluer la valeur et quel est le rapport entre les faits et leur interprétation. Tant Abraham que Katz ont cherché des références pour appuyer leurs idées et leurs arguments et ont fait abstraction de faits qui allaient à l'encontre de leurs idées. Les deux auteurs se sont révélés incapables de différencier le fait de l'imaginaire. Tous deux « ont traité » les sources afin de les ajuster à leurs besoins. Comme Abraham et ses défenseurs marxistes, le jury de thèse de Katz et le chef de son département, ont repoussé la critique (et se sont ainsi indirectement défendus) en avançant l'argument selon lequel il s'agissait d'une polémique méthodologique et idéologique légitime. De plus, ceux-ci comme ceux-là avancèrent que toute recherche soumise à un examen aussi minutieux, comme ce fut le cas pour le livre d'Abraham et pour la thèse de Katz après les scandales qu'ils suscitèrent, aurait révélé une quantité semblable de fautes. L'argument est général et sans fondement et ne sert qu'à échapper à une accusation de négligence en désignant les imperfections de toute recherche historique et de tout chercheur[9].

Les questions

Une fois sortie de l'anonymat, la thèse de Pappé et de Katz eut des suites qui dépassèrent de beaucoup sa portée scientifique. Celles-ci touchent des domaines variés, du fait des questions soulevées.

1. Que se passa-t-il à Tantura le 23 mai 1948 ? La réponse à cette question pourrait indiquer sur une plus grande échelle, quel fut le déroulement général des événements au cours de cette guerre et quelles furent leurs conséquences sur le conflit israélo-arabe, resté non résolu jusqu'à ce jour. Ces questions sont d'ores et déjà devenues un sujet scientifique de recherche historique, du moins pour certains chercheurs israéliens. Cependant, l'ambiance

---

9. Voir un résumé de l'affaire Abraham dans : Richard Evans, *In Defence of History*, London 1997, p. 116-122. Pour les arguments en faveur de Katz, voir sur le site Internet cité ci-dessus, la réaction d'Avner Giladi dans le quotidien *Haaretz* du 5 janvier 2001 et la lettre de Kais Firro à la commission universitaire.

idéologique et politique contemporaine influe souvent le traitement de l'historiographie. Israël est aujourd'hui, dans le monde scientifique et pour l'opinion publique occidentale, la cible d'attaques sur la légitimité même de son existence et de tels scandales historiques sont exploitées par ses ennemis à des fins de propagande [10].

2. La polémique sur le livre de Abraham cité plus haut, n'avait pas de connotations politiques actuelles. Elle s'est tenue dans des arènes purement scientifiques. En ce qui concerne la thèse de Tantura, l'accusation de calomnie ajouta aux arguments historiques des aspects idéologiques, politiques et judiciaires qui furent débattus dans les prétoires et dans la presse. Les limites de l'expression problématique de « liberté scientifique » furent soulevées. Quel est le véritable sens de cette « liberté » ? Touche-t-il au choix des sujets de recherche et d'enseignement et à l'expression d'idées fondées scientifiquement ou inclut-il également la liberté d'inventer, de déformer, de négliger, d'ignorer à dessein et de faire abstraction de faits ? Une réponse négative à ces questions semble évidente de prime abord. Cependant, les réactions aux arrêts de la cour et aux données de la commission universitaire prouvent que tel n'est pas le cas. Ce que certains scientifiques considèrent comme une invention ou une déformation de la vérité, est estimé par d'autres comme une excellente recherche documentée. Il n'y a donc pas aujourd'hui d'unanimité au sein de la communauté scientifique en Israël (et pas seulement dans ce pays) sur des questions telles que la définition d'une falsification, d'une négligence ou d'une calomnie.

3. La procédure judiciaire a courroucé les universitaires qui nient par principe le droit de la justice de se mêler d'une affaire qui est tout d'abord d'ordre scientifique. D'une part, l'autorité et la compétence du juge à résoudre une polémique historique sont certainement douteuses. Des accusations historiques en diffamation ont déjà mis au jour l'incapacité des tribunaux israéliens à traiter de tels cas, dans le cadre des limites de la procédure judiciaire et de l'utilisation de pièces à conviction [11]. D'autre part, il est impensable d'admettre que la loi ne puisse franchir les portes de l'université pour ce qui touche aux accusations de calomnie et de médisance, tout comme il

---

10. Sur les motivations cachées de la lutte pour la défense de Teddy Katz et sa thèse, voir : Pappé, « L'affaire Katz et Tantura » (en hébreu), p. 209-213 et : Ilan Pappé, « The Tantura Case in Israel : The Katz Research and Trial », *Journal of Palestine Studies,* Vol. 30 (Printemps 2001), No. 3, p. 19-39 et : Idem, Demons of the Nabka, *Al-Aharam Weekly, 16 mai 2002.*

11. Un exemple frappant est le jugement du juge Eliahu Winograd à propos de l'accusation de calomnie de Moshé Savoraï contre Anshel Shpilman en 1992 qui avait pour objet les circonstances dans lesquelles les Anglais avaient découvert la cachette de Avraham Stern (« Yaïr ») et l'avaient assassiné en 1942. Voir : Yoav Gelber, Le système judiciaire israélien est-il capable de faire des procès historiques ? *Haouma,* 35 (automne 1997), p. 27-36.

est inadmissible que les universités jouissent de l'impunité si elles se livrent à des expériences illégales sur des animaux ou des hommes, même si l'objectif de telles expériences est de faire progresser la recherche et d'élargir le domaine du savoir. Il est évident que l'exigence d'une autonomie scientifique oblige à prendre des responsabilités. Dans le cas qui nous occupe, l'université s'est dégagée de cette responsabilité, du moins au niveau de la direction de la thèse, du jury et de l'évaluation du travail. Elle fit porter la responsabilité au seul étudiant.

4. Cet événement et ses retombées et surtout la note très élevée dont la thèse fut gratifiée ont porté atteinte au niveau de l'enseignement et de la direction des étudiants et ont soulevé de graves questions sur le choix et la capacité des directeurs de thèse et des enseignants, sur les critères d'évaluation de recherches, d'articles ou de thèses, sur la responsabilité de l'université par rapport à ce qui se passe dans son cadre et en son nom, par opposition à la liberté scientifique des étudiants et des enseignants et enfin sur la responsabilité des professeurs et les limites que le règlement de l'université place devant la conduite des cadres universitaires.

5. Les questions les plus pertinentes touchent l'état de l'historiographie face à l'attaque postmoderne sur sa production scientifique. L'historiographie est-elle encore une discipline de savoir ayant des principes communs, une terminologie admise, des méthodes de recherche, des règles sur ce qui est permis et ce qui ne l'est pas et des normes consensuelles pour définir quelles sont les explications acceptables ? Il se peut que le postmodernisme, en transformant l'historiographie en une collection de « narratifs », ait réussi à la ramener au stade où elle se trouvait au XVIIIe siècle, quand l'écriture de l'histoire n'était qu'un genre littéraire traitant du passé ? De plus, le postmodernisme n'a-t-il pas conduit, comme c'est le cas pour la thèse de Katz, à confondre la description de l'histoire et sa pure création par l'historien, comme s'il s'agissait d'un imaginaire historique ? L'historien est-il celui qui raconte l'histoire (le narrateur de l'histoire) ou celui qui l'invente (l'auteur de l'histoire) ?

6. D'autres questions s'imposant dans ce domaine touchent à l'authenticité des sources historiques et à leur signification, aussi bien qu'à leur valeur relative et absolue et à la validité des méthodes d'analyse et d'interprétation employées par les historiens par rapport à ces sources. Ceux qui prônent en faveur de nouvelles directions pour l'écriture de l'histoire, critiquent la tradition historiciste qui consiste à s'appuyer sur des documents authentiques en tant que sources premières. Ils préconisent de privilégier des méthodes de recherche, développées dans le cadre des sciences sociales, instruments sémiotiques et herméneutiques élaborés dans d'autres domaines de la recherche culturelle, traitant de la manière d'interpréter des textes, en les déconstruisant et en élargissant au maximum les frontières de leur interprétation. Ces outils

font eux aussi l'objet de controverses sur le degré de leur adaptation à la recherche historique et les moyens à employer pour les adopter et les exploiter.

La polémique se déroulant en Europe et aux États-Unis suite à l'attaque de la critique postmoderne contre l'historiographie moderne est par essence une discussion purement académique. Elle a souvent pour objet des époques très reculées. Toutefois, appliquer la théorisation postmoderne générale à la réalité historique et actuelle du Moyen-Orient et à l'histoire sioniste et israélienne relativement jeune, manque de bonne foi et d'honnêteté. Des arguments théoriques pompeux et complexes, souvent rédigés dans un langage hermétique et incompréhensible, cachent des motivations cachées, des idées préconçues, des orientations idéologiques et des manipulations politiques. Le terrain historique touchait et touche encore le combat qui se poursuit jusqu'à nos jours, sur la légitimité du sionisme.

L'historiographie sioniste dans les universités israéliennes

Peut-on enseigner le sionisme à l'université ?

Des questions concernant la légitimité scientifique ont ombragé l'historiographie sioniste (soit l'écriture de l'histoire par des historiens sionistes et l'écriture de l'histoire du sionisme, pas obligatoirement par des sionistes) depuis ses débuts. Pendant près de deux générations, l'historiographie sioniste s'est développée et s'est épanouie en dehors des murs de l'université sioniste et israélienne. Tout au long des années trente, l'Université hébraïque de Jérusalem entretint un rapport de méfiance envers les historiens sionistes. Elle voulait échapper aux effets idéologiques et scientifiques qu'impliquerait l'étude du sionisme sur le campus. Ce n'est qu'au début des années soixante qu'on introduit dans le cursus universitaire, l'étude du mouvement sioniste et du *yichouv* à l'Université hébraïque. Par la suite, ce fut le cas des autres universités du pays, plus jeunes que celle de Jérusalem [12].

La recherche scientifique sur l'histoire du sionisme et du *yichouv* opposa les chercheurs à ceux qui avaient fait l'histoire. De nombreux héros de la « saga » du *yichouv* étaient encore en vie et détenaient de hautes responsabilités dans différents domaines de la vie de l'État. Il n'était que naturel que des historiens plus jeunes, qui commençaient leurs recherches sur l'histoire du *yichouv*, aient mis en doute des hypothèses fondamentales, qui s'étaient

---

12. Israël Kollat, « L'académisation de l'histoire du sionisme » (en hébreu), dans : Yehiam Weitz (éd.), *De la vision à la révision : cent ans d'historiographie sioniste*, Centre Zalman Shazar, Jérusalem, 1997, p. 89-95 ; Yoav Gelber, « Écriture de l'histoire du sionisme : de l'apologétique à la négation » (en hébreu), *ibid.* p. 67-76.

enracinées dans la conscience publique. De plus, ils devaient examiner de manière critique le consensus né des histoires officielles et de celles des mouvements politiques, toutes écrites après la naissance de l'État, en dehors des universités. Ces jeunes chercheurs, et bien entendu leurs directeurs de thèse, ont grandi avec ce consensus et ont été éduqués à la lumière de ses fondements. Le processus de libération de ces traditions ou le défi lancé concernant leur vérité fut lent et n'est pas encore terminé à l'heure qu'il est.

La recherche et l'enseignement de l'histoire sioniste à l'université changèrent progressivement le visage de l'historiographie sioniste. Les tendances dominantes de l'historiographie occidentale pour tout ce qui touche aux objectifs de la recherche historique, à ses sujets et à ses méthodes, ont également pesé sur la recherche sur le sionisme. Les sujets de l'histoire sioniste ne convenaient pas aux concepts et aux valeurs universelles et absolues que l'historiographie occidentale empruntait dans une mesure grandissante, aux sciences sociales. Cet écart mit en évidence le statut instable de l'historiographie sioniste dans le monde universitaire et mit l'accent sur l'incertitude et les difficultés liées à sa pénétration, à son intégration et à son acceptation en son sein.

Le tournant à la suite de la guerre des Six-Jours

La guerre des Six-Jours a marqué un tournant dans le développement de l'historiographie sioniste. La redécouverte éclatante de la réussite sioniste réveilla un intérêt grandissant pour l'histoire du mouvement, de même que son succès à la fin de la Première Guerre mondiale avait suscité la première vague d'écriture sur son histoire et d'explication de ses origines, menée par Nahum Sokolow, Adolph Böhm, Natan-Michael Gelber et d'autres [13]. Après la guerre des Six-Jours, la levée de la menace existentielle qui pesait sur l'État, renforça l'assurance et facilita l'adoption d'une attitude critique envers la recherche du passé. Après ladite guerre, on note surtout une extension de la recherche vers des sujets qui étaient dans les années cinquante et au début des années soixante, presque tabous comme l'attitude du sionisme par rapport à la détresse des Juifs d'Europe avant la Shoah, pendant la Deuxième Guerre mondiale et après ou les relations des Juifs avec le monde arabe. Ces deux sujets, avec le passage de la conception du « creuset social » à celle d'une société multiculturelle, jouent encore un rôle primordial dans l'historiographie sioniste et israélienne.

---

13. Nahum Sokolow, *History of Zionism*, 2 vols. London 1919 ; Adolph Böhm, *Die Zionistische Bewegung,* 2 Bands, Berlin 1920-1921 ; Natan-Michael Gelber, *Vorgeschichte des Zionismus,* Wien 1927.

Ben-Zion Dinur qui entre autres fut aussi l'un des initiateurs et des fondateurs de *Yad Vashem* et Yehuda Bauer, l'un des pionniers et l'une des sommités de la recherche sur la Shoah en Israël, séparèrent l'histoire du sionisme et du *yichouv* de la Shoah. Dans son premier livre qui traite de la politique du sionisme pendant la Deuxième Guerre mondiale, Bauer n'écrit qu'une seule phrase sur le rapport du *yichouv* juif à la Shoah :

> Le problème du rapport de la population du pays (et du judaïsme mondial en général) aux informations sur l'anéantissement des Juifs d'Europe est peut-être une des questions les plus sérieuses et les plus terribles à laquelle l'historiographie juive moderne se doit de répondre. Plusieurs aspects de cette question n'ont pas encore été éclairés et sont loin d'être résolus [14].

La question préoccupa beaucoup Bauer et il y revint des années après. Cependant, entre-temps, les études historiques générales sur le *yichouv,* écrites au cours des années soixante et soixante-dix du XXe siècle, évitèrent ces questions du rapport du sionisme à la Shoah. Rapidement, dans ce vide laissé par l'historiographie, au lieu d'examiner ce qui s'était passé et quelles en étaient les causes, surgirent des mauvaises herbes. Les polémiques d'avant-guerre reprirent entre les ultra-orthodoxes, le Bund, les Juifs communistes et les assimilés anti-sionistes et le sionisme, de même que les discussions internes entre le mouvement travailliste sioniste et le mouvement révisionniste [15].

Les universités israéliennes ont commencé par garder le silence, face à ces discussions. Ce n'est qu'au début des années soixante-dix que démarra une recherche universitaire sérieuse sur le sujet. Elle commença à donner des fruits vers le milieu des années quatre-vingt. Si les essais qui parurent sous forme de livres dans la deuxième moitié des années quatre-vingt (Dina Porat et Dalia Ofer) et des années quatre-vingt-dix (Yehiam Weitz, Hava Eshkoli et Tuvia Friling), avaient été publiés dix ans plus tôt, leurs conclusions auraient été perçues comme critiques et révisionnistes. Cependant, sur fond des développements qui se faisaient jour dans l'historiographie israélienne vers la fin des années quatre-vingt avec l'apparition d'une « nouvelle » historiographie et des sociologues « critiques », ces recherches semblèrent à leur parution presque apologétiques [16].

---

14. Yehuda Bauer, *Diplomatie et clandestinité dans la politique sioniste, 1939-1945* (en hébreu), Sifriat Hapoalim, Merhavia 1966, p. 232.

15. Arthur Eisenbach, « Nazi Foreign Policy on the Eve of World War II and the Jewish Question », *Acta Poloniae Historica*, (Warsaw, 1962), p. 107-139 ; Les jeunes de l'Agoudat Yisraël, *Les brûlés des fours crématoires accusent*, cercle d'étudiants de la Tora Jeunesse de l'Agoudat Yisraël en terre d'Israël, Jérusalem 1965 ; Avraham Fuks, *J'ai appelé en vain*, édité par l'auteur, Jérusalem 1981 ; Lenni Brenner, *Zionism in the Age of the Dictators*, London 1983.

Les Arabes de Terre d'Israël ont suscité l'intérêt des chercheurs sionistes dès les années trente. Toutefois il s'agissait d'un intérêt pour l'histoire et pour la structure sociale d'une société voisine et cependant séparée et non de leurs relations avec le *yichouv* [17]. De grands projets historiques et également des monographies sur la politique sioniste traitèrent bien des rapports des Juifs avec les Arabes, mais ils le firent en tant que sujet secondaire par rapport au sujet principal qui était la lutte politique et militaire, celle de l'installation des Juifs sur la terre, pour la réalisation de l'entreprise sioniste. En ce sens, l'historiographie reflétait la politique. Les dirigeants sionistes estimaient que le destin du sionisme se scellerait à Londres, à New York et à Washington et non à Bagdad, au Caire, à Damas ou à Naplouse. De manière semblable, l'effort d'historiographie se focalisa sur les relations entre les sionistes et les Anglais et dans ce cadre, la place des Arabes n'était que marginale [18]. Une exception à cette règle fut l'historiographie issue de l'école du mouvement de *Hachomer-Hatsaïr*. Vu leur arrière-fond idéologique et leur foi dans « la fraternité des peuples », les historiens affiliés à ce mouvement accordèrent beaucoup plus d'importance aux relations des sionistes avec le monde arabe et leurs recherches dépassèrent, à un stade plus avancé, la manière de présentation habituelle du sujet [19].

L'historiographie occidentale et israélienne

Israël Kollat, l'un des pionniers de la recherche universitaire sur l'histoire du *yichouv*, résuma ce chapitre du développement de l'historiographie sioniste dans son article : « Sur la recherche et le chercheur traitant de l'histoire du *yichouv* et du sionisme », écrit au début des années soixante-dix et réimprimé en 1976 dans le premier numéro de la revue *Cathedra*. Cet article est depuis

---

16. Dina Porat, *Un leadership coincé* (en hébreu), Am Oved, Tel Aviv 1986 ; Dalia Ofer, *Une voie dans la mer* (en hébreu) Yad Yitshak Ben-Zvi, Jérusalem 1994 ; Tuvia Friling, *Une flèche dans le brouillard : David Ben Gurion, le leadership du yichouv et les tentatives de sauvetage pendant la Shoah* (en hébreu), I et II, Sdé-Boker 1998, et la conclusion de Dan Mehman, « Recherche sur le sionisme et la Shoah : problèmes, polémiques et concepts de base », dans : Yehiam Weitz (éd.), *De la vision à la révision*, p. 145-169.

17. Yakov Shimoni, *Les Arabes de Palestine*, Am Oved, Tel Aviv 1947 ; Michael Assaf, *Histoire du gouvernement arabe en terre d'Israël* (en hébreu), Davar, Tel Aviv 1935 ; Idem, *Les Arabes sous les Croisés, les Mameluks et les Turcs* (en hébreu), Davar, Tel Aviv 1941.

18. Moshe Medzini, *Dix ans de politique concernant la terre d'Israël* (en hébreu), Haaretz, Tel Aviv 1928 ; Idem, *La politique sioniste* (en hébreu), Defouss Hasefer, Tel Aviv 1934 ; N. M. Gelber, *la déclaration Balfour et son histoire* (en hébreu), Ha-sifria Ha-tsionit, Jérusalem 1939 et ESCO Fondation, *Palestine : A Study of Jewish, Arab and British Policies,* 2 vols., New Haven, 1947-1949.

19. Joseph Washitz, *Les Arabes de terre d'Israël* (en hébreu), Sifriat Hapoalim, Merhavia 1947 ; Aharon Cohen, *Israel et le monde arabe* (en hébreu), Sifriat Hapoalim, Merhavia 1964.

un bien inaliénable de la recherche sur l'historiographie israélienne [20]. Kollat établit un lien entre l'entrée de l'historiographie sioniste dans les universités et la relève des générations dans le monde universitaire israélien. Il montre les difficultés qui attendent la recherche universitaire dans le champ de mines que représente la recherche sur l'histoire du *yichouv*, qui était encore à l'époque, presque à l'état sauvage :

> Révéler le passé caché sous des images, des souvenirs, des polémiques et des belles paroles, est une entreprise de titans… Plus difficile encore est le besoin intellectuel du chercheur de dépasser les concepts reçus en héritage, de critiquer ses idées préconçues, ses expériences et ses souvenirs, ses sentiments et ses goûts et de considérer le phénomène étudié comme un phénomène historique. Le poids de l'idéologie sioniste et de l'apologétique sioniste devant les nations, fait de la réévaluation de l'histoire sioniste un processus complexe et délicat [21].

Une génération avant que n'éclate le débat «post-sioniste», Kollat prévoyait déjà une attaque contre le sionisme venant d'historiens ou de révisionnistes. Il établit le lien entre leur apparition probable et la propagande arabe anti-sioniste et il stigmatisa leur penchant pour les idées de «la nouvelle gauche» en Europe et aux États-Unis. Kollat identifia également l'écart qui allait en grandissant entre les concepts en vogue dans les universités occidentales et les concepts fondamentaux qui sont à la base du phénomène israélien. Malgré les Lumières, le progrès et le libéralisme, «le lien (dans le judaïsme) entre la religion et le nationalisme, le lien à la terre d'Israël et le caractère internatio-nal de l'existence juive furent et restent un mystère exposé à des malveillances».

À côté de la lutte idéologique continue entre le sionisme et ses opposants, Kollat note la difficulté d'accorder les besoins de l'historiographie sioniste aux courants qui conquièrent l'historiographie occidentale :

> Du point de vue du rapport aux faits, de l'évaluation objective de la vérité, le refus du mythe utilitaire, nous faisons partie du monde occidental. Cependant, du point de vue du degré de développement de l'histoire du *yichouv* et même du point de vue de son caractère – il est difficile d'adopter les directions de la nouvelle recherche en Occident pour les sujets discutés concernant l'histoire du *yichouv* et du sionisme… Dans l'historiographie occidentale, on privilégie actuellement le rôle de critique et de connaissance par rapport au rôle fondateur. Les besoins de l'historiographie sioniste sont différents [22].

Kollat écrivit ses propos quelques années avant qu'une discussion ne jaillisse entre E.H. Carr, relativiste pragmatique qui écrivit l'histoire de la

---

20. Israël Kollat, «L'éducation du jeune historien» (en hébreu), *Ha-universita*, vol. 18, 1972, et *Cathedra*, Cahier I, (décembre 1976), p. 3-35.
21. *Ibid.*, p. 23.
22. *Ibid.*, p. 24-25.

révolution bolchevique et voyait dans le régime soviétique et dans l'économie planifiée qu'avait instaurée Staline en Union Soviétique, l'incarnation
du progrès et entre Sir G. R. Elton, chercheur spécialisé dans l'histoire de
l'Angleterre tudorienne, historiciste et conservateur [23]. En Occident, l'historiographie était plongée dans l'autocritique, avec en arrière-fond une réflexion
sur le rôle qu'avaient rempli les historiens à l'époque des guerres mondiales
ainsi qu'entre les deux guerres et du réveil par rapport à l'illusion de progrès
qui avait guidé la recherche historique depuis le XIXᵉ siècle. Elle traitait et
traite depuis de discussions sur la nature de l'histoire et de l'historiographie,
la place de cette dernière entre les sciences humaines et les sciences sociales,
la relation entre les faits et l'interprétation, la question de l'existence d'une
vérité objective et sa recherche et la création de nouveaux champs de recherche
et d'une méthodologie qui leur soit adaptée.

Dans la recherche sur l'histoire du sionisme et du *yichouv*, par contre, la
structure première de recherche était encore à établir. Il fallait dévoiler les
événements, identifier les processus et mettre en évidence les liens entre eux.
Les questions de théorie et d'historiographie étaient et sont restées éloignées
des préoccupations de la plupart de ceux qui s'adonnent à la tâche de recherche
et d'enseignement dans les universités israéliennes. Ces dernières années,
l'intérêt pour ce genre de questions grandit et cet article lui-même témoigne
de ce changement, puisque moi-même, je n'aurais pas eu l'idée d'écrire un
tel essai il y a cinq ou dix ans.

L'historiographie occidentale ne recouvre pas la recherche en histoire juive
ou en histoire de l'Islam et ne considère pas qu'elle doive le faire. Parmi plus
de cent historiens auxquels se réfère Evans dans son livre sur différents
contextes, il n'y a pas un seul orientaliste ni non plus un seul chercheur en
histoire juive. Des orientalistes contemporains comme Elie Kedourie, Albert
Hourani, Roger Owen ou Bernard Lewis ne sont pas mentionnés comme ne
l'est d'ailleurs aucun orientaliste classique. Ceci est vrai aussi pour les chercheurs majeurs de l'histoire du peuple juif qui écrivirent en anglais, comme
Salo Baron, Ben Halpern ou Amos Funkenstein.

L'apparition du postmodernisme dans les années quatre-vingt changea les
frontières du débat et mit des points d'interrogation sur la valeur de la recherche
historique en général [24]. Au bout d'une génération, on reste abasourdi par les
distinctions de Kollat et la précision de ses prévisions sur le développement
de l'historiographie sioniste sous les pressions qu'exerçaient et qu'exercent
encore les sciences sociales, les médias et le postmodernisme. En même

---

23. Edward H. Carr, *What is History,* New York 1962 et : Geofrey R. Elton, *The Practice of History,*
    London 1967.
24. Evans, *In Defence of History*, p. 172-176.

temps, il y a lieu de réexaminer ces distinctions à la lumière du développe-ment qui se fit au cours de la dernière génération, tant de l'historiographie occidentale que de la recherche et de l'enseignement de l'histoire du sionisme et de la société israélienne.

L'historiographie dans une société polarisée

Embarras actuels et historiques

L'article précité de Kollat a été rédigé en pleine euphorie israélienne, entre la guerre de Six-Jours et celle de Kippour. Ces années-là, s'annoncèrent les premières fissures dans la cohérence de la société israélienne, cependant la signification des indices d'un tel phénomène n'était pas encore claire. Pendant la première décennie du XXIᵉ siècle, par contre, la société israélienne se trouve dans un état de vertige. De profondes divergences la divisant sur des ques-tions d'identité, sur l'origine de toute autorité, sa composition, son essence et ses symboles, la balance des forces entre l'autorité et la responsabilité s'abîma, tout comme s'estompèrent celles entre la récompense et la punition, entre les droits et les devoirs, entre la réussite et l'échec, entre la société et l'individu, entre servir et se décharger sur les autres, entre les objectifs et les résultats, entre la richesse et la pauvreté, entre le travail et les biens, entre la solidarité et la concurrence, entre la réalité et l'imagination, entre les mots et les actes, entre la vérité et le mensonge. Les échos de ce tourbillon appa-raissent également dans le monde universitaire. Sous les pressions grandis-santes du système politique et des forces du marché, les universités s'inter-rogent sur la qualité de leur mission nationale, sur leur fonction sociale et sur leur orientation scientifique [25].

La qualité et la manière dont se déroulent les polémiques historiques reflè-tent les nuances et la complexité de la société. L'historiographie israélienne est elle aussi rentrée dans un état de vertige et a perdu sa capacité de faire la distinction entre professionnalisme et charlatanisme, entre des écoles ou des traditions historiques opposées ou concurrentes, entre la bonne foi et l'op-portunisme, entre une imitation des sciences sociales et des théories linguis-tiques allant jusqu'à une perte d'identité et entre la conservation de la spéci-ficité disciplinaire, entre une accoutumance et une fidélité aux principes, entre la profondeur et l'ouverture du fait scientifique et entre le désir de participer au débat public et aux discussions politiques qui accompagnent celui-ci à la

---

25. Ilan Gur-Zéev, « Fin de l'Université ? » (en hébreu), *Haaretz*, 15 juin 2001, et la réponse de Assa Kasher, *ibid.* 22 juin 2001.

télévision, à la radio et dans la presse quotidienne. Souvent la reddition devant les médias et leurs obligations abaisse les critères du débat historique en le circonscrivant aux limites du cadre, de la langue, du temps et de l'espace de programmes de télévision ou d'articles d'opinion dans la presse.

La floraison de l'enseignement et de la recherche

Cette effervescence s'est maintenue parallèlement à un élargissement notoire de l'activité d'historiographie dans les domaines de l'enseignement et la recherche et elle contribua ainsi à son essor. Pendant cinq ans (de 1997 à 2001), les grandes universités d'Israël (celles de Jérusalem, de Tel Aviv, de Haïfa et les universités Bar-Ilan et Ben-Gourion) ont tenu plus de trois cents cours dans le cadre des cursus de licence et de maîtrise, ayant pour thème les différents aspects de l'histoire du sionisme et du *yichouv* et l'histoire d'Israël. En comptant les cours qui ont été donnés plusieurs fois au cours de cette période, on compte en tout quatre cent vingt cours donnés dans l'ensemble du pays, où ont été enseignés des cours généraux d'introduction ou des aspects spécifiques de l'histoire du sionisme et de l'État d'Israël. Ces chiffres se réfèrent uniquement aux cours tenus dans le cadre des départements d'histoire (soit les départements d'histoire générale, d'histoire du Moyen-Orient, d'histoire juive et d'histoire de la terre d'Israël) et des départements interdisciplinaires. Si on compte aussi les cours tenus dans le cadre des départements de sciences sociales, de sciences politiques, de relations internationales ou de droit, ainsi que dans celui de programmes spéciaux, leur nombre est considérablement plus grand.

Étant donné qu'à l'université de Haïfa (136 cours) et à l'université Ben-Gourion (130 cours), existent des départements spécialisés dans l'histoire de la terre d'Israël ou de l'État d'Israël, ces deux institutions viennent en tête de liste et l'université de Tel Aviv (69 cours) ainsi que l'Université hébraïque de Jérusalem (64) viennent ensuite. L'université Bar-Ilan s'inscrit en fin de liste avec 21 cours seulement. Les écarts ne reflètent pas une position idéologique ou scientifique par rapport au sujet, mais proviennent sans doute d'une différence de structure des études d'histoire et des études juives dans les différentes universités. En 1997, toutes les universités confondues ont en tout proposé 68 cours dans ce domaine. En 1998, leur nombre atteignait 90, en 1999, il descendit à 80 et pour les années 2000 et 2001, il se stabilisa à 91 cours pour chaque année. Quinze pour cent de l'ensemble des cours de toutes ces années (64) étaient des cours de séminaires ou de maîtrise[26].

---

26. Je remercie Madame Maya Dar d'avoir rassemblé ce matériel des différentes universités et d'avoir établi cette banque de données.

L'éventail des sujets est impressionnant. En utilisant ces données, j'ai classé les cours en catégories ou en domaines (histoire sociale, histoire des idées, histoire culturelle, politique, étatique, militaire, économique, histoire de l'installation juive dans le pays ou des combinaisons de plusieurs de ces catégories) et également selon les sujets. Cette division révèle que ces cinq dernières années les études d'histoire sociale formaient la catégorie la plus importante, avec 71 cours parmi lesquels j'en ai dénommé sept selon leurs titres, « histoire sociale et culturelle » (comme par exemple le séminaire de Yaakov Shavit en 2000 : « Culture et société en terre d'Israël »), un cours « socio-idéologique », trois cours d'histoire « socio-militaire », huit d'histoire « sociale et politique », deux d'histoire « sociale et économique » et de « sociologie de l'installation juive dans le pays ». La catégorie d'histoire politique compte cinquante-quatre cours, dont quatre sont politiques-culturels, seize politiques-idéologiques (comme le séminaire de Yehiam Weitz : « La gauche sioniste dans l'État d'Israël » en 2000), huit traitent de politique et de société et sept de politique et d'armée.

La politique et la diplomatie sioniste et israélienne, dans différents domaines et sujets, firent l'objet de cinquante-sept cours. Vingt cours parmi ceux-ci ont traité de sujets militaires et politiques, principalement de la lutte pour l'établissement de l'État et du conflit judéo-arabe. Quarante-quatre cours se sont concentrés sur l'histoire des organisations paramilitaires du *yichouv*, sur *Tsahal* et sur les guerres d'Israël avec les Arabes. L'idéologie sioniste sous plusieurs aspects fut enseignée dans le cadre de quarante-quatre cours : aspects politiques (10 cours), aspects culturels (2), aspects sociaux (1), et aspects de la colonisation (1). Dans cette catégorie, j'ai inclus également dix cours ayant pour objet l'anti-sionisme ou le post-sionisme, tel le séminaire de maîtrise de Ron Zweig sur « le sionisme et ses opposants » qui fut donné à Tel Aviv en 1997 ou le séminaire de Robert Wistrich : « Le sionisme et ses critiques juifs », enseigné à Jérusalem en 1998.

À coté de l'histoire sociale, on note un intérêt de plus en plus fort pour l'historie culturelle. Pour les années qui ont été examinées, il y eut quarante-deux cours sur des sujets culturels, allant de sujets touchant l'identité (comme le séminaire de Judith Baumel : « Ethos, mythe et étiquette collective » à l'université Bar-Ilan (en 2000) jusqu'à la littérature (comme le séminaire que donna Iris Parush en 1998 : « Sionisme et post-sionisme dans le roman israélien »), le cinéma (comme : « Mythe et éthique en histoire du cinéma », que donna Anita Shapira à Tel Aviv en 1998-2000) et en musique (comme le cours de Nahumi Har-Zion : « La chanson hébraïque pendant les années de l'État », à Ber Sheva en 1997-2000 et son séminaire : « Histoire de la chanson orientale » donné en 2001) et pour finir l'historiographie (par exemple le séminaire de Motti Golani sur « l'historiographie de l'époque du Mandat britannique », à Haïfa en 2001).

Le domaine le plus négligé est celui de l'histoire économique du *yichouv* et de l'État d'Israël (cinq cours en tout et pour tout). Le nombre de cours généraux ou de cours obligatoires d'introduction est également peu élevé (13). Mais dans quelques universités, les cours d'introduction rentrent dans le cadre des cours généraux d'histoire juive moderne. La colonisation juive et celle des mouvements politiques furent le thème de dix-huit cours. L'intérêt pour ce sujet est sans doute en baisse, il apparaît tout particulièrement dans le nombre de cours sur le mouvement kibboutzique (trois seulement). Onze cours ont pour thème cinq dirigeants sionistes et israéliens : Herzl (un), Weitzmann (un), Jabotinsky (un), Ben-Gourion (six) et Dayan (un).

La variété des sujets compris dans ces domaines est grande et de nombreux cours peuvent être considérés comme appartenant à plus d'une catégorie. Sans données équivalentes sur une période semblable du passé, il est difficile de parler de changements. On peut néanmoins constater que certains sujets sont en baisse de popularité alors que d'autres, inexistants dans une telle liste il y a quelques années, suscitent de plus en plus d'intérêt. Un exemple typique de la première catégorie est celui des relations du sionisme avec l'Angleterre (8 cours seulement). Par contre, le problème historique non résolu et relativement nouveau de l'identité israélienne ou des identités israéliennes fait l'objet de quinze cours dont par exemple le séminaire de Yael Yishaï : « Les identités israéliennes et leur expression politique », le séminaire de maîtrise de Yakov Barnaï : « Identité juive, identité israélienne » en 1998 ou le séminaire de David Ohana : « L'identité israélienne selon le temps et l'endroit » en 2001. Des sujets touchant l'étude des genres et des modes sexuels (six cours), l'historiographie sioniste face à l'historiographie anti-sioniste (huit cours), ou le séminaire donné par Nahum Karlinsky à Ber-Sheva en 2001 sur le mode ultra-orthodoxe d'écriture de l'histoire, sont des sujets à la mode qui sont de plus en plus fréquents sur la liste des cours donnés.

Les problèmes sociaux et culturels issus de la vague d'immigration massive venue en Israël dans les années cinquante, furent le sujet de treize cours (dont le séminaire de Yehuda Nini : « Orientalité et sionisme » donné à l'université de Tel Aviv, les cours de Esther Meïr-Giltzenstein donnés à l'université de Ber-Sheva en 1999-2000 sur « les grandes vagues d'immigration venues de pays musulmans » et sur « l'État d'Israël et les ethnies orientales »). Ce phénomène témoigne d'un renouvellement d'intérêt pour l'aspect ethnique de la société israélienne. Entre parenthèses, il faut noter qu'aucun conférencier professant de tels cours, n'est lui-même originaire de la vague d'immigration massive venue des pays musulmans dans les années cinquante. Des chercheurs ayant ce background, spécialisé dans les problèmes de la société israélienne, se distinguent dans les domaines des sciences sociales ou des sciences politiques, alors que les historiens sont en fait restés un cercle de « WASP », au sens israélien du terme, soit White, Ashkenazi, Sabra, Protectionist, ou en français : blancs, ashkénazes, natifs du pays, protectionnistes, pour parodier la définition américaine originelle de : White, Anglo-Saxon, Protestant ou celle donnée récemment par Baruch Kimmerling par le sigle hébraïque « Ahouselim » signifiant : Ashkénazes, laïcs, socialistes et sionistes-nationalistes. Les quelques rares exceptions à cette règle, se distinguent dans des sujets historiques qui ne sont pas particulièrement liés au sionisme ou à Israël[27].

Les tensions actuelles entre religieux et non-religieux sont sans doute le facteur expliquant le nombre croissant (20) de cours ayant pour sujet les rapports du sionisme et de l'État juif d'une part, et de la religion juive d'autre part. On a le choix entre des cours sur la religion et le nationalisme, comme le séminaire de maîtrise de Yossef Goldstein : « Religion et nationalisme au sein du mouvement sioniste », donné en 1996-1997 et en 1997-1998 à l'université de Haïfa, des cours sur la Religion et l'État, comme les séminaires de Neri Horowitz à Beer-Sheva et à Jérusalem et ceux de Shalom Ratzhabi à Tel Aviv, des cours sur le sionisme religieux, comme le cours de Yitshak Avnéri, donné à l'université Bar-Ilan sous ce même titre et enfin des cours sur l'opposition juive orthodoxe au sionisme et la vie de la communauté orthodoxe dans le *yichouv* et pendant les premières années de l'État, comme le cours de Ratzhabi : « Hassidim, Mitnagdim[28] et Sefardim », sur la communauté orthodoxe établie dans le pays avant l'établissement de l'État et les cours de Kimi Kaplan sur « la société ultra-orthodoxe en Israël ».

Il serait souhaitable de terminer cet examen par l'élaboration d'une semblable base de données sur les projets de recherches et les travaux de doctorat écrits sur l'histoire du sionisme, le *yichouv* et l'État dans les différentes universités du pays et voir quel est le nombre de ces travaux, de quels domaines ils relèvent, quels en sont les sujets et s'il y eut ces dernières années des changements dans cette répartition et lesquels. Une telle base de données compléterait le tableau et nous donnerait une idée des directions de développement de la recherche et du lien entre celles-ci et l'évolution de l'enseignement.

Du tableau brossé ci-dessus, il ressort une grande division des disciplines de recherche des chercheurs qui a pour corollaire une variété des sujets enseignés. Ceci n'est pas un phénomène particulier à l'historiographie israélienne et il ne s'applique pas uniquement à l'histoire du *yichouv* et de l'État d'Israël.

---

27. Baruch Kimmerling, *La fin du pouvoir des « Ahouselim »* [en hébreu. Le livre est cité dans cet ouvrage sous le titre : Fin du pouvoir des Ashkénazes, N.D.T.], Keter, Jérusalem 2001. En dehors de ses recherches historiques, Yehuda Nini apporta une importante contribution d'ordre innovatrice regardant la conscience d'une polarisation grandissante au sein de la société israélienne, en publiant un article qui provoqua des réactions houleuses : « Réflexions sur la destruction du troisième Temple », *Shdemot* 41 (printemps 1971), p. 54-61.

28. Communauté issue des élèves du Gaon de Vilna venus dans le pays au XIXe siècle, N.D.T.

Il joue également depuis environ une génération, pour l'historiographie américaine, et dernièrement également pour l'historiographie britannique[29]. Ce processus a du bon, mais il comporte également un danger, du fait qu'à force de spécialisation, on ne voit plus l'ensemble. Il faudrait équilibrer ce processus et éviter de perdre de vue la perspective générale. Ceci peut se faire au moment de l'élaboration des cursus des différents départements en compensant l'éclectisme grandissant des cours proposés par l'instauration d'un cadre obligatoire de cours d'introduction en début d'études et par des examens intégratifs de fin d'études.

Malgré l'ampleur impressionnante de l'activité, le statut des études d'histoire sioniste et israélienne dans les universités et de l'histoire en général, souffre du déclin général des études dans le domaine des sciences humaines. Ce déclin est quantitatif et se reflète dans le nombre d'étudiants. Il est aussi d'ordre qualitatif. Nombreux sont les étudiants qui s'orientent vers les sciences humaines non par curiosité ou intérêt, mais parce que l'admission y est plus facile. De plus, ces dernières années, beaucoup d'étudiants inscrits en histoire, sont issus d'une couche sociale qui se situait avant la naissance de l'État ou dans les premières années de l'existence de celui-ci, en dehors de l'expérience sioniste. Dans les universités de la périphérie ainsi que dans les collèges, le pourcentage d'étudiants non juifs (arabes, druzes ou bédouins) étudiant dans les départements d'histoire est en hausse. Parmi eux, certains considèrent le projet sioniste comme hostile, discriminatoire, et oppresseur.

Les étudiants, juifs ou non-juifs, qui choisissent de suivre des cours d'histoire sioniste et israélienne, sont mus par un fort engagement émotionnel par rapport au sujet de leurs études. Toutefois, en début d'études, ils manquent de connaissances élémentaires. Cette combinaison d'engagement émotionnel et de manque de connaissance suffisante, engendre une difficulté spéciale dans les classes d'études. À cette difficulté s'en ajoute une autre : l'histoire du *yichouv* et des premières années d'existence de l'État d'Israël est celle d'une société idéologique, engagée et mobilisée. Aujourd'hui, la plupart des étudiants et même une bonne part des jeunes enseignants sont les produits d'une culture concurrentielle et très individualiste. Leur capacité de comprendre le passé dans ses propres termes de même que leur aptitude de saisir «l'esprit du temps» des trois premiers quarts du XXe siècle, est douteuse.

---

29. Evans, *In Defence of History*, p. 172-176.

L'historiographie en tant que discipline

Entre connaissance et création

Une menace encore plus grande pesant sur le statut de l'historiographie en général et de l'historiographie juive, sioniste et israélienne en particulier, vient des tendances postmodernes qui ces dernières années ont envahi l'historiographie occidentale. Il y a vingt-cinq ans, Kollat, dans l'article cité plus haut, dénonçait quelques-unes de ces modes et insistait sur leur potentiel de menace. Cependant même lui, n'a pas évalué à leur juste valeur les influences destructrices de ces développements. Kollat consacre une grande partie de son article au statut de l'historiographie entre les sciences humaines et les sciences sociales et à la formation optimale de l'historien. Ces questions restent aujourd'hui primordiales et s'y sont ajoutés de nouveaux problèmes que l'historiographie du XXIe siècle devra affronter.

Depuis la fin du XVIIIe siècle, l'historiographie se développe comme une discipline de connaissance et oscille entre sa prétention d'être une science et ses aspects créatifs, la rangeant au rang d'un art. Ce n'est pas une science au sens où elle ne peut faire des expériences et les répéter dans les mêmes conditions afin d'examiner la validité des données. C'est également la raison pour laquelle elle n'a pas de règles générales. L'histoire est le champ d'expérience et le laboratoire de l'historiographie, mais elle est unique et ne se répète jamais de manière identique. Par conséquent l'historien ne peut « prédire » ou prévoir l'avenir sur la foi de sa connaissance du passé ou de « ses expériences ». L'historiographie n'a pas non plus de jargon scientifique de règles et de formules comme en possèdent les sciences de la nature ou les sciences sociales. Cependant, l'investigation du passé par le biais des sources historiques et de leurs analyses peut, dans une certaine mesure, servir de base à une généralisation. D'autres disciplines sont dans le même cas et se basent sur des prévisions et des données sans possibilité de se livrer à des expérimentations. L'astronomie et la géologie en sont des exemples saillants sans pour autant qu'on mette en doute leur caractère scientifique.

Les historiens, prétendent leurs détracteurs, sont des gens qui se souviennent du futur et imaginent le passé. Leur art combine mémoire et imagination. L'écriture de l'histoire peut évidemment se rapprocher, du fait de son style littéraire et de la clarté de l'écriture, d'une écriture artistique imaginaire comme en témoignent les livres de Winston Churchill, d'André Maurois, de George Macaulay Trevelyan et de Barbara Tuchman[30]. Cependant, l'aspect littéraire de l'écriture historique est secondaire et l'œuvre d'historiographie

---

30. Barbara Tuchman, « The Historian as Artist » in : idem, *Practicing History*, New York 1982, p. 45-50.

se mesure tout d'abord selon des critères de précision, de fidélité et de crédibilité et seulement ensuite en fonction de paramètres littéraires touchant à des dons que ne possèdent d'ailleurs pas tous les historiens. En d'autres termes, l'historien doit tout d'abord recevoir une formation dans le domaine de la critique des sources historiques, des possibilités de leur exploitation et de l'utilisation de sciences auxiliaires (et le fait d'être doué ne peut certainement lui nuire), tandis que l'écrivain, le poète, le musicien et le peintre doivent d'abord avoir un don (même si la formation et le développement de la technique leur seront certainement utiles).

L'historiographie entre les sciences humaines et les sciences sociales

En tant que discipline traitant à dévoiler, reconstruire, et expliquer le passé, l'historiographie s'est acquis un statut particulier dans le domaine limitrophe entre les sciences humaines et les sciences sociales. Sa spécificité découle du fait qu'elle traite simultanément et de façon équilibrée, le texte et tous ses contextes. La linguistique, la sémiotique, l'art, l'étude de la littérature et sa critique, la musicologie et certains philosophes se concentrent sur des textes (et pour les besoins de la cause, les œuvres d'art et les œuvres musicales sont aussi des « textes »). D'autres philosophes et les scientifiques spécialisés dans les domaines des sciences sociales et politiques traitent de contextes plus larges par l'étude, la généralisation, la construction de modèles et l'élaboration de théories. Alors que l'historiographie tend à maintenir un équilibre dynamique adéquat entre le contexte et le texte, soit entre le détail et l'ensemble dans lequel il se trouve et entre cet ensemble et les détails qui le composent, l'explication historique ne peut se faire indépendamment de sources adéquates (les « textes »). En même temps, l'explication des sources sur les seuls modes philologique ou textuel, de l'examen du contenu littéral et de la forme stylistique, du démantèlement du texte et de la lecture entre les lignes, n'aurait aucun sens du point de vue historique si elle se faisait en dehors des justes contextes qui lient les différents textes, le contexte chronologique, géographique, politique, idéologique, social, généalogique, psychologique et de nombreux autres.

Quand je demande à mes étudiants, quel est l'instrument le plus important de l'historien, j'obtiens en général une réponse spontanée tout à fait erronée. Ils me répondent : « le matériel de sources ». Les sources, malgré leur importance ne sont pas les plus essentielles à côté des instruments, des facultés et des dons intellectuels servant l'historien dans son travail. La condition préalable élémentaire pour être historien, au-delà de la curiosité, consiste en de larges connaissances générales et un savoir historique profond. Si l'essence particulière de l'historiographie est la préservation de l'équilibre entre

le texte et ses contextes, une large base de connaissances et plus particulièrement une culture historique, sont essentielles pour la compréhension des
sources. Bien plus, l'éducation et la connaissance sont les éléments qui empêchent l'historien de se laisser entraîner par ses sources, qu'elles soient écrites
ou orales. Elles lui permettent de se référer à elles de manière critique et de
les dominer au lieu d'être dominé par elles. La profondeur et l'ampleur de la
culture définissent la latitude de la pensée associative et donc déterminent la
capacité de l'historien de nouer des liens adéquats entre ses pensées, les événements, les gens, les organisations et les institutions et de les situer dans les
cadres de leurs justes contextes.

Des dons linguistiques sont la deuxième condition préalable. Ils viennent
servir les aspects textuels de la fonction de l'historien. La possession de langues
et la compréhension de leur sémantique et de leur étymologie – la signification des mots et des expressions et de leurs nuances, le développement des
mots et les modifications survenant dans le vocabulaire, les diverses utilisations des mots et leurs significations qui varient au cours des temps, représentent les capacités professionnelles les plus significatives de l'historien. Elles
lui permettent d'approfondir l'analyse textuelle et philologique de documents.

Ceci est particulièrement vrai dans le cas d'une langue qui se renouvelle.
Ainsi, le soldat sautant d'un avion s'appelait en 1941 «homme couvert» et
au bout d'un an, en 1942 ce même soldat était dénommé : «parachutiste».
En 1949 on «hospitalisait» les carottes et les citrouilles dans un hangar et au
bout de moins de dix ans on réservait ce terme à l'usage des malades des
hôpitaux. Le mot «conquête» se référait au temps de la deuxième et troisième vague d'immigration, au travail [au sens de l'emploi de Juifs sur le
marché du travail, N.D.T.], à la garde [au sens de la garde des nouvelles localités juives par des Juifs, N.D.T.] ou au désert [au sens de défrichement de
terres jusque-là incultes, N.D.T.]. Plus tard, le terme fut employé en relation
avec les femmes ou les filles et aujourd'hui il désigne «la domination d'un
autre peuple». Le mot hébraïque «*habala*» signifie en 1948 : destruction de
maisons, de ponts et de postes militaires. Cependant dans le débat sur l'affaire
de Tantura, Pappé ayant trouvé ce mot dans un document relatant les événements qui eurent lieu dans ce village, affirma qu'il signifiait «massacre», ce
qui était inimaginable à l'époque et l'est encore de nos jours, même dans
l'hébreu plus souple d'aujourd'hui et même en y adjoignant le mot aujour-
d'hui populaire «pour dire» [*keilou* en hébreu, employé dans le langage parlé
et n'ayant aucune signification sémantique, N.D.T.][31].

Une autre obligation pour ceux qui se targuent d'écrire l'histoire est une
certaine connaissance des lieux géographiques de leur recherche. Une mécon-

---

31. Pappé, «Les affaires Katz et Tantura», p. 199, note 10.

naissance dans ce domaine pourrait conduire à tomber dans des pièges amusants et même à une incompréhension et à une fausse interprétation de documents. Ce point me rappelle une thèse de doctorat écrite en anglais sur la révolte palestinienne des années 1936-1939. À plusieurs reprises, l'auteur se réfère à des « rivières » (rivers). Étant donné qu'il n'y a en terre d'Israël qu'une seule rivière digne de ce nom, le Jourdain, je me suis demandé de quoi il parlait. En fin de compte, il s'est avéré qu'il voulait parler de la centrale électrique de Rutenberg à Naharaim. Il est clair que l'auteur de cette thèse n'avait que de faibles connaissances en hébreu et qu'il ne connaissait pas du tout la géographie de la Terre Sainte [32].

Pour que le travail de l'historien soit significatif, il faut qu'il soit capable de rassembler ses efforts afin de se créer une image cohérente et montrer sa capacité « d'avoir une vue d'ensemble » dépassant la revue de détails. De plus, pour atteindre un public de lecteurs, il doit écrire avec aisance et présenter les choses de manière intéressante, afin d'attirer le lecteur cultivé non-professionnel. Les écrits, affirma Théodore Roosevelt lors d'une conférence qu'il donna en 1912, alors qu'il était président de l'Association américaine des historiens, n'ont aucune valeur si on ne les lit pas, et ils ne peuvent être lus que s'ils sont lisibles [33]. Il est vrai que Roosevelt affirma ceci bien avant que Umberto Ecco n'écrive *Le nom de la rose (Il nome della rosa)*, mais les choses sont toujours aussi vraies aujourd'hui.

Ce n'est qu'une fois assurées toutes ces qualités d'historien, que rentrent en ligne de compte les instruments évidents que sont les sources, c'est-à-dire les documents d'archives de toutes sortes, l'information et les publications de presse, les revues scientifiques, les livres, les souvenirs, les témoignages oraux, les données statistiques, les photographies, les films, les affiches, les publicités etc. Avec cela, le mode d'utilisation de l'historien de ces instruments est soumis à une série de règles admises, que je détaillerai par la suite, même si celles-ci ne sont pas explicites.

L'historicisme, contribution et critiques

Jusqu'à il n'y a pas si longtemps, la plupart des chercheurs des départements d'histoire des universités d'Israël étaient formés selon la tradition historiciste, dont les prémices remontent à la fin du XIXe siècle en Europe et en Angleterre. L'historicisme était (et est encore) le courant d'historiographie qui contrairement aux philosophies religieuses de l'histoire et également à la

---

32. Ian Black, « Zionism and the Arabs, 1936-1939 », Ph. D Thesis, University of London 1978.
33. Tuchman, *Practicing History*, p. 56-58.

philosophie éclairée de Voltaire, repoussait toute interprétation holistique unificatrice de l'histoire, voyait l'action humaine dans sa totalité et sa diversité comme un matériel de l'histoire, mettait l'accent sur le changement et la spécificité des concepts historiques centraux et soutenait que la discipline historique est capable d'expliquer les événements du passé, dans tous les domaines de l'action humaine. Les chercheurs israéliens qui ont fait leurs études dans le pays, sont la troisième ou la quatrième génération de «l'école de Jérusalem» qu'avaient fondé les professeurs (Shmuel Klein, Ben-Zion Dinur, Yitzhak (Fritz) Baer, Richard Köbner, Avigdor Tcherikover, Israël Halpern, etc.) de mes professeurs (Shmuel Ettinger, Hayim Hillel Ben-Sasson, Haïm Beinart, Alexander Fuks, Menahem Stern, Yehuda Bauer, Israël Kollat, Jacob Katz etc.). Cette école a appliqué l'historicisme à l'étude de l'histoire juive et à son enseignement. Des écoles semblables se sont développées dans les départements d'histoire générale et d'histoire du Moyen-Orient.

Au cours du XXe siècle, l'historicisme suscita une critique et une opposition venant d'une variété de directions. Il fut attaqué par les historiens marxistes, les «nouveaux historiens», apparus en Amérique dans les années trente, par l'École des Annales en France[34]. La signification du concept fut brouillée, suite à différentes utilisations plus ou moins étranges mais l'historicisme est cependant resté un courant central en historiographie[35]. Les opposants actuels de ce courant le désignent à tort par le terme «positivisme», de même que les historicistes sont devenus des «positivistes». À l'origine, le positivisme était une école d'historiographie qui ne fit pas long feu. Il fit son apparition dans la deuxième moitié du XIXe siècle et très vite, disparut et tomba dans l'oubli. Ses adhérents – comme Henry Thomas Buckle – voulaient transformer l'historiographie en une «science de l'homme», dans un sens proche de celui de «science de la nature». Ils tentèrent de découvrir «les lois de l'histoire» qui seraient semblables ou parallèles aux lois de la nature – et aideraient en d'autres termes, à prévoir l'avenir sur la base du passé. Très vite, ils durent avouer leur échec[36].

Pour augmenter la confusion, le philosophe Karl Popper donna un autre usage au terme «historicisme». Il employa ce mot pour définir des interprétations déterministes religieuses ou philosophiques de l'histoire – tant cycliques que dialectiques – depuis Hérodote et Platon jusqu'à Hegel et Marx. En critiquant toutes les philosophies de l'histoire, Popper nie l'existence de toute

---

34. Sur les «nouveaux historiens» et l'École des Annales, voir dans l'introduction.
35. Pour une revue critique de l'historicisme, voir : Hans Meyerhof (éd.), *The Philosophy of History in Our Time*, New York 1959, p. 1-84. Pour un bref examen du développement des différentes écoles historiques jusqu'au milieu du XXe siècle, voir : Fritz Stern, *The Varieties of History : From Voltaire to the Present*, Cleveland and New York 1956.
36. Stern, *The Varieties of History*, p. 120-137.

« signification historique » susceptible d'être expliquée ou définie par des lois religieuses ou rationnelles. Toutefois, cet usage du concept d'historicisme n'a rien à voir avec le courant d'historiographie du même nom dont je parle ici, qui comme Popper, nie tout déterminisme historique [37].

Un apport essentiel de l'historicisme au développement de l'historiographie fut l'affirmation que l'étude du passé exige des principes, des règles et des méthodes de recherche particulières, différentes de celles des autres sciences, soit qu'il s'agit bien d'une discipline de savoir, de *Wissenschaft*. Contrairement à l'artiste créateur, affirmait le précurseur de l'historicisme Leopold Ranke, l'imagination de l'historien est soumise au témoignage des faits et sujette à la critique de la discipline. On ne peut juger le passé, ajoutait-il, selon les critères du présent, mais on se doit de l'examiner d'après ses propres références conceptuelles. Cette méthodologie est essentielle pour l'étude des phénomènes du passé dans tous les domaines et particulièrement des phénomènes qui semblent de premier abord relever d'autres disciplines. En conséquence, pour étudier l'histoire économique, le chercheur doit tout d'abord être historien, et pas obligatoirement économiste. Pour une recherche en histoire constitutionnelle, il faut tout d'abord une formation historique et non pas des études de droit et pour entreprendre une recherche en histoire militaire, il faut être historien et non pas général. Affirmer ceci ne veut pas dire que les historiens militaires n'ont que faire d'expérience ou de compréhension sur des sujets militaires ou ne tirent pas avantage d'une telle expérience ou d'une telle compréhension ni que les spécialistes d'histoire économique sont dispensés de connaître quoi que ce soit en économie. Cela signifie cependant que les outils fondamentaux de celui qui étudie un phénomène quelconque du passé, sont avant tout des outils d'historiographie.

L'application pratique de cette attitude a entraîné un développement de la recherche historique dans une variété de domaines nouveaux. L'école des « Annales » qui fut fondée en France avant la Deuxième Guerre mondiale et rayonna surtout au lendemain de celle-ci, en élargit les frontières, en dépassant les cadres nationaux ou chronologiques admis et en intégrant des méthodes de recherche empruntées à la géographie, la statistique, l'anthropologie, l'économie, et la sociologie pour tenter de rendre quantitative la recherche historique. Cependant, les hypothèses historicistes ont également suscité une forte opposition, du fait de l'ambition démesurée d'expliquer tous les aspects de l'action humaine, son développement et les changements intervenus au cours des générations. Les critiques de l'historicisme avancèrent que l'ambition

---

37. Karl Popper, « Has History Any Meaning ? », *in : idem*, *The Open Society and Its Enemies*, Princeton 1950, p. 449-453, Idem, *The Poverty of Historicism*, London 1957.

d'une description totale et dynamique de l'action humaine sur l'axe du temps, dépasse les capacités humaines[38].

L'axiome historiciste qui se trouve déjà chez Ranke, suppose l'existence d'une vérité historique et insiste sur le fait qu'il est du devoir de l'historien de chercher cette vérité cachée et de décrire l'histoire « comme elle était vraiment » (*Wie es eigentlich gewesen ist*)[39]. Même si l'historien n'est pas capable de dévoiler la vérité historique tout entière et de manière absolue (comme les historicistes eux-mêmes l'avouent maintenant), il doit tout faire pour s'en approcher le plus possible. Cette hypothèse discutable a déjà suscité d'innombrables polémiques stériles, toutes basées sur des théories et des arguments abstraits.

Selon moi, l'histoire, c'est-à-dire la suite des événements qui la composent, ne peut et ne pouvait se passer que d'une seule manière. Si tel n'était pas le cas, elle serait en contradiction avec les lois de la nature et la loi des contraires d'Aristote qui affirme que « soit P existe, soit P n'existe pas ». Ce qui signifie que soit l'histoire s'est déroulée d'une certaine manière, soit ce n'est pas le cas, mais elle ne peut s'être déroulée de deux manières différentes. Un homme peut tomber au cours d'une bataille ou se faire assassiner ensuite, mais il ne peut mourir des deux façons à la fois, ne pouvant mourir deux fois. Le nombre de tués au cours d'un événement particulier peut être de soixante ou de deux cent cinquante, mais il est impossible que les deux chiffres soient vrais. Les hommes ont une identité et un nom et même si on les compte plusieurs fois pour en multiplier le nombre, il s'agit de la même personne et non de personnes différentes. Une fois établies, les dates sont des données sans équivoque, et il est clair que la prise de la Bastille eut lieu le quatorze juillet 1789 et non un autre jour ou une autre année, pour ne donner que cet exemple. L'importance particulière de la chronologie résulte du fait qu'elle fixe l'ordre des événements et crée un cadre d'identification des liens de causalité entre eux, étant donné qu'une conséquence ne peut être antérieure à sa cause.

Perception de l'histoire vue du haut ou du bas de l'échelle

D'une part, les faits sont le fondement de l'historiographie. Les données chronologiques, numéraires, personnelles, géographiques, techniques et toutes les autres ont un rôle de premier ordre pour l'établissement des liens qui forment l'ensemble des faits composant un événement historique et pour l'identification et l'analyse des relations réciproques qui font d'une série

---

38. Kollat, « Sur la recherche et le chercheur de l'histoire du *yichouv* et du sionisme », p. 65.
39. Stern, *The Varieties of History*, p. 57.

d'événements un processus historique. D'autre part, ceux qui participent à l'élaboration de l'histoire ou en sont témoins parce qu'ils ont écrit, photographié, filmé, observé, vu, entendu ou écouté et qui ensuite deviennent des sources pour la reconstituer, l'interpréter et l'étudier, appréhendent les événements historiques, les liens et les relations qui les unissent et interprètent ceux qu'ils ont fait, vu ou entendu, de toutes sortes de manières en en donnant des versions variées. Ceux qui font des recherches historiques sur la foi de ces sources, ajoutent encore par la suite à cette variété, leurs propres analyses et leurs interprétations subjectives et contradictoires [40].

Il est important de noter que la multiplicité et la diversité de l'observation et des interprétations de l'histoire et sur l'histoire, ne leur donne pas pour autant une valeur égale ni n'annule totalement la valeur d'aucune. Le fait que la forme d'un certain objet semble différente quand on l'observe sous des angles différents ne signifie pas que cet objet n'a pas de forme du tout ni qu'il a une infinité de formes possibles. Un ministre paraît plus petit à mesure qu'on s'en éloigne et une montagne paraît plus grande à mesure qu'on s'en approche. Cependant, les deux, le ministre et la montagne sont fixes, qui ne sont ni imaginaires ni virtuels et qui ne varient pas non plus en fonction de la distance ou de l'angle de vue. Une interprétation à jour et approfondie, qui s'appuie sur un maximum de faits, tels qu'ils apparaissent dans les sources, examine de manière critique et approfondie leur signification et leurs enchaînements et parvient à circonscrire l'objet de sa recherche dans une vue d'ensemble, élaborée à partir de la somme de nombreux angles particuliers. Cette vision aura donc plus de poids qu'une interprétation vieillie, partielle, non-critique, superficielle et limitée.

Après la Deuxième Guerre mondiale, l'intérêt pour l'histoire sociale en général et pour celle d'importantes couches sociales en particulier s'aviva. Il s'agissait surtout de groupes sociaux qui semblait-il n'avaient pas jusque-là été l'objet d'une recherche digne de ce nom. Ainsi par exemple, comme pour de grandes séries de documents diplomatiques dont la parution débuta entre les deux guerres, comme *Documents on British Foreign Policy* ou *Foreign Relations of the United States,* furent publiées à partir des années soixante du siècle dernier, notamment en Angleterre, les séries *Human Documents*, qui sont un choix de documents décrivant la vie quotidienne de différentes classes depuis la révolution industrielle [41].

---

40. Carl L. Becker, « What Are Historical Facts ? » *The Western Political Quarterly,* 8/3 (September 1955), p. 327-340.
41. Voir par exemple : G.D.H. Cole and Raymond Postgate, *The British [Common] People, 1746-1946,* London 1961 *et :* E. Royston Pike (éd.), *Human Documents of the Lloyd, George Era,* London 1972. Avant la parution de ce volume, parurent des volumes semblables sur l'époque de la révolution industrielle, l'âge d'or victorien et l'histoire de *la légende de la famille Forseit.*

Des historiens marxistes britanniques comme E.P. Thompson ont brandi l'étendard de « l'histoire vue par le bas de l'échelle » et ils ont étudié la vie « des gens simples » et l'histoire de la classe ouvrière et de ses organisations. Ceci, devait être un contrepoids à l'attitude élitiste d'historiens comme Lewis Namier ou d'autres, qui prétendaient que l'histoire était faite par les élites et donc qu'il fallait tout particulièrement étudier celles-ci. Et en effet dans l'étude de l'histoire telle qu'elle se faisait jusqu'au XIXe siècle, l'historiographie, qui s'appuyait sur des sources écrites, était forcément focalisée sur les élites puisque ce sont presque exclusivement celles-ci qui laissaient de telles sources, tant sur elles-mêmes que sur les autres classes de la société. Le progrès de l'alphabétisation parmi les masses, ces cent dernières années d'une part et le développement de l'utilisation de sources historiques non écrites, comme l'étude de traditions ou de témoignages oraux d'autre part, permettent également aujourd'hui d'étudier l'histoire des classes populaires et même celle de sociétés dépourvues de culture écrite, comme des tribus nomades et de le faire en se plaçant de leur point de vue pour interpréter les événements qu'ils ont traversés. Il faut cependant dire que l'histoire « vue du bas de l'échelle » n'est en aucun cas une nouvelle découverte et il n'y a pas lieu de brandir en l'occurrence un étendard idéologique ou méthodologique.

Des historiens militaires anglais, pas forcément radicaux, ont dès les années soixante-dix, décrit l'histoire militaire toutes générations confondues, du point de vue de la vie quotidienne des simples soldats. Ils ont décrit les exercices, l'entraînement, l'équipement, l'uniforme, le ravitaillement, les joies et les souffrances des soldats [42]. Un ouvrage particulièrement impressionnant dans ce domaine est le livre de John Ellis sur les combattants de la Deuxième Guerre mondiale. Ce n'est cependant pas un ouvrage typique de « l'histoire vue par le bas », puisque Ellis réunit les points de vue de jeunes officiers, de simples soldats et de correspondants militaires à une vue générale basée principalement sur des données statistiques d'ensemble. À partir de cette combinaison, il crée un tableau intégratif pénétrant [43]. Un autre exemple frappant de combinaison passionnante de la micro-histoire et de la macro-histoire est le livre de Christopher Browning sur le bataillon de réserve 101 de la police allemande et sa participation à la liquidation des Juifs de Pologne pendant la Deuxième Guerre mondiale [44].

---

42. Voir par exemple : Philip Warner, *The soldier – His Daily Life Through the Ages*, London 1975 et : J.M. Bereton, *The British Soldier : A Social History from 1661 to the Present Day*, London 1986.
43. John Ellis, *The Sharp End of War : The Fighting Man in World War II*, London 1980.
44. Christopher Browning, *Ordinary Men : Reserve Police Battalion 101 and the Final Solution in Poland*, New York 1993.

Presque à la même époque, cette nouvelle tendance pénétra l'historiographie israélienne. Dans les années soixante, Yehuda Bauer écrivit l'histoire
de « l'exode d'Europe » après la Deuxième Guerre mondiale, « vue par en
bas », c'est-à-dire du point de vue des membres actifs du mouvement sur le
terrain et en se basant plus sur la foi de leurs témoignages que sur les documents du mouvement ou des institutions du *yichouv*, dont une partie n'était
pas encore accessible à l'époque[45]. Au cours des années soixante-dix et quatre-
vingt, Uri Milstein montra que la guerre (en l'occurrence, la guerre
d'Indépendance, mais cela est vrai pour toute guerre) semble différente « vue
d'en bas », du point de vue du simple soldat ou du sous-officier, que ce dont
elle a l'air « vue d'en haut », aux yeux du général en chef ou de l'état major.
Il contribua ainsi énormément à l'historiographie de cette guerre tout en se
faisant de nombreux ennemis, étant donné que la guerre qu'il décrivait était
différente de l'image de guerre admise, celle créée par Ben-Gourion, Alon,
Yadin ou Carmel. Toutefois, là se trouve aussi le point faible de Milstein (et
de ceux qui en général écrivent une histoire « vue d'en bas »). Il n'y a qu'une
histoire et les gens « d'en bas » n'en ont qu'une perspective réduite. Celle-ci,
à coté des limites de la mémoire crée des déformations de l'image historique
exactement comme l'éloignement des gens « d'en haut » crée des déformations malgré leur plus large perspective[46].

Toute définition des « supérieurs » et des « inférieurs » en histoire est dynamique. Elle varie en fonction du temps, du lieu et des modes idéologiques ou
politiques. À l'époque où Bauer écrivit son livre *L'Exode d'Europe* ceux qui
s'étaient activés dans cette opération d'exode étaient « des gens d'en bas ».
Aujourd'hui, aux yeux de Idit Zertal ou de Tom Segev, ces gens représentent
l'establishment « d'en haut » et les gens « d'en bas » sont les rescapés de la
Shoah que les organisateurs de l'Exode et de l'immigration illégale ont amenés
dans le pays, souvent malgré eux. Ceux-là n'appartenaient pas au mouvement sioniste ni n'avaient de conscience sioniste. La définition se modifie
également selon qu'il s'agit d'une histoire politique ou d'une histoire sociale.
Ainsi, par exemple, une doctorante de mon département qui travaille sur les
relations entre les paysans et les ouvriers des villages de Galilée, pensait que
l'examen de ces relations du point de vue des paysans des villages constituait un examen « par le bas », puisque l'establishment du *yichouv* était, comme
chacun sait, « ouvrier ». Cependant, compte tenu de l'époque (celle de la

---

45.   Yehuda Bauer, *La fuite en Europe* (en hébreu), Sifriat Hapoalim, Merhavia 1973 (l'édition anglaise
      parut en 1970).

46.   Milstein commença par publier dans le quotidien *Davar* dès le début des années soixante-dix des
      enquêtes sur les batailles de la guerre d'Indépendance. Il résuma son travail en quatre volumes (sur
      les douze prévus) traitant de l'histoire de la guerre. Trois de ces volumes parurent aux éditions Zmora
      à Tel Aviv en 1989 et le quatrième parut en 1991.

deuxième et de la troisième vague d'immigration) et du lieu (le village particulier) de son étude, les paysans étaient bel et bien ceux « d'en haut » alors que les ouvriers, même s'ils se sont par la suite rendus célèbres et ont laissé plus de sources écrites que les autres, représentaient « le bas de l'échelle ».

Ces dernières années, le concept « d'histoire vue par le bas de l'échelle », qu'avaient inventé les marxistes anglais, s'élargit et évolua en histoire « des autres », ou des « perdants » de l'histoire de l'humanité. Selon la définition de Pappé, « les perdants » sont les femmes, les afro-américains, les peuples sans histoire, les ouvriers, les paysans et les autres. Par le mot « autres », il veut sans doute désigner les Palestiniens à l'époque de la guerre d'Indépendance ou comme il la désigne, la guerre de 1948. Selon lui, il faut reconstituer celle-ci en se servant « des témoignages de ses victimes, et pas uniquement se baser sur les documents de leurs fossoyeurs ». Pappé affirme également de manière générale la supériorité des « témoignages » (où les contradictions et les incohérences inexpliquées ne manquent pourtant pas) du fait qu'ils viennent des Palestiniens, donc des « perdants » et que de ce fait, ils donnent une image « vraie » [47].

À mon avis, vu que l'histoire a toujours été unique, le rôle de l'historien est de la décrire en combinant tous les points de vue qui s'y rapportent, aussi bien ceux « d'en bas » que ceux « d'en haut ». C'est de cette manière que je me suis efforcé de procéder dans mon livre sur l'histoire de l'engagement dans l'armée britannique ou sur l'immigration des Juifs d'Europe centrale et leur intégration en terre d'Israël, même si dans le deuxième cas on m'a accusé, dans une certaine mesure avec raison, de n'avoir pas assez approfondi les sentiments des immigrants de langue allemande dans le processus d'arrachement culturel et le besoin de s'habituer aux normes de la société intégrante et d'avoir trop adopté le point de vue de l'establishment qui les intégrait, lui-même d'ailleurs composé d'immigrants un peu plus vétérans. On m'a fait les mêmes reproches sur mes écrits sur la guerre d'Indépendance [48].

Le poids relatif des différents points de vue varie selon le sujet. Pour la description d'une grande bataille, une vision du champ de bataille, ce qu'on peut appeler une vue « d'en bas » a son importance tandis que pour l'analyse d'une guerre ou d'une campagne, la définition des objectifs, l'évaluation de la situation, le plan, l'infrastructure et la logistique ont les leurs et c'est ce qui donne toute sa dimension à une vision « d'en haut », du point de vue du

---

47. Pappé, « Les affaires Katz et Tantura », p. 204 et 214-215.
48. Yoav Gelber, *Livre de l'histoire de l'engagement volontaire* (en hébreu), tomes I et II, Yad Yitshak Ben-Zvi, Jérusalem 1979-1984 ; Idem, *Une nouvelle patrie : l'immigration des Juifs d'Europe centrale et leur intégration dans le pays, 1933-1948* (en hébreu), Institut Leo Baeck et Yad Ben-Zvi, Jérusalem 1990 ; Henri Wasserman, « ici on se débarrasse avec succès de son caractère de pédanterie allemande et de ses responsabilités » (en hébreu), *Haaretz*, 8 juin 1990.

commandement, de l'état-major et souvent des échelons politiques. Un camp de prisonniers paraîtra différent selon qu'il est observé par les gardes ou par les prisonniers. L'historien devra cependant décrire la vie qui s'y déroule et les interactions qui s'y passent, des deux points de vue et si possible d'autres points supplémentaires complémentaires (comme par exemple celui des familles des prisonniers ou celui des arbitres politiques qui déterminent les conditions de détentions des prisonniers). Une étude sur le transfert d'une tribu de bédouins de la vallée de Houla vers les monts de Galilée devrait comprendre les sources des populations transférées aussi bien que celles de ceux qui ont décidé d'effectuer ce transfert. Mais, autant les documents du gouvernement militaire (les sources « d'en haut ») ne peuvent témoigner à eux seuls des états d'âme des transférés ou de la façon dont ils tentèrent d'affronter leur destin, autant les histoires des anciens de la tribu (l'histoire « d'en bas) ne peuvent être une source pour la compréhension du contexte historique, les causes et les arguments qui amenèrent les autorités à trancher en faveur du transfert dans certaines circonstances [49].

Objectivité et neutralité

L'objectif principal de toute méthodologie d'historiographie est d'une part de réduire autant que possible l'écart entre le déroulement objectif de l'événement historique et les circonstances dans lesquelles il eut lieu, et d'autre part entre sa représentation à travers les visions subjectives des témoins et des investigateurs. Pour en arriver à cette réduction, l'historien doit intégrer un maximum de points de vue, analyser ce qui est identique et ce qui ne l'est pas entre ceux-ci, évaluer les points forts et les points faibles de chacun d'entre eux et construire un tableau d'ensemble crédible autant que possible, tout en sachant que celui-ci ne peut être vrai à cent pour cent. Cette réduction englobe les limites de l'interprétation et nous rapproche de la vérité historique, mais ce processus d'approche de la vérité est sans aucun doute infinitésimal, au sens mathématique du terme et il n'est jamais achevé.

Très souvent, on confond la volonté d'atteindre la vérité historique avec « l'objectivité ». Les deux choses ne sont pas identiques. Vérité n'est pas objectivité au sens où celle-ci est neutre, éloignée de toute prise de position ou de participation à une polémique. Les historiens ne sont pas censés prétendre qu'ils sont « objectifs » ou neutres dans la manière dont ils traitent les données, les témoignages, les arguments ou les traditions s'il existe des contradictions entre ceux-ci. L'objectif de l'historien est de dévoiler des sources, de faire

---

49. Suleiman Shtewe Khawalde, *Beduinen im gelobten Land : Die Stämme der Krad Il-Het, Krad Il-? annama und Krad Il Baggara*, Hamburg 1993.

un choix, d'analyser et d'évaluer les choses de manière professionnelle et en fin de compte de se rapprocher le plus possible de la vérité, celle-ci pouvant aussi venir contredire les opinions de l'une ou de plusieurs des parties, et très souvent même les croyances, les opinions et les hypothèses de départ de l'historien lui-même.

Il est clair que dès le départ, l'historien doit être libre de toute idée préconçue ou de partialité. Il peut cependant se faire une opinion personnelle et prendre position après avoir étudié les sources, compris leurs significations et accompli le processus d'étude et de recherche pour tirer des conclusions. Il ne sera finalement pas jugé selon le degré de réussite atteint pour parvenir à éviter de prendre position, mais en fonction du rassemblement de ses sources, de leur analyse et leur présentation professionnelles, méthodiques, rigoureuses, et profondes et de la manière dont ses conclusions découlent d'une juste interprétation du matériel de sources dont il disposait et de sa liberté d'esprit par rapport aux idéologies, aux opinions et idées préconçues.

Certains traités d'histoire furent écrits par obligation et de telles obligations continueront sans doute à influer les historiens à l'avenir. Cependant, la recherche historique ne peut soutenir un fait social ou politique actuel que si elle est convaincue de sa vérité. Cette conviction exige une attitude rigoureuse et critique envers le témoignage historique, voire les sources et une profonde autocritique de l'historien lui-même. Celui-ci doit se montrer prêt à abandonner ses idées politiques s'il lui apparaît que les sources les contredisent. En fin de compte, ce ne sont pas les idées de l'auteur qui déterminent la valeur du travail de recherche, mais la mesure dans laquelle les arguments historiques s'accordent avec les faits et les témoignages sur lesquels ils se basent. En d'autres termes, ce sont les arguments et non les historiens qui doivent être objectifs, au sens où ils doivent se baser sur de bonnes références.

En effet, l'historien se juge à son professionnalisme, à ses arguments et à ses références et non à l'étiquette qui lui est accolée (marxiste ou anti-marxiste, sioniste ou post-sioniste, ancien ou nouveau, féministe ou machiste). L'approche de la vérité historique implique un immense effort intellectuel, qui demande beaucoup de temps, un travail méticuleux sur des points de détail, une prudente analyse de sources – qui doivent être aussi nombreuses que possible – un esprit ouvert et une âme sensible ainsi qu'un potentiel d'empathie dont il est permis de faire usage. Je prétends que malgré ces nombreuses exigences et les obstacles dressés, l'effort est de l'ordre du possible, et aucun véritable historien n'en est dispensé.

L'historien et l'objet de sa recherche

L'historiographie diffère des autres disciplines scientifiques et également de l'écriture journalistique ou littéraire, qui elle aussi traite souvent du passé. Pour une recherche historique tendant à une approche de la vérité et à sa compréhension, le chercheur se doit d'examiner son sujet dans le cadre des termes, des concepts, de la sémantique et des valeurs de l'époque et de la société étudiées et non selon ceux de son temps et de son entourage. L'historien, contrairement au juriste, à l'anthropologue, au sociologue, au critique littéraire ou au philosophe, doit momentanément abandonner la terminologie, les valeurs et l'éthique de son temps et plonger dans le monde différent et déjà dépassé de l'objet de sa recherche. Il doit apprendre et évaluer ce monde de l'intérieur et « revenir » ensuite à son époque et à son environnement pour traduire ses données, leurs significations et ses conclusions dans une « langue », une terminologie et une sémantique compréhensibles pour son public.

L'exigence demandée à l'historien de « se défaire » partiellement de son moi pour pénétrer l'objet de sa recherche est loin d'être facile. Avant d'entreprendre son projet de recherche, le chercheur doit être conscient de cette pré-condition et s'assurer de sa capacité à y répondre. Ainsi par exemple, un incroyant, né dans un contexte social, éducatif et familial laïc, est susceptible de découvrir qu'il lui est difficile sinon impossible de se défaire de conceptions ancrées en lui, alors que cette coupure est essentielle pour étudier l'histoire de toute communauté de croyants, quelle qu'elle soit. Après avoir réussi à se déconnecter de son propre monde, le chercheur doit pénétrer le monde spirituel des symboles et des concepts, la terminologie, les rapports de force, les codes internes et les valeurs de la société religieuse et les comprendre de l'intérieur. Enfin, il devra les traduire tels qu'ils sont (et non comme il voudrait qu'ils soient) dans un langage moderne, compréhensible pour son public tout en en préservant ses significations premières. En d'autres termes, les historiens choisissant d'étudier des sujets appartenant à des mondes spirituels qui ne sont pas les leurs ou qui s'opposent à leurs convictions personnelles, doivent faire preuve d'une plus grande sensibilité et de plus grands efforts pour établir la distinction entre leurs données et leurs idées. Ils doivent faire plus d'efforts pour exprimer de l'empathie envers les objets de leur recherche.

J'ai appris cette leçon de mon maître Haim Hillel Ben-Sasson, au cours de ma deuxième année d'étude à l'université, quand il me rendit un mémoire de séminaire que j'avais rédigé sur « la polémique à propos de la Sanctification du Nom de Dieu, en Allemagne et en Espagne au Moyen Âge ». J'étais très fier de ce que je croyais être ma réussite à pénétrer un monde nouveau et inconnu (pour moi) celui des lois et des décrets, des responsa, des chroniques et de la littérature de morale du hassidisme d'Allemagne. Et j'ai éprouvé de la satisfaction quand Ben-Sasson vanta le travail en disant que j'avais excellé à décrire l'arrière-fond historique, la problématique de la loi juive et les aspects sociaux du phénomène de la Sanctification du nom de Dieu, jusqu'à ce qu'il en arrive enfin à dire que j'avais simplement oublié de mentionner que tous ceux qui s'étaient sacrifiés, qui s'étaient suicidés, qui avaient tué leurs proches et ensuite étaient morts eux-mêmes pour sanctifier le nom de Dieu, croyaient en Lui et avaient agi ainsi à cause de leur foi…

Il est clair que vouloir atteindre la vérité, oblige également l'historien quand il traite d'un sujet qui lui est proche. Il doit veiller dans la même mesure à ne pas tomber dans le piège et à ne pas devenir un propagandiste de sa conception du monde, de l'identité de son genre, de sa foi, de sa nationalité, de l'idéologie à laquelle il croit, du parti politique auquel il appartient ou de toute autre entité à laquelle il s'identifie, et souvent même de ses amis ou de sa famille. Le devoir de douter de tout ou de tout critiquer, y compris ses préférences personnelles, oblige l'historien dans toutes les directions.

Imitation des sciences sociales

L'adoption de concepts ou de méthodes de recherche propres aux sciences sociales a élargi les perspectives de recherche historique et a enrichi ses possibilités et ses concepts. Cependant, cette imitation sans distinction de ces méthodes a en même temps augmenté et compliqué les obstacles rencontrés par l'historien. Par exemple, selon la méthodologie habituelle des sciences sociales, il est courant de formuler une question ou une hypothèse comme point de départ de recherche. Cette habitude est de plus en plus adoptée par la recherche historique. Le chercheur en sciences sociales commence sa recherche en formulant une hypothèse centrale, qu'il examine ensuite au cours de sa recherche et à la fin, il la soutient ou la repousse. L'historien qui appliquerait cette méthode arriverait, ne serait-ce que malgré lui, à des spéculations. L'histoire traite de ce qui est vraiment arrivé, et non d'un nombre infini d'événements possibles qui pour toutes sortes de raisons ne se sont pas produits. La question « que serait-il arrivé si… ? » peut être tentante et même très stimulante, mais elle ne doit pas faire partie du vocabulaire de l'historien.

Une question de recherche préliminaire est forcément spéculative. En tant que telle, elle est susceptible d'influencer les résultats de la recherche historique et ses conclusions puisqu'elle dicte l'ampleur de la recherche, ses limites et le choix des sources, allant jusqu'à s'imposer. L'alternative à la question spéculative en tant que point de départ de la recherche doit être une large et claire définition du sujet, de son ampleur, de ses paramètres, de ses contextes éventuels et des sources qui s'y rapportent. Les questions apparaîtront au cours de l'examen des sources et elles pourront conduire à changer certaines définitions établies d'avance. Toutefois, le rassemblement du matériel de recherche ne sera pas dicté par une théorie ou un paradigme prédéfini. Il devra comprendre tout ce qui est contenu dans le domaine de la définition du sujet. On pourra quelquefois parer aux écarts de connaissance grâce aux connaissances existantes, mais on ne saurait le faire par « un bon cadre théorique ou pire, comparatif » comme le pense Baruch Kimmerling. En effet, dans ce cas, la théorie ne serait qu'une spéculation [50].

L'obligation d'éviter de juger et surtout de porter un jugement rétroactif ou moral, pose des limites supplémentaires à la liberté d'action de l'historien et celles-ci le particularisent, comparativement à d'autres spécialistes de l'écriture. Le rôle de l'historien est de décrire, d'expliquer, d'analyser et de conclure, mais non de juger. Sa perspective plus large et sa connaissance a posteriori de ce que ses héros ne pouvaient savoir, puisque ce qui est pour lui le passé était leur futur, lui enjoignent d'être très prudent quand il en vient à examiner les objets de sa recherche et à tirer des conclusions. Ce sont les politiciens et non les historiens qui ont le privilège de l'activisme rétroactif ou de la sagesse après coup [51].

La nouvelle mode d'histoire spéculative, qui suppose a posteriori un autre déroulement que celui qui eut effectivement lieu et construit là-dessus une description de développements virtuels (comme par exemple ce qui se serait passé si la tentative d'assassinat contre De Gaulle avait réussi ou si celle tentée contre Yitshak Rabin avait échoué) est sans doute un divertissement intellectuel tentant, mais son rapport à l'historiographie est comparable à celui de la science fiction à la science. Encore que, contrairement à l'historiographie imaginaire, la science fiction a toutefois une chance de se réaliser dans le futur.

Les chiffres et la statistique charment de nombreux historiens, particulièrement ceux qui se spécialisent en histoire économique, en démographie et en histoire sociale. Souvent, des données quantitatives sont également importantes pour des historiens politiques ou militaires. Il leur semble, que la plupart des gens ont depuis l'enfance, observé les mathématiques et la statistique à une distance respectueuse et que les chiffres ont la valeur absolue et la nature non-équivoque qui fait si cruellement défaut aux mots [52]. C'est une attente exagérée. Comme tout autre texte, les chiffres aussi ont leur terminologie et

---

50. Baruch Kimmerling, « L'histoire, ici et maintenant » (en hébreu), dans : Weitz (éd.), *Entre vision et révision*, p. 257-274. La citation vient de la note 8.

51. Voir des idées opposées à ce propos : Henri Butterfield, *History and Human Relations*, London 1931, p. 30-101 ; et : Isaiah Berlin, *Historical Inevitability*, Oxford 1954, p. 5-30.

52. François Furet, « Quantitative Methods in History » in : Jacques Le Goff and Pierre Nora (eds.), *Constructing the Past : Essays in Historical Methodology*, Cambridge 1974, p. 12-27.

leur sémantique, pour une part évidente et pour une autre, cachée entre les colonnes et les lignes des tables statistiques et des résultats chiffrés de recensements de population, de décompte de scrutins aux élections et référendum, de bilans, de données de commerce international, de fluctuations de cours de monnaie, de graphes démographiques, d'exposés et de rapports économiques et sociaux, etc.

De plus, les instruments statistiques qui servent au mieux l'économiste, le démographe, l'homme de sciences politiques ou le sociologue et que ces derniers admettent sans se poser trop de questions sur leur formation – ces instruments se révèlent souvent insuffisants et quelquefois même trompeurs pour les besoins de l'historien. Les chiffres et les tableaux demandent, comme tout autre texte, une attitude sceptique et analytique. Ils doivent être soumis à des questions comme qui produisit ces chiffres, par quelles méthodes, pour quels buts, qu'est-ce qui varie d'un brouillon à l'autre et pourquoi, quelles pouvaient être les motivations visibles et cachées qui sont à l'origine de ces données, dans quelle mesure l'auteur avait-il accès aux données, quelles sont les définitions des colonnes et pourquoi elles ont été fixées de cette manière et de nombreuses autres questions sceptiques.

Quand les historiens acceptent la formule à la mode de « recherche interdisciplinaire » ou « multidisciplinaire », ils peuvent confondre « multidiscipline » et « sur-discipline ». La « multidiscipline » est une combinaison de méthodes de recherche de différentes disciplines, qui se complètent mutuellement pour arriver à un objectif de recherche commun, chacune étant fidèle aux principes disciplinaires de tous les domaines engagés dans la recherche. La « sur-discipline », par contre est l'ignorance des principes disciplinaires ou leur brouillage au nom d'un cadre supérieur plus astreignant comme par exemple « le féminisme », « le marxisme » ou « le postmodernisme ».

L'apport de méthodes d'enseignement modernes admises en sciences sociales est lui aussi douteux du point de vue de la formation des historiens. En sciences sociales, le bien-être et l'éducation, le processus d'apprentissage se base partiellement sur l'expérience personnelle de méthodes comme la dynamique de groupe, le psychodrame, le jeu de rôles, des observations etc. Au début de ma carrière d'enseignant, je m'étais pris d'enthousiasme à expérimenter sur mes élèves quelques-unes de ces méthodes, dont j'avais eu connaissance au cours de mes occupations précédentes, jusqu'à ce que je m'aperçoive assez rapidement que pour ce qui est de l'étude de l'histoire, la connaissance et la compréhension préalables, acquises à la manière ancienne des analyses de textes, de définitions de concepts et d'étude de leur sens, la lecture et l'approfondissement d'un sujet pour se préparer à un débat, sont les conditions préalables obligatoires de l'étude par l'expérience et non une alternative vieillie de l'enseignement moderne.

L'utilisation de la technologie moderne à des fins de présentation et d'explication n'est également pas des plus conseillée. Où les élèves acquerront-ils une capacité de pensée abstraite si ce n'est au cours de leurs études universitaires ? La technologie son et lumière a son importance puisqu'elle est l'une des représentations de l'histoire, mais elle n'est d'aucune utilité pour expliquer celle-ci. Une trop grande utilisation de représentations de son et lumière peut nous conduire à enseigner une histoire virtuelle, tout comme la télévision et l'industrie du cinéma nous poussent à vivre dans une réalité virtuelle. Par opposition, pour tout ce qui touche à l'histoire de la terre d'Israël et de l'État d'Israël, on ne fit qu'un usage très réduit, si tant est qu'il fut fait, d'autres moyens audiovisuels existants. Cette histoire eut lieu principalement dans le pays et tous les sites importants sont accessibles. Malgré cela, le nombre de visites d'études est réduit et la plupart des étudiants ne sont pas formés à utiliser des cartes anciennes, des photographies aériennes ou terrestres et des plans en tant que sources historiques importantes pour l'étude de l'histoire politique, militaire, urbaine, démographique, économique et même sociale du *yichouv* et de l'État.

L'attaque du postmodernisme

Pas de loi et pas de juge

Depuis les années quatre-vingt, presque chaque principe, parmi ceux évoqués plus haut, fut l'objet d'attaques niant sa valeur. Très souvent, les critiques s'agitent en vain et voulant critiquer l'historiographie du XIXe siècle, ils avancent des arguments devenus depuis des biens inaliénables des historiens plus modernes. L'insatisfaction devant les principes d'historiographie provient en partie de la correction politique et elle représente souvent des désaccords interdisciplinaires. Peu d'historiens professionnels sont assez extrémistes pour nier totalement l'existence d'une vérité historique et le devoir de l'historien de s'approcher de celle-ci. Ceux qui le font sont en général des théoriciens qui élargissent et poussent à l'extrême la critique du maître à pensée américain de cette génération, Hayden White [53].

Les racines de la critique postmoderne de l'historiographie remontent à la France des années soixante. À l'époque déjà, Roland Barthes disait qu'il

---

53. Hayden White, *The Content of the Form : Narrative Discourse and Historical Representation*, Baltimore 1987 ; Voir aussi : Sande Cohen, *Historical Culture : On the Recoding of an Academic Discipline*, Berkeley 1986 ; Linda Hutcheon, *Poetics of Postmodernism : History, Theory, Fiction*, London 1988 ; Keith Jenkins, *Re-thinking History*, London 1991 et : Alun Munslow, *History*, London 1997.

n'y avait pas de différence entre « le discours historique » et « le discours »
de la fiction, que le narratif historique est par essence semblable au narratif
imaginaire, comme l'épopée, le roman ou le drame. Les deux, selon Barthes,
sont soumis aux mêmes règles sémiotiques et l'utilisation que fait l'historien
de ces règles n'est pas préférable, du point de vue de la description du passé,
à celle qu'en fait l'auteur de fictions [54].

La campagne que mènent les historiens postmodernes contre l'histoire
« objective » ou contre l'hypothèse de l'existence d'une vérité historique
semble parfois une excuse visant à échapper à l'obligation astreignante de
s'acharner à rechercher la vérité historique et comme un moyen de se faciliter la vie en niant l'impératif même de s'approcher de cette vérité. En décla-
rant que tout, y compris la connaissance, n'est qu'une question de rapports
de force, ils affirment qu'il est inutile de chercher une vérité « objective ».
C'est toujours le plus fort qui dicte sa « vérité » subjective et celle-ci ne change
que si les rapports de force se modifient. Michel Foucault, le père spirituel
de cette tendance, considérait que la vérité et le savoir découlent de la force
et non de la connaissance. À ses yeux, les textes, qu'ils soient historiques ou
autres, ne sont pas le fruit de la pensée de leurs auteurs mais « des produits
idéologiques du discours dominant ». Selon lui, le fait qu'une version du passé
soit admise et que d'autres ne le soient pas, ne signifie pas que la première
est plus proche de la vérité ou concorde mieux avec les témoignages, mais
seulement qu'elle reflète un pouvoir plus puissant, dans le cadre institutionnalisé des historiens, de l'université ou de la société en général [55].

Les historiens postmodernes se servent de la théorie de Foucault pour justifier leur refus de faire l'effort nécessaire pour acquérir un savoir pour approcher de la vérité en neutralisant l'influence subjective de la force sur celle-ci.
Cette théorie a également servi à justifier une écriture de l'histoire par obligation idéologique et politique envers « les dénigreurs de la force ». Il y eut
d'abord l'histoire de la classe ouvrière, puis celle d'autres groupes. A mesure
que ce genre se répandait et englobait l'histoire de groupes marginaux, les
sujets traités ou enseignés ainsi que la recherche historique furent banalisés
au point que l'essentiel devint accessoire et l'accessoire essentiel. Les postmodernes nieront bien entendu la validité de ces affirmations traditionnelles
concernant la question de savoir ce qui est essentiel et ce qui est accessoire [56].

---

54. Roland Barthes, The Discourse of History, in : Michael Lane (éd.), *Structuralism : A Reader*, London
    1970, p. 145-155.
55. Michel Foucault, « Truth and Power », *in* Paul Rabinow (éd.), *the Foucault Reader*, London 1986,
    p. 51-75 ; Sur les conséquences en historiographie de la théorie du savoir et de la force, voir : Evans,
    In Defence of History, p. 191-223.
56. Marc Trachtenberg, The Past Under Siege, *Wall street Journal,* 17.7.1998.

Au départ, il s'agissait là d'une écriture empirique, visant à combler les écarts de savoir et à découvrir des faits perdus ou refoulés touchant l'histoire de groupes délaissés ou rejetés comme les Indiens, les homosexuels, les sorcières, les fous etc. Ce genre d'écriture brouillait la limite entre l'historiographie et l'anthropologie et souvent glissait vers la psychologie. Plus tard, les postmodernes sont allés plus loin et se sont laissé emporter par de nouvelles interprétations de l'histoire, adoptant le point de vue de groupes marginaux ou de minorités, tout en repoussant les interprétations anciennes, sous prétexte que celles-ci représentent le point de vue de l'establishment masculin, hétérosexuel, blanc et imbus d'européocentrisme des historiens de la classe moyenne. Selon eux, les divergences entre les différents points de vue qu'on se fit de l'histoire, résultent des positions politiques et morales des historiens et non de différences dans la quantité des sources ou leur nature, pas plus qu'elles ne dépendent de la précision ou de l'imprécision des faits.

Suite à la négation de l'existence d'une histoire objective ou d'une vérité historique, l'historien et non l'histoire, devint aux yeux des postmodernes, le facteur le plus important. Son identité, ses attaches, ses expériences et ses opinions et non les faits ou les sources déterminent ce qu'est ou a été l'histoire. De là, il n'y a qu'un pas à la rodomontade ou à une autosuffisance, à la prétention et à l'arrogance. L'écriture postmoderne est narcissique, elle a tendance à s'écrire à la première personne et à adresser les lecteurs à l'auteur ou à ceux qui partagent ses pensées. Elle traite du statut des auteurs sur les questions historiques plus que des questions elles-mêmes. Ces historiens se considèrent comme plus importants pour l'histoire que les gens ou les événements sur lesquels ils écrivent et ils se réfèrent plus l'un à l'autre et tous à eux-mêmes qu'ils ne se réfèrent au passé qu'ils sont censés traiter[57].

En Israël, ce genre d'écriture postmoderne et narcissique fut d'abord représenté par la revue *Teoria Ubikoret* (*Théorie et critique*), mais dernièrement, il s'est élargi. Les historiens de la génération plus ancienne, se sont référés avec un respect, souvent exagéré, aux gens qui étaient l'objet de leurs recherches même s'ils n'étaient pas d'accord avec ceux qui faisaient l'histoire et qu'ils « ont fait éclater » l'image qu'ils avaient tenté de transmettre aux générations suivantes sur eux-mêmes et sur leur entourage. La génération présente, par contre, manifeste un certain mépris et une sorte de supériorité envers ceux qui ont fait l'histoire. Il s'agit d'une attitude sous-entendant des pensées du genre « qu'est-ce qu'ils savent et qu'est-ce qu'ils comprennent ». Certes, cet orgueil n'est pas l'apanage des seuls historiens postmodernes, mais on y note une influence postmoderne au sens où l'historien passe avant l'histoire et certainement avant ceux qui l'ont faite. Plus

---

57. Evans, *In Defence of History*, p. 200-201.

« la théorie » prendra de l'importance par rapport aux faits et à l'esprit de
l'époque, plus cette tendance, qui dernièrement a trouvé son expression dans
le nouveau livre de Motti Golani, se renforcera[58].

Le postmodernisme ôte au passé son humanité, et à l'histoire sa qualité
de fruit de la pensée et des actes d'êtres humains. Au centre de l'analyse historique postmoderne, il y a « le discours », qui n'a rien de personnel. Le texte
existe pour lui-même et non du fait de son auteur. Il en résulte que les sources
ne dépendent plus des hommes qui les ont créées. Les hommes et les femmes
deviennent des figurants de l'histoire, « les représentants de stéréotypes de
forces et de courants ou les porte-parole du "discours" de leur temps et de
leur société. L'histoire postmoderne est donc a-humaine. Ce n'est donc pas
un hasard si dans la fameuse thèse sur Tantura évoquée au début de cet article
et dans les témoignages sur lesquels elle se base, ne figure pas un seul nom
des plus de deux cents victimes du soi-disant massacre perpétré là-bas, selon
son auteur. Les victimes, si tant est qu'il y en eut, n'ont aucune sorte d'importance en tant qu'êtres humains pour l'auteur ou pour ses directeurs de
thèse. Ils ne sont que les représentants du « discours des perdants ». En tant
que tels, ils peuvent rester (et sont bien restés) anonymes. À plus forte raison,
les représentants du « discours des gagnants », les soldats qui ont pris le village,
n'ont eux non plus aucune importance à leurs yeux. C'est la raison pour
laquelle les directeurs et le jury de la thèse ne se sont pas donné la peine d'exiger de l'auteur de la thèse venant calomnier ces gens, qui les présente comme
s'ils avaient commis des crimes de guerre, de présenter des références fondées
et pas seulement des commérages ou du folklore.

Un autre argument avancé par les historiens postmodernes est que l'histoire n'est qu'une « politique d'identités ». Des groupes ethniques, nationaux
ou religieux, des groupes de classe ou de genre, se construisent leur propre
histoire pour édifier et développer leur identité collective. C'est pourquoi,
celui qui n'appartient pas à un certain groupe et n'en a pas expérimenté les
expériences formatrices, ne peut l'étudier, le comprendre et écrire sur le sujet.
Outre les nombreux défauts de logique de cet argument, celui-ci est souvent
invoqué comme excuse pour esquiver l'effort intellectuel exigé pour
comprendre en profondeur, analyser et critiquer des groupes ou des sociétés,
sous prétexte que sans avoir vécu une expérience adéquate, on ne peut atteindre
la compréhension exigée.

Si on accepte cet argument bizarre, il est clair que seuls, les laissés-pour-
compte peuvent écrire l'histoire des laissés-pour-compte ; les femmes ne
peuvent écrire l'histoire des hommes et inversement ; les Blancs ne peuvent

---

58. Motti Golani, *Les guerres n'éclatent pas toutes seules : Sur la mémoire, la force et le choix* (en
    hébreu), Modan, Tel Aviv 2002.

écrire l'histoire des Noirs et inversement ; les Allemands ne peuvent écrire l'histoire de la France et inversement ; les chrétiens ne peuvent écrire l'histoire juive, les athées ne peuvent écrire l'histoire des croyants etc. L'argument est évidemment sans fondement. En témoignent les ouvrages de Aileen Power, Annie Kriegel, Barbara Tuchman et Anita Shapira, qui sont toutes des femmes ayant écrit sur des sujets masculins par excellence, comme l'éclatement de la Première Guerre mondiale, le communisme français ou « le chemin sioniste vers le pouvoir ». L'argument manque d'autant plus de fondement que si l'identité et l'expérience sont les facteurs déterminant la vérité, il ne peut y avoir de vérité universelle, mais uniquement des vérités particulières à différents groupes d'êtres humains. De plus, en allant jusqu'au bout de cette logique, en vertu de laquelle l'expérience personnelle détermine la capacité d'étudier et d'écrire l'histoire, on découvre qu'à la limite, on ne pourrait écrire que des autobiographies. On arrive ainsi une fois de plus au dernier livre de Golani, qui confond l'histoire contemporaine avec l'autobiographie de l'historien qui l'a vécue ou qui l'observe.

Histoire et propagande

Contrairement au relativisme historique précoce de Charles Beard ou de Raymond Aron, des années trente et quarante du XXe siècle et même de celui d'Edward Carr des années soixante, qui sans dénigrer la discipline historique ou douter de ses capacités objectives, ont montré la dimension subjective de la recherche historique et ont cherché des moyens de s'en défendre en réduisant son influence dans l'écriture de l'histoire, les théories postmodernes sont quant à elles, nuisibles et destructrices pour toute science et non pas seulement pour l'historiographie.

Ces théories nient les lois, les principes, les codes de conduite et les engagements quels qu'ils soient. Ils ne reconnaissent pas le caractère absolu de concepts comme « vérité » et « objectivité ». S'il n'y a pas d'histoire, mais seulement une « philosophie de l'histoire », comme l'affirment nombre d'historiens postmodernes, si toutes les interprétations ont la même valeur et si on écrit l'histoire tout d'abord pour promouvoir des objectifs politiques ou moraux, l'éducation en souffre et la recherche se plie devant l'intuition et la théorie. Les historiens qui écrivent l'histoire dans des buts politiques ou moraux, et non pour s'approcher de la vérité (qui selon eux n'existe pas), deviennent des propagandistes. Ils ramassent des faits pour « prouver » une thèse prédéterminée. Ils déforment le témoignage historique pour servir les objectifs politiques. Ils ignorent des documents qui les dérangent. Ils faussent la signification des sources et les rédigent de manière falsifiée. Si l'historien ne cherche pas la vérité, mais tente de promouvoir un objectif politique, idéologique ou moral et si « l'objectivité » est un concept inventé pour réprimer des idées alternatives, des critères comme la nature de la recherche, le témoignage et les sources n'ont aucune importance pour évaluer les arguments de l'historien. « Si nous ne croyons pas en la vérité absolue, écrivent Elisabeth Smith et Ellen Somekawa, nous devons croire en la position politique que nous adoptons dans nos écrits[59]. »

La fuite devant l'autorité et l'engagement peut être admise et même être productive dans le domaine de l'art. Cependant, cette liberté est problématique dans l'étude de la littérature, où elle touche le problème de la propriété du texte. Celui-ci appartient-il à son auteur, à celui qui l'interprète ou au lecteur ? Le chaos postmoderne est destructif en science (en toute science) et il est dangereux dans la vie réelle, que ce soit du point de vue politique, militaire ou social.

Richard Evans rejette l'attitude postmoderne pour ce qui est de l'histoire mais il trouve cependant que quelques écrits postmodernes ont contribué au développement de l'historiographie au sens où ils obligent les historiens à examiner à fond leurs hypothèses et leur modèle de travail[60]. Je m'étonne toutefois en quoi une attitude niant au départ la valeur de l'historiographie peut contribuer à son développement. À mes yeux, le postmodernisme tente de ramener l'écriture historique une centaine d'années en arrière et de la réduire au statut de genre littéraire, à une collection infinie de narratifs, qui parce qu'étant dépourvue de base commune d'évaluation, confère à tous un poids égal.

Du fait qu'ils sont des histoires, nous évaluons les narratifs selon des critères littéraires et non à l'aune des règles de l'historiographie. Selon le credo postmoderne, il n'existe pas d'instruments pour mesurer la vérité, la valeur, la précision et la crédibilité des narratifs qui puissent établir de valeur historique en termes de précision, de véracité, de crédibilité, de possibilité ou de vérité. Donc, les critères en vigueur sont la clarté de l'écriture des narratifs, leur lisibilité, leur beauté, leur sensibilité, leur mesure d'empathie, leur capacité de créer une identification et de susciter la sympathie du lecteur, leur correction politique, leur adaptation à la mode actuelle et d'autres paramètres anodins du point de vue historique et de celui de l'historiographie, mais essentiels pour la formulation de message de propagande.

Les théories postmodernes qui doutent de l'existence même des faits et des vérités et nient la valeur des lois ou des principes quels qu'ils soient, sont

---

59. Ellen Somekawa and Elizabeth A. Smith, « *Theorizing the Writing of History, or I can't think why it should be so dull, for a great deal of it must be invention* », *Journal of Social History*, 22 (1988), p. 149-161.
60. Evans, *In Defence of History*, p. 220.

devenues dominantes ces dernières années en historiographie occidentale. Les concepts de « narratifs », de « discours » et leurs dérivés ont acquis également une présence et une influence considérables dans les universités israéliennes dont les enseignants sont influencés par les institutions académiques américaines. Ils en dépendent beaucoup plus que des universités et établissements anglais, français ou allemands, pour recevoir des bourses de post-doctorants, des postes de professeur-invité pour les années sabbatiques, des invitations à des congrès et des possibilités de publication dans des revues scientifiques de choix, toutes choses si impératives à leur avancement.

Ces deux dernières années, l'aversion envers l'État d'Israël et même la haine des Juifs est devenue inhérente à l'ambiance des campus en Europe occidentale et est également courante dans de nombreuses universités américaines. Cette vogue est menée par des professeurs et des étudiants arabes ou appartenant à la gauche radicale, mais y participent aussi des universitaires israéliens ou anciennement israéliens. La dépendance des historiens israéliens par rapport à leurs collègues occidentaux encourage le conformisme, l'opportunisme et l'envie de ressembler aux autres, face à « la nouvelle orthodoxie ». Au moins pour ce qui concerne l'avancement, les universités pourraient et d'après moi, devraient, modifier leur politique. Dans le cas de l'histoire sioniste et israélienne, la spécialisation, la capacité et l'autorité scientifique se concentrent principalement en Israël. Par conséquent, la nécessité d'un avis extérieur est moins impérative et sans doute même superflue.

En Israël, le post-sionisme remplit un rôle parallèle à celui du postmodernisme en Occident. Du point de vue de l'historiographie, il ne s'agit que de grotesque postmoderne couvrant des écrits propagandistes et politiques. L'écriture post-sioniste progresse dans trois domaines principaux de l'histoire sioniste : les rapports avec les Arabes, le rapport à la Shoah et le rapport aux nouveaux immigrants, arrivés en Israël après l'établissement de l'État. Cette combinaison attaque la justification du sionisme et de l'État juif sur trois plans : entre Israël et ses voisins, entre Israël et son peuple et entre Israël et les citoyens *a priori* discriminés[61].

---

61. Anita Shapira, Politique et mémoire collective (en hébreu), dans : Weitz (éd.), *Entre vision et révision*, p. 367-391.

L'historiographie changeante du conflit judéo-arabe

La spécificité du conflit et de sa recherche historique

Le premier des trois points – l'histoire du conflit israélo-arabe – était jusqu'à présent le plus populaire et le plus complexe et la réussite du postmodernisme fait qu'il est encore plus difficile de s'attaquer à cette question. Les historiens qui traitent des guerres et des conflits du dix-neuvième et XXᵉ siècle peuvent de nos jours se détacher autant qu'il le faut des objets de leurs recherches. En effet, ces conflits, comme les affrontements entre les grandes puissances coloniales, les deux guerres mondiales, la guerre de Corée ou la guerre du Vietnam et même la guerre froide, sont bel et bien terminés et ils se situent totalement en dehors de notre présent. Les historiens qui travaillent aujourd'hui sur ces guerres et leurs conséquences sont dégagés de toute animosité entre les nazis et les communistes, entre les Anglais et les Huns (Germains) ou entre les Américains et les Japonais ou les Chinois. Par conséquent, celui qui aujourd'hui écrit ou donne des cours sur ces guerres est relativement libéré des tensions et des marques du passé.

Différent en cela des autres conflits, une recherche sur le conflit israélo-arabe traite d'une confrontation historique, qui se prolonge jusqu'à ce jour et dont on ne voit pas la fin. Aucun des problèmes impliqués dans les relations entre les Juifs et les Arabes, surgis au cours de la guerre d'Indépendance en 1948 ou par la suite, n'est résolu. Tout propos sur la guerre, sur les grandes confrontations militaires et le nombre infini d'affrontements plus limités qui ont éclaté ensuite le long des frontières d'Israël ou à l'intérieur du pays ou sur les rapports d'Israël à ses citoyens arabes, aux Palestiniens et au monde arabe en général, qu'il soit publié dans un livre ou un article ou prononcé en cours ou lors d'un congrès, peut avoir des répercutions actuelles et très souvent, on en parlera et on l'interprétera, non dans un contexte historique, mais dans les termes du conflit qui continue aujourd'hui. En ce sens, l'historiographie du conflit israélo-arabe est sans précédent. Elle est unique en son genre, tout comme le conflit lui-même.

L'historiographie révisionniste

La prolongation du conflit judéo-arabe fait que l'attention se porte sur ses aspects actuels, sur son présent et relègue à l'arrière-plan ses racines historiques. Celles-ci se font de plus en plus lointaines et semblent perdre de leur importance. La mémoire devient courte, la patience s'épuise et la propagande, principalement en Europe occidentale, se mesure avec un succès non négligeable à l'historiographie. À l'époque postmoderne, il est difficile, comme nous l'avons déjà noté, de séparer les deux.

Dès les années soixante-dix du XXe siècle, des cercles universitaires en Occident, commencèrent à modifier leur relation envers Israël. Ces mêmes slogans palestiniens, qui en Occident n'avaient produit aucune impression entre les deux guerres mondiale et après 1948, devinrent populaires dans le nouveau contexte des sentiments de culpabilité post-coloniaux en Europe. Des dons en argent d'États pétroliers arabes et d'autres formes de financement encouragèrent ce processus qui s'étendit également aux universités américaines [62]. Aujourd'hui les efforts des Palestiniens, de la gauche radicale sur les campus occidentaux et de leurs collaborateurs israéliens, visent à donner une image d'Israël qui soit celle d'un pays « d'apartheid ». Ces différents groupes prônent d'entretenir avec Israël les mêmes rapports qu'on avait à l'époque avec l'Afrique du Sud.

La modification du rapport des universités occidentales envers le conflit israélo-arabe pénétra aussi l'historiographie israélienne. Les premiers signes s'en firent ressentir à la fin des années quatre-vingt et l'apparition des « nouveaux historiens ». La principale nouveauté que ces derniers apportèrent à la recherche sur le conflit israélo-arabe fut le détournement de l'attention des acquis de l'État d'Israël, vers les souffrances des Palestiniens. Ces historiens ont décrit les Palestiniens comme les victimes malheureuses de la violence et de la répression (israélienne), d'une complicité (israélienne-jordanienne) et d'une politique de trahison (britannique et arabe) [63]. Certains d'entre eux ont décrit les Israéliens comme des occupants inconditionnels, sans compassion et agissant délibérément avec malveillance même sans véritable raison. Toujours selon les nouveaux historiens, pour servir le sionisme, les Israéliens utilisèrent la Shoah pour obtenir le soutien du monde à l'établissement d'un État juif, aux dépens des droits des Palestiniens à leur terre [64]. L'apparition de ces chercheurs souleva un débat public très éveillé sur les données et les thèses présentées. On leur doit sans doute un regain de l'intérêt général porté à l'histoire et à l'historiographie sioniste qui dépassa de loin les limites de l'université. Toutefois, cette polémique fut surtout un phéno-

---

62. Martin Kramer, *Ivory Towers on Sand – The Failure of Middle Eastern Studies in America*, Washington 2001.

63. Simha Flapan, *The Birth of Israel : Myth and Realities*, London 1987 ; Avi Shlaim, *Collusion across the Jordan : King Abdullah, the Zionist Movement and the Partition of Palestine*, Oxford 1988 and : *The Politics of Partition*, Oxford 1990 ; Ilan Pappé, *Britain and the Arab-Israeli Conflict, 1948-1951*, New York 1988 ; Benny Morris, *The Birth of the Palestinian Refugee Problem*, Cambridge 1988.

64. Ilan Pappé, *The Making of the Arab-Israeli Conflict, 1947-1951*, London 1992 ; Avi Shlaim, *The Iron Wall : Israel and the Arab World*, London 2000.

mène médiatique et au-delà du bruit qu'elle provoqua dans les médias, elle ne conduisit pas à une percée en historiographie, ni par la découverte de nouveaux horizons, ni par une originalité méthodologique.

Il ne s'agit pas d'une nouvelle école, ni d'un groupe bien constitué partageant une conception commune et transmettant un message uniforme. Il s'agit de chercheurs différents qui ont révisé les voies de présentation du conflit, en vigueur avant eux et ont utilisé à ces fins des méthodes d'historiographie variées. Benny Morris s'en tient strictement aux sources d'archives et ne les manipule pas à dessein. Il accorde moins d'importance aux témoignages oraux et aux souvenirs et il n'est pas l'esclave d'une conception dogmatique qui primerait sur ses découvertes. Il présente l'histoire telle qu'il comprend le déroulement des événements, en se basant sur les sources. Dans son livre, *La naissance du problème des réfugiés palestiniens*, il réfute les deux versions, l'israélienne et la palestinienne, sur l'origine du problème. Il faut cependant dire qu'il réfute la thèse israélienne avec violence tandis qu'il n'a que de faibles mots contre la version palestinienne. C'est Morris qui en son temps, utilisa le premier, le terme « nouveaux historiens ». Il est maintenant accusé par ses anciens collègues de manifester « une tendance à revenir à l'ancien narratif » [65].

Avi Shlaim traita des aspects importants et intéressants du conflit judéo-arabe et de la guerre d'Indépendance, comme les liens entre l'Agence juive et le roi Abdhalla et entre Israël et le dirigeant de la Syrie à la fin de la guerre, Husni El-Zaïm. Les choses étaient déjà connues avant lui, par les on-dit et le commérage et la thèse de la complicité entre l'Agence juive et le roi Abdhalla avait déjà été avancée vingt ans plus tôt par Israël Beer [66], mais Shlaim fut le premier à donner à ces questions une base documentée. Ceci étant, il se permet une liberté d'interprétation allant bien au-delà de cette base. Par ailleurs, son choix des sources est très souvent sélectif puisqu'il choisit d'ignorer celles qui ne conviennent pas à sa thèse. Cependant, Shlaim est ouvert à la critique. Il l'a prouvé en revenant de sa thèse de « complicité » pour adopter celle de « la politique du partage ».

Ilan Pappé, qui se présentait d'abord comme un relativiste réclamant un droit égal pour « le narratif palestinien », a été dernièrement touché par la grâce puisqu'au cours d'un débat sur l'affaire de Tantura, il se révéla être un « positiviste » découvrant l'existence d'une « vérité absolue et objective ». Cette vérité est, bien entendu, la vérité palestinienne, selon laquelle il n'y eut en terre d'Israël en 1948, non une guerre, mais « une épuration ethnique »,

---

65. Avi Shlaim, A Betrayal of History, *The Guardian,* 22 February 2002 ; Article sur Morris dans *Le Monde* du 30 mai 2002 et Pappé, « Les affaires Katz et Tantura », p. 214.

66. Israël Beer, *La sécurité d'Israël : hier, aujourd'hui, demain* (en hébreu), Amikam, Tel Aviv 1966.

initiée et programmée dans ses moindres détails. Qui n'admet pas cette « vérité absolue » ne serait, d'après Pappé qu'un « négationniste de la Nakba ».

Pappé représente l'exemple vulgaire des caractéristiques d'une écriture narcissique postmoderne. Il se pare du titre de Professeur, bien que jusqu'à ce jour il n'y a pas droit, de même qu'il se flatte d'avoir écrit des livres qui n'existent pas. Son interprétation lexicale relève de l'acrobatie, ses références n'appuient pas ses arguments et trop souvent, ils ne peuvent être vérifiés ou si c'est le cas, une telle vérification révèle des inexactitudes de différents degrés de gravité. Et malgré tout cela, ses amis palestiniens comme ceux de la gauche radicale occidentale lui donnent les épithètes de « distinguished » et de « celebrated ».

Les derniers articles de Pappé sur l'affaire Tantura sont une parfaite illustration de l'attitude postmoderne, selon laquelle ce n'est pas l'histoire qui a de l'importance, mais les historiens. On n'y trouve aucune référence à ce qui se passa dans le village, si ce n'est l'affirmation que s'y commirent des crimes de guerre. La preuve principale qu'il apporte à cette affirmation est que le folklore palestinien le raconte. Tout ce que fait Pappé au cours du débat public et universitaire sur cette affaire concerne les personnes, les universitaires ou les autres et surtout lui-même ou son alter ego Katz et ne concerne pas l'histoire. Il déclare publiquement que la recherche ainsi que la tâche de l'historien ont un objectif politique à qui tout est asservi : la vérité, la droiture, l'intégrité et même la méthodologie[67].

À ces trois historiens on peut ajouter aussi les sociologues qui traitent à leur façon des différents aspects du conflit judéo-arabe dans le passé, comme Kimmerling, Joel Migdal, Gershon Shafir ou Uri Ben-Eliezer. Kimmerling, qui se définit comme « sociologue politique », a beaucoup écrit sur le passé (par exemple une monographie qu'il écrivit avec Migdal sur la construction de la nation palestinienne). Il reconnaît le devoir de l'historien de faire tout son possible pour s'approcher de la vérité historique, mais ajoute qu'un « bon cadre théorique et surtout comparatif, peut remplacer l'impossibilité d'atteindre les faits et le matériel premier ». Son livre principal dans le domaine du conflit israélo-arabe est entièrement basé sur des sources secondaires et sur un cadre théorique[68].

Quand Anita Shapira voulut caractériser les nouveaux historiens, elle mit l'accent sur ce qui les différenciait et rendait difficile, sinon impossible de

---

67. Pappé, the Tantura Case in Israel, p. 19-39 et Pappé, « Les affaires Katz et Tantura » (en hébreu), p. 199-202.
68. Baruch Kimmerling, « L'histoire ici, maintenant » (en hébreu), dans : Weitz (éd.), *Entre vision et révision*, p. 257-274, et surtout p. 261. Baruch Kimmerling and Joel SS. Migdal, *Palestinians : The Making of a People,* New York 1993.

parler d'eux en termes de généralité. Elle a proposé l'indice de l'âge (biologique et universitaire) comme dénominateur commun, mais même cette explication n'est pas satisfaisante puisqu'il existe entre les « nouveaux » historiens et sociologues des différences d'âge et d'ancienneté notoires et certains ne sont pas plus jeunes que leurs collègues qui ne se parent pas de cette épithète[69]. Uri Ram tenta de classer les historiens israéliens selon deux axes différents : selon l'image de la connaissance (les objectivistes face aux relativistes) et selon l'état de la connaissance (apologétiques face aux critiques). Cette méthode ne fait que produire des stéréotypes qui ne tiennent pas[70].

La qualification de « nouveaux historiens », que se sont donnée à eux-mêmes « les révisionnistes », évoque à première vue une objectivité et une ouverture d'esprit qui ne seraient pas l'apanage « des anciens historiens » de la génération qui vécut la réalisation du sionisme. Ceux-ci, semblerait-il, ont une position unilatérale et ils manifesteraient un engagement émotionnel. « Les nouveaux » ont bien fait une révision des critères habituels de présentation de la guerre de 1948 et de ses suites, mais leur attitude méthodologique (différente), la qualité de leurs recherches (qui n'est pas uniforme) et la valeur de leurs analyses ne sont néanmoins pas moins critiquables que celles de leurs prédécesseurs[71].

L'argument des « révisionnistes » selon lequel ils ne sont ni partisans, ni tendancieux, ni adeptes d'idéologies, est absolument sans fondement. La majorité d'entre eux ont adopté l'attitude postmoderne selon laquelle l'historiographie équivaut à la politique. Ils pensent que l'État d'Israël est « né dans le péché » et décrivent les Palestiniens de 1948 et plus tard, comme les innocentes victimes de complicités malveillantes et d'atrocités. Cette innocence ne saurait convaincre quiconque ayant une connaissance des sources, à moins d'être totalement corrompu. Pappé, qui fut le chef de file de cette tendance pendant des années, baisse totalement son masque scientifique, dans ses derniers articles, en s'engageant au service de la propagande palestinienne en Israël et dans le monde, par écrit et oralement, ouvertement et entièrement[72].

Quand apparurent les « nouveaux » historiens et les sociologues « critiques » dans les années quatre-vingt, ils apparaissaient comme des gens étrangers à

---

69. Shapira, politique et mémoire collective (en hébreu), *ibid.*, p. 370.

70. Uri Ram, « Sionisme et post-sionisme : le contexte sociologique du débat des historiens » (en hébreu), *ibid.* p. 275-289.

71. Benny Morris, « The Eel and History : A Reply to Shabtai Teveth », *Tikkun,* Vol. 5 (1990), No. 1, p. 19-22 et 79-86 ; Shabtai Teveth, « The Palestinian Refugee Problem and Its Origin », *Middle Eastern Studies,* Vol. 26 (1990), No. 2, p. 214-249 ; and : Efraim Karsh, *Fabricating Israeli History,* London 1997.

72. Ilan Pappé, « Israeli Attitudes to the Refugee Question », in : Naseer Hasan Aruri (éd.), *Palestinian Refugees : The Right of Return*, London 2001, p. 71-76 et : Idem, Demons of the Nakba, *Al-Aharam Weekly*, 15 mai 2002 et également ses articles cités plus haut à la note 66.

l'université, venus attaquer « l'establishment » d'historiographie et de sociologie des universités israéliennes. Aujourd'hui, la plupart d'entre eux sont
affiliés à une institution universitaire en Israël ou à l'étranger, ils y ont leur
statut, sont titularisés. La polémique entre les « anciens » historiens et les
« nouveaux » s'est déplacée des domaines de la recherche et de l'écriture vers
ceux de l'enseignement et de l'encadrement de jeunes. La thèse sur Tantura
peut donc être le signe annonciateur d'une tendance qui ira en se développant ces prochaines années.

Confrontation avec l'historiographie palestinienne

Après plusieurs décennies de développement séparé et indépendant, la mode
de « discrimination réparatrice » par rapport à « l'autre », répandue de nos
jours, confronta l'historiographie israélienne avec ses parallèles arabes et
plus particulièrement avec l'historiographie palestinienne. Au cours des années
cinquante et soixante, l'historiographie et la littérature israéliennes ont glori-
fié la guerre d'Indépendance et l'ont décrite comme une sorte de miracle,
évoquant des exemples antiques comme la guerre de David contre Goliath
ou celle des Hasmoséens. La guerre était décrite comme la victoire d'une
poignée de combattants contre des ennemis beaucoup plus nombreux, c'était
celle des faibles contre les forts, de la justice contre l'injustice. Pour ampli-
fier ce résultat héroïque, on accusait l'Angleterre d'avoir secrètement dirigé
l'attaque des Palestiniens contre la population juive du *yichouv* et l'invasion
militaire des pays arabes en terre d'Israël. Cette attitude changea peu à peu,
la rhétorique se libéra de ses phrases creuses et de ses superlatifs et l'approche
devint plus critique à mesure que la recherche scientifique sur l'histoire de
la guerre et de ses conséquences, s'approfondit.

Il est difficile de parler d'historiographie arabe du conflit judéo-arabe,
alors que même les chercheurs arabes n'ont pas accès aux sources d'archives
du côté arabe. On peut cependant avoir accès à des corpus importants de
matériel arabe se trouvant dans des fonds d'archives britanniques, américains
et israéliens. Toutefois, la plupart des chercheurs arabes évitent de se servir
de ce matériel, non à cause des difficultés d'accès, mais parce que ces documents ne les intéressent pas. Les chercheurs arabes qui travaillent sur le conflit
se basent sur l'interprétation – souvent falsifiée – de sources israéliennes, sur
un emploi superficiel et sélectif de sources britanniques et américaines, sur
des documents déclaratifs émanant de l'ONU ou adressés à l'ONU, un peu
sur la presse, beaucoup sur des souvenirs et depuis les années soixante-dix,
sur le folklore populaire. Ces dernières années, quelques chercheurs arabes
se basent aussi sur des recherches d'universitaires israéliens, principalement

des chercheurs de l'école révisionniste et l'utilisation qu'ils font de ces recherches est manipulatrice et sélective. Ainsi par exemple, les chercheurs palestiniens se basent beaucoup sur Benny Morris, quand celui-ci critique la version israélienne sur l'origine de la question des réfugiés, mais choisissent d'ignorer sa critique de l'interprétation palestinienne ou alors l'attaquent de ne pas l'adopter[73].

Ce que les Arabes ont écrit sur la guerre d'Indépendance et les résultats de la « *Nakba* » s'est longtemps résumé à des accusations et non à une analyse des événements et des processus. Il était difficile d'avouer que le seul et petit *yichouv*, sans aide aucune, fut la cause d'une telle défaite des pays arabes. Il fallait modérer la honte en stigmatisant le rôle des collaborateurs de ce crime. Les Arabes ont donc accusé l'Angleterre de les avoir trahis, les États-Unis d'avoir soutenu leurs protégés sionistes et enfin le roi Abdhallah de Transjordanie, seul dirigeant arabe à avoir bénéficié de l'échec général, fut lui aussi mis en accusation. Outre l'historiographie jordanienne officielle, l'histoire arabe et palestinienne fait totalement abstraction du fait qu'Abdhallah sauva deux fois les Palestiniens de la destruction. Tout d'abord, quand il envahit la Palestine occidentale (et la participation de la Légion arabe est une condition obligatoire de l'établissement de la coalition arabe et de l'invasion des autres armées arabes) et la seconde fois, quand il décida de se retirer à temps de la guerre et de signer un accord avec Israël, évitant ainsi la conquête de la rive occidentale. Tout comme les historiens arabes, Shlaim choisit de ne pas faire cas de l'ingratitude des Palestiniens et comme eux, il ne considère pas les actes de Abdhallah comme des actes qui sauvèrent les Palestiniens, mais comme une machination dirigée contre eux[74].

L'injustice et l'iniquité furent et sont restées l'obsession caractéristique de l'histoire écrite par les Arabes sur le conflit et les guerres. Les chercheurs arabes ne s'intéressent pratiquement pas à des questions comme ce qui s'est passé, quand, combien et pourquoi. Au lieu de cela, ils s'efforcent encore et toujours se justifier du point de vue du droit, et de rejeter les arguments sionistes et israéliens, donc en fait la légitimité du sionisme et d'Israël. C'est pourquoi, ils accordent une telle importance aux documents officiels, juridiques et déclaratifs, comme la décision de l'ONU. Ils évitent de rappeler que les Palestiniens et les pays arabes se sont à l'époque fermement opposés à ces décisions (la décision 181 étant la décision du partage et la décision 194 celle traitant entre

---

73. Voir par exemple : la discussion qui opposa Norman Finkelstein et Nur Masalha à Benny Morris dans : *Jounal of Palestine Studies*, XXI (1) Autumn 1991, p. 66-114.
74. Pour une revue actualisée de l'historiographie arabe sur la guerre d'Indépendance, voir : Eugene L. Rogan and Avi Shlaim (eds.), *The War for Palestine : Reviewing the History of 1948*, Cambridge 2001, p. 12-37, 104-205.

autres de la question de l'avenir des réfugiés sur laquelle s'appuie l'exigence du « droit du retour ») et que ce n'est qu'après leur défaite militaire que les Arabes ont fait de ces décisions de l'ONU, auxquelles ils s'étaient opposés et qu'ils avaient fait échouer, la pierre angulaire de leurs exigences.

Les six volumes d'histoire sur la guerre de Arif al Arif, écrits entre les années 1949 et 1955, représentent sans doute l'exception à cette règle. Malheureusement, cet ouvrage n'a pas été traduit en hébreu ou en anglais et reste inaccessible au grand public israélien. Les recherches arabes plus récentes sur le conflit sont plus élaborées et emploient un jargon professionnel d'historiographie occidentale, mais aucune d'entre elles n'atteint la profondeur de celle d'Al-Arif, sa dose de critique et son degré de précision[75].

Ces vingt dernières années, les chercheurs palestiniens, historiens comme Walid Khalidi ou anthropologues comme Sharif Kana'ana et leurs élèves, rassemblent beaucoup de témoignages et publient des souvenirs sur la *Nakba* et la société palestinienne à l'époque qui la précéda, qu'ils présentent comme « un âge d'or ». Entre temps, les livres arabes, principalement ceux écrits en Occident, sont influencés par les modes postmodernes. Des livres parus ces dernières années sur le conflit et les rapports interarabes emploient souvent un jargon postmoderne et prétendent présenter des théories générales où les détails, l'exactitude, et la crédibilité perdent de leur importance. Les auteurs se trompent grossièrement sur les faits et sur la chronologie, du fait qu'ils se basent le plus souvent sur une source secondaire unique ou sur les souvenirs d'une seule personne, sans vérifier les sources premières ou la crédibilité de celui qui rapporte ces souvenirs et sans faire l'effort de les vérifier. Ces chercheurs n'exploitent presque pas le matériel de sources d'archives britannique et israélien alors que le matériel d'archive arabe qu'ils utilisent, si tant est qu'ils le font, est limité et de caractère hasardeux[76].

Malgré tout cela, du fait qu'elle représente « l'autre », l'historiographie palestinienne est maintenant considérée par quelques historiens israéliens, comme digne de contrebalancer l'historiographie israélienne, pour traiter le conflit. À part quelques rares exceptions, je crains qu'il n'y ait pas encore de base commune pour une telle conception. Un rapport égal à l'historiographie juive et palestinienne n'est possible que si du côté juif, se trouvent des historiens propagandistes dont le niveau de recherche pour ce qui touche à la guerre d'Indépendance ressemble à celui des Palestiniens, s'ils sont

---

75. Nur Masalha, *Expulsion of the Palestinians,* Washington 1993 ; Walid Khalidi, *All that Remains : The Palestinian Villages Occupied and Depopulated by Israel in 1948,* Washington 1992 ; Rashid Khalidi, *Palestinian Identity : The Construction of Modern National Consciousness,* New York 1997.

76. Voir par exemple : Musa S. Braizat, *The Jordanian-Palestinian Relationship : The Bankruptcy of the Confederal Idea,* London 1998 ; Ghada Hashem Talhami, *Syria and the Palestinians : The Clash of Nationalisms,* Gainesville 2001.

d'avance convaincus, s'ils sont dépourvus de sens critique et ne mettent pas en doute leurs arguments [77].

Un débat sérieux, impliquant de se mesurer de manière critique avec le matériel de sources d'archives qui n'aurait pas d'avance le label de « narratif palestinien », est d'emblée refusé par les Palestiniens. Un exemple caractéristique et assez amusant est la critique qu'écrivit récemment Nur Masalha, chercheur palestinien installé en Angleterre, sur mon dernier livre traitant de la guerre d'Indépendance [78]. Masalha note bien que le livre dévoile une abondance de nouveau matériel d'archives, mais prétend que ce matériel est exploité pour confirmer l'ancien « narratif sioniste » et charger les Palestiniens de la responsabilité de leur sort. Il ne tente absolument pas de se mesurer avec cette documentation ou de la dénigrer, mais consacre la plus grande partie de son rapport à ma biographie politique (et non pas universitaire) afin de me cataloguer comme un des « anciens » historiens, qui depuis l'apparition des « nouveaux » historiens sont soi-disant devenus anachroniques. Il n'est évidemment pas question de se mesurer aux données elles-mêmes ou aux arguments avancés, ni de préciser tant soit peu les faits qu'il rapporte [79].

Le refus palestinien d'envisager d'un œil critique leur attitude sur l'histoire du conflit repose sur l'argument qu'en soi, l'exigence d'un tel examen est « prétentieuse » et relève d'une attitude « orientaliste ». L'historiographie arabe, tout comme certains historiens et sociologues en Israël, adopte la théorie d'Edward Said, qui ne croit pas possible qu'un homme, né et éduqué dans une certaine culture, puisse vraiment comprendre la culture de « l'autre ». Un tel argument, dans la bouche de Said, égyptien et américain, qui se définit lui-même comme un réfugié palestinien, qui enseigne la littérature anglaise dans une université américaine et a construit sa carrière universitaire sur un marin polonais nommé Joseph Conrad, devenu écrivain anglais, paraît pour le moins bizarre [80]. Il serait d'ailleurs intéressant de savoir quelles seraient les trouvailles de « nouveaux historiens » arabes, si l'accès aux archives arabes devient possible et si de tels historiens apparaissaient un jour dans les pays arabes ou parmi les Palestiniens.

---

77. Voir : Michael Palumbo, *The Palestinian Catastrophe : The 1948 Expulsion of a People from their Homeland,* London 1987 et : Norman Finkelstein, *Image and Reality of the Israel-Palestine Conflict,* London 1995.

78. Yoav Gelber, *Palestine 1948 : War, Escape and Emergence of the Palestinian Refugee Problem,* Brighton and Portland 2001.

79. Nur Masalha's review, in : *Journal of Palestine Studies,* 31/3 (Spring 2002), p. 126-127 et le débat évoqué plus haut à la note 72.

Perception du sionisme comme d'un colonialisme

À la suite de Said, qui utilise la théorie de « l'orientalisme » pour mener une propagande politique pour tout ce qui touche au conflit judéo-arabe, les universitaires palestiniens et avec eux, quelques politiciens et universitaires d'autres disciplines en Israël et dans le monde, tentent de prouver la nature colonialiste du sionisme et plus particulièrement du « grand Israël » d'après 1967. Cette affirmation s'appuie sur des théories actuelles de sciences sociales sur le colonialisme. Elle se base sur très peu de preuves historiques qui elles, montrent en général le contraire. Et surtout, elle s'appuie sur une interprétation tendancieuse confondant le passé et le présent et dont le premier but est de servir d'arme de propagande idéologique dans le conflit israélo-arabe [81].

Les « nouveaux » historiens, sociologues ou biographes ne furent pas les premiers à établir un lien entre le sionisme et le colonialisme. On a parlé d'une telle connexion depuis le début du conflit, dès le premier congrès palestinien, tenu à Jérusalem au début de 1919, si ce n'est pas avant, comme l'ont déjà avancé il y a quelques années, Baruch Kimmerling et Joel Midgdal. Rashid Khalidi fit récemment de même, en présentant un incident local qui eut lieu en 1913, au moment de la création du village de Tel Adashim (à Tel Adas), comme une révolte des fellahs contre les sionistes qui les auraient dépossédés de leurs terres [82]. L'essence du sionisme, présentée de manière superficielle, est en effet l'immigration et l'installation des Juifs sur la terre d'Israël, ce qui peut être considéré comme un colonialisme, du genre que pratiquèrent les « conquistadors » espagnols en Amérique du Sud et au Mexique, les colons ou pionniers en Amérique du Nord et une longue série

---

80. Edward Said, Orientalisme, New York 1978. Sur la pseudo-identité palestinienne de Said, voir : Edward Said, *Out of Place*, New York 1999 et également : Justus Reid Weiner, « "My Beautiful Old House" and Other Fabrications of Edward Said », *Commentary* (September 1999). Les réactions à cet article de Said et de ses partisans, furent violentes et rageuses, mais elles ne contrent en aucun point, de manière convaincante, la thèse de Weiner. La réaction de l'historien Alon Konfino me semble plus élaborée, mais lui aussi se rapporte à l'histoire de Said selon des critères littéraires et psychologiques et ne démontre pas les arguments objectifs de Weiner. Konfino accuse Weiner d'ignorer les sentiments d'exil et de perte de personnalité de Said et répète l'argument selon lequel si Said dit telle chose, c'est qu'il a raison puisqu'il le croit, ce qui du point de vue de l'historiographie, est un argument sans poids et sans valeur. Voir : Alon Konfino, « Remembering Talbiyah : On Edward Said's *Out of Place* », *Israel Studies*, 5 (2000), 2, p. 190-198.

81. Ilan Pappé, « Le sionisme en tant que colonialisme » (en hébreu), dans : Weitz (éd.), *Entre vision et révision*, p. 345-365, et : Ouri Ram, « The colonization Perspective in Israeli Sociology », in : Ilan Pappé (éd.), *Israel/Palestine Question,* London and New York 1999, p. 55-80 ; Gershon Shafir, « Zionism and Colonialism : A Comparative Approach », in : *ibid.*, p. 83-96.

82. Yehoshua Porat, *Le développement du mouvement national arabe palestinien 1918-1929* (en hébreu), Am Oved, Jérusalem, 1971, p. 30-50, et : Baruch Kimmerling and Joel S. Migdal, *Palestinians : The Making of a People,* New York 1993, p. 20-26 et : Rashid Khalidi, *Palestinian Identity,* New York 1997, p. 96-111.

d'Européens qui conquirent l'Amérique, l'Asie du Sud-Est, l'Australie et l'Afrique, y ont émigré et s'y sont installés. Comme eux, le sionisme s'est un temps appuyé sur une grande puissance impérialiste, l'Angleterre. Les intérêts de l'Angleterre – la puissance accordant son soutien au sionisme – étaient dans un certain sens, plus complexes que de simples intérêts impérialistes. Là s'arrête la comparaison. Mais, quand le paradigme colonialiste se trouve confronté à la réalité, il ne peut y avoir pour le phénomène sioniste d'explication acceptable[83].

Contrairement aux conquérants espagnols ou à leurs continuateurs, les immigrants juifs venus en terre d'Israël à partir des années quatre-vingt du XIXe siècle, ne sont pas arrivés dans le pays, armés de pied en cape pour le conquérir par la force et l'arracher à ses habitants. En essayant d'adopter une attitude sémiotique, jusqu'en 1948, le mot hébreu de «conquête» se rapportait à la terre inculte, au travail physique, au pâturage ou tout au plus à la garde des villages juifs. Des termes militaires comme «régiment» ou «compagnie» se rapportaient eux aussi au travail et non à des unités militaires. Une force armée juive dans le pays, ne fut créée que plus tard, en réponse aux menaces des Palestiniens et des Arabes des pays voisins, après que ceux-ci eurent entrepris des actions, et non en attente de celles-ci. Il est d'ailleurs important de noter que le mot-clé du processus de la création de cette force était le mot «défense».

Les théories économiques de colonialisme et les théories sociologiques de mouvement d'immigration ne sont pas valables non plus ou du moins ne suffisent pas, si on veut les appliquer à l'expérience sioniste. La terre d'Israël diffère des pays d'immigration caractéristiques, tout d'abord parce qu'elle était pauvre et non développée. Contrairement à leurs contemporains juifs ou à leurs prédécesseurs européens qui ont émigré vers des pays riches en ressources naturelles et pauvres en population pour les exploiter, les immigrants juifs de terre d'Israël sont venus dans un pays pauvre qui ne pouvait même pas subvenir aux besoins de la population originelle. Les anciens habitants du pays, Juifs et Arabes, chrétiens et musulmans et également les fils ou les filles des immigrants de la première vague d'immigration, avaient immigré à la fin de l'époque ottomane en Amérique ou en Australie. L'idéologie sioniste et l'importation de capital juif privé et national ont paré au manque de ressources naturelles et ont précipité des processus de modernisation qui

---

83. Dernièrement, Derek Penslar essaya de comparer le mouvement sioniste aux mouvements nationaux en Inde et en Asie du Sud-Est. Voir : Derek Penslar, «Zionism, Colonialism and Postcolonialism», *The Journal of Israeli History*, 20, 2-3, (Autumn 2001), p. 84-98. D'après moi, la comparaison n'est pas valable. Alors qu'en Asie, il y eut une rencontre de deux sociétés, l'autochtone et l'européenne colonialiste, les Juifs eux, faisaient partie de la société européenne et leur réveil national, bien que tardif, s'intègre au processus de réveil national qui agita l'Europe au XIXe et au XXe siècles.

commencèrent en terre d'Israël vers la fin de l'époque ottomane et ont continué sous le Mandat britannique. L'idéologie – outre le missionarisme qui n'existait pas dans le sionisme – et l'importation de capital, étaient deux facteurs totalement absents de tout autre mouvement colonial. Les grandes puissances impérialistes ont en général exploité les colonies au profit de la métropole et n'y ont pas investi au delà de ce qu'il fallait pour permettre cette exploitation. Le courant de transfert de capitaux sionistes vers la terre d'Israël était à sens unique. Ni l'Angleterre, ni le peuple juif n'ont tiré de bénéfices économiques du pays.

Un argument central de ceux qui identifient le sionisme au colonialisme est le fait que les Juifs se sont acquis les terres du pays. Cependant, contrairement à tous les mouvements colonialistes, jusqu'en 1948, le mouvement sioniste acheta les terres du pays et ne les conquit pas. La liste des vendeurs comprend les noms de toutes les familles respectables de l'élite palestinienne, El-Husseini, Nashashibi, Abd-El-Hadi, Al-Alami, Tabari, Al Shawa, Shoukeiri et de nombreux autres, qui malgré leur extrême opposition au projet sioniste, ne purent résister à la tentation que représentaient les prix des terres qui ne faisaient qu'augmenter, suite au courant d'immigration des Juifs. Les chercheurs palestiniens et les sociologues israéliens comme Kimmerling ou Gershon Shafir, accusent en général les propriétaires terriens étrangers, comme la famille Sursuq de Beyrouth, de la vente des terres qui entraîna le dépouillement des paysans palestiniens et ils cachent dans ce processus, la part des familles palestiniennes de l'élite du pays, qui étaient à la tête du mouvement national palestinien [84].

Après la création de l'État, les terres publiques et les terres de l'État furent nationalisées et les terres privées furent souvent confisquées. L'État donna cependant des compensations aux propriétaires privés et l'acquisition de terres continua et continue jusqu'à ce jour, car même pendant les périodes les plus tendues du conflit, il se trouva des vendeurs arabes. C'est là l'un des plus grands échecs du mouvement palestinien, en dépit des mesures brutales qu'il adopta et des nombreux assassinats de vendeurs et d'intermédiaires de terres qui eurent lieu à toutes les époques.

À l'époque du Mandat et pendant les premières années d'existence de l'État, les immigrants juifs et les arabes autochtones se faisaient concurrence sur le marché du travail, pour le travail physique dans les villes ou les villages, en tant qu'ouvriers agricoles, ouvriers du bâtiment, carriers, terrassiers, porteurs

---

84. Gershon Shafir, *Land, Labor and the Origins of the Israeli-Palestinian Conflict, 1882-1914,* Cambridge 1989 et une liste non datée (sans doute de 1944 ou de 1945), d'honorables palestiniens qui ont vendu des terres aux Juifs, comprenant leurs noms, leurs fonctions au moment de la vente et les lieux des partages (Archives Sionistes Centrales, dossier S 25/3472).

et débardeurs [85]. Il y avait certes des raisons et des motivations idéologiques, économiques, sociales et politiques à la conquête du travail, cependant la concurrence pour ces emplois entre des colons blancs et des autochtones aurait été impensable dans les pays coloniaux. Cette concurrence continua aussi après l'établissement de l'État. Les limitations de circulation qu'imposa le régime militaire aux Arabes d'Israël dans les années cinquante, étaient entre autres, destinées à abriter les nouveaux immigrants et les Juifs en général de cette concurrence d'un travail arabe bon marché, dans les centres juifs.

Un examen culturel exclut lui aussi le sionisme du paradigme colonialiste. Contrairement au stéréotype colonialiste, les Juifs venus en terre d'Israël se sont coupés de leurs pays d'origine et de leur culture. Au lieu de cela, ils ont ressuscité une langue antique et ont créé, sur la base de l'hébreu, une culture totalement nouvelle, qui s'est développée dans tous les domaines. De plus, les immigrants colonialistes dans le monde entier, fuyaient un présent malheureux ou cherchaient un avenir attrayant. Les Juifs venus en terre d'Israël sont également venus pour ces raisons, mais le facteur principal était une motivation unique en son genre. C'est ce qui les caractérise par rapport à tous les autres mouvements coloniaux, car c'est un cas unique de renaissance d'une ancienne tradition nationale.

Il suffit de ces exemples pour réduire à néant la thèse de l'identification du sionisme au colonialisme. En outre, cet argument de nature historique a des répercussions actuelles de la plus grande importance. L'argumentation palestinienne a depuis toujours adopté le paradigme du mouvement de libération nationale (palestinien) combattant le pouvoir colonial oppresseur (le sionisme). Cette compréhension bien qu'admise à notre génération en Europe occidentale tout comme dans les cercles de la gauche radicale aux États-Unis, est cependant fausse. Après que presque tous les autres mouvements de libération nationale eurent atteint leurs buts et eurent chassé depuis longtemps le colonialisme et les colonialistes, les Palestiniens qui jouissaient d'un soutien international beaucoup plus grand que tous les autres mouvements anticolonialistes, piétinent encore et n'avancent pas. Pire, ils reculent. Ce seul fait devrait pousser les intellectuels palestiniens et leurs amis en Occident ou en Israël à réexaminer leur paradigme traditionnel. En développant le stéréotype du sioniste-colonialiste, les universitaires israéliens continuent à fournir aux Palestiniens l'excuse qui leur permet d'esquiver pareil examen et ils les encouragent à persévérer sur un chemin sans issue.

---

85. Anita Shapira, *La lutte amère du travail juif 1929-1939* (en hébreu), Tel Aviv 1979.

La Shoah et l'identité juive

Le sionisme, Israël et la Shoah

Un domaine essentiel traité intensivement par l'historiographie sioniste est la Shoah et plus particulièrement l'action du mouvement sioniste et du *yichouv* à cette époque et leur attitude par rapport au drame des Juifs d'Europe avant la Deuxième Guerre mondiale et des rescapés de la Shoah après. Un sujet qui devait d'abord compléter l'étude du *yichouv* et de la Shoah et qui devint progressivement crucial par lui-même, fut celui de l'influence de la Shoah sur la société israélienne, sur l'identité israélienne et même sur la politique de l'État d'Israël.

Étant l'armature de la spécificité israélienne, la Shoah fut aussi mobilisée par les critiques d'Israël pour servir leur cause. Par un jugement a posteriori, qui est forcément anti-historique puisqu'il accorde au passé des concepts, des valeurs et la réalité du présent, ils attribuèrent aux dirigeants de « l'État en gestation » les valeurs, des pouvoirs et des capacités de l'État juif d'aujourd'hui et les critiquèrent de ne pas avoir utilisé ces derniers comme il l'aurait fallu [86].

Ces dernières années la question « du sionisme et de la Shoah » perdit dans une certaine mesure de sa primauté dans le débat des historiens en Israël (dans le monde, juif ou non-juif, la question n'avait jamais été cruciale). Il semble que le sujet ait été épuisé ou que les dénigreurs de la conduite du mouvement sioniste, comme par exemple le psycholinguiste Yosef Grodzinsky, échouèrent à présenter une thèse convaincante et attrayante qui puisse être à l'origine d'une sérieuse polémique d'historiographie [87].

Les dirigeants sionistes ou la population du *yichouv* n'étaient que des acteurs subalternes au cours de la Deuxième Guerre mondiale et il est plus que douteux qu'ils aient pu faire beaucoup plus que ce qu'ils firent effectivement. Leur attitude envers les rescapés de la Shoah après la guerre, par contre, représente une question sioniste interne, qui dépendait beaucoup plus d'eux. Tom Segev, et surtout Idith Zertal, ont accusé les dirigeants sionistes d'avoir eu une attitude manipulatrice et sans pitié envers les rescapés, afin de promouvoir les objectifs politiques du mouvement sioniste et de s'être montrés indifférents à la souffrance des rescapés en tant qu'êtres humains et individus. Le livre de Zertal est un exemple des dommages que la mode du postmodernisme, que nous avons évoqué plus haut, produisent. Il s'agit d'une étude sérieuse et bien

---

86. Yoav Gelber, « Some reflections on the Yishuv during the Shoah », *in* A. Cohen, Y. Cochavi and Y. Gelber (eds), *The Shoah and the War*, New York 1992, p. 337-355.
87. Yosef Grodzinsky, *Un bon materiel humain* (en hébreu), Hed Artzi, Or Yehouda 1998.

écrite qui pèche par excès de cogitations et de casuistique, de jargon flou et de quelques interprétations audacieuses mais sans fondement[88].

Alors que les questions concernant le *yichouv* et la Shoah devinrent moins attirantes pour les chercheurs et que la recherche novatrice dans ce domaine s'épuisa, le problème continue à jouer un rôle important dans les débats publics. La Shoah étant une composante essentielle de l'identité juive post-moderne, les Israéliens et les Juifs de diaspora renouvellent le débat sur sa nature et son enseignement. La leçon qu'on peut en tirer est-elle universelle ou juive, humaniste ou nationale ? Ces interrogations surgirent dans le domaine public et politique encore avant qu'elles ne deviennent un sujet de discussion historique. Ce qui fait que la Shoah a été et est encore mobilisée à différentes fins, par des dirigeants et des politiciens de tous bords, depuis Ben-Gourion qui dès 1947 compara le Mufti de Jérusalem à Hitler, en passant par Menahem Begin et Shulamit Aloni et jusqu'à la visite du chef d'État major Ehoud Barak à Auschwitz et à la Knesset actuelle[89].

Vu la volonté des historiens israéliens de participer à ce débat, et l'attente qu'on a d'eux qu'ils y apportent leur contribution, ils furent happés par cette polémique. Soixante ans après que les Juifs, qu'ils soient assimilés, socialistes ou très pieux, furent assassinés dans les camps d'extermination, l'axiome selon lequel la Shoah fut la preuve suprême de la justesse de la solution sioniste à la question juive moderne n'est à nouveau plus admise comme une évidence, comme ce fut le cas pendant les cinquante ans qui suivirent la guerre. Les adversaires idéologiques du sionisme d'avant la guerre, qui semble-t-il avaient disparu lors de la Shoah, revinrent à l'assaut ces dernières années sous le masque à la mode d'un post-sionisme religieux, libéral de gauche ou assimilé. En Israël et ailleurs, on s'éleva contre « le monopole » sioniste sur la Shoah et on blâma l'accent que mirent les dirigeants et les historiens sionistes sur la spécificité du phénomène dans l'histoire en général et dans l'histoire juive également.

La spécificité de la Shoah

Deux éléments frappent dans la condamnation de l'attitude sioniste : le premier, dont on peut trouver les prémices chez Hannah Arendt dès les années cinquante du siècle dernier, est la référence à la Shoah en tant que crime contre l'humanité tout entière et non particulièrement contre les Juifs. Dans le cadre des relations entre Juifs et non-Juifs, cette attitude focalise le problème sur les rela-

---

88. Tom Segev, *Le septième million* (en hébreu), Keter, Jérusalem 1992, Idith Zertal, *L'or des Juifs* (en hébreu), Am Oved, Tel Aviv 1998.
89. Idith Zertal, *La nation et la mort : Histoire, mémoire, politique* (en hébreu), Tel Aviv 2002 et son interview avec Yaron London dans *Yediot Aharonot*, 27 septembre 2002.

tions entre Allemands et Juifs et ne le considère pas en termes d'une problématique de « l'Europe et les Juifs » ou « du monde et les Juifs ». D'après le second élément, la Shoah est un cas de génocide parmi d'autres, qui furent perpétués au xxᵉ siècle, à commencer par le massacre des Arméniens par les Turcs pendant la Première Guerre mondiale jusqu'aux guerres du Cambodge, de Bosnie ou de Tchétchénie à la fin du xxᵉ siècle.

Le premier élément saute aux yeux de tout visiteur du musée de la Mémoire de la Shoah à Washington. Là, l'antisémitisme et les collaborateurs français, hollandais, belges roumains, hongrois, croates, slovaques, polonais, lituaniens et ukrainiens sont à peine évoqués. On peut comprendre cette omission, qui caractérise aussi une étude, devenue un succès commercial, comme le livre de Daniel Goldhagen, *Hitler's Willing Executioners* (Les bourreaux volontaires d'Hitler)[90]. Étant donné que la plupart des Juifs d'Amérique et les historiens juifs américains en particulier, vivent dans un pays où se trouvent d'importantes communautés d'origine européenne, ils se sentent plus à l'aise dans le cadre de la perception étroite de la Shoah. Cependant, l'historiographie israélienne ne peut et ne doit pas se contenter de cette interprétation étroite. Elle doit continuer à mettre l'accent sur la crise de la société juive traditionnelle et sur le fait que la Shoah constitue le paroxysme de la crise de l'émancipation et le rejet de l'intégration des Juifs.

Le second élément est encore plus marquant. L'attitude qui considère la Shoah comme un génocide parmi d'autres et qui nie sa spécificité, prolonge en fait la tendance d'assimilation et d'insertion, cachant ou brouillant toute spécificité juive. La conception de génocide est contradictoire à la place chronologique admise de la Shoah, entre les années 1933 et 1945. Combien de Juifs furent assassinés ou quel génocide s'est produit en 1935, 1938 ou même en 1940 ? Il n'en est pas moins vrai que cette période est celle de la Shoah. S'il est évident qu'à partir d'un certain stade, la Shoah fut un génocide, elle fut cependant bien plus que cela. C'est justement ce « surplus » que les historiens relativistes en Israël et ailleurs veulent estomper ou nier en comparant la Shoah à d'autres atrocités sous couvert de slogan à la mode d'étude « comparée » ou « interdisciplinaire ».

Cette tactique de comparaison va très loin et devient particulièrement révoltante quand on essaie de l'appliquer au rapport d'Israël aux Palestiniens. La gauche radicale en Israël et ailleurs, inspirée par la phrase de Yeshayahu Leibowitz sur les « judo-nazis », introduisit cette corrélation dans son jargon, dès les années soixante-dix. Ce propos de Leibowitz ou d'autres expressions du même genre n'étaient pas originaux. Dès 1942, des écrivains et des jour-

---

90. Daniel J. Goldhagen, *Hitler's Willing Executioners : Ordinary Germans and the Holocaust*, New York 1996.

nalistes radicaux originaires d'Allemagne, abhorraient le *yichouv* pour « son esprit de Der Stürmer », son « yichouvnazisme » et son « nazionisme ». Des fonctionnaires britanniques apprirent de délateurs juifs que le *Palmah* constitue « la SS de la Hagana ». Une journaliste anglaise, Clare Hollingworth, compara vers la fin du mois de mai 1948 Jérusalem assiégée à Berlin à la veille de la Deuxième Guerre mondiale et voyait dans *l'Etzel* les SS du nouvel État. Selon elle, il existait aussi dans la Jérusalem juive d'alors, une « Gestapo », dont l'identité lui était inconnue [91].

Des historiens israéliens rejoignirent cette tendance en été 1982, au moment de la grève de la faim de Yisrael Gutman à l'entrée du musée Yad Vashem, pour protester contre la guerre du Liban. Le choix du lieu était symbolique et la comparaison était évidente. Le langage qu'utilisa Moshe Zimmermann pour attaquer les colons de Judée-Samarie, quand il les traita de « jeunesse hitlérienne » et compara la Bible à « *Mein Kampf* », marque une autre borne sur le chemin de l'analogie ouverte entre le comportement d'Israël envers les Palestiniens et la persécution des Juifs par les nazis [92].

Pappé, en reliant le « négationnisme de la Shoah » à ce qu'il appelle « le négationnisme de la *Nakba* », est le plus extrémiste parmi ceux qui établissent un lien entre le destin des Palestiniens et la Shoah. Il fait abstraction du conflit judéo-arabe à l'époque qui précéda 1948 pour éluder le débat sur l'opposition violente des Palestiniens au sionisme et les massacres perpétrés sur les Juifs non-sionistes de Hébron ou de Safed. De la même manière, en 1948, ce ne sont pas les Palestiniens et la Ligue arabe qui déclenchèrent une guerre pour empêcher le partage du pays et la création d'un État juif, mais les Juifs qui initièrent une « épuration ethnique » du genre qui eut lieu dans les Balkans ou le Caucase dans les années quatre-vingt-dix. Pappé va encore plus loin et affirme que les Palestiniens, comme les Juifs, furent les victimes de la Shoah d'Europe. Sa relation soi-disant équilibrée est offensante pour ce qui se rapporte à la Shoah, du fait même de sa comparaison à quelques atrocités perpétrées par les deux côtés au cours de combats réciproques en terre d'Israël en 1948 et après cette date. Ce faisant, il est très proche du négationnisme de la Shoah [93].

Ilan Gur-Zéev considère l'assertion sioniste sur la spécificité de la Shoah, comme « amorale », parce qu'à son avis (qu'il n'explique pas) elle nie d'autres catastrophes ou génocides (surtout celui des Palestiniens) [94]. Malgré les diffé-

---

91. Yoav Gelber, *Patrie nouvelle* (en hébreu), p. 565 ; Idem, *Livre de l'histoire de l'engagement volontaire* (en hébreu), I, p. 695 ; *The Scotsman*, 1 June 1948.

92. Interview du Professeur Moshe Zimmermann dans les journaux municipaux appartenant à *Yediot Aharonot* (en hébreu), 28.4.1995.

93. Ilan Pappé, *The Making of the Arab-Israeli Conflict*, p. 12-13. Voir aussi l'interview accordé à Yona Hadari dans *Yediot Aharonot* le 27.8.1993, intitulé « Il n'y a pas d'histoire, il y a des historiens » (en hébreu).

rences existant entre eux, Gur-Zéev rejoint l'attitude de Pappé dans sa tentative tortueuse de démontrer que les Juifs ont fait aux Palestiniens ce que les nazis leur avaient fait. La motivation cachée de telles affirmations est une démarche pour dire que le monde qui à la suite de la Shoah enleva aux Palestiniens leur patrie pour dédommager les Juifs de leurs souffrances, doit réparer sa faute historique et l'injustice faite aux Palestiniens[95].

Du creuset social à la société multiculturelle

L'étude du troisième problème fondamental de l'histoire de l'État d'Israël, celle de l'intégration et de la fusion dans la société, de l'immigration de masse venue dans le pays dans les années cinquante, phénomène qui façonna la société israélienne après la période du *yichouv*, en est encore à ses débuts. Des sociologues, comme Shmuel Eisenstadt, Rivka Bar-Yosef ou Rehuban Cahana ont écrit durant les années soixante et soixante-dix du XXe siècle, quelques ouvrages qui décrivent et analysent l'intégration des nouveaux immigrants et leur insertion dans le courant central de la société existante. Moshe Lissak et Dan Horowitz ont étudié l'évolution des institutions de la société pré-étatique au cours du processus qui mena vers l'établissement de l'État et le développement des élites au cours de ce même processus. Ces dernières années, est née une école de sociologues « critiques » (cette auto-appellation venant insinuer que leurs prédécesseurs « institutionnels » ou « fonctionnalistes » manquaient de sens critique, témoigne d'une certaine arrogance) qui attaqua la dernière génération et accusa ses maîtres d'avoir dissimulé les motivations cachées qui existaient dans les processus d'immigration et d'intégration et de n'avoir pas suffisamment considéré l'oppression culturelle des nouveaux immigrants.

En se révoltant contre l'ancienne génération, les sociologues « critiques » niaient les fondements de la conception de la nouvelle société juive du pays et déplaçaient le centre d'intérêt, du courant central de cette société, vers des groupes marginaux. Ce faisant, ils accusaient l'ancien noyau du *yichouv* – soit « la société d'accueil » – de tous les péchés de répression possibles, à commencer par une discrimination délibérée contre des Juifs, jusqu'au militarisme par rapport aux Arabes. Ils proposaient même d'élargir le paradigme colonialiste

---

94. Ilan Gur-Zéev, « The Morality of Acknowledging/Not-Acknowledging the Other's Holocaust/Genocide », *Journal of Moral Education*, vol. 27 (1998), No. 2, p. 161-177 ; Gur-Zéev, *Philosophie, politique et éducation en Israël* (en hébreu), Éditions de l'université de Haïfa, Haïfa 1999, p. 79-98.
95. *Ibid.*, p. 99-123.

du sionisme (voir plus haut), qu'ils avaient eux-mêmes contribué à dévelop-per pour l'appliquer au rapport des Juifs venus des pays musulmans[96].

Les sociologues, même quand ils sont « critiques », ne sont pas astreints aux méthodes de recherche d'historiographie. Ils peuvent, bien entendu, avoir leurs propres points de vue et tirer des conclusions professionnelles et person-nelles. Toutefois, leurs constatations ne sont pas « l'histoire » et leurs accu-sations concernant l'intégration de l'immigration massive ne font pas excep-tion à cette règle. Les résultats des recherches de ces dernières années, sur cette époque et sur ces problèmes, faites avec des méthodes d'historiogra-phie, écartent l'accusation d'une conspiration dirigée contre les nouveaux immigrants, qu'il s'agisse des rescapés de la Shoah ou des Juifs originaires de pays musulmans. Ces études mettent en évidence de nombreuses fautes commises à l'époque dans les domaines de l'intégration, de l'éducation, de l'habitat et de l'emploi. Malgré cela, ces recherches montrent que ces fautes furent faites de bonne foi et dans des conditions particulièrement difficiles. Ce que ces sociologues ont tendance à oublier[97].

La conception du creuset social que critiquent les sociologues « critiques » est simplement la révolution sociale que tenta de fomenter le sionisme et dans une certaine mesure, avec succès, du moins pour un certain temps. Celle-ci dérivait de la combinaison de la négation de la Diaspora, de l'idéologie socia-liste et d'un élitisme d'avant-garde, mêlé d'une estimation raisonnable des difficultés de la vie en terre d'Israël, fruit de l'expérience des pionniers des premières vagues d'immigration. Cette conception prit pour modèle du « nouveau Juif », le pionnier, travailleur physique, engagé au service de son peuple, du pays et de la société, celui qui fait fleurir le désert et ressuscite la culture hébraïque. A partir de la révolte arabe de 1936-1939, les missions sécu-ritaires au service du *yichouv* et pour la défense de celui-ci, furent également considérées comme ayant une valeur égale à celle de la mission pionnière[98].

---

96. Uri Ram (éd.), *La société israélienne : Aspects critiques* (en hébreu) Brerot, Tel Aviv 1993 ; Uri Ben-Eliezer, *Le chemin de l'intention : la formation du militarisme israélien, 1936-1956* (en hébreu), Dvir (Zmoura-Bitan), Tel Aviv 1995 ; Yehouda Shinhav, « les Juifs originaires de pays arabes en Israël : L'identité fragmentée des Orientaux dans la mémoire nationale » (en hébreu), dans : Hannan Hever, Yehouda Shenhav et Léa Moutsafi (eds.), *Les Orientaux en Israël* (en hébreu), Institut Van-Leer, Jérusalem 2002 ; Yehouda Shenhav, « The Jews of Iraq, Zionist Ideology and the Property of the Palestinian Refugees of 1948 », in : *International Journal of Middle East Studies*, XXXI (1999), p. 605-630.

97. Dvora Hacohen, *Immigrants dans la tempête : l'immigration massive et l'intégration en Israël, 1948-1953* (en hébreu), Yad Ben-Zvi, Jérusalem 1994 ; Zvi Zameret, *Les jours du creuset social* (en hébreu), Centre de Promotion du Patrimoine de Ben-Gourion, Kiriat Sdé Boker, 1993, et idem, *Sur un pont étroit : la formation du système scolaire à l'époque de l'immigration massive* (en hébreu), Centre de Promotion du Patrimoine de Ben-Gourion, Kiriat Sdé Boker, 1997 ; Hanna Yablonka, *Frères étrangers : les rescapés de la Shoah en Israël, 1948-1952* (en hébreu), Yad Yishak Ben-Zvi, Jérusalem 1994.

Contrairement à l'impression que donnent les sociologues « critiques », l'idée du creuset social, destinée à écarter les maux de la diaspora et à établir dans le pays, les fondements d'une nouvelle société juive saine, n'était pas spécialement orientée contre les Juifs orientaux et leur culture. Son objectif premier visait les jeunes Juifs de la Zone de résidence de la Russie tsariste et des pays qui se sont formés sur ces territoires après la Première Guerre mondiale. Les Juifs d'Allemagne et d'autres immigrants venus dans les années trente, se sont heurtés à un noyau de vétérans qui attendaient d'eux qu'ils s'intègrent dans le *yichouv* et l'acceptent tel qu'il était. Les immigrants d'Europe de l'Est ont pour une grande part, répondu à cette attente, comme ils le firent également au cours des années cinquante, tandis que les immigrants germanophones d'Europe centrale, déçurent ces attentes et ne purent accepter telle quelle, la société du *yichouv* organisé, qui était une société juive ayant ses racines en Europe de l'Est. Tous les immigrants comme également le vieux *yichouv* des Orientaux et des immigrants des pays musulmans, venus après l'établissement de l'État, luttèrent contre le noyau pionnier et engagé qui revendiquait le creuset social. La plupart d'entre eux s'y intégrèrent, une minorité y est restée étrangère. Cependant, tous eurent leur influence sur le caractère de l'homme du *yichouv* au sein de ce creuset. Le résultat fut très éloigné du personnage du « nouveau Juif » désiré originellement [99].

Le modèle du « nouveau Juif » selon la conception du creuset social convenait en son temps à l'expérience sociale et économique comme le projet sioniste des années vingt. Même à l'époque, la plus grande partie de l'immigration ne convenait pas aux critères de l'Organisation sioniste et l'écart entre les désirs et la réalité s'élargit encore au cours des années trente. Dans le contexte de l'accession des nazis au pouvoir en 1933 et de l'aggravation de la détresse des Juifs d'Europe centrale et orientale, les circonstances changèrent et le noyau pionnier qui avait établi les bases du creuset social dut intégrer en son sein des masses. La population du *yichouv* fut multipliée par deux et demi entre 1931 et 1936. Elle grandit dans la même proportion une seconde fois après la création de l'État, entre 1948 et 1952. Vu la pression grandissante aux portes du pays, la politique d'immigration sioniste se fit de moins

---

98. Yoav Gelber, The Shaping of the « New Jew » in Eretz Israel, in : Yisrael Gutman (éd.), *Major Changes within the Jewish People in the Wake of the Holocaust* (Proceedings of Yad Vashem's 9th International Historical Conference), Jérusalem 1996, p. 443-462. Sur l'évolution du rapport à la mission sécuritaire, voir aussi : Anita Shapira, *L'épée de la colombe sioniste et la force, 1881-1948* (en hébreu), Am Oved, Tel Aviv 1992.

99. Moshe Lissak, « Immigration, intégration et construction de la société en terre d'Israël au cours des années vingt (1918-1930), dans : Idem, Anita Shapira et Gabriel Cohen (eds.), *Histoire du yichouv juif en terre d'Israël à l'époque de la première vague d'immigration et durant le Mandat britannique* (en hébreu), deuxième partie, Mossad Bialik, Jérusalem 1995, p. 173-302 ; Yoav Gelber, « La formation du yichouv juif en terre d'Israël, 1936-1947 » (en hébreu), *ibid.*, p. 303-463.

en moins sélective, d'abord par obligation, ensuite volontairement et en fin de compte, après que la réserve naturelle de la jeunesse sioniste d'Europe de l'Est eut été anéantie pendant la Shoah, parce qu'il n'y avait plus le choix.

Durant les deux périodes où il y eut une augmentation fulgurante de la population et entre ces deux laps de temps, qui furent aussi les années où le *yichouv* affronta la révolte arabe, la Deuxième Guerre mondiale, la lutte contre les Anglais, la guerre d'Indépendance et les écueils pour se rétablir après tout cela, le noyau de population établie un certain temps en terre d'Israël, réussit l'épreuve de l'intégration, malgré les difficultés auxquelles se heurtaient les immigrants et les vétérans et malgré les fautes faites par ces derniers. L'appréciation des sociologues « critiques », est une sagesse d'après coup, venant d'une attitude idéologique oppositionnelle ou post-sioniste et d'un déplacement de l'intérêt du centre vers les marges. Elle feint d'ignorer l'essentiel pour traiter le contingent.

Dans une perspective historique, la conception du « creuset social » semble de nos jours à première vue – à l'heure où la mode est au « multiculturalisme » – un échec. Cependant, les errements et les égarements actuels de la société israélienne d'aujourd'hui, ne résultent pas de l'échec de l'intégration des immigrants dans les années cinquante, mais viennent de processus par lesquels passa la société israélienne durant ces vingt dernières années : la relâche de la pression extérieure, d'autres immigrations, un courant de travailleurs étrangers, le renforcement des minorités, l'évolution de l'ethos du collectivisme à l'individualisme et l'élargissement des écarts économiques.

L'histoire et la mémoire

La mémoire collective et individuelle

Suite à la fébrilité de la recherche et de l'enseignement universitaire et aux modifications qui agitèrent et agitent encore les universités, le programme scolaire des écoles changea également et actualisa ses programmes d'études dans les domaines de l'histoire sioniste et israélienne. Quelques historiens éminents furent impliqués dans l'élaboration de la politique du Ministère de l'Éducation sur l'enseignement de l'histoire, tant comme conseillers permanents que comme membres de commissions ad hoc ayant pour tâche d'affronter des problèmes spécifiques. Comme il fallait s'y attendre, suite à la pénétration des polémiques révisionnistes dans les universités, le révisionnisme pénétra également le système scolaire où les enseignants et les élèves sont moins aptes à se mesurer à lui que les enseignants et les étudiants d'université.

L'attention publique sur l'enseignement de l'histoire du *yichouv* et de l'État d'Israël dans les écoles, s'est surtout portée ces dernières années sur les autorisations accordées à de nouveaux manuels scolaires et à leur contenu [100]. Cependant, les manuels controversés ne représentent que les extrémités de l'iceberg, signalant des modifications plus profondes. La question de l'enseignement de l'histoire dans les écoles et l'intervention d'historiens, professeurs d'université dans l'élaboration des programmes scolaires mérite une étude plus profonde, dépassant le cadre de cet article [101].

Un autre aspect de la controverse sur l'enseignement de l'histoire dans les écoles appartient cependant au débat général sur l'historiographie révisionniste en Israël. On définit en général cet aspect comme l'élaboration d'une « mémoire collective ». Le système scolaire joue un rôle de premier ordre dans l'élaboration de cette « mémoire collective » de toutes sortes de manières, à commencer par les cours scolaires (et pas seulement les cours d'histoire), jusqu'à l'ambiance régnant à l'école, lors des excursions, des cérémonies et des festivités.

Daniel Gutwein traita la critique révisionniste de l'historiographie sioniste et israélienne de « privatisation de la mémoire collective, phénomène qu'il considère, avec raison, dans le cadre plus large des processus de privatisation par lesquels passe la société israélienne et son système scolaire. Dans la polémique des historiens, Gutwein voit une lutte pour la structuration de la mémoire. Du point de vue des « nouveaux historiens », l'objectif n'est pas d'influencer l'historiographie, mais bien la mémoire et la conscience. Gutwein affirme que l'importance principale de « la nouvelle historiographie » n'est pas son apport à la recherche, mais les significations politiques et publiques de ses constatations. Le débat entre les nouveaux historiens et les autres ne se place pas au niveau de la recherche, mais se déroule par le biais d'instruments médiatiques. Sur ce terrain, la prestation de propagande, aux messages incisifs et mordants, des « nouveaux historiens » a un avantage certain par rapport à ceux que la recherche de la vérité historique complexe alourdit. La discussion est un élément important de l'effort post-sioniste pour rendre insupportable l'existence collectiviste, dont l'une des expressions est la mémoire hégémonique, pour nier sa légitimité et la réduire à une multitude de narratifs et de souvenirs [102].

Les définitions du collectif israélien et par conséquent de sa mémoire commune, sont floues et embrouillées. Il en était également ainsi à l'époque

---

100. Eyal Naveh, *Le XXe siècle : au seuil du lendemain* (en hébreu), Tel Aviv 1999 ; Danny Jakoby (éd.), *Un monde de changements* (en hébreu), Département des programmes scolaires du Ministère de l'Education, Jérusalem, 1999.

101. Pour une analyse critique du sujet, voir Yoram Hazony, « Sur la révolution silencieuse du système scolaire » (en hébreu), *Thelet*, 10 (hiver 2001), p. 41-64.

102. Daniel Gutwein, « La nouvelle historiographie et la privatisation de la mémoire » (en hébreu), dans : Weitz (éd.), *Entre vision et révision*, p. 311-343.

où régnait l'ethos collectiviste. Il est d'autant plus difficile d'identifier un collectif général ou même quelques collectifs plus réduits, au bout d'une génération de privatisation et d'individualisme grandissant. Le « collectif » israélien comprend-il les Arabes, les Bédouins et autres non-Juifs ? S'agit-il d'un collectif juif qui exclut les minorités, mais inclut les Juifs non-israéliens ? Et qu'en est-il de ceux qui se joignirent au « collectif » sur le tard, comme les jeunes et les nouveaux immigrants ? Leur participation les associe-t-elle à la mémoire du collectif à laquelle ils s'associent ? Y ajoutent-ils leurs propres « mémoires collectives » ? La mémoire collective est-elle un assemblage de mémoires individuelles ou se différencie-t-elle de celles-ci et possède une essence indépendante propre ? Qui décide quelle mémoire est « collective » et laquelle ne l'est pas ? Le gouvernement ? Les médias ? L'université ? Je ne connais pour ma part de réponse claire et convaincante à aucune de ces questions.

On peut ajouter que la définition même du terme « mémoire », dans cette expression, n'est pas simple. L'historiographie n'a toujours pas trouvé de solution satisfaisante aux problèmes découlant de la mémoire personnelle et ne sait pas par exemple quel doit être le traitement approprié des témoignages oraux [103]. La recherche psychologique s'est surtout focalisée jusqu'ici sur des paramètres quantitatifs de la mémoire, soit jusqu'à quel point les gens peuvent se souvenir et combien de temps. Ce n'est que ces derniers temps que les psychologues ont repris la recherche méthodique des caractères qualitatifs de la mémoire, comme la précision, l'influence des idées préconçues et des impressions extérieures, l'influence de l'autosuggestion etc. Les résultats de ces recherches ne sont pas encourageants pour tout ce qui concerne les liens entre la mémoire et la vérité, la crédibilité et la précision [104].

Se baser sur la mémoire individuelle devient problématique à mesure que la recherche historique dépasse la micro-histoire, la documentation et la recherche de sujets comme l'histoire de petits villages ou de petites unités militaires non documentés par la force des choses ou la recherche historique de sociétés, de tribus, de « clans » et de familles, sur lesquels existent surtout des traditions orales et qui jusqu'à présent ont surtout suscité l'intérêt d'anthropologues et non d'historiens ou encore, souvent, de recherche sur des actions secrètes qui pour des raisons de sécurité ou de confidentialité n'ont pas été documentées. Dans ces domaines, les souvenirs, les témoignages et

---

103. Pour une analyse critique du sujet, voir : Yoram Hazony, « Sur la révolution silencieuse du système scolaire » (en hébreu), *Thelet*, 10 (hiver 2001), p. 41-64.

104. Asher Koriat, Morris Goldsmith and Einat Pansky, « Toward a Psychology of Memory Accuracy », *Annual Review of Psychology,* Vol. 51 (2000), p. 481-537 ; Elizabeth F. Loftus, *Eyewitness Testimony*, London 1979 ; Elizabeth F. Loftus and Kathline Ketcham, *The Myth of Repressed Memory*, New York 1994.

les traditions orales sont des sources essentielles et il en existe très peu d'autres qui puissent servir de points de comparaison ou de référence.

Les théoriciens de l'histoire orale et une grande partie de ceux qui s'adonnent à ce travail, en parlent en termes thérapeutiques, littéraires ou d'anecdotes et non en termes d'historiographie. Ils la considèrent comme une discipline indépendante liée à l'anthropologie, au folklore et à l'ethnographie beaucoup plus qu'à l'historiographie [105]. Le rapport de l'historien aux témoins et aux différents témoignages diffère de celui de ses collègues d'autres disciplines utilisant des techniques de témoignage oraux, que ce soit en macro-histoire ou en micro-histoire, les anthropologues, les chercheurs en folklore, les ethnographes, les psychologues ou les juristes s'intéressent à l'homme lui-même, à son histoire, au « narratif » et souvent à la liaison des deux, c'est-à-dire comment le témoin vit avec son histoire au cours des ans, comment il la refoule, la modifie, l'embellit et pourquoi il fait tout cela. Pour l'historien, par contre, le témoignage est un moyen d'arriver à un événement qui s'est produit dans le passé. Le rapport au témoin est instrumental : ce dernier n'est qu'une source, un instrument parmi d'autres, par qui l'historien tente d'apprendre la nature de l'événement que le témoin a expérimenté, a vu ou a entendu, entièrement ou partiellement.

L'histoire de la mémoire et de la représentation de l'histoire

Malgré tous les doutes et les réticences, l'expression « mémoire collective » est devenue courante, d'autant plus qu'elle n'est pas clairement définie et qu'il faut s'y référer en conséquence. Il semble que le terme le plus proche soit celui du vieux « mythe » qu'on connaît de longue date. Les mythes sont à l'origine des histoires racontées par les ancêtres pour expliquer des phénomènes mystérieux de la nature. Plus tard, les mythes furent inventés pour soutenir des exigences de statut, de pouvoir, d'autorité judiciaire, etc. Les mythes modernes sont des histoires dont le collectif non-défini croit qu'elles ont eu lieu dans le passé et qu'il considère comme un élément de son identité collective. Les nouveaux mythes historiques ont en général valeur éducative et veulent enseigner une leçon. Ils sont aussi sujets à controverse ou apologétiques. Ils expliquent ou commentent les événements du passé. Les

---

105. Pour une concrétisation imaginaire réussie de la micro-histoire basée sur des souvenirs transmis oralement, voir la nouvelle de Alexander Hemon, « Echanges de mots agréables », *ibid.*, *The Question of Bruno*, London 2000, p. 95-116. Pour une étude approfondie et pertinente sur l'essence de l'histoire orale aux yeux de ses fervents adeptes, voir : Alessandro Portelli, *The Battle of Valle Giulia : Oral History and the Art of Dialogue,* Madison 1997. Sur l'histoire orale dans le cadre des études de folklore, voir : Barbara Allen and William L. Montell, *From Memory to History,* Nashville 1981, p. 67-87.

mythes historiques sionistes et israéliens ne font pas exception. Comme les mythes historiques d'autres peuples, ils cachent des fautes ou embellissent des échecs. Les vraies réussites et victoires sont assez éloquentes par elles-mêmes et n'ont nul besoin de mythes.

Un éventail de facteur est à la base de la formation des mythes et de leur diffusion : les gens qui contribuent à faire l'histoire et tentent d'avoir une influence sur la manière dont les générations futures se souviendront d'eux, les auteurs de protocoles, les biographes, les poètes, les dramaturges, les journalistes et les écrivains, les scénaristes et les metteurs en scène, ceux qui rédigent les programmes scolaires, les manuels scolaires et les professeurs qui enseignent selon ces programmes et ces manuels et y ajoutent leurs propres connaissances ou leur ignorance. De même, les producteurs de radio et de télévision etc. Ces derniers temps, l'Internet est devenu un moyen crucial de création et de diffusion de mythes anciens ou modernes et il semble que son rôle dans l'empire de la connaissance ira croissant. À l'heure où les historiens brisent l'un après l'autre, des mythes bien ancrés, le rôle de création de mythe devient une mission qui ne suscite que peu de sympathie. Donc, au lieu de développer des mythes, tous ces agents se désignent eux-mêmes comme des «formateurs de mémoire collective».

On peut se demander quel est le lien entre les mythes ou selon leur autre appellation «les mémoires collectives» et l'historiographie. Les postmodernes considèrent l'historien comme l'un de ces nombreux agents formant la mémoire collective. Cette opinion est conforme à leur attitude générale, qui ne fait pas grand cas de l'historiographie ou même la néglige totalement. Cependant, pour tout ce qui touche à l'historiographie en tant que discipline, je pense que l'historien n'est pas et ne doit pas être un médiateur, suscitant des souvenirs individuels ou le porte-parole de mémoires collectives. Sa fonction est tout à l'opposé de cela. Il se doit de mettre en doute, d'examiner et de critiquer les souvenirs et non de les soutenir et de les rapporter.

L'histoire n'est pas synonyme de mémoire, qu'elle soit individuelle ou collective. Cependant, la structuration de la mémoire est un acte humain courant et en tant que tel, c'est un sujet de recherche historique, qui ces dernières années suscita un intérêt croissant et revêtit une importance de plus en plus grande. Les difficultés d'accès au matériel d'archives officiel et personnel poussent elles aussi les historiens israéliens et autres à être redevables d'autres sources, comme les souvenirs, les témoignages oraux et les reportages médiatiques, littéraire, architectural et artistique d'événements historiques. Ce genre de sources convient à une description des différentes façons d'apprendre, de se souvenir, de commémorer, de saisir, de représenter les événements, mais ne peut dévoiler comment ces événements se sont passés. Ils peuvent aussi avoir leur part dans la compréhension de la création d'identités. Cependant, le lien qui existe entre l'histoire, la mémoire et l'identité n'a pas encore été suffisamment explicité. Autant l'histoire sert de point de départ à la mémoire qui contribuera à former l'identité, autant les gens fuient leur histoire et refoulent leurs souvenirs au cours de l'établissement d'une identité nouvelle et différente.

La recherche et l'étude de l'histoire de la structuration de la mémoire se sont rapidement développées. De plus en plus de chercheurs sont en quête de leurs racines et analysent le développement de mythes, d'images et de stéréotypes israéliens. Ils étudient dans quel contexte se sont développés les mythes, les causes de leur apparition, les motivations cachées et de quelle manière ils se sont développés [106]. L'étude des mythes appartient à l'histoire culturelle. Tout importante qu'elle soit, on ne peut la confondre avec l'étude des événements eux-mêmes, qu'ils soient politiques, militaires ou sociaux. L'histoire virtuelle ou l'histoire de la présentation de l'histoire par le biais d'anecdotes, de poésie, de l'art, du cinéma ou par d'autres moyens populaires, ne peut remplacer la vraie histoire des hommes, des nations, des organisations, des institutions, des sociétés, des idées et de toute autre expression des actions humaines.

Quelques remarques avant de conclure

L'influence des développements technologiques

Ces dernières années, les moyens de propagation et d'approfondissement du savoir sur le passé ont subi de profondes modifications. Les livres et les articles, même s'ils sont popularisés, ont cessé d'être les principales voies pour apprendre ce qui s'est passé, comment cela s'est-il passé et pourquoi. L'audiovisuel – que ce soit des films, des programmes de télévision ou l'Internet – a peu à peu pris la place des livres ou remplace l'écoute de conférences, en tant que moyens essentiels d'acquérir un savoir et de l'intégrer. Dans ce domaine, l'historiographie israélienne est en retard. La chaîne câblée d'histoire à la télévision est un phénomène récent, copié presque entièrement sur la chaîne américaine parallèle. La chaîne scientifique des universités est encore peu élaborée et en est au stade expérimental. L'histoire du sionisme et d'Israël ne tient d'ailleurs pas une place centrale dans ces programmes. Même la figure de proue de l'Autorité nationale de diffusion, la série documentaire sur l'histoire du sionisme, *La colonne de feu* de Yigal Losin, présente

---

106. Yael Zerubavel, *Recovered Roots : Collective Memory and the Making of Israel*, Chicago 1995 ; Nurith Gertz, *Myths in Israeli Culture : Captives of a Dream*, London 2000.

elle aussi des lacunes. On peut en donner pour exemple, le fait qu'elle se base trop sur des témoins vivants, de sorte que le rôle de Yisrael Galili, Yakov Hazan et Menaham Begin dans la création de l'État semble plus important que celui de Ben-Gourion, qui n'était déjà plus en vie au moment de la préparation de cette série.

Une autre série traitant de l'histoire de l'État d'Israël, *Renaissance*, qui devait faire suite à *La colonne de feu*, fut un échec cuisant pour plusieurs raisons, mais tout d'abord parce qu'elle renonça délibérément à toute perspective historique et adopta des positions extrémistes sur des sujets d'actualité, sujets à controverse. Il n'existe pratiquement pas de bons films documentaires équilibrés traitant de l'histoire sioniste et israélienne [107]. De mon expérience pour *Renaissance*, j'ai appris que les producteurs et les metteurs en scène font abstraction des conseillers historiques. C'est la provocation, qui est supposée apporter un audimat plus important, et non l'histoire, qui prime pour eux. Il en résulte que la plupart d'entre eux se réfèrent aux sujets historiques de telle manière que les « nouveaux historiens » font figure de conservateurs à côté d'eux.

L'état de l'historiographie israélienne sur l'Internet est déplorable. La préparation de cours accessibles sur le web en est encore à ses débuts. Seuls, quelques instituts de recherches et départements universitaires ont leurs propres sites, mais à part le Centre de Promotion du Patrimoine de Ben-Gourion et les Archives de Ben-Gourion à Sdé-Boker, ils sont tous misérables et primitifs. Alors que les Archives nationales britanniques à Londres permettent aux usagers de consulter sur son site Internet, la liste des documents rassemblés pendant mille ans d'histoire de l'Empire britannique, les Archives de Ben-Gourion sont les seules en Israël à être accessibles sur le Web. L'absence de sites crédibles et compétents donnant des informations sur l'histoire sioniste et israélienne et surtout sur le contexte historique d'événements récents, est encore plus regrettable.

L'époque qui s'ouvre à nous

Il n'y a pas longtemps, la perspective historique des études de l'histoire d'Israël se limitait à la période clôturant plus ou moins la guerre du Sinaï en 1956 et la recherche connue la plus tardive de l'histoire militaire et politique était le livre de Motti Golani sur celle-ci [108]. Des limitations et des délais mis pour ouvrir l'important matériel d'archives qui se trouve dans les Archives

---

107. Par exemple : *Altalena* de Ilana Tsur (1995) et les films documentaires de Dan Wolman sur Reuven Shiloah (1996), Yolande Harmer (1999) et sur les renseignements israéliens pendant la guerre d'Indépendance (1999).

de l'État et de celles de *Tsahal*, ont retardé la recherche, même dans ce domaine limité, au-delà des limitations obligées qu'impose la prolongation du conflit israélo-arabe. Ces trois dernières années, les choses bougèrent un peu et apparurent les premières hirondelles de recherche historique sur des problèmes politiques plus tardifs, comme l'affaire Lavon ou la démission de Ben-Gourion. De même des travaux de recherche traitant du parcours qui mena à la guerre des Six-Jours et du contexte de la guerre de Kippour sont en cours et quelques-uns ont même déjà été publiés [109].

Face au tollé que suscita l'examen critique des dix premières années (1948-1958) de l'histoire israélienne, sur lesquelles il n'y a que relativement peu de controverses, il est aisé d'imaginer les conséquences d'un examen critique semblable pour les deuxième et troisième décennies (1958-1978), époque où chaque pas, toute politique ou expression suscitèrent dès le départ des polémiques et des discussions publiques et où tout événement fut couvert par la presse dans une mesure de plus en plus grande [110]. Avec cela, il se peut que justement le fait que la discussion soit continue – si elle commence au moment des événements eux-mêmes et se prolonge jusqu'à l'époque où se fait la recherche historique – amoindrisse le choc du public au moment où les historiens publient le résultat de leurs recherches.

La principale difficulté dans le traitement de polémiques à venir ne réside pas dans l'accord ou le désaccord entre les historiens ou entre ceux-ci et leurs collègues d'autres disciplines. L'harmonie en la matière ne serait pas moins dangereuse que la dissension et les polémiques ont toujours un potentiel d'élargissement de la connaissance. Mais l'historiographie israélienne a déjà perdu sa base disciplinaire ou en d'autres termes, son langage commun. On ne peut mener une discussion logique et constructive sans terminologie, sans éthique et sans principes communs. Il semble que ces conditions préalables ont disparu dans le feu des dernières discussions dévastatrices sur l'histoire de la première décennie.

---

108. Motti Golani, *Il y aura une guerre cet été... Israël avant la guerre du Sinaï, 1955-1956* (en hébreu), I et II, Maarahot, Tel Aviv 1997.
109. Shabtai Teveth, « *Calaban* » [Le titre « Calaban » est un sigle désignant en hébreu « une peau de banane », évoquant les « glissades » faites au cours de l'Affaire Lavon, N.D.T.] (en hébreu), Ich Dor, Tel Aviv 1992 ; Eyal Kafkafi, *Lavon : l'anti-messie* (en hébreu), Am Oved, Tel Aviv 1998 ; Emmanuel Gluska, « Parcours jusqu'à la guerre des Six-Jours : le commandement militaire et les dirigeants de l'État en Israël face aux problèmes de sécurité, 1963-1967 » (en hébreu), dissertation de doctorat, Université hébraïque, Jérusalem 2000 ; Uri Bar-Yosef, *L'éclaireur s'est endormi* (en hébreu), Tel Aviv 2001 et dernièrement : Michael Oren, *The Six Day War,* Oxford 2002.
110. Sur les annonciateurs des polémiques à venir sur l'histoire politique et militaire plus tardive d'Israël, voir : Benny Morris, *Righteous Victims : A History of the Zionist-Arab Conflict, 1881-1999,* New York 1999 ; Avi Shlaim, *The Iron Wall,* London 2000 et la revue de Anita Shapira sur ces livres : « The Past Is Not a Foreign Country », *New Republic,* 29 (November 1999), p. 26-36.

Je terminerai par le point sur lequel j'ai commencé : l'affaire Tantura. Que se serait-il passé si un tel scandale s'était produit dans des domaines comme la chimie ou la sociologie ? Si se révélaient des écarts énormes entre les résultats de l'expérience et les conclusions du chimiste ou entre le matériel des questionnaires et celui du sociologue ou pire encore, si un chercheur s'avisait sciemment de falsifier les résultats ? Les collègues de tels chercheurs les traiteraient immédiatement de charlatans et les banniraient de leurs rangs. C'est en fait ce qui se passa lors de l'affaire Abraham, évoquée au début de cet article. Pour l'affaire de la thèse sur Tantura, les historiens israéliens se sont divisés. Certains, comme moi, continuent à penser que c'est une honte, alors que d'autres répondent qu'il s'agit d'un degré supérieur de la recherche qui contribue à « présenter un nouveau cadre analytique à la *Nakba*, qui n'existe pas dans les études d'historiens israéliens, anciens ou nouveaux, dont la plupart ont écrit des thèses narratives sans cadre analytique » [111].

Pour restaurer le statut de l'historiographie israélienne, il faudrait tout d'abord définir le savoir historique, ce qu'il a de commun avec d'autres disciplines de connaissance et ce qu'il a de spécifique. De plus, il faudrait élaborer des critères clairs, en vertu desquels on pourrait trancher si une étude historique particulière contribue à la connaissance humaine ou si elle n'est que propagande ou fantaisie historique. Au-delà des différences entre ceux qui font de la recherche sur des domaines, des époques et des espaces différents, les historiens doivent être convaincus qu'ils font tous partie d'une discipline scientifique dans laquelle la connaissance prévaut sur l'idéologie et l'appartenance et ne se plie pas devant elles. À eux de désavouer ceux dont l'opinion, sous couvert de définitions du genre « cadre analytique », « théorie comparative », « histoire orale », « nouvelle exégèse » ou tout autre appellation étonnante, prime les connaissances.

---

111. Pappé, « L'affaire Katz et Tantura », p. 204.

Le post-sionisme
sur fond de la multiplication des cultures
en Israël*

Nissim CALDERON

J E VOUDRAIS EXPRIMER mon sentiment par rapport à la pensée post-
sioniste, dans une lettre que j'adresse à Adi Ophir, qui fut le fondateur
et encore récemment le rédacteur en chef du périodique « Théorie et
critique », principale plate-forme du post-sionisme en Israël. Dans cette lettre,
je retracerai la polémique qui éclata entre nous et je rappellerai son contexte.

Ce contexte est principalement, la multiplicité des cultures qui va en se
révélant dans la société israélienne, à mesure que s'intensifient deux processus.

L'un est l'état d'occupation et la situation de guerre, existant entre les
Israéliens et les Palestiniens dans les territoires occupés. Tous deux, chacun
à sa manière, ont conduit à un élargissement du fossé entre les Israéliens et
les Palestiniens, citoyens d'Israël.

L'autre processus est le réveil de la société israélienne de l'utopie de
pouvoir surmonter le traumatisme de l'immigration, par le rêve du creuset,
cette illusion de pouvoir fondre les différents immigrants, venus de cultures
très différentes les unes des autres, dans une même culture israélienne, dans
une même image d'homme, dans un éventail de croyances et d'avis (qui
jamais ne fut monolithique, bien qu'il ne fut pas non plus pluraliste). Depuis
les années quatre-vingt, la division sectorielle des Israéliens s'accentue. Ainsi,
ils n'incarnent plus une seule image culturelle, mais plusieurs.

(*) Cet article est un arrangement détaillé de deux chapitres de mon livre « Pluralistes malgré eux » (en
hébreu), publié pour la première fois en 2000. Nous tenons à remercier la direction de l'Université
de Haifa, les éditions Zmura Bitan et les éditions de l'université de Haifa pour nous avoir permis
d'utiliser cet article.

Ces deux processus, l'aggravation des rapports entre les Israéliens et les Palestiniens et l'écart entre les différents secteurs de la société israélienne, ont introduit le débat sur le post-sionisme.

Dans cet article, dans ma lettre à Adi Ophir, je traiterai de cette polémique et de son contexte. Peut-être de cette façon, le lecteur sentira-t-il l'énergie du débat et saisira-t-il autant que cela est possible dans un tel cadre, ses sources d'énergie.

Cher Adi,

Nous avons collaboré pendant deux ans au sein d'un petit organisme politique appelé « la vingt et unième année ». Auparavant, nous nous sommes rencontrés à des activités de « La Paix maintenant ». Nous nous sommes ensuite séparés, à la suite d'une controverse, mais sans l'envenimer laidement. Au contraire, il nous est resté une certaine curiosité, alors que nous avions choisi des voies différentes. Une curiosité, et même quelque chose de plus important que la curiosité : une estime pour les arguments de l'autre. Quand j'ai exprimé mon désaccord avec toi sur tes positions exprimées dans des articles du journal, le coup de téléphone le plus précieux fut le tien, quand tu me dis : Je ne suis pas d'accord, mais prenons rendez-vous pour continuer à en parler. Jacqueline Kahavov a traité de situations où « il est difficile [...] de croire que parmi toutes ces pulsions politiques, pouvaient encore se maintenir des relations humaines ». Les pulsions politiques ont beau crier, mais quand se maintenaient encore des relations humaines, il est possible de remplacer les cris par des arguments. Ce n'est pas totalement par hasard que nous nous sommes rencontrés en pleine ville, le lendemain de l'assassinat de Rabin. Ni toi, ni moi ne trouvions notre place. Nous nous sommes assis quelque part pour discuter. Ce jour-là non plus, nous n'étions pas d'accord. Je vais tenter ici de continuer notre conversation, du 5 novembre 1995.

« La vingt et unième année » exista entre 1988 et 1990. Il serait sans doute bon de poser, dans un autre cadre, la question de ce que fit ce groupe et quelle fut la spécificité de son activité. Mais tel n'est pas le sujet maintenant. Ce n'était qu'un parmi des dizaines et des centaines de groupements, qui avaient vu le jour puis disparu depuis 1967 et qui en fait, se succédaient pour s'élever contre l'état de fait d'occupation des territoires.

Chacun de ces groupes mettait l'accent sur un point particulier et entre eux se tenaient des discussions. D'autant, qu'il s'agit d'une période assez longue, où intervinrent des changements, où il y eut différentes phases. Les premiers groupes commencèrent leur activité immédiatement après la guerre des Six-Jours (des ébauches de protestations contre la destruction de villages eurent déjà lieu pendant la guerre elle-même) et aujourd'hui, au bout de trente ans, le travail se poursuit encore. Trente ans, ce n'est pas l'éternité, mais c'est certes suffisamment de temps pour acquérir de l'expérience. Je propose de résumer ici cette expérience. En effet, la discussion entre nous est, dans une grande mesure, un débat sur l'expérience que nous avons acquise lors de notre travail d'opposition à l'occupation des territoires, comment le comprendre et comment le continuer.

En traçant les grandes lignes de ce travail politique – nous avions fait une proposition que nous pensions pour le moins, qu'elle était de l'intérêt de la majorité des Israéliens. Le mot intérêt est ici important pour moi – et je vais y revenir par la suite. Les adversaires de l'état d'occupation des territoires ne s'illusionnaient pas qu'il y allait de l'intérêt de tous les Israéliens. Ils savaient très bien que bon nombre d'entre eux, vu leurs convictions, leur expérience, leurs instincts politiques, avaient un intérêt opposé.

L'idéologie déclarée de ces Israéliens-là est celle de l'intégrité de la terre, mais l'instinct sous-jacent à cette idée est de l'ordre de l'égoïsme national (cet instinct nous poursuivra longtemps encore après la partition du pays, car partition il y aura, de toute façon). De nombreux Israéliens, venant d'horizons différents, sont arrivés, pour des raisons différentes à une position que Isaiah Berlin exprime en ces termes :

> « [...] position selon laquelle, s'il s'avère que la satisfaction des besoins de l'organisme auquel j'appartiens ne s'accorde pas avec la réalisation des objectifs d'autres groupes, moi ou la société à laquelle j'adhère intégralement, n'auront d'autres choix que de les obliger à se rendre – et si besoin est, ce sera par la force. Si mon groupe, qu'on appellera "nation" – est censé réaliser librement sa vraie nature, s'ensuit l'impératif d'écarter les obstacles de son chemin. On ne saurait accorder de valeur égale à quoi que ce soit, qui entrave ce que je reconnais comme étant l'objectif suprême de ma nation. Il n'existe aucune référence ou de critères généraux en fonction desquels on pourrait classer les différentes valeurs de la vie de différents groupes nationaux, leurs qualités et leurs aspirations, puisqu'un tel critère serait supranational, non immanent lui-même d'un organisme social, une part intégrante de celui-ci, qui puiserait sa valeur d'une quelconque source extérieure à la vie d'une société particulière – critère universel [...] telle est l'idéologie de l'organisme, l'allégeance, le *Volk*, réel porteur des valeurs nationales, l'intégrisme des racines historiques, « les morts et la terre », la volonté nationale [...] [1] »

Ceux qui se sont opposés à l'occupation des territoires n'ont pas sous-estimé le potentiel de cette attitude. Ils se sont aussi efforcés de localiser les variations spécifiques de l'idée de la terre et des morts dans la culture juive et israélienne. Si nous avons commis des fautes, on ne peut nous reprocher d'avoir méprisé l'ennemi. Cependant nous pensions vraiment que la plupart

---

1. Isaiah Berlin, Against the Current, Essays in the History of Ideas, Aharon Amir (traduction en hébreu), Sifriat Ofakim, Am Oved, Tel Aviv, 1986,p. 450-451.

des Israéliens, pas tous, avaient véritablement intérêt à adopter une autre position. Certains, parce qu'à leurs yeux, la vie est préférable à la destruction et au deuil et c'est pourquoi elle se place au-dessus de l'égoïsme national. D'autres, parce qu'une situation de guerre continuelle entrave pour eux une vie normale, sur tous les registres, à commencer par une économie déconnectée de son entourage jusqu'à l'étouffement de la culture dans des frontières étroites. Pour d'autres, l'image qu'ils se font du sionisme ne s'accorde pas avec l'image d'occupant. D'autres, parce qu'il n'y a pas de soutien international à l'occupation des territoires et même le soutien américain, aussi significatif soit-il, est limité. D'autres, parce que la brutalité de l'occupation des territoires les révolte moralement.

De plus, l'opposition à l'occupation des territoires ne s'est pas seulement basée sur des positions particulières, mais aussi sur une vue d'ensemble. L'égoïsme national, dans ce cas, est un malentendu si on l'examine avec une certaine perspective. C'est un calcul à court terme et un aveuglement à long terme, selon ses propres critères, c'est-à-dire celui de la force. A long terme, un État de six millions de citoyens, situé dans une immense région arabe, qui se montre brutal envers les Arabes, discrimine ouvertement ses citoyens arabes, est un pays qui sera vaincu au cours d'un affrontement de force, demain si ce n'est aujourd'hui. Et si ce n'est pas demain, ce sera quand les circonstances internationales changeront. Les Juifs, qui ont vu de nombreux empires s'écrouler sous leurs yeux, sont les derniers à qui on peut raconter qu'un empire peut se maintenir éternellement en état de guerre, que ce soit le grand empire américain ou le minuscule empire de l'occupation israélienne des territoires. On ne peut gager de l'avenir. Il se peut que l'égoïsme national triomphe – il y a trop de paramètres imprévisibles, auxquels le nationalisme, dans sa version israélienne, peut se raccrocher. Mais une certaine probabilité, le bon sens et un raisonnement logique ne sont pas à négliger.

Si quelqu'un m'avait dit, il y a quatre ou cinq ans, que j'écrirais un jour les raisons élémentaires de mon opposition à l'occupation des territoires, je ne l'aurais pas cru. Pendant des années, elles nous parurent évidentes. Il fallait écrire ce qu'il y avait au-delà de ces causes, mais non les motifs eux-mêmes. Ce n'est que la polémique qui s'est déclenchée entre nous ces dernières années, qui nous oblige à revenir à ces débuts. Revenir pour bien montrer que ce que proposaient ceux qui s'opposaient à l'occupation des territoires, s'adressait à l'intérêt de la majorité des Israéliens. Nous ne faisons pas de politique que pour nous-mêmes, mais pour la société dans laquelle nous vivons. Alors que la proposition que tu fais maintenant, est pour toi ou pour être plus précis, pour une fraction infime d'intellectuels (je me réfère ici aux caractéristiques communes des articles que tu as publiés et à la ligne de la rédaction que tu as fixée pour le périodique *Théorie et critique*)[2].

L'opinion israélienne a considéré que la proposition des adversaires de l'occupation des territoires intervenait dans le monde de chaque Israélien, que celui-ci l'accepte ou non. Nombre de partisans de l'occupation des territoires ont mobilisé toutes leurs forces contre cette proposition parce qu'elle touchait à leur monde, qu'elle représentait pour eux une véritable menace. Plus, les trente ans d'activité politique contre l'occupation des territoires furent ponctués de nombreux échecs, de hauts et de bas. Cependant, il est un domaine, où il existe un trait stable : le pourcentage d'Israéliens acceptant, volontairement ou par obligation, la partition du pays augmente régulièrement. Le rapport entre cette donnée et l'orientation des votes, les guerres, l'assassinat politique n'est absolument pas logique. Mais dans ce tourbillon, il existe aussi un changement d'opinion et un doute grandissant quant à la continuité de l'obligation d'occuper les territoires. Aujourd'hui, même parmi les partisans de l'occupation des territoires, nombreux sont ceux qui pensent que la partition du pays est inévitable et que la création d'un État palestinien n'est qu'une question de temps.

Je ne prétends pas que l'opposition active à l'occupation des territoires soit la seule cause du changement d'opinion. Ce n'est ni la seule ni la principale. Toutes sortes de réalités, et tout d'abord celle que créèrent les Palestiniens eux-mêmes avec l'Intifada, ont pénétré la conscience des Israéliens. Des mouvements extra parlementaires ne créent au mieux qu'une tendance nébuleuse. Les vrais déroulements sont le fait des élus et pas toujours parce qu'ils

---

2. Théorie et Critique (Theory and Criticism, An Israeli Forum) : périodique édité par l'institut Van Leer, Jérusalem. L'institut, de grand renom est considéré entre autres comme l'un des hauts lieux de la pensée critique israélienne, et donc également du post-sionisme en Israël.
Parmi les articles de Adi Ophir :
« Le postmodernisme : position philosophique », dans : *L'éducation au temps du débat postmoderne* (en hébreu), Ilan Gur-Zéev (éd.), Éditions Magnes, Jérusalem, 1986 ;
« Sur le renouveau du Nom » (en hébreu), *Politica*, 8, juin 1986, p. 2-5 ;
« Au-delà du Bien et du Mal, ébauche d'une théorie politique d'amitié » (en hébreu), *Théorie et Critique*, n° 1, 1991, p. 41-77 ;
« Description objective d'une pression physique modérée » (en hébreu), Davar, 31 mai 1991 ;
« Montage » (en hébreu), Davar, 7 juin 1991 ;
« Un collage de méchanceté » (en hébreu), Davar, 14 juin 1991 ;
« L'affaire Dreyfus et les autres écoles politiques » (en hébreu), *Théorie et Critique*, n° 6, Printemps 1995, p. 161-176 ;
« Dommage, limites du discours moral : à la suite de Léotard », *Iioun*, vol. 45, avril 1996, p. 149-190 ;
« From Pharao to Saddam Hussein : The Reproduction of the Other in the Passover Haggadah, *in* Laurence J. Silverstein & Robert L. Cohn (eds.), *The Other in Jewish Thought and History*, New York University Press, New York, 1994, p. 205-235 ;
« The Poor in Deed Facing the Lord of All Deeds : A Postmodern Reading of the Yom Kippur Mahzor », *in* Steven Kepnes (éd.), *Interpreting Judaism of Postmodern Age*, New York University Press, New York, 1996, p. 181-217.

sont attentifs aux manifestations ou aux protestations. Le changement d'orientation de Yitshak Rabin (pour qui les opposants à l'occupation des territoires
éprouvaient un véritable courroux) et le changement d'orientation du parti
travailliste après Oslo (les conversations et les accords d'Oslo en 1992-1993,
entre Israéliens et Palestiniens qui conduisirent à une reconnaissance réciproque), ont certes eu plus d'influence que l'ensemble des actes de protestation. Mais quand nous évoquions l'intérêt général, quand nous parlions d'une
réalité qui touche un grand nombre, il ne s'agissait pas seulement ou essentiellement, de notre volonté. Maintenant, et seulement maintenant, tu proposes
une politique qui est tout entière la projection de ta propre volonté.

Le problème s'est posé quand nous avons compris que le travail s'était
arrêté. Nous avions senti cette interruption bien avant d'en connaître les
causes. Quand on est pris par un travail, on développe un sixième sens pour
la dynamique de ce travail. La question si ce travail a ou n'a pas un rythme
dynamique, est primordiale pour une formation politique, et on ne peut en
exagérer l'importance. La réponse à cette question est évidente, dans un
contexte qui par nature ne l'est pas. Avant de savoir quel est l'impact d'un
de tes actes, tu sais si cet acte débouche sur un autre. Si une manifestation en
entraîne une autre, si une protestation débouche sur le ralliement d'autres
gens, tu sais que cette activité est porteuse d'un certain pouvoir, qu'elle est
continue, enrichissante, constructive.

Qu'as-tu construit ? Tu le sauras plus tard, mais au moment d'agir, tu sais
si tu construis ou si tu te situes au point mort. Or, nous nous sommes arrêtés.
On ne peut réduire la politique à une institution, même quand il s'agit de
nous. J'ai lu plus d'une fois des auto-accusations, comme quoi une faiblesse
de caractère, un abattement moral et un affaiblissement de l'endurance sont
la cause de la cessation d'activité contre l'occupation des territoires. Je crains
que ceux qui prétendent cela, préfèrent le rituel de l'auto-accusation à un
examen approfondi de la situation. Ce n'est pas l'endurance qui manquait
aux adversaires de l'occupation des territoires, mais le sentiment qu'il y avait
quelque chose à faire. (Des anges auraient évidemment montré une plus grande
endurance, mais si on considère que le nombre d'anges dans les manifestations était limité, le rapport entre faiblesse et force était tout à fait normal.)
Nous étions arrivés à un stade où nous sentions que nous perdions notre temps,
que nous ne convainquions que les convaincus et n'atteignions pas ceux qui
ne l'étaient pas. Ce n'est pas la crainte de la réalité qui nous a arrêtés, mais
justement le sentiment de la réalité. La réalité politique la plus concrète, pour
ceux qui en Israël, s'opposaient à l'occupation des territoires, était celle d'une
impasse. Là où nous ne sentions pas de barrière, là où il y avait quelque chose
à faire, l'activité s'est poursuivie. Ce fut le cas d'associations comme
«*Betsélem*», «l'association des médecins», «le comité contre la torture».

Mais pour ce qui est de l'influence sur l'opinion publique israélienne, il y avait un barrage.

Ce barrage est d'ordre culturel. Il s'agit d'une barrière d'appartenance. L'assassinat de Rabin l'a révélé de manière éclatante. Tout assassinat politique est une tentative d'exercer un traitement de choc sur les problèmes de société. Un assassinat politique ayant atteint son but est un choc qui a été encaissé, qui s'est étendu, qui s'est relié à une situation traumatique l'ayant précédé et en a tiré une force. C'est pourquoi cet assassinat nous accompagnera encore pendant des années. C'est pourquoi, d'après moi, Yigual Amir ne sera pas banni par la collectivité, mais deviendra une figure à laquelle de nombreux Israéliens lieront, avec une admiration ouverte ou larvée, la colère ou la vexation qu'ils portent en eux. Si nous vivons aujourd'hui en Israël, un état de fait où la culture dominante se désintègre et révèle l'existence de nombreuses cultures partielles et blessées, l'assassinat de Rabin n'est pas lui-même le symptôme de cette désintégration (celle-ci commença bien des années avant), mais son terrible symbole.

Le fait que la campagne électorale qui suivit l'assassinat de Rabin, n'a pas traité de cet assassinat, n'est qu'une expression de ce traumatisme. Quand arrive une explosion énergétique qu'on ne sait comment traiter, on préfère s'en détourner. La décision de ne pas évoquer le meurtre de Rabin est l'expression flagrante d'une vie politique déconnectée. Étant donné que tout le monde savait que la majorité des Israéliens voteraient selon leur sentiment d'appartenance latente à des cercles culturels, et non selon leurs positions déclarées, on décida de ne pas parler de l'assassinat. Etant donné que celui-ci eut pour conséquence un rapprochement de la majorité des Israéliens vers ces groupes culturels d'appartenance – qui leur donnaient un sentiment de chaleur familiale – l'assassinat lui-même fut occulté. Le deuil résultant de cet assassinat a par lui-même clairement désigné une frontière. Les deuils étant un de ces secteurs, un parmi d'autres, dans une société qui en comprend de nombreux. C'est pourquoi, on décida d'écarter le débat sur l'assassinat de Rabin de la campagne électorale qui le suivit immédiatement. Celle-ci conduisit à l'arrivée au pouvoir de Netanyahou et à la liquidation du processus d'Oslo. Le parti travailliste craignait, avec raison, que cet assassinat ne ferait qu'augmenter le rassemblement interne au sein de groupes étrangers au sien. Le Likoud craignait, également avec raison, que cet assassinat pouvait conduire de nombreux supporters à s'en démarquer au lieu de rester dans leur groupe d'appartenance. C'est ainsi que l'assassinat fut occulté. C'est ainsi que disparut tout intérêt pour un débat politique.

Rabin avait tenté de mettre à l'ordre du jour politique, la question de la relation de chaque individu en Israël par rapport à Oslo, à la partition du pays. Les Israéliens, dans leur grande majorité, refusèrent de répondre à cette question. L'assassinat montra que la première tentative sérieuse de sortir les Israéliens d'un état de guerre s'était faite uniquement au nom d'une seule culture, parmi quatre : celle du parti travailliste, dont la base était principalement des ressortissants d'Europe. Le changement de cap vers la paix s'était fait sans la majorité des Orientaux, sans la plupart des religieux, sans la plupart des immigrants de l'ancienne Union Soviétique, pour ne se référer qu'aux plus grandes lignes de soutien (et laisser pour le moment de côté, les lignes plus fines, même si elles ont évidemment leur importance). L'appartenance prima la réponse directe à une question directe. Je veux parler de l'appartenance sous deux aspects. Le monde socioculturel dont Rabin était issu, trouva en Oslo un point de ralliement et immédiatement, les autres mondes culturels se sont également mis en quête de point de ralliement. Non seulement les adversaires d'Oslo, mais aussi ceux qui soutiennent ce processus, sont avant tout, des groupes socioculturels et seulement ensuite, des détenteurs de telle ou telle idéologie. Je ne prétends pas qu'il n'y ait pas de gens adhérant à des idées pour elles-mêmes, je dis que ceux qui placent leur sentiment d'appartenance générale avant leur prise de position sur un sujet spécifique, sont plus nombreux.

Ceci ne veut pas dire que la tension relative aux problèmes sécuritaires n'a pas d'importance. Ceci ne veut pas dire non plus qu'il n'y a pas de marge fasciste en Israël. Il s'agit d'un fascisme tout à fait pratique, organisé et armé, dont le seul objectif est d'empêcher la division du pays. Mais tant à la tension relative aux problèmes sécuritaires, qu'au fascisme de cette fraction de *Gouch Emounim*, la plupart des Israéliens (pas tous) y arrivent par le biais de leur désarroi culturel.

Le résultat est que le débat sur le sort du pays devient à la fois très chargé et très flou. La polémique sur la paix englobe de nombreuses autres discussions, de nombreuses tensions, sans rapport avec elle. Elle devient l'expression d'une détresse qui ne peut s'exprimer, elle devient une ligne d'opposition claire pour de sombres vexations à la recherche de terrains de combat. Ceux qui payent le prix le plus élevé de tout cela, sont les adversaires de l'occupation des territoires. À cause de besoins pressants d'appartenance culturelle, une coalition pour la paix ne s'est pas créée. Même l'opposition de principe, idéologique, d'une grande partie du leadership spirituel des ultra-orthodoxes, aux implantations, est un facteur plus faible que l'animosité culturelle des masses ultra-orthodoxes pour le monde du mouvement travailliste. Ainsi, la question de la paix doit-elle pratiquement vivre sans le soutien des Orientaux, sans celui des ultra-orthodoxes, et quasiment sans celui des immigrants de la dernière vague d'immigration. Et cela est trop peu pour un corps devant porter une charge si lourde. Pire, peut-être que, de proposition logique pour tout Israélien, la question de la paix se transforme en expression culturelle d'un secteur, d'une gamme de sensibilités, d'un intérêt de groupe.

C'est une situation paralysante. Désespérante aussi. Une situation où la question de l'occupation des territoires se nourrit de sources éloignées, très vitales et inaccessibles. La méchanceté s'en trouve renforcée. La brutalité et la vulgarité de l'occupation ne sont pas seulement des actes définis dans des lieux définis, elles deviennent l'esprit du temps. La bassesse et la violence reçoivent un potentiel d'authenticité ayant subi une mutation démoniaque. Quelque chose en elles débuta comme une vraie plaie et s'est transformé en barbarie. Et quand la vulgarité résonne comme une vérité inébranlable et même se répand, viennent des jours sombres pour l'intellect.

Devant un tel état, tu as choisi de t'éloigner. Cette discussion se tient à propos de cet éloignement. Walter Benjamin a écrit que le premier problème de la critique est celui de la distance. Que l'observateur se place près ou loin de l'objet, croit-il, détermine la nature de son regard. Tu proposes d'observer les Israéliens de loin. Je propose de les observer de près.

Si nous nous heurtons à des blocs culturels impénétrables, qui se sont créés chez les Israéliens, il faut selon moi, s'en rapprocher, les voir de près. Etant donné qu'il s'agit de blocs qui se sont formés au cours des temps, par une lente accumulation de matières, aucune démarche isolée ne les fera fondre. Il faut se préparer à de nombreuses démarches. Je ne pense pas non plus qu'il faille les faire fondre. Qui parle de « spectre ethnique » voudrait pouvoir se lever un matin et voir que les Israéliens se ressemblent. Non parce que c'est le cas, mais parce qu'on aime se bercer du rêve monolithique du creuset social. Mais le melting pot des années cinquante fut un échec total, un rêve qui causa plus de dommages que de bien. Une politique qui discrimina clairement les ressortissants des pays arabes, qui ajouta une difficulté superflue à celles, obligatoires, par lesquelles passent tous les immigrants. Qui fit abstraction des énormes différences de l'arrière-fond historique des différents immigrants ? Qui plaça devant des centaines de milliers d'immigrants, dont chacun était fait d'une quantité infinie de paysages et de langues, un seul et même modèle stérile et grossier, celui de l'homme nouveau israélien. Même le sabra souffre du culte du sabra. Il y avait une force qui l'obligeait à s'enfermer dans ce stéréotype de lui-même, de s'accorder à cette image stérile.

Le besoin de nombre d'Israéliens, de nos jours, de marquer des différences entre eux – de groupes ethniques, d'origines, de croyances, de sexes – est également une réaction à la grossière uniformité des années cinquante. C'est justement la raison pour laquelle il existe aujourd'hui un danger de mystification du groupe ou de l'ethnie, aux dépends de l'ensemble de la société.

Il y eut dans le passé une grossière uniformité. N'y a-t-il pas aujourd'hui de grossière séparation ?

Tant l'uniformité que la séparation ne sont le fait d'un seul groupe isolé. Ces phénomènes se sont produits au cours de processus qu'a traversés toute la société israélienne. Parallèlement à la tentative de nous fondre tous dans un même moule, les Israéliens sont passés, entre les années cinquante et les années quatre-vingt-dix, par au moins quatre évolutions majeures. Tout d'abord, un enrichissement global de la société par une augmentation météorite du PNB [3]. Deuxièmement, une augmentation dramatique des écarts entre les riches et les pauvres. Troisièmement, un passage lent, long et continu d'une société aux mécanismes égalitaires très forts vers une société privatisée [4]. Quatrièmement, depuis trente ans, à partir de 1967, la situation de guerre a pris un caractère statique : aussi bien les colons, que ceux qui veulent partager le pays entre Israéliens et Palestiniens, ne parviennent à faire triompher leur position.

Ces quatre processus ont percé le creuset ou ce qu'il en reste. Ils n'ont pas agi isolément sur un seul secteur, mais bien sur tous les secteurs, sur leur interaction entre eux et au sein de chacun. La discrimination des ressortissants des pays arabes dans les années cinquante est encore plus grave si on ne la considère pas comme un phénomène isolé. En effet, dans une société prônant une éthique égalitaire, où les écarts de revenus ne sont pas grands, une atteinte particulière est portée si cette éthique apparaît comme hypocrite et qu'un groupe important est relégué aux marges de la société. Aujourd'hui aussi, aucun groupe n'existe de façon entièrement isolée. L'ethos de privatisation suscite des conditions d'ordre général sur le terrain. En identifiant une discrimination contre un certain groupe, la privatisation réduit les moyens permettant de réparer cette inégalité, si tant est qu'il apparaisse une volonté politique de la réparer.

Par conséquent, le narratif isolé des Orientaux ou des ultra-orthodoxes est une duperie. L'histoire séparée d'un groupe discriminé ou de tout autre groupe, n'est jamais complète. Il est intéressant de constater que le désir de se construire une histoire entièrement séparée – qui en fait est un désir de se débarrasser de la société – apparaît simultanément dans le réseau éducatif de *Shass* et chez toi, dans les publications académiques de la gauche postmoderne. Dans les deux cas, il s'agit d'une requête de groupe de démanteler la société. Dans un cas comme dans l'autre, il y a rejet de la nécessité d'une solidarité, recouvrant tous les secteurs [5].

---

3. Le produit national brut par personne en 1950 était de 10 029 NIS (toutes les données sont adaptées au coût des prix en 1995). En 1997, il était de 47 855 NIS. Il y eut donc une augmentation constante qui alla jusqu'au quadruple et plus. Les données sont celles de l'annuaire statistique d'Israël, 1998, p. 6.9, tableau 6.1.
4. Voir : Ephraïm Kleinman, « The Wanning of Israeli Etatisme », *Israel Studies*, Vol. 2, automne 1997, p. 145-171. Et pour le sujet de la taille de l'économie syndicale et l'opinion en Israël : « En 1987, Israël était encore parmi les pays aux économies développées non communistes celui qui avait le plus grand secteur public [...] », Yaakov Kondor, *Les secteurs public, syndical et privé de l'économie israélienne : La répartition du produit national et l'emploi en 1987* (en hébreu), janvier 1992.

Il faut mettre ici en évidence un trait commun de la société israélienne. Les racines de la déchirure culturelle se trouvent dans les années cinquante mais celle-ci n'est parvenue à la conscience publique, qu'après la guerre de Kippour et elle n'eut d'influence déterminante dans les urnes, qu'à partir de 1977. Le choc ressenti au moment de la guerre de 73 ne fut pas que militaire.

Pour autant que la guerre elle-même fut terrible, il y eut un trait commun entre le caractère des combats et le caractère continu de la vie sociale en Israël, de nombreuses années plus tard. Cette guerre éclata à cause de la passivité, de l'aveuglement à distinguer les processus en cours et à cause de l'impossibilité d'accomplir un acte politique. Ceci, dans une société qui était très active. Jusqu'en 1973, les Israéliens ont fait, pour eux et pour les autres, des choses bonnes et mauvaises, mais au moins, ils agissaient. L'élément non-folkloriste dans une culture saturée de folklore, était l'instinct de l'action. Au sein des nombreuses et différentes idéologies, il y avait une ligne d'activisme : la tendance à localiser un problème, celle de vouloir changer la réalité pour ne pas laisser le problème tel qu'il était.

Après 1973, les Israéliens perdirent le sentiment qu'ils pouvaient faire quelque chose pour résoudre leurs problèmes. Certes, il y eut sans doute de nombreux actes, dont certains furent très significatifs, comme la paix signée entre le gouvernement de Begin et l'Égypte, comme l'intégration d'un million d'immigrants d'Union soviétique, comme la reconnaissance mutuelle entre Israéliens et Palestiniens à Oslo. Mais l'activisme fut de courte durée. Pour les deux problèmes les plus graves des Israéliens, l'état de guerre avec le monde arabe et l'écart interne, c'est la passivité qui prévalut. Ce ne fut pas toujours une passivité volontaire. Tant *Gouch Emounim* que la gauche, poussaient à des actes spectaculaires, afin de transformer cet état de fait d'occupation des territoires. Le fait qu'un certain match nul politique s'était créé par rapport à la question palestinienne, ne permit à aucun des partis, de réaliser son plan d'action.

L'année 1973 fut aussi l'époque où le système d'action du secteur des travailleurs du pays, subit un coup dont il ne s'est pas encore relevé. Toute une série d'instruments, qui étaient aux mains de la société juive pour s'occuper activement de ses problèmes, passèrent par un processus de dégénération et de fossilisation, avant d'être finalement éliminés. « L'association capital-

---

5.   Voir à ce sujet les propos de Daniel Gutwein sur le post-sionisme en tant qu'ethos de privatisation, dans son article figurant dans ce recueil et également dans : « *L'historiographie nouvelle* et la privatisation de la mémoire », publié dans le recueil : From Vision to Revision, A Hundred Years of Historiography of Zionism (en hébreu), Yehiam Weitz (éd.), Centre Zalman Shazar d'histoire du peuple juif ; Institut Herzl de recherche sur le sionisme, Université de Haïfa et Centre Cherrick de recherche sur le sionisme et le *yichouv*, Université hébraïque de Jérusalem, 1997, p. 311-343.

travail » (*mechek ha-ovdim*) et la propriété publique d'une part non négligeable de la production, la *Histadrout,* en tant que syndicat important et puissant, les entreprises collectives de vente, la consommation, l'éducation, le système bancaire, la presse, l'édition – tout cela s'est disloqué au cours d'un processus accéléré de privatisation.

C'est pourquoi la société a perdu les moyens par lesquels elle était en mesure de créer une relative égalité. A prévalu une réalité, dans laquelle l'écart ethnique transmis de génération en génération n'est pas traité, l'écart général des revenus au sein de la société va en s'écartant, sans que cela n'entraîne nulle action sociale susceptible de l'arrêter et la distance mentale entre le centre et la périphérie ne se comble pas. Tous ces éléments accélèrent l'apparition d'écarts culturels et de fait, les aggravent une fois qu'ils sont apparus.

Le trentième jour après l'assassinat de Rabbin, A.B. Yehoshua dit que le plus fort credo de la gauche est sa foi dans la faculté des gens de changer eux-mêmes et de faire changer les choses. La droite s'accordait toujours mieux avec un état d'immobilisme, même si elle participait aussi au rêve collectif actif des Israéliens. Traditionnellement, la droite peut souffler chaque fois qu'elle arrive à la conclusion que « la mer est toujours la même et les Arabes aussi ». Le conservatisme a toujours été le fait de la droite, même dans ses représentations activistes. Par opposition, la passivité est beaucoup plus nocive pour la gauche. Sans changement, elle perd l'essentiel de sa raison d'être.

La gauche ne peut pas ne pas croire, que seule une mystification conduit les gens à penser que « la mer est toujours la même et les Arabes aussi ». Mais quand les forces sociales internes s'équilibrent les unes les autres, se paralysent les unes les autres et liquident au moyen de la privatisation, les moyens d'action de la société, monte, telle une vapeur empoisonnée, la pensée qu'il se peut que la droite ait raison dans ses instincts politiques, puisque la répartition darwiniste de la société en groupes ennemis et fermés les uns aux autres, se renforce.

Les électeurs sentent cela et l'expriment au moment des élections. Les ethnies blessées sentent cela et font des alliances politiques avec la droite. Les intellectuels de gauche, eux aussi adoptent l'immobilité de la droite. Par exemple, quand ils parlent de « politique d'identité ». Ils sanctifient l'immobilisme de l'identité collective et font abstraction de tout phénomène social qui n'est pas statique. Le philosophe américain Richard Rorty a récemment attaqué la gauche universitaire américaine qui a accepté, non le racisme, mais l'immobilisme qui est enraciné en lui. « Il y a sans doute une raison à ce que tous les regroupements d'intérêt ne sont pas considérés (par les détenants de "la politique de la culture" – N.C.) comme identiques : Au sein d'un regroupement d'intérêt (comme les professeurs ou les chômeurs), il est possible pour un individu de se déplacer soit vers l'intérieur, soit vers l'extérieur, mais le sadisme de ton voisin peut ne pas te permettre de sortir d'un groupe d'identité[6]. »

Si la gauche confirme et arrête le lien entre sadisme et immobilité, elle n'a plus de raison d'être. La gauche postmoderne décrit le sadisme dans la société comme un facteur constant, qui ne fait que changer de forme. Il s'agit d'une gauche qui ne croit pas que la démocratie et une politique de bien-être social, puissent freiner le sadisme et instaurer une solidarité dans la vie sociale. Ce pessimisme est l'acceptation du credo le plus fondamental de la droite, celui du conservatisme, de l'immobilité.

Et voici qu'au lieu de vivre le pluralisme, on essaya d'imposer une uniformité. Ce que nous découvrons aujourd'hui est le pluralisme culturel des Israéliens. Ou plus précisément, un pluralisme qui jaillit de manière destructive, parce qu'on avait tenté de l'ignorer. Nombreux sont encore les Israéliens qui se conduisent et qui pensent comme des pluralistes malgré eux. Ils savent que les variantes de la société israélienne représentent une difficile réalité, mais un instinct profond et un rêve très cher les portent à penser en terme d'Israélien unique et non de multiples Israéliens.

Il faut préparer des instruments de pensée s'appliquant au pluralisme, tirer les leçons de nos échecs du passé, apprendre de l'expérience d'autrui, rentrer dans le champ de pensée du pluralisme. Le champ de pensée pluraliste est aussi celui que tu as choisi en optant pour le postmodernisme. Moi, je ne l'ai pas choisi, mais le pluralisme est la base commune de notre discussion.

Mais de là, tu as continué en niant aux Israéliens le nationalisme et en réfutant le sionisme. Selon moi, cette démarche signifie un éloignement par rapport à l'ensemble des Israéliens et non un rapprochement vers des Israéliens différents entre eux. « Le nationalisme, écrit Isaiah Berlin, est tout d'abord une réaction à une offense faite à la société ». Il continue et précise le caractère spécifique de cette blessure qui conduit précisément au nationalisme : elle découle de la modernisation. Il s'agit d'un mal très moderne. Le nationalisme n'a que deux centenaires d'existence, depuis la révolution française. Mais il a une telle influence que « ce n'est que par un grand effort d'imagination que l'on peut se représenter un monde où (le nationalisme) ne jouerait pas de rôle ». Quand il commença à jouer un rôle, c'était pour se protéger de la modernisation. Le nationalisme, écrit Berlin a donné un sentiment d'appartenance à ceux que la modernisation avait écrasés ou isolés dans une ville anonyme ou avait spoliés (de sa religion par exemple) plus qu'elle ne leur avait donné (par exemple l'individualité). « Le sentiment d'appartenance à une nation » est aux yeux de Berlin le facteur le plus décisif, plus que toute

---

6.   Richard Rorty, Achieving Our Country : Leftist though in Twentieth Century America, Harvard University Press, Cambridge, Mass., 1998, p. 147.

autre idéologie ou conscience. Ce sentiment d'appartenance est devenu un besoin impérieux en tant que « réaction à une relation de supériorité ou de mépris envers les valeurs traditionnelles d'une société »[7]. Et nous les Israéliens, nous vivons dans une modernisation qui a laissé derrière elle bien des victimes. D'autant qu'il s'agit d'une modernisation qui s'est faite par le biais d'une émigration, par un arrachement particulièrement difficile, de gens à leur culture traditionnelle.

Isaiah Berlin donne quelques exemples saillants : « Ce n'est que si on saisit l'influence traumatisante de la rapide modernisation à outrance qu'imposa Pierre le Grand » à la Russie qu'on peut comprendre le nationalisme russe. Le nationalisme allemand, écrit-il, apparut avec « un dérèglement dans la vie de classes entières, qui suivit la modernisation », avec « la destruction des modes de vie traditionnels » et avec de nombreux Allemands restés « sans vrai soutien, dans l'insécurité et l'embarras ».

Le nationalisme est une nouvelle jonction – qui toujours s'accroche à une mémoire collective ancienne dont une partie est vraie, mais la plus grande partie ne l'est pas et ne l'a jamais été – s'adressant à des gens chez qui la modernisation a détruit tout sentiment d'identification. « Vient alors l'effort de créer une nouvelle synthèse, une nouvelle idéologie, tant pour expliquer que pour justifier l'opposition aux forces agissant contre leurs idées fermes et leur mode de vie, pour indiquer une direction et leur offrir un nouveau pôle d'identification[8].

Est-il obligatoire que ce soit le nationalisme qui remplisse ce rôle ? Non, répond Isaiah Berlin. Les deux siècles de nationalisme ont également produit d'autres foyers identitaires, comme « la classe sociale ou le parti ou encore, l'église ou plus souvent encore, le cœur du gouvernement et de l'autorité, soit l'état lui-même ». Chacune de ces catégories peut « brandir un drapeau sous lequel tous ceux dont la façon de vivre traditionnelle a été entravée […], peuvent se réunir et se regrouper »[9].

Isaiah Berlin n'oublie – ni la social-démocratie en Europe qui attira et attire encore une identification continue, ni l'église catholique de Pologne ou d'Irlande, ni les États-Unis d'Amérique où l'État est sophistiqué et le nationalisme peu développé. Il n'oublie pas que le nationalisme n'est pas naturel, pour qui a franchi la modernité, mais n'omet pas non plus de le comparer avec d'autres pôles d'identification. « Mais en fait, il s'avère qu'aucun d'entre eux n'a de grands pouvoirs, que ce soit en tant que symbole ou en tant que réalité, et qu'aucun n'est capable d'agir en tant que force unificatrice et dyna-

---

7.   Isaiah Berlin, Contre le courant : Essais sur l'histoire des idées (traduction en hébreu), p. 453.
8.   *Ibid.*, p. 457.
9   *Ibid.*, p. 458.

mique comme c'est le cas pour la nation ; et quand la nation recouvre d'autres pôles de dévouement, comme la race, la religion ou la classe, sa force d'attraction en est multipliée ».

Pour toi, tout ceci n'existe pas. Le nationalisme n'est pour toi qu'une « conscience mensongère ». I. Berlin en a aussi entendu parler. « Les marxistes et autres socialistes radicaux [...] ont vu dans le sentiment national lui-même une forme de fausse conscience ». Tu écris, tu réagis, tu édites un périodique. Nulle part, je n'ai vu que l'idée de renonciation au nationalisme ne s'accompagne chez toi d'un examen de la grande et immense expérience qui fut pratiquée au XXᵉ siècle pour tenter de vaincre le nationalisme. Cela ne t'a-t-il pas intéressé ? Cela n'a-t-il pas excité ta curiosité ? N'as-tu pas ressenti le besoin d'interroger des personnes passionnantes, intelligentes, pleines d'esprit, des gens courageux, qui ont laissé une ou deux traces au siècle dernier, des gens comme Léon Trotski et Edward Bernstein [10], comme Rosa Luxembourg et Léon Blum, comme Moshé Snéh, Émile Habiby ou Nathan Yalin-Mor [11]. La gauche européenne, russe, israélienne et palestinienne a essayé pendant des années de se maintenir face au nationalisme, comme si celui-ci était « une conscience mensongère ». On a accumulé bien de l'expérience entre le Birobidjan [12] et la gauche française, entre l'idée d'une autonomie culturelle non-nationale du Bund [13], entre l'idée d'une fédération sémite des anciens du *Lehi* [14], entre la désignation par Staline de la Deuxième Guerre mondiale comme d'une « guerre pour la patrie » et l'abandon par l'OLP de l'idée d'un État laïc et démocratique. De toute cette expérience historique et

---

10. Edward Berstein (1850-1932) – L'un des dirigeants du parti social-démocratique allemand. S'opposa à Marx, sur le principe et refusa entre autres, de voir dans le nationalisme un facteur négligeable. Il prêcha en faveur de l'assimilation des Juifs mais vers la fin de sa vie, soutint le sionisme.

11. Moshé Snéh (1850-1932) – l'un des dirigeants du judaïsme de Pologne entre les deux guerres. Après son immigration en Israël, il fut nommé chef du Quartier Général de la *Hagana*. Ses tendances de gauche le conduisirent à abandonner le sionisme. Il fut l'un des dirigeants du parti communiste israélien. Il revint au sionisme dans les dernières années de sa vie.

      Émile Habiby (1922-1996) – écrivain et homme politique arabe-israélien. Fut pendant de longues années, député du parti communiste à la Knesset, qu'il abandonna les dernières années de sa vie. Son roman « L'opéssimiste » le rendit célèbre dans le monde entier.

      Nathan Yalin-Mor (1913-1980) – était l'un des chefs du *Lehi*, organisation clandestine qui s'exclut de l'autorité des institutions du *yichouv* juif et combattit le gouvernement anglais. Après la proclamation de l'État, il œuvra pour l'intégration de l'État au sein de « l'étendue sémite ».

12. Birobidjan – En 1928, l'Union Soviétique décida de créer en Extrême Orient une région nationale juive. En 1943, on décida de faire du Birobidjan une région autonome juive et le yiddish y fut déclaré langue officielle au côté du russe. Cette expérience fut un échec.

13. Bund – Parti socialiste juif en diaspora. Il fut fondé en Russie en 1897 et prônait une autonomie juive nationale et culturelle dans le cadre d'un régime socialiste futur.

14. La fédération sémite – En 1956 s'est organisé un petit groupe appelé « la fédération sémite ». Parmi ses fondateurs il y avait surtout des anciens du *Lehi* (Nathan Yalin-Mor, Boaz Evron et Amos Kenan). Cet organisme appela à l'assimilation d'Israël au sein de « la région sémite » et à la création d'une identité israélienne « sémite » qui ne soit pas seulement juive ni sioniste.

intellectuelle, tes articles n'évoquent que l'expérience des États-Unis (impérialisme culturel mentionnes-tu dans ton article ? Non, dégoût de l'histoire sous couvert de dégoût de l'impérialisme culturel) et même cela, comme l'explique Michael Walzer, tu le comprends de manière a-historique. De tous les penseurs de la gauche européenne et israélienne qui se sont penchés sur ce dilemme du nationalisme, tu n'as entendu parler que de Michel Foucault et de ses continuateurs. Son écriture est très pointue, mais son traumatisme, le traumatisme de l'échec des années soixante, comme celui de tous les gens percutants et gâtés, est censé recouvrir toutes les autres douleurs. Et l'histoire de la gauche et du nationalisme est faite de nombreux traumatismes, éloignés les uns des autres dans le temps et le lieu. Tu ne veux pas étudier ces traumatismes. Comme je l'ai déjà dit, la politique est très a-historique.

Un exemple élémentaire : Quand la gauche proposa de renoncer au nationalisme comme pôle d'identification, elle proposa, plus d'une fois, un autre foyer d'identification profonde. Isaiah Berlin s'attarde sur la proposition de solidarité des prolétaires, parce qu'elle fut en vigueur de longues années durant. Mais il y eut encore d'autres propositions. Quand le Bund s'entêta à ne pas renoncer à la culture yiddish, au sein du cadre prolétarien et en dépit de celui-ci, il proposa quelque chose d'autre pour remplacer le nationalisme (ce n'est pas par hasard si l'article le plus savoureux que tu aies publié dans *Théorie et Critique* est l'article des frères Boyarin). Ils détestent le sionisme, ils proposent quelque chose de riche, de sensuel et de passionnant. Ils proposent pour les Juifs de New York et de Tel Aviv de 1997, avec un manque de réalisme digne d'éloges, une autonomie culturelle qui était d'actualité à Varsovie en 1937. Les frères Boyarin sont tellement certains que rien de significatif ne s'est passé ces soixante dernières années, qu'il ne leur vient même pas à l'esprit de déposer une fleur rouge, en signe de deuil, sur les tombes des bundistes, à l'intelligence pertinente et à l'esprit courageux dont le merveilleux rêve est parti en fumée [15].

Que proposes-tu aux Israéliens pour remplacer le nationalisme ? Tu proposes l'Amérique, sans les conditions de l'Amérique. Tu proposes la citoyenneté de l'Amérique – le pays de tous ses citoyens – à ceux qui ont passé par les traumatismes d'Europe (et également à ceux dont le traumatisme consiste en une séparation d'avec l'Islam). Tu proposes une citoyenneté procédurale, sans appartenance forte, à ceux qui ont besoin d'une appartenance comme d'air pour respirer. En vérité, tu ne proposes rien. Tu as trouvé aux États-Unis un modèle de citoyenneté qui contourne, de manière géniale, le problème d'appartenance pour des immigrants déchirés devenus des indi-

---

15. Daniel et Jonathan Boyarin, « Pas de patrie pour Israël – sur la place des Juifs » (en hébreu), Théorie et Critique, n. 5, automne 1994, p. 79-103.

vidus isolés. Mais ici, nous vivons avec des immigrants qui recherchaient une collectivité, pour qui celle-ci est la condition même de leur survie.

L'immigrant, écrit Michael Walzer, est un homme multiculturel par excellence. Il a quitté une culture et en a adopté une autre. Et il doit, et pas seulement il peut, les relier entre elles, en lui. La multiplicité des cultures est pour lui une réalité, pas une idéologie. La déchirure interne n'est pas un modèle abstrait. C'est pourquoi quand l'immigré crée sa culture et y amène des idéologies et des idéaux, la difficulté de l'émigration et le face à face avec la difficulté sont des contenus profonds de la culture.

Quand Walzer examine la multiplicité des cultures telle qu'elle existe aux États-Unis, il construit ses distinctions sur le caractère de l'émigration vers l'Amérique et sur la structure politique qui s'y est créée du fait des besoins des immigrés.

Mais ici, tu le sais très bien, une comparaison s'impose. Les Israéliens, comme les Américains, sont des fils d'immigrés et la question qui se pose est de quels immigrés. Avant d'examiner quel est pour nous, le caractère de cette immigration spécifique, nous ne pouvons savoir quel est le traumatisme culturel et multiculturel qui nous accompagne.

L'immigrant qui arrive aux États-Unis, insiste Walzer, y vient tout d'abord en tant qu'individu. Il a laissé derrière lui une communauté que de nombreux facteurs rassemblaient : des territoires communs, une religion, une langue, une mémoire historique. C'est en tant que fils d'une collectivité qu'il a quitté le vieux pays et comme individu qu'il est arrivé dans le nouveau pays. Et là, il a développé l'individualisme. Il n'a pas créé un territoire commun pour les ressortissants de son ancienne culture (même s'il y en avait, comme c'est le cas, car s'il y a dans les villes américaines des quartiers ethniques, la majorité des immigrants ne s'y sont pas installés). L'immigrant n'a pas conservé son ancienne langue, même si elle lui était chère. Il n'a pas créé une concentration religieuse comme l'ont fait les protestants en Irlande, ni n'a créé de concentration nationale comme l'ont fait les Turcs à Chypre (dans la mesure où il existe par-ci, par-là, un village de heimish ou une concentration de mormons – ce sont là des phénomènes extrêmement exceptionnels. Welzer remarque que les hispanistes regroupés ces dernières années dans le Sud des États-Unis forment la première concentration culturelle significative.) Il est permis de généraliser et d'affirmer, écrit Werlzer, que la majorité des immigrants aux États-Unis voulaient renoncer à la culture collective de leur ancien pays, même si ce désir est empreint de souffrance. Les Noirs ne le voulaient pas, les Indiens ne le voulaient pas – les premiers ont été emmenés comme esclaves, les autres ont été liquidés, pour la plupart. Mais les Noirs et les Indiens sont aux États-Unis des minorités significatives. La culture majoritaire américaine est une culture d'écrasement, mais d'écrasement par choix (du moins, en sachant que c'est là la meilleure option possible pour l'immigrant). Les gens ont renoncé à leur culture riche et compliquée et ont émigré vers les États-Unis pour y recommencer à zéro, en tant qu'individus et non en groupes [16].

Les Israéliens par contre, n'ont pas émigré un à un. La décision d'émigrer ne résultait pas d'une seule raison et avait plus d'une caractéristique. Mais de toute façon, il s'agissait de se joindre à une collectivité juive, qui se définissait en tant que telle, par rapport à de nombreux domaines de la vie. C'est pourquoi, plane une ombre d'individualisme sur la culture d'émigration américaine alors que survole une ombre de collectivisme sur la culture d'émigration israélienne. (Et il y a évidemment dans les deux cas, une réaction à la tendance dominante, c'est-à-dire là-bas, une recherche de collectivité et ici, un besoin d'individualisme).

Mais le caractère fondamental de l'émigration laisse une trace profonde. Non seulement l'immigrant en Israël se joint à une collectivité dans le présent, mais son présent projette un faisceau de lumière sur son propre passé. Son passé également est soumis à une question pressante : à quel point est-ce que j'étais Juif dans mon ancien pays ? Quelle sorte de Juif j'étais là-bas et quel Juif je suis devenu ici ? Parfois la réponse est poursuivie par l'antisémitisme, qui a laissé une cicatrice et le nouveau Juif ressent qu'il a une chance d'être ici plus un homme et moins un Juif (comme c'est le cas pour la culture du mouvement travailliste) et quelquefois c'est le contraire : là-bas je n'éprouvais pas le besoin de me demander quelle était chez moi la part du Juif et quelle était celle de l'homme, alors qu'ici il est pris dans l'engrenage d'un collectivisme juif-israélien exigeant et envahissant (comme dans le cas de la lutte entre les différents courants de la religion juive – lutte qui s'aggrave quand la collectivité est juive de caractère).

Le sentiment de sa propre valeur, chez l'individu israélien, se crée dans un processus d'adhésion à une culture commune. L'immigrant aux États-Unis marque une différence individuelle avant de signaler une différence collective alors que l'immigrant en Israël ne réalise son propre monde, que s'il appartient à un cercle collectif. Si ce n'est pas le cas, il se sent blessé, discriminé, face aux autres Israéliens qui ont un cercle collectif très fort. Sans appartenance collective, il sentira que la blessure de l'émigration ne s'est pas cicatrisée. Et bien sûr, une telle pression collective ne peut pas ne pas conduire vers un besoin anti-collectif chez certains. Le collectif israélien est fort mais il est aussi étouffant.

Il existe de nombreux aspects à l'expérience d'appartenance israélienne, mais cette expérience les précède tous et même devance les différents cercles

---

16.   Michael Zalzer, What it Means to be an American, Affiliated East-West Press, New Delhi, 1994.

des diverses appartenances. Avant qu'un Israélien ne se demande à qui et à quoi il appartient, il respire un air d'appartenance ou de non-appartenance. C'est une culture obsédée par l'appartenance, ayant développé un pathos d'appartenance, une sentimentalité d'appartenance, des peurs d'appartenance, des secrets d'appartenance (et comme son image dans un miroir, la culture d'immigration américaine est une culture d'obsession d'individualisme, un pathos d'individualisme, une sentimentalité d'individualisme). Être israélien, c'est développer un sixième sens par rapport à la question si tu es à peu près désiré dans le bureau où tu es assis ou si tu ne l'es pas ; si on te supporte ou si cela va plus loin, mais cela, sans cependant être un meneur ou bien encore, être un meneur, mais pas très aimé. En effet, être Israélien, c'est se mouvoir entre de nombreux codes culturels à la fois suscitant et repoussant une intimité, codes qui pour la plupart appartiennent à la sphère publique (et de nouveau le reflet : l'immigrant américain cherchera l'intimité dans la sphère privée, sa sphère publique n'étant pas du tout intime). Il n'existe pas dans la politique américaine, écrit Walzer, quelque chose tenant du sentiment familial existant dans la politique des peuples européens. Par contre, sans sentiment de loyalisme ressemblant à la fidélité familiale (et à la tromperie familiale), on ne peut comprendre la politique israélienne – qu'on aime cela ou non. La question est de savoir ce qui se passe, quand la famille s'aperçoit qu'elle est en fait de nombreuses familles et que beaucoup commencent à sentir que l'image familiale elle-même s'est métamorphosée : c'est une vérité forte et indispensable pour une part et pour l'autre, une hypocrisie.

Il est tentant de comparer, de transférer les distinctions sociales des États-Unis vers Israël, du fait qu'il s'agit de deux cultures d'immigration. Il y a une base de vérité pour la rapidité avec laquelle passent les idées sur la multiplicité des cultures, des universités américaines aux universités israéliennes. Et cependant, il faut être prudent dans ces comparaisons. Walzer avertit le lecteur : la politique de la différence est très difficile à transférer d'une culture à une autre. Son essence se trouve dans des différences spécifiques et des dénominateurs communs spécifiques.

Quand on dit, comme A.B. Yehoshuah, que le pôle de la détresse des immigrants d'Afrique du Nord est émotionnel, la gauche a tendance à repousser cette explication. Elle a tendance à parler d'écart économique, d'écarts d'éducation, des grandes différences entre les possibilités s'offrant à quelqu'un habitant le centre par rapport à celui qui habite la périphérie. Yehoshuah lui-même ne renonce pas à ces explications. Elles sont vraies et elles sont déterminantes. Et cependant il continue à placer l'aspect sentimental au centre.

Je pense qu'il a raison. Il est des moments où les sentiments sont une réalité politique et se dérober devant les sentiments est une manière de se faciliter la vie, en plaçant le problème dans des zones éclairées et connues, au lieu de le placer là où il se trouve. Dans notre cas, dans les conditions particulières de la société d'immigration israélienne, des sentiments se consument au plus profond de la tension politique existante entre l'Orient et l'Occident.

Il est impossible d'être sourd au cri d'indignation qui monte chaque fois qu'est brandi l'étendard de la discrimination : Et qu'en est-il de ma souffrance à moi ? Et du prix qu'ont payé mes parents ? Et de la cruauté dont firent preuve les dirigeants du *yichouv* envers leur propre culture ? Pourquoi demander pardon pour les camps d'immigrants des années cinquante et ne pas le faire pour les marécages des années vingt ? En quoi l'immigration sélective du Maroc, dans les années cinquante, fut un « péché originel » et l'immigration sélective d'Europe, après la montée du nazisme est une page d'histoire sans conséquences politiques dans le présent ? [17]

Il y a une dimension claire et courroucée, dans la comparaison de la dispute des cultures des Israéliens. On mesure une souffrance à l'aune d'une autre. Une blessure n'existe pas pour elle-même, elle n'existe que face à celles des autres. Nous ressentons les blessures du fait que nous comparons ces blessures. Et tout le monde agit ainsi : les Orientaux qui exigent une reconnaissance de leur souffrance disent tout de suite, d'un seul trait, que la blessure des ashkénazes fut autrement traitée. Ils comparent, ils ne font pas que souffrir de leur mal. Les ashkénazes aussi, comparent. Ils ne demandent pas si les Orientaux ont souffert, ils demandent s'ils ont plus souffert que lui. Ils se demandent pourquoi une détresse culturelle est une raison de créer un parti et d'exiger des budgets alors qu'une autre détresse culturelle est une affaire de nostalgie. L'origine de la colère suscitée par le « démon ethnique » sortant constamment de sa fiole, est moins dans l'ignorance de la douleur d'une certaine partie de la population que dans l'impulsion à comparer les différents maux.

Il y a beaucoup de préjugés dans cette histoire. Cependant la comparaison en soi n'est pas un préjugé. C'est le résultat profondément enraciné, traumatisant et presque obligatoire de la société d'immigration israélienne.

Et à nouveau il faut noter la différence entre cette société d'immigration et d'autres sociétés qui le sont également. L'origine de cette différence se trouve dans le fait que les gens n'ont pas immigré en tant qu'individus, mais

---

17. Dans les discussions sur le sauvetage des Juifs de Hongrie, Ben-Gourion prit position pour la préférence de sionistes par rapport à d'autres Juifs pour l'octroi de certificats d'immigration. Cependant, à partir de 1935, il initia un effort de grande immigration, non sélective, de tout Juif demandant à fuir les nazis, ceci, contre l'avis de nombreux membres du mouvement sioniste. Voir là-dessus le livre de Tuvia Friling, *L'arc dans le brouillard – David Ben Gourion, les dirigeants du yichouv et les tentatives de sauvetages pendant la Shoah* (en hébreu), Centre de Promotion du Patrimoine de Ben Gourion, Université Ben-Gourion et Institut du Judaïsme Contemporain, Université hébraïque de Jérusalem, 1999, p. 360-362, 660, 921.

se sont joints à un collectif. Cet acte particulier d'adhésion est un acte de comparaison. Ce collectif ne fait pas que me joindre à lui, il me compare aussi à d'autres groupes existant en son sein – à leur caractère, à leurs critères de beauté, à leurs concepts d'hygiène, à leurs concepts de douleur. Je mets les pieds sur cette nouvelle terre, et déjà je suis un objet de comparaison. C'est pourquoi, immédiatement je me mets aussi à comparer (et si ce n'est pas tout de suite, ce sera au bout d'une génération quand le fils fera ce que le père n'a pas fait, du fait du choc de l'immigration).

La question de savoir si je me sens bien ou non d'être Israélien, est une question de comparaison. Non seulement au sens où elle se pose par rapport à d'autres groupes d'Israéliens, mais aussi parce qu'elle se pose face au projet israélien tout entier. La question la plus amère n'est pas si je me sens sacri-fié, mais si je me sens sacrifié dans une société qui me promit un foyer. Est-ce que je continue à me sentir sacrifié à l'intérieur d'un projet commun d'éra-dication du sentiment d'arrachement, alors que d'autres vivent la réussite de ce projet ?

Ce grand acte de comparaison est calculé, il continue, il est amère et il apparaît dans des lieux prévisibles et imprévisibles ; ce n'était pas le résultat d'une idéologie. Ce ne sont pas des idées qui entraînèrent son apparition et ce ne sont pas des idées qui le neutraliseront. Ceci ne veut pas dire qu'il n'y eut pas d'idées qui tentèrent de le neutraliser. Ronit Matalon écrit que dès que les Israéliens commencèrent à parler « d'immigrants » et non plus d'*Olim* (termes spécifiques pour désigner les immigrants vers la Terre d'Israël, N.D.T.), ce fut la victoire de l'idéologie selon laquelle les Juifs n'ont pas besoin d'un foyer national, la victoire d'une autre perception du temps. Une perception à long terme remplaça la perception à court terme. De plus en plus d'Israéliens sont prêts aujourd'hui à reconnaître que l'immigration n'est pas une légère égratignure qui s'est tout de suite cicatrisée, mais un traumatisme qui se perpé-tuera de longues années [18].

Les immigrants sont arrivés en Israël et y ont trouvé une collectivité, faite de Juifs. Telles étaient les données. Si à cette collectivité, ils ont attaché diffé-rentes idées, s'ils ont compris ou senti son caractère juif d'une façon ou d'une autre, dans une mesure plus ou moins grande – sont des questions secon-daires. Au sein de cette collectivité, continuellement et sous mille variations, une fraction affronte d'autres fractions et tient des comparaisons.

C'est pourquoi, pour comprendre la blessure ethnique dans toute sa profon-deur, il vaut mieux la considérer comme intégrante à l'ensemble de la société israélienne et non pas l'envisager en dehors de ce tout. Cette blessure ne s'est pas faite de façon séparée. Elle ne se résoudra pas de façon séparée.

---

18. Ronit Matalon, « la langue et la maison » (en hébreu), *Mikarov*, n° 2, été 1998, p. 169-171.

Tu fermes les yeux devant les problèmes de ceux-là. Tu sautes vers une solution lointaine sans regarder leur histoire et sans voir l'histoire de ta propre solution. Tu ne le fais pas par mauvaise volonté mais parce que ta détresse, d'intellectuel israélien au bout de trente ans d'occupation, te cache la lumière du jour.

C'est pourquoi, l'article de Y. Berlin sur le nationalisme n'est pas seulement la description d'un phénomène, c'est aussi la description de l'ignorance d'un phénomène. Derrière la noblesse patricienne de son style réservé, il y a une grande douleur à propos d'une grande erreur. La gauche libérale a payé cher de ne pas avoir évalué le nationalisme à sa juste valeur. Parce que si tu ne donnes pas de réponse à un besoin réel, tu abandonnes le terrain à d'autres. Si le nationalisme est mal considéré, c'est parce qu'il est lui-même dangereux et aussi parce que les socialistes l'ont abandonné aux voyous et aux populistes. Il ne peut y avoir de vide. L'espace se remplit par celui qui est prêt à l'occuper. Crois-tu vraiment que le nationalisme et le sionisme des Israéliens disparaîtront parce que tu les définis comme une conscience mensongère ?

L'humiliation faite aux Juifs par des générations d'antisémitisme disparaîtra-t-elle ? Le besoin d'appartenance, pour celui que la modernisation a déraciné de sa place et de son milieu, disparaîtra-t-il ? La réaction à un rapport de supériorité ou de mépris envers les valeurs traditionnelles de la société disparaîtra-t-elle ? Est-ce qu'une quelconque formule verbale ou quelque loi de citoyenneté fera disparaître l'énergie nationale uniquement parce qu'elle dérange certains intellectuels ? Elle me dérange aussi. La loi du retour [19], qui crée deux catégories de citoyens est un grand danger. Mais la question est de savoir si nous nous mettons en danger inutilement ou si nous faisons la politique de l'autruche. Le prochain danger qui nous menace est une loi du retour pour les Palestiniens. Sans loi du retour, ils ne voudront pas d'un État palestinien. La question, pour nous comme pour eux, ne sera pas comment éviter une loi du retour favorisant une nationalité parce qu'elle porte un traumatisme historique. La question sera comment équilibrer cette loi discriminatoire par d'autres lois qui favoriseront la minorité (par exemple la création d'une Administration des biens fonciers pour les terres des arabes israéliens, la promesse d'une autonomie culturelle et éducative pour les Arabes israéliens, la promesse d'accorder un pourcentage de tout budget aux citoyens arabes, selon leur pourcentage dans la population, la promesse de postes importants de gouvernement pour les arabes). En te lisant, je trouve aussi chez toi, une insensibilité envers des traumatismes historiques et un refus de proposer des réparations réalistes, spécifiques.

---

19. La loi du retour fut votée par la Knesset en 1950. Selon cette loi, tout Juif peut immigrer en Israël, recevoir la nationalité israélienne et jouir des droits que l'État d'Israël donne aux immigrants.

« Je crois, dit I. Berlin à la fin de son article sur le nationalisme, qu'il ne serait pas exagéré de dire qu'aucun mouvement national aujourd'hui, du moins en dehors du monde occidental, ne peut arriver à ses fins, s'il ne s'allie pas à un sentiment national [20]. » Tu proposes de faire abstraction de l'expérience que résume Berlin. Tu proposes d'ignorer l'expérience accumulée par l'OLP : L'idée d'un État laïc et démocratique était une tentative de contourner le nationalisme. Cela n'a pas satisfait les besoins nationaux des Palestiniens. Et la plupart des Israéliens n'y ont vu qu'une couverture pour cacher, sous des apparences dignes, la liquidation violente de leur propre nationalisme. L'idée d'un État palestinien, à laquelle est arrivée l'OLP, ne détruit pas moins ta thèse, que ne le fait la nécessité profonde de la loi du retour.

Je dirais plus, les attaques contre le nationalisme israélien ne l'affaiblissent pas, mais au contraire, elles le renforcent. L'immigré juif aux États-Unis n'avait nul besoin de nationalisme, l'immigré juif en Israël, oui. Cependant, celui-ci en aucun cas, ne répond à tous ses problèmes. Le nationalisme ne donne pas de réponse complète aux déchirures que lui fit subir la modernisation. Si au temps du creuset social, on se plut à rêver d'un nationalisme donnant réponse à tout, ce rêve s'est maintenant dissipé et a laissé des blessures qui se sont ajoutées aux précédentes. Il fallut l'arrivée d'une troisième génération pour que le traumatisme de l'immigrant apparaisse, qu'il sorte au grand jour. Quand l'activisme politique en faveur de la paix s'est heurté à ces traumatismes, tu as choisi de t'en éloigner, de les effacer par une formule empruntée à la citoyenneté américaine. Si tu avais choisi de faire le contraire, en t'approchant du complexe traumatique de la société israélienne d'immigrants, tu y aurais discerné une enveloppe nationale englobant un pluralisme culturel dangereux, parce que pouvant conduire des groupes entiers d'Israéliens vers un aveuglement par rapport à l'extérieur (et par rapport au monde arabe) et vers une sentimentalité de folklore au niveau interne, vers le monde interne du groupe. Mais cette même pluralité peut aussi évoluer en pluralisme. L'expérience qu'enseigne Isaiah Berlin est que le nationalisme est une réaction à une pluralité blessée. Celle-ci, nous l'avons déjà citée, « brandit un drapeau sous lequel peuvent se rassembler et se réunir tous ceux dont le mode de vie traditionnel […] a été atteint » [21].

Dans une telle situation, tu préconises de faire abstraction du grand besoin qui mène au nationalisme, et d'ajouter ainsi une nouvelle difficulté à toutes celles qu'a déjà subies l'immigrant israélien au moment où il quitta son mode de vie traditionnel. Tu refuses de tirer des leçons de l'expérience et de voir que les obstacles ne font que renforcer le nationalisme.

---

20. Isaiah Berlin, *Contre le courant : Essais en histoire des idées*, p. 463.
21. *Ibid.* p. 458.

En attaquant le nationalisme tu ne fais que renforcer la première écorce de défense, fondamentale de l'immigrant israélien. Par contre, en reconnaissant le nationalisme, on permet à d'autres forces, non nationales, d'apparaître. Est-ce un paradoxe ? Peut-être, mais il n'y a là rien de neuf. Une expérience politique élémentaire montre que le nationalisme est une immense nécessité, un besoin qui commence à se faire moins pressant, s'il est assouvi autrement que par des moyens meurtriers. Ainsi l'Europe passe-t-elle, lentement et prudemment, d'un nationalisme fanatique à une structure fédérative qui adoucit le nationalisme. Si au contraire, tu ignores le sentiment nationaliste et que tu le brimes, tu retournes le couteau dans la plaie qui l'a suscité. Toi et tes amis qui dénigrent le nationalisme israélien, vous envenimez les choses. Vous faites en sorte que le nationalisme s'acerbe et vous poussez la pluralité qui se cache sous ce nationalisme, à se brouiller.

Le côté productif de ton travail est que tu as donné un élan à la discussion sur le postmodernisme en l'introduisant dans la vie intellectuelle en Israël. L'une des justes distinctions que tu proposes est celle qu'il y a lieu d'établir entre une situation particulière et notre avis sur cette situation. Le postmodernisme est une situation, c'est le fait qu'après la Deuxième Guerre mondiale se créèrent en Occident, de nouvelles conditions culturelles. Savoir quelle position nous prenons par rapport à cette situation est une autre question. Tu écris fort justement « qu'on peut adopter une position culturelle qui n'est pas postmoderne tout en reconnaissant que le monde culturel dans lequel on vit est un monde postmoderne »[22].

Afin de garder à l'esprit cette distinction, qu'elle ne s'évapore pas, il faut supposer qu'il existe au monde quelque chose appelé situation, et qu'il y a une véritable différence entre une situation et les représentations qu'on peut avoir de cette situation. Telle est l'hypothèse contre laquelle tu t'indignes énergiquement. C'est dire que tu réduis à néant ta propre hypothèse et l'anéantis. Assurément tu jouis du Carnaval triste d'affirmer quelque chose et immédiatement après de soutenir qu'il n'y a pas de fondement à ce que tu as dit dans la phrase précédente. (Chez toi c'est un Carnaval triste. Il est tout à ton honneur que ton plaisir intellectuel soit triste). Tant pis, je me référerai à ce que tu dis et non à ce que tu dis ne pas dire.

Et de la même manière dont tu parles de situation, tu parles de « situation politique ». A la politique également, tu te réfères sérieusement. La politique

---

22.   Adi Ophir, « Postmodernisme : position politique » (en hébreu), dans : *Éducation à l'époque du débat postmoderne*, Alon Gur-Zéev (éd.), Éditions Magnès, Jérusalem, p. 135-163.

non plus ne disparaît pas chez toi dans ses représentations. L'amitié qui existe entre nous, n'est pas due à un rapprochement personnel – il ne s'agissait pas entre nous d'une affinité de tempérament – elle s'est tissée parce que nous savions tous les deux clairement qu'à l'autre bout du fil se trouvait un « *homo politicus* » pour qui dans la vie, les informations, les élections, les guerres sont primordiales.

C'est pourquoi je veux poser ici la question de la définition d'une situation politique postmoderne. Quelle est la logique culturelle du capitalisme tardif, selon la formule adéquate de Jameson, quand elle devient la logique des informations, celle des élections, celle du salaire[23]. Tu ne poses pas ces questions politiques d'ordre critique ou du moins, tu ne les poses pas suffisamment, malgré le sérieux de ton rapport à la politique. En te lisant, je discerne une démarche très claire : tu distingues un phénomène politique et immédiatement, tu te demandes ce qu'il implique pour toi, ta pensée, tes idées, ton idéologie. Cliford Geerz a défini ce retrait du monde vers celui qui observe ce monde, comme une « hypocondrie épistémologique »[24]. Tu transformes la politique en hypocondrie. À peine avez-vous entrevu quelque chose à l'horizon, que vous tournez vos regards vers vous-même et vous demandez si vous avez de la fièvre ou des hallucinations ou bien si vous êtes en train de subir un redressement idéologique (ô, combien s'aiment-ils les hypocondres !). Imagine-toi un arbitre de football qui chaque fois qu'on marque un but, se prendrait la tension pour voir en quoi ce but ou l'image de ce but ou l'idéologie de ce but, l'a influencé.

Et peut-être n'est-il pas juste de te parodier. Sans doute est-il plus juste de dire que tu n'écris pas seulement sur toi, en tant que politicien, mais sur les intellectuels et leurs instruments politiques. Il y a certainement chez toi un examen des moyens, quelquefois aussi une préparation de ces outils, pour l'intellectuel vivant à l'ombre du capitalisme tardif. Mais il n'y a pratiquement rien sur le postmodernisme en tant que situation très influente dans le monde politique des non-intellectuels, c'est-à-dire dans celui de quatre-vingt-dix pour cent des citoyens et des électeurs. Que sont des élections postmodernes auxquelles participent trois millions de votants ? Qu'est-ce qu'une guerre postmoderne pour cinq millions de soldats, leurs parents et les téléspectateurs ? Et qu'est-ce qu'un parti à partir des dix dernières années du XXe siècle ? Qu'est-ce qu'un syndicat à l'ère de la privatisation ? Qu'est-ce qu'une école à l'ère de l'éducation semi-privée ? Qu'est-ce que le mariage

---

23. Fredric Jameson, » Le postmodernisme ou la logique culturelle du capitalisme tardif », une traduction de cet article est parue dans : Kav, n° 10, juillet 1990, p. 101-119.
24. Cliford Geertz, The Interpretation of Cultures, Basic books, New York, 1973. Voir aussi un commentaire des cultures, Yoach Meizler (traduction en hébreu), Keter, Jérusalem, 1990, p. 15-16.

pour ceux chez qui la religion est encore significative, mais qui sont déjà touchés par le féminisme ? La question de savoir quelles sont les conditions postmodernes pour les intellectuels est intéressante. Mais celle de savoir quelles sont les conditions postmodernes pour de non-intellectuels est primordiale. À condition bien sûr que le mot « politique » ne commence pas à se prendre le pouls.

De la gamme d'idées que le postmodernisme a développée, la plus forte est celle de la mort des grands narratifs. C'est vrai : l'air que nous respirons en 1997 est différent de celui que respiraient nos parents en 1937. Pour le meilleur et pour le pire, ils avaient de grands narratifs, de grandes certitudes ou d'amples explications. Pour le meilleur et pour le pire, nous avons aujourd'hui de petits narratifs, des certitudes partielles et des solutions ponctuelles. Nous avons perdu le grand vertige. Nous avons gagné le vertige de la multiplicité. La pluralité est notre condition d'existence. Le pluralisme est notre tentation idéologique. À quelques centimètres du pluralisme, qui est une circonstance favorable et certainement aussi quelque chose de beau, apparaît le relativisme où la difficulté de la réalité se transforme en une cajolerie du « tout est bien » [25].

Quelles sont les propositions politiques que peuvent présenter les pluralistes, quand ils savent parfaitement qu'ils n'ont aucun grand projet qui soit bon pour tous les électeurs ? Si c'était le cas, ils ne seraient pas pluralistes, ils n'avanceraient pas sur du sable mouvant. La question est de comprendre ce que signifie la mort du grand narratif dans une arène où on peut gagner ou perdre des élections ? (J'ai d'ailleurs l'impression que tu préfères les perdre. Je reviendrai plus tard sur les nouveaux plaisirs que les intellectuels tirent du sentiment d'être des victimes). La question qui se pose est comment construire un parti dans une réalité comprenant différents groupes culturels et pas seulement une seule culture convaincante ? La question aujourd'hui est comment construire une coalition réunissant Occidentaux et Orientaux. Demain, celle qui se posera, sera comment construire une coalition d'hommes et de femmes dans une société où le féminisme sera l'un des besoins vitaux.

Mais avant de parler de coalition, il faut parler de l'individu. La logique culturelle du capitalisme tardif est celle de la plupart des citoyens travaillant huit heures par jour, possédant un petit appartement, une petite voiture et une télévision qui leur promet beaucoup de rêves. Que signifie la mort des grandes certitudes pour un tel citoyen ? Qu'a-t-on à lui proposer pour remplacer ces grandes certitudes ? De tous les péchés dont tu t'es rendu fautif, le plus grand

---

25. Voir à ce sujet Ernst Gellner, « Tout est bon », dans : Zionism : Contemporary Controversy (en hébreu), Pinhas Genossar et Avi Bareli (éd.), Centre de Promotion du Patrimoine de Ben-Gourion, Université Ben-Gourion, Kiriat Sdé-Boker, 1996, p. 116-125.

est de ne rien proposer. Pire, tu présentes une proposition politique – et j'insiste sur le mot politique – dont seuls des intellectuels peuvent jouir. Elle est totalement hermétique pour les autres. C'est pourquoi vous vous leurrez vous-même. L'intellectuel qui peint un tableau ou qui formule une idée ou qui écrit un roman, ne trompe personne (vous aimez vous raconter que vous vous leurrez aussi, que le savoir est un pouvoir et toujours uniquement un pouvoir, que le pouvoir est mauvais et presque toujours seulement mauvais). Par conséquent, que le savoir que tu détiens est également une sorte de mal. Tu oublies ce que savait déjà saint Augustin quand il disait que l'homme ne doit pas se présenter comme plus mauvais qu'il ne l'est réellement. Tu proposes la théorie – la théorie de la puissance totale dont tout le monde est esclave – au prix d'une cérémonie de victimisation permanente : tu es toujours victime d'une force mystérieuse, que tu mystifies. Mais l'intellectuel qui veut que son idée soit politique, qui s'oppose à la compréhension des conditions politiques et culturelles qui sont celles dans lesquelles vivent tous les citoyens, en régime de capitalisme tardif et qui alors propose quelque chose qui n'est possible que pour lui, en tant qu'intellectuel, quelque chose qui n'est absolument pas possible pour des gens qui ne sont pas des intellectuels, se trompe lui-même. Non pas parce qu'il présente une mauvaise proposition, ceci nous arrive à tous, mais parce qu'il se dit qu'il s'agit là d'une proposition politique.

Huit heures de travail par jour, et pour la plupart des gens, il s'agit d'un travail aliénant, sans intérêt, qui loin d'exprimer la personnalité de celui qui l'exécute, au contraire l'étouffe, ces heures critiques ne sont pas la trame du postmodernisme (en temps que théorie), bien qu'elles se trouvent au cœur du postmodernisme (en temps que situation de fait). Pire, elles y apparaissent comme un déguisement. Tu revêts un costume de clown, ces huit heures de travail non intellectuelles.

Parce qu'en fait, tu ne le crois pas, celui qui rentre dans son petit appartement, vers sa grande télévision après huit heures de travail qui anéantissent son âme. Tu ne crois pas à ses sentiments, toi ou ceux qui partagent tes idées, vous ne pensez pas qu'ils sont authentiques, tu considères cet homme-là comme un territoire conquis par les systèmes du mal et par la publicité (et en même temps, vous vous montrez plus indulgents envers sa femme et beaucoup plus indulgents envers son voisin noir, à qui vous accordez plus de crédit, mais seulement un peu plus, Dès qu'une femme ou un noir osent ne plus être victimes, ils rejoignent à vos yeux la multitude des non crédibles). De cet homme donc, tu ne connais que la « conscience mensongère » ou presque uniquement celle-ci. Cet homme t'a déçu. Tu vois (fort justement), de quelle manière il est manipulé et tu le décris (de manière complètement aveugle), presque exclusivement comme une victime de manipulations. C'est pourquoi dans tes articles, tu ne décris pas les personnes vivant en régime de capitalisme tardif, comme des gens ayant des intérêts, mais comme des victimes honteuses. Ce n'est pas toujours le cas, mais c'est la direction dominante de ton travail. Si sur une base de brimades, on peut développer une explication, on ne peut établir une politique de proposition, de négociations, d'espoir possible.

Que proposes-tu avec la mort du grand narratif ? Tu proposes « des identités partielles, tronquées, de morceaux de culture et de société »[26]. Il est absolument caractéristique des réactions du postmodernisme à la mort des grandes idées de commencer comme tu le fais, par les mots : « le postmodernisme n'a pas le choix ». Il s'agit là à nouveau, d'un sentiment de sacrifice. (Le postmodernisme a le choix. Il ne fait que choisir l'une des options qui s'offrent à lui. Le prisonnier du goulag ou le torturé des services de sécurité israéliens, n'ont pas le choix, eux. Mais entre les supplices des services de sécurité et ta table de travail, existe une « différence qui fait toute la différence », pour employer une expression que tu aimes.) « Le postmodernisme n'a d'autres choix, écris-tu, que de se placer – tant est que l'on puisse encore parler de "soi" – dans cette ronde d'identités qui évoluent ou se démantèlent, parce qu'il ne croit plus dans la stabilité et la constance des identités, ni dans la possibilité de les rassembler dans un cadre unificateur, susceptible de les ordonner et de les structurer ou de leur donner une hiérarchie et une signification[27]. Tu parles de « danse » et c'en est certainement une. Cette course d'une crise d'identité à une autre, d'une crise de vérité à une autre, d'une crise de signification à une autre, détruit deux choses. Tout d'abord la rencontre avec une difficile réalité. Deuxièmement, l'instant décisif au sein de cette réalité.

Tu reviens constamment sur l'effacement du sentiment de réalité. C'est vrai. Jameson parle de « notre confusion spatiale et sociale »[28]. Dans une ville occidentale qui ne serait plus construite selon le rêve moderniste de logique et de simplicité, l'architecture est un dédale troublant, le sexe l'est aussi, tout comme le compte en banque. Nous connaissons tous cette situation où, en plus des huit heures de travail, la classe moyenne (qui représente la plus grande partie de la société) a également bénéficié de la démocratisation du savoir, et de celle, plus grande encore, de l'information. Chacun d'entre nous aujourd'hui, est exposé à de très nombreuses images, interviews, publicités, nouvelles, beaucoup plus qu'il y a dix ans. Cette classe dispose de plus de temps, mais se retrouve en fin de journée, avec la conviction claire et fatigante que la télévision lui a proposé beaucoup et la société très peu (les femmes surtout, sont exposées à cette tension entre de nombreuses images et peu de

---

26. Adi Ophir, « Postmodernisme : attitude philosophique » (en hébreu), dans : Éducation à l'époque de la discussion postmoderne, p. 144.
27. *Ibid.*, p. 145.
28. Voir note 23 plus haut.

concrétisation). On a plus de connaissance mais aussi beaucoup de connaissances manipulatrices. La classe moyenne participe à l'art (il y a une génération, beaucoup moins de gens participaient à une expérience artistique), mais elle est autant entourée de vulgarité artistique que de dynamisme artistique authentique qui lui, est difficile à suivre.

En résumé, nous vivons dans une confusion sociale et spatiale.

Mais un homme qui n'est pas un intellectuel, ne veut ni ne peut traduire cette confusion en conception, il est obligé de la traduire en décision. (L'intellectuel aussi doit prendre des décisions. Je ne vois pas les tiennes dans ta théorie). Même s'il est entendu que l'éducation d'un enfant est aujourd'hui un casse-tête social et spatial, il faut quand même décider à quelle école on inscrit cet enfant, comment on lui fait célébrer les fêtes et ce qu'on lui dit sur un assassinat politique. Tout citoyen conserve une petite latitude de décision. Même s'il se trouve en plein désarroi, après la publicité, avant le prochain journal d'informations, il lui faut décider. Il ne peut se permettre le luxe de considérer « qu'il n'y a pas de différence entre la réalité et les images ». Il doit décider ce qui est plus proche d'être considéré comme réalité et ce qui est logique de voir comme une image. S'il ne le fait pas, son salaire ne suffira pas jusqu'à la fin du mois ou l'amour entre un homme et une femme s'épuisera ou encore il élèvera ses enfants de telle manière qu'il s'ensuivra un éloignement culturel catastrophique entre le père et le fils. Tu écris « ne plus croire en une stabilité et une immobilité des identités, ni dans la possibilité de les englober dans un cadre unique et rassembleur qui leur donnerait une structure et un ordre, une hiérarchie et une signification ». L'homme qui habite le fameux petit appartement est dans le même cas. Mais il doit décider, lui. Et c'est d'ailleurs ce qu'il fait. Très souvent, il prend des décisions catastrophiques ou même criminelles, mais au moins, il tranche. Il n'y a que toi qui refuses de te prononcer. La signification de ta théorie est que l'intellectuel ne joue absolument aucun rôle, aux instants cruciaux où les gens de son entourage doivent prendre des décisions. C'est pourquoi, quand tu affirmes être critique, tu l'es exclusivement pour toi-même et absolument pas pour les autres.

Pour qui doit naviguer dans le fleuve épais de l'aliénation, du travail opprimant, du salaire qui file, de l'affliction féminine sans vrai féminisme, il ne peut être question de danser. La ronde que tu proposes est bonne pour les intellectuels, pas pour les autres. Ceci, à cause de la logique culturelle du capitalisme tardif. Il y a débordement. C'est la théorisation du débordement qui permet la ronde au-dessus du débordement.

Celui qui vit sous pression, dans la contrainte, sur une cassure occasionnelle, constate qu'il y en a beaucoup d'autres. La pluralité vertigineuse est son nouvel état existentiel. Auparavant, il voyait moins, était moins tenté, vivait moins dans la zone d'ombres du petit bourgeois (le grand narratif de la gauche n'annonçait ni l'énorme développement de la petite bourgeoisie en Occident ni la réduction significative du prolétariat. Ceci également est un état de fait postmoderne). C'est pourquoi, cet homme a plus que jamais besoin d'ordre, d'un certain sens de la réalité, d'une certaine signification. Or, tu lui proposes une absence d'ordre et de signification. On pourrait admettre cela, si tu l'avais également proposé pour toi-même ! Mais quelle est ta théorie si ce n'est l'ordre, et même un ordre dogmatique ! Toi et tes amis, vous parlez de la mort du narratif, mais vous avez vous-mêmes écrit un narratif consistant, total, grand. C'est pourquoi vous ne pouvez séduire que des intellectuels. Vous leur parlez du grand chaos et leur proposez un ordre parfait. Cette proposition s'adresse exclusivement aux intellectuels. Ceux qui se débattent pour payer l'hypothèque sur leur appartement ou les téléspectateurs des émissions de télévision sont priés de continuer à faire avec l'incohérence et les décisions qui leur appartiennent.

À ce stade apparaît ton refus de l'expérience historique. Ce refus s'appelle « l'apparence ». Tu distingues neuf caractéristiques au postmodernisme (ce sont : « la multiplicité des points de vue, la compétition entre différents critères de jugement, la multiplicité des narratifs, la multiplicité des continuités de temps historiques et de l'hypnotisme continu, l'organisation du champ culturel et du sujet qui en dérive, l'interaction entre la représentation et la force, l'ouverture illimitée du commentaire »). Toutes ces caractéristiques, dis-tu, conduisent « au lieu commun et au truisme de la représentation et son symbole, de l'insigne et de ce qu'il désigne [...] »[29]. Je sais que tu ne crois pas réfléchir de manière a-historique. Je sais que tu parles de multiplicité de continuités de temps historiques et non de leur annulation. Cependant, en examinant les termes que tu emploies – lieu commun et truisme de la représentation et son symbole – il s'avère que tu ne te places plus du tout dans une perspective historique. En effet, sans distance entre une représentation et son symbole, il ne peut y avoir d'histoire. Ce n'est pas un hasard si tu te rallies à la tendance de lier l'histoire et l'historiographie. Il est vrai que l'histoire parvient à nous par le biais de l'historiographie, mais elle y parvient grâce à la distanciation, du fait de la différence existant entre Napoléon et un livre sur Napoléon. En annulant cette distance, tu ne fais pas que décrire le choc de la culture du *fast food*, mais tu rejoins bel et bien cette culture.

---

29. Adi Ophir, « Postmodernisme : attitude philosophique », dans : L'éducation à l'ère du discours postmoderne, p. 144.

À ce propos il convient d'établir une distinction entre un travail dans le domaine de la littérature et dans celui de la vie politique. Les écrivains créent, mués par une immense soif pour tout souffle existant de vie. Souvent, ils refusent la pédanterie de frontières strictes entre la culture de l'habillement et la culture de l'argent, entre le corps et la profession. La plupart des artistes créent un monde, qu'on peut et qu'on doit appeler « culture », et ceci pour deux raisons : Tout d'abord, parce que s'y trouve cet élan vers l'image d'une vie pleine, riche, infinie, cette aspiration à une totalité, existant aujourd'hui tant dans l'utilisation populaire que dans l'utilisation scientifique du concept de « culture ». Deuxièmement, les œuvres d'art ont tendance à mêler fiction et réalité. Dépasser la limite entre l'illusion et la réalité est le domaine réservé de l'artiste. Il ne se cantonne pas aux réalités réelles, il en imagine de nombreuses autres, pour les comparer, pour le plaisir, pour l'étude, pour exprimer une détresse, pour l'étrangeté, pour créer une perspective ou pour toute autre raison. La « culture » est totale au sens où elle contient à la fois l'élan vers l'imaginaire et l'évolution sur la terre. En littérature, il existe un accord particulier et productif entre la richesse, la totalité, l'absence de limites de « la culture » et la vie parfaite du poème ou du récit. Mais la vie politique n'est ni un tout ni une illusion. Il existe sans aucun doute dans la vie, des domaines très larges qui ne sont pas politiques. Ce n'est que dans « 1984 » d'Orwell que l'œil du Grand Frère scrute tant la sexualité que les lettres personnelles, la façon de s'habiller ou celle de prendre un café. Ce n'est pas un hasard si les détenteurs de telles explications totales ou totalitaires du concept de culture, sont des écrivains ayant tenté d'effacer la différence entre le Paris de 1970 et la vision cauchemardesque d'Orwell. Ils peuvent aussi être des écrivains nous proposant d'oublier la différence entre la signature de l'accord d'Oslo et la démolition d'Oslo par les ennemis de l'accord. La proposition d'une « politique de culture » revient à penser à la politique par des moyens de brouillage, et à la ressentir par le biais de l'hystérie. On ne peut vivre dans la politique comme un personnage de roman, même si le roman a soif de nombreuses sortes de vies politiques. Quand Jurgen Habermas discute avec Foucault et traite le postmodernisme de « nouveau conservatisme », il distingue très bien le coup de foudre de Foucault et de ses disciples pour le flou et l'hystérique et voit que cette indétermination spécifique est liée à l'effacement de frontières entre l'imaginaire artistique et la réalité. « Toutes les tentatives, écrit Habermas, d'annuler les différences de niveaux entre l'art et la vie, entre l'illusion et l'expérience, entre l'apparence et la réalité […] les tentatives d'élever toute chose au rang de l'art et de faire de chacun un artiste, de supprimer tout critère, de comparer des jugements esthétiques à des expressions d'expériences subjectives – ces tentatives, qui depuis ont été analysées en profondeur, peuvent être comprises aujourd'hui comme des expériences de déraison [30].

L'apparence du présent qui ne vient rien cacher est pour toi une expérience très forte, tant un article de foi qu'une marque de différence. Les modernistes se sont toujours montrés méfiants envers les apparences ; ils ont toujours voulu déceler en dessous « la classe », « l'inconscient », « l'état » ou « Dieu ». Les postmodernes qui se méfient de tout, ne se méfient pas des apparences. Ils voient dans un même contexte l'ancienne et la nouvelle « madone », (les guillemets ici sont nécessaires puisque pour toi, il n'y a pas de madones mais seulement des textes sur les madones). Qu'on le veuille ou non, il faut accepter l'ancienne « classe », au même titre que Haïm Ramon, et là, le texte manque tout particulièrement de profondeur. L'inconscient fait sans doute des heures supplémentaires pour Arthur Finkelstein [31].

Qui niera que cette réalité virtuelle est en fait une réalité ? Elle a le goût piquant que nous apprécions tous dans la conversation sur Madona chez Tarentino [32]. Elle est le choc des résultats de nos élections, les pleurs versés chez nous aux enterrements.

Le choc du présent est une vérité. Le grotesque de parcelles de choses qui se rassemblent pour former un présent fort, drôle, explosif, existe bien sûr. Cependant, dans le rire sanglant de ce présent fort, l'histoire existe, il y a là beaucoup d'histoire. S'il y a une part de vérité dans la distinction postmoderne au sujet de la mort des grands narratifs, il y en a aussi dans la distinction superficielle expliquant qu'une grande tempête tente d'y effacer l'histoire. Une telle tempête souffle bel et bien. Il existe aujourd'hui une politique, dont la force réside dans le fait qu'elle honnit l'histoire et il existe également de la bonne littérature tout à fait sensible au sentiment du « sans histoire », selon l'expression d'Orly Castel-Blum [33]. Cependant, l'effacement de l'histoire reste un mal. De nombreux écrivains, évoluant dans « ce-monde-sans-histoire » savent qu'ils vivent dans le mal, dans un grand manque. Toi, contrairement à eux, tu décris ce manque comme une fête, comme une idéologie souhaitable. « Heureux suis-je d'être orphelin », dis-tu (une fois de plus tu proclames la jouissance de se sentir sacrifié). Si la mort des grands narratifs est un juste

30. Jurgen Habermas, « la modernité, un projet inachevé », Yacov Gotshlak (traduction en hébreu), dans : L'ouverture d'esprit – un projet non achevé – Six essais sur le progrès et le modernisme, Azmi Bishara (compilation et introduction), Hakibboutz hameouhad, Tel Aviv, 1997.

31. Haïm Ramon – député du parti travailliste. Il fut ministre dans plusieurs gouvernements, secrétaire général de la *histadrout* et conduisit une réforme sujette à controverse, dans le domaine des services de santé d'Israël. Arthur Finkelstein – conseiller en image, en communication et en stratégie des élections de Benjamin Netanyaou quand celui-ci fut candidat au poste de Premier ministre et chef du gouvernement. Juif américain, symbole de superficialité, de création d'une réalité virtuelle.

32. Le film de Quentin Tarantino, Pulp Fiction (1994), s'ouvre sur une conversation où se brouillent les différences entre la Madone chrétienne et Madona, la chanteuse.

33. Orly Castel-Blum, « Une tombe à moi » (en hébreu), dans : signification de la vie, éditions du Hakibboutz hameouhad et l'association Yehoraz, Tel Aviv, 1994, p. 201-204.

jugement du postmodernisme, l'annihilation de l'histoire en est une autre. De la première, tu tires l'avantage du pluralisme, tandis que la seconde n'apporte que des dommages. Ce que je veux dire par là est que si la logique culturelle du capitalisme tardif tend à réduire l'histoire, toi-même, tu participes à ce mal.

Ceci, d'autant plus que tu supprimes la juste distinction que tu avais établie, entre une situation postmoderne et une idéologie postmoderne. Si tout n'est que vertige de représentations, la situation disparaît. Refuses-tu de comprendre l'état de fait postmoderne avec des instruments postmodernes ? C'est ton droit et c'est ce qu'il y a d'inédit et d'intéressant chez toi. Mais ce n'est qu'un début. Un peu plus loin, tu refuses d'examiner la situation postmoderne avec des outils historiques. C'est-à-dire que tu refuses de la comprendre en tant que situation, et tu te plais à la saisir comme une légende, comme un mythe. Alors qu'une situation de fait supporte de coexister avec d'autres, le mythe ne reconnaît que lui-même et s'impose jusqu'aux confins de l'horizon. Tu ne reconnais qu'une seule situation, totale, s'appliquant à tous, annulant complètement les situations antérieures. Et avec cela, tu prétends être pluraliste !

S'il y a quelque chose d'absolument clair dans cette superficialité si nette et tant vantée, c'est que des personnes différentes y arrivent avec un bagage historique différent : une nouvelle classe moyenne d'Orientaux et d'intellectuels arabes-israéliens, des Éthiopiens de la première vague d'immigration et des femmes devenues dominantes par l'exercice de l'enseignement, des anciens habitants de villages collectifs (*mochavim*), tels Raphael Eitan, des vétérans du *Palmah* comme Rabin, des hassidim du rabbi de Loubavitch et des Yéménites blessés, tous formés pendant les années d'occupation des territoires, nés sous le mandat de Golda Méir. On pourrait très bien continuer l'énumération de tels groupes, avec leurs nuances et leurs particularités spécifiques. Ce sont ceux qui évoluent avec toi et moi sur le plateau de l'actualité. Et non seulement ils partagent notre vie, mais ils votent aux mêmes élections, font les mêmes guerres, paient les mêmes impôts, envoient leurs enfants aux mêmes écoles.

Nous partageons la même vie politique. Une vie politique fixe, pour autant qu'on n'en mesure pas le pouls. Or, au nom de l'idéologie du seul présent, tu ne les prends pas en considération, ni eux, ni leur bagage historique.

On peut maintenant revenir au point de départ de cette discussion : le travail politique pour le partage du pays s'est arrêté quand il s'est heurté à la multiplicité culturelle des Israéliens. Ton action consiste à entrer dans une danse postmoderne par-dessus cette multiplicité culturelle. Tu agis ainsi, au lieu d'utiliser cette nouvelle pluralité, elle aussi postmoderne, pour te joindre à cette multiplicité. La multiplicité culturelle est une multiplicité historique et toi, tu refuses de créer un instrument historique pour la comprendre. Tu proposes un instrument a-historique : le plan lisse du présent.

✳

Quand nous apparaît dans toute sa puissance la multiplicité culturelle des Israéliens – et c'est ce qui arriva après l'assassinat de Rabin – la question qui se pose est de savoir si la pensée suit ou ignore ce phénomène. Tu as choisi de l'ignorer. Ou plus précisément, tu as discerné cette multiplicité et tu as choisi de t'en retirer. En effet, le meilleur jugement de la pensée postmoderne se rapporte à la mort des grands narratifs. En traitant du postmodernisme, parmi toutes les idées que tu as, plus que tout autre, introduites dans le débat culturel en Israël, celle-ci est nécessaire et utile. Tu avais en main un bon outil de pensée pour la société israélienne, clairement dominée dans le passé par une culture unique, maintenant en décomposition et où règne clairement une multiplicité de cultures. Des penseurs comme Fredric Jameson, Michael Walzer et Richard Taylor ont discerné qu'après la Deuxième Guerre mondiale, avec l'importance que prenait la société de consommation multinationale, sont apparues dans la société américaine, des tendances d'effritement de l'unité culturelle [34].

Taylor parle de la « politique de reconnaissance ». Nous n'avons, dit-il, pas d'identité si les autres ne la reconnaissent pas. Nous faisons de la politique afin que les autres nous reconnaissent, qu'ils reconnaissent notre présence, notre valeur, notre apport. Nous ne faisons pas de politique uniquement, et sans doute pas principalement, pour acquérir du pouvoir [35]. Les gens aujourd'hui, écrit Taylor, ont plus que jamais besoin d'être reconnus par leurs congénères. Sans cette reconnaissance, ils n'auront de cesse. Il s'agit d'une relation à laquelle il est impossible de renoncer, non de quelque chose de superflu.

Comme A.B. Yehoshua, Taylor pense que nos sentiments les plus profonds n'existent pas depuis toujours et ne sont pas éternels. Ils ont une histoire et changent. Taylor met en évidence le processus que traversa l'Europe à la fin du XVIIIᵉ siècle. Le lecteur israélien ne peut pas ne pas discerner que les Juifs qui ont immigré en Israël sont passés par ce même processus avec une inten-

---

34. Richard Taylor, Michael Walzer. Débat critique « d'études culturelles » aux États-Unis, voir : Marjorie Ferguson & Peter Golding (éd.), Cultural Studies in Question, Sage, London 1997 et surtout l'article de Tod Gitlin dans ce volume sur le caractère anti-politique qu'ont pris les études culturelles. La politique de la différence, écrit Walzer, apparaît quand un groupe social, que l'on n'avait pas distingué auparavant, surgit et demande à être reconnu. Michael Walzer, What It Means To Be an American, 1992. Voir également les idées du philosophe canadien Charles Taylor dans : Charles Taylor, Multiculturalism and the Politics of Recognition, Amy Gutman (éd.), Princeton University Press, Princeton, NJ, 1994.

35. Taylor, comme Michael Walzer et Jurgen Habermas, critique l'idée de la totalité de la force chez Foulcault. Voir l'article de Walzer, « La politique solitaire de Foucault », Micarov, n. 1, hiver 1997, p. 116-130. ou : Michael Walzer, The Lonely politics of Michel Foucault », in : the Company of Critics : Social Halban, London, 1988, p. 191-209.

sité toute particulière. Jusqu'à la révolution française, dit-il, chaque homme naissait à l'intérieur d'une classe sociale stable et mourait dans cette même classe. Il savait parfaitement qui lui était supérieur et qui lui était inférieur. La révolution n'a pas seulement coupé la tête du roi, elle a aussi supprimé la sécurité et la stabilité de toutes les classes sociales. Depuis, toute personne naît et meurt sans savoir précisément quelle est sa place dans la hiérarchie sociale. Une sorte d'égalité, pas très claire, pas très appliquée, mais cependant impossible à effacer, flotte dans l'air. Le monde était clair quand on savait exactement qui pouvait et qui ne pouvait pas se faire appeler «Lord» ; il est différent aujourd'hui quand chacun peut se faire appeler «citoyen» ou «Monsieur» (même si tout le monde sait que tel «Monsieur» est supérieur à tel autre).

C'est là qu'interviennent les sentiments. Taylor prétend que le changement qu'il évoque se rapporte à l'évolution d'un des sentiments les plus profonds, celui de l'amour-propre. Il propose de faire la distinction entre l'honneur et la dignité.

L'honneur est un sentiment que l'on accorde à quelqu'un, parce qu'il est évident que les autres ne le méritent pas (jusqu'à aujourd'hui, cela est de mise pour les prix, les médailles d'honneur civiles ou militaires). L'honneur accordé à tous, perd de sa valeur. Dans l'ancienne société, il existait une étroite corrélation, dit Taylor, entre l'honneur que chacun accordait à sa propre personne et celui qu'il accordait aux autres. Il s'agissait d'un honneur basé sur l'inégalité, sur une distance établie et respectée entre les classes sociales, sur la stabilité de la société.

Avec la création d'une égalité civile, apparut un autre concept d'honneur. Taylor choisit le mot de dignité pour le décrire. Peu de gens ont en principe droit à l'honneur. En principe, si pas en pratique, tous ont droit à la dignité. La «fraternité» promise par les républicains français n'a jamais été pleinement réalisée, mais elle le fut suffisamment pour modifier nos rapports, changer nos attentes d'amour-propre.

Il n'y a pas que la dimension d'égalité qui introduisit un changement. La dimension dynamique de la dignité n'est pas moins déterminante. Les gens n'appartiennent plus obligatoirement et jusqu'à leur mort à la classe sociale dans laquelle ils sont nés. Ceci implique que la distance entre eux et les autres n'est plus fixe, elle est discutable et est susceptible de varier. Il peut se produire tout à coup une égalité de valeur entre différentes personnes, d'origines différentes, de classes différentes et aussi de cultures différentes. Les gens pourraient aussi s'attendre, de la même manière, à perdre subitement leur valeur aux yeux des autres et à leurs propres yeux.

Le sentiment de notre propre valeur devient justement plus problématique et plus dangereux en devenant plus égalitaire. La question de pouvoir distinguer quand une valeur est une vraie valeur et quand elle ne l'est pas, a aiguisé nos sens à la falsification, à la différence, au particulier. Nous avons développé une tendance à nous demander si la valeur de quelqu'un ou d'un groupe particulier, est réelle ou fausse. Ceci, parce que nous vivons dans le danger que notre propre valeur soit non fondée, banale ou d'imitation.

C'est pourquoi la culture occidentale a commencé à accorder de la valeur à un ancien concept, dont en son temps on ne faisait pas grand usage : l'authenticité. Ce n'est pas un hasard, dit Taylor, si le mot dignité renferme non seulement l'estime que nous avons pour quelqu'un, mais aussi l'estime pour sa différence et la manière dont il la protège. La mobilité sociale et la promesse d'égalité ont subitement annulé, avec élan certes mais non sans peine, la distance entre les hommes. C'est pourquoi intervient le besoin d'honorer le droit de chacun, de chaque groupe social, la nécessité, non pas seulement d'être égal aux autres, mais aussi de garder sa particularité. Quand chacun est en droit d'attendre que les autres se rapprochent de lui, il est important de savoir si je m'approche de quelqu'un d'authentique, de spécial, de différent de moi-même ou si je m'impose à lui, annule son authenticité et écrase sa dignité. Avant la révolution française, les hommes n'avaient aucune chance de renoncer à ce qui leur était spécifique. Après, se créa un nouveau danger : celui de l'homme non authentique. Se créa aussi un nouveau défi, celui de la reconnaissance d'une différence authentique.

Une différence authentique n'est pas seulement celle du particulier, c'est aussi celle d'un groupe social.

La reconnaissance de la multiplicité, explique Taylor, s'est construite dans notre modernité. La nécessité de reconnaître le droit de l'autre à la différence, n'est pas née d'un sentiment de culpabilité par rapport à « l'autre », le noir ou le jaune, mais de la logique interne de la révolution française, comme outil interne de tous les partenaires de l'histoire européenne. Ceci ne veut pas dire qu'on a toujours fait usage d'un instrument de reconnaissance de la pluralité. Ceci ne veut pas dire qu'un tel outil n'a pas été mis de côté quand on voulut construire des empires, écraser les Noirs ou les Jaunes. Ceci ne veut pas dire qu'il n'y a que les empires qui écrasent. Des opinions peuvent aussi accabler. Taylor ne pardonne pas à Saul Bellow, qui pourtant n'est à la tête d'aucun empire, d'avoir dit : « Quand les Zoulous auront un Tolstoï, nous le lirons ».

Mais d'avoir enfreint les normes ne les annule pas. La norme de pluralisme crée une chance de l'utiliser pour la faire respecter. C'est en quoi le concept de multiplicité des cultures, prôné par Taylor, n'est pas basé sur son retrait de la société et de ses valeurs. Il est critique par rapport à sa société, il exige qu'elle réalise une tendance qu'elle a développée (le pluralisme) et en rejette une autre (la supériorité). Cependant, il ne construit pas ses valeurs sur un romantisme du regard de l'autre. Il décrit un projet de modernité créant un état d'insécurité profonde par rapport à notre amour-propre et parallèlement, il crée les moyens de se rapprocher d'une autre sorte d'honneur, celle de la reconnaissance de l'authenticité, la reconnaissance de la différence. Une des manières de comprendre le débat actuel sur la culture multiple est de poser, comme Jurgen Habermas, la question suivante : Est-ce que la modernité ayant sa source à la révolution française, est selon toi, un projet inachevé (et variable) ou bien t'en dégages-tu au profit d'un autre ? C'est une question qui fut posée aux Européens et aux Américains. Elle s'impose aussi aux Israéliens.

Les « Orientaux » ne savaient pas qu'ils étaient orientaux avant de venir en Israël. Les premiers immigrants originaires du Yémen qui furent humiliés et méprisés dans la cour du groupe Kinéreth à l'époque mythologique de la deuxième vague d'immigration, n'envisageaient même pas que la communauté sépharade de Jérusalem leur était plus proche que celle des Hongrois de Méa Shéarim [36]. Le grand-père d'Arié Deri ne se serait jamais imaginé qu'un rabbin irakien, comme le rabbin Ovadia Yossef, serait plus proche de son petit-fils que par exemple, un rabbin français.

Aujourd'hui, l'orientalité existe et il faut la reconnaître, lui accorder des budgets et lui demander pardon. Mais en grande partie, elle s'est formée ici, elle n'est pas la conservation d'un passé. Elle s'est formée, parce que les Yéménites et les Marocains ont, comme le dit Taylor, passé par un processus commun de reconnaissance et de non-reconnaissance. Au bout de cinquante ans, les Yéménites, les Marocains et les Irakiens se sont retrouvés dans une situation économique semblable. Ils sont dans la même mesure éloignés du centre géographique et du siège de connaissance du pays et ils se heurtent au même refus de faire de leur histoire une valeur israélienne.

Les immigrants de Tchécoslovaquie eux non plus, ne s'imaginaient pas que les immigrants d'Argentine les rejoindraient un jour au sein du groupe ashkénaze. Ils n'avaient pas à l'origine de « racines » communes, ils se sont retrouvés dans un processus commun, que Taylor identifie comme un processus de reconnaissance. Une des choses les plus difficiles à accepter chez les dirigeants du parti travailliste est qu'eux aussi représentent une « ethnie » ou une « culture » (*Meretz* est sans aucun doute une culture). Et ce n'est pas ainsi parce que l'idéologie de Meretz [37] est erronée (elle l'est, mais pas par refus de racisme), mais parce que des Israéliens d'origines totalement différentes se sont vu accorder une reconnaissance semblable, se retrouvent à un niveau

---

36. Les dirigeants de la communauté séfarade eux aussi, refusèrent de les considérer comme proches et de les aider. Voir là-dessus : Yehouda Nini, « Étais-tu ou était-ce un rêve », les Yéménites de Kinereth, histoire de leur implantation et de leur déplacement – 1912-1930, Am Oved et association « aalat Tamar », Tel Aviv, 1996.

37. *Meretz* – parti assimilé à la gauche libérale. Fusion de deux partis, le *Mapam* et le *Ratz*. Parmi ses fondateurs se trouvent Shulamit Aloni, Yossi Sarid Yaïr Tsaban et Amnon Rubinstein.

social et économique à peu près identique et bénéficient de concepts de modernisation similaires.

Je ne suis pas certain qu'il faille aussi distinguer entre l'honneur et la
dignité, chez les Israéliens et les Juifs, mais il existe certainement parmi les
Israéliens, une puissante dynamique agressive de l'honneur, de l'amour-
propre. Il est évident pour moi, que les Juifs ont passé par cette même modernisation que décrit Taylor, de manière plus intensive que les autres.

A.B. Yehoshuah a raison de rappeler que Ben-Gourion a effacé son passé
à lui avant de demander aux Orientaux d'effacer le leur. Il était fier de cet
effacement. Il considérait son virement volontaire comme un point d'honneur, que ce soit le changement de nom, l'éloignement de ses parents, sa
venue en Terre d'Israël, sa haine de la religion, le nationalisme qu'il adopta,
découlant de la révolution française et de l'évolution des peuples d'Europe.
Ceci est certes une procédure d'abandon d'un honneur et la construction d'un
autre. Qui peut nier cela, alors que l'honneur russe qui vient d'arriver chez
nous, celui d'un million de personnes, d'un cinquième de la population d'Israël,
nous demande à tous de reconnaître sa présence, des dizaines de journaux,
un vote impressionnant aux élections législatives. La tradition d'antisémitisme n'a pas obligatoirement conduit les Juifs vers une solution sioniste.
Plus nombreux furent ceux qui se tournèrent vers la solution américaine qui
réussit ou vers d'autres qui échouèrent. Mais il n'existe pratiquement aucun
groupe juif qui ne porte pas en lui la mémoire du rejet antisémite. C'est pourquoi, le besoin de reconnaissance et d'acceptation des Juifs est particulièrement grand. Et quand le projet sioniste de l'État d'Israël a ainsi évolué que
fut exclue toute reconnaissance de la part des Arabes et que la reconnaissance
de la part des Européens fut rejetée idéologiquement à cause de l'impératif
du nouveau Juif de ne compter que sur lui-même, le besoin de reconnaissance des Israéliens ne tarit pas, il fut canalisé avec une puissance particulière ayant son origine dans le traumatisme historique de l'antisémitisme,
vers d'autres Israéliens.

C'est ici qu'il y a lieu de faire une comparaison entre le Zoulou et Tolstoï.
L'honneur se heurte à l'honneur. La valeur interne en rencontre une autre.
C'est justement parce que les gens aujourd'hui se retrouvent dans un processus de création de leur propre valeur, qu'ils se souviennent de la souffrance
liée au processus qu'ils ont traversé et du prix de leur réussite (là aussi, l'article
de Ronit Matalon est un exemple explicite). Bellow se souvient du prix exor-
bitant qu'ont payé les fils de la culture occidentale – en sueur, en sang, dans
les guerres, les émigrations, les révolutions – pour se sentir associés à une
œuvre intitulée «Guerre et Paix». Il propose donc aux Zoulous de créer un
Tolstoï et alors, seulement alors, il les reconnaîtra. Ceux qui proposent Aharon
Barak [38] aux admirateurs du Baba Salé empruntent une voie semblable, erro-

née et trompeuse. (On propose par exemple Aharon Barak, en pratique et en cachette, comme un credo, alors qu'il n'est besoin de le proposer que comme loi. Et ce ne sont pas les autres, mais bien lui-même qui le conduisit du domaine de la loi vers celui du credo.)

Chez l'immigrant israélien, le processus d'acquisition de sa propre valeur en rencontre un autre, appartenant à une autre histoire, dans une autre phase de la modernisation. Il n'y a alors rien de plus grave que de nier l'histoire. C'est une dénégation qui entraîne automatiquement une falsification de l'histoire. Le Baba Salé est un exemple d'une telle falsification, de la création d'un passé par ceux à qui on a dénié leur passé. Sa large autorité sur l'ensemble des Orientaux est une création tardive d'un passé blessé. En effet, le passé des Orientaux fut nié à la base – comme l'a dit A.B. Yehoshuah – alors que le passé des Ashkénazes maintint l'honneur de ses fondements, même s'il fut rejeté.

Toute une culture s'est forgée en Israël sur le rejet du passé et la gloire de la procédure d'abandon. Ben-Gourion et les milliers de gens qui ont grandi dans le cadre de son rayonnement, étaient très respectueux par rapport à la démarche de l'immigration (*alya*), l'abandon des pratiques religieuses, la modernisation, la création d'une nouvelle société en Terre d'Israël. Leur honneur était dynamique. Leur transformation reflétait leur valeur.

La métamorphose que subirent les Juifs des pays arabes était plus radicale, plus profonde. Ils sont venus en Israël sans que la révolution française ait marqué profondément les pays desquels ils venaient. Ils se sont heurtés à la laïcité sans avoir connu dans leur environnement, de séparation entre la religion et la culture. Ils sont passés à la modernisation sans avoir connu l'industrialisation. La modification de leur vie fut absolue mais elle ne fut pas reconnue. Ils se sont retrouvés avec des Israéliens qui détestaient leur passé à eux et donc se donnèrent le droit d'effacer celui des Orientaux de leurs livres scolaires. Cependant alors que l'évolution des originaires d'Europe était à leurs yeux un processus digne et noble, celui des Orientaux allait de pair avec un rejet du passé. Telle était la frontière de la tolérance. Dans ce sens, A.B. Yehoshuah a raison non pas seulement ni surtout, pour ce qui est du respect dont témoignaient les Européens envers Mozart et Tolstoï. Ils avaient un grand respect pour Tolstoï, parce qu'ils croyaient profondément (et c'était vrai, ici et là) que Tolstoï les avait conduits vers la cour du groupe Kinéreth. Ils n'honoraient pas le grand-père du Baba Barouh parce qu'ils ne comprenaient pas comment d'un tel grand-père déboucha sur Netivot. Qui

---

38. Aharon Barak – Président de la Cour Suprême. identifié dans l'opinion comme le porteur des principes libéraux et celui qui met en pratique dans le système judiciaire et comme un homme aspirant à élargir le domaine de juridiction de la cour suprême.

ne déchiffre pas le cheminement historique des autres, ne comprend que le sien. Et il faut ajouter ici l'élément d'authenticité – même quand on respectait les immigrants d'Afrique du Nord, on ne respectait pas l'authenticité de leur histoire – on leur faisait sentir que leur passé n'avait pas de valeur ou du moins n'en avait pas beaucoup. Or, le processus qui conduisit un campement provisoire d'immigrants (*maabara*) de Juifs marocains vers la ville de développement Netivot est un fait passionnant, surprenant dans son imaginaire, cruel par ses conséquences.

La politique de reconnaissance, dit Taylor, nous enseigne que le processus de reconnaissance par lequel je passe est des plus difficile. Il est lié à une perte de ma propre estime et à la pénible acquisition d'une autre, différente et limitée. Se crée un blocage. À un certain stade, se crée une tendance à ignorer l'autre processus, celui que traverse quelqu'un d'autre. Il faut alors commencer à construire la politique de ceux qui aiment Tolstoï et en reconnaissent une autre, pas totalement différente, la politique de ceux qui aiment Oum Koultoum, sans exiger d'elle qu'elle soit jugée selon les normes de Tolstoï (ce qui ne veut pas dire de ne pas être jugée du tout ou qu'il n'y a pas de critères de jugement).

Ici apparaît la croyance en la démarche de la gauche et l'aversion pour celle de la droite (en grande partie. Il existe aussi une droite révolutionnaire. Ce n'est pas par hasard que la fraction la plus agressive des colons se soit liée à l'instinct révolutionnaire qui brûla chez une certaine fraction des membres du *Lehi*). La foi de la gauche en une dynamique, un changement est un grand atout, puisque ainsi celle-ci est prête à accepter des changements en cours. Mais c'est aussi une contrainte parce qu'il est difficile d'accepter une situation statique, un arrêt de la procédure, un besoin de conserver des traditions. La politique de reconnaissance est dynamique quand elle prend en considération le besoin de réunir le respect envers le passé et celui envers l'avenir.

Ce sont justement des gens qui, comme Jacqueline Kahanov, ont fait l'expérience de plusieurs cultures, qui ont insisté sur le besoin, tant de ceux qui sont issus de cultures dominantes que de ceux issus de cultures marginalisées, de regarder l'avenir. L'identité, écrit-elle, se construit en regardant vers l'avenir et pas seulement à partir des racines du passé [39].

Quand on veut expliquer que les immigrants orientaux, pendant les premières années d'existence de l'État, ont voté pour le *Mapaï*, on a tendance à adopter un paternalisme inversé, et affirmer qu'ils furent trompés, d'ajouter qu'il était facile de les tromper. Ceci n'est pas vrai. Ce n'est pas crédible. Il n'est pas logique que des gens, à l'heure la plus difficile de leur détresse,

---

39.   Voir surtout son essai : « Ethnies en transformation » dans le livre : Le soleil de l'Est (en hébreu), éditions Hadar, 1978.

ne brandissent pas l'arme optimale qu'ils ont entre leurs mains – le billet de vote – pour protester. La vérité est que la plupart d'entre eux ne furent pas trompés, comme ne le furent pas non plus la majorité des Russes quand ils décidèrent de voter pour le parti travailliste en 1992. Dans les deux cas, il s'agit d'un vote où on s'inquiétait surtout de la chose la plus pressante pour des immigrants : progresser.

La valeur des gens ne se trouve pas seulement dans leur passé, elle réside aussi dans l'union entre leur passé et leur avenir. Le *Mapaï* des années cinquante offrait encore une mobilité et conservait des restes de mécanismes pouvant créer une égalité. Les immigrants des pays arabes des années cinquante, comme les immigrants d'Union soviétique des années quatre-vingt-dix, ont voté pour l'espoir d'une mobilité. Ce fut ainsi, aussi longtemps que cet espoir existait. Ils ont commencé à tourner le dos à la gauche quand celle-ci cessa de leur proposer d'avancer vers le cœur de la société.

La gauche a trois choses à proposer : le respect envers l'histoire des hommes, la vérité sur eux en tant que créateurs dynamiques et des systèmes de modification tendant à plus d'égalité.

Mais quand la gauche dit : telle évolution est culture et telle autre est barbarie, elle coupe la branche sur laquelle elle s'appuie. Elle nie une transformation claire, dramatique, évidente. La réaction devant cette négation du changement est l'acceptation de la fable de la droite dans les conditions israéliennes, sur la stabilité. Il y a une grande consolation dans la fable de la constance (des Orientaux ou des religieux) alors qu'il n'y a aucune légitimation (social-démocratique) à ton dynamisme.

Quand la gauche crée une situation où le changement le plus évident de la société est l'écart grandissant entre les riches et les pauvres, ce changement devient un ennemi.

Quand on traite du pluralisme, le danger est de ne voir que les parties et non le tout. Le danger est de ne voir que les fractions demandant une reconnaissance en oubliant qu'elles sont des groupes appartenant à une société commune. La multiplicité des cultures en tant que flamme idéologique, a conduit non seulement au respect de l'autre, de celui qui est différent, mais aussi au culte de la fragmentation [40]. Elle mena également à une perception de vue étroite, séparatiste, de l'exclusivité de la seule détresse orientale ou de celle ultra-orthodoxe, exclusive elle aussi. Apparut aussi une tendance théorique à placer des frontières infranchissables entre le narratif d'un groupe

---

40.   Voir Edward W. Said, *Orientalism, Vintage Books*, New York, 1978.

et celui d'un autre et de prétendre qu'il n'y a pas de critères de pensée ou d'échelle de valeur pour franchir ces barrières et pour se pencher équitablement sur l'ensemble de la société. Chaque franchissement de barrières est ressenti par de nombreux adeptes de Saïd par exemple, comme un acte colonial.

Le fossé social en Israël est si évident, qu'on ne peut pas ne pas voir aussi que cet immense besoin de reconnaissance est en fait une exigence de société. Dès qu'apparaît un groupe demandant pour lui-même une spécificité, apparaît le besoin de ce même groupe, que d'autres fractions lui cèdent leur place, partagent avec lui les budgets, lui donnent une représentation. La brûlante nécessité de reconnaissance montre bien que le cri culturel d'un groupe discriminé ne peut et en général ne veut, le placer dans un secteur séparé et autarcique. C'est un cri lancé vers la société tout entière, qui exprime un besoin d'elle, qui place à l'ordre du jour politique des critères pour juger les autres et pour être jugé par eux. Le narratif entièrement séparatiste est une théorie qui ne résiste pas à l'épreuve de l'expérience politique.

Il existe en Israël un groupe qui ne veut pas être reconnu, ce sont les *Netourei Carta*. Ils ne veulent pas parler la langue des autres Israéliens, ne votent pas et ne sont pas élus, ils ne paient pas d'impôts et ne demandent pas de budgets, ils ne règlent pas leurs montres en fonction de décisions prises par les autres (les passages de l'heure d'été à l'heure d'hiver n'existent pas à Méa Shéarim). Ils préféreraient qu'une muraille de fer les sépare des autres Israéliens. Ils sont l'exception qui confirme la règle.

Tous les autres Israéliens – les ultra-orthodoxes, les russes, les éthiopiens, les juifs réformés, les membres de kibboutzim et les membres du comité central du Likoud [41] – tous demandent à être reconnus, à ce qu'on leur fasse une place, à être également représentés, à recevoir leur part de budget, de présence politique dans l'arène publique et également à avoir une présence symbolique. Ce qui existe est un enthousiasme d'exigence d'être accepté, et pas du tout de se séparer. Ceci, parce qu'on n'estime pas que la différence est absolue et oblige à une séparation.

Nous savons très bien quand une différence de culture ou une blessure de l'une d'entre elles, conduit à une séparation. Les Palestiniens réclament un détachement, une autodétermination, une société séparée (ils veulent une frontière, mais probablement que dans leur majorité ils ne veulent pas d'une frontière fermée). Par contre les différents Israéliens, déchirés entre eux, ne veulent pas de séparation. Ils veulent une reconnaissance, une collaboration dans le respect de l'autre. Quand existe une volonté très forte d'être accepté

---

41. Likoud, Bloc de la droite – L'un des deux grands partis d'Israël. Accéda pour la première fois au gouvernement en 1977. Son dirigeant saillant était alors Menahem Begin. Autres dirigeants : Yitshak Shamir, David Lévy, Ariel Sharon, Benjamin Netanyaou, Moshé Arens.

par les autres Israéliens, se créent également des fusions de cultures, des intégrations d'origines, des réunions de laïcité et de religiosité. Une crise particulièrement forte dirige maintenant l'attention vers les différences entre les Israéliens. Il serait erroné de ne vivre que l'instant de la crise, de faire abstraction des liens, des points de réunions, des partenariats. Pour de nombreux Israéliens ces fusions ne sont ni de la théorie, ni une coercition institutionnelle, ni même une situation politique, mais un visage connu reflété par le miroir. Bon nombre d'Israéliens savent clairement qu'ils ne sont pas eux-mêmes faits de manière monolithique, qu'ils n'ont pas qu'une seule origine, qu'une seule culture.

Dans la même mesure, ce serait une erreur de ne pas voir les tendances de privatisation qui agissent dans l'ensemble de la société et pas seulement dans un de ses secteurs. Ces tendances traversent facilement les barrières sociales et d'un autre côté, elles élèvent encore plus les barrières existantes. La pauvreté ou la richesse sont liées à l'origine, à la tendance religieuse. Quand s'établit un lien entre l'origine et la pauvreté, se crée une profonde blessure culturelle, avec toutes ses conséquences et c'est elle qui suscite des modes de vote, de haine et de préjugés. Mais cette profonde blessure non cicatrisée ne reste pas, dans la société israélienne, au sein du seul groupe blessé. Elle est dirigée vers les autres et se transforme en cri vers l'ensemble de la société israélienne.

Taylor et ses collègues ont donné des instruments de pensée pour affronter cette nouvelle situation de multiplicité culturelle. Ce qu'ils ont fait là-bas, tu refuses de le faire ici. Ce n'est pas un hasard si tu as choisi de traduire les opposants de Walzer et Taylor – ces penseurs pour qui le postmodernisme est un éloignement de la multiplicité sociale et un désir de se purifier du mal créé par lui.

L'idée d'un Israël comme État de tous ses citoyens est l'expression d'un désir de se purifier d'une multiplicité devenue un mal. C'est un effort d'effacer cette multiplicité par une formule unique. Quand tu t'es heurté à une difficulté consistant en de nombreux traits embrouillés, tu as choisi de quitter ces embrouilles pour un rêve de ligne droite. Mais cette ligne droite ne résoudra rien. L'enchevêtrement restera comme il était et l'intellectuel se retrouvera dans une ville-refuge où une muraille le sépare de la société.

Il est certain qu'il y a une grande difficulté dans le fait que la loi du retour crée une discrimination structurelle, en plus de celle des budgets et du rapport culturel, entre les citoyens juifs et les citoyens arabes du pays. L'annulation de la loi du retour fera disparaître la discrimination structurelle en établissant une seule citoyenneté pour tous les Israéliens. C'est un noble rêve – l'expérience d'autres peuples enseigne que l'on peut y arriver, mais qu'on ne peut pour cela, brûler les étapes. C'est-à-dire : On ne peut passer au-dessus de l'expérience de base culturelle d'un très grand groupe (les Juifs) pour arriver tout de suite à une solution qui annulerait les groupes. En effet, l'annulation de la loi du retour serait une gifle par rapport à l'expérience formatrice des Juifs et des différents Israéliens, qui est l'expérience d'une immigration sur la base d'une appartenance nationale. Le nationalisme n'est un trait éternel de personne, certainement pas des Juifs. La plupart des Juifs modernes n'ont pas choisi leur nationalité et n'ont pas choisi d'émigrer vers une nationalité juive. Ils ont choisi la solution américaine. Mais une bonne partie des Juifs n'avait pas le choix et le sionisme fut pour eux leur planche de sauvetage. Ils se sont retrouvés dans une situation où un État national est pour eux un système de défense vital, même si tout État est aussi un système de répression.

Tu as choisi de te replier vers une position rappelant aux Juifs l'éventail de répression de l'État et tu attends qu'ils oublient le système de défense qui les a servis. Et tout cela, alors que sept cent mille Juifs sont venus de l'ancienne Union Soviétique et que de ce fait, le nombre de Juifs dans le pays augmente de presque vingt pour cent. Et ceci aussi, alors qu'à côté d'Israël est en train de se former un État-nation palestinien. Dans ces conditions – qui sont celles d'une guerre nationale exigeant un sacrifice quotidien, d'une importante immigration nationale nouvellement arrivée – on ne peut rêver que les Israéliens renoncent dans un avenir proche, au mécanisme de l'État comme moyen de défense nationale pour eux et pour les autres Juifs. Qui attend une annulation prochaine de la loi du retour, ressemble à celui qui s'imagine qu'un État palestinien pourra se créer sans sa loi du retour à lui. De même que les Juifs avaient besoin d'un mécanisme étatique pour répondre à leur détresse spécifique, il en est de même des Palestiniens : sans obligation minimale envers la diaspora palestinienne, on ne peut comprendre la signification du sang que les Palestiniens versent sur le chemin de leur État-nation. Dans les deux États nationaux il y aura un problème structurel difficile, puisque les droits nationaux et les droits de citoyenneté ne se recoupent pas. On peut rêver d'un État binational et on peut rêver d'un État de citoyenneté non nationale, aux États-Unis du Moyen-Orient. Si c'était réaliste, ce serait merveilleux. Mais en se fixant des objectifs non réalistes, on laisse le terrain libre aux assassins.

L'idée d'un État de tous ses citoyens n'est pas un moyen de traiter le problème de la multiplicité culturelle, c'est au contraire, un moyen de se débarrasser du problème. Les relations entre les Juifs et les Arabes ont créé un mal, massif et envahissant. Tu as choisi, pour tenter de l'assécher, de ne pas rentrer dans ce marécage mais de t'en éloigner et d'aller vers l'utopie.

C'est la raison pour laquelle cette idée est une cérémonie de purification et seulement une cérémonie et non pas de l'action.

L'idée de renonciation au sionisme paraît radicale, mais elle ne diffère pas beaucoup des idées qui sont apparues au sein du sionisme, ces derniers temps : toutes reconnaissent une pluralité culturelle, mais l'évitent. Telle était par exemple, l'idée de l'élection directe du Premier ministre[42]. Une coalition israélienne bizarre à la Knesset et au sein des différents gouvernements se trouva confrontée à la pluralité israélienne et tenta de la contourner en confiant la majorité des différentes voix à un vainqueur. Les négociations politiques avec les religieux, les immigrants, les partis et les groupuscules étaient compliquées. Je pense pour ma part, qu'elles étaient surtout compliquées d'un point de vue culturel. En effet, l'élite israélienne devait prendre en considération une multiplicité qui s'agitait, qu'elle méprisait, qui était à l'opposé de son rêve d'unité culturelle. La tentative de contourner le problème eut pour résultat une aggravation du problème. Jamais la Knesset n'avait reflété un tel fractionnement culturel comme celle qui fut élue selon la loi de l'élection directe du Premier ministre.

Un autre moyen de se dérober à la multiplicité culturelle des Israéliens est l'étonnement devant la tendance de Aaron Barak d'élargir les domaines de juridiction de la cour suprême. Dans une situation de fatigue et de confusion face à cette multiplicité qui pèse sur les normes de culture en Israël, nombreux sont ceux qui préfèrent se débarrasser de la nécessité de tenir des négociations politiques – entre religieux et non religieux (principalement) – et remplacer l'arène sociale par l'arène juridique. Quand l'autorité juridique se dresse contre l'énergie politique, n'est-ce pas une préparation à une situation où l'énergie politique serait tournée contre l'autorité juridique ? N'est-ce pas une invitation à contourner le tribunal au moyen d'une législation ? Est-ce que ce qui semble un renforcement du pouvoir judiciaire ne conduit pas à son affaiblissement ? La complication ne disparaît pas en dessinant une ligne droite. Si tu penses que par une purification tu échappes au mal, tu te retrouves dans une situation où en réalité, tu défends le mal.

Si la tension culturelle existant entre les Juifs et les Arabes débouche sur un mal sombre et puissant et si la tension culturelle (elle aussi mais non exclusivement) au sein de la société israélienne permet ce mal, par ton attitude, tu réduis cette complexité. Tu as vu une image culturelle complexe et chan-

---

42. Élection directe du Premier ministre – En 1992, est entrée en vigueur la loi selon laquelle le Premier ministre d'Israël est élu lors d'élections générales et directes par l'ensemble des électeurs. Cette loi vint remplacer une loi précédente selon laquelle le Premier ministre était élu à la majorité par la Knesset. Cette loi était destinée à renforcer la position du Premier ministre et à diminuer sa dépendance par rapport aux petits partis à la Knesset. Cette loi fut annulée en 2001.

geante et tu n'en as retenu que le mal – un mal uniforme et invariable. Telle était ta manière de contribuer au mal ou du moins de ne pas participer à l'effort engagé pour le réduire.

Quelques mois avant l'assassinat de Rabin, tu écrivais : « Et chez nous, l'occupation et la répression se poursuivent même quand l'activité diplomatique est intense et s'efforce de faire avancer ce qu'il est convenu d'appeler "le processus de paix". Cette diplomatie est devenue dernièrement une sorte de performance artistique, une diplomatie très télévisée, très commercialisée, effaçant rapidement les limites entre la représentation et l'événement, entre la politique et les médias, entre la répression et la libération, entre la guerre et la paix, en bref une activité postmoderne par excellence, qui ignore à quel point elle l'est » [43].

C'était une performance artistique qui s'est terminée par trois coups de pistolet. Une performance artistique à l'issue de laquelle Benjamin Netanyahou est arrivé au pouvoir. On peut maintenant établir une comparaison entre les différents « processus de paix », entre la diplomatie télévisée et une armée palestinienne de vingt mille soldats, entre la politique et les médias, entre une guerre hésitante et une paix hésitante. La paix vers laquelle Rabin tendait n'était certainement pas celle que nous désirions tous les deux, mais il y avait là une grande différence que tu n'as pas voulu voir. Celle entre un grand et un petit mal ne t'intéressait pas. Tu as tracé un trait signifiant « la même chose » alors que se déroulait une lutte d'envergure. Quatre-vingts pour cent des Palestiniens qui ont voté pour élire leur premier parlement, ne pensaient pas qu'il s'agissait de « la même chose », de même le *Hamas*, qui diminua le nombre de ses attentats-suicide. De même, Benjamin Netanyahou ne pensait pas que c'était « la même chose », sinon il aurait agi tout autrement.

La théorie postmoderne te servit non pas à distinguer une vraie différence, mais pour brouiller une vraie différence. Dans les conditions culturelles qui se sont créées, toi et tes amis, vous n'avez pas aidé la chance que représentait Oslo. Toi-même tu hésitais. D'autres dans ton entourage ont tout fait pour qu'il y ait une opposition de gauche à Oslo, en plus de l'opposition de droite. Azmi Bishara qui appela à s'abstenir, porte la responsabilité de l'élection de Netanyahou. Baruch Kimmerling, lui aussi très proche des post-sionistes, qui quelques jours avant les élections écrivit que Netanyahou était préférable à Pérès, a certainement dû ressentir une satisfaction professionnelle : l'électeur a accepté le conseil du sociologue [44].

---

43. Adi Ophir, « Postmodernisme : attitude philosophique » dans : Éducation à l'ère du discours postmoderne (en hébreu), P. 137.
44. Baruch Kimmerling, « Et peut-être que Netanyahou est préférable », Haaretz, 1 avril 1996.

Il en est pour la diplomatie télévisée comme pour la mort des grands narratifs – les distinctions postmodernes pouvaient apporter une aide dans la situation existante après Oslo. Mais tu pris de bonnes idées et tu essayas de te blan-
chir grâce à elles, non de les utiliser. Continuellement, tu entends parler dans
ton entourage postmoderne de deux couches de connaissance, dans la société
occidentale moderne : la couche inférieure reflète une multiplicité culturelle,
elle comprend des groupes de religion, de couleur, de sexe, de revenus, qui
ne peuvent, même si elles le veulent, brouiller les frontières qui les séparent.
Mais au-delà de cette différence, la couche de connaissance supérieure est
inondée d'images télévisées, y règne un effacement des limites entre la politique et les médias, entre la guerre et la paix. La deuxième couche, celle de
la performance artistique, est effective parce que la fragmentation à sa base
est menacée, fragile, traumatique. Elle offre un cadre pour recouvrir ces fragments. S'il existe une situation culturelle où nous sommes envahis d'images
vides de sens, on est aussi en droit d'attendre une certaine réaction à cette
situation, un retrait vers un repliement culturel. Dans ce cas, la douceur holly-
woodienne et la haine de l'étranger fournissent une nouvelle composition,
que le modernisme n'avait pas connue jusqu'ici. C'est un nouveau produit de
l'industrie d'illusions, susceptible d'établir un lien entre les différences culturelles – puisqu'il s'adresse simultanément au très ancien et au très nouveau.
Quelque chose relevant de cet effet a agi pour l'élection de Ronald Reagan,
quelque chose de cela a contribué à l'élection de Benjamin Netanyahou.

En Israël, le processus d'Oslo eut un caractère culturel évident. Une culture
l'adopta, les nombreuses autres lui restèrent étrangères, comme l'était pour
elles la culture l'ayant adopté. Telles sont exactement les conditions de l'apparition du phénomène où les médias remplacent la politique. Des gens,
prisonniers d'une exaspération historique, qui les séparent des autres, trouvent un abri de solidarité auprès d'un homme politique qui leur fournit des
images télévisées au lieu d'un vrai contenu politique.

Ainsi sans aucun doute les dernières élections furent un « acte post-sioniste
évident » : Un homme, absolument étranger à la culture israélienne, a débar-
qué ici, avec dans son bagage, le reste du reste de ses acquis juifs. Cet homme
a apporté à une culture locale déchirée, une compréhension postmoderne du
capitalisme multinational : dans cette société déchirée, il a lancé sur le marché,
un politicien superficiel, de la même façon qu'on réussit à vendre du coca-
cola à quantité de sociétés déchirées. Sans les plaies culturelles existantes
chez la moitié des Israéliens, rien de la commercialisation à grande échelle
propre à la société de consommation n'aurait marché. Mais une plaie s'est
liée à une autre plaie et Arthur Finkelstein y ajouta sa propre plaie juive. Ainsi
agit pleinement la culture de l'image, qui a élevé au plus haut degré, le travail
de déviation des différences culturelles.

Ton postmodernisme avait une chance de marquer une différence – la théorie a donné les moyens de distinguer le caractère de la proposition politique de Benjamin Netanyahou et d'Arthur Finkelstein. Mais tu as préféré utiliser la théorie, pour effacer toutes les différences entre Finkelstein et Rabin, entre Netanyahou et Arafat.

Quand nous avons proposé le partage du pays, il s'agissait d'une proposition qui tenait compte de la majorité des Israéliens. Quand tu proposes aujourd'hui aux Israéliens de renoncer au nationalisme et au sionisme, tu t'adresses à un faible pourcentage ou à un millième (en supposant qu'en fin de compte tu proposeras aussi aux Palestiniens de renoncer à leur nationalisme). Pour la grande majorité des Israéliens, renoncer maintenant au nationalisme revient à renoncer à leur dignité et à leur première obligation humaine envers ceux qui leur sont proches, à qui ils sont liés historiquement. C'est aussi sacrifier une chaleur culturelle dans un environnement politique qui va en se refroidissant, qui perd toute solidarité.

Si vraiment les postmodernes ont vu des caractéristiques marquantes d'une société de consommation telle que l'Amérique la diffuse, devrait retentir chez toi comme chez moi, un signal d'alarme supplémentaire, cette fois pour dénoncer le caractère de la gauche. Si nous sommes témoins de l'existence d'une barrière grandissante entre les différents narratifs et entre les différents groupes sociaux, la gauche américaine fut particulièrement touchée par ce processus.

Il s'agit d'une gauche qui a une vie intellectuelle mais n'a pas de vie sociale. Elle n'a pour ainsi dire d'existence que dans les campus. Il en résulte une vie politique se déroulant uniquement entre les volumes des livres, et dont la seule expression est une terminologie universitaire.

On ne peut ignorer l'énergie politique qui se déverse maintenant dans la vie intellectuelle des universités américaines. Si dans le passé, les sciences humaines eurent un rapport de prudence par rapport à la politique et même un certain recul par rapport à celle-ci, ces dernières années on note un effort pour rendre la politique indispensable à la pensée, à la compréhension, à la mémoire, pour dessiner un plan de pensée. Mais il est saisissant de découvrir que cette énergie politique ne fait pas son chemin au-delà des bibliothèques. Il n'y a pas de vraie mobilisation de la gauche en dehors des universités, il n'y a pas dans le système politique de vraie demande pour les idées politiques développées par les intellectuels, il n'y a pas de vraie tentative de se faire entendre par des non-intellectuels. Le débat politique de gauche est plein d'ardeur, mais il s'agit d'une fougue que peu de gens perçoivent de l'extérieur, que peu de gens saisissent. Se crée une gauche sans institutions, sans représentation, sans confrontation avec la réalité et surtout sans lutte pour gagner les esprits et les cœurs des foules ; une gauche qui ressemble à une secte idéologique fermée. C'est une éventualité qui me fait peur. J'espère bien que nous n'en arriverons pas là mais la direction de ton travail nous y pousse.

Il n'y a pas lieu ici de traiter de la question comment s'est développée la gauche américaine et qu'est-ce qui l'a amenée à la situation où elle se trouve maintenant. Mais il est impossible de ne pas voir, dans de très nombreuses publications, la profonde empreinte qu'ont laissée les années soixante. À l'époque, la gauche américaine non seulement irradiait bien au-delà d'un cercle intellectuel, mais avait la prétention de proposer une alternative sociale et pas seulement conceptuelle à la société de consommation. Si en Israël, la culture de consommation multinationale est une donnée qu'il n'est pratiquement pas en notre pouvoir de changer, une donnée allant de pair avec l'influence américaine dans tous les domaines de la vie, ils ont eux tenté de changer cette culture dans son essence, son noyau. Et avec tous leurs succès, et ils en eurent, (contribution à la cessation de la guerre du Vietnam, annulation de la discrimination ouverte des noirs), le défi qu'avait lancé la gauche américaine à la société de consommation échoua. Ils ont changé certains éléments de leur environnement, mais n'ont pas changé l'environnement lui-même. Et il est impossible de ne pas distinguer parmi les différentes voix de la gauche universitaire américaine, la brisure du rêve des années soixante. (Le seul domaine où la cassure n'existe pas est le féminisme, qui est la continuation la plus probante de l'esprit des années soixante. Le féminisme est un mouvement politique dont la vie intellectuelle s'accompagne sans aucun doute d'une vie effective en dehors du cadre universitaire. Il est opprimant de penser que dans les conditions israéliennes, même le féminisme a surtout une vie intellectuelle).

Quand les postmodernes désignent une nouvelle multiplicité de la société, il s'agit d'une multiplicité refroidie par une fragmentation et une perte de solidarité. Tel est l'autre côté, la face sombre de la nouvelle pluralité. Dans cette conjoncture, l'intellectuel développe ses propres traumatismes, fixe son ordre de priorité, projette ses propres sensibilités et en fait il vit une vie politique intensive pour lui-même. De cette manière, il renonce à toute probabilité de devenir le cerveau des nombreux fragments de l'ensemble de la société. De même, il ne soumet pas son idée politique à l'épreuve de la vie, en dehors de l'université. Fredric Jameson parle de postmodernisme comme d'une situation où se crée un antagonisme particulièrement violent et nouveau entre l'expérience de notre vie quotidienne et la connaissance abstraite que nous avons de cette vie quotidienne. On peut poursuivre, en affirmant que se crée une nouvelle opposition entre une minorité d'intellectuels, pour qui cette connaissance abstraite est non seulement une profession, mais aussi l'essence même de leur vie quotidienne et la majorité des gens pour qui cette connaissance abstraite croise leurs formes historiques de vie, longtemps avant de croiser leurs idées et leurs conceptions. Quand la connaissance et le quotidien s'éloignent l'un de l'autre, se crée une aliénation particulière des intellectuels, par rapport aux larges cercles de la société. Il ne faudrait pas ignorer cette dimension du postmodernisme.

Il est d'ailleurs impossible de l'ignorer. La social-démocratie européenne a droit à la confiance des électeurs dans de nombreux pays d'Europe parce qu'elle propose, difficilement, avec hésitation et en tenant compte de ses erreurs, non pas une épuration des problèmes du capitalisme tardif, mais des réformes dans ce cadre. Ce n'est pas un hasard si dans ton activité ou dans le périodique que tu diriges, il n'y a aucune tentative de tirer un enseignement du passé et du présent de cette partie de la gauche qui a accumulé de l'expérience, en affrontant les conditions du capitalisme tardif et en créant un minimum de solidarité entre les travailleurs et entre les intellectuels et les travailleurs. La social-démocratie représente de plus la tradition du passé de la société israélienne. À en juger par tes écrits, ou par ta rédaction, l'ensemble de la tradition sociale-démocrate, qu'elle soit israélienne ou européenne, est totalement absente de ta représentation du monde, si elle n'est pas bafouée en tant que forme supplémentaire d'accoutumance au mal. Même si tu veux avoir des conceptions historiques, tu sautes en fait sur le passé significatif, réel. Tu préfères te focaliser sur l'ignoble du passé plutôt que de saisir une chance de tirer du passé quelque chose qu'on puisse continuer. Ce que tu proposes, est une gauche qui serait une secte universitaire. Ce que moi je propose, est une social-démocratie qui prend en considération la multiplicité culturelle des Israéliens.

La dynamique des différences existant au sein de la société est une concrétisation évidente de ton omission de l'élément de solidarité : la différence entre les peuples, par opposition à la différence entre les espèces. Toi et tes amis, vous proposez constamment une pensée invectivant de supprimer la différence entre les peuples par le concept de citoyenneté et le monde culturel reposant sur les droits du citoyen. Dans une même lancée, vous proposez une pensée qui souligne les différences entre les hommes et les femmes. Vous détestez une différence particulière qui vous semble moralement honteuse, alors qu'une autre différence vous paraît importante et essentielle du point de vue moral (on peut ajouter une autre contradiction éclatante : quand un auteur parle de son orientalité, il est authentique à tes yeux mais quand il parle de sa nationalité, il ne l'est pas. Une fois de plus, une différence est sacrée alors qu'une autre est illégitime – et cela, en vertu de ton idéologie et non d'après la perception de l'auteur. Les différences ressenties par les gens n'ont pas droit de cité, selon toi).

Sans rentrer ici dans la question de comment se sont développées ces sensibilités – on peut certainement affirmer que celles-ci expriment un monde expérimental de vérité chez la plupart des intellectuels vivant en Israël.

Pendant les trente ans d'occupation, le nationalisme juif a non seulement servi à établir un système de brutalité, mais il est aussi devenu un obstacle à la pensée. Dans un monde devenant de plus en plus multinational, les énergies culturelles qui asservissent la pensée sont nationalistes et les énergies qui lui donnent des ailes viennent de cultures qui ont transcendé le nationalisme. Ces énergies-là établissent les rapports entre les hommes et les femmes sur un plan totalement nouveau. Là, on arrive à une égalité entre les personnes, là existe une vraie dynamique des femmes vers une sexualité plus libérée, vers d'autres professions, vers de nouveaux liens entre les hommes et les femmes, entre les femmes et les enfants. Le féminisme change en bien, quelque chose dans les noyaux de la vie, alors que le nationalisme tire du passé des vieilles pulsions, corrompues, souillées. Et si je peux me permettre d'ajouter une note personnelle, je n'ai quant à moi aucun rêve national et aucun sentiment national brûlant. Si j'ai un rêve lointain, c'est que la nécessité d'une nationalité disparaisse afin que les passages d'une culture à une autre, soient plus nombreux et que la fusion entre les cultures soit plus riche.

Mais que dirais-tu de proposer un tel agenda aux Palestiniens ? Que dirais-tu de traiter du féminisme à Naplouse en tant que « différence faisant la différence » ou du nationalisme à Naplouse en tant que construction artificielle ? Ce que tu n'oses pas proposer à Naplouse, tu le proposes à Tel Aviv. Tu te heurtes à une société dont l'ordre du jour diffère de celui de l'intellectuel, et tu ne prends garde au fait que tu méprises ses sentiments qui font que le nationalisme est son système de défense.

La multiplicité des cultures peut-elle conduire à un nouvel ordre du jour politique en Israël ? Les idées émises au cours du débat sur la multiplicité des cultures peuvent-elles nous aider à donner un traitement politique à la plaie israélienne spécifique ?

Peut-être. Mais à condition qu'on voie la polémique existant à l'intérieur de ce débat. Celle entre la multiplicité des cultures en tant que dégoût de la vie politique et la multiplicité des cultures engagées dans la vie politique. Le post-sionisme est en Israël, la plus forte expression de l'idéologie de la multiplicité de cultures, qui ne conduise pas à un ordre du jour politique et empêche de soigner la plaie politique israélienne.

Le post-sionisme est un exemple flagrant d'une multiplicité de cultures, devenue en Israël comme aux États-Unis, une douceur théorique, une échappatoire cognitive et morale de l'intellectuel face à la voix et à la colère des cultures. Il ne se soucie guère de tirer la flèche avant de définir le but. Il trouve dans la réalité ce que la théorie a d'avance présumé y trouver. Il lui est égal de répéter une terminologie comme une formule sacrée répétitive. Il n'a garde d'organiser les données selon un modèle unique et dogmatique. Il ne se préoccupe pas de ne pas présenter un ordre du jour politique ayant une chance quelconque. Il n'a que faire de briser les règles politiques qui sont les nôtres pour changer une réalité sociale blessée. En fait, il ne veut pas réparer la déchirure des cultures, il veut s'en dégager.

Le post-sionisme, dit-on, est la reconnaissance de la multiplicité de cultures des Israéliens. Les Arabes ne peuvent accepter le sionisme, et sans dénominateur commun non-sioniste, dit-on, il ne peut y avoir de société israélienne démocratique.

Il y a en Israël un million d'Arabes. Il y a aussi un million de Juifs qui sont venus de l'ancienne Union Soviétique et d'Éthiopie. La signification du post-sionisme est l'abolition de la loi du retour. C'est pourquoi aucun post-sioniste n'aurait fait venir ces Juifs dans le pays. En d'autres termes, le post-sionisme dit aux Arabes d'Israël qu'ils lui sont si chers, que pour vivre avec eux il est prêt à franchir des montagnes et en même temps il dit aux Juifs d'Éthiopie et de l'ancienne Union Soviétique qu'ils sont priés, eux et leur immigration traumatisante de s'évaporer. Où se termine la tolérance envers l'autre et où commence l'anéantissement de l'autre ?

Le post-sionisme, comme moi, prône le droit d'autodétermination pour les Palestiniens. Ce qui signifie qu'à côté d'Israël, ne s'établira pas un État national, mais un État hypernational. L'expérience la plus élémentaire nous enseigne que les peuples à qui la nationalité fut refusée par la force, développent ensuite un nationalisme exacerbé. Ceci signifie également pour un avenir pas trop lointain, une forme ou une autre de loi palestinienne du retour. En effet, l'ironie cruelle des circonstances historiques a créé un état de fait palestinien ressemblant beaucoup à la situation israélienne. Il implique une énorme dette historique des habitants du pays envers ceux qui en ont été chassés ou ceux qui s'en sont enfuis ou éloignés. Les post-sionistes proposent donc aux Israéliens de renoncer à leur nationalisme, alors qu'ils reconnaissent l'hyper nationalisme qui les côtoie. Ils proposent de renoncer à leur loi du retour tout en acceptant une loi du retour palestinienne.

Cette proposition a selon eux, une chance. Sur ce programme, ils veulent se présenter aux élections. Sur cette base, ils veulent obtenir la majorité afin de reconnaître le droit d'autodétermination des Palestiniens. Il y a là une multiplicité de cultures sans cultures, une idéologie sans personnes, des intellectuels sans société. C'est justement là, que la multiplicité de cultures en tant qu'idéologie est une aversion pour la politique.

C'est là que l'intellect politique se construit un château imaginaire à mille lieues de la société.

On atteindra une multiplicité de cultures s'il y a pour cela une majorité. Or l'intellectuel fait tout pour s'éloigner des gens qui pourraient conférer une majorité à ses idées. Le post-sionisme consiste en un effort d'aller à la rencontre d'une bonne moitié des Israéliens, ceux qui soutiennent la partition du pays entre deux grandes cultures et de réduire la proportion des Israéliens qui les soutiennent, à trois pour cent. Il est égal aux post-sionistes qu'une renonciation au sionisme est pour la grande majorité des Juifs israéliens un renoncement à leur identité politique, à leur honneur social, à leur devoir envers leur passé. Sans cadre unificateur pour les nombreuses cultures des Juifs, et il n'existe pas en Israël, d'autre cadre unificateur que le sionisme, il n'y a aucune chance pour que soient nombreux ceux qui prêteront attention à l'impératif de reconnaître d'autres cadres spécifiques, internes. Les nombreuses cultures sont une nécessité, mais le cadre de protection général l'est aussi. Ce n'est qu'en honorant l'impératif dans son ensemble qu'on honorera les exigences particularistes. Qui propose aux Juifs israéliens de renoncer maintenant à leur nationalisme, se heurtera à la froideur et à l'hostilité quand il proposera de respecter les Orientaux ou les Arabes. En effet, une telle proposition enlève aux gens leur système de défense élémentaire quitte à les abandonner au nationalisme de la droite. Sans respect pour le rêve sioniste, il ne peut y avoir de respect pour les autres rêves, différents qui existent en son sein. Sans intégrité de la société, il ne peut y avoir de pluralisme.

Je ne néglige pas la difficulté morale et démocratique que crée la contradiction entre la loi du retour et le principe d'égalité devant la loi. Une telle contradiction existe, c'est certain. On peut cependant traiter cette contradiction en y réfléchissant ou en s'en dégageant, ouvrir le nœud gordien ou le trancher avec une épée. Le post-sionisme propose une loi dépouillée de toute conception culturelle à des gens qui, du fait de leur traumatisme historique, ont besoin du soulagement que donne une loi qui n'est pas neutre par rapport à leur culture. On peut équilibrer ce manque de neutralité envers les Juifs par d'autres lois, assurant les droits de la minorité arabe. Si les Israéliens sont liés au projet sioniste de l'État d'Israël par la profondeur de leurs sentiments et celle de leur expérience historique, il peut exister au sein de cet État, un projet israélo-arabe qui garantira légalement les droits des Arabes sur la terre, l'eau, le budget et la représentation. La neutralité n'est pas la seule solution. Un équilibre entre des lois qui ne sont pas neutres est une meilleure solution, prenant plus en cause la société israélienne (et la société palestinienne). Le rêve d'une vie sociale sans contradictions ressemble au rêve d'une vie privée sans contradictions. C'est une illusion à laquelle nous succombons uniquement dans de très mauvais jours. La contradiction entre le caractère démocratique de l'État et le caractère national du conflit, ne peut conduire ni à un effacement du nationalisme ni à celui de la citoyenneté. Elle peut conduire à un compromis tendu et difficile entre les deux.

Qui a intérêt à effacer la nationalité ? Le conflit entre Israéliens et Palestiniens se résoudra sur une base nationale ou ne se résoudra pas. Des solutions non nationales au conflit ont été proposées dans le passé, elles ont échoué et à présent elles n'existent que pour affranchir ceux qui les proposent de la réalité sanglante et corrompue du conflit.

Autre aspect de la renonciation à la société : le post-sionisme, en blâmant la solidarité sioniste, ne propose aucune autre solidarité entre les différentes cultures des Israéliens. Les communistes avaient proposé une solidarité prolétaire en rejetant le nationalisme ; les bundistes avaient proposé une solidarité nationale non territoriale. Seuls les post-sionistes imaginent la politique sans solidarité d'ensemble pour la société (en plus, pour une société en état de guerre). Ils proposent à des gens traînant derrière eux une histoire et ayant eux-mêmes passé par une émigration, une citoyenneté qui est une procédure (froide même là où elle est possible, dit Michael Walzer), ce qui les pousse à charger leur citoyenneté nationale d'une grande puissance de solidarité. Les Israéliens, pensent les post-sionistes, devraient ressentir avec enthousiasme leur orientalité, et avec détachement leur nationalisme. Pourquoi ? Parce que pour l'intellectuel, c'est une réalité plus commode que la réalité existante, parce qu'il est plus facile de trancher le nœud gordien que de le défaire.

Le post-sionisme est une politique sans pôle utopique. Parfois, c'est sa fierté [45]. Il suppose que le rôle de l'intellectuel est de faire la critique de sa société. C'est vrai, mais qu'en est-il de son rôle de donner un espoir ? Penser à la société sans donner aucun espoir revient à la concevoir sans politique. Il n'existe pas de vide d'espoir politique : l'intellectuel de gauche qui n'offre pas d'espoir raisonnable abandonne cette tâche à la droite. Dans ce cas, l'espoir se colore de haine entre les cultures. L'intellectuel critique est nécessaire à la société. Cependant, en n'étant que critique, sans proposer de solidarité, il abandonnerait la société aux mains des ses ennemis. Plus les gens sont pauvres, discriminés, plus ils ont besoin de solidarité. La droite qui leur propose l'amour nationaliste et mortel pour le Grand Israël, propose de l'amour et de la solidarité. La gauche peut-elle proposer une autre solidarité ? Ou bien proposera-t-elle de la haine envers toutes les solidarités, le démantèlement de la société en secteurs totalement séparés et un individualisme propre à l'ère de la privatisation ?

---

45. Adi Ophir, « Postmodernisme : attitude philosophique », dans : *L'éducation à l'ère du discours postmoderne*, p. 138.

Le post-sionisme présente le narratif sioniste comme un narratif unique, non comme un débat. La droite sioniste ne l'intéresse absolument pas. La gauche sioniste est son grand adversaire. Il ne veut pas établir de coalition. Il veut la briser (puisque toute coalition lui semble atteinte par le mal de la répression). Concevoir une politique sans coalition est l'antithèse d'une action politique, d'un changement politique. La politique dans ce cas, se borne à des mots de révélation de fautes et non à des actes de réparation d'inégalité.

Le post-sionisme ne traite pas d'économie. Il ne s'intéresse pas à la façon dont se répartissent les revenus dans la société israélienne. Parce que l'économie (la misère économique, la tension entre riches et pauvres, sont des phénomènes qui existent dans l'ensemble de la société. On ne peut même pas les distinguer sans voir l'ensemble de la société. Peu vous en importe, si ce qui vous concerne est une fragmentation de la société et non une société. Peu vous en importe, si le centre d'intérêt est un ensemble de coupables et non une société.

Le cri des orientaux est réel. Pourquoi le salir d'une haine par rapport au sionisme ? Pourquoi l'Oriental blessé ne peut-il respecter le Juif blessé ? C'est justement le sionisme qui affirmait que la tradition éclairée européenne ne suffit pas à tous, qu'elle comprend une trop grande unité, des échecs, et ne prend pas en considération les minorités. Quand ces mêmes idées sont exposées, avec raison, par un intellectuel oriental, devrait-il les souiller en se fermant devant une souffrance semblable, une autre souffrance ? Ce sont justement les sionistes qui autrefois argumentaient avec les communistes et les libéraux selon des lignes de pensée ressemblantes. Les communistes et les libéraux proposaient une solution unique à toute l'humanité, tandis que les sionistes (comme aujourd'hui les post-sionistes) avaient un narratif spécifique, tous les narratifs ne pouvant se réunir en un seul. Pourquoi un ajustage du rêve des Lumières doit-il s'opposer à un amendement antérieur, au lieu d'en découler ? Les Orientaux en Israël veulent-ils vraiment se débarrasser de leur nationalisme, de leur rêve sioniste ?

De même que les post-sionistes ne s'intéressent pas à la droite israélienne, ils ne s'intéressent pas non plus au judaïsme des États-Unis. La véritable pluralité ne les intéresse pas. Il est évident que la différence entre la solution sioniste et la solution américaine à la détresse juive est éclatante. Le fait que les Juifs aient trouvé à la misère juive, deux sortes de solution, totalement différentes témoigne d'une profonde et passionnante pluralité culturelle. Dans les conditions de la Terre d'Israël, ils avaient besoin et ont encore besoin du nationalisme et du sionisme pour traverser le processus d'émancipation. Mais ce ne sont pas là des conditions absolues ou éternelles. Jusqu'à il y a deux cents ans, le nationalisme n'existait pas et peut-être n'existera-t-il plus dans deux cents ans. Pour ma part, je n'en rêve pas. Et si on parle de rêves, j'adhérerais à celui du Caire de Jacqueline Kahanov, où sept cultures se mélangent sans que le nationalisme ne joue de rôle notable. Mais je sais qu'il s'agit d'un rêve qui s'est à peine réalisé, qui ne fut qu'un bref épisode atténué. C'est pourquoi les Juifs de Tel Aviv, ne se sont pas trouvé de rêve culturel ayant une chance de se réaliser, de rêve de solidarité possible, autre que le rêve sioniste. Ceux qui l'ont en horreur, détestent en fait cette solidarité des Israéliens, leurs options limitées et les solutions qu'ils ont trouvées. Cependant, il y eut d'autres options ailleurs, des options réelles, non vaporeuses comme celles de Kahanov. Ceci, surtout aux États-Unis.

Là-bas, s'est développée une communauté juive sur une base nationale. Elle n'est pas moins importante ni moins stable que la communauté israélienne et ne réussit pas moins bien. L'émancipation des Juifs des États-Unis ne nécessitait pas de nationalisme juif, même si elle avait besoin d'une certaine dose de culture juive et de religion juive [46]. Le fait que la communauté juive américaine traverse une procédure d'assimilation rapide est à mes yeux un grand avantage. La conservation d'une culture n'a à mon sens aucune valeur, si les personnes concernées n'en éprouvent pas le besoin.

Bien plus, je suis sans aucun doute pour un mélange de cultures. Mais dans le cas de l'état de fait israélien, les Juifs ont besoin de préserver leur culture parce que c'est là un système de défense vital. La véritable et vivante multiplication de cultures des Juifs, ne prouve pas l'éternité du nationalisme mais sa nécessité spécifique en Israël et sa non-obligation à New York. On peut s'intéresser à la pluralité existant entre Tel Aviv et New York, on peut y trouver des perspectives différentes que des Juifs différents établissent les uns par rapport aux autres. On peut par contre détester les systèmes de défense des Israéliens et ne pas s'intéresser aux autres systèmes de défense des Juifs américains [47].

Encore une fois, apparaît ici une multiplicité de cultures sans ces cultures elles-mêmes et sans les différences entre celles-ci. À nouveau, on découvre une multiplicité de cultures méprisant les systèmes de défense de personnes d'une société spécifique et respectant uniquement le rôle critique de l'intellectuel qui se détache de la société spécifique. Il s'agit d'une isolation de l'intellectuel. Une fragmentation supplémentaire, cette fois volontaire et même idéologique, dans une société frappée de fragmentation.

---

46. Yosef Gorny fait la distinction entre les Juifs des États-Unis et ceux d'Israël, quand il traite de la formation différente de la mémoire de la Shoah. Voir : Between Auschwitz and Jerusalem (en hébreu), Am Oved, Tel Aviv, 1998.
47. Sur les processus que traversent les Juifs des États-Unis ces dernières années ; voir : Sara Bershtel and Allen Graubard, Saving Remnants, *Feeling Jewish in America*, University of Berkeley California, California Press.

Tu proposes à la gauche de s'enfermer dans ses instincts politiques d'intellectuel et de se couper des instincts politiques des autres fractions de la société. D'après moi, tu proposes un amusement intellectuel et non une vie politique.

En d'autres termes, nous avons tous deux un même souci politique. La discussion entre nous a une base cognitive commune. Je voudrais croire qu'elle pourra un jour se poursuivre.

Post-sionisme :
connexions française, américaine et israélienne

Gadi TAUB

L E POST-SIONISME est par bien des égards un phénomène américain, importé en Israël. A première vue, cela ne semble pas être le cas, étant donné que le post-sionisme est si peu présent en Amérique. En fait, les bases des recherches les plus solides de cette historiographie révisionniste ont été posées dans une ambiance pro-palestinienne, dans des universités anglaises. D'autre part, la montée du post-sionisme était intimement liée à la popularité grandissante en Israël, de la mode française post-structuraliste. C'est pourquoi, il apparaît pour plusieurs raisons, que le post-sionisme n'est pas un phénomène américain. Il a des relents français et une origine anglaise et n'a pas réellement d'emprise aux États-Unis.

Mais sous la mince enveloppe de la théorie française, nous trouvons le jargon, qui lui ne trompe pas, des postmodernes américains : multi-culture, « études post-coloniales », déconstruction de genre et néo-féminisme, louange de la pluralité des narratifs etc. Les affinités sont, semble-t-il, beaucoup plus profondes que le simple emploi d'un jargon emprunté.

Aux États-Unis même, cet ensemble de pratiques académiques qu'on désigne brièvement du terme de « théories », ne fut appliqué que marginalement à l'analyse de l'histoire et de la société israélienne. La raison en est que la plus grande partie des études consacrées à Israël se tiennent dans des départements ou des centres de recherches juives, où travaillent des Juifs américains. Par ailleurs, ce sont aussi des Juifs américains qui financent ce genre d'institutions. Ceux-ci se montraient en général d'une extrême prudence, pour ce qui est de la critique envers Israël, conscients qu'ils étaient de leur rôle politique en tant que groupe de pression pro-israélien.

Mais cela constituait une anomalie dans le paysage universitaire. La mode postmoderne avait entraîné la plupart des autres disciplines de sciences

humaines et sociales, à commencer par les départements de littérature et d'anthropologie, en passant par l'histoire et la sociologie et pour terminer par de
nouveaux département comme les études des femmes, les études américaines,
africaines, africano-américaines et les études de culture. Une « théorie » est
un ensemble formé de différentes composantes, pas toujours compatibles, où
on trouve d'abord le post-structuralisme français mais aussi le marxisme et
le néo-marxisme allemand, le séparatisme noir et le féminisme local. Dans
son essence cependant, c'est un mélange très américain. Il est le résultat de
la frustration des anciens participants à la révolte des étudiants, à l'époque
qui suivit la guerre du Vietnam et l'expression académique du désespoir qui
envahit « la nouvelle gauche » après les années soixante. Non seulement il
n'y a pas trace de déviation, par rapport aux valeurs américaines du courant
central, mais en fait la « théorie » est une sorte de procès intenté à l'Amérique,
en se basant sur ses propres valeurs, pour avoir trahi la promesse morale de
sa jeunesse. C'est pourquoi on serait tenté d'y voir une pensée française
d'avant-garde ou encore une critique culturelle selon la tradition de l'école
de Francfort. En fait, il s'agit là d'un phénomène fondamentalement américain. Les vétérans du mouvement étudiant pouvaient prétendre que l'adoption de Foucault est le prolongement logique de la position marxiste et qu'elle
était « subversive » dans le cadre libéral-individualiste. Mais en fait, ce n'est
ni Marx ni Foucault. Il s'agit de l'esprit de Thomas Jefferson.

Cette disposition et la « théorie » dont elle est l'expression académique se
sont avérées particulièrement convenir à la situation israélienne : l'occupation des territoires est devenue le Vietnam d'Israël, la raison locale de se
détourner avec dégoût d'Israël et de tout ce qu'il représente, la promesse
morale du sionisme n'ayant pas été tenue. L'occupation prolongée des territoires a entraîné une grande partie de la gauche à soutenir l'idée d'un État
palestinien. Les post-sionistes, d'autre part, pressés par un besoin émotionnel de rejeter totalement le nationalisme israélien, ont abandonné le nationalisme et ainsi, se sont détournés du mouvement de libération palestinien.
Le post-sionisme a adopté la « théorie » parce que c'était une solution intellectuelle toute prête. C'était une réponse au même désarroi émotionnel (et
non à un problème politique) auquel étaient confrontés leurs collègues américains, soit un ressentiment moral accompagné d'une sensation désespérante
d'impuissance. Israël a importé tout cela, y compris la façade française, en
raison de la réussite émotionnelle évidente que cette attitude avait eue aux
États-Unis, sans saisir que tout cela ne l'avait atteint qu'après un processus
fondamental d'américanisation. Le post-sionisme israélien – et je veux surtout
parler ici de son centre de gravité, clairement postmoderne, consiste en l'arrivée en Israël de Thomas Jefferson, sous les traits de Michel Foucault. Il est
moins Foucault et plus Hayden White, moins Derrida et plus John Dewey,

moins Adorno et plus Edward Said. Il y a là une assez grande dose d'ironie, la majorité des post-sionistes, contrairement à leurs collègues aux États-Unis, ayant un réel arrière-fond marxiste. De là, ils aboutissent finalement à l'autre extrémité de la palette idéologique, à un américanisme.

Dénouer la complication théorique qu'est le post-sionisme universitaire exige donc de suivre ce curieux parcours d'idées, de France aux États-Unis et de là en Israël. Ceci, dans l'espoir d'éclairer quelque peu la manière dont des écoles si incompatibles, comme le marxisme, l'américanisme et le post-structuralisme, pouvaient apparaître à des universitaires israéliens comme une même et unique «théorie» de gauche. Après avoir tracé les contours de cette migration d'idées, je tenterai également de dire quelque chose sur les conclusions politiques auxquelles cette «théorie» les conduisit, puisque celles-ci découlent également de leurs racines américaines.

« Théorie »

Le fait que Foucault passe dans les universités américaines pour un penseur ultra-démocratique et néo-humaniste ne doit surprendre personne. Peu de pessimistes européens, pour peu qu'il y en ait, ont réussi à se défendre du baptême d'optimisme américain, quand leurs œuvres ont atteint les rives des États-Unis. Ceci reste vrai quand le diapason de l'humeur américaine est au plus bas. Le poids de la tradition qui pesa sur de tels penseurs en Europe, n'a jamais réussi à traverser l'Atlantique. Le structuralisme nietzschéen de Foucault, comme l'a dénommé Pascal Angel, est un descendant direct de la philosophie de la volonté pure de Nietzsche et de Heidegger [1]. En France il fallut deux décennies et le langage géométrique stérile des structuralistes de Claude Lévi-Strauss, pour dissocier le néo-nietzschéisme du traumatisme du nazisme. Les horribles connotations de la philosophie de la volonté pure étaient tout simplement trop discordantes et trop concrètes. Ce n'est qu'avec cette distance et à travers un rideau de style au parfum de pharmacie, que les classes éduquées de France ont pu à nouveau intégrer une telle critique de la démocratie et de l'humanisme [2].

---

1. Pascal Engel, «The Decline and Fall of French Nietzscheo-Structuralism» in Barry Smith (éd.) *European Philosophy and the American Academy, 1994, The Hegler Institute, Monist Library of Philosophy*, La Salle, Illinois, p. 21-41.
2. Sur l'hostilité de Foucault à l'humanisme et à la démocratie dans le large contexte social, voir par exemple : Luc Ferry et Alain Renaut, «Nietzcheanisme français (Foulcault)», dans : Ferry and Renaut, *French Philosophy of the Sixties : An Essay on Antihumanism*, (Mary H. S. Cattani, traductrice) The University of Massachusetts Press, Amherst, 1990, p. 68-121. James Miller, *The Passion of Michel Foucault*, Simon & Schuster, New York, London, Toronto, Sydney, Tokyo, Singapore, 1993. Mark Lilla, «Jacques Derrida» in Lilla, *The Reckless Mind : Intellectuals in Politics*, New York Review Books, New York, 2001, p. 159-190.

L'Amérique n'avait pas de tels problèmes. Les cicatrices de la Deuxième Guerre mondiale y étaient bien moins graves et bien moins concrètes. Dès les années quarante, les Américains n'avaient pas beaucoup hésité à intégrer Nietzsche et Heidegger à leur ethos démocrate. Ceux qui avaient été éduqués avec Emerson, Jefferson et Whitman, ne voyaient rien de particulièrement dangereux dans le nietzschéisme. Le sur-homme n'avait pas besoin de sous-homme ou de « troupeau » pour être supérieur. Car en Amérique, chacun peut, dans une même mesure, être un homme supérieur. Libérer la volonté individuelle et en faire une puissance, n'est au pays de la philosophie économique de l'école d'Adam Smith, qu'un moyen rapide de faire avancer le bien-être de tous. Une communauté de *Ubermenchen* peut vivre paisiblement et en harmonie démocratique naturelle. Quand les œuvres de Foucault atteignirent les États-Unis, à la fin des années soixante et au début des années soixante-dix, le néo-nietzschéisme ne paraissait pas plus dangereux aux Américains que le vrai Nietzsche.

Cependant, les affinités entre la culture américaine et le post-structuralisme sont encore plus profondes. On ne considéra pas en Amérique que le relativisme moral du post-structuralisme, menait à une voie obscure. Dans la mesure où personne ne se targue d'avoir des valeurs absolues et universelles, comme le veut la logique postmoderne d'Amérique, personne ne peut trouver de justification pour imposer ses valeurs aux autres (ou à « l'autre »). Le relativisme est considéré comme une sorte de turbo-démocratie : c'est la reconnaissance que chacun a le droit d'avoir sa croyance et ses valeurs à lui, les valeurs de l'un valant celles de l'autre. L'idée qu'une partie de ces systèmes de valeur, puissent être radicalement intolérants, chauvins, racistes ou criminels, qu'une attitude relativiste n'aurait rien à redire du particularisme aryen du régime nazi ou de l'idéologie raciste des propriétaires d'esclaves des États du Sud, ne fit aucune impression sur les Américains. À la lumière optimiste du pragmatisme philosophique, le relativisme continua à apparaître comme un vaccin parfait contre le fascisme. C'était tout simplement « la vérité évidente » de Thomas Jefferson, selon laquelle « tous les hommes furent créés égaux », élargie au monde des idées : toutes les valeurs, se valent également. Telle est la continuation naturelle de l'œuvre que commença Jefferson, quand il établit la loi sur la liberté religieuse en Virginie. Le relativisme n'est qu'une nouvelle déclaration de foi à la conception selon laquelle chacun doit respecter les croyances de son prochain.

Les attaques de Foucault par rapport à l'idée de vérité n'ont en rien atteint les principes évidents de Jefferson. Le dicton affirmant que « la vérité est une création de ce monde » – qu'elle n'est donc ni transcendante ni absolue, mais constitue le produit de rapports de force et de structures discursives – s'ancra facilement sur le sol fertile du pragmatisme [3]. Si la vérité n'est qu'un compliment que nous faisons à quelque chose que nous apprécions, comme le pense Richard Rorty [4] ou si elle n'est que ce qui fonctionne dans un certain contexte, comme le juge John Dewey, qu'y a-t-il de si alarmant à ce qu'elle soit le produit de ce monde ? Au contraire. Subordonner la vérité aux personnes, au lieu de subordonner les personnes à la vérité est un signe de reconnaissance de l'autonomie et de la souveraineté humaine : La vérité nous appartient et nous pouvons la modeler selon nos objectifs, exactement comme pour Dewey, nous devons choisir des valeurs. Ni la vérité ni les valeurs ne doivent être ancrées dans l'absolu ou la métaphysique. Nous devons les juger selon les résultats de leur adoption dans la vie réelle des hommes et nous devons choisir celles qui promeuvent le plus notre vie [5].

Tout ceci ressemble à la conception nietzschéenne selon laquelle on doit adopter des vérités dans la mesure où elles promeuvent la vie. La différence est simple. Nietzsche savait très bien que relativisme ne signifie pas démocratie. Ce n'est pas le cas de Dewey parce que son relativisme est limité. Le relativisme pragmatique de Dewey n'apparaît, ni à lui ni à ses adeptes comme dangereux, parce qu'à la base, se trouve une vérité non explicite, une valeur non relative qui supporte tout l'édifice. Quand Dewey nous demande de juger les valeurs selon leurs implications dans la réalité, il demande en fait que nous les jugions selon la mesure où elles font progresser la liberté, l'égalité et la poursuite du bonheur, c'est-à-dire à l'aune de leur capacité à faire progresser le type idéal de la démocratie américaine. Comme le fit remarquer Tocqueville, bien avant que Dewey ne soit né, la philosophie des Américains est pour eux si évidente, qu'il leur semble qu'ils n'en ont pas du tout [6]. Ce n'est que dans un tel contexte d'accord unanime sur les valeurs fondamen-

---

3.   Sur les affinités entre le consensus des valeurs américaines, le pragmatisme et le post-structuralisme, voir par exemple : John Patrick Diggins, *On Hallowed Ground : Abraham Lincoln and the Foundations of American History*, Yale University Press, New Haven & London, 2000, chapitre I, p. 17-40. James Livingston, « The Strange Career of the "Social Self" », *Radical History Review* 76 : 53-79, 2000.

4.   Pour un bref résumé montrant que le pragmatisme peut conduire à plus de démocratisation et de tolérance, voir : Richard Rorty, « The Priority of Democracy to Philosophy », *Objectivity, Relativism and Truth : Philosophical Papers*, vol. I, Cambridge University Press, 1995 [1991], p. 175-196.

5.   Pour une brève présentation de l'éthique de Dewey à propos de l'adoption de valeurs, voir : Sidney Hook, « Standards, Ends, and Means », in Hook, *John Dewey : An Intellectual Portrait*, Prometheus Books, Amherst, New York, 1995 [1939], p. 127-148.
      Pour une analyse plus détaillée de la vision démocratique de Dewey, voir : Robert B. Westbrook, *John Dewey and American Democracy*, Cornell University Press, Ithaca, 1991.
      Les idées de Dewey sur le lien entre le pragmatisme et la démocratie apparaissent sous diverses formes, tout au long des 37 volumes de son œuvre. Pour une explication de la question générale du lien entre la métaphysique de Dewey et son attitude morale, voir : John Dewey, *Experience and Nature*, Dover Publication, Inc., New York, 1958 [1925].

6.   Cette tendance des Américains à supposer que les vérités morales sont évidentes fut brillamment décrite dans le livre classique de Louis Hartz. Louis Hartz, *The Liberal Tradition in America*, Harcourt Brace & Company, San Diego, 1991 [1955].

tales, qu'on peut se tromper et penser que le relativisme constitue la tolérance et la démocratie (alors que « la métaphysique » représente la monarchie et le totalitarisme). Si le transcendant et l'absolu sont les vieux ennemis de votre conception démocratique, alors Nietzsche, Heidegger et Foucault sont vos nouveaux amis démocratiques.

Mais ceci n'est pas tout. Si Foucault veut sauver de l'oubli le discours des marginaux – les fous, les pervers, les malades et les réprouvés – s'il veut les sauver de l'oppression du discours hégémonique, n'a-t-il pas une place d'honneur dans la marche de triomphe du progrès démocratique ? N'est-ce pas la suite directe de la lutte pour le droit de vote des femmes et du mouvement d'opposition à l'esclavage ? Le fait que le discours hégémonique que Foucault voulait démanteler est un discours démocratique et libéral, que l'enthousiasme de Foucault est entièrement dirigé contre l'égalité, qui lui semblait une imposition oppressive d'uniformité et une « normalisation », laissa les Américains indifférents.

Mais ce qui encore bien plus grave – et les choses vont au-delà de l'influence spécifique de Foucault ou de Jacques Derrida – l'instinct de démantèlement, le besoin d'ébranler ou de procéder à une « déconstruction » du « discours hégémonique », devint en Amérique, la nouvelle manifestation d'un phénomène très ancien : l'antique conviction américaine que la dispersion est la base de toute liberté. Comme l'a justement fait remarquer l'historien John Diggins, le multiculturalisme et la déconstruction des Américains, ne sont pas le fruit « d'études post-coloniales », de néo-féminisme ou de postmodernisme français. Ils ont été formulés dans l'un des documents les plus influents de la pensée politique en Amérique, « *The Federalist Papers* »[7]. Les auteurs du « Fédéraliste », James Madison, Alexander Hamilton et John Jay – affirmaient que le pluralisme est le seul moyen d'éviter la tyrannie. En effet, en situation pluraliste, nul ne peut détenir assez de pouvoir pour soumettre toutes les autres forces à son autorité. L'instinct de déconcentration était encore plus important chez les anti-fédéralistes, pour qui même le fragile gouvernement fédéral que la constitution américaine voulait établir, constituait une centralisation dangereuse de pouvoir. Il en était de même pour les républicains jeffersoniens. Bien que Jefferson soutînt la constitution, et assumât la présidence fédérale, sa philosophie était essentiellement hostile à l'idée même de l'existence d'un centre. Tous les Américains qui encore aujourd'hui pensent que le meilleur gouvernement est celui qui gouverne le moins possible, se réfèrent à Jefferson. Comme Herbert Crawly l'a justement observé à l'aube du XXe siècle, cette conviction est passée de la gauche à la droite. De son

7. Sur le lien entre le multiculturalisme et la conception de la liberté, garantie en Amérique par la diversité et la variété chez les pères fondateurs, voir : Diggins, *On Hallowed Ground*, p. 82-96.

ancienne intention de promouvoir l'égalité, elle est devenue le pilier philosophique de la nouvelle inégalité. Dans les conditions modernes, prétend
Crawly, l'absence de pouvoir politique central est de l'intérêt des riches.
L'accomplissement des objectifs jeffersoniens (c'est-à-dire l'égalité) exige
dans ces nouvelles conditions, des moyens hamiltoniens (soit un pouvoir politique central fort). L'absence d'un tel centre signifie l'abandon de tous les
citoyens aux bons-vouloirs des forces du marché où le puissant se renforce
et le faible s'affaiblit. Les idées de Jefferson, comme le dit l'historien Joseph
Ellis, sont passées de l'extrême gauche à l'extrême droite de l'éventail politique[8]. C'est ainsi que le post-structuralisme français, avec tous ses atours
de gauche (vagues), qui à l'origine étaient destinés à rendre son nietzschéisme
plus digestible, est devenu aux États-Unis, quelque chose d'absolument différent. C'est le nouvel habit à la mode que revêt le vieil instinct anti-centraliste.

C'est sous cet aspect qu'il arriva en Israël. L'éditorialiste fondateur de la
figure de proue du post-sionisme, le périodique « Théorie et Critique », informa
récemment les lecteurs de « Yediot Aharonot » que « la liberté est un grand
chaos de gens qui vont et viennent, se contactent et se détachent, négocient,
parlent et discutent, échangent des idées ou d'autres marchandises ». « La
liberté », écrit-il, « est toujours au pluriel et entre un grand nombre. L'unité,
toute unité, la contredit[9] ». Milton Friedman n'aurait pas mieux énoncé cela.
Malgré tous les efforts que fit le périodique postmoderne, en proposant les
philosophes français des années soixante au lecteur israélien, la politique
qu'il propose, quand il doit l'énoncer en hébreu, ressemble étrangement à la
vision proposée par le parti républicain américain.

Le contexte dans lequel ce courant américain de pensée est parvenu au
lecteur israélien, est l'américanisation générale d'Israël. L'économie, la philosophie de l'éducation, le système judiciaire, les valeurs et la structure du
marché israélien suivent un processus rapide d'américanisation. Israël s'est
beaucoup éloigné de ses racines, de ses deux sources culturelles – le judaïsme
et le sionisme socialiste – qui lui avaient imprimé, à ses débuts, un esprit de
responsabilité collective. Pour les remplacer, il a adopté une conception du
monde individualiste, de style américain. Ce changement essentiel dans le
langage moral que nous employons, le remplacement de l'idéal de solidarité
par l'individualisme, a préparé le terrain à l'importation du postmodernisme
américain. Dans ce contexte, les éditeurs et les rédacteurs de « Théorie et
Critique » peuvent toujours se prétendre « radicaux », ils sont en fait confor-
mistes, si on voit les choses dans un plus large contexte. Ils sont partie intégrante de la vague d'américanisation qui balaie Israël.

---

8.   Joseph J. Ellis, « Epilogue » in Ellis, *American Sphinx : The character of Thomas Jefferson*, Vintage
     Books, New York, 1998 [1996], p. 349-362.
9.   Adi Ofir, « La désespérante tyrannie de l'unité du peuple » (en hébreu), *Yediot Aharonot*, 4 mai 2001.

Mais tout cela n'explique pas comment un phénomène si américain réussit à s'implanter précisément dans ces cercles venus de la gauche marxiste radicale. Aux États-Unis, cette mode est née d'un mouvement qui n'avait jamais été vraiment de gauche. En France, par contre, le post-structuralisme s'est développé parmi ceux qui s'étaient consciemment séparés du parti communiste. Mais cette démarcation n'a pas jeté ces français dans les bras de la philosophie jeffersonnienne. En Israël, la situation est donc différente, tant par rapport à la France que par rapport aux États-Unis.

La première indication pour démêler le postmodernisme en Israël tient de sa teneur émotionnelle et non sa construction théorique. Car le postmodernisme israélien est avant tout un sentiment qui s'exprime par un langage stérile, non une « théorie » élaborée, utilisée pour une analyse positive du mouvement sioniste. Comme en témoigne le préfixe « post », les post-sionistes tendent à se représenter comme des observateurs scientifiques détachés. Ils sont apparus à un moment d'apaisement idéologique et ils peuvent observer Israël avec désinvolture, pour enfin libérer les études sionistes des griffes étouffantes de la propagande pro-sioniste. Ils proposent avec insistance une analyse post-mortem du sionisme, dans un Israël où la société civile est déjà assez mature pour considérer son passé d'un regard critique. Mais en fait, le post-sionisme est loin d'être aussi mature et neutre ou d'un calme académique. Il y a un profond rejet émotionnel du nationalisme israélien. Il a très vite adopté un cadre théorique afin de se justifier. Etant donné que cette structure théorique fut élaborée aux États-Unis pour exprimer une profonde déception du patriotisme américain, il convient à merveille pour le même objectif en Israël.

Ce qui donne une cohérence aux divers arguments du post-sionisme – la critique du « creuset » israélien en tant que répression des Juifs orientaux, l'accusation que le leadership sioniste avait volontairement abandonné à leur sort les Juifs d'Europe pendant la guerre, la soi-disant existence d'un programme sioniste de nettoyage ethnique du pays, la définition du sionisme comme branche du colonialisme occidental, l'idée que le sionisme est basé sur « la négation de l'autre » (sur fond religieux, ethnique, sexiste, national ou sur la foi de préférences sexuelles) – ce qui unit ou rassemble ces arguments souvent contradictoires, est aussi ce que les post-sionistes ont conservé de leur passé. C'est ce qu'ils ont préservé, tout en ayant sauté le pas, de Marx à Jefferson : une sensation de profond rejet du sentiment national israélien. Le marxisme qu'ils ont abandonné et le postmodernisme américain qu'ils ont adopté, recouvrent la même erreur. Tous les deux ont une tendance chronique à sous-estimer la force du nationalisme. Les deux permettent de contourner confortablement l'importance du nationalisme comme phénomène de masse venant de la base. Les deux le décrivent encore et toujours comme une manipulation venant d'en haut, c'est-à-dire une conscience mensongère, une construction sociale, une communauté imaginée, etc. Etant donné qu'aux États-Unis, ces mêmes cercles se considèrent, totalement à tort, comme les héritiers idéologiques de Marx, on ne prête que rarement attention au degré de bizarrerie du parcours des détenants de cette optique, en Israël.

Ilan Pappe, par exemple, est un disciple de Hayden White, un admirateur de Éric Hobsbaum et de sa théorie de « la tradition inventée », de Benedict Anderson et de sa thèse des « communautés imaginées ». Il compte également parmi ceux qui considèrent le sionisme comme une branche du colonialisme. Il est relativiste dans sa conception méthodologique et philosophique. Sa conception de l'histoire est basée sur des « narratifs ». En bref, c'est un historien post-moderne caractéristique [10]. En même temps, il est membre du parti communiste. La philosophie et la politique dérivant de son appartenance au parti et de son marxisme sont diamétralement à l'opposé de ce qu'impose sa position postmoderne. L'une conduit à une analyse sociale objective, l'autre à un subjectivisme radical. La première exige une centralisation de la force politique, l'autre une décentralisation maximale.

Ce qui aida Pappe à sauter d'un côté à l'autre du précipice, est la tradition inventée de Hobsbaum, apprise chez ces universitaires américains, à qui il emprunta son bagage théorique. Comme si, ayant importé Foucault en Amérique, ils avaient aussi importé de France ses racines intellectuelles et les vingt années pendant lesquelles, comme Foucault l'explique lui-même, « il fallait être en bons termes avec Marx » [11]. Mais en adoptant Foucault, on n'adopte pas forcément du même coup, le processus de son développement intellectuel. Car à l'époque où les contemporains de Foucault en France, luttaient pour se libérer du joug étouffant de Marx sur la pensée, les vétérans des années soixante en Amérique faisaient le contraire : ils s'appliquaient à inscrire Marx dans leur généalogie.

La biographie de Foucault est tentante en ce sens, car il vient bel et bien de cercles marxistes. Cependant ce qu'il a légué aux Américains, n'est pas un néo-marxisme, mais un nouveau jargon philosophique exprimant les vieux instincts jeffersonniens. La volonté de démanteler et de disperser les centres de pouvoirs, la passion qui poussa ces gens dans les années soixante – et ceci

---

10. Pour un résumé de l'attitude méthodologique de Pappe, voir : Ilan Pappe, « Le sionisme à l'épreuve des théories du nationalisme et de la méthodologie en historiographie » (en hébreu), dans : Pinhas Genosar et Avi Bareli (eds.), *Le sionisme, un débat contemporain, attitudes de recherche et idéologies*, Centre de Promotion du Patrimoine de Ben Gourion et Institut Haïm Weizmann de Recherche sur le sionisme, Éditions de l'Université Ben-Gourion, 1996, p. 223-263.

11. Michel Foucault, Préface du livre de Gilles Deleuze et Felix Guattari, *Anti-Œdipe, capitalisme et schizophrénie*, apparaissant dans la version anglaise : *Anti-Œdipus : Capitalism and Schizophrenia*, traduite par Robert Hurley, Mark Seem and Helen R. Lane, University of Minnesota Press, Minneapolis, 1998, p. 11.

est essentiel pour comprendre leur manière de penser – n'étaient pas moins orientées contre l'héritage politique du *new Deal* que contre les grands monopoles. Le courant de pensée importé de France les aida à reformuler leurs vieilles croyances, soit que l'idée que l'État providence est la consolidation de la force politique, la montée d'un régime de surveillance agressive et l'élargissement de la tendance centralisatrice [12]. Comme tant d'autres jeffersoniens avant eux – jacksoniens, gens lettrés, hommes du mouvement progressif – ils aspiraient à libérer l'individu par la dispersion de tous les centres de pouvoir. Comme l'a formulé Woodrow Wilson, ils voulaient sauver le petit citoyen, pris entre les grands cartels et les grands syndicats. Ce n'est pas un hasard, si les étudiants français en révolte en 1968, ont tout de suite fait alliance avec les syndicats, alors que les étudiants américains, ont lancé la révolte en se démarquant de toute organisation socialiste. Ils étaient sensibles avant tout, à l'avertissement d'Eisenhower devant la montée du pouvoir du « complexe militaire-industriel » (the military-industrial complex) et seulement ensuite au programme social, *Great Society* de Lyndon Johnson. Le postmodernisme s'est facilement adapté aux États-Unis, non parce qu'il s'est développé sur la base d'instincts socialistes, inexistants là-bas, mais parce que la fixation de démanteler les centres de pouvoir était si profondément ancrée dans la culture américaine.

Ainsi, quand en Israël, Ilan Pappe jure fidélité à l'évangile postmoderne, il contribue à en brouiller la signification. Le fait qu'il soit membre du parti communiste et le nouvel enthousiasme qu'il a adopté pour le démantèlement des centres de pouvoir ne lui semblent pas paradoxaux – comme ce fut le cas pour Foucault, qui lui s'était clairement détaché du communisme. Etant donné que les Israéliens ont un réel passé socialiste et que les Américains n'en ont pas, le postmodernisme américain a laissé s'effacer cette profonde différence. Une fois que les Américains se sont persuadés que leur postmodernisme était une sorte de gauchisme, Pappe et ses collègues de « Théorie et Critique » ont pu adopter l'esprit postmoderne, comme s'il l'était vraiment. Ils pouvaient

---

12.   Sur la manière dont l'œuvre de Foucault s'est intégrée dans la tradition antiétatique aux États-Unis, voir par exemple : Michael Walzer, « The Lonely Politics of Michel Foucault », in : Walzer, *The Company of Critics ; Social Criticism and Political Commitment in the Twentieth Century*, Peter Halban, London, 1989 [1988], p. 191-209. La tradition antiétatique en Amérique avait de profondes racines dans la pratique politique des colonies, bien avant la guerre d'Indépendance des États-Unis. La plus claire formulation de cette position, qui a profondément marqué la pensée américaine, est de Thomas Jefferson. Dans l'œuvre de C. Wright Mills, l'un des intellectuels qui exerça la plus grande influence sur le mouvement étudiant des années soixante, on trouve un grand écho de la pensée de Jefferson et on peut en voir les traces dans le document fondateur du mouvement, « la déclaration de Port Huron » (1962). Sur la conception de la démocratie comme une décentralisation, dans le mouvement étudiant, voir : James Miller, *« Democracy is in the Streets » : From The Port Huron Statement to the Siege of Chicago*, Simon & Schuster Inc., New York, Toronto, Sydney, Tokyo, 1988.

continuer à ignorer la profonde scission par rapport à leur passé, une disjonction dont les Français ne pouvaient pas ne pas être conscients. Le postmodernisme américain permit de considérer le passage d'une tradition centraliste de gauche à un idéal américain de société divisée et fragmentée, comme s'il ne s'agissait pas du tout d'une coupure. La mode universitaire américaine servit de panacée, de pansement recouvrant l'endroit où les Israéliens avaient délaissé une politique économique ayant pour objectif l'égalité.

Tout ceci s'éclaircit clairement si on revient à l'idéologie sioniste contre laquelle les post-sionistes se rebellent. C'est une idéologie dont le cœur est une économie dirigée par l'État, de larges mesures sociales et des instincts et une tradition de pensée égalitaire. Les post-sionistes ont versé le bébé social-démocrate avec l'eau du bain « coloniale ». Ils ont remplacé « l'oppression hégémonique » du sionisme par « une multiplicité de narratifs » minant la mémoire collective d'Israël, soit la base émotionnelle liant les riches et les pauvres par des liens de responsabilité respective [13].

Politique

Il est assez ironique que le post-sionisme dut acquérir assez de légitimité publique en Israël avant qu'il soit possible de le transporter à nouveau en Amérique, dans le cadre des programmes d'études du judaïsme. Ainsi, ce qui avait commencé comme une adaptation des idées françaises à la « théorie » américaine, fut appliqué en Israël à l'étude du sionisme. Ce n'est qu'ensuite, c'est-à-dire ces dernières années, quand le post-sionisme fut réimplanté aux États-Unis, qu'il fut perçu comme un phénomène proprement israélien.

Laurence J. Silberstein, de l'université de Pennsylvanie, publia en 1999 un livre voulant être une sorte d'introduction au post-sionisme. Le titre peu surprenant de ce livre est : « Débats sur le post-sionisme : connaissance et pouvoir dans la culture israélienne [14]. » On ne s'étonnera pas que Silberstein ne discerne pas d'influence américaine. Comme parents géniteurs de cet enfant académique, il voit d'une part Foucault et d'autre part, toutes les sortes de critiques du sionisme en Israël même. À part une insistance exagérée du

---

13. Selon Daniel Gutwein, il faut comprendre le post-sionisme comme participant à la lutte entre les anciennes et les nouvelles élites. En démantelant le tissu culturel et la mémoire collective qui dans le passé liait les Israéliens entre eux, écrit Gutwein, les post-sionistes contribuent à « créer la base idéologique nécessaire pour l'ethos de la privatisation dans son combat pour l'hégémonie ». Daniel Gutwein, « "Nouvelle historiographie" ou la privatisation de la mémoire » (en hébreu), dans : De la vision à la révision : cent ans d'historiographie sioniste, Yehiam Weitz (éd.) (en hébreu), Centre Zalman Shazar, Jérusalem, 1997, p. 311-343.

14. Laurence J. Silberstein, *The Postzionism Debates : Knowledge and Power in Israeli Culture*, Routledge, New York and London, 1999.

mouvement cananéen, Silberstein reste assez fidèle à l'esprit de l'école qu'il décrit. En d'autres termes, il est lui-même post-sioniste. Le regard général qu'il propose est donc utilitaire, étant donné que les post-sionistes israéliens eux-mêmes ne nous ont jusqu'à présent pas fourni d'analyse méthodique de leur point de vue. Bien que leurs travaux académiques abondent en déclarations sur la capacité de leur génération à se déconnecter des vieilles idéologies, le sujet qu'ils traitent n'est pas après tout, le post-sionisme, mais bien le sionisme lui-même.

Bien que Silberstein ne vise pas toujours juste en décrivant les racines de la critique du sionisme en Israël, il manœuvre facilement sur un terrain connu en traitant de l'aspect théorique. Ainsi, il fournit un exemple particulièrement clair de la manière dont les post-sionistes expliquent le nationalisme israélien. Pour cela, il s'appuie, comme ses collègues israéliens, sur Éric Hobsbaum et Michel Foucault. La définition du sionisme qu'il utilise n'est pas destinée à représenter tous les post-sionistes. C'est en fait une définition de travail du mouvement sioniste, qu'il utilise lui-même comme base de son analyse. Mais en tant que telle, elle décrit bien les plus larges facteurs communs des post-sionistes, la formule qui leur est particulière pour comprendre le projet sioniste, sur lequel reposera ensuite toute la structure de la « théorie post-coloniale ». Bien qu'une telle définition existe derrière toute tentative de traiter le sionisme de colonialisme et de négation de l'autre, elle n'est en général pas si clairement formulée. Ceci, parce qu'elle n'est pas consistante pour les Israéliens, si on la formule trop clairement. Elle se heurte trop directement à ce que les Israéliens ne peuvent pas encore oublier. C'est pourquoi, nous devons remercier Silberstein de l'extraire pour nous, après s'être immergé dans le discours post-sioniste.

Le sionisme, selon Silberstein est basé sur les hypothèses suivantes :

> 1) Les Juifs sont avant tout un corps national ; 2) la localisation normale d'un peuple est sa patrie ; 3) les espaces en dehors du pays sont étrangers à la vie et à la culture juives ; 4) l'exigence juive d'un pays est légitime et toute autre exigence, faite par d'autres, ne l'est pas. De plus, l'hypothèse de nombreuses recherches historiques sur le sionisme, est que « le retour » du peuple dans sa patrie et l'établissement d'un État sont l'aboutissement naturel d'un développement historique [15].

Ceci est loin d'être conforme au sionisme de Herzl, de Ben-Gourion ou de Yitzhak Rabin. Cela ne se rapproche même pas du sionisme de Menahem Begin ou de celui de Yitzhak Shamir. Par contre, c'est assez proche de la façon dont les colons des implantations définiraient le sionisme qu'ils prônent. Ceci

---

15. *Ibid.*, p. 16.

n'est bien entendu pas un hasard. Toute l'entreprise post-sioniste tend à prouver, exactement comme le font les colons, que la conquête de 1967 est la continuation naturelle du sionisme originel. Ils veulent délégitimer le sionisme originel, en le liant par avance à l'occupation des territoires, tout comme les colons veulent donner une légitimité à l'occupation, en se reliant, a posteriori, aux pères fondateurs d'Israël. Les deux versions jumelles créent la même déformation d'historiographie, comme quoi une ligne directe relie le combat pour l'Indépendance, au projet colonial du peuplement des territoires.

Il est bon de noter, dès le début, qu'il s'agit d'une tentative de réduire le sionisme à l'un de ses courants marginaux. Une telle définition prend un projet politique basé moralement sur le droit universel d'autodétermination et le transforme en une entreprise basée sur le droit exclusif des Juifs à la Terre d'Israël. Ces deux « narratifs » étaient en effet concomitants et le courant central du sionisme ne fut jamais étranger à un certain romantisme de la terre. Cependant, pour les sionistes socialistes, il ne faisait pas l'ombre d'un doute que l'État juif devait être démocratique. C'est pourquoi il était clair que le principe universel d'autodétermination, subjuguerait la rhétorique du droit exclusif. L'apartheid ne fut jamais une option pour Ben-Gourion. C'est la raison pour laquelle, il ostracisa constamment le parti révisionniste qui prônait un nationalisme du sang et de la terre, selon la formule romantique européenne. La version des post-sionistes (et des colons) tente de transformer la fraction boycottée par le courant central du sionisme, en essence principale de l'idéologie sioniste.

La subordination du droit exclusif à un principe universel a été rendue possible uniquement pour des raisons quantitatives. Le sionisme pouvait maintenir un lien sentimental avec la terre, tant qu'il œuvrait à l'établissement d'un État sur un territoire où les Juifs seraient nettement en majorité. La tension entre le droit sur le pays et le droit à l'autodétermination, même si elle était quelquefois très forte, était cependant gérable parce que le territoire où les Juifs étaient en majorité variait constamment. Souvent, il fallait fermer les yeux, nier ou faire preuve d'une logique tordue, comme l'a bien montré Anita Shapira [16]. Le démenti est en réalité, la preuve de l'incapacité de justifier le sionisme sur une base non démocratique, non basée sur le droit universel à l'autodétermination.

La tension entre les deux sortes de droit s'est considérablement relâchée après les expulsions et la fuite des Arabes pendant la guerre d'Indépendance d'Israël. Mais, contrairement à ce que prétendent les post-sionistes – dans la presse plus que dans leurs recherches scientifiques, où il est un peu difficile d'avancer un tel argument – les dirigeants du *yichouv* n'ont jamais prôné une

---

16. *Ibid.*, p. 16.

idéologie de nettoyage ethnique. Benny Morris, qui plus que tout autre historien s'efforça de démontrer l'existence d'un tel plan, termine le récit détaillé de la naissance du problème des réfugiés palestiniens, sans enthousiasme, mais cependant clairement, en affirmant que « le problème des réfugiés palestiniens est le résultat de la guerre et non celui d'une planification juive ou arabe, prévue d'avance [17]. L'exode fut pour une part, le résultat de l'échec du leadership palestinien, qui entraîna une fuite des zones de combats et pour une autre part le fait de l'armée, qui l'ordonna pour des raisons tactiques. La faculté du sionisme de s'établir dans des frontières plus larges que celles que lui avait accordées la résolution de partage de l'ONU est le résultat de la guerre qui, après tout, fut imposée à Israël. En vérité, les dirigeants du *yichouv* avaient accepté les propositions de partage internationales alors que les dirigeants palestiniens les avaient toutes repoussées. Mais à partir du moment où les résultats de la guerre avaient fixé de nouvelles lignes, les expulsions et les fuites ont agrandi le territoire où les Juifs étaient en majorité. On ne peut nier aujourd'hui qu'il y eut des expulsions ou que dans le feu de la guerre, furent commises des atrocités, mais ce qui est encore plus sûr est que le sionisme s'appuie sur une base morale et a du monde une conception démocratique. La rhétorique du lien émotionnel à la terre reste subordonnée au droit universel d'autodétermination et ceci est riche en conséquences.

Entre le droit universel et le droit juif particulier à la terre, existait toujours une certaine tension. Mais ces deux sortes de justifications ne pouvaient plus coexister, quand la terre en question s'élargit au-delà des limites où elle était habitée par une nette majorité juive. C'est ce qui se produisit en 1967. On pouvait justifier l'occupation et ce fut en effet le cas bien trop souvent, pour des raisons sécuritaires ou encore parce qu'il constituait une monnaie d'échange dans des négociations de paix futures. Mais il était impossible de la justifier par une logique d'autodétermination. Israël est resté un État à la fois juif et démocratique parce qu'il a accordé les pleins droits de citoyenneté à ses citoyens arabes. Une telle chose n'était pas possible dans les territoires conquis sans mettre en danger le caractère démocratique du pays. Ce caractère démocratique commença à se heurter à l'identité juive de l'État de même que la logique du droit à l'autodétermination se heurta à celle du droit particulier des Juifs à la terre d'Israël.

Amos Oz fut l'un des premiers à comprendre les conséquences des conquêtes de 1967. Après la guerre des Six-Jours, il montra qu'Israël était arrivé à une croisée de chemins où deux sortes de logique commençaient à s'exclure mutuellement. Il écrivit un article qui fournit plus ou moins à la

---

17. Benny Morris, *Naissance du problème des réfugiés palestiniens 1947-1949* (en hébreu), Sifriat Ofakim, Am Oved, Tel Aviv, 1991, p. 382.

gauche israélienne son langage. Le titre était provocateur : « Le ministre de la Défense et l'espace vital »[18]. Cependant, l'allusion à l'Allemagne nazie, que l'oreille israélienne ne pouvait manquer de dénoter, ne se référait pas aux camps d'extermination ou au rapport des nazis aux Juifs. Elle évoquait le plan d'expansion vers l'Est de Hitler et l'asservissement des Slaves au service de la race aryenne. Israël, avertissait Oz, doit choisir entre un sionisme qui serait une libération des hommes et un sionisme qui serait une rédemption de terres. La libération de terres ne peut aboutir qu'à un asservissement de population, comme ce fut le cas pour le plan des Allemands à l'Est. C'est là que réside la différence fondamentale, que les post-sionistes aussi bien que les colons s'efforcent d'effacer, entre 1948 et 1967. 1948 fut une guerre d'indépendance, de libération des Juifs. Il s'agissait d'une guerre d'autodétermination. En 1967, une guerre qui débuta par un souci réel pour l'existence de l'entreprise sioniste, s'acheva par une conquête et une expansion et non par une libération. Les territoires ajoutés, avec tous leurs habitants, ne permirent pas au sionisme de continuer à mêler les deux sortes de logique. Israël devait opter entre un sionisme rédempteur de la terre et un sionisme libérateur.

Le manque de détermination de sortir des territoires et l'impossibilité d'abandonner la base morale du sionisme créèrent une situation où Israel décida de ne pas trancher. (Pendant de longues années il n'y avait pas moyen de régler quoi que ce soit, puisqu'il n'y avait pas de dirigeant arabe prêt à accepter des territoires contre la paix). Contrairement à l'argument avancé par les colons et les post-sionistes, Israël ne parvint jamais à délaisser la logique du droit à l'autodétermination. Aucun gouvernement israélien de droite, pour ne pas parler des gouvernements de gauche, n'osa jamais proposer d'annexer les territoires. Tous, excepté les marges éloignées, comprirent qu'Israël ne pouvait pas s'écarter de l'ethos sioniste sans se perdre et que cet ethos sioniste ne reposait plus sur sa base morale de droit universel à l'autodétermination.

Plus de trente ans d'occupation, au long desquels on refusa de trancher, ont imposé aux Israéliens un énorme coût moral. Pendant trop longtemps, ceux qui ont senti à quel point l'occupation mine le cœur même du sionisme et constitue une déviation morale insupportable, furent contraints de vivre en opposition à leurs valeurs les plus chères. Étant donné que la gauche ne parvint pas à changer ce qui était à ses yeux insupportable, le rejet absolu du sionisme, des fondations à la charpente, devint une option émotionnelle tentante. Plus les colons, minorité bruyante du nationalisme du sang et de la terre, réussirent à imposer à Israël une politique d'occupation, moins il était confortable

---

18. Le terme hébreu employé par Oz est la traduction hébraïque du mot allemand *Lebensraum* et est tout à fait explicite.

d'afficher une position de nationalisme basée sur l'autodétermination. Ceci parce que le nationalisme lui-même s'était sali aux couleurs de l'occupation et suscitait une répulsion instinctive. Plus les symboles nationaux furent exploités pour justifier la violation prolongée des droits de l'homme, plus il était difficile, moralement de s'y référer.

Dans des situations morales complexes, nous aspirons à un jugement moral non-équivoque. La gauche sioniste se vit acculée à une position relativement complexe : accepter le nationalisme mais pas sur cette base, pas au-delà de la ligne verte et pas seulement pour nous. L'attitude anti-sioniste, était différente et proposait une conception qui ne laissait de place à aucun « mais », le nationalisme étant la racine du mal. La réponse au mal était donc de déraciner le nationalisme. Les post-sionistes ont fait un gros effort intellectuel pour couper le lien entre l'idée d'autodétermination et celle de nationalisme. Cet effort étant orienté contre l'idée de nationalisme en tant que réalisation du droit à l'autodétermination, ils tentèrent de montrer que le nationalisme n'était jamais la libération des hommes, comme le prétendait Oz, mais toujours leur asservissement.

Ceci est à gauche un problème très commun, lié à ses racines marxistes. Comme l'a affirmé un jour George Orwell, les intellectuels occidentaux de gauche n'oublient jamais ni la force oppressive du nationalisme ni celle libératrice de l'idéologie. Cependant, jamais ils ne se rappellent, dit-il, la force libératrice du nationalisme et la force oppressive de l'idéologie. Dans le cas d'Israël et des Palestiniens, ceci a des conséquences particulièrement ironiques. Etant donné qu'une délégitimation du nationalisme donne une bonne raison psychique de blâmer Israël, les post-sionistes ont par principe, réfuté le nationalisme. Ils ont fini par délaisser le nationalisme palestinien et la lutte des Palestiniens pour l'indépendance. La solution utopique qu'ils ont commencé à proposer, étant celle d'un « État pour tous ses citoyens », s'étendant du Jourdain à la Méditerranée. A des oreilles palestiniennes, cela résonne comme une annexion. Une annexion à une démocratie constitutionnelle comme en Amérique. Donc, pour eux, il s'agit d'une solution plus proche de la position des colons que de celle de la gauche sioniste. La gauche sioniste a continué à maintenir la position fondamentalement sioniste d'autodétermination et donc s'est fixée sur « deux États pour deux peuples » comme seule solution du conflit. Les post-sionistes ont abandonné l'autodétermination nationale et ont inventé une solution entièrement théorique. Un État de tous ses citoyens est peut-être une solution idéologiquement confortable pour quelques Israéliens, mais sa signification pratique est une guerre civile continue, comme ce fut le cas au Liban ou en Bosnie. Cette solution nous cache les caractéristiques les plus élémentaires du conflit, soit la lutte de deux mouvements nationaux pour leur droit à l'indépendance et à la souveraineté politique.

La réduction du sionisme au seul droit des Juifs à la Terre d'Israël, comme le font les post-sionistes, les empêche de trancher le vrai dilemme du conflit. Ils définissent le nationalisme de telle façon qu'il en devient l'opposé de l'autodétermination, une conscience mensongère imposée d'en haut aux masses innocentes, un mouvement colonialiste voulant éliminer « l'autre ». Sur cette base, repose le reste de la théorie de l'hégémonie grâce à laquelle ils expliquent le monde. La version américaine qui attribuait l'hégémonie à « une minorité d'hommes blancs, protestants » fut adaptée au lieu. En Israël, on attribue cette hégémonie aux hommes juifs ashkénazes laïcs et machos. La direction naturelle vers laquelle s'oriente la démocratie, selon les post-sionistes, est la libération de tous les citoyens, du joug de l'hégémonie nationale imposée et son remplacement par des narratifs de toutes sortes, c'est-à-dire par une multiculture, comme en Amérique. Cette espèce académique parle beaucoup de tolérance, mais ne l'est pas trop elle-même pour ce qui touche au sentiment national local.

Ceci non plus n'est pas un hasard. L'incompréhension traditionnelle du nationalisme chez les marxistes n'a nul besoin d'être ici étudiée dans les détails. Mais les Américains également ont tendance à ne pas comprendre les mouvements nationaux. Leur propre nationalisme, bien que stable, est si différent du sentiment national d'autres lieux qu'ils ont tendance à ne pas l'identifier en tant que tel ou à ne pas considérer comme légitimes d'autres mouvements nationaux. L'américanisme est basé non sur un passé commun, mais sur une promesse d'avenir commun, non sur un groupe défini de personnes, mais sur « un mode vie ». Pour devenir américain, il n'est pas nécessaire de participer à une tradition ou à une religion, ni même à une expérience historique commune, mais seulement d'accepter un ensemble de règles. Il s'agit d'un nationalisme légaliste et non historique. Le nationalisme américain, en d'autres termes, est une idéologie. Ce n'est pas un hasard si pour obtenir la citoyenneté, il faut jurer fidélité à la constitution.

C'est la raison pour laquelle la réaction américaine à d'autres sortes de nationalismes, différents du leur, est souvent nerveuse et changeante. Ils acceptent l'autodétermination comme un principe moral indiscutable, mais comme ils identifient leur propre nationalisme avec la liberté et le principe d'autodétermination, ils sont toujours surpris quand une autre nation crée son identité autour d'un sentiment religieux, une origine ethnique ou une expérience historique commune. Pour ne pas parler de mouvement de libération nationale à orientation communiste. Tout cela peut s'opposer directement avec l'idéologie sur laquelle est basé le nationalisme américain. C'est pourquoi les Américains ont tendance à considérer de tels cas comme une autodétermination mensongère. C'est à quoi tend la définition post-sioniste du sionisme. Elle présente le mouvement national juif dans les termes du Bloc de la Foi, si fait qu'elle se heurte directement à la conviction démocratique américaine. Il est dès lors possible de le considérer comme mensonger (ou comme imposée d'en haut). Une fois débarrassés du nationalisme en tant que force de libération grâce à la « théorie », les post-sionistes prescrivent au conflit israélo-palestinien un médicament qui est une sorte de démocratie constitutionnelle, comme cela existe en Amérique, avec tout son aveuglement par rapport aux sentiments nationaux locaux.

C'est ainsi que les post-sionistes sont arrivés à la solution dite de « l'État de tous ses citoyens » qui semble, du point de vue américain, une forme « juste » d'autodétermination. Ceci aussi vient directement d'Amérique et fait partie du forfait de la « théorie ». Edward Said, l'un de ceux qui exercèrent la plus grande influence sur le post-sionisme, est également l'un des prédicateurs principaux de la solution de « l'État de tous ses citoyens ». Non seulement Said n'est pas un intellectuel palestinien, comme il le prétend, mais bien un intellectuel américain classique. Je ne parle pas ici de sa biographie, du fait que son éducation est presque entièrement américaine, mais de ses travaux et de sa politique. Said ne s'est jamais éloigné de la conception du monde de Ronald Reagan, divisant le monde en deux empires. Comme tant d'autres de « théoriciens » américains, Said a tout simplement inversé les données, l'Occident étant l'empire du Mal et l'Orient, l'empire du Bien. Comme pour tout président déterminé du temps de la guerre froide, il n'y a de place dans ce tableau pour aucun sentiment national. Comme Lyndon Johnson qui voulait sauver les Vietnamiens de la néfaste expérience d'une autodétermination sous emprise communiste, Said veut sauver les Palestiniens et les Israéliens de la même manière. En adoptant une pure démocratie constitutionnelle – ou si on veut appeler les choses par leur nom, en suivant « la voie américaine » – tout se résoudra au mieux.

Il n'est pas étonnant que les universitaires américains aient adopté Said et que les Arabes l'aient rejeté. Sa compréhension du conflit est tellement caractéristique de l'Amérique et tellement hostile au sentiment local d'appartenance, que tout cela était prévisible. Depuis le temps de « l'empire de la liberté » de Jefferson, l'américanisation est considérée en Amérique comme une libération. Mais, contrairement à ce que nous disent les disciples des « études post-colonialistes », du moins depuis que l'extension physique des États-Unis a atteint les côtes de l'océan Pacifique, l'impérialisme américain était fondamentalement hostile au colonialisme (Theodore Roosevelt fut le seul président du XXᵉ siècle à faire exception à ce sujet). L'impérialisme américain, comme l'a dit l'historien William Appleman Williams dans son livre marquant, « La tragédie de la diplomatie américaine » [19], était à l'évidence un « impérialisme anti-colonial ». C'était une politique qui ne voulait pas conquérir ou gouverner directement, mais imposer la méthode américaine : la démocratie constitutionnelle et le libre marché – qui furent à tort considérés comme « la libération » des autochtones. Ce ne fut jamais une expérience cynique pour élargir le marché des produits américains, bien qu'elle ait certainement servi les intérêts économiques de l'Amérique. En fait, très souvent, elle s'accompagnait d'un idéalisme enthousiaste et sincère qui supposait que le libre marché constitue le premier pas obligatoire du chemin vers la liberté et la démocratie. De même, les Américains tendaient à croire que si on était libre de réaliser son droit à l'autodétermination, on le ferait obligatoirement en choisissant « la voie américaine », synonyme à leurs yeux de liberté. A plusieurs reprises, les artisans de la politique étrangère des États-Unis furent frappés d'étonnement quand d'autres se définirent de manière différente, les Américains voyant dans l'opposition à l'américanisation, un refus de réaliser librement le droit à l'autodétermination. C'est ainsi que l'idéalisme de Woodrow Wilson, son sincère enthousiasme de porter la bonne nouvelle de la démocratie aux peuples opprimés, s'est transformé en une détermination « d'enseigner », par la force si besoin était, aux peuples d'Amérique latine comment « élire des gens bien ».

Le Département d'État fut plus prompt que les universitaires post-modernes à se débarrasser des hypothèses de Truman, d'Eisenhower, de Kennedy, de Reagan et d'autres présidents, selon lesquels tout mouvement de libération nationale dans le tiers-monde n'était qu'un camouflage de l'avance communiste. Les diplomates américains ont réussi, du moins depuis la chute du Mur de Berlin, à avoir une vue un peu plus large quant à leurs façons de considérer les choses. Mais Said et ses disciples post-sionistes en Israël, en sont curieusement restés à la conception de Lyndon Johnson. Ils pensent sincèrement que l'américanisation des autochtones est bonne pour eux même si ceux-ci, dans leur entêtement, ne le comprennent pas encore. En d'autres termes, Said et son attaque du colonialisme, est un impérialiste américain assez caractéristique.

Ni Said, ni ses admirateurs en Israël ne se définiraient bien entendu en ces termes. C'est cependant l'essence de leurs positions. Après avoir défini le nationalisme israélien en termes coloniaux, ils attaquent avec véhémence le colonialisme israélien, au nom du bon vieil impérialisme américain. Ils définissent maladroitement le sentiment national tant des Palestiniens que des Israéliens et proposent aux deux, la solution de la méthode américaine. Le fait que les Palestiniens ne brûlent pas seulement le drapeau israélien, mais aussi celui des États-Unis, ne les impressionne pas particulièrement. Nul n'a raison de s'étonner, donc, que ce qui a débuté comme une « théorie » améri-

---

19. William Appleman Williams, *The Tragedy of American Diplomacy*, W. W. Norton & Company, New York, London, 1972 [1959].

caine en Israël, finisse comme un échec américain caractéristique. Le premier intérêt des Palestiniens et des Israéliens n'est pas d'opter pour une solution réclamant l'oppression de l'un des mouvements nationaux, pour ne pas dire les deux. « L'État de tous ses citoyens » est en vérité, une garantie de guerre civile sans issue.

Le post-sionisme, la révolution de privatisation, la gauche sociale et la classe moyenne

Daniel GUTWEIN

Le post-sionisme, idéologie de la révolution de privatisation

Sous le titre « Montée et chute du post-sionisme », le *Supplément de Haaretz* de fin septembre 2001 expose le changement significatif survenu ces dernières années, dans les cercles intellectuels israéliens. Après avoir atteint le faîte de son influence vers le milieu des années quatre-vingt-dix, le post-sionisme perdit sa place prépondérante dans le débat public. Ce retrait, que certains qualifient « d'agonie », est d'autant plus frappant que depuis la fin des années quatre-vingt, où il fut médiatisé comme aucun courant ne l'avait jamais été, le post-sionisme se situe lui-même, comme l'un des extrêmes, dans le panorama de la discussion idéologique en Israël. Il en a même défini les frontières. Parallèlement, en attribuant à ses adversaires l'étiquette d'« institutions sionistes hégémoniques », le post-sionisme réussit à retrancher ceux-ci dans une position de défense, presque condamnée d'avance, vu sa marche triomphale, principalement dans les médias et les universités. Certains post-sionistes comme Tom Ségev, Shlomo Sand, Ilan Pappé ou Oren Yiftachel, qui furent interviewés pour la rédaction de cet article, ont tendance à expliquer le déclin de leur mouvement, par la deuxième Intifada qui éclata en octobre 2000. Selon cette explication, la menace extérieure et les angoisses existentielles ont ramené les Israéliens vers « l'ancienne mentalité *mapaïnik* », les réunissant autour du feu de la tribu et faisant taire les voix de la critique. Cette position se traduit par la perte de patience des médias – jusque-là sympathisants – envers leurs arguments. Tom Ségev résume cette position en affirmant que « ce sont les Palestiniens qui obligent les Israéliens aux tendances post-sionistes à retourner dans la matrice du sionisme ». Mais il semble que Ségev ne soit pas certain que ce soit là une juste lecture de l'état d'esprit de l'opinion, puisqu'il propose également une alternative opposée. Il note que le post-sionisme est né du sentiment de ras le bol, de la mort et des périodes militaires, que suscita chez les Israéliens la première Intifada et en opposition au point de vue du « retour dans la matrice », il demande : « et qui dit que la deuxième Intifada n'amènera pas un tel résultat ? [1] »

La tentative de Segev et de ses semblables d'expliquer la diminution de soutien au post-sionisme par l'Intifada et la menace palestinienne, est cependant artificielle et se base sur une fausse dichotomie entre la tension sécuritaire, la critique sociale et la contestation politique. Le modèle de dissension du style « on tire et on pleure » – par opposition à celui de « silence on tire » – caractérisant la réaction des classes moyennes à des situations de crise sécuritaire, depuis les mouvements de contestation qui suivirent la guerre de Kippour, en passant par ceux qui accompagnèrent la guerre du Liban et ensuite la première Intifada, s'est reproduit avec la deuxième Intifada. Ainsi en hiver 2002, la contestation contre la poursuite de l'occupation généra un mouvement de refus de servir dans l'armée, d'ampleur sans précédent, qui contrairement aux précédentes vagues exprimant ce même refus, jouit d'une manifeste sympathie dans les médias et de manifestations de compréhension au sein du système politique et dans le public en général. Parallèlement, la crise économique qui accompagna l'intifada nourrit une profonde contestation sociale qui malgré la situation de guerre devint le principal sujet à l'ordre du jour politique, médiatique et public. Il s'avéra que non seulement il n'y a pas de base réelle à l'argument selon lequel la deuxième Intifada, avec l'angoisse existentielle qui l'accompagne, fit taire les voix de la critique, mais au contraire, celles-ci se sont faites plus fortes et plus acerbes que jamais. Par conséquent, il semble que le sentiment d'insatisfaction qu'expriment les post-sionistes du fait de la perte de soutien public, ne découle pas du retour des Israéliens dans le giron de la collectivité sioniste, mais justement de la montée d'une nouvelle vague de critique, qui contrairement aux attentes de Segev, n'a nul besoin du post-sionisme pour servir de plate-forme à sa contestation pas plus qu'elle n'a besoin de s'y référer en tant qu'idéologie de structure de la société israélienne.

Uri Ram, qui fut l'un de ceux qui rédigèrent l'ordre du jour post-sioniste, stigmatise une particularité de classe et une caractéristique idéologique des « Israéliens aux tendances post-sionistes », dont Segev se plaint de l'abandon. En 1999, il affirme dans son article « Entre les armes et l'économie – Israël à

---

1. Neri Livné, « La montée et la chute du post-sionisme » (en hébreu), *Supplément de Haaretz* (en hébreu), 21.9.2001.

l'époque de la mondialisation locale »[2], que « le support social » d'une « culture politique post-sioniste » est « la nouvelle classe moyenne », dont la base sont les métiers de formation, de composition et de création de connaissance et de symboles »[3]. D'une manière plus large, il s'agit de « la classe moyenne aisée et cultivée et des élites économiques » qui veulent « se dégager de l'étreinte collectiviste nationale de l'État et réaliser leurs potentiels personnels et professionnels dans une société civile ». Cette classe est « le prolongement des "constructeurs de la nation" et des dirigeants de l'armée, des agriculteurs d'avant-hier et des combattants de hier », qui s'est construite « avec la création de l'État et le service militaire ». Elle est apparue à la suite de « la nouvelle situation postmoderne qui s'est formée à la fin du XXe siècle », dans laquelle la réaction à la mondialisation, au processus de paix, au développement économique et à la privatisation, entraîna un déclin du « nationalisme étatique et en même temps de l'État providence »[4]. Le symbole de ce revirement est la diffusion du « concept de privatisation »[5], du domaine économique au domaine social et culturel et à sa transformation en un nouvel ethos de cette nouvelle classe. La nouvelle classe moyenne est « très large ». Elle est surtout composée de professions libérales et universitaires, « qui dans les années quatre-vingt-dix représentaient au moins un tiers des travailleurs en Israël, alors qu'ils n'étaient qu'un cinquième au début des années soixante-dix »[6].

Entre l'explication de Ram, qui voit dans la montée du post-sionisme une accoutumance à la mondialisation, et celle de Segev, désignant l'Intifada comme le facteur de son déclin, il existe une continuité et une complémentarité. De même que l'acceptation de l'ethos post-sioniste résultait de la mondialisation, avec la paix et le développement économique qui s'y rattachent, la menace sécuritaire et la dépression économique que suscita l'Intifada, entraînèrent un recul par rapport à ce mouvement. Expliquer la montée et du déclin du post-sionisme par la mondialisation ou par l'Intifada relève d'un même dénominateur commun. Les deux explications font dépendre les changements survenant dans la société israélienne de facteurs qui lui sont extérieurs. Le besoin de se référer à une explication « extérieure » montre le changement théorique crucial que subit la base de l'argumentation post-sioniste. Jusque-là, celle-ci avait tendance à attribuer la montée de « la sociologie critique », de « la nouvelle historiographie » et du multiculturalisme, qui sont les manifestations principales du post-sionisme, à des facteurs internes, comme

---

2.   Uri Ram, « Entre les armes et l'économie » : Israel au temps de la mondialisation locale » (en hébreu), *Sociologie israélienne*, 2 (1999), p. 99-145.
3.   *Ibid.*, p. 120.
4.   *Ibid.*, p. 120.
5.   *Ibid.*, p. 109.
6.   *Ibid.*, p. 120-121.

les modifications qui agirent sur la société israélienne suite à des luttes économiques, sociales et culturelles ou au changement des rapports de force entre
différents groupes au sein de la société israélienne et surtout entre la périphérie et le centre.

Au milieu des années quatre-vingt-dix, Ram lui-même, dans son article
« Sionisme et post-sionisme, le contexte sociologique du débat des historiens »[7], explique la montée de « la nouvelle historiographie », par des facteurs
internes. Il mit l'accent sur le fait que le post-sionisme « fait partie du processus plus général de démocratisation d'Israël[8] » et de l'affaiblissement de l'hégémonie de l'élite du mouvement travailliste qui initia le projet sioniste jusqu'à
la fin des années soixante »[9]. Ce processus permit la montée de « différents
groupes… dont la voix, jusqu'à il y a peu de temps, avait été tue, réprimée
ou étouffée », et maintenant se font entendre et s'adonnent à « se constituer
en tant que groupes »[10]. Parmi ces groupes, on trouve aussi « des élites de
droite (Juifs nationalistes), rivalisant avec celles du centre (la bourgeoisie,
soit la nouvelle classe) »[11]. Ainsi, de même que le sionisme en son temps
surgit d'une lutte interne au sein de la société juive, le post-sionisme également est l'expression d'un conflit au sein de la société israélienne. Ceci, bien
que « le sionisme classique est encore et continuera d'être pour les Juifs
d'Israël, aussi loin qu'on puisse le prévoir, une conscience hégémonique »[12].
On peut cependant distinguer « le percement d'une tendance civile et multiculturelle du discours public légitime en Israël. Cette tendance devrait – sous
certaines conditions et à long terme – mettre en danger la définition de l'identité israélienne »[13]. La clé de l'explication de Ram à la montée du post-
sionisme a donc changé, au cours des années quatre-vingt-dix. D'« interne »,
elle est devenue « externe ». Alors qu'au milieu de la décennie, il considérait
le post-sionisme comme un phénomène embryonnaire, reflet de la lutte entre
des sous-groupes de la société israélienne, phénomène destiné à exercer une
influence, pour autant que ce soit le cas, que dans un avenir lointain et uniquement à long terme, vers la fin des années quatre-vingt-dix, il y voit un fait
établi, résultat d'une adaptation rapide aux règles du jeu du postmodernisme
et de la mondialisation, qui a déjà modifié la société.

---

7. Uri Ram, « Sionisme et post-sionisme – le contexte sociologique du débat des historiens » (en hébreu),
    Yehiam Weitz (éd.), *Entre vision et révision – cent ans d'historiographie sioniste*, Jérusalem, Centre
    Zalman Shazar, 1997, p. 275-289.
8. *Ibid.*, p. 286.
9. *Ibid.*, p. 284.
10. *Ibid.*, p. 287.
11. *Ibid.*, p. 286.
12. *Ibid.*, p. 285.
13. *Ibid.*, p. 284.

L'explication « externe » à la montée du post-sionisme que donne Ram s'accompagne d'une diminution du poids donné aux luttes sociales internes, devenues le reflet de l'action des facteurs de mondialisation. Cette tendance est particulièrement frappante dans la description des évolutions qui eurent lieu au sein de la classe moyenne. Ram présente la nouvelle classe comme une « classe de continuation » [14] de l'ancienne classe moyenne et en accord avec l'explication « externe », il voit le facteur du développement continu de la nouvelle classe à partir de l'ancienne et de la mondialisation. Cependant, le processus de formation de la nouvelle classe à partir de l'ancienne, ne constituait pas une continuité, mais s'accompagna bel et bien d'une brisure de valeurs et d'une cassure économique, politique, institutionnelle et culturelle. De même, l'opposition existant entre le post-sionisme et l'esprit national ou le collectivisme est le reflet de ces divergences d'intérêts et de l'animosité existant entre ces deux classes. La nouvelle classe, fondée sur le marché et la concurrence, s'est formée dans la lutte contre « le nationalisme étatique et son corollaire, l'État providence » [15], ou en d'autres termes les principes de planification économique, la régularisation sociale et la propriété nationale publique et ses manifestations organisationnelles et institutionnelles, qui étaient la base de l'existence de l'ancienne classe [16]. La fidélité de l'ancienne classe aux « anciennes » valeurs sionistes ne découlait donc pas d'un attachement idéologique abstrait, mais découlait du fait que celle-ci avait défini un ordre social et économique ayant créé le cadre d'existence d'institutions dont elle tirait sa force. Par opposition, le post-sionisme donna une justification idéologique à leur démantèlement et à la création de conditions économiques, sociales, politiques et cultuelles pour l'établissement de « la nouvelle classe ».

Nous allons maintenant proposer une interprétation « interne » des modifications caractérisant la place du post-sionisme dans le débat public en Israël. L'essence de cette explication est que le post-sionisme est une idéologie de la révolution de privatisation en Israël, qui fut menée par « la nouvelle classe » et que la polémique dont elle fut l'objet était le reflet de la lutte se déroulant au sein des classes moyennes sur la question de privatisation du secteur public et de l'État providence. Ce combat franchit les limites admises entre la droite et la gauche et produit « un post-sionisme de droite » à côté d'un « post-sionisme de gauche ». Au cours de cet affrontement se modifia la structure de la classe moyenne et des sous-groupes qui menaient cette lutte. À l'heure de la montée du post-sionisme « l'ancienne classe » affrontait « la nouvelle

---

14.   Ram, « Entre les armes et l'économie », p. 120.
15.   *Ibid.*, p. 100.
16.   Voir aussi : Shimshon Bichler et Jonathan Nitzan, « Le capitalisme israélien et la mondialisation » (en hébreu), dans : Benjamin Cohen (éd.), *Retour à Marx*, Tel Aviv : Hakibboutz Hameouhad, 2001, p. 209-233.

classe » : le succès de la révolution de privatisation, qui modifia l'image de la société israélienne amena l'absorption de « l'ancienne classe » dans les cadres politiques et les environnements de conscience de la nouvelle classe et redéfinit la classe moyenne « dans son ensemble ». L'atteinte portée à l'État providence et l'ébranlement de la sécurité sociale ont par la suite entraîné une nouvelle classification de « l'ensemble » de la classe moyenne, qui se divisa alors en deux classes adversaires, ayant des intérêts opposés, par rapport au jeu politique en Israël. Ces évolutions se reflètent dans les sujets traités par le post-sionisme. Au moment de son ascension, celui-ci se focalisa sur une attaque du collectivisme sioniste et de ses institutions, dans le but de les démanteler et de les privatiser, alors qu'après l'établissement du régime de privatisation, il promut des valeurs comme l'individualisme, la concurrence et le marché, qu'il avait délaissées au début.

Le succès de la révolution de privatisation transforma le post-sionisme. De facteur critique d'opposition, il devint un facteur ratifiant l'ordre néo-libéral hégémonique. Ce renversement dévoile une contradiction interne qui était impliquée dans la critique post-sioniste dès ses débuts. Celle-ci attaquait le collectivisme sioniste et ses institutions, au nom de ces mêmes groupes qui furent marginalisés par elle, principalement la classe pauvre, orientale dans sa grande majorité. Mais le statut de ces groupes, comme d'ailleurs l'état de « la classe usée », ne fit qu'empirer à la suite de la révolution de privatisation et de l'écroulement de l'État providence que le post-sionisme avait contribué à promouvoir. Cette contradiction, dont les premières manifestations commencent déjà à se voir, obligera à l'avenir les post-sionistes à choisir entre continuer à soutenir idéologiquement le néo-libéralisme, en partant d'une critique contre le fantôme du collectivisme sioniste et un engagement social envers les victimes du régime de privatisation, signifiant un abandon du néo-libéralisme post-sioniste et l'adoption d'un ordre du jour de planification économique, de régularisation sociale et de partage équitable.

Le post-sionisme de gauche

Le post-sionisme débuta sous le signe d'une critique de l'ethos et la politique du mouvement travailliste, dont l'essence était la négation de la validité morale des hypothèses fondamentales du sionisme et de ses voies de réalisation dans la pratique [17]. Cette critique fut émise dans le camp de la gauche israélienne,

---

17. Sur le post-sionisme, voir : Yehiam Weitz (éd.), *Entre la vision et la révision – cent ans d'historiographie sioniste* (en hébreu), Centre Zalman Shazar, Jérusalem 1997 ; Pinchas Ginossar et Avi Bareli (eds), *Le sionisme, un débat contemporain – attitudes de recherche et idéologiques* (en hébreu), Sdé-Boker, Centre de Promotion du patrimoine de Ben-Gourion, 1996.

qui représentait l'expression politique de la classe moyenne. L'une de ses premières expressions les plus frappantes fut l'exigence de révision de la recherche sociologique et historique en Israël, qui selon le mouvement post-sioniste, avait été un instrument aux mains de l'establishment et, trahissant en cela sa vocation scientifique, lui fournissait «des versions officielles», dont l'objectif était une manipulation de l'opinion et de la mémoire collective, comme moyen de préservation de l'hégémonie de l'élite dirigeante. Le post-sionisme élargit progressivement sa critique à d'autres domaines – comme l'économie, le droit, l'éducation, les études de genre, l'art, le cinéma, la littérature etc. – en utilisant les instruments du discours postmoderne et post-colonialiste. Ainsi, le post-sionisme critique «la négation de la diaspora» qui est un fondement de l'idéologie sioniste et exige d'examiner les manquements du mouvement sioniste envers le judaïsme de diaspora. dont le summum, disent les adhérents de ce mouvement, fut l'abandon des Juifs d'Europe pendant la Shoah. Ce lâchage, ajoutent-ils, n'empêcha pas les dirigeants sionistes d'exploiter la détresse des survivants pour promouvoir la création de l'État. Le post-sionisme affirme que le problème palestinien fut le résultat de l'idée de transfert qui se trouvait à la base de la pensée sioniste et qui fut concrétisée en 1948 par une politique consciente d'épuration ethnique, qui s'accompagna de crimes et de pillages. Il affirme que l'establishment sioniste et ashkénaze exploita le projet de construction de la nation pour renforcer son statut, par une répression et le bannissement économique, social, politique et culturel d'autres groupes, plus particulièrement les Orientaux. Le post-sionisme nie donc l'idéologie et l'action sioniste et y voit des projets répressifs, dont les victimes sont autant des Juifs que des Palestiniens. Il appelle à libérer la société israélienne. Cette démarche dépend, selon lui, d'une lutte contre l'hégémonie sioniste et ashkénaze, de la prise de conscience d'identités séparées de sous-groupes au sein de cette société, de la constitution d'un ordre multiculturel et de la transformation de la société en un «État de tous ses citoyens».

L'examen des noyaux de l'idéologie post-sioniste montre qu'ils ne sont pour la plupart qu'un recyclage de critiques faites au cours des ans par des cercles d'opposition sionistes et anti-sionistes – ces critiques ayant été principalement dirigées contre le mouvement travailliste et le *Mapaï* – en les déplaçant des marges du débat public vers son centre. Le même phénomène existe d'ailleurs dans le cas du sionisme et de son rapport à la diaspora ou à la Shoah, les rapports israélo-arabes et ceux existant dans la société israélienne. La large et rapide publicité dont jouit le post-sionisme et sa transformation en un événement qui suscita la curiosité, furent très médiatisés et qui souleva de l'intérêt sur le marché de la culture malgré, et peut-être peut-on dire à cause de son attaque du sionisme – attaque qui est en fait dirigée contre le mouvement ouvrier, son réalisateur historique – éclaire un fondement essentiel pour la compréhension du contexte social et politique de son succès. Les post-sionistes ont commencé à attaquer le mouvement travailliste alors que celui-ci se trouvait à une phase de déclin avancée et que l'hégémonie avait déjà passé aux mains de ses adversaires, dont les valeurs néo-libérales étaient justement proches de celles du post-sionisme. De plus, le post-sionisme apparut comme le porte-parole de ceux qu'il présentait comme « les victimes » de l'action sioniste, soit les Orientaux ou les ultra-orthodoxes, dont le passé, toujours selon le post-sionisme, avait été effacé par l'historiographie sioniste triomphante. Ceci survint justement alors que ces groupes formaient déjà le cœur des institutions gouvernementales, avaient remplacé le mouvement travailliste et étaient devenus le centre de la nouvelle israélienneté. La dualité d'une critique de l'hégémonie déclinante du passé et de la présentation des valeurs de la nouvelle hégémonie en formation, peut expliquer comment le post-sionisme réussit à conserver une image d'opposition et une auréole sociale, malgré son essence institutionnelle et comment, contrairement aux facteurs d'opposition qui avaient attaqué le sionisme dans le passé, il réussit non seulement à ne pas être marginalisé, mais au contraire à devenir l'un des axes du débat public en Israël et celui qui en définit les frontières.

Le post-sionisme a acquis son statut public en collaborant avec des facteurs qui se trouvent au cœur de l'establishment israélien et en sont souvent partie intégrante. Quatre facteurs institutionnels ont joué un rôle clé dans la diffusion des idées post-sionistes et leur mise en place au cœur du débat public : L'Institut Van-Leer, les éditions *Hakibboutz Hameouhad*, le quotidien *Haaretz* et les universités. L'Institut Van-Leer, qui est une institution semi-gouvernementale, fait fonction de vecteur central pour l'écoulement d'idées de la faculté vers le grand public et joue un rôle majeur dans l'établissement de l'ordre du jour intellectuel en Israël, particulièrement parmi les classes moyennes et la gauche. Depuis la fin des années quatre-vingt, l'institution servit de plate-forme pour la diffusion des idées postmodernes, dont le post-sionisme fut présenté comme leur application à la réalité israélienne. De plus, en partenariat avec « les éditions *Hakibboutz Hameouhad* », partie intégrante des institutions du mouvement travailliste, et le soutien du ministère de l'Éducation et de la Culture, l'institut Van-Leer publie la revue *Théorie et critique*, qui est devenue un instrument essentiel de la formation et de la diffusion de l'idéologie post-sioniste. Le quotidien *Haaretz* qui est en Israël, la plate-forme officieuse de l'élite politique, universitaire et professionnelle ainsi que de celle des affaires, joua un rôle de premier plan dans la révélation et la diffusion rapide des idées post-sionistes, en en faisant le sujet de polémiques continues dans différentes rubriques du journal, où prirent part des personnalités centrales du milieu universitaire, du monde de la pensée, de l'éducation et de la politique. L'intérêt que suscita *Haaretz* pour les idées post-sionistes, se propagea également aux autres moyens de communication, que ce soit la télévision, les journaux du soir ou les journaux locaux, qui eux s'attachèrent surtout à la dimension provocatrice du post-sionisme et la placèrent au centre du débat culturel et politique. Au-delà du fait qu'il donna une plate-forme à ses arguments, le statut du quotidien *Haaretz* assura au post-sionisme, dans le monde israélien des médias, non seulement une publicité maximale, mais aussi une auréole d'autorité, de prestige et de légitimité qui l'aidèrent à atteindre rapidement le cœur de la conscience publique. Les universités furent la scène principale de discussion de la critique post-sioniste et contrairement à leur image d'opposition à l'establishment universitaire et de persécutés par ses institutions, les chercheurs post-sionistes commencèrent à prendre progressivement une place de choix au sein de ces institutions universitaires et même à définir la nouvelle orthodoxie. La conclusion paradoxale résultant de ce processus est que si les universités ou les autres établissements établis cités avaient été des instruments aux mains du gouvernement, comme l'affirment les post-sionistes, la facilité à laquelle leurs idées les pénétrèrent et y furent acceptées, pourrait justement soulever l'éventualité qu'elles contribuèrent à leurs orientations.

La montée du post-sionisme se fit donc par une combinaison paradoxale d'institutions accordant une plate-forme à des idées qui soi-disant leur étaient subversives. Ce paradoxe est le reflet du conflit d'intérêts qui divisa la classe moyenne, à laquelle s'adressait le post-sionisme et contre laquelle il s'élevait. Depuis les années soixante, la classe moyenne, soit tous ses partis et ses institutions, et surtout le parti travailliste, débattaient de questions touchant la planification économique, la régularisation sociale, l'économie publique et l'État providence. Ces discussions débouchèrent vers la fin des années quatre-vingt, vers un affrontement sur la question de privatisation. Le poids de ceux qui soutenaient les tendances de privatisation alla en grandissant, en conséquence à trois processus complémentaires. Le premier est la montée d'une génération, qui d'autant qu'elle avait épuisé les avantages de l'État providence, pensait que non seulement elle pouvait s'en passer, mais que son statut social et économique relatif se renforcerait avec la privatisation. Le deuxième facteur est le renversement politique survenu à la suite des élections de 1977, qui amena un gouvernement de droite, qui pour des raisons politiques non moins que pour des raisons idéologiques voulait démanteler les systèmes organisés de colonisation agricole, l'économie les services et le travail dirigés qui avaient été les bastions du pouvoir du mouvement travailliste. Et en moins de dix ans, elle y parvint en effet. Le troisième facteur, la privatisation, servit à la classe moyenne de stratégie pour préserver son hégémonie, même après que les changements démographiques et culturels – et surtout

le renforcement des Orientaux et des ultra-orthodoxes – sapèrent sa base politique. La privatisation de l'économie, des services et de la politique fit de
l'économie de marché et de la puissance du capital, deux domaines où la
classe moyenne continuait à détenir un avantage relatif, un moyen pour continuer à diriger les systèmes cruciaux de l'État, en neutralisant l'avantage élec-
toral et le pouvoir politique acquis par « les autres ». Ces trois processus ont
progressivement annulé la différence entre la droite et la gauche dans le
domaine économique, ce qui s'exprima par une politique néo-libérale s'inspirant d'une « pensée uniforme » qui depuis « le plan économique » instauré
par le gouvernement d'union nationale en 1985, caractérisa tous les gouvernements, tant de gauche que de droite.

La révolution de privatisation divisa la classe moyenne en deux sous-
groupes adverses. L'un était l'ancienne classe moyenne qui continuait à s'appuyer sur les établissements nationaux et publics. Elle s'affaiblissait à mesure
que ceux-ci s'effondraient et donc, voulait ralentir les tendances à la privatisation. La seconde, la nouvelle classe moyenne qui s'est formée et s'est
élargie du fait de l'annihilation de l'État providence et des secteurs syndi-
caux et publics de l'économie, aspirait donc à accélérer et à approfondir la
politique de privatisation. La nouvelle classe se créa parallèlement aux métamorphoses intervenues dans les règles du jeu économiques et sociales qui
transformèrent progressivement l'existence et la conscience de larges couches
de la classe moyenne et suscita l'apparition, dans ces mêmes couches d'une
classe de « nouveaux riches », mais également d'une autre catégorie, celle de
« nouveaux salariés ». Les « nouveaux riches » apparurent suite à un nouveau
partage des biens, résultant de la privatisation du secteur public et d'autres
domaines économiques. Au centre de ceux-ci, on trouve « le système de capital », de ceux qui réussirent à mettre la main sur des domaines d'infrastructure économique et financière et à atteindre une position de domination stratégique sur l'économie tout entière. Ils ont beau expliquer cette démarche par
l'avantage du libre marché sur le dirigisme bureaucratique, en fait le processus de domination lui-même se fit par des moyens politiques qui ne diffèrent
en rien de ceux des mécanismes de parti employés dans le passé et c'est pourquoi il est plus légitime de les considérer comme un « mécanisme de capital » que comme une élite du capital. Un autre facteur frappant de la classe
des « nouveaux riches » est la couche des entrepreneurs, directeurs et professions libérales, qui tirèrent profit du processus de privatisation des services
publics et devinrent par conséquent intéressés à le poursuivre. Sous cette
couche, perce la troisième catégorie de « nouveaux riches », soit les entrepreneurs et les fournisseurs qui remplacèrent les employés des services publics,
suite à l'écroulement et à la privatisation des services sociaux, particulièrement dans les domaines de la médecine et de l'éducation. Le statut des

« nouveaux salariés » apparut après que des entrepreneurs d'industries et de services nouveaux, surtout dans les domaines de haute technologie, instaurèrent en Israël des modèles en usage sur le marché du travail américain, qui sous couvert de « flexibilité du marché du travail » inspirèrent une déstabilisation continue des fondements de la sécurité de l'emploi sur le marché tout entier. Cette tendance atteint son paroxysme avec le phénomène des « employés de sociétés entreprenariales » qui, dépassant le cadre du secteur privé, devint également peu à peu une forme admise d'engagement de personnel, dans le secteur public et gouvernemental. Non seulement les hommes d'affaires, mais aussi les cercles plus larges de « nouveaux salariés », devenus partie intégrante du régime d'emploi privatisé, ont progressivement intégré ses valeurs et ont eu intérêt à l'élargir. Ce sont tout naturellement eux, ceux qui travaillaient dans ces branches et particulièrement dans celle du high tech, qui jouirent de salaires et de conditions d'emploi plus élevés que la norme, que la méthode des contrats personnels leur assurait. Mais très vite se joignirent à eux, d'autres salariés, parmi lesquels ceux travaillant dans des professions exerçant une certaine influence sur l'opinion publique, comme la presse, la publicité ou le spectacle, qui bien que touchés par l'annulation des contrats collectifs et l'augmentation des écarts de salaire dans ces mêmes branches, avaient intégré les nouvelles règles du jeu qu'ils avaient été forcés d'accepter et agirent donc en faveur de leur propagation. Même les employés de sociétés entreprenariales, dont les conditions d'emploi s'aggravèrent d'une part, mais dont les chances de gagne-pain d'autre part dépendaient de la continuation de l'effondrement du régime d'emploi collectif, s'habituèrent au régime de privatisation. Ainsi, le soutien à la politique de privatisation devint le dénominateur commun des deux fractions de la nouvelle classe : les « riches » et les nouveaux « salariés », les gagnants comme les perdants.

Au cours de la lutte opposant l'ancienne classe à la nouvelle, le sionisme se révéla être un obstacle idéologique sur le chemin de la révolution de privatisation. Malgré l'érosion continue de son statut, l'idéologie sioniste – collectiviste par essence, de même que par sa réalisation historique par le mouvement travailliste – continue d'être l'ethos constituant de l'identité de la plupart des Israéliens. La classe ancienne exploita ce fait dans le cadre de sa lutte contre une politique de privatisation, qui fut présentée comme contraire aux principes sionistes, ou même franchement anti-sionistes. De cette manière, le concept de sionisme fut chargé par ses détracteurs comme par ses partisans, d'une nouvelle signification : non plus une idée pitoyable s'effritant entre ses propres guillemets, mais une idéologie émotionnellement valable et mobilisatrice, devenue l'axe d'une lutte sociale actuelle. Toutefois, l'utilisation que fit l'ancienne classe du nom du sionisme, était surtout destinée à protéger ses privilèges et il se caractérisa donc par une nostalgie du monde héroïque disparu et non par des propositions concrètes pour affronter les changements initiés par la révolution de privatisation. Par opposition, les deux fractions de la nouvelle classe, avaient intérêt à renforcer la politique de privatisation, qui progressivement avait élargi sa base économique et son pouvoir social. Cette classe devint hostile aux orientations de planification économique et de régularisation sociale et critique envers les fondements collectivistes du sionisme, jusqu'à les contester. Cependant, au cours de la lutte idéologique qui accompagna la révolution de privatisation, les porte-parole de la nouvelle classe commencèrent à utiliser des fondements tirés de l'argumentation des « sociologues critiques » et des « nouveaux historiens », qui dans le feu de la discussion s'étaient rassemblés jusqu'à élaborer progressivement une idéologie complète sous la forme du post-sionisme. Celui-ci servit à franchir le barrage de conscience que le sionisme avait placé chez les classes moyennes, devant la démarche de privatisation [18].

Se référant aux enjeux du post-sionisme et à son message idéologique, Ram affirme que :

> Il faut donc distinguer deux sortes de post-sionisme : le post-sionisme radical exprimant le déclin de l'ancienne élite ainsi que le discours identitaire de nouveaux groupes et le post-sionisme libéral, signifiant l'intégration des nouvelles élites capitalistes dans le système mondial. Il faut comprendre que dans les deux cas, tant pour celui des narratifs alternatifs des « minorités » que pour celui de la classe d'affaires et de la strate civile, il s'agit d'une déconstruction du cadre national hégémonique ancien, instauré par le mouvement travailliste, chacun venant évidemment de tendances différentes [19].

Cependant, plus que les deux genres de post-sionisme « expriment » les modifications survenues dans la société israélienne, ils en sont eux-mêmes ses agents de changement. Il faut examiner l'influence du post-sionisme sur les différentes fractions de la classe moyenne, auxquelles il s'est adressé, plus qu'aux groupes dont il prétendait résoudre les malheurs. De cet angle-là, les « deux genres » semblent plus être deux faces différentes de l'idéologie de privatisation, s'adressant à des codes culturels différents de la classe ancienne comme de la nouvelle classe : le service d'une part, l'efficacité de l'autre.

Le post-sionisme radical se focalise sur le développement du « discours de la culpabilité ». Il s'est avéré être une arme efficace dans la lutte contre l'ethos

---

18. Sur le lien entre le post-sionisme et la privatisation, voir : Daniel Gutwein, « La nouvelle historiographie ou la privatisation de la mémoire » (en hébreu), Yehiam Weitz (éd.), *entre la vision et la révision – cent ans d'historiographie sioniste*, (Jérusalem, Centre Zalman Shazar 1997), p. 311-343 ; Daniel Gutwein, « La privatisation de la Shoah – Politique, mémoire et historiographie » (en hébreu), *Pages d'étude de l'époque de la Shoah*, XV (1998), p. 7-52.
19. Ram, « entre les armes et l'économie », p. 106.

sioniste parce qu'il s'en prit à son affirmation de refléter des valeurs morales et de justice, tant personnelles, que sociales, nationales ou universelles, desquelles il voulait tirer une légitimité tant interne qu'externe. Ce post-sionisme présente le sionisme comme un mouvement dont le passé, comme le présent, est pavé d'actes d'injustice et de répression politique, sociale et culturelle, tant envers les Juifs que les Arabes. Il présente le service et le volontariat, qui sont des valeurs primordiales de l'ethos sioniste, comme rien de plus qu'une participation aux actes d'injustice organisés par le mouvement et l'État. La négation de la diaspora, l'abandon des Juifs pendant la Shoah, l'exploitation des rescapés de la Shoah, le bannissement des Palestiniens, la sélection des immigrants, l'exclusion des Orientaux ou la répression culturelle sous couvert de « creuset social » – n'étaient, selon les post-sionistes, rien d'autre que des pratiques servant le sionisme et principalement le mouvement travailliste, pour établir son hégémonie, et les privilèges qui en découlaient. La classe ancienne tente maintenant de conserver ce qui en reste. Le blâme du collectif sioniste et israélien, souillé par des actes d'injustice et de répression, rend immorale toute référence à celui-ci. Tout individu animé d'une conscience morale, ne peut que rompre avec le sionisme, en dénigrer les fondements idéologiques et démolir ses structures sociales, en d'autres termes, promouvoir la privatisation [20]. Le post-sionisme libéral lui, développa « le discours de l'efficacité ». Il présenta le sionisme et ses fondements collectivistes comme un vestige archaïque d'idées révolues, s'opposant au nouvel « esprit du temps », qui sont pour la société israélienne un obstacle à son intégration dans le marché mondial et empêchent l'Israélien, en tant qu'individu, de réaliser ses potentiels dans ce cadre. La démarcation par rapport au monde sioniste des valeurs devrait, selon ce post-sionisme, non seulement exprimer une libération, mais aussi une actualisation, devant ratifier les valeurs de la nouvelle classe [21]. Les deux sortes de discours post-sionistes agirent donc pour ébranler les fondements de l'ethos sioniste collectiviste, au sein de la classe moyenne afin de légitimer la privatisation de la société.

En tant qu'idéologie de la révolution de privatisation, le post-sionisme œuvra dans un premier temps à ébranler l'assurance de l'ancienne classe moyenne et pour cela renforça sa conscience : il n'argumenta pas au nom de la privatisation, mais se concentra sur une critique de la pratique collectiviste du sionisme. Il resta ainsi, apparemment, dans les limites du discours sioniste légitime, tout en déstabilisant ses valeurs. Entre le post-sionisme et la révolution de privatisation, présida une relation d'acceptation réciproque. Le post-

---

20. Voir : Adi Ophir, « Post-sinisme » (en hébreu), dans : Adi Ophir, *Le travail du présent – essai sur la culture israélienne contemporaine*, Tel Aviv, Hakibboutz Hameouhad, 2001, p. 256-280.
21. Voir : Ram, « entre les armes et l'économie ».

sionisme contribua à la légitimation des valeurs de privatisation par l'ébranlement des fondements collectivistes du sionisme, tout comme le progrès de la révolution de privatisation légitima les idées post-sionistes. Le succès de la révolution de privatisation compromit la structure économique et institutionnelle de la classe ancienne et augmenta le pouvoir de la nouvelle classe, qui au lieu de continuer à lutter contre les valeurs et le discours hégémoniques, en vint à les définir. Par la suite, les affirmations post-sionistes acquirent une légitimité publique et même devinrent partie intégrante du courant central de la gauche israélienne, démarche qui paradoxalement, neutralisa la dimension provocatrice de ses arguments, la priva de son auréole critique et en diminua l'intérêt. Ainsi donc, à mesure que grandit l'influence du post-sionisme et qu'il devint une nouvelle hégémonie, avec la diffusion des tendances de privatisation, par un effet dialectique il perdit sa présence distincte et parut moins intéressant.

Post-sionisme de droite

Le soutien à la révolution de privatisation franchit les frontières idéologiques et politiques habituelles de la droite et de la gauche. Au début, le post-sionisme fut identifié avec l'aile libérale de la gauche israélienne. Assez rapidement cependant, parallèlement à la formation d'une « nouvelle classe » au sein de la population religieuse et en tant que reflet de ses propres intérêts, apparut aussi un courant post-sioniste de droite qui attaqua « le camp national » en général et le camp religieux-national en particulier, à cause de leur lien aux valeurs sionistes, tout comme le post-sionisme de gauche avait puisé ses arguments dans le système pour attaquer le mouvement travailliste. Le débat public et scientifique n'a jusqu'ici accordé que peu de place au post-sionisme de droite. C'est pourquoi, nous en examinerons ici les principes de façon assez détaillée. Nous traiterons de la manière dont les idées post-sionistes de droite s'expriment dans la revue *Tehelet*, éditée par le « Centre Shalem », institut de recherche spécialisé dans les « sujets de politique et de pensée sociale » et l'une des institutions idéologiques de la droite israélienne [22]. *Tehelet* propose au « camp national » une version locale du « nouveau conservatisme », que développa la droite juive aux États-Unis. Celle-ci justifie par la tradition religieuse, le capitalisme concurrentiel et une politique étrangère combative et fournit un cadre idéologique pour promouvoir la privatisation économique et abolir l'État providence. Ceci, tout en transformant le rôle des

---

22. Sur le Centre Shalem et sa place au sein de la droite israélienne, voir : Nadav Haetzni, « Le "Centre Shalem" ou les gens qui pensent pour Netanyahu », *Maariv*, 18 octobre 1996.

valeurs fondamentales du « camp national », celles-ci ne définissant plus l'ordre du jour de la droite, mais devenant des valeurs se justifiant par une conception conservatrice du monde.

Tehelet dénigre l'échec du « sionisme creux » [23] du « courant central de la culture israélienne » [24] à se mesurer au post-sionisme, tout en acceptant l'essence des arguments des nouveaux historiens. Son rédacteur, Daniel Polisar, avertit du danger de la pénétration des « nouveaux » au cœur des institutions académiques, éducatives et culturelles et affirme qu'il « ne faut pas prendre à la légère le danger de l'attaque contre la tradition sioniste », car « aucune nation ne peut garder sa vitalité si son histoire devient dans la conscience publique une longue série d'échecs moraux » [25]. Mais d'autre part, il accepte la présentation des faits sur laquelle se basent les « nouveaux » pour blâmer le sionisme et affirme que « les lecteurs honnêtes ne peuvent nier une grande partie des faits avancés, concernant les fautes et les erreurs du mouvement sioniste » [26]. Parallèlement, il attaque les historiens du « courant central », qui sapent la crédibilité des nouveaux historiens et de leurs recherches. Ce ne sont pas les faits évoqués par les « nouveaux » qui sont discutés, affirme *Tehelet*, mais « la perspective adoptée par l'historiographie » [27] qu'ils proposent pour les expliquer. Il affirme qu'une « honnête description », examinant « la tradition sioniste en l'éclairant d'une lumière positive » devrait résoudre les « événements problématiques » de l'histoire sioniste ainsi que « ses côtés cachés ». Pour cela, il faut adopter une perspective « nationale-juive » et juger les « squelettes » trouvés dans « l'armoire sioniste » à la lumière « de critères moraux » privilégiant les intérêts du peuple et de l'État par rapport à l'injustice et à la souffrance humaine – des Juifs comme des Arabes – qui furent le corollaire de leur réalisation [28]. Contrairement à la première impression, ce ne sont pas les nouveaux historiens qui sont la principale cible de la critique de *Tehelet*, mais justement les « intellectuels du courant central de la culture israélienne » [29] – identifié au mouvement travailliste – qui manquent, selon la revue, de perspective historique et morale adéquate pour se mesurer avec le défi lancé par « les nouveaux » et dont la réaction ne fut jusque-là que « pauvre et insuffisante » [30]. Cette carence, peut avoir, d'après lui, des conséquences dépassant le domaine culturel, car « l'avenir de l'État juif » peut

---

23. Ophir Haïvri, « La Knesset s'effondre » (en hébreu), *Tehelet*, 8 (1999), p. 12.
24. Daniel Polisar, « On fait l'histoire » (en hébreu), *Tehelet*, 9 (2000), p. 17.
25. *Ibid.*, p. 15.
26. *Ibid.*, p. 14.
27. *Ibid.*, p. 17.
28. *Ibid.*, p. 19-20.
29. *Ibid.*, p. 15.
30. *Ibid.*, p. 17.

dépendre de la justification « du passé de la nation »[31]. *Tehelet* non seulement adopte la description que font les nouveaux historiens du déroulement de l'histoire sioniste, mais en proposant de le justifier par une morale alternative, il accepte en fait l'argument selon lequel, il s'agit là d'une déviation par rapport à la morale normative.

La position de *Tehelet* n'est pas exceptionnelle au sein de la droite. Dans une chronique intitulée « Qui a peur de la vérité », publiée fin 1999 dans *Yediot Aharonot*, Emouna Eilon défend les positions des nouveaux historiens de droite. D'après elle,

> Sont vrais tous les arguments, souvent répétés ces derniers temps, selon lesquels les révélations des nouveaux historiens apporteés à l'existence israélienne… sont difficiles et choquantes. L'histoire de la fondation de l'État d'Israël était en effet beaucoup plus agréable et plus sympathique, dans la version *mapaïnik* officielle, qu'on connaissait jusqu'à présent…. D'autre part, la version des nouveaux historiens est vraie…. Même les plus grands défenseurs du sionisme, qui veulent exclure les nouveaux historiens du consensus… n'essaient pas de prétendre que leurs découvertes ne sont qu'un amas mauvais et antisémite de faits mensongers. Les arguments des adversaires des nouveaux historiens… ne sont pas vraiment compréhensibles. Si cette terre est à nous,… nous n'avons pas d'autre choix que de lutter pour elle quand il le faut et d'en chasser qui il le faut et nous n'avons pas d'autre choix que de reconnaître la tragédie que nous avons causée à d'autres…. Toutefois, celle-ci ne saurait ébranler notre foi en la justice du chemin que nous empruntons, ni notre conviction que nous avons droit à cette terre[32].

La version des nouveaux historiens dénigrant la base morale du sionisme s'accorde donc au mieux avec le point de vue de *Tehelet* et de Eilon, selon lequel « l'entité israélienne » est née du fait d'une conquête, d'une expropriation et d'une déportation et que pour exister, elle continuera à l'avenir aussi, à avoir recours à ces moyens. Ceci transforme le débat sur le passé en une polémique sur la morale future des moyens et de la politique.

Tehelet met à nouveau en doute la faculté du sionisme de continuer à représenter le cadre d'un « État juif ». Son rédacteur-adjoint, Assaf Saguiv, annonce ce qui ne semble pas moins que « la fin du sionisme ». Saguiv combat la prolifération de la « culture hédoniste de la jeunesse » parmi « les enfants nantis de la classe moyenne »[33]. Il affirme que celle-ci reflète et glorifie la décomposition de la société israélienne, qu'elle s'épanouit « dans le vide spirituel et l'absence de valeurs qui suivit l'agonie de l'ancien sionisme »[34]. Il prétend

---

31. *Ibid.*, p. 20.
32. Emouna Eilon, « Qui a peur de la vérité », *Yediot Aharonot* 29 septembre 1999.
33. Assaf Saguiv, « Dionysos à Sion : la naissance de la musique, de l'esprit de la tragédie » (en hébreu), *Tehelet* 9 (2000), p. 120.

que cette culture se nourrit « de la défiance que ressentent de nombreux jeunes à l'égard de tout ce qui rappelle les slogans et les grandes promesses du passé »[35]. Selon lui, les jeunes furent ceux « qui se mobilisèrent les premiers au service de la révolution sioniste » dans un Israël qui avait adopté le culte moderne de la jeunesse, mais ils furent aussi ceux qui « annoncent aujourd'hui le déclin du pays »[36]. La conclusion de Saguiv est que cet esprit dionysiaque découle de l'échec de la société israélienne à créer « un ethos culturel opposé »[37]. Pour le combattre point n'est besoin, selon lui, de nouveaux moyens, mais « d'une nouvelle foi »[38].

L'attaque du sionisme continue par une critique de l'une de ses expressions culturelles les plus considérables : la littérature hébraïque moderne. Assaf Inbari fait la distinction entre « la littérature hébraïque » et « la littérature d'expression hébraïque ». Il affirme que « presque tout ce qui fut écrit en hébreu au cours du XXᵉ siècle n'est pas hébraïque dans sa poétique[39]. Selon lui, l'œuvre hébraïque – imprégnée de la connaissance du style de vie religieux – telle qu'elle apparut dans différents genres pendant des générations, est une « littérature d'action, historique et nationale » par essence[40]. Elle constitue « le fondement essentiel de notre identité culturelle et nationale[41]. Par opposition, la littérature hébraïque moderne – enfant de la révolution sioniste – coupe cette continuité. Elle « n'est pas historique mais actualiste dans sa conception du temps et n'est pas nationale mais individuelle dans son contenu »[42]. Agnon, selon lui, constitue l'exception, car il continue la tradition de la littérature hébraïque des générations qui l'ont précédé. Mais ce n'est pas Agnon, mais Brenner qui représente le modèle de la littérature israélienne. Or, la poétique de Brenner se situe presque totalement à l'opposé de la poétique hébraïque »[43]. La littérature hébraïque actuelle n'est, d'après lui, pas plus qu'une « remorque imitatrice de la mode culturelle actuellement en vogue en Occident », ce qui conduit à un « auto-anéantissement »[44]. Inbari affirme que « jamais la littérature, dite "hébraïque" ne fut plus éloignée de la poétique hébraïque qu'elle ne l'est aujourd'hui »[45]. Il demande de la rame-

---

34. *Ibid.*, p. 123-124.
35. *Ibid.*, p. 124.
36. *Ibid.*, p. 121.
37. *Ibid.*, p. 123.
38. *Ibid.*, p. 124.
39. Assaf Inbari, « Vers une littérature hébraïque » (en hébreu), *Tehelet* 9 (2000), p. 59.
40. *Ibid.*, p. 39.
41. *Ibid.*, p. 35.
42. *Ibid.*, p. 59.
43. *Ibid.*, p. 62.
44. *Ibid.*, p. 70.
45. *Ibid.*, p. 69.

ner dans le sillon de la poétique hébraïque classique et de trouver « un chemin qui nous soit propre », tout en se mesurant à la culture occidentale [46]. Cet appel revient dans d'autres articles de *Tehelet*, plus particulièrement chez Zéev Magan, qui comme Inbari, utilise des images empruntées à la biologie et propose une identité juive comme « médicament » contre « l'épidémie » et « le virus » responsable de « la maladie occidentale moderne » [47]. Inbari ajoute donc une dimension de profondeur historique et culturelle à la critique sioniste de Saguiv : le facteur de l'échec du sionisme à se mesurer avec les défis du présent se trouve déjà, selon lui, dans le noyau de son existence et surtout, dans la cassure de continuité par rapport au passé juif.

Yoram Hasony, président du « Centre Shalem », propose une explication d'ensemble à l'échec du sionisme et une base pour « une nouvelle conviction ». Dans un article intitulé « "L'État des Juifs" a cent ans » [48], Hasony identifie le principal facteur de l'échec du sionisme par un abandon de sa vision rationnelle originale, qui alliait idéalisme et libre marché et mettait l'accent sur la formation d'une conscience nationale. Après la mort de Herzl, explique-t-il, le sionisme fut réalisé par le parti travailliste qui associa matérialisme et athéisme et mit l'accent sur la colonisation et l'édification d'institutions étatiques afin de créer un Juif nouveau. L'État d'Israël, tel qu'il s'établit en 1948, explique Hasony, « reflétait l'ordre des priorités du mouvement travailliste et non celui de Herzl » [49]. Le mouvement travailliste – dont Ben-Gourion fut le représentant éminent – réussit à réaliser la rédemption matérialiste, principalement à cause de la menace de guerre et la faculté mobilisatrice qu'il avait créée sous son égide. Cependant, le sionisme matérialiste mobilisateur s'effondra quand la tension sécuritaire se détendit. L'esprit devant définir quelle serait dorénavant la vision du sionisme et quelle serait sa voie d'expression, se perdit. Rappelons qu'Herzl considérait son établissement comme l'objectif essentiel du sionisme. Or, après la démission de Ben-Gourion en 1963, commença un processus d'affaiblissement du sionisme, qui se traduisit par l'appel à la normalité et à la réalisation personnelle. Hasony situe là le début du post-sionisme. L'explication de Hasony lui permet donc de tenir la chandelle par les deux bouts : d'une part, de s'approprier la vision sioniste et d'apparaître comme le plus fidèle de ses partisans, le seul à la poursuivre et d'autre part, de nier toutes les manifestations pratiques du sionisme et de se présenter comme son critique le plus acerbe.

---

46. *Ibid.*, p. 70.
47. Zéev Magan, « Imagine – sur John Lenon et l'amour » (en hébreu), *Tehelet*, 8 (1999), p. 126.
48. Yoram Hasony, « "L'État des Juifs" a cent ans » (en hébreu), *Tehelet 2 (1997), p. 17-30.*
49. *Ibid.*, p. 20.

Après la dégénération du mouvement travailliste, « la seule idéologie sioniste restée actuelle et vivante » était selon Hasony, le sionisme religieux, pratiqué par les élèves du Rav Kook, qu'il dénomme, « le nationalisme des *yechivot* »[50]. Cette tendance devint après 1967, la force dominante de la droite. Cependant, « le nationalisme des *yechivot* » échoua lui aussi. Il ne sut devenir une force significative pour tous, parce qu'il n'était pas un vrai succédané du mouvement travailliste. Il avait cependant hérité de ses valeurs – comme la colonisation, l'armée et l'agriculture – et il rappelait « étrangement » le ben-gourionisme, ses méthodes politiques et son matérialisme. C'est ainsi que sous son inspiration, « le camp national » devint « un nouveau *Mapaï* », procédé qui entraîna justement par contre-réaction, un renforcement des idées post-sionistes[51]. Face à l'échec du « camp national » et à la lumière de l'hypothèse de Hasony que « le combat le plus important ne porte pas sur les territoires de Judée-Samarie et de la bande Gaza ou sur les accords d'Oslo, mais se tient entre « les conservateurs et les libéraux »[52], le « Centre Shalem » propose à la droite israélienne une idéologie rassembleuse alternative : « le nouveau conservatisme ».

Hasony montre une certaine sympathie envers le post-sionisme en tant que négation du sionisme matérialiste ben-gourioniste. Il pense que le post-sionisme et le nationalisme des *yechivot* sont proches, chacun à sa manière, de l'esprit des idées de Herzl. Plus en tout cas, que le mouvement travailliste. Selon lui :

> Contrairement à ce que soutiennent les derniers gardiens du sionisme aujourd'hui, pencher vers des valeurs post-sionistes, en Israël après Ben-Gourion, n'exprime pas une expansion de la tendance matérialiste, au contraire. Cela représente une aspiration à quelque chose de plus élevé, de la part de Juifs intelligents, pour qui l'expérience de vivre dans le matérialisme et la médiocrité institutionnelle de l'État des Juifs, dans la version du mouvement travailliste, était un étouffement.… Les post-sionistes de notre époque, peuvent avoir des conceptions variées sur la question de comment répondre au désir de liberté, de créativité, d'intellectualisme, de légalité, d'internationalité et d'une pincée d'universalisme – de nombre d'Israéliens, pour toutes ces choses que le sionisme du mouvement travailliste, avec son tribalisme, son provincialisme et son matérialisme ne put jamais fournir[53].

L'analyse de Hasony présente une position, qui même si elle n'est pas hégémonique, est assez ancrée à droite. Dans son article « Éloge du post-sionisme »,

---

50. *Ibid.*, p. 23-24.
51. *Ibid.*, p. 6-25.
52. Haetsni, « Le Centre Shalem » (en hébreu), *Maariv*, 18.10.1996.
53. Hasony, « "L'État des Juifs" a cent ans », p. 21-22.

paru dans *Nekouda*, Yaïr Shapira, ancien élève d'une yechiva religieuse-natio-
nale et habitant d'une des implantations, propose une analyse analogue. Shapira
repousse l'appel entendu dans les cercles du sionisme religieux après l'assassinat de Rabin, selon lequel ils devraient à nouveau se rapprocher du courant
central du mouvement travailliste, pour isoler les éléments qui à gauche, tendent
vers des directions post-sionistes. Shapira au contraire, appelle les élèves du
Rav Kook – «le nationalisme des yechivot» selon l'expression de Hasony –
à se rapprocher justement de «ceux qui brandissent le drapeau post-sioniste.
Ceci, pour perpétuer le spiritualisme juif, sauver leur âme et la protéger de
l'atteinte malveillante de ceux qui embrassent le cadavre du sionisme historique», c'est-à-dire le mouvement travailliste[54].

Hasony insiste sur le caractère individualiste du post-sionisme, qui crée
un dénominateur commun entre celui-ci et «le nouveau conservatisme»:

> Presque seuls dans l'ensemble du paysage politique israélien, les post-sionistes
> et d'autres au sein de la nouvelle gauche, ont fait des efforts, sincères quoique
> souvent erronés, pour transformer Israël en un pays où les besoins de l'individu
> pourraient se satisfaire – alors que leurs opposants du camp national, restent
> persuadés que c'est la pénétration de normes «américaines» qui amena la destruc-
> tion de l'identité juive nationale commune. Mais les nationalistes ne réussissent
> pas à comprendre la révolution à laquelle ils assistent: le post-sionisme n'est pas
> le résultat de l'élargissement de la liberté personnelle. Il est une réaction à des
> dizaines d'années d'étouffement, dirigé contre l'individu par le socialisme étatique.
> Le post-sionisme, donc, ne découle pas de la liberté, mais de l'esclavage. Le
> mauvais traitement infligé à l'individu par l'État du sionisme travailliste entraîna
> un dégoût pour l'idéologie nationale juive[55].

Hasony accepte donc les principes de la critique du post-sionisme, soit
que le sionisme, tel qu'il fut réalisé dans la pratique, par le mouvement
travailliste, s'accompagna d'une aliénation et d'une répression de l'individu.
Il accepte par conséquent la base de l'édifice de valeurs que représente le
post-sionisme, c'est-à-dire l'individualisme et l'opposition à toute forme de
collectivisme. En même temps et contrairement aux post-modernistes, il n'en
tire pas une négation des principes du sionisme et propose un modèle de
sionisme individualiste: par opposition au sionisme du mouvement travailliste,
qui était basé, toujours selon son interprétation, sur l'État et ses institutions,
il présente «le sionisme du marché» qui est une société construite sur la libre
entreprise, qui neutralise le pouvoir caché de l'État et qui permet au particulier de prendre des risques personnels pour réaliser des rêves personnels. «Le
sionisme de marché» de Hasony est un procédé rhétorique qui, comme le

---

54. Yaïr Shapira, «Éloge du post-sionisme» (en hébreu), *Nekouda* 204, (avril 1997), p. 3-42.
55. Hasony, «"L'État des Juifs" a cent ans», p. 29.

post-sionisme, dénie le sionisme historique en tant que pouvoir oppresseur, mais ne s'affiche pas ouvertement face à lui. Il tente de faire une brèche dans le concept de « sionisme » pour enraciner dans le cœur de ses partisans, particulièrement ceux inspirés du « nationalisme des yechivot », une idéologie opposée. Pour donner une légitimation historique au « sionisme de marché », Hasony la transforme en « vraie vision » de Herzl. Par une exégèse idiosyncrétique, il transforme Herzl en conservateur combinant la libre entreprise et le lien avec la religion – pas particulièrement dans sa forme orthodoxe – dans l'esprit du néo-conservatisme juif des États-Unis.

Toutefois, plus que Hasony ne décrit la pensée de Herzl, il la pousse dans les limites du néo-conservatisme juif. Dans une conférence qu'il tint au « Centre Shalem », Irving Kristol[56], l'un des plus insignes néo-conservateurs juifs, décrit comment on pouvait – en neutralisant l'élément radical formateur du sionisme – faire de l'élément juif la pierre angulaire de l'économie, de la société, du régime et des relations extérieures d'Israël. Tout comme *Tehelet*, Kristol repousse lui aussi les positions du « courant central » de la pensée politique sioniste et israélienne, parce que celui-ci tire ses références de l'idéologie du nationalisme romantique et de la gauche européenne. A sa place, il propose « de peupler les traditions conservatrices de la religion et de la morale, avec la liberté de l'économie de marché »[57]. Kristol prétend que le conservatisme se base sur la négation du radicalisme révolutionnaire, luimême fruit des Lumières, qui tend à créer un nouvel homme et une nouvelle société selon un plan à vocation universelle. Par opposition, il considère la religion et la tradition, comme des points de référence, convenant à une société de libre marché et pouvant renforcer les valeurs positives du régime, dans un processus de développement qui interprète la tradition du passé et l'adapte à des situations changeantes. Selon lui, la religion, forme non seulement l'ethos nécessaire à l'initiative capitaliste, mais aussi la conscience indispensable pour accepter les échecs de la méthode de marché. En effet, la religion enseigne « que les tragédies et l'injustice qui sont notre destin à tous, font partie d'un ensemble plus miséricordieux, même s'il n'est pas compréhensible par la connaissance »[58]. Kristol se réfère à Adam Smith, qui « insista beaucoup sur la compassion, dans les relations naturelles entre les hommes, y compris quand ils agissent dans le cadre de l'économie capitaliste de marché ». Il suppose qu'il n'aurait pas « demandé de supprimer totalement l'État providence »[59], mais aurait réduit son domaine d'action en le conservant en tant que système d'institutionnalisation de la compassion.

---

56. Irving Kristol, « Sur les injustices politiques des Juifs » (en hébreu), *Tehelet* 8 (1999), p. 40-53.
57. *Ibid.*, p. 48.
58. *Ibid.*, p. 45.
59. *Ibid.*, p. 47.

Cependant, contrairement aux positions de *Tehelet* et de Hasony, le radicalisme révolutionnaire, fruit des Lumières et le désir de créer des Juifs nouveaux, tant comme individus que comme société, à la lumière de valeurs universelles, sont la base idéologique du sionisme rationnel[60]. En général dans ses écrits et dans *Altneuland* en particulier, Herzl décrit le sionisme comme une « ingénierie sociale » dans l'esprit du socialisme utopique. Par la régulation des forces de l'État et du marché, ce sionisme aspire à créer « une nouvelle société », qui serait une alternative au capitalisme et à ses vices. Le sionisme, selon lui, est une révolution tendant à la modernisation, à la politisation et à la normalisation des Juifs. Celle-ci se fait par une révolte contre des éléments qui traditionnellement, furent caractéristiques de l'existence juive, comme la sanctification de la religion et de la tradition, l'autorité des rabbins et des magnats, l'économie des intermédiaires, l'animosité et la crainte envers « le goy » et le messianisme. Pour remplacer l'ethos religieux et traditionnel, le sionisme rationnel proposait donc aux Juifs une nouvelle conception. Celle-ci considérait la formation consciente de l'économie, de la société et de la culture – pour parler des changements internes – et la conciliation avec le monde – pour parler des changements externes – comme des éléments complémentaires. *Tehelet* et Hasony, par contre, s'indignent contre l'ethos de formation sioniste au nom d'un ethos conservateur juif, conférant aux valeurs de concurrence du capitalisme, une identité juive.

Le post-sionisme de droite de *Tehelet*, ne se nourrit pas seulement de la déception par rapport à l'échec du sionisme à établir en Israël un patrimoine juif, ni de la critique de la manière dont fut réalisé le sionisme par le parti travailliste, mais surtout de la négation de principe des éléments essentiels de l'idéologie sioniste, comme la révolte envers le passé juif, l'établissement d'une nationalité juive, distincte de la religion, la suppression de la tension entre les Juifs et le monde et laïcisation de la culture hébraïque. Le post-sionisme de droite ne prend au sionisme que le principe de souveraineté juive, tout en s'activant à préférer l'élément « juif » à l'élément « sioniste » afin de neutraliser l'influence sur la société israélienne de l'élément radical et formateur du sionisme et d'habituer celle-ci à l'ordre du jour du « nouveau conservatisme ».

Entre le post-sionisme de droite et de gauche, existe une entente très large. Les deux critiquent la légitimité du sionisme à définir l'identité collective israélienne. Que ce soit pour des raisons « civiles » à gauche ou pour des

---

60. Voir par exemple : Daniel Gutwein, « Utopie et réalisation : antisémitisme et auto-transformation dans "la force motrice" de la pensée sioniste première de Herzl » (en hébreu), *Le sionisme*, 19 (1995), p. 7-29 ; Uri Zilbersheid, « La vision économique et sociale de Herzl » (en hébreu), *Études sur la renaissance d'Israël*, 10 (2000), p. 614-640.

raisons « juives » à droite, les deux pensent que « l'ancien » sionisme – tant celui du mouvement travailliste que le sionisme religieux – est en train de s'affaiblir et de se pulvériser en même temps qu'il perd sa place en tant qu'idéologie de structuration du pays. Bien que portant le même jugement sur « la fin du sionisme », les post-sionistes divergent sur la question de l'alternative à souhaiter. Les post-sionistes de gauche considèrent l'écroulement du sionisme comme une bonne chose. Selon eux, il y aura là, de quoi annuler les relations d'oppression qu'imposa, dans leur optique, le sionisme à la société israélienne. Ils s'opposent donc à toute tentative de remplacer le sionisme par un autre projet organisateur. A droite par contre, on voit dans la ruine du sionisme, le résultat obligé de son horizon juif limité et de son inclination historique devant l'hégémonie de la gauche. On indique la nécessité d'une « nouvelle croyance » et « le nouveau conservatisme », basé sur « une obligation envers la tradition juive », devrait en fournir le fondement.

La lutte contre l'ethos sioniste et de son fondement collectiviste en tant que source de légitimité pour la réglementation et le façonnement de l'économie, de la société et de la culture, crée donc un dénominateur commun entre les post-sionistes de droite et de gauche. Les deux s'inspirent évidemment de traditions intellectuelles opposées et se définissent par des idéologies antagonistes. Mais parallèlement, les extrêmes ici se rencontrent – comme c'est le cas en général pour le postmodernisme et la droite, en Occident – ce qui en fait potentiellement des collaborateurs politiques. Les deux nient la tradition du progrès et y discernent des fondements répressifs et totalitaires. Ceci, alors que le post-sionisme de gauche adopte la critique de l'ouverture culturelle du postmodernisme tandis que celui de droite l'attaque par des arguments tirés de la pensée conservatrice. Les deux font usage du « Juif » pour briser l'identité collective israélienne, qui se définit en tant que « sioniste ». Cependant, alors que le post-sionisme de gauche considère l'effondrement lui-même comme son objectif, celui de droite utilise le « Juif » afin de construire une identité collective alternative, qui viendrait remplacer le sionisme. Les deux mènent une « politique d'identité », mais sont partagés sur la définition de la lutte et de celle des adversaires. Le post-sionisme de gauche imagine un combat de groupes identitaires – principalement des « autres » par rapport à l'identité israélienne hégémonique – au sein de l'État et contre lui, tandis que le post-sionisme de droite, se focalise sur un combat contre les éléments « non-juifs » – également au sein de la population juive – comme partie d'une confrontation inter-culturelle dans un contexte international. Les deux voient dans le collectivisme et l'athéisme caractérisant le sionisme, des fondements répressifs et ils préfèrent les forces du marché, au pouvoir camouflé de l'État. Toutefois, alors que le post-sionisme de droite présente le capitalisme comme une sorte « d'ordre naturel », le post-sionisme de gauche adopte une attitude négative envers l'État et le marché. Mais étant donné que selon lui, le pouvoir de coercition de l'État est plus grand que celui du marché, il considère la privatisation, comme un procédé libérateur et affirme que le marché dirigera les systèmes sociaux de manière moins répressive.

Le post-sionisme de droite comme *Tehelet* propose une recette idéologique, adaptée aux besoins de l'élément religieux de droite, de la nouvelle classe. Il attaque le collectivisme sioniste, tel qu'il s'est révélé historiquement dans le sionisme religieux et prône l'individualisme, la concurrence, le libre marché et la privatisation, en les intégrant à un système de valeurs conservateur et juif, unissant le marché et la religion, comme le fit avec succès la droite juive aux États-Unis. C'est dire que « l'Amérique » représente le modèle idéal de la nouvelle classe. La rencontre des deux extrêmes, soit du post-sionisme de gauche et du post-sionisme de droite, n'est pas un hasard. Elle en dit long sur le partage des tâches existant entre eux, au service de la révolution de privatisation.

De la critique du collectivisme à la ratification de la privatisation

Ce n'est pas un hasard si le caractère du post-sionisme de gauche, en tant qu'idéologie de la privatisation ne fut pas très net au début. En vertu d'une stratégie appliquée également par d'autres révolutions idéologiques, il demanda, on l'a vu, d'appuyer la légitimité du nouvel ordre sur un système de valeurs ancien, tout en entretenant une polémique avec celui-ci. Le post-sionisme commença par être une critique de la collectivité israélienne, définie par le sionisme. Son caractère de privatisation s'exprimait dans la négation du sionisme. Ce n'est que peu à peu, à mesure que l'ethos de privatisation devint hégémonique et que la réalité économique et sociale détruisait l'image de l'ancienne collectivité, que l'élément de privatisation du post-sionisme apparut plus clairement. Cependant, certains écrits post-sionistes de gauche, parus ces deux dernières années, insistent moins sur la polémique avec le passé collectiviste et plus sur l'aspect individualiste, support de privatisation. Ainsi, la rencontre des extrêmes se fait plus étroite entre les post-sionismes de droite et de gauche.

Une expression évidente du changement qui se fait dans les aspects que le message post-sionisme souhaite souligner se trouve dans les écrits de Tom Ségev. Alors que dans ses livres précédents, il s'était concentré sur la fin de la collectivisation israélienne, dans son dernier livre, *Les nouveaux sionistes*, paru en 2001, il traite du soutien à l'individualisme. Sur la couverture du livre, on peut lire :

Les nouveaux sionistes sont des Israéliens qui ne vivent plus pour une idéologie nationale.... Ils ne s'occupent pas du passé de l'État, ni même de son avenir. Ils vivent pour la vie elle-même. Telle est dans le pays, l'essence du rêve sioniste qui est l'une des plus grandes réussites du XXe siècle. En réalisant ce rêve, Israël entre dans l'ère post-sioniste [61].

Ségev prétend qu'alors qu'Israël suivait gentiment son chemin vers une situation post-sioniste, l'Intifada le ramena vers sa matrice sioniste. Il présente ainsi le post-sionisme comme une étape nécessaire du processus de maturation de la société israélienne. L'emploi d'une terminologie empruntée à la biologie lui sert à conférer une objectivité au phénomène et à l'intégrer dans le courant central de la société israélienne. De même, l'oxymoron qu'il emploie en traitant les nouveaux sionistes de post-sionistes – donc de définir le post-sionisme par son contraire, soit le sionisme, qui était jusqu'à il n'y a pas si longtemps, l'idéologie officielle de l'État – exprime un changement dans le statut du post-sionisme, qui s'approprie les symboles de son adversaire, tout en devenant progressivement l'idéologie hégémonique dans l'Israël de la révolution de privatisation.

Dans son style neutre, Ségev présente le post-sionisme comme une situation objective, fruit d'un développement inévitable, qu'il faut accepter sans discussion, même si on n'est pas d'accord, puisque toute autre attitude serait contraire à la logique et à la réalité ainsi qu'au déroulement normal du développement de la société. Quand le pouvoir était aux mains du mouvement travailliste et de l'élite des kibboutzim, « la politique économique d'Israël devait promouvoir des objectifs nationaux » et les Israéliens étaient supposés « penser et sentir à la première personne du pluriel » [62]. Ségev considère qu'une telle situation implique une dimension répressive. Par opposition, le post-sionisme était selon lui, une démarche de libération de la société israélienne, par rapport à la collectivisation sioniste et au bolchevisme ben-gourioniste. Ceci, parallèlement à un affaiblissement de la solidarité sociale, le choix du libre marché et le fait de donner à l'individu une place centrale. Il affirme que :

> L'histoire économique d'Israël mène presque tout droit, vers la privatisation et le renforcement de l'initiative privée, par un processus progressif. Un point de repère dramatique de son histoire fut marqué en mai 1977, quand le pouvoir passa du parti travailliste au Likoud. Le nouveau ministre des finances, Simha Ehrlich, du pari libéral, s'empressa de faire venir le prophète de la libre entreprise aux États-Unis, Milton Friedman. Ce n'est pas un hasard si le Premier ministre, Menahem Begin désigna les kibboutzim comme cible. La métamorphose sociale,

---

61. Tom Ségev, *Les nouveaux sionistes* (en hébreu) [The New Zionists], (Jérusalem : Keter, 2001).
62. *Ibid.*, p. 52.

économique et idéologique qui accompagna le déclin des kibboutzim symbolise le passage d'une obligation déclarée aux valeurs du socialisme vers l'ère du libre marché [63].

Le procédé de diffusion du post-sionisme est, selon Ségev, la continuation de celui de l'américanisation de la société israélienne. D'après lui,

L'histoire intégrale du processus d'américanisation que traversa Israel est encore à raconter. C'est un axe absolument primordial de l'histoire de l'État. Son essence est une dépendance grandissante par rapport aux États-Unis, dans tous les domaines de la vie. L'américanisation affaiblit la solidarité sociale et contrairement au sionisme israélien original, place l'individu au centre de l'existence [64].

Le prophète suprême de cet esprit d'américanisation fut, d'après Ségev, Uri Avnéri, qui en tant que rédacteur en chef de l'hebdomadaire *Haolam Hazé*, exprima, dès les années cinquante et soixante, nombre de valeurs du post-sionisme. Ségev insiste sur le fait que « Avnéri était patriote. Il ne dit pas à ses lecteurs que la vie en Amérique est meilleure que la vie en Israël. Il leur dit que la vie en Israël est bonne parce qu'elle peut ressembler à celle de l'Amérique ». [65] Mais l'américanisation en tant que nouveau patriotisme israélien était un aspect nouveau, un retrait par rapport au sionisme, de la part d'Israël. « La dépendance d'Israël de l'aide américaine le faisait ressembler aux habitants du « vieux *yichouv* », qui vivaient des dons d'Amérique. L'histoire économique d'Israël est donc une histoire juive par excellence, bien loin de l'idéal qui guidait certains fondateurs du mouvement sioniste » [66].

La conversion d'une histoire israélienne en histoire juive, comme partie de l'américanisation et de la démarche post-sioniste, atteignit selon Ségev, un summum durant la guerre du Golfe. Selon lui,

À un certain stade, même la guerre, expérience collective et formatrice fondamentale, fut en quelque sorte privatisée. La terreur arabe ne menaçait pas l'existence même de l'État, mais la sécurité personnelle de chacun. C'est ce qui se passa durant la guerre du Golfe. Tout le monde savait que les missiles téléguidés vers Israël par l'Irak ne mettait pas l'État en danger. Ils menaçaient la vie d'individus. La guerre du Golfe fut une expérience individuelle par excellence. Les gens se tenaient dans des chambres étanches protégées, isolés de leurs voisins, des masques à gaz sur la figure, ces masques les isolant aussi des membres de leur famille. Ainsi, ils suivaient les émissions de la CNN, dont le captage en Israël constituait lui aussi une des étapes de l'américanisation [67].

---

63. *Ibid.*, p. 53.
64. *Ibid.*, p. 42.
65. *Ibid.*, p. 49.
66. *Ibid.*, p. 53.
67. *Ibid.*, p. 60.

Le livre de Ségev retrace donc la route qui fut celle du post-sionisme, ces dix dernières années. Il ne parle plus de l'éclatement de l'ethos collectiviste, mais considère celui-ci comme une étape dépassée, sans retour. Le nouvel ethos israélien est néo-libéral et son symbole est l'américanisation, soit la combinaison de l'économie de marché, de l'individualisme et de l'expérience juive. Celle-ci transforme le chapitre sioniste en un intermède ponctuel de l'histoire juive et intègre les nouveaux Israéliens – qui sont post-sionistes, autant qu'ils sont nouveaux-sionistes – dans la continuité de l'histoire juive, d'une part et de l'expérience mondiale d'autre part. Le concept d'américanisation de Ségev comprend les mêmes facteurs que ceux du « nouveau conservatisme », que proposent les post-sionistes de droite. Il en tire seulement des conclusions politiques et culturelles opposées.

L'aspect néo-libéral du post-sionisme, à son stade avancé, éclate également dans les études de Yossi Yona et de Yehouda Shenhav, sur le multiculturalisme, qui représente l'une des perspectives principales des critiques et de l'idéologie post-sionistes. Dans leur article, « La situation multiculturelle », paru dans *Théorie et critique*, ils affirment que :

> On peut également dire quelque chose de positif, sur les mécanismes de décomposition des forces du marché. On peut par exemple en conclure que les Palestiniens citoyens israéliens, auraient été heureux que les forces du marché, responsables d'allouer les terres de l'État, remplacent la politique discriminatoire de l'Administration foncière. Si les forces du marché de la musique des cassettes réussirent à casser le monopole « israélien » ancien (avec le soutien de l'État) de la musique rock, il est permis de dire quelque chose de positif sur ces forces [68].

Parallèlement à l'aspect positif que trouvent Yossi Yona et Yehouda Shenhav dans les mécanismes de décomposition des forces du marché, qui dans l'esprit néo-libéral sont présentés comme des facteurs libérateurs par rapport à l'oppression étatique, ces chercheurs sont contre le fait de considérer une pure lutte de classe, comme une volonté d'action pour promouvoir l'égalité politique et sociale et la juste distribution des biens [69]. Par contre, ils mettent leurs espoirs dans le volontarisme spontané de « forces tumultueuses existantes au sein de la société civile », bien qu'ils soient tout à fait conscients que cette société civile est l'une des principales manifestations de la société de marché et du capitalisme concurrentiel [70]. Grâce à l'idéalisation du marché et de la société civile en tant que facteurs libérateurs par rapport à l'oppression de l'État, Yona et Shenhav ne font pas qu'approuver la méthode

---

68. Yossi Yona et Yehouda Shenhav, « La situation multiculturelle » (en hébreu), *Théorie et critique* 17 (2000), p. 170.
69. *Ibid.*
70. *Ibid.* p. 184.

néo-libérale et le discours économique hégémonique. Ils brouillent aussi par là, l'exploitation économique, la discrimination sociale et l'exclusion culturelle, qui ne sont certainement pas moindres, dans le cadre d'une société civile et d'une société de marché, qu'ils ne le sont dans un cadre étatique [71].

De la même manière, Baruch Kimmerling, l'un des « sociologues critiques » les plus saillants, écrit dans son livre : *Fin de l'hégémonie ashkénaze*, paru en 2001, qu'il voit dans le multiculturalisme et la société civile, les fondements de l'ordre post-sioniste [72]. Dans ce livre, il parle des Israéliens vétérans, socialistes, sionistes nationaux, appartenant à la classe moyenne ou supérieure du point de vue social et économique, qui se croyaient les « maîtres incontestés du pays » [73]. Leur hégémonie, prétend Kimmerling, touche maintenant à sa fin et avec elle se termine aussi l'ancienne ère sioniste. Des groupes qui avaient été écartés par eux vers les marges de la société, comme les Orientaux, les ultra-orthodoxes, les Russes et les Arabes, voient à présent leur pouvoir grandir. Ils deviennent donc des privilégiés par rapport à un autre secteur, combattant pour avoir leur part du gâteau national. Kimmerling considère la fin de la collectivisation sioniste, comme un fait accompli et demande de reconnaître et d'institutionnaliser les écarts culturels et ethniques divisant la société israélienne, pour remplacer l'inégalité économique qui les cause. Il demande une réforme qui transformerait Israël en une démocratie multiculturelle régularisée, qui permettrait différents niveaux d'autonomie à différents secteurs. Il faudrait accomplir cette démarche en changeant les symboles de l'État, comme le drapeau et l'hymne national, afin que toutes les parties de la population, y compris les citoyens arabes, puissent s'y identifier. Parallèlement, il propose que la société civile serve d'instrument à la démocratisation du régime en Israël, mais soit aussi un support, grâce auquel la nouvelle classe pourra perpétuer son pouvoir. Il identifie les noyaux de la société civile, précisément dans les agents de division qui morcellent la société existante, comme certains regroupements au sein de la société ultra-orthodoxe, le parti *Shass* ou la communauté russe. Cette force première permet aux anciens privilégiés, qui sont toujours « l'échine » de la société [74], de conserver leur hégémonie par des alliances et des coalitions changeantes avec différents groupes et « de se maintenir ainsi au sommet de la hiérarchie politique, culturelle et économique – même s'ils n'en sont plus les seuls maîtres » [75].

---

71. Voir : Daniel Gutwein, « L'identité contre la classe : le multiculturalisme en tant qu'idéologie néo-libérale » (en hébreu), *Théorie et critique*, 19 (2001), p. 241-257.
72. Baruch Kimmerling, *Fin de l'hégémonie ashkénaze* [en hébreu], (Jérusalem : Keter, 2001). [Dans le titre hébreu, un sigle, inventé par l'auteur et signifiant « ashkénazes, laïcs, vétérans, socialiste et nationaux » remplace le mot « ashkénaze » du titre français, N.D.T.]
73. *Ibid.*, p. 11-12.
74. *Ibid.*, p. 12.
75. *Ibid.*, p. 15-16.

Adi Ophir, penseur post-sioniste éminent, qui en tant que fondateur et premier rédacteur de *Théorie et critique*, fit beaucoup pour sa diffusion, dévoile le caractère néo-libéral du post-sionisme, dans une étude sur les relations entre Israël et les Palestiniens. Dans la revue *Temps de vérité*, parue en 2001 [76], Ophir affirme qu'une réconciliation avec les Palestiniens ne se fera, qu'avec la fin de l'occupation, quand Israël reviendra aux frontières du cessez-le-feu de 1948, évacuera les implantations construites dans les territoires après 1967, y compris Jérusalem. Une condition supplémentaire à la réconciliation est un accord sur la question des réfugiés. De ce point dépend aussi la chance de réconciliation avec les Palestiniens, citoyens d'Israël et le règlement de leur statut en tant que citoyens égaux aussi bien qu'en tant que minorité nationale reconnue. Sans compromis sur la question des réfugiés de 1948, insiste-t-il, il ne peut y avoir de réconciliation et Israël ne se débarrassera pas de l'ombre de l'apartheid qui la tache. L'occupation est « le point de départ, le moule des rapports de force et des relations sociales » [77] non seulement entre les Juifs et les Palestiniens, mais aussi entre les Juifs et les Juifs. La fin de l'occupation n'est pas un but en soi, mais le pivot du changement d'orientation de la société israélienne. Et Ophir termine en proposant à la gauche israélienne, une voie à suivre :

> Les chances de paix, de réconciliation entre les peuples, de réhabilitation de la société civile en Israël, d'une plus juste répartition de la richesse, de soutien aux groupes faibles – tout cela dépend de la fin de l'occupation. Un soutien à toute autre cause, pour juste et digne qu'elle soit – comme de renforcer ou de freiner le tribunal suprême, de changer la méthode électorale, de s'opposer aux processus de privatisation, d'exiger la mobilisation des étudiants des *yechivot* ou refuser de leur accorder des subsides, d'augmenter le salaire minimum – un soutien à l'une de ces causes, ne peut dépendre que de son apport à la lutte contre la poursuite de l'occupation et contre l'établissement de l'apartheid. Tel est l'ordre du jour que la situation d'occupation impose à la gauche israélienne. Jusqu'à la fin de l'occupation, la gauche en Israël n'aura et ne peut avoir d'autre ordre du jour [78].

L'affirmation selon laquelle le combat contre l'occupation exclut toute autre lutte sociale ou civile, comme par exemple « l'opposition aux processus de privatisation », prouve le caractère néo-libéral du post-sioniste et dévoile clairement le fondement social de droite existant dans la critique d'Ophir. Une neutralisation de la gauche dans l'arène de la lutte économique et sociale, jusqu'à ce que se termine l'occupation et qu'on arrive à la paix, signifie l'aban-

---

76. Adi Ophir, (éd.), *Temps de vérité : L'Intifada d'El Aktsa et la gauche israélienne* (en hébreu), (Jérusalem : Keter, 2001).

77. *Ibid.*, p. 12.

78. *Ibid.*, p. 17.

don de ce terrain au pouvoir du capital et l'acceptation des processus de privatisation et de l'effondrement de l'État providence. L'argument en faveur d'un
ordre du jour n'ayant qu'une seule dimension, celle de la lutte contre l'occupation, n'est pas nouveau. Il s'agit de l'exigence de se limiter à l'ordre du jour
de la gauche israélienne, qui sous couvert du combat pour la paix et les droits
du citoyen, participa activement à la politique d'éclatement de l'État providence, à la privatisation, à l'agrandissement des écarts économiques et sociaux
et à la marginalisation des classes pauvres. Le radicalisme post-sioniste sert
donc à camoufler une politique de poursuite de la collaboration de la gauche
politique avec la droite économique, pour le maintien du statu quo social en
Israël, politique bénéficiant du soutien du post-sionisme de droite.

Le régime de privatisation et l'élaboration d'une « classe usée »

Ces deux dernières années, comme le montrent les propos de Ségev, Yona,
Shenhav et Ophir, le post-sionisme, dans toutes ses manifestations, devient
de plus en plus une idéologie néo-libérale. Celle-ci utilise l'attaque du passé
sioniste comme un moyen de dénigrer les fondements de l'État providence
et de le saper, au nom de la privatisation, de la concurrence et de l'économie
de marché. Ce changement de contenu du post-sionisme s'est produit parallèlement à l'établissement de la révolution de privatisation et aux changements dans la composition et le caractère de la classe moyenne, qui créèrent
un nouveau contexte pour l'activité du post-sionisme.

La destruction de l'État providence entama la sécurité sociale de larges
couches de la classe moyenne. Ainsi, la révolution de privatisation divisa à
nouveau la classe moyenne qui s'était créée lors du processus de privatisation, en deux classes antagonistes, aux intérêts contraires, pour ce qui est de
l'avenir de l'État providence. L'une, « la classe montante », qui s'habitue au
régime de privatisation et fait des occasions économiques qu'elle crée, un
levier de progrès de son statut relatif. L'autre, « la classe usée », touchée par
la privatisation des services sociaux, perd son assurance sociale et sa sécurité de l'emploi, a du mal à se mesurer à la nouvelle réalité et est rejetée vers
le bas de l'échelle, vers les classes pauvres. La lente privatisation des services
sociaux, comme la santé et l'éducation fit de leur consommation par « la classe
usée », une très lourde charge. Celle-ci grandit encore avec la privatisation
du marché du travail par le passage des conventions collectives à des contrats
personnels et le recrutement par des sociétés de personnel, qui attentèrent à
la stabilité de l'emploi, aux rentrées et au pouvoir de planification économique de cette classe. La déstabilisation de la sécurité sociale et l'impossi-

bilité d'obtenir des services vitaux commencèrent à éveiller dans les couches
« usées » de la classe moyenne, un sentiment de frustration, de colère et d'aliénation qui jusque-là, était l'apanage des seules classes pauvres [79].

Le caractère néo-libéral du post-sionisme le place donc, à l'opposé des
intérêts de la classe « usée ». La ruine de l'État providence atteint celle-ci.
Ainsi, à la suite de la réussite de la révolution de privatisation, le postmodernisme se noie dans le discours hégémonique qu'impose « la classe
montante ». D'autre part, il perd le soutien de « la classe usée », qui dans le
passé, du fait qu'elle appartenait à la classe moyenne, faisait partie de sa clien-
tèle cible. Dialectiquement, la victoire des tendances néo-libérales, enlève
donc au post-sionisme toute dimension, dans les nouveaux dilemmes que lui-
même contribua à créer.

A mesure que « la classe usée » prend conscience d'elle-même et que les
oppositions d'intérêts aiguisent la différence entre elle et « la classe montante »,
cette classe doit élaborer une politique et des moyens d'action politiques pour
résoudre les problèmes auxquels elle est confrontée. Sa réaction est semblable
à ce qui se passa dans les pays occidentaux au cours de cette dernière décennie. « La classe usée » réagit elle aussi à la révolution de privatisation de deux
manières opposées : la « politique de la haine » d'une part et la gauche sociale
de l'autre. La « politique de la haine » est basée sur l'élaboration d'une identité sectorielle de « la classe usée », s'intégrant au régime de coupure de la
société israélienne. Elle s'accroche avec nostalgie aux privilèges du passé,
glorifie les différences culturelles entre elle et les groupes d'identité composant les classes défavorisées – comme les Orientaux, les ultra-orthodoxes et
les Arabes – et les accuse de sa chute. La poursuite de la politique néo-libérale approfondit et accentue la politique de la haine qui devient une base
d'existence pour la droite post-fasciste. Ainsi, « la classe usée » adopte le
modèle de réaction des classes défavorisées à la révolution de privatisation.
Bien qu'ayant été ses victimes, elles ne s'y étaient pas opposées, mais ont
assimilé ses conclusions, se sont intégrées aux règles du jeu néo-libéral. Face
à l'usure de l'État providence, les différents sous-groupes des classes défavorisées, ont transformé les identités séparées qui les caractérisent en un levier
pour se regrouper en organisations politiques. Celles-ci, tout en luttant entre
elles, aspirent à obtenir sur une base sectorielle, des services que la privatisation les empêche de recevoir sur une base universelle. Les exemples les
plus probants sont Shass et les partis « russes ». La gauche sociale, par contre,
met en avant la communauté d'intérêts entre « la classe usée » et les classes

---

79. Pour une analyse profonde de ce phénomène, voir : Daniel Gutwein, « La dialectique de l'échec de
    l'égalité : la gauche israélienne entre le néo-libéralisme et la sociale-démocratie » (en hébreu),
    Mikarov 3 (2000), p. 30-57.

défavorisées. Elle nie les hypothèses du néo-libéralisme, combat pour que cesse la politique de privatisation et exige la réhabilitation et l'actualisation des mécanismes de l'État providence, par une planification économique, une régularisation sociale et une justice de distribution. Ceci, alors que la sécurité sociale est censée aplanir les différences sociales entre les groupes identitaires et freiner les tendances de cassure sectorielle.

Contrairement au mouvement travailliste qui agissait de manière hégémonique, l'expérience constituante de la gauche sociale est une opposition à l'ordre néo-libéral qui s'impose en Israël. Et contrairement à la cassure qui préside à « la politique de la haine », le point de départ de la gauche sociale, se base sur « la classe usée ». C'est la conscience de généralité, qui caractérise les classes moyennes. Contrairement à la conscience de marginalité qui s'imposa aux classes défavorisées au cours du procédé de leur exclusion, elle lui permet d'exiger un changement des règles du jeu de la société. L'apparition de « la classe usée », change donc les limites de la politique israélienne. Pour la première fois depuis une génération, se crée un facteur ayant intérêt et pouvant combattre le régime de privatisation, en rénovant la méthode socialiste israélienne. Celle-ci devrait s'opposer tant à l'étatisation qui caractérisa la gauche israélienne jusqu'aux années soixante-dix, qu'au néo-libéralisme qui la caractérise depuis.

La victoire du néo-libéralisme et la révélation de l'exploitation, de la répression et de l'exclusion qui lui sont inhérents, de même que la montée de la gauche sociale se présentant comme une opposition à l'ordre de privatisation, mettent en lumière la contradiction interne, existant depuis ses débuts, dans l'ordre du jour post-sioniste.

La rhétorique post-sioniste parle au nom de la libération de la société israélienne et de la répression de l'étatisme sioniste, alors qu'en fait, elle donne une justification « sociale » à la répression néo-libérale, à des mesures portant atteinte aux mécanismes de l'État providence et à leur privatisation. Cette contradiction se révéla à mesure que la révolution de privatisation augmenta l'inégalité économique et sociale et intégra le post-sionisme à l'hégémonie néo-libérale. Les post-sionistes réagirent à la divulgation de la contradiction de la critique de la gauche sociale par une contradiction supplémentaire. D'une part, ils continuent de soutenir la ligne néo-libérale et la glorification du pouvoir de la société civile sur le compte de celui de l'État. Ceci, parce qu'ils présument que la société civile détient un avantage relatif sur l'État, du fait que ses mécanismes de répression sont moins violents et moins absolus que ceux de l'État. Parallèlement, ces mécanismes ménagent plus de sorties de secours – particulièrement par l'action des forces de marché – qui créent de plus grandes chances de se libérer de l'oppression. D'autre part, les post-sionistes critiquent l'ordre néo-libéral et les résultats de la révolution de privatisation et demandent l'intervention de l'État afin d'instaurer une justice sociale.

La contradiction qu'impose le changement de rôles, du rôle de critique en celui de participant à l'oppression, est frappante dans le cas de Yona et Shenhav. Leur soutien aux mécanismes de destruction des forces du marché, en les présentant comme des facteurs libérateurs de l'oppression étatique, est une contradiction évidente avec le fait qu'ils sont tous deux actifs dans le mouvement de « l'arc démocratique oriental » et sa lutte pour la réduction de l'inégalité économique, politique et culturelle en Israël – qui touche surtout les Orientaux – par une redistribution plus juste des ressources sociales. En tant que porte-parole de cette organisation, ils demandent à l'État et à ses mécanismes d'augmenter leur intervention dans l'économie et la société, pour garantir plus de justice et d'égalité. Mais par ailleurs, en tant que promoteurs du projet multiculturel, ils veulent réduire l'intervention de l'État et demandent de la remplacer par l'action de la société civile et les forces du marché, bien que leur action intensifie l'inégalité. Cette contradiction est évidente pour ce qui concerne la question des terres. En tant que membres du mouvement de l'Arc, Yona et Shenhav mènent le combat contre la privatisation des terres de l'État en insistant sur le fait que la privatisation sert les intérêts des riches et augmente l'inégalité économique. Ils demandent que les terres soient allouées, non selon les forces du marché, mais dans le cadre d'une régularisation sociale et en vertu de profondes considérations de l'intérêt public. Par contre, en tant que porte-parole du multiculturalisme néo-libéral, ils parlent en faveur de la privatisation des terres et de leur attribution selon les forces du marché, qui agiront de manière plus juste que ne le ferait l'État.

Cette contradiction apparaît également chez Kimmerling. Tout en justifiant les mesures néo-libérales de déconstruction, en tant qu'expression du développement multiculturel de la société civile et de la démocratie réglementée, il dit que « l'État pourra ainsi remplir plus efficacement les missions restées de sa compétence, qu'aucune société civile ne peut remplir à sa place, comme la réduction de l'inégalité, l'éducation et bien entendu la sécurité découlant de ces derniers [80]. » On peut trouver une autre expression de cette contradiction dans ses propos, affirmant qu'il est conscient que quelques-unes de ses propositions « semblent franchir les limites du sionisme »[81], mais en même temps il affirme aussi que l'idéal qu'il propose « est aussi le plus proche de la vision que présentèrent les pères fondateurs du sionisme »[82]. Ainsi, tout comme Ségev, Kimmerling voudrait définir les changements qu'il

---

80. Kimmerling, *Fin de l'hégémonie ashkénaze*, p. 89.
81. *Ibid.*, p. 105.
82. *Ibid.*, p. 106.

demande à faire dans la société israélienne, non comme étant dirigés contre
le sionisme mais comme appartenant à celui-ci.

On doit comprendre l'avertissement de Ophir, selon lequel «jusqu'à ce
que se termine l'occupation, la gauche en Israël n'a et ne peut avoir d'autre
ordre du jour», que le combat contre l'occupation, y compris un non «d'opposition au processus de privatisation», face au double ordre du jour qu'on
découvre peu à peu chez les post-sionistes et face à sa conscience de leur
exigence «de présenter une alternative convaincante, non seulement au récit
sioniste, mais aussi aux processus de privatisation qui l'ont liquidé»[83]. Ces
appels sont une réaction à la présence grandissante de l'oppression néo-libérale, dont le post-sionisme fut en partie responsable, mais ils sont également
une réaction à la montée de la gauche sociale – qui elle-même se constitua
en réaction à l'apparition de «la classe usée» et reflète ses intérêts. Cette
gauche sociale exige de définir une nouvelle plate-forme de la gauche israélienne. Son foyer ne serait pas uniquement l'occupation, mais aussi ces mêmes
questions qu'Ophir demande de reléguer, comme la juste répartition de la
richesse, le soutien aux classes faibles, l'opposition aux processus de privatisation et l'augmentation du salaire minimum. Certains pensent même, que
la fin de l'occupation dépend de la résolution de ces questions sociales.

La montée du post-sionisme et les évolutions qui y sont survenues ces
deux dernières dizaines d'années, reflètent donc les changements que subit
la classe moyenne en Israël et ses constantes divisions. Le post-sionisme
débuta comme l'idéologie de «la nouvelle classe», utilisant la critique du
sionisme pour justifier la privatisation de la société israélienne dans le cadre
de sa lutte contre «l'ancienne classe». Il devint partie intégrante de l'hégémonie néo-libérale avec le succès de la révolution de privatisation qui divisa
une fois de plus la classe moyenne en «classe montante» et «classe usée».
Il est stimulé, à l'intérieur comme à l'extérieur du mouvement, par la gauche
sociale, qui se constitua à la suite de l'apparition de «la classe usée», de
manière à conduire à un réexamen de sa relation avec le sionisme, démarche
insinuant une possibilité de création d'une nouvelle synthèse.

---

83. Adi Ophir, «Introduction», *Théorie et critique*, 15 (1999), p. 4; comparer aussi avec : Yoav Peled,
     «Les sionistes inquiets», *ibid.*, p. 135-143.

La doléance de Sternhell*

Anita SHAPIRA

A U COURS DE CES DERNIÈRES ANNÉES, l'étude du passé devient de plus en plus un levier de la critique du présent. Quiconque veut bafouer la société israélienne sous sa forme actuelle se retourne vers ce qu'elle a été, pour y trouver les preuves et les explications de ses faiblesses et de ses maux. Une tendance courante est de s'appuyer sur les actes et les manquements du mouvement ouvrier d'Israël avant 1948 et après la fondation de l'État, et particulièrement sur ceux de ses dirigeants, Ben Gourion et Berl Katznelson, afin de les rendre responsables des afflictions de l'État d'Israël au seuil de l'an 2000. Cette tendance est courante à la fois à gauche et à droite, elle est pratiquée par les nouveaux et les anciens historiens et de ce fait, elle est intéressante en soi. Ainsi par exemple, à part quelques rares gens de bien dont le nombre va en diminuant, peu de personnes s'intéressent à Jabotinsnky, le grand dirigeant de la droite sioniste et personnage passionnant en soi, à tout point de vue. De même, l'histoire du mouvement « Mizrahi » en terre d'Israël, de l'époque du Rav Fischman-Maimon jusqu'à celle de Zvoulon Hamer, de « Thora et Avoda » (*Thora et Travail*) jusqu'à Gouch Emounim (*Bloc de la Foi)* n'a pas encore été écrite. Les sionistes généraux sont également voués à l'oubli, bien que dans le contexte idéologique sioniste, ils furent sans doute les plus proches de la conception libérale occidentale. Par contre, tout chercheur ou historien débutant qui se respecte choisit Ben Gourion, Berl Katznelson ou pour le moins Tabenkin, Ya'ari, Gordon ou Galili comme sujet de thèse. Ce phénomène relève sans doute d'une certaine reconnaissance, quelquefois inconsciente, du rôle dominant que remplit le mouvement ouvrier dans le façonnement d'une réalité juive en Terre d'Israël

(*) À propos de Zéev Sternhell, *Construction d'une nation ou réforme de la société ?*, Am Oved, Tel Aviv 1995, 491 p.

et plus tard dans l'État d'Israël. Il se peut même, que celle-ci découle d'une convention tacite, comme si ce mouvement ouvrier constituait encore l'establishment de l'État d'Israël, comme si quinze ans de gouvernement du Likoud et de gouvernements d'union nationale n'étaient qu'un phénomène passager n'ayant laissé aucune empreinte dans les structures de l'État. Dans cette optique, le meilleur moyen de dénigrer la réalité israélienne, ne peut être que de saboter la position de ce mouvement.

Ledit phénomène prouve également que l'intérêt pour le parti ouvrier en tant que sujet de recherche pour les historiens ne s'est pas dissipé. Il est vrai que travailler sur ce matériel est absolument passionnant. Le chercheur qui s'y adonne touche le fond de l'expérience israélienne, à la fois dans ce qu'elle a d'exaltant et de démoralisant, de sublime et de mesquin, des sommets aux abîmes de ses rapports à l'homme et à la société, de sa relation à la nation et à la classe, au peuple voisin et au peuple juif, aux compromis avec la réalité dans le présent et dans sa vision d'avenir. L'intérêt de la matière ne résulte pas d'une perfection philosophique. Au contraire, il découle justement des dimensions humaines des fondateurs du mouvement : de l'éclectisme idéologique, conduisant plus d'une fois à des contradictions internes, de l'anarchisme idéologique, que dans le passé j'ai nommé « inconstance créative ». L'étude d'un mouvement déchiré est bien plus passionnante que celle de structures sociales et politiques parfaites, si tant est qu'il en existe de telles dans la réalité, et pas uniquement dans l'esprit de créateurs de modèles abstraits.

Le livre de Zéev Sternhell, *Construction d'une nation ou amélioration de la société ?* constitue un nouveau jalon de la recherche portant sur le mouvement ouvrier en Terre d'Israël. Sternhell lui-même est un spécialiste du fascisme français et ce livre est son premier ouvrage traitant du sujet en question. Il y apporte son expérience dans l'étude de mouvements idéologiques d'orientation particulière, sa vaste érudition sur l'histoire du socialisme en Europe centrale et occidentale et également son engagement personnel dans la politique israélienne. Son étude se base sur la lecture de travaux de recherche et sur la consultation d'écrits publiés, principalement des discours des fondateurs du mouvement ouvrier. On a plus d'une fois l'impression que Sternhell a d'abord signifié son objectif et ce faisant, a ensuite recherché les sources adéquates pour le confirmer. Le livre a été écrit avec une ardeur missionnaire qui ne laisse rien au jugement du lecteur. Tout y est entièrement explicite et pour éviter toute ambivalence, est répété plusieurs fois jusqu'à l'excès. Le style est acerbe et va jusqu'à atteindre parfois une vulgarité superflue.

La thèse centrale de Sternhell apparaît déjà dans le titre de l'ouvrage. Le mouvement ouvrier en Terre d'Israël se devait de choisir entre la construction d'un peuple et l'élaboration d'une société, entre le nationalisme et le socialisme et, à un stade assez précoce, il opta pour la première alternative. Selon Sternhell, « dès le début, toutes les pulsions, toute la force, toute l'énergie du mouvement ouvrier furent mobilisées pour aboutir à la renaissance nationale et par conséquent, ce mouvement était dépourvu de véritable vision de réforme sociale » (p. 31). Quant au facteur socialiste, « très vite le socialisme s'est transformé en instrument pour réaliser des objectifs nationaux et non un moyen de créer un nouvel ordre social » (ibid.). C'est la raison pour laquelle, prétend Sternhell, « dans les années vingt et trente, ne fut tenté aucun effort sérieux et véritable afin de constituer une société vraiment différente de la société habituelle basée sur la propriété ou du moins pour élaborer une société syndicale sur un mode égalitaire. C'est là que réside la vraie raison qui fait qu'Israël aujourd'hui ne diffère en rien de n'importe quelle autre société occidentale » (ibid.). Le socialisme du mouvement ouvrier, affirme Sternhell relevait du mythe mobilisateur, au sens que Sorel donne au mythe social. L'échec du mouvement ouvrier à établir en Terre d'Israël « une société plus égalitaire » ne découlait pas « de conditions ou d'impératifs sur lesquels il n'avait pas d'emprise, mais résultait d'une décision idéologique consciente » dont l'expression était le socialisme constructif (p. 16). L'assujettissement des valeurs universelles du socialisme aux valeurs particularistes du nationalisme s'exprime tout d'abord dans la négation totale de la lutte des classes et dans la revendication de surmonter les contradictions sociales au nom du bien commun » (ibid.). Selon Sternhell, le socialisme en Terre d'Israël avant 1948, était « un socialisme national », basé sur un nationalisme organique, intégral, découlant d'un nationalisme radical de droite (concepts utilisés dans l'étude du fascisme).

Les caractéristiques de ce socialisme national sont l'opposition au marxisme et le refus de le considérer comme un paradigme formateur, la primauté de l'expérience sur l'idéologie et le débat intellectuel. La dernière partie du livre veut prouver que la Histadrout (*syndicat*) s'opposait en fait au développement de tendances égalitaires au sein du mouvement, et a tout mis en œuvre pour les faire échouer.

Pour ne pas lasser le lecteur en l'accablant de détails, je me garderai de critiquer l'ouvrage paragraphe par paragraphe, bien que la tentation soit grande : les contradictions internes, les imprécisions et surtout les déclarations définitives ne reposant que sur le jugement de l'auteur, sont des plus nombreuses. Je vais tenter de me limiter à trois sujets principaux : *a*) l'argumentation selon laquelle le socialisme ne fut pas réalisé en Terre d'Israël parce qu'il fut assujetti à des objectifs nationaux ; *b*) le rapport entre la conscience idéologique et l'expérience ouvrière ; *c*) la signification du « mythe mobilisateur ».

Priorité nationale et construction du socialisme

Sternhell n'appartient pas au groupe des « nouveaux historiens ». Sa critique ne découle pas du post-modernisme ou du « politicalement correct » américain. Il rejette l'attitude relativiste par rapport à la vérité ou à la réalité. Il croit profondément aux vérités absolues, à un monde meilleur à portée de main, à la force des idées. Selon lui, le monde se divise clairement en « bons » et en « mauvais », il est fait de personnes éclairées et d'obscurantistes. Il ne laisse aucune place aux nuances, aux faiblesses humaines, aux erreurs, aux défaillances, aux limites des possibilités humaines. Sternhell est un homme de la vieille gauche, exercé à la théorie de Marx et y voyant la pierre de fondation de l'avènement du socialisme parfait. Il ne se distingue pas par une tolérance particulière envers des théories socialistes non marxistes. Pour lui, tout socialiste se doit d'utiliser la terminologie marxiste et s'il ne le fait pas, il est passible d'infidélité au dogme.

La lecture du livre de Sternhell soulève une impression de déjà vu : on a lu des propos semblables, chez des communistes juifs ou non juifs qui attaquaient les sionistes socialistes pour leur manque de rigueur idéologique, sous prétexte que leur théorie ne se basait pas sur le dogme marxiste [1]. Ils ajoutaient que les socialistes en Terre d'Israël sont à la solde de l'impérialisme britannique et heurtent le mouvement national arabe. Sternhell choisit d'ignorer ce dernier aspect et je ne tenterai pas pour l'instant d'en analyser les raisons. C'est un fait cependant, que pour le reste, l'essentiel de ses propos se retrouvent dans les pamphlets anti-sionistes, de communistes, de bundistes et même chez les Poalei Sion (*sionistes travaillistes*) de gauche. La seule différence étant que ceux-ci se référaient au présent ou au futur alors que Sternhell se réfère au passé.

D'après Sternhell, le mouvement ouvrier d'Israël était un mouvement national, dont l'objectif était d'amener une révolution culturelle. En cela, il a tout à fait raison. Je crois qu'il n'y a pas une seule recherche datant de ces dernières décades, qui n'insiste sur le fait que le mouvement ouvrier en Terre d'Israël a accordé la priorité au facteur national par rapport au facteur de classes, dans sa conception globale. La seule nouveauté dans l'affirmation de Sternhell relève de deux arguments : tout d'abord que la priorité donnée au facteur national signifie une renonciation au facteur socialiste ; et deuxièmement qu'au départ, il était possible d'établir une société socialiste en Terre

---

1. Voir par exemple C.D. Yisraeli (Walter Laqueur), « *de Mapam à Maki* » : *histoire du parti communiste en Israël*, Am Oved, Tel Aviv 1953, 224 p.
   Jonathan Frankel, *Prophecy and Politics : Socialism and the Russian Jews 1862-1917*, Cambridge University Press, Cambridge, 1981, 686 p.

d'Israël, et seule la préférence nationale des dirigeants du mouvement ouvrier a gâché l'ordre des choses.

La nette distinction entre nationalisme et socialisme aurait sans doute l'avantage de rendre l'interprétation plus explicite dans le cadre d'un cours universitaire, mais elle est loin de convenir à la réalité historique des cent dernières années : tous les cadres dans lesquels on a sérieusement tenté d'appliquer dans la réalité les principes du socialisme, étaient des sociétés nationales. La révolution mondiale ou la révolution permanente prônée par Trotsky n'a jamais dépassé les pages de brochures idéologiques ni atteint le champ expérimental social. Toutes les révolutions du XXᵉ siècle ont été faites dans un cadre national. L'argument concernant l'existence d'une contradiction inévitable entre le nationalisme et le socialisme est dépourvu de tout support empirique, même s'il relève d'une certaine logique théorique. La combinaison du nationalisme et du socialisme était relativement courante dans les mouvements de libération nationale. Les mouvements socialistes des états européens se sont eux aussi développés dans des cadres nationaux. C'est dans ces cadres, et non dans la structure instable de l'Internationale socialiste, qu'ils ont tenté de corriger la société. Comme le dit à juste titre Sternhell, Jean Jaurès n'était pas moins fidèle patriote français que certaines gens de droite. La preuve que l'appartenance socialiste n'annule en rien l'orientation nationale apparaît évidemment dans la mobilisation des travailleurs de tous les pays, lors des deux guerres mondiales, chacun dans sa propre armée.

Chaque mouvement socialiste a donc adapté son caractère et ses moyens d'action à sa tradition nationale et aux besoins nationaux de son peuple. Doit-on rappeler qu'en Chine, en Yougoslavie ou en Pologne, de fidèles socialistes se sont attachés à défendre leur voie nationale spécifique vers le socialisme ? Il n'y a que des socialistes sionistes qu'on exige qu'ils reconnaissent l'existence d'une soi-disant contradiction immanente entre ces deux appartenances, et qu'ils choisissent celle qu'ils veulent privilégier.

L'ensemble des idées nationales et socialistes en Europe, au passage du dix-neuvième au XXᵉ siècle, fut à l'origine de diverses théories, de l'humanisme universel jusqu'au nazisme. Les distinctions précises de Sternhell entre le socialisme national, qui est condamnable et le socialisme dans un cadre national qui est acceptable, entre le nationalisme intégral qui mène tout droit à la droite radicale, et le nationalisme humain, qui conduit au salut, n'ont jamais été faites dans le passé avec autant d'acuité. De plus, il est douteux que les différentiations aiguës de Sternhell contribuent à la compréhension de ces phénomènes aujourd'hui. Martin Buber parlait en termes de nationalisme intégral, et n'en a pas pour autant terminé sa carrière comme fasciste. A.D. Gordon, qui parlait de socialisme sans en utiliser la terminologie, ce pourquoi Sternhell le définit comme « théoricien principal du nationalisme juif en Terre d'Israël pendant les deux premières décennies du siècle » (p. 27) (cette définition est pour le moins surprenante pour tous ceux qui connaissent et apprécient sa personne), avait une conception humaniste élevée [2]. Le recours de Berdichevski et de Brener [3] à des concepts nietzschéens ne les a pas conduits, ni eux ni leurs élèves, au racisme. De même que tout admirateur de Nietzsche ne fut pas obligatoirement un partisan d'Hitler, le fait que le mouvement ouvrier utilise des concepts propres au nationalisme intégral n'en fait pas forcément un partisan latent de la droite radicale.

Je ne m'attarderai pas aux analyses de Sternhell sur A.D. Gordon, partageant à ce sujet en tout point, l'avis de Menahem Brinkner (Haaretz, 5 juillet 1995). Sternhell n'a pas compris le rôle de A.D. Gordon au sein du mouvement ouvrier, rôle qui n'avait absolument rien à voir avec ses écrits philosophiques. Il semblerait que là, Sternhell fut victime d'une maladie professionnelle bien connue : en comparant par analogie un traité de recherche qu'il connaissait à fond, il tira des conclusions sur des sujets nouveaux qu'il étudiait : ainsi, en examinant le socialisme en terre d'Israël, il y découvre un fascisme français ! La collecte méticuleuse de phrases et de citations et leur regroupement comme s'il s'agissait d'une collection de timbres, ne garantit pas la juste reconstruction du traité idéologique et culturel d'un groupe humain à une époque donnée. La présentation d'idées en dehors de leur contexte politique et culturel, comme si elles avaient une existence propre, crée peut-être une image de la réalité historique, mais c'est une image déformée.

L'hypothèse selon laquelle il était possible de réaliser le socialisme en terre d'Israël et que ce n'est qu'à cause de la méchanceté nationale des dirigeants du mouvement ouvrier que l'accomplissement du rêve a été empêché est encore plus problématique. Je ne traiterai pas ici de la question de savoir comment Sternhell se représente la réalité de l'implantation sioniste en terre d'Israël sans qu'il n'y ait de primauté nationale, étant donné que toute la nouvelle colonisation juive dans le pays se basait sur des principes nationaux. Sans cette primauté nationale, Berl Katznelson, Ben Gourion et autres accusés de Sternhell auraient sans nul doute, œuvré à la construction du socia-

---

2.   Voir : Martin Buber, *Entre le peuple et sa terre : Points cardinaux de l'histoire du concept de Jérusalem, Shocken*, Jérusalem et Tel Aviv, 1985, 170 p. (hébreu).

3.   Miha Yossef Berdichewski (1865-1921) : l'un des penseurs et écrivains hébraïques importants et influents. Il admirait Nietzsche et a transféré au plan juif ses conceptions à propos du rapport à l'individu, de l'activisme social, de l'élévation de l'homme et de sa libération des chaînes de la religion.
     Hayim Yossef Brener (1881-1921) : l'un des écrivains hébraïques les plus importants. Eut une influence considérable sur le mouvement ouvrier en terre d'Israël. L'un des plus acerbes critiques de la réalité juive en diaspora et en terre d'Israël. Comme Berdichewski, s'est inspiré des courants de pensée vitalistes répandus en Russie au tournant du siècle.

lisme en Union Soviétique ou pour le moins auraient participé aux combats juifs dans le cadre du Bund. Bien sûr, le Bund lui aussi était atteint de nationalisme, même si Sternhell choisit de l'oublier.

Sternhell ne se pose pas de questions sur la signification d'un renoncement à la primauté nationale en terre d'Israël dans les années vingt et trente, de même qu'il ne se réfère absolument pas sérieusement à la réalité historique dans le cadre de son livre. Le lecteur se voit donc convié à partager un sentiment surréaliste, comme si le drame de l'accomplissement ou du non-accomplissement du socialisme en terre d'Israël se passait dans le vide du point de vue du temps et de l'espace, comme si les impératifs de l'époque et les conditions spécifiques du pays à cette époque n'avaient aucune incidence sur le sujet, comme si tout ne découlait que de décisions idéologiques a priori. C'est pourquoi je me contenterai sur ce point de poser une question méthodologique : comment quelqu'un prétendant faire un travail d'historien peut-il affirmer que quelque chose qui ne s'est pas produit aurait pu se produire, que le fait que cela ne se soit pas produit est justement le résultat évident d'une certaine décision idéologique ? Le cas est encore plus flagrant quand il s'agit d'un sujet si complexe, sans aucun précédent, comme la construction d'une société socialiste avec des moyens volontaristes. Prendre la société israélienne d'aujourd'hui comme point de départ, la comparer à une idéologie datant du début du siècle, et affirmer à la lumière de cette comparaison que c'est la priorité nationale qui nous empêcha d'accorder les aspirations de cette époque – cette attitude ne fait pas le poids face aux instruments de logique de recherche les plus élémentaires. En quoi peut-t-on prétendre que l'idéologie du début du siècle fut applicable ? Quels sont les exemples historiques en rapport avec notre cas, pouvant indiquer que dans certaines conditions il était possible de parvenir à la réalisation du socialisme dans une société démocratique ouverte ? Même si l'on suppose un instant que tel est le cas, qu'une telle idéologie était réalisable, où se trouve la preuve que la cause de sa non réalisation soit celle-ci plutôt qu'une autre ? Si cependant c'est la seule raison de l'échec du socialisme en terre d'Israël, pourquoi l'accomplissement du socialisme ne fut-il pas réalisé dans d'autres pays où, d'après Sternhell, les socialistes ne s'abîmaient pas dans le péché originel de primauté nationale ? Comment se fait-il que les maîtres de Sternhell, Édouard Bernstein et Jean Jaurès, ont échoué à amener leurs partis à adopter, ne serait-ce que dans une certaine mesure, les humbles dimensions d'égalité et de participation, dont même Sternhell reconnaît l'existence dans la société syndicaliste israélienne ?

Sternhell a du mal à définir l'essence de son socialisme : la plupart du temps, il parle de « socialisme démocratique », parfois de « sociale-démocratie ». Par conséquent, on peut supposer qu'il ne considère pas ces deux concepts comme identiques, non seulement parce qu'à plusieurs reprises il critique la sociale-démocratie, d'où la supposition que les deux concepts ne se recoupent pas chez lui et parce que le socialisme démocratique est à ses yeux le régime désirable. Le hic est qu'un tel modèle est inconnu parmi les types de socialisme, sauf si l'on entend par là le socialisme humain, qui apparut pour la première fois dans les années soixante et n'a pas fait long feu. Si tel est le cas, il s'avérerait qu'il traite d'un mouvement ouvrier de la première moitié du siècle selon des critères élaborés cinquante ans plus tard.

Sternhell s'efforce de son mieux de faire abstraction du modèle socialiste le plus important du siècle : le modèle soviétique. Le lecteur n'a plus qu'à s'en étonner. S'il y eut vraiment une tentative sérieuse de construire une société égalitaire à large échelle, où la propriété des moyens de production soit aux mains de l'ensemble de la population, ce fut bien celle-ci. Il n'existe pas d'autres essais de cette envergure, et voilà que Sternhell évite comme le feu ce modèle perdant, tout en ne proposant évidemment aucun autre modèle défini. C'est sans doute pourquoi, nulle part dans le livre il n'explique ce qu'il entend par « socialisme ». Se réfère-t-il au processus révolutionnaire ou le rejette-t-il ? Croit-il en un lent progrès de la société, comme le fait la sociale-démocratie ou au contraire considère-t-il les processus évolutifs comme une trahison du socialisme ? La définition économique de l'essence du socialisme apparaît de manière totalement floue dans son livre. Il affirme tantôt que la nationalisation des moyens de production n'est pas l'expression du socialisme, puisque pendant les années vingt, de vulgaires libéraux ont soutenu cette politique. Ainsi, en démocratie, comment la société peut-elle contrôler les moyens de production ? Ailleurs, il insinue que l'égalité au sein du mouvement kibboutzique est des plus louables, mais que le mouvement n'était pas assez large pour être significatif. Si tout le pays avait été organisé selon une structure empruntée aux kibboutzim (ou si l'égalité des revenus avait été instaurée selon la formule « chacun selon ses capacités, chacun selon ses besoins ») il y aurait peut-être eu là de quoi le satisfaire. Mais, comme on l'a déjà souligné, il ne définit pas ceci explicitement. S'il l'avait fait, il aurait dû expliquer comment on peut obliger tout le monde à accepter de recevoir un salaire égal en contrepartie d'un travail inégal. Il est indéniable que ce n'est pas chose facile, surtout pour un homme comme Sternhell qui ne prône pas l'endoctrinement éducatif et à qui toute autre tentative de créer un « homme nouveau » paraît une autre déviation de son socialisme. De plus, il est évident qu'il sait parfaitement qu'un tel régime n'a été établi nulle part au monde, même pas dans les états communistes. Dans le cadre de régimes démocratiques, le maximum qui fut acquis en matière de propension vers l'égalité est l'état providence selon le modèle scandinave, plus proche du modèle du socialisme constructif que Sternhell condamne sévèrement que du modèle utopique qui ressort de ses propos.

Sternhell affirme catégoriquement que l'unité nationale a passé avant la lutte des classes et d'après lui c'est en quoi réside la faute originelle de l'abandon du socialisme en Israël. Il affirme également que la bourgeoisie installée en terre d'Israël savait et comprenait qu'il ne fallait pas prendre au sérieux les tendances révolutionnaires des ouvriers. Derrière ces propos se profile l'affirmation que la seule voie vers la réalisation du socialisme est en fait la lutte des classes. N'essayons pas de savoir si le concept de « lutte des classes » représente une réalité concrète ou « un mythe mobilisateur », du genre que Sternhell méprise. Sur ce point, je ne me référerai qu'à deux questions : premièrement, une « lutte des classes », de l'espèce que Sternhell considère comme souhaitable, n'a-t-elle pas agité le pays et deuxièmement, le socialisme peut-il exister sans lutte des classes ?

Si le mythe de Germinal constitue un exemple de la lutte des classes, il est certain qu'il n'a pas son équivalent en terre d'Israël. L'industrie lourde, employant des milliers d'ouvriers, et parmi eux des enfants, une telle industrie donnant naissance à une société où la mortalité était élevée et où sévissaient les autres maux de la révolution industrielle, avec une tradition de discrimination s'étalant sur de longues années, y était inexistante. Il y avait dans le pays des ateliers qui se dénommaient eux-mêmes « usines » et le nombre d'employeurs employant plus de cent travailleurs pouvait se compter sur les doigts d'une main. L'industrie ne se développa en terre d'Israël que dans les années trente et surtout dans les années quarante, et en fait n'a fructifié qu'avec la création de l'État. Le principal employeur était le gouvernement mandataire, qui employait des milliers de travailleurs dans les chemins de fer, dans quelques autres services et dans les travaux publics. Cependant, la plupart d'entre eux étaient arabes, étant donné que ce gouvernement avait coutume de payer des salaires inférieurs à ce qui était nécessaire à l'existence d'un ouvrier juif. Les tentatives de communistes juifs et arabes, des Poalei Sion de gauche et même de bons membres du parti ouvrier d'Israël (Mapainiks) pour éveiller les ouvriers arabes à la lutte des classes, n'ont pas particulièrement réussi, « la conscience prolétaire » de ces ouvriers ne s'étant pas encore déclarée. C'est pourquoi, « la lutte des classes » exigée fut celle des ouvriers juifs contre leurs employeurs juifs. Ce combat fut limité pour la simple raison que l'employeur juif pouvait toujours débaucher un ouvrier juif et embaucher un ouvrier arabe, à moindre salaire et sans encourir de danger de « lutte de classes ». Faut-il tirer de cet état de choses la conclusion que la lutte des classes fut limitée à cause de la priorité nationale ou est-il plus juste d'affirmer que dans un pays où l'infrastructure ne fait que se construire, où il n'existe pas encore de véritable industrie, et où « la classe ouvrière » juive n'en est qu'à un stade de formation, une lutte des classes ne peut se concrétiser que de façon très limitée ! En effet, telle fut la forme qu'elle prit : les luttes contre les propriétaires de vergers, les grèves dans les usines « Nour », « Froumine » et leurs semblables, avaient quelque chose du pathos de la lutte de classes. L'étendue de ces combats n'est certainement pas impressionnante, comparativement aux milliers de mineurs en grève dans les houillères de France. Mais que dire si toute la population juive en terre d'Israël à l'époque ne comptait pas plus d'habitants qu'une seule ville de France ?

Une autre question est de savoir si « la lutte des classes » est vraiment inévitable pour l'accomplissement du socialisme. Se sont tenues là-dessus de nombreuses discussions dans le cadre du socialisme mondial. La question fut d'actualité en ce qui concerne la Russie par exemple : pouvait-on dans ce pays, passer directement de l'ancien régime au socialisme, sans passer par les tourments du capitalisme ? Marx reconnaissait la spécificité du cas russe, et s'accordait à croire que pouvait se produire en Russie une révolution avant l'industrialisation et avant la lutte des classes. L'idée qu'il est possible de construire un pays de régime socialiste en sautant l'étape capitaliste fut également courante dans les mouvements anti-coloniaux d'Asie et d'Afrique. Le mouvement ouvrier en terre d'Israël, qui croyait en la possibilité de construire ici une société juste dès le départ, ne faisait pas là preuve d'originalité mais s'appuyait sur d'autres autorités socialistes. En effet, ils ne tenaient ni d'Édouard Bernstein ni de Jean Jaurès, qui d'après Sternhell représentent les sommités suprêmes du socialisme. Mais il me semble que les camps d'initiation (*hahcharot*) socialistes des populistes russes ne doivent rien à leurs équivalents européens – sans oublier tous les grands révolutionnaires socialistes, qui sont évidemment tombés en disgrâce au fil du temps, mais qui furent à l'origine de l'action socialiste du XXe siècle.

Entre l'idéologie marxiste et l'expérience ouvrière

En général, Sternhell attribue une plus grande importance à la loyauté envers l'exemple qu'envers la loyauté dans les faits. En conséquence de quoi, l'un des plus graves reproches qu'il adresse au mouvement ouvrier en terre d'Israël est qu'il « renonça » aux concepts marxistes. Il y a quelque chose relevant de l'anachronisme dans cette exigence d'approfondissement des nuances de la doctrine marxiste comme condition de légitimité socialiste. Même si celle-ci avait sa place dans le discours socialiste avant 1917, depuis que les bolchevistes ont pris le pouvoir en Russie, la porté centrale de la discussion théorique s'est estompée et l'accent s'est déplacé sur l'application des idées, dans la pratique. Comme le dit E. Hobsbawm : « depuis que le marxisme est devenu un mouvement de masse, la théorie subtile s'est transformée au mieux en actes de foi, au pire en symbole d'identité et de loyauté, tel un drapeau que l'on salue »[4]. Mais Sternhell reste prisonnier de la mentalité de la période d'avant 1917 – et il utilise inconsciemment sans doute les images et les symboles dont parle Hobsbawm.

La recherche d'une idéologie guide Sternhell dans son évaluation de l'Ahdout Avoda historique, le parti socialiste radical fondé en 1919 et qui fut plus tard à la base du parti des ouvriers en terre d'Israël (*Mapai*). Le fait que le programme de Ahdout Avoda ne soit pas chargé de l'idéologie marxiste habituelle de matérialisme historique, le tourmente beaucoup. Entre autres, il prétend à ce sujet que ledit programme fait totalement abstraction de la question de l'égalité et de toute alternative à l'économie capitaliste (p. 145). En effet, la terminologie n'est pas marxiste, mais le programme de Ahdout Avoda ne tarit pas sur le sujet du salut de l'homme, « rachat complet par rapport à l'affliction dans le régime existant, où le capital privé domine la vie de la nation ». Si le terme « capitalisme » n'y est pas mentionné, il y a là une négation totale d'un régime où le capital privé détient les ressources naturelles, a prise sur le travail de générations et sur le fruit de l'esprit humain, et où « il fait de l'économie nationale matière à spéculation de la part des maîtres de la propriété, les conduisant à la concurrence », etc. L'alternative prévue à ce régime, d'après ce même programme, est le passage de la propriété tout entière, du domaine privé au domaine public. Si ce n'est pas là du socialisme, qu'est-ce ? Cependant comme nous l'avons souligné, la terminologie habituelle de Sternhell manque, et sans elle où va-t-on ?

Sternhell n'accorde d'attestation idéologique à un mouvement qu'après avoir d'abord examiné s'il a son parallèle en Europe. C'est par un tel examen qu'il s'est rendu compte qu'aucun parti socialiste européen ne fut créé sur une base ressemblant à celle de l'Ahdout Avoda. Ce dernier, s'indigne-t-il, n'a pas exigé de ses membres de jurer fidélité aux dogmes marxistes, mais s'est contenté d'une fidélité à des concepts « suspects » qui ne sont pas mentionnés ci-dessus. En vérité, ce parti n'a pas du tout fait preuve de rigueur envers ses membres au sujet du dogme, mais a surtout exigé d'eux qu'ils « vivent de leur labeur sans léser le travail d'autrui », c'est-à-dire qu'ils travaillent et qu'ils gagnent leur vie sans exploiter autrui par le truchement du travail salarié. « Une telle chose n'est jamais arrivée », s'indigne Sternhell, « qu'un parti socialiste se crée sur la base de « l'expérience » et non sur la base d'une association idéologique,… « l'expérience » ouvrière n'a **jamais** été considérée comme garante d'engagement pour le changement de la société et n'a **jamais** remplacé l'idéologie. (les caractères gras sont de moi, A.S.) (p. 145). Il est intéressant de noter la fréquence du mot « jamais » dans ce paragraphe (et dans d'autres passages du livre). C'est l'un des mots favoris de l'auteur, mais

---

4. Eric Hobsbawm, *The Age of Extremes*, London, 1994, p. 399.

il est douteux qu'il soit à sa place dans un écrit à prétention scientifique :
Sternhell n'a pas examiné tous les mouvements socialistes du monde. Son
horizon idéologique se limite à l'Europe. Or, dans des pays « reculés » comme
les États-Unis, l'Australie ou la Nouvelle Zélande et même plus près des
régions de prédilection de Sternhell, en Angleterre, se sont développés des
mouvements ouvriers à partir de l'expérience ouvrière, leur idéologie étant
secondaire par rapport à cette expérience. Mais nul doute que Sternhell ne
leur accorde pas le label de « mouvements ouvriers » ? Il me semble que le
Labour britannique est un bon exemple de mouvement socialiste s'étant développé à partir des syndicats, un peu comme notre Ahdout Avoda, tandis que
son côté idéologique était relativement instable par rapport à la puissance de
l'expérience ouvrière. Mais Sternhell ne donne pas le moindre exemple venant
de ce mouvement, le seul sans doute, à avoir provoqué une grève générale
dans un pays occidental développé et qui, arrivé au pouvoir, créa un état providence des plus avancés, qui institua des nationalisations d'une ampleur sans
précédent dans un pays démocratique. Ce n'est pas un hasard si Sternhell ne
le donne pas en exemple de socialisme : si le *labour* anglais ne convient pas
au modèle austro-marxiste ou français, comment pourrait-il servir d'exemple,
selon Sternhell ? En effet, les mouvements qui se sont développés sur la base
de l'expérience ouvrière n'ont pas produit de grands théoriciens comme ceux
dont l'origine fut dans l'idéologie, mais ils ont produit des leaders ouvriers
authentiques, qui ont su se battre pour les intérêts existentiels de l'ouvrier. Il
semble que Sternhell nie l'affirmation de Marx, selon laquelle l'expérience
détermine la conscience.

La sociale-démocratie européenne, dont les horizons intellectuels étaient
si impressionnants, dont les discussions idéologiques reléguaient dans l'ombre,
selon Sternhell, le niveau de la discussion socialiste en terre d'Israël, a cependant cessé, d'après lui, de croire en l'application du socialisme dès 1919.
Cependant, cette même sociale-démocratie a continué à utiliser une terminologie marxiste jusqu'aux années cinquante, ceci contrairement à nos socialistes provinciaux, qui dès les années trente ont renoncé à l'emploi de concepts
marxistes. Il y a là de quoi nous éclairer sur ceux qui sont restés fidèles au
socialisme et ceux qui l'ont trahi. Il est étrange que Sternhell évite de traiter
l'échec des leaders marxistes autrichiens au moment de la grande crise du
XXe siècle, la crise économique de 1929 et la montée du nazisme ensuite.
Malgré toute sa grandeur théorique, la sociale-démocratie européenne n'a
pas apporté de réponse au problème de sa génération, et surtout, elle a échoué
dans la lutte contre le fascisme. Dans la plupart des pays d'Europe, plus le
prolétariat avait atteint un haut degré de pureté conceptuelle et était passé
maître dans les subtilités idéologiques qui inspirent Sternhell, plus il a rejoint
dans sa grande majorité les rangs des partis fascistes et nazis. Il s'avère que

la pureté idéologique et un haut niveau d'abstraction ne suffisent pas le jour venu à empêcher la montée de forces nationalistes extrémistes. À la lumière de ces bouleversements, on a peine à réprimer un sourire en lisant l'argumentation de Sternhell (p. 136), affirmant que tant qu'existera un parti social-démocratique, fidèle aux principes du marxisme, il ne pourra s'édifier de force socialiste-nationale, (c'est-à-dire fasciste).

Le sujet de « l'expérience ouvrière » se rattache à l'animosité de Sternhell par rapport au principe du travail manuel. Sternhell affirme qu'ériger le travail manuel en valeur est un point de vue socialement régressif, puisqu'il implique que les fils d'ouvriers ne tendent pas à élever leur statut, par l'acquisition de connaissances et par l'étude, et de toute manière il y aurait là matière à empêcher toute mobilité sociale. C'est pourquoi, Sternhell s'attaque là fermement à un des monstres sacrés du mouvement ouvrier : la tentative de renversement de la pyramide professionnelle juive pour créer une réalité où il y aurait une large base d'ouvriers juifs dans toutes les branches de l'économie, contrairement aux sociétés où les Juifs sont une minorité appartenant principalement à la classe moyenne et où les gens du peuple font les travaux les plus durs. Cette expérimentation reposait sur des hypothèses à la fois nationales et socialistes : d'un point de vue national, sans large classe de travailleurs juifs, il ne peut y avoir de société juive indépendante ; d'un point de vue socialiste, le prolétariat est considéré comme la classe de l'avenir, qui le jour venu guidera la révolution vers l'élaboration d'une société sans classes. En attendant, il constitue le sel de la terre, qui produit les biens par son travail et n'est pas atteint de la tare que constitue l'exploitation du travail d'autrui.

Pour comble d'ironie, Sternhell, qui reproche au mouvement ouvrier juif d'avoir renoncé au concept de « prolétariat » dès les années trente, ne considère pas lui-même le mode de vie prolétaire comme un modèle désirable et va jusqu'à prôner la mobilité sociale, cette caractéristique de la société démocratique et capitaliste occidentale, qui permet à l'individu d'échapper à la condition prolétaire et remet en question la théorie de Marx pour ce qui est de l'effondrement des classes moyennes et l'inévitable polarisation de classes. Tout en critiquant Berl Katznelson d'avoir préféré la désignation de « travailleur » à celle de « prolétaire », sous prétexte que l'ouvrier juif en terre d'Israël avait quelque chose à perdre outre ses chaînes (il ne se contente pas de le critiquer mais voit là une trahison au principe), lui-même ne considère nullement qu'être prolétaire soit particulièrement honorable et regrette que le mouvement ouvrier juif n'ait pas fait plus pour permettre d'échapper à la condition ouvrière.

L'attitude de Sternhell par rapport au travail manuel est liée à son mépris pour toute expérience socialiste, plus ou moins réussie, faite en terre d'Israël. Quoiqu'il reconnaisse le fait même des différentes tentatives de créer des villages collectifs (*moshavim*), des kibboutzim ou des coopératives, il prétend que toutes essuyèrent un cuisant échec ou, comme c'est le cas pour le Kibboutz par exemple, n'atteignirent pas de dimensions significatives. Pire, toutes ont été inspirées par des motifs ne relevant en rien du socialisme. À la base de toutes ces expériences, affirme Sternhell, il n'y avait nullement comme il se devait, de volonté d'égalité, de tentative d'abolir la propriété privée ou de philosophie sociale, mais uniquement une conception sioniste utilitaire. La conclusion de Sternhell comme quoi toutes ces expériences socialistes se révélèrent à fortiori des instruments importants de la réalisation du sionisme, est certes juste, comme je l'ai déjà écrit en détail il y a une dizaine d'années, dans mon article « Ascension et déclin du mouvement ouvrier en Terre d'Israël » [5], mais pourquoi douter de la pureté des intentions socialistes de ceux qui tentèrent ces expériences ? Reconnaître que les institutions socialistes furent un levier majeur dans la construction du sionisme, est évident avec le recul, quand on examine les résultats. Mais on ne peut tirer de cette affirmation aucune conclusion quant aux ambitions, aux espoirs et aux intentions des instigateurs de l'histoire.

Sternhell prétend qu'il n'a rien relevé de percutant dans les écrits contre le régime capitaliste ni une quelconque aspiration d'ériger une société alternative. Il semble qu'il n'ait lu que très peu de sources ou qu'il n'y ait vu que ce qu'il voulait bien y voir. S'il avait seulement feuilleté le journal de Berl Katznelson, *Davar*, qu'il se plaît tant à dénoncer, il aurait certainement vu à quel point ce journal était concerné par ce qui se passait en Europe, par les luttes qui y faisaient rage entre socialisme et fascisme, entre le capitalisme et différentes tentatives socialistes [6].

Si Sternhell avait agi ainsi, il aurait peut-être lu les longues séries d'articles traitant de l'élaboration de la société communiste en Union Soviétique et les analyses sur l'économie mondiale. Il serait également tombé sur les articles théoriques de ses amis des sociale-démocraties autrichiennes et allemandes. Ce n'est là qu'un exemple du choix sélectif de Sternhell.

---

5. Anita Shapira, « Socialist Means and National Aims » ; in : S.N. Eisenstadt (ed.), *Patterns of Modernity*, London, 1987, p. 109-121. L'article fut écrit pour un congrès qui eut lieu à l'Université hébraïque de Jérusalem.

6. On en trouvera un exemple dans le recueil d'articles de Moshe Beilinson, l'un des publicistes importants du journal *Davar*, publié après sa mort dans un ouvrage intitulé : The World Crisis, Selected Writings : 1920-1935, Dvir, Tel Aviv 1940, 537 p. (en hébreu), et traitant exclusivement de cette question. *Davar* publia des séries d'articles sur l'économie de l'Union Soviétique, sur la colonisation juive en Crimée, sur les polémiques des dirigeants soviétiques etc. Lénine était considéré comme un héros culturel dans la Palestine mandataire. Dans les années trente, l'Union soviétique était encensée pour son opposition au fascisme. La sociale-démocratie par contre, était méprisée et perdit tout prestige pour avoir capitulé sans combat devant lui. Par opposition ; le *Schutzbund* de Vienne qui lutta contre les troupes de Dolphus, fut encensé par le mouvement ouvrier.

Sternhell a choisi d'examiner attentivement la question de l'escadron du travail (*gdoud haavoda*), pour prouver qu'il existait en fait une réelle possibilité d'établir une société alternative en terre d'Israël, et que c'est la *Histadrout* (syndicat) qui, pour des motifs sionistes, l'a fait échouer. Un combat virulent opposa en effet le gdoud haavoda à la histadrout, mais il assez improbable que ces deux corps aient eu des différends sur le fait même de l'amalgame entre les objectifs nationaux et socialistes, du moins jusqu'au stade du virement à gauche du gdoud en 1925. Celui-ci, qui définissait son objectif comme « la construction du pays par une commune généralisée », voulait lui aussi, se servir du socialisme afin de réaliser le sionisme. Sternhell cite Elkind[7] affirmant qu'il ne fallait répartir entre les membres du gdoud qu'une petite part des bénéfices, le reste devant aller « à la construction du pays, comme nous l'entendons ». Sternhell ajoute et commente : « en d'autres termes, Elkind renie les principes de base du socialisme national, désigné comme socialisme constructif » (p. 256). Je dois avouer qu'après avoir lu et relu ce paragraphe, je n'ai toujours pas compris en quoi Elkind renie le socialisme constructif. Il s'agit là à mon sens d'un exemple évident de socialisme constructif, aspirant à allier la construction du pays et la réalisation du socialisme. A ce stade, la lutte entre le gdoud et la histadrout n'avait rien à voir avec les positions sionistes et socialistes. (Entre parenthèses, au même passage de son livre, Sternhell cite une série de personnalités « nationalistes farouchement anti-marxistes », soit Remez, Katznelson, Levkovitz et Tabenkin[8]. Passons sur les trois premiers, mais en quoi Tabenkin mérite-t-il ces qualificatifs ? Sternhell a bien du mal à cerner ce personnage hors du commun, à la fois marxiste enthousiaste, jonglant même avec la terminologie et en même temps nationaliste !).

Quelques pages plus loin, Sternhell affirme que la cassure du Gdoud haavoda au moment de l'affaire de la scission des kibboutzim Tel Yossef et Ein Harod en 1923, n'avait rien à voir avec les attaches nationales du gdoud, toujours attaché à la primauté de la construction du pays (p. 263)[9]. Si c'est ainsi, quelle est la différence entre celui-ci et le reste du mouvement dont les expériences socialistes étaient déficientes selon Sternhell du fait de la primauté nationale ? Quelle est à ce stade la spécificité du gdoud justifiant de lui attribuer une sur-

---

7. Menachem Mendel Elkind : leader adulé et charismatique de la gdoud haavoda. Il commença sa carrière comme sioniste socialiste, mais perdit la foi quant à la possibilité de réaliser un sionisme socialisme en Terre d'Israël, au moment de la crise économique et sioniste des années vingt et des événements.

8. Shlomo Levkowich : homme de la deuxième vague d'immigration, exemple d'agriculteur intellectuel, père de l'idée du grand kibboutz combinant l'agriculture et l'industrie.
    Ytsh'ak Tabenkin (1887-1971) : homme de la deuxième vague d'immigration, l'un des plus importants dirigeants du mouvement ouvrier en Terre d'Israël, fondateur du *Kibboutz ha-meouh'ad* et son leader indiscuté. Leader de la gauche du *Mapai* (mouvement ouvrier d'Israël), et plus tard fondateur de *Mapam* (parti ouvrier unifié), parti ouvrier gauchiste.

value socialiste ? Même en supposant que le parti Ahdout-avoda ait eu en effet tous les défauts que Sternhell lui accorde (p. 265) et qu'il fut vraiment dépourvu de toutes les valeurs socialistes que possédait le gdoud (ce dont je me permets de douter), il n'y a là aucune justification de préférer le gdoud au Hachomer hatsaïr, au kibboutz meouhad ou à l'ensemble des kibboutzim. Dans ces cadres également, chacun recevait selon ses besoins et donnait selon ses possibilités, partout existait une société volontaire et libre, tout comme dans le gdoud. La distinction que fait Sternhell entre le gdoud et le kibboutz meouhad, comme si ce dernier n'avait pas adopté la méthode de la caisse commune et ne voulait pas concrétiser la notion d'égalité (p. 272), ne repose sur rien. Le gdoud était aussi sioniste et le kibboutz meouhad égalitariste.

Sternhell présente l'interdit de l'union entre Tel Haï et Kfar Guiladi qu'a prononcé la histadrout fin 1926, contrairement à l'avis du gdoud, comme une nouvelle preuve de la brutalité anti-socialiste de Ben Gourion. « Une telle vague de purge et d'élimination politique ne s'est jamais produite au parti socialiste », affirme Sternhell, utilisant une fois de plus son mot favori, « jamais » (p. 267). Qu'y a-t-il là de vrai en l'occurrence ? Me vient à l'esprit l'affaire Sné au Mapam, et il me semble que l'affaire Tel Haï et Kfar Guiladi n'est rien par comparaison, pour ne pas parler des purges répétées au sein des partis socialistes de gauche, avant et après leur arrivée au pouvoir. Ben Gourion en effet, ne reculait pas devant l'utilisation de la méthode forte, mais quel rapport y a-t-il entre la fusion de ces deux kibboutzim et toute la question du socialisme et du gdoud ? Se tenait à l'époque une polémique sur la surveillance de l'arsenal spartiate de Kfar Guiladi, où s'affrontaient d'une part la majo-rité des gens de Tel Haï et de l'autre, le groupe de la clique des anciens, dirigé par la famille Zeid, qui était contre l'union avec les gens de Kfar Guiladi, pour de sombres raisons remontant à l'époque du *Hachomer*. Dans les deux localités, la « droite » du gdoud, qui prônait un socialisme constructif, avait la majorité. Toute cette affaire témoigne des tendances centralistes de Ben Gourion et de la histadrout, qui ne supportaient pas d'entités autonomes comme le gdoud. Mais quel lien existe-t-il entre tout cela et la réussite ou l'échec du socialisme dans le pays pour cause de primauté nationale ? La preuve en est qu'au bout de moins de six mois, l'affaire se tassa et fut oubliée et les deux kibboutzim, qui entre temps s'étaient unis selon leur désir, ont réintégré en tout honneur la histadrout. Sternhell s'étend d'ailleurs sur cette

---

9.   La scission entre Ein H'arod et Tel Yossef, tous deux kibboutzim de la *gdoud avoda,* eu lieu sur fond des oppositions entre les hommes de la deuxième et ceux de la troisième vague d'immigration au sein de la *gdoud*. Ceux de la deuxième vague exigèrent de rompre le lien entre le kibboutz Ein H'arod et la caisse générale de la *gdoud* à cause du déficit important de celle-ci. Quand les responsables de la *gdoud* refusèrent, le kibboutz Ein Harod se retira de la *gdoud* tandis que le kibboutz Tel Yossef y est resté.

dernière affaire plus qu'il ne le fait pour la scission au sein du gdoud haavoda et le retour d'Elkind et de ses partisans en Union Soviétique.

Ces derniers, désespéraient de pouvoir réaliser un socialisme constructif dans le pays, vu le développement d'une économie capitaliste et la crise économique de la fin des années vingt. Ils crurent que sous le soleil (qui se révélera trompeur) qui se levait à l'Est, ils pourraient en Crimée, ériger un kibboutz exemplaire. Leur destin fut que les uns furent éliminés au cours de purges et les autres exterminés par les nazis. La leçon de socialisme dans ce contexte est-elle moins significative que l'affaire marginale de Tel Hai et Kfar Guiladi ou le brouillard factuel résulte-t-il simplement d'un manque de connaissances ?

À partir de là, chaque fois que Sternhell veut démontrer que la non réalisation pratique de l'égalitarisme, dans l'économie histadroutique ne découlait pas de difficultés objectives, il revient sur l'affaire de Tel Hai et Kfar Guiladi : la preuve en est que quand la histadrout le voulait, elle était prête à exclure de son sein Tel Hai et Kfar Guiladi. Elle n'a pas adopté la même ligne de conduite pour pratiquer à fond une politique d'égalité de salaires par l'octroi d'un salaire familial ou dans d'autres cas par l'adoption de solutions de ce genre.

En vérité, la histadrout n'était pas à ce point puissante, comme l'a décrite Sternhell. Dans une société d'immigrants, vivant dans une réalité coloniale où la loi n'accordait aucune protection à l'ouvrier, elle fournissait des services de base et établit ainsi un système de rapports de dépendance et de force entre les ouvriers et elle-même. Cependant, sa domination du marché du travail n'était que partielle et les ouvriers pouvaient toujours la quitter : une partie non négligeable d'entre eux (par exemple les ouvriers révisionnistes, ceux du Mizrahi et la plupart des orientaux) n'étaient pas du tout affiliés à la histadrout [10]. La nécessité de garder un équilibre entre la protection des intérêts des ouvriers faibles et vulnérables et le maintien d'une autorité sur les ouvriers forts (si ceux-là quittaient la histadrout, cela pouvait nuire à son pouvoir d'aider les faibles) exigeait une acrobatie constante entre les attitudes opposées de « tenir » et « lâcher du laisse », ou la carotte et le bâton. Il va de soi que la force de coercition de la histadrout, en tant qu'organisation volontaire, était limitée. Je ne donnerai à ce propos que quelques exemples : la histadrout ne réussit pas à enrôler des travailleurs pour des travaux de force, désignés dans le jargon de l'époque sous le terme de « travaux de conquête ». Elle échoua en cela même en période de chômage et dut demander de l'aide aux kibboutzim organisés pour fournir de la main-d'œuvre pour

---

10. Les ouvriers révisionnistes – ouvriers affiliés au parti révisionniste fondé par Vladimir Jabotinski (d'orientation de droite et non socialiste).

des postes sensibles comme les entreprises de la mer morte ou d'autres unités du gouvernement mandataire. En période de prospérité économique citadine, la histadrout n'avait pas les moyens d'embaucher des ouvriers pour la cueillette. De même, elle ne réussit pas à établir son autorité sur les mochavim (villages collectifs), malgré la tentative liée à la création de « Nir » [11], de même qu'elle échoua à forcer la volonté des kibboutzim refusant d'accepter son autorité (comme ce fut le cas au moment de l'affaire de la scission de Ramat Yonathan et Beit Alpha). La histadrout n'a pas pu imposer l'union au mouvement kibboutzique. Elle ne parvint pas à amener les gens à s'enrôler ni au Palmah ni dans l'armée britannique, si ce n'est que dans une très faible mesure et bien moins que ce qu'elle prévoyait. En d'autres termes, quand l'intérêt individuel s'opposait à l'intérêt général, la force de coercition de la histadrout se révéla très limitée. Tel était le problème principal par rapport au degré familial [12]. D'une part, le succès de la histadrout dans l'aide financière aux chômeurs (par l'œuvre de remboursement) est digne d'éloges et Sternhell reconnaît entre les lignes la dimension impressionnante de cette aide [13]. Plus, il affirme même que (dans le pays) « les exigences du simple membre vis-à-vis de l'organisation étaient bien plus élevées que celles de tout membre de syndicat en Europe » (p. 399). Une telle situation nous rapproche-t-elle du socialisme ou nous en éloigne-t-elle ?

Les interminables répétitions sur la pauvreté philosophique du mouvement ouvrier juif et la médiocrité de la discussion intellectuelle qui se tenait en son sein, (par opposition à la supériorité intellectuelle des géants européens de la théorie) s'allient à la critique de l'action socialiste dans le pays et à la contestation de ses motivations et mènent à la conclusion que le modèle socialiste que préfère Sternhell est celui connu sous le nom de « salon communiste », c'est-à-dire le mode de vie de celui qui vit une vie bourgeoise mais parle bien haut en tant que socialiste.

Le vrai socialiste est de ce type, et non les désorientés de terre d'Israël, cherchant à tâtons leur chemin vers la société future. Au coin du feu et un verre de whisky à la main, il traite de questions universelles et se perd en

---

11. Nir – Tentative d'organiser tous les moshavim sous une seule égide, dans le cadre du syndicat général des ouvriers (histadrout). Cette tentative échoua, les membres des moshavim ne voulant pas renoncer à leur lien direct avec leurs institutions.

12. Degré fammilial – le salaire de tous les employés de la histadrout n'était pas fixé selon les aptitudes ou la loi de l'offre et de la demande, mais selon le nombre de personnes dans la famille. En conséquence de quoi, les travailleurs qualifiés se sentaient lésés par rapport aux simples ouvriers.

13. Mifal hamifdé, œuvre de remboursement – En période de crise économique dans le pays, la histadrout obligea ses membres jouissant d'un emploi à verser une partie de leur salaire à ceux qui étaient chômeurs. Ceci fut particulièrement important à la fin des années trente et au début des années quarante.

réflexions sur des points de rédactions du programme. En tout état de cause, a-t-on jamais entendu, selon Sternhell, qu'un mouvement socialiste se base sur l'existence ouvrière ?

« Mythe mobilisateur » et réalité historique

Dans la préface de son livre, Sternhell fait la distinction entre « images » et « faits ». Parmi les « faits », il compte également les « mythes sociaux courants, la perception qu'ont les hommes, du bien et de ce qui est souhaitable ». Si ces derniers sont des faits, le « mythe mobilisateur » fait partie des faits formateurs de la réalité, pour employer ses propres termes. Selon ce rapport, l'affirmation de Sternhell que le socialisme n'était qu'un mythe mobilisateur, semble assez curieuse et contredit sa propre idéologie.

A posteriori, tous les grands slogans se révèlent avoir été des mythes mobilisateurs : « travailleurs de tous les pays, unissez-vous ! », vers émouvants de l'Internationale, la vision de la révolution rédemptrice, la suprématie de l'homme, « liberté, égalité, fraternité », le prolétariat en Prométhée enchaîné, tous, mesurés à l'aune des analyses de l'historien face à la réalité qu'ils ont réussi ou non à changer, ne font plus figure d'articles de foi, pour lesquels on était prêt à mourir, mais bien de « mythes mobilisateurs », avec lesquels jouaient toutes sortes de manipulateurs afin d'amener les masses à agir. Ceci ne veut pas dire que ce faisant, ces dirigeants manipulateurs ne croyaient pas en toute bonne foi, comme ceux même qu'ils manœuvraient, que ce « mythe mobilisateur » exprime la vérité de leur existence, l'espoir de l'humanité, le meilleur d'eux-mêmes et de leur société.

Le caractère des mythes mobilisateurs exprime la foi, l'aspiration et l'objectif adopté par une société. Ce n'est pas un hasard si tel mouvement choisit comme mythe mobilisateur la pureté de la race ou la grandeur de la force et tel autre la solidarité internationale et suprématie de l'homme. Il existe des rapports de réciprocité et de gratification entre le système de normes dirigeant une certaine société et ses mythes mobilisateurs. C'est la raison pour laquelle les mythes mobilisateurs sont une source de première importance pour éclairer telle société. Le fait que le mouvement ouvrier en terre d'Israël ait adopté le socialisme en tant que mythe mobilisateur ne prouve pas la capacité manipulatrice de ses dirigeants mais montre leur cadre de croyances et d'attentes ainsi que celui de l'homme de la rue. Il éclaire tout particulièrement la représentation de soi de ce mouvement, comment il se voyait et à l'aide de quels concepts il analysait la situation mondiale, le passé et l'espoir en l'avenir, où il se situait dans l'éventail mondial dont les deux extrémités étaient alors nettement le communisme et le fascisme.

Contrairement à l'avis de Sternhell, qui situait le mouvement ouvrier juif quelque part à la droite de cet arc, tous les témoignages pour ce qui est de ce que les adhérents du mouvement voyaient comme bon et désirable, moral ou amoral le situent quelque part au cœur de l'extrême gauche de l'arc. Il se peut que dans la réalité de la fin du XXe siècle, les frontières entre les camps se soient estompées. Dans la réalité de la première moitié du siècle, l'appartenance au camp socialiste ou capitaliste était bien plus claire et aiguisée. Derrière cette appartenance, se profilent toute une série d'événements et de symboles qui en sont les codes d'identification. Je ne veux pas m'étendre sur le sujet, sur lequel on pourrait rédiger tout un livre, mais il est certain que l'on peut affirmer clairement que l'auto-conscience du mouvement ouvrier juif palestinien était une conscience socialiste qui modela la réalité politique, sociale et culturelle de l'État d'Israël, plus que toute autre idéologie. Elle s'exprima avant tout par le rejet de l'échelle des valeurs et des normes de conduite de la société bourgeoise, y compris le principe de réussite de l'individu et par le désir de créer une société où le critère de valeur de base serait la réalisation de l'individu par le travail, et de préférence par le travail physique. Il est vrai que cette conscience n'a pas fait preuve de beaucoup d'endurance, face au secret du charme bourgeois. A l'époque, elle détermina cependant les valeurs sur lesquelles fut éduquée la jeunesse, le discours politique de la presse et de la rue, les critères d'appréciation convenus de faits ou de lacunes de l'individu ou de la société, les normes de conduite, les rapports d'échanges entre l'économie et la société, entre la société et la politique, entre l'individu et la collectivité. Comme dans toute société humaine, existait également alors, un écart entre les belles phrases et les actes. Cependant les mots avaient et ont toujours un poids énorme dans l'élaboration de la conscience individuelle et collective.

Le fait que la société israélienne en formation fut un mélange d'économie capitaliste et d'îlots socialistes, d'économie libérale et d'économie collectiviste, de planification centralisée et d'initiative privée, d'écarts sociaux et de sensibilité envers les classes faibles, d'égoïsme concurrentiel et d'intérêt pour le collectif, n'annule en rien le lien profond des pères fondateurs avec le monde conceptuel, l'ambition profonde et l'œuvre socialistes. Définir « qui est socialiste » ne découle ni de la fidélité à tel ou tel dogme socialiste, ni de la réussite finale des héros de l'histoire, puisque selon une telle définition il semble qu'il n'y aurait jamais eu un seul socialiste dans le monde.

Aujourd'hui, après l'effondrement des régimes socialistes et communistes dans le monde entier, quand même le modèle de l'état providence ne résiste pas aux outrages du temps, et alors que les vestiges de l'économie socialiste en Israël se détériorent et entraînent dans leur chute le reste d'obligation sociale du mouvement travailliste, telle la complainte de Honni Hameaguel, venant de s'éveiller de son sommeil et cherchant un monde qui n'existait pas au moment où il était allé se coucher, monde dont il a rêvé pendant ses soixante-dix ans de sommeil. Nul modèle n'a résisté aux épreuves du temps, nul n'a vaincu les pulsions concurrentielles et matérielles de l'homme en général, et de l'ouvrier en particulier. Le socialisme, en tant que mouvement dont la signification première était avant tout morale, n'a pas encore dit son dernier mot. Nous sommes dans une période de transition, entre l'échec des anciennes formules et l'apparition de théories proposant un nouvel équilibre entre la justice sociale et l'économie moderne, entre l'intervention de l'état et la liberté individuelle. Quand commenceront les tâtonnements annonciateurs de la formule salvatrice, ce ne seront pas les vieilles doctrines de l'école de Sternhell qui seront le fondement du nouveau développement, mais justement cet anarchisme créatif qui fut la caractéristique des pères fondateurs du mouvement ouvrier juif d'Israël.

Oublier l'Europe
Points de vue concernant le débat sur le sionisme et le colonialisme*

Avi BARELI

L E DÉBAT sur les premières tentatives d'élaborer une alternative post-sioniste pour expliquer le sionisme et l'État d'Israël, a tourné entre autres autour de la question du sionisme et du colonialisme. Ceci exprimait clairement que la polémique actuelle était aussi une répétition des discussions tumultueuses d'il y a cent ans, sur le sionisme et sur d'autres projets des Juifs d'Europe de l'Est, au début du XXe siècle [1].

À partir des années quatre-vingt du XXe siècle, des chercheurs comme Gershon Shafir, Ilan Pappe, Baruch Kimmerling, Ronen Shamir et d'autres encore, proposèrent de comprendre l'histoire du sionisme et de l'État d'Israël selon un mode de pensée qui, quelques dizaines d'années avant, avait été celui de communistes juifs d'Europe de l'Est et de différents centres du judaïsme d'Europe de l'Est. Ces chercheurs proposaient de voir dans l'immigration vers la Terre d'Israël et l'installation des Juifs dans le pays, une invasion européenne, qui débuta à partir des années quatre-vingt du XIXe siècle grâce d'abord à l'effondrement de l'empire ottoman, puis à une alliance d'intérêts avec l'empire britannique. Selon ces chercheurs, appartenant à

(*) Je tiens à remercier Yossef Gorni, Guilat Gofer, Gadi Taub, Guidon Katz, Orna Miller, Tuvia Friling, Nir Kedar, Nahoum Karlinsky et Orit Rosin qui ont bien voulu lire ce manuscrit et m'ont fait bénéficier de leurs remarques judicieuses.

1. Ces discussions étaient toujours politiques, idéologiques, à des fins de propagandes ou diplomatiques mais étaient également des polémiques de chercheurs, tant est qu'on puisse isoler l'aspect de la recherche pure d'un sujet aussi chargé. L'argument selon lequel le sionisme représente un acte d'agression européenne et une invasion d'un pays habité par des Arabes a été avancé contre le sionisme dès le début. Il fut proféré surtout à gauche, sous l'influence d'une partie de la gauche européenne qui avait tendance à nier la validité d'une catégorie nationale en politique moderne. Chez les Juifs de gauche, cette tendance s'associait souvent à l'idée que l'identité collective juive est un résidu néfaste, superflu et moyenâgeux.

« l'école colonialiste » [2] de l'étude du sionisme et de l'État d'Israël, il y a lieu de préférer la version de la « réalité coloniale » au narratif sioniste de cette même réalité. Ils se sont donc attachés à stigmatiser tout ce qui leur semblait être une « réalité coloniale » d'exploitation ou de spoliation, dans l'élaboration de la société et de l'économie en Palestine-Terre d'Israël et pour tout ce qui avait trait au conflit des colons juifs avec les Arabes palestiniens [3].

Les chercheurs de « l'école colonialiste » proposent une explication alternative remplaçant à la fois celle décrivant le retour du peuple juif vers son pays, le développement en Europe, centre démographique de ce peuple, d'un mouvement national moderne et révolutionnaire et celle du narratif de la branche sioniste de ce mouvement sur son succès en matière d'immigration, de capital et d'installation en Terre d'Israël, sur l'immigration clandestine des réfugiés rescapés des camps de concentration et la réunion ensemble de Juifs venant d'Europe et de leurs coreligionnaires du Moyen-Orient et d'Afrique du Nord pour l'élaboration d'une société souveraine du point de vue politique, nationale et moderne.

Le fondement de la thèse de l'essence colonialiste du sionisme était un élément essentiel du programme alternatif que proposaient les chercheurs post-sionistes. Je vais tenter ici de montrer que cette thèse est scientifiquement, fondamentalement stérile et de dévoiler la source de cette stérilité. Le but de cet article est de démontrer le grave handicap méthodologique de « l'école colonialiste » pour la recherche sioniste et celle de l'État d'Israël, et de prou-

---

2. Il se peut que la définition d'« école » ne convienne pas, puisqu'elle désigne une orientation générale ; ce que je veux dire est que ces chercheurs contournent l'exigence de fournir une explication causale au sionisme. Cependant, au sens étroit, si le terme d'« école » ne désigne qu'un groupe de personnes professant une certaine attitude par rapport au sujet dont traite une étude, on pourra employer le terme d '« école colonialiste » pour l'étude du sionisme et de l'État d'Israël, et c'est ce que je ferai ici. Shafir est pour ce débat le chercheur le plus significatif puisque c'est lui qui publia la dissertation la plus explicite et la plus complète (voir plus loin).

3. Gershon Shafir, Land, Labor and the Origins of the Israeli-Palestinian Conflict 1882-1914, Cambridge University Press, Cambridge 1989, p. 8-21 (ci-dessous : Shafir, *Land, Labor*) ; *ibid.*, « Terre, travail et population dans la colonisation sioniste : aspects généraux et particuliers », dans Uri Ram (éd.), La société israélienne : aspects critiques, Brerot, Tel Aviv 1993 ; Gershon Shafir, « Israeli Society : A Counterview », in *Israel Studies,* vol. 1, no. 2, fall 1996, pp. 189-213 (ci-dessous : *Shafir, L'autre opinion*) ; Ilan Pappe, « Sionisme, un colonialisme – regard de comparaison sur un colonialisme atténué en Asie et en Afrique », dans Yechiam Weitz (éd.), *From Vision to Revision : cent ans d'historiographie sioniste*, Jérusalem 1998 (ci-dessous : *Pappe, Le sionisme en tant que colonialisme*) ; Baruch Kimmerling, *Zionism and Territory : The Socio- Territorial dimensions of Zionist Politics*, Institute of International Studies, University of California, Berkeley 1983 (ci-dessous : Kimmerling) ; Ronen Shamir, *The Colonies of Law* : Colonialism, Zionism and Law in Early Mandate Palestine, Cambridge University Press, Cambridge 2000 ; Ronen Shamir, « La bourgeoisie juive dans la Palestine coloniale : traits généraux de l'ordre du jour de la recherche » dans : *Sociologie israélienne* 3 (1), 2000, p. 133-148 (ci-dessous : *Shamir, Bourgeoisie*) ; Amir Ben-Porat, « Nous ne sommes pas restés passifs : occasion, désir et irruption en Palestine », *Réflexions sur la renaissance d'Israël*, 4, 1994, p. 278-298 (ci-dessous : *Ben-Porat, Nous ne sommes pas restés*).

ver qu'elle n'établit pas de lien entre l'objet de son étude et ses causes et donc ne remplit pas son rôle d'interprétation historique ou sociologique. Dans cet article, je me pencherai donc sur l'évaluation méthodologique des processus explicatifs fondamentaux de « l'école colonialiste », afin d'appuyer l'argument selon lequel « l'école colonialiste » sépare le sionisme et son projet palestinien de ses motivations et en « oublie l'Europe » ; ce qui veut dire en fait que cette « école colonialiste » néglige les processus économiques, sociaux et culturels que subirent les Juifs d'Europe et les poussèrent à émigrer vers la Terre d'Israël, pendant plusieurs dizaines d'années au cours du XXᵉ siècle, à s'y installer et à y investir des capitaux. Une analyse méthodologique de la thèse de « l'école colonialiste » montrera que celle-ci échoua à élucider les origines de la force et de la persévérance du sionisme. Elle révélera pourquoi cette école ne pouvait expliquer comment le sionisme et l'État qui en est le produit, représentent au début du XXIᵉ siècle, une force historique active et vitale.

Effacer les causes d'un phénomène quelconque, revient à créer une autre réalité, imaginaire. C'est ce que firent Shafir et Pappe en se détachant du contexte causal essentiel de l'objet de leur étude ; en conséquence de quoi ils induisent leurs lecteurs en erreur. Cette induction en erreur a un aspect général qui sera ici l'essentiel de notre propos et un aspect concret touchant à l'explication de la nature de tel ou tel phénomène historique. On ne peut comprendre la colonisation ou l'édification sioniste en Terre d'Israël si on les disjoint des processus tendant à rendre les Juifs plus productifs, par lesquels passèrent par exemple les Juifs d'Europe de l'Est ; la renaissance de l'hébreu en Terre d'Israël est incompréhensible si on ne la replace pas dans l'œuvre culturelle moderne des Juifs d'Europe ; les *bilouim* et plus tard les membres du *hapoel hatsair* et du *poalei Sion* sont l'expression d'un phénomène sociologique bien plus large, de la jeunesse cultivée et semi-intellectuelle en Europe de l'Est ; les *poalei Sion* de Terre d'Israël faisaient partie d'un mouvement ouvrier juif qui avait des ramifications en Europe et en Amérique ; l'immigration en Terre d'Israël concernait une partie infime (même si celle-ci tendait à s'élargir progressivement) du mouvement d'émigration juive d'envergure qui dura quelques dizaines d'années. Ce ne sont là que quelques exemples pris au hasard des torts qui s'ensuivent si l'on dissocie ce qu'ont fait les immigrants juifs en Terre d'Israël de leurs racines européennes. Il m'est impossible dans le cadre de cet article de tenter d'énumérer les profonds méfaits de ces recherches, mais mon argumentation ne se résumera pas à les dénoncer. Ce que je veux surtout dire est que la proposition « d'oublier l'Europe » pour expliquer le sionisme et son action en Terre d'Israël, comporte une insuffisance méthodologique générale et place ses détenteurs dans une position fondamentalement irrationnelle de rupture entre l'objet et ses motivations.

Le fait que la discussion sur la question du sionisme et du colonialisme se soit ces dernières années focalisée sur une affaire de classification du sionisme, oriente également le débat dans une direction méthodologique ; en effet, ce développement de la recherche oblige à examiner si effectivement, la question du lien ou de l'absence de lien entre le sionisme et le colonialisme est tranchée, selon telle ou telle classification ou selon telle ou telle typologie des phénomènes de colonialisme. À la base, cet examen est méthodologique. Il se fait ici par le biais d'un débat sur la signification d'une classification dans l'analyse d'ensemble du phénomène sioniste. Le but de ce débat est de montrer qu'il y existe en effet une raison méthodologique pour classer le sionisme aux côtés de phénomènes coloniaux évidents ; mais cette classification ne peut être que le fait d'une première démarche, elle n'est qu'une parcelle d'autres classifications, qu'il faut certes établir au stade préparatoire de l'analyse historique, mais s'y confiner au-delà de ces premiers stades, frustre l'analyse historique de l'un de ces buts principaux, soit l'explication causale du sujet et la fait dégénérer en inventaire de ces caractéristiques. Dans une large perspective, on peut dire que « l'école colonialiste » piétine au stade premier et préparatoire de la prospection, le stade de rassemblement et de classement de matériel. Elle n'atteint pas le stade d'une analyse complète de son sujet d'étude, puisqu'elle est incapable d'établir un ensemble de raisons valable pour expliquer le sionisme et l'État d'Israël.

Le cantonnement de la discussion à l'aspect méthodologique a un autre but, qui est assez proche. Ces dernières années en Israël, c'est surtout parmi les chercheurs [4] qu'est entretenue la polémique sur la question du sionisme et du colonialisme et de ce fait, les différents participants à cette discussion ont dû admettre un déterminateur commun de principe. Ils sont censés être acquis à la qualité de la recherche, au fait que celle-ci sans prétendre relever d'une totale objectivité, n'est cependant possible que si fonctionnent des normes communes, façonnées dans le cadre du débat sur la méthodologie de la recherche. Il est certain que la recherche historique ne peut être définitive. Cependant elle est menée dans un cadre méthodologique commun qui n'a rien d'anarchique. Même s'il n'y a pas de consensus sur la méthodologie de la recherche, un débat méthodologique peut cependant apporter sa contribution dans des discussions comme celle sur le sionisme et le colonialisme, et ceci pour deux raisons : d'une part, le désaccord sur les questions de méthodologie n'est pas très grand et il existe des limites que tout le monde s'entend à ne pas dépasser ; d'autre part, les discussions sur les différentes atti-

---

4. Cette polémique est entretenue en partie dans les media, mais ces principaux participants sont des chercheurs et « la quête de la vérité » est un motif essentiel, également dans la phase journalistique de la discussion. De toute façon, le débat public s'appuie principalement sur le débat scientifique.

tudes méthodologiques ne recoupent pas celles sur les interprétations des processus historiques.

L'orientation méthodologique peut également contribuer à l'étude de la question du sionisme et du colonialisme parce qu'elle est chargée de significations politiques et morales. Aucun participant à cette polémique ne peut rester indifférent à ces significations. À mes yeux, le sionisme est une base de la vie historique et politique du peuple auquel j'appartiens, mais l'exigence de comprendre les phénomènes historiques est commune à tous ceux qui participent au débat, quelle que soit leur position politique par rapport à ces phénomènes. D'où l'importance du côté méthodologique de la discussion sur le sionisme et le colonialisme. Une clarification historique préalable et dans la mesure du possible, détachée de ses conséquences politiques et morales, est de l'intérêt de la recherche et de l'intérêt général et public. L'étude méthodologique est essentielle pour une telle clarification historique préalable, parce que ses considérations touchent à la qualité de l'analyse historique et au fondement de ses conclusions et ne sont pas déterminées par telle ou telle position sur certaines questions d'interprétations historiques.

Ceci étant, la nature du sujet ne permet pas de se concentrer sur la seule méthode de discussion. C'est pourquoi, nous passerons dans cet article avec une certaine lourdeur obligée, d'une mise au point méthodologique à des rappels et de brefs éclaircissements du corpus de l'interprétation historique. Ne pouvant l'éviter, j'entraînerai mes lecteurs dans cette course, que je tenterai de rendre plus facile en signalant les principaux carrefours, dans ma présentation. Je commencerai dans un premier temps par la justification de l'argument méthodologique selon lequel le cœur de la polémique sur la question du sionisme et du colonialisme est essentiellement matériel et relève de l'économie et de la politique. Après cette remarque, nous passerons dans un deuxième paragraphe à la discussion méthodologique principale et j'avancerai qu'il est en effet possible d'inclure le sionisme dans un large groupe de phénomènes, qu'on peut désigner par le terme générique de « colonialisme », dans la mesure où cette affiliation est une démarche préliminaire d'analyse comparée. On interrompra ici le cours de la discussion méthodologique et dans un troisième paragraphe, je résumerai trois arguments fondamentaux contre le fait de définir le sionisme en tant que colonialisme. Ceux-ci ne seront pas approfondis, mais serviront seulement à concrétiser la problématique d'analyses comparées, basées sur un inventaire de caractéristiques. Je poursuivrai la discussion méthodologique dans un quatrième paragraphe où j'avancerai que l'explication historique ne peut se réduire à une classification ou à un inventaire de caractéristiques, si obligés soient-ils dans un premier stade, étant donné que toute interprétation historique se doit de déterminer l'essence du phénomène historique étudié, c'est-à-dire établir quelles en sont les causes et quelle est l'orientation des processus qui l'ont établi. Sur la foi de ces propositions bien établies, on avancera que les adhérents de «l'école colonialiste» ont failli dans leur étude du sionisme et de l'État d'Israël, en séparant l'objet de leur étude de ses causes ou, en d'autres termes, «ont oublié l'Europe» à cause de ce que l'on désignera ici par une «insuffisance palestinocentriste». Dans un cinquième paragraphe, je montrerai comment ces chercheurs sont arrivés à un rapprochement d'esprit intéressant avec les «cananéens», Israéliens d'origine juive prônant une conception du monde antijuive. Enfin, j'alléguerai que la structure de leur proposition explicative convient à un commentaire du projet historique du cananéisme de Jonathan Ratosh ou d'Edia Gour-Horin, projet qui n'a évidemment pas été concrétisé, mais n'est en aucun cas applicable au sionisme et à l'État d'Israël.

1

L'esprit du temps oblige à se démarquer de la tendance à la mode, d'analyser le colonialisme par le biais d'une analyse de discours ou de texte, en plongeant dans la structure de conscience et les voies d'expression. Le colonialisme était un ensemble de phénomènes concrets – d'ordre géographique, économique, politique et social – et son pivot était principalement économique. Il revêtait évidemment des expressions conscientes; il est certain qu'on peut parler d'idéologies colonialistes, et l'on peut supposer que leur développement était une forme obligatoire du colonialisme lui-même. Cependant, ces expressions conscientes n'étaient pas la charpente de cet ensemble de phénomènes ou ce qui le caractérisait – elles n'étaient pas un état de fait dont la suppression entraînerait la disparition de l'ensemble des phénomènes historiques désignés par le terme de «colonialisme». Il est évident que les expressions conscientes du colonialisme ne peuvent en constituer le point de départ ou le centre de discussion. L'analyse doit se faire à partir de ses manifestations concrètes évidentes et essentielles et doit s'y tenir.

Je veux parler de tendances qu'il est convenu de qualifier de «post-modernistes» et qui sont en fait une sorte d'idéalisation et de subjectivisme hégélien, puisqu'elles se concentrent entièrement dans la conscience et dans le discours. Hégel revient par la porte de service, justement chez les descendants spirituels de Nietzsche – alors que la philosophie de Nietzsche elle-même était l'un des repères de l'opposition à l'idéalisme hégélien, c'est-à-dire l'opposition à la conception selon laquelle l'histoire est un processus de révélation de la conscience (intelligente, d'après Hegel). Une autre difficulté réside dans le fait que les radicaux de gauche, du moins ceux qui se considéraient comme tels, concentrèrent leur attention intellectuelle sur le discours et la conscience, c'est-à-dire ne se préoccupèrent guère de la société et de l'économie. Pour ce qui nous occupe ici, il faut cependant convenir qu'une telle position est inacceptable, surtout si la discussion se focalise sur un phénomène essentiellement matériel comme le colonialisme.

Ceci se rapporte surtout à la tendance d'aborder la discussion sur la relation entre sionisme et colonialisme selon les modèles d'analyse d'Edward Said[5] et de Homi Bhabha[6]. Said et Bhabha traitent de la conscience colonialiste existant en Occident, et en effet il y a matière à étudier les consciences collectives, ne serait-ce que celle d'un sujet aussi vaste que flou que l'Occident. Mais rien ne justifie que l'étude du colonialisme se limite à une analyse subjectiviste ou même, qu'elle l'initie. Une telle analyse ne peut être qu'une étude d'ensemble ou une analyse complémentaire, corollaire de l'explication principale. Ceci résulte du caractère de l'objet étudié.

Bizarrement, nombreux sont ceux qui aujourd'hui pensent que « la conscience colonialiste » est une expression de critique. Mais du moins pour ce qui touche au phénomène d'ordre économique, politique et géographique qu'est le colonialisme, cette forme d'analyse est le contraire d'une critique, étant donné qu'elle coupe l'analyse des causes fondamentales de son objet. Nul besoin d'adopter le matérialisme marxiste ou la critique de Marx pour voir que l'analyse de conscience et de discours ne représente pas la voie principale pour étudier le colonialisme.

Il est vrai que l'exigence d'analyser la culture, la politique et la conscience en rapport avec les structures socio-économiques contemporaines, est l'apport philosophique de Marx le plus résistant et le plus évident, celui qui fut le moins érodé par les développements historiques. Mais chez les marxistes trop convaincus, la critique marxiste est destinée à dégénérer en ce qui fut désigné par le terme de « matérialisme vulgaire », qui est la réduction de toute chose aux rapports économiques de domination. Tout cela est connu, et ce n'est pas la peine de donner ici d'explication économique mécanique des modèles de « conscience colonialiste », pour autant que ces modèles de conscience soient le sujet de cette étude.

Mais la pensée post-moderniste en est arrivée à une autre extrême absurdité et en sciences sociales et humaines elle n'est qu'un vulgaire idéalisme vide du point de vue de la recherche. La manifestation plus publique de cette tendance scientifique stérile se trouve dans l'illusion du « politiquement correct », qui présume qu'il est possible de réparer des difformités sociales en modifiant la manière d'en parler. De toute façon, l'idéalisme vulgaire est

---

5.   Edward W. Said, *Orientalism,* Pantheon Books, New York 1979 ; Edward W. Said, *Culture and Imperialism,* A.A. Knopf, New York 1993.

6.   Homi Bhabha, *The Location of Culture,* London 1994.

une tendance particulièrement nocive dans l'étude du colonialisme. L'analyse d'un phénomène essentiellement matériel, par l'examen de ses expressions conscientes ne peut être que stérile du point de vue de la recherche et il n'est certainement pas critique, dans tout sens acceptable et modéré du terme. Une étude du colonialisme, tout entier concentré dans les textes et dans la conscience, ne convient tout simplement pas à son sujet – ses instruments ne conviennent pas à la tâche, si tant est que celle-ci soit surtout une tentative de compréhension.

La forme d'analyse de Said et de Bhabha fut intégrée au discours intellectuel non seulement parce qu'elle convenait à la mode post-moderniste mais également parce qu'elle convenait aux moralistes, à ceux dont la motivation principale était soi-disant « d'attraper le criminel » et de le blâmer définitivement. On examine des textes historiques, on découvre une mentalité colonialiste dans quelques dires écrits ou oraux et c'est ainsi que s'élève la fumée du bout du revolver. La motivation n'en est nullement le décryptement du processus historique, mais un jugement puritain, empêchant la compréhension, prenant sa place et de ce fait l'interdisant ou l'arrêtant. La problématique « se résout », relativement facilement et ainsi une véritable confrontation est évitée. Il ne faut absolument pas nier la validité du jugement moral des événements historiques, mais celui-ci ne doit venir qu'après la compréhension de ce qui s'est passé, après avoir plus ou moins éclairci ce que nous pensons qui est arrivé. Si ce n'est pas le cas, il n'a aucune base. Il y a ici entre autres, l'expression d'un manque de patience, d'un désir de passer directement à « l'essence des choses ». La discussion sur la classification historique du sionisme ne demande ni de jugement moral, ni de justification au service de l'intérêt israélien, mais elle exige une tentative adéquate et patiente de situer le sionisme dans son contexte.

Voici pour ce qui est de circonscrire la discussion à des problèmes d'ordre économique ou politique, afin qu'elle soit objective. Nous pouvons maintenant aborder une autre question méthodique de la discussion – et voir quel est le but de l'examen scientifique de la relation entre sionisme et colonialisme.

2

Si tant est que la volonté de comprendre soit la motivation première, avant tout jugement ou propagande, l'une des premières questions de méthode touche en effet la classification. Il faut se pencher sur la justification qu'il y a à englober l'ensemble de phénomènes appelé « sionisme » à cet autre ensemble de phénomènes que nous désignons par le terme de « colonialisme », et examiner en quoi cette relation d'appartenance est bénéfique pour la recherche. Elle a une finalité avant même de donner des définitions précises, avant de définir clairement les phénomènes du « sionisme » et du « colonialisme », c'est-à-dire précisément au premier stade de la recherche, celui du rassemblement de matériel, quand on s'oriente dans un espace de phénomènes, obligatoirement amorphe, à ce stade. Par contre, à un stade plus avancé de la recherche, la classification devient beaucoup moins intéressante et l'analyse se concentre sur la relation du phénomène à ses causes – il s'agit de donner une explication au sionisme, et non pas d'en établir une classification. Plus précisément, la classification du phénomène du sionisme n'est qu'un instrument méthodique pour pouvoir donner une explication historique, pour en expliquer les sources, mais la classification en elle-même ne peut être considérée comme une telle explication. Comme tout phénomène historique, on ne peut expliquer le sionisme par le seul fait de le placer dans une catégorie générale, que ce soit celle de « colonialisme » ou de « nationalisme ».

Classifier est donc une opération légitime dans un premier stade de l'analyse historique, pour tenter une reconnaissance générale et cerner l'ensemble de phénomènes à examiner. Au stade des questions de classification, il est normal qu'on se trouve dans une situation où règne un certain flou quant à la définition des objets historiques et de leurs rapports, puisque si on posait dès le départ des définitions précises, on arriverait forcément là où on voulait en venir. La classification est bien sûr une question de définition de concepts, et si on pose des limites très claires, pourquoi discuter sur ces mêmes limites si ce qui en résulte est établi d'avance sans argumentation ? C'est pourquoi un certain vague est au départ une exigence première de l'analyse. De cette façon, on sait plus ou moins et de manière générale et première, quels sont les phénomènes qu'englobe le concept de « sionisme » et quels sont ceux qu'inclut celui de « colonialisme ». La question qui se pose est quel est le lien qui relie ces ensembles.

Une telle analyse de classification est une nécessité méthodique, parce que c'est un instrument préalable pour pouvoir établir des comparaisons, qui peuvent dans une certaine mesure être utiles, pour désigner les causes qui ont engendré le sionisme, y compris l'identification précise des causes spécifiques du sionisme qui n'ont pas de parallèles dans des phénomènes historiques comparables. La classification doit répondre à la question de savoir quels ensembles de phénomènes est-il donné de comparer avec le sionisme. Il est donc intéressant d'examiner en quoi peut nous être utile une comparaison entre la colonisation sioniste et la colonisation européenne en Amérique ou en Afrique, par exemple. Si tel est le contexte de la question, il est évident que l'on doit se référer à une très large définition du colonialisme, qui engloberait presque tout ce que l'on peut inclure dans cette catégorie, y compris par conséquent le sionisme. Une large définition est nécessaire pour deux raisons : premièrement, un tel classement, comme nous l'avons déjà noté, doit se faire à partir de définitions qui ne soient pas étriquées et donc forcément très larges ; deuxièmement, le but d'une telle classification est d'examiner à fond à quoi il y a lieu de comparer le sionisme et il est donc important de ne négliger aucun élément avant d'arriver à une appréciation plus pesée. Pour établir une comparaison, il est bon de traiter du plus grand nombre possible de phénomènes pouvant être coiffés sous cette étiquette première et amorphe. Le « stock » dont nous avons besoin ne doit pas être sélectif.

Certains chercheurs au contraire ont tendance à donner au colonialisme une définition aussi étroite que possible, de façon à ce qu'il ne recouvre que des phénomènes répondant au plus grand nombre possible de conditions, et que de ce fait, le sionisme en soit exclu [7]. Mais, comme nous l'avons dit, cette attitude ne convient pas du point de vue méthodique, je veux dire qu'elle ne convient pas au but de l'opération, au premier stade de l'analyse, parce qu'elle ne peut mener qu'à un examen comparatif peu probant. De plus, elle évite, par principe, d'éclaircir les choses sous des prétextes formalistes et ainsi laisse subsister des doutes quant à la relation entre le sionisme et le colonialisme.

Le terme de colonialisme, par nature, revêt de nombreux aspects, justement parce que son rôle le plus important est d'englober des faits qui peuvent être comparés. C'est la raison pour laquelle on peut le considérer comme une sorte de grand sac, où des phénomènes sont jetés pêle-mêle, en vertu de liens associatifs tout à fait libres. Le terme de « colonialisme » appartient à la catégorie de concepts génériques comme ceux de « démocratie », « nationalisme » ou « religion ». De tels concepts généraux, faits pour préparer à l'analyse comparative, souffrent souvent de se voir enfermer dans des définitions résolument étroites, souvent juridiques. C'est ce qui se passa par exemple pour l'étude du phénomène de nationalisme, du moins à ses débuts.

De toute manière, du fait que le terme de « colonialisme » est un terme générique large et associatif, il sert l'étude du sionisme. C'est l'un des termes génériques qu'il y a lieu d'employer parmi d'autres, dans la démarche méthodique, préliminaire à l'analyse comparative du sionisme (certains ont déjà été cités et j'ajouterai encore le terme de « post-colonialisme » qui touche au processus de construction des états et des peuples après la colonisation, terme qui lui aussi est un concept générique significatif pour une analyse comparative du sionisme [8]). Le phénomène historique appelé « sionisme » était

---

7. Par exemple : Ran Aaronson, « L'établissement en Terre d'Israël, acte colonialiste ? Les « nouveaux historiens » face à la géographie historique », dans : Pinchas Ginosar et Avi Barali (éd.), *Sionisme : polémique d'actualité, approches scientifiques et idéologiques,* Centre de l'héritage de Ben Gourion, Kiriat Sdé Boker, 1996, p. 340-354.

surtout un mouvement de personnes d'origine européenne vers un pays peu peuplé et à culture extensive. A une époque cruciale de son histoire, il y eut un lien entre ce mouvement et l'impérialisme britannique. Les colons juifs étaient en concurrence avec les autochtones et les immigrants arabes venus de pays voisins. Un conflit s'ensuivit, qui se dégrada en guerre civile opposant les deux secteurs nationaux, à l'issue de laquelle, la plupart des Arabes ne purent rentrer chez eux. Il est vrai que les colons juifs étaient arrivés dans le pays, imbus de sentiments de condescendance et de supériorité culturelle, et en même temps pétris de désir romantique de « l'Orient », à la mode européenne, et cette dualité sentimentale et cognitive s'est également développée chez eux, dans une certaine mesure, au cours de leur vie dans le pays (ce n'est pas un hasard si la base cognitive est ici la dernière de la liste). Tels sont les faits de base. De les citer ici ne revient pas à en faire une analyse, ni à plus forte raison à en dresser un tableau exhaustif. Il n'a nullement été tenté ici d'évaluer leur poids dans leur contexte historique. Il suffit d'en faire l'inventaire pour s'accorder à ramener le phénomène du sionisme à un ensemble de phénomènes colonialistes, à condition que cette appartenance soit une démarche préliminaire de l'analyse comparative et que l'objectif soit d'identifier tout phénomène susceptible d'être comparé au sionisme.

---

8. Pour ce qui touche à quand fut créé l'État d'Israël, soit la fin des années quarante et le début des années cinquante du XXe siècle, et également pour ce qui touche aux circonstances de l'établissement de l'État, soit le départ d'une puissance coloniale, la comparaison avec d'autres développements parallèles s'impose ; par exemple il y a lieu de comparer avec la construction de peuples et d'états post-coloniaux autour de mouvements anticolonialistes en Asie et en Afrique, s'accompagnant souvent de luttes ethniques. C'est pourquoi le terme de « postcolonialisme » est également un concept générique qu'il est juste d'utiliser dans les démarches préliminaires de l'analyse comparative du sionisme et de l'État d'Israël. D'après moi, c'est une direction féconde pour la recherche et même si elle a ses limites, comme toute tendance de classification, elle ne pèche pas par « oubli de l'Europe ». Derek Penslar en a dernièrement montré l'avantage explicatif qu'il a formulé ainsi :... « by claiming Zionism to be a form of postcolonialism, that is, placing Zionism in Asia, I will be re-placing Zionism in Europe, a continent distinguished by not only the great overseas empires of the West but also a sizable body of colonized, stateless peoples, including the Jews ». Derek Jonathan Penslar, « Zionism, Colonialism and Postcolonialism » in : *The Journal of Israeli History* (forthcoming) sera dénommé ultérieurement : *Penslar, Sionisme, colonialisme et postcolonialisme*. Penslar dans ce livre, fait la comparaison entre le réveil national des Juifs d'Europe – vu la condition mise à leur intégration dans les états modernes d'Europe de se fondre dans la culture non-juive et face à l'antisémitisme accompagnant ces tentatives – et un réveil national semblable en Thaïlande, au Japon, en Égypte et surtout en Inde et aussi en Irlande, en Bohême et en Pologne. Il reconnaît qu'il y eut bien certains aspects colonialistes dans l'action de l'Organisation Sioniste en Terre d'Israël, mais il est persuadé que le sionisme fut principalement un mouvement anticolonialiste orienté surtout sur la résistance à la répression sous toutes ses formes des Juifs en Europe. L'argumentation de Penslar se base sur la reconnaissance d'une ressemblance, à côté d'une différence, entre le sionisme et l'État d'Israël d'une part et d'autre part, le nationalisme anticolonialiste et l'état post-colonialiste évoqués dans un cadre théorique par Partha Chatterjee. Voir : Partha Chatterjee, *The Nation and Its fragments : Colonial and Postcolonial Histories*, Cambridge 2000.

3

À ce stade de notre propos, après ces considérations générales abondant dans le sens d'une comparaison méthodique entre le sionisme et des faits d'établissement colonialistes, nous allons interrompre un peu la suite de cette argumentation méthodologique pour faire trois remarques. La première touche au « caractère européen » des Juifs, c'est-à-dire l'un des traits de base susceptible de justifier l'appartenance du sionisme à la catégorie du colonialisme ; la seconde porte sur la question de la rentabilité de l'œuvre économique de l'implantation sioniste ; la troisième regarde la déchirure de la société en Palestine-Terre d'Israël entre deux secteurs nationaux.

Chacun de ces trois points pourrait servir de base à un article en soi, mais nous ne pourrons ici que les traiter brièvement. Ils contiennent les noyaux de trois des plus décisifs arguments contre « l'école colonialiste » dans la recherche du sionisme et de l'État d'Israël, à côté de l'argument méthodologique invoqué plus haut contre cette école. Ces remarques sont nécessaires, plus pour les rappeler que pour les approfondir, et également afin que la discussion méthodologique ne soit pas trop dissociée de son contexte historique. Bien que la discussion méthodologique puisse se faire selon des considérations basées uniquement sur des principes de recherche, et il est souhaitable que ce soit le cas, il est nécessaire de la placer dans le contexte de questions de recherche comme celles que soulèvent ces trois remarques.

Tout d'abord, bien que pour les Juifs, tant soit qu'ils tenaient à leur spécificité collective et culturelle et ne se soient pas assimilés, et dans une certaine mesure également pour les Européens non-juifs, il est assez étrange de considérer les Juifs en tant qu'Européens venant vers l'Orient, étant donné que leur désignation d'étrangers en Europe avait un aspect oriental, sémite qui servit entre autres de base au développement du concept d'antisémitisme. Certaines vieilles communautés juives d'Europe avaient plusieurs centaines d'années d'existence, cependant leurs membres n'avaient pas réussi à se libérer de leur caractère d'étrangers. Le sionisme soigna ce sentiment d'étrangeté, cette identité non européenne. Qu'est-ce que la renaissance de l'hébreu, si l'on veut bien s'arrêter un instant sur le point le plus important de l'œuvre culturelle du sionisme ? Est-ce que l'hébreu est une langue européenne comme les langues des colonialistes européens[9] ? D'ailleurs, en la faisant renaître, les immigrants juifs adoptaient un fondement culturel appartenant à la région

---

9.   Voir comment Gelber a brièvement traité le sujet dans l'article qu'il publie dans ce livre : Yoav Gelber, « The Status of Zionism and Israeli History in Israeli Universities ». Il insiste sur le fait que parce qu'ils rejetèrent leurs pays et leur langue d'origine, la conduite des colons juifs fut tout à fait différente de celle des colons européens.

où ils s'installaient, fondement dont on ne saurait nier « l'appartenance locale » israélienne. Ce projet fut très difficile mais il n'était nullement un fantasme vide de sens. Il ne fut possible que, parce que dès le départ, il existait une certaine dose d'aliénation « sémite » des Juifs par rapport à leurs lieux d'habitation en Europe et aussi parce que l'hébreu, s'il agonisait, n'était cependant pas mort et il restait l'une des caractéristiques culturelles « sémites » des Juifs d'Europe.

L'on ne peut que sourire tristement, quand d'un grossier coup de plume, et la grossièreté est ici indispensable, vu le caractère de la discussion, les sionistes et le mouvement d'immigration qu'ils entreprirent, sont décrits comme un mouvement d'émigration d'Européens vers l'Est, puisque les Juifs furent en réalité chassés d'Europe au cours d'un long processus qui fut douloureux et complexe et qui arriva au degré le plus bas vers la fin de la première moitié du XXe siècle. Il est difficile, d'un point de vue qui ne saurait être qu'émotionnel, d'accepter la description innocente de Juifs, ashkénazes pour la plupart, comme des Européens.

Et pourtant, si l'on désire établir la liste exhaustive des émigrations d'Européens, il ne fait aucun doute qu'il faille y inclure l'immigration des Juifs vers la Terre d'Israël et particulièrement leur immigration à partir des années quatre-vingt du XIXe siècle [10]. On ne peut nier cette appartenance en mettant en avant certaines qualités spécifiques de l'immigration sioniste vers la Terre d'Israël, bien qu'en effet, de nombreux traits furent propres à l'immigration sioniste et pré-sioniste des Juifs vers la Terre d'Israël. Pour ce qui nous intéresse ici, on ne peut nier cette appartenance malgré la difficulté à accepter l'attribution simpliste du qualificatif « d'Européens » aux Juifs ashkénazes ; il est certain que le fait de voir une spécificité ne constitue pas un argument valable pour nier l'appartenance à un groupe commun, de même que voir une différence entre les extrêmes comparés est en général ce qui se passe dans une telle comparaison (et très souvent c'est l'une des conclusions que l'on tire d'une telle comparaison). Ceux qui refusent les comparaisons à cause de la différence de nature des termes comparés confondent très souvent comparaison et identification, alors que tout l'intérêt d'une telle mise en parallèle repose sur le fait que les termes comparés sont à la fois proches et éloignés.

Deuxièmement, l'une des caractéristiques spécifiques de l'immigration des Juifs apparaît clairement dans le contexte économique du sionisme. L'installation juive en Terre d'Israël a entraîné un mouvement de capital en direction inverse de celle qui caractérisa les projets colonialistes : elle produit un investissement de capitaux des Juifs dans le pays et non une exportation

---

10. L'immigration des Juifs en Terre d'Israël, précédant le sionisme, n'est également pas faite pour décrire le mouvement général des Juifs vers leur terre, comme une émigration colonialiste d'Européens.

de ressources ou de capitaux vers l'extérieur, vers la métropole ou vers des investisseurs quelconques, qu'ils soient à l'extérieur ou parmi les colons. Cette immigration fut longtemps un projet non rentable, peut-être même est-ce encore le cas aujourd'hui. Ce n'était en tout cas pas, pour des Juifs ou des groupes, un terrain privilégié pour s'enrichir. Il est difficile de discerner une logique économique qui aurait pu être le mobile de l'immigration et de l'installation des Juifs en Terre d'Israël. Le pays n'avait absolument rien d'un eldorado. C'était un pays pauvre, presque entièrement dépourvu de ressources naturelles. C'est d'ailleurs pourquoi les sionistes ne s'y sont pas heurtés à la concurrence d'immigrants européens, outre une faible immigration européenne chrétienne à motivation religieuse, mais seulement à la concurrence d'immigrants arabes du Moyen-Orient, venant eux, à la suite du développement du capital juif et des immigrants juifs [11].

Le mouvement des Juifs vers la Terre d'Israël était certes possible d'un point de vue économique, puisqu'il eut lieu et se déroula aussi dans la sphère économique, mais on ne peut expliquer ce déplacement en termes économiques, on ne peut lui attribuer de causes économiques premières. À vrai dire, il s'agit là d'une image bien différente de celle qui nous apparaît en pensant au colonialisme, qui n'est qu'un ensemble de phénomènes principalement matériels, comme nous l'avons déjà mentionné [12].

Cependant, si l'on revient un instant au parcours de l'argumentation méthodologique, ce trait de l'immigration sioniste vers la Terre d'Israël, le fait qu'il s'agisse d'un projet qui à l'évidence n'était pas rentable, n'est pas un argument pour nier son appartenance à l'ensemble des phénomènes colonialistes. Tel n'est pas le cas mais c'est l'une des conclusions possibles, une de celles qui pourront être tirées de l'analyse comparative du sionisme et d'autres projets d'émigration européenne vers d'autres pays. C'est précisément l'inclusion méthodique du sionisme dans l'ensemble de phénomènes colonialistes qui permet d'établir une comparaison avec des états de fait colonialistes – en d'autres termes, ce sont cette appartenance et cette comparaison qui permettent de conclure que le sionisme est dépourvu de traits essentiels,

---

11. On peut constater que l'immigration arabe vers la Palestine à la suite du développement sioniste représente un contrepoids au phénomène de déracinement des paysans arabes de terres, que les institutions juives avaient achetées pour y installer des Juifs. Aucune évaluation numérique de ce phénomène majeur qu'est l'immigration arabe en Terre d'Israël, n'est connue, contrairement au phénomène de déplacement à la suite de l'achat de terre. En tout cas, il est notoire que des Arabes émigrèrent vers la Palestine-Terre d'Israël à l'époque du mandat britannique et qui prétendrait que le sionisme fut une force de spoliation devrait se garder d'esquiver ce fait.

12. Il est bon de voir une différence supplémentaire, assez significative : dans un pays colonisé par des Européens, on ne rencontre jamais de parallèle à la concurrence qui se développa entre les ouvriers juifs et arabes dans les secteurs de l'agriculture et de l'industrie. Sur ce point, voir aussi les prochaines notes.

caractérisant les entreprises colonialistes, étant donné que contrairement à celles-ci, il n'était économiquement pas rentable. L'analyse comparative est donc une démarche obligée, mais non suffisante, certainement obligée cependant, pour qui veut entreprendre une recherche sur le sionisme, comprendre les racines de la réalité politique de l'État d'Israël, puisque comprendre signifie aussi placer dans le contexte et situer l'origine. La comparaison est un instrument essentiel pour cela. C'est pourquoi, il faut repousser l'argument selon lequel elle représenterait un blocage de toute analyse comparative.

La troisième remarque touche, on l'a dit, la question de la cassure de la société en Palestine-Terre d'Israël, soit sa division en deux secteurs nationaux, séparés dans une large mesure l'un de l'autre [13]. Il s'agit d'une question majeure, mais nous ne pourrons que la traiter brièvement, uniquement pour ce qui est essentiel à l'argumentation méthodologique avancée ici.

Quelques éminents chercheurs israéliens ont souscrit à la thèse selon laquelle la société et l'économie de Palestine-Terre d'Israël se sont développées sous le mandat britannique (1818-1948) en une société et une économie divisées en deux secteurs nationaux sensiblement séparés l'un de l'autre. C'est une thèse qui se tient et qui est fondée et en tout cas elle n'a pas été démolie. Parmi ceux qui l'ont élaborée, on compte les sociologues S.N. Eisenstadt, Dan Horowitz et Moshe Lissak et les historiens de l'économie et de la société Jacob Metzer, Nahum Gross, Yossef Gorni et Anita Shapira. Lissak s'appuie sur cette thèse pour affirmer qu'il existait bien un potentiel d'exploitation colonialiste dans les relations des colons sionistes et des Palestiniens à la fin de la période ottomane et au début de celle du mandat britannique, mais ce potentiel ne se concrétisa pas. Lissak pense que cela est dû au fait que les sionistes socialistes, qui représentaient le courant principal du sionisme en Terre d'Israël, étaient décidés à empêcher que leur société n'évolue selon des modèles d'exploitation colonialiste. Pour cela, ils ont appuyé le développement de l'autonomie juive sous protection britannique, la séparation économique progressive de l'économie des deux peuples. Les servirent également les circonstances du conflit national à partir des années vingt. Selon Lissak, ces facteurs ont encouragé la séparation et la formation

---

13. Cette thèse sur la cassure de la société en Palestine-Terre d'Israël en deux secteurs nationaux séparés fut surtout développée dans les recherches de Metzer, de Lissak et de Horowitz : Jacob Metzer, *The Divided Economy of Palestine*, Cambridge University Press, Cambridge 1998 ; Dan Horowitz et Moshe Lissak, *Du yichouv à l'État : Les Juifs de Terre d'Israël en tant que communauté politique, à l'époque du mandat britannique*, Tel Aviv 1977, surtout p. 19-46. Voir aussi : Moshe Lissak, « Sociologues "critiques" et sociologues "institutionnels" de la communauté scientifique israélienne : luttes idéologiques ou discours scientifique objectif ? », dans : Pinchas Ginosar et Avi Barali (éd.), *Sionisme : polémique actuelle, attitudes scientifiques et idéologiques*, Centre de l'Héritage de Ben Gourion, Kiriat Sdé Boker, 1996, particulièrement p. 72-89 (ultérieurement : *Lissak, sociologues*).

d'une classe juive de travailleurs et ont empêché le développement d'une société basée sur l'exploitation des Palestiniens [14].

L'on peut encore ajouter ici que l'échec répété des sionistes socialistes dans la lutte pour l'existence des ouvriers agricoles juifs des orangeraies des nouvelles localités, les poussa entre autres à fonder leur propre corporation paysanne, de caractère collectiviste d'ouvriers travaillant sur une terre appartenant au mouvement sioniste. Les sionistes socialistes en arrivèrent donc à consolider la séparation de l'économie juive, à la fois pour empêcher le développement de leur société en une société d'exploitation colonialiste et pour protéger les intérêts de classe des ouvriers juifs [15].

Dans sa réponse à Lissak, Gershon Shafir tente de démêler le lien entre l'affirmation que la société et l'économie en Palestine-Terre d'Israël étaient divisées en secteurs nationaux séparés et l'affirmation que cette séparation

---

14. Lissak, sociologues, p. 80-85. La validité de l'argument de Lissak découle de la puissance politique des sionistes socialistes, et pour se mesurer à cet argument, d'autres chercheurs, appartenant à l'école colonialiste ont tenté de se référer à la puissance économique de la bourgeoisie juive. Voir : Amir Ben-Porat, *Où sont donc ces bourgeois,* Jérusalem 1999 ; Shamir, Bourgeoisie ; Ilan Pappe, « le moteur, la motivation et les victimes : la place de la bourgeoisie juive dans l'histoire mandataire » dans : *Sociologie israélienne 3* (1), 2000, p. 149-154. L'essence de la polémique sur la question de l'influence politique des sionistes socialistes sur l'économie en Terre d'Israël, et entre autres sur le clivage en deux secteurs nationaux. D'après moi, l'interprétation de Lissak est juste. Mais de toute façon, la version colonialiste de l'histoire de la société en Terre d'Israël ne trouvera aucun appui dans l'opposition entre l'influence du mouvement ouvrier sioniste et l'influence de la bourgeoisie ; puisque comme l'a affirmé Nahum Karlinsky à la lecture des articles cités de Shamir et de Pappe, les paysans et les bourgeois bien qu'ils se soient démarqués du collectivisme hégémonique du mouvement ouvrier, se considéraient cependant eux-mêmes comme partie intégrante du projet national juif dans le pays »… dans un contexte où sous une coiffe coloniale existaient deux sociétés nationales qui luttaient l'une contre l'autre, tout en luttant chacune contre le régime colonial… ». Nahum Karlinsky, « Les avocats en tant qu'exemples à suivre : réflexions inductives sur « la bourgeoisie juive en Palestine coloniale » dans : *Sociologie israélienne 3* (1), 2000, p. 160.

15. L'échec relatif des ouvriers juifs dans leur lutte contre les ouvriers arabes pour les rares emplois dans les nouvelles localités juives, apparaît déjà dans les premières années du XXe siècle. De 1909 à 1913 cet échec a conduit progressivement l'un des principaux partis ouvriers, le « Poalei Sion » marxiste, à opter pour un développement grâce au capital sioniste non-privé et à vouloir instaurer sa propre corporation agricole. Le deuxième parti ouvrier également, « hapoel hatsair », adopta finalement ce mode d'action, durant ces mêmes années. Voir : Yossef Gorni, « Les difficultés d'un changement (sur le développement de l'idéologie des corporations paysannes) », dans : Badereh (sur le chemin, N.D.T.), 2, avril 1968, p. 71-85. La colonisation agricole juive fut possible grâce à une organisation fondée par les deux partis, « le syndicat général des travailleurs juifs en Terre d'Israël », et la colonisation agricole juive eut un certain poids dans le processus de séparation de l'économie juive par rapport à l'économie arabe, à partir des années vingt. Sur la conception de la colonisation des agriculteurs, voir Nahum Karlinsky, *La floraison des agrumes : L'initiative privée dans le yichouv, 1890-1939,* éditions Magnès, Jérusalem 2001. A. Shafira a décrit le stade crucial, plus tardif de cette même lutte, qui se déroula dans les années trente, quand les corporations autogérées d'ouvriers agricoles étaient en pleine activité. Elle aussi stigmatise un échec dans cette lutte. Voir : Anita Shapira, *La lutte manquée : le travail juif, 1919-1929* (Futile Struggle, The Jewish Labour Controversy *1919-1929),* Hakiboutz hameouhad, Tel Aviv 1977. Il faut dire aussi que la culture de citrus ne représentait qu'une branche, tout importante fut-elle, et la lutte réussit mieux dans d'autres branches de l'économie.

contribua à éviter la concrétisation d'un certain potentiel colonialiste dans les relations des Juifs et des Palestiniens. La colonisation sioniste n'a peut-être pas créé de colonialisme d'exploitation, avoue Shafir, mais elle en a fait naître un pire, celui de la dépossession [16]. Selon la logique de cet argument, la séparation sous le mandat préparait la prochaine étape, celle de la spoliation en 1948 [17], ou plus précisément la fermeture de la frontière aux réfugiés palestiniens demandant à rentrer chez eux à la fin de la guerre d'Indépendance d'Israël en 1948, qui fut aussi une « guerre civile » de vie ou de mort entre Juifs et Palestiniens.

Mais un tel argument change totalement les données puisque les Juifs, par le biais de leur leadership élu, s'appuyaient sur cette séparation sectorielle-nationale pour échapper au conflit avec les Palestiniens par l'institutionnalisation politique de la séparation sectorielle-nationale, c'est-à-dire par le partage politique en deux états. Par deux fois, ils acceptèrent le principe d'une telle proposition, en 1937 et en 1947. En 1946-1947, ils œuvrèrent même diplomatiquement pour le partage, c'est-à-dire pour vivre côte à côte et non dans une situation de domination ou d'exploitation des uns par les autres ou encore dans des circonstances où les uns prendraient la place des autres, soit une situation de dépossession. La guerre éclata parce que les Palestiniens refusèrent le principe de vivre côte à côte, bien que celui-ci avait été adopté par l'assemblée générale de l'ONU, et voulaient chasser les habitants juifs du pays. Ayant empêché la concrétisation de cette déportation par les Palestiniens, les Juifs à la fin de la guerre, n'acceptèrent plus de revenir à la situation démographique et géographique dans laquelle ils avaient vécu, exposés au danger, vers la fin de l'année 1947.

4

Ces questions, sur « le caractère européen » des Juifs, sur la non-rentabilité de la colonisation sioniste et sur le développement de la séparation en deux secteurs nationaux, n'ont été traitées ici que sur le mode d'un rappel ou à titre d'exemple. Malgré leur gravité ou la portée d'autres questions semblables, ce n'est pas elles qui résoudront le problème du rapport entre le sionisme et

---

16. Cette affirmation se heurte au fait que le développement sioniste a justement attiré une immigration arabe vers la Terre d'Israël pendant les années où le pays était sous mandat britannique. Sur la position de Shafir, voir : Un autre avis, p. 192-193. En fait, il avançait déjà cet argument dans son livre sur les origines du conflit israélo-palestinien sur les luttes autour de la colonisation sioniste, puisque la discussion entre Lissak dans l'article cité et Shafir dans sa réponse ci-dessus n'est qu'une des « complications » de cette discussion. Voir : Shafir, Terre, travail, p. 8-21.

17. Shafir, Un autre avis, p. 192.

le colonialisme ou le rôle du concept de « colonialisme » dans l'interprétation du sionisme. Ces questions restent du domaine d'une énumération de caractéristiques et ne touchent en rien à l'essence de l'explication du lien ou de l'absence de lien entre le sionisme et le colonialisme, étant donné que ce n'est pas en y répondant qu'on résoudra la question de savoir si l'explication causale fondamentale du sionisme ressemble en principe aux explications causales de phénomènes colonialistes.

Cette affirmation n'est certainement pas évidente. Elle s'appuie sur des considérations méthodologiques, parce qu'à un stade plus avancé de l'analyse historique, s'attarder à des questions de classification et à des comparaisons, risque de dévier l'analyse de son objectif, et même de lui nuire. À ce stade, l'analyse doit se focaliser sur l'examen des forces historiques ou sur les causes du phénomène, et surtout sur le classement par ordre d'importance et les relations de cause à effet, et ne doit plus être un inventaire de caractéristiques et un examen de leur adaptation entre elles et les caractéristiques d'autres phénomènes. Un tel comptage fut utile au premier stade de l'analyse mais il risque de la rendre stérile s'il se fait dans la phase de confrontation avec l'objectif principal, celle de la proposition d'une explication causale du phénomène historique que représente le sionisme. Si on ne tente pas de répondre à ce défi, on restera confiné à un inventaire de caractéristiques, sorte de « liste d'emplettes » où chacun pourrait trouver ce qu'il veut et qu'il pourrait arranger selon son bon plaisir.

Ceci apparaît bien dans la discussion entre Lissak et Shafir. À tout argument en faveur de la spécificité du cas sioniste, avancé par Lissak et différents chercheurs mentionnés ici ou par d'autres, qui mettent en évidence les caractéristiques particulières du sionisme l'excluant de la définition de colonialisme, sera opposée une autre définition, plus large cette fois, du colonialisme. Cette contre-définition englobera alors les caractéristiques particulières, celles qui furent avancées pour soutenir la thèse de la non-appartenance du sionisme à la catégorie du colonialisme et elle le fera en affirmant que ces caractéristiques sont les traits d'un certain genre de colonialisme. Tout argument selon lequel le sionisme n'est pas un phénomène colonialiste parce qu'il possède telles ou telles caractéristiques particulières qui le soustraient au label de colonialisme, est destiné à être réfuté de cette manière. C'est ce que fait Shafir par exemple, suivant en cela Fieldhouse et Fredrickson [18], quand il développe une typologie complexe de « formes de colonialisme » et qu'il affi-

---

18. David Kenneth Fieldhouse, *The Colonial Empires : A Comparative Survey from the Eighteenth Century*, Dell, New York 1966 ; *Colonialism 1870-1945 : An Introduction*, Weidenfeld and Nicolson, London 1981 ; George M. Fredrickson, *The Arrogance of Race : historical perspectives on slavery, racism and social inequality*, Wesleyan University Press, Middletown, Conn. 1988.

lie le sionisme à l'une d'elles ou à la combinaison de plusieurs, selon les caractéristiques « spécifiques », cette fois entre guillemets puisque Shafir les a élevées au rang de « forme » de colonialisme [19].

Cependant, au stade avancé de l'analyse de l'ensemble des phénomènes historiques désignés par le mot « sionisme », une telle discussion devient purement sémantique. Les questions de classification sont alors beaucoup moins percutantes qu'au premier stade de l'analyse. Il est juste de les traiter au cours de la phase de rassemblement de matériaux historiques, pour tenter d'acquérir un certain degré d'orientation première. Mais leur donner trop d'importance dans la suite de l'analyse risque de lui conférer un caractère simpliste convenant à un stade d'orientation première. Si en début d'analyse, une attitude simpliste est dans une certaine mesure obligatoire, s'y tenir réduit l'ensemble du débat à une simple rhétorique. La question de savoir si le sionisme est colonialiste ou s'il ne l'est pas, n'a pas beaucoup d'importance, si en fin de compte notre manière de trancher la question est de donner une certaine définition au concept de « colonialisme ». À ce stade de l'analyse, le débat doit s'élever : de l'inventaire de caractéristiques et de leurs comparaisons, il doit passer au stade où on établit des liens causaux, où on hiérarchise l'importance des facteurs agissants et où on évalue la tendance des processus historiques. Il est évident que ce passage a aussi une influence *a posteriori*, nul doute qu'il n'implique également une modification de la première carte des caractéristiques et de quoi l'enrichir et la placer dans des contextes plus larges [20].

Résumons les résultats de cette investigation méthodologique : l'analyse historique du sionisme par comparaison à différents phénomènes colonialistes est en effet obligatoire au début, pour poser d'abord que le sionisme appartient, du moins dans un sens très flou et associatif, au groupe de phénomènes colonialistes ; deuxièmement, il est probable que ses conclusions appuieront dans une certaine mesure l'argumentation selon laquelle il existe un certain lien, qu'il soit étroit ou lâche, uniquement potentiel ou marginal, entre le sionisme et ce groupe de phénomènes. De toute manière, il est presque certain que par essence, toute analyse comparative concernant le sionisme

---

19. Shafir, Terre, Travail, p. 8-21.

20. Il est clair que donner une explication causale à l'ensemble des phénomènes historiques, conduit entre autres à une nouvelle classification de leurs caractéristiques. L'attribution des causes oblige par exemple, à en hiérarchiser l'importance. Souvent une analyse des rapports de transfert change les limites de ces phénomènes particuliers, liés entre eux dans un rapport causal. Je ne peux ici épuiser ce sujet déterminant. Je ne peux pas non plus m'étendre sur la signification de ce jugement pour ce qui est de la recherche sur le sionisme lui-même. Je me suis seulement borné à souligner l'échec de « l'école colonialiste » à pouvoir donner une explication causale du sionisme, mais il est clair que donner une telle explication entraînerait une réévaluation des caractéristiques colonialistes du sionisme et il me semble que cela conduirait à la conclusion que leur signification historique n'était que marginale. Une telle argumentation demanderait un article à part et je ne peux ici la fonder.

arrive à la conclusion que le sionisme possède différentes facettes, c'est-à-dire que de certains points de vue, il reproduit des modèles colonialistes mais que par ailleurs, tel n'est pas le cas.

Sans doute peut-on se contenter d'un tel genre de conclusion mais ce serait limiter le débat. Placer le sionisme dans le groupe de phénomènes colonialistes a quelque chose de préliminaire qui n'engage en rien et les conclusions sur sa relation avec ce groupe ne seront pas catégoriques ; de toute façon, il n'est pas souhaitable d'aiguiser des conclusions artificiellement, par « un jeu de définitions ».

Cependant, on peut continuer à débattre du sujet sans s'arrêter à des conclusions « tièdes », mais également sans se laisser entraîner à une discussion essentiellement sémantique ou à des conclusions aiguisées par des moyens rhétoriques artificiels. Pour cela, il faut élever le débat et le faire passer de la question de classification et d'inventaire, à savoir si le sionisme recouvrait ou non des caractéristiques colonialistes, vers une question beaucoup plus importante, qui est de connaître le poids de ces caractéristiques colonialistes, à telle ou telle époque, dans l'évaluation d'ensemble du phénomène historique complexe, appelé « sionisme ». Affronter la question de classification et de dénombrement, est utile en début d'analyse, mais ce n'est là qu'un préambule au point essentiel de la recherche, qui est d'aborder la question de situer le centre de gravité du phénomène – est-il dans ses différentes caractéristiques colonialistes ou dans le fait que le sionisme est le mouvement de libération nationale d'un peuple aliéné et traqué.

Il est entendu que dans ce phénomène historique si complexe, l'aspect colonialiste côtoie un aspect national. Gerson Shafir et Ilan Pappe nous proposent de nous contenter de cette affirmation ; « Pour nous, le sionisme est aussi bien un phénomène colonial que national », écrit Pappe de façon simpliste [21]. Mais il ne faut pas en rester là. Au contraire, si notre objectif est essentiellement cognitif, nous devons poursuivre notre interrogation sur la nature fondamentale du sionisme et nous n'avons pas le droit de nous dérober et de placer le sionisme sous une rubrique au double titre : « national et colonialiste » [22]. On ne doit et on ne peut échapper à la question de savoir quelle est la signification historique essentielle du sionisme, quel est le noyau existentiel de cette force historique et surtout quelles en sont les causes fondamentales.

---

21. Pappe, Le sionisme en tant que colonialisme, p. 350 ; Shafir, Un autre avis, p. 192.
22. Derek Penslar par exemple, dans la conclusion de son livre, ne se contente pas d'énumérer des caractéristiques : « Zionism was a product of the age of imperialism ; its adherents shared a number of common sensibilities with European advocates of colonial expansion in the Middle-East. Yet the movement was not, in and of itself, a form of colonial practice ». Penslar, Sionisme, colonialisme et postcolonialisme.

La proposition de Shafir et de Pappe brouille la question principale et se sert, pour la brouiller, du caractère varié et diversifié du sionisme. Mais les sionistes comme les anti-sionistes, les Israéliens comme les Palestiniens ne peuvent l'esquiver parce qu'apporter une réponse à cette question est vital pour comprendre le phénomène historique qui scelle leur destin. Pour le Palestinien qui veut comprendre par exemple, quelle est la nature du facteur qui a vaincu son peuple en 1948 – et attention, il s'agit de celui qui veut comprendre, avant toute action politique, et également avant toute propagande – cette question, telle qu'elle est formulée ici, est vitale et concrète. La réponse à cette question ne sera pas la vision juive par opposition à la vision arabe. Ceux qui en discutent doivent surmonter, du moins de manière relativement satisfaisante, leur appartenance nationale, dans la mesure où ils veulent vraiment comprendre. Ceux qui veulent vaincre l'État d'Israël et le supprimer au profit d'un état non-juif ou en fait arabe, de même que ceux qui veulent protéger la souveraineté des Juifs dans leur État national, les uns comme les autres ont intérêt à comprendre quelle est l'essence de la force historique qu'on voudrait vaincre ou renforcer.

Quelle sera l'étendue de notre vision, c'est l'enjeu de la recherche qui fixera dans une grande mesure les résultats de ce débat – se limitera-t-il seulement à la Terre d'Israël, la Palestine d'avant 1948 ou concernera-t-il aussi l'État Israël, l'Europe et les autres diasporas juives ? La largeur du registre de l'analyse est capitale là dessus. Shafir et d'autres chercheurs israéliens de « l'école colonialiste », des sociologues pour la plupart [23], ont choisi de se limiter à leur angle de recherche ; ils se concentrent presque exclusivement sur la Palestine-Terre d'Israël. Pour Shafir, l'Europe n'est qu'une toile de fond ou une source d'inspiration idéologique pour la colonisation sioniste, pas plus [24]. Mais nul phénomène n'est compréhensible si on l'ampute de ses causes – et pour ce qui nous occupe ici, si on le disjoint de ses causes politiques et économiques – or, les motivations du sionisme se trouvent très loin de la Terre d'Israël, ils sont en Europe principalement et dans d'autres pays.

Shafir ne conteste pas le caractère national du mouvement sioniste, mais il ne lui accorde que peu de poids. La motivation nationale des colons sionistes est à ses yeux « idéologique », c'est-à-dire mensongère ; elle cache une « réalité » colonialiste [25]. Dans son livre, Shafir cite sans l'accepter, l'affirmation de l'historien anglais Stone-Watson selon laquelle les Juifs développèrent une « conscience nationale » dans leurs diasporas et il y voit un anachro-

---

23. Voir encore Kimmerling et également Ben Porat, *Ils ne sont pas restés passifs*.
24. Voir par exemple : Gershon Shafir, « Terre, travail et population dans la colonisation sioniste : aspects généraux et spécifiques », dans : Uri Ram (éd.), *La société israélienne : aspects critiques*, Brerot, Tel Aviv, 1993, p. 104.
25. Shafir, *Terre, travail*, p. 3.

nisme, étant donné qu'à ses yeux, le nationalisme juif sioniste ne s'est développé que pendant la colonisation et pas avant, et parce qu'il est né de la colonisation, il est forcément de nature colonialiste. La « lacune » de cette théorie est bien entendu son incapacité d'expliquer ce qui a motivé cette entreprise
d'immigration et d'installation dans le pays. Il y a donc « un manque européen » et Shafir l'a sans doute senti en tentant d'invoquer Hitler : *Territorial
nationalism – so different from and alien to the ethnic Jewish way of life –
was, as it were, imposed on Jews as a last resort, in response to Nazi perse-
cutions and genocide, and forced migration from Eastern Europe, North
Africa and the Middle East* [26].

Cependant, si le nationalisme territorial, c'est-à-dire le sionisme, fut imposé
(sic) aux Juifs à la suite de la crise des années trente et si ce sont les nazis qui
obligèrent les Juifs à venir en Terre d'Israël, quelle avait été la motivation du
développement en Terre d'Israël, de la société juive avant ces événements ?
Peut-on expliquer le développement historique perpétré jusqu'à ces jours
sombres, sans lequel les réfugiés juifs n'auraient pas eu où aller, comme une
entreprise colonialiste du point de vue de ses motivations fondamentales ?
Peut-on trancher cette question en identifiant certaines caractéristiques colonialistes ou est-il besoin d'une analyse causale pour nous éclairer sur ce qui
poussa les immigrants et le capital juifs d'Europe vers le Moyen-Orient ? Si
l'on veut expliciter le fondement d'un phénomène historique ou l'origine de
sa force, il faut en connaître les raisons, et là se trouve le point faible de l'analyse de Shafir. S'il prétend présenter une analyse complète, l'interprétation
de « l'école colonialiste » sur la nature du sionisme n'est pas suffisante puisqu'elle se contente d'établir un inventaire et se dispense d'une explication
causale.

À ce stade de l'examen, quand tels sont les points soulevés, une approche
de classement, c'est-à-dire penser que la compréhension d'un phénomène
historique se réduit à sa classification, constitue un grave obstacle. On n'explique pas un phénomène en l'affiliant à une certaine sorte de catégorie. La
classification des phénomènes, et même l'analyse comparative qui en décou-
lerait, ne peut satisfaire celui qui veut jeter la lumière sur des phénomènes
historiques ; établir la relation causale qui les unit l'un à l'autre est à cet effet
indispensable. Ainsi, si notre objet de recherche est le sionisme, on ne saurait
le comprendre ou en donner une explication historique sans se pencher sur
ses motivations « européennes » ; agir autrement porterait préjudice à l'essentiel de l'effort.

Une telle attitude est particulièrement flagrante chez Ilan Pappe, chercheur
de « l'école colonialiste ». Elle existe également dans la tendance à vouloir

---

26. Shafir, Terre, Travail, p. 8.

réduire tout le débat, jusqu'au bout, à une discussion se réduisant à une question de classification ou d'appartenance selon différentes limites de définition. De même nature est aussi la tendance subjective que nous avons évoquée au paragraphe 1, puisqu'elle se contente de révéler l'existence d'un discours colonialiste pour trancher le débat sur la question du rapport entre le sionisme et le colonialisme.

Quand Pappe décrit la conception de ce qu'il appelle sur un ton blâmeur, « l'historiographie sioniste », il écrit qu'elle s'est attachée à une attitude empirique – positiviste ne se relatant au caractère du mouvement idéologique que par ses intentions. Il poursuit en expliquant que les historiens sionistes, selon sa définition, ont nié au sionisme toute relation colonialiste sous prétexte qu'il n'y a pas d'intention colonialiste dans le discours national. Pappe se charge donc d'indiquer de telles caractéristiques de discours [27].

En vérité, le tableau est tout autre. « Les chercheurs du sionisme » – pour adopter, pour les besoins de la discussion, la généralisation de Pappe – décrivent le mouvement sioniste comme un mouvement national juif qui s'est développé sur un arrière-fond de besoins extrêmement concrets des Juifs, surtout en Europe de l'Est. Pour autant qu'on puisse parler de manière générale de « leur » attitude, elle établissait une relation entre le sionisme et pour ce qui nous occupe, son projet de Terre d'Israël, et de graves frustrations politiques d'une part et l'accroissement démographique et économique de l'autre. Plus précisément, certains de ces chercheurs ont expliqué l'apparition du sionisme et son développement par le désir de résoudre la pénible contradiction entre le développement économique et démographique des Juifs en Europe de l'Est et le fait qu'ils soient privés de droits individuels et politiques, alors que d'autres historiens ont analysé différemment la situation matérielle des Juifs d'Europe de l'Est et ont vu dans le sionisme le désir de ces Juifs de se dégager de leur détresse politique et économique. Mais les uns et les autres ont analysé le sionisme en termes tout à fait concrets et même matériels, d'ordre économique et politique dans une grande mesure, et ont accordé un grand poids au rôle que joua l'Europe, au fait qu'elle poussa les Juifs dehors, dans un immense mouvement d'émigration, dont l'immigration en Terre d'Israël ne représente qu'une petite partie. Certains ont donné plus de poids à des considérations culturelles et religieuses pour expliquer les origines du sionisme, mais même ces chercheurs-là ont insisté sur l'analyse politique et économique du mouvement.

Pappe attribue à ces « historiens sionistes », selon sa définition, la tendance subjective qui le caractérise lui. Ces historiens ont en général procédé à leurs analyses à partir de sources réelles, à partir de besoins très humains et très

---

27. Pappe, *Le sionisme en tant que colonialisme*, p. 345-346, 353-354.

concrets auxquels le sionisme devait répondre, et c'est la raison pour laquelle ils se sont surtout focalisés sur l'Europe. C'est là-bas qu'existaient ces besoins qui motivèrent les Juifs à fonder un mouvement national exigeant un territoire, c'est là-bas donc qu'il faut chercher les origines du sionisme. Leur réponse ne se résume pas à une définition identifiant le sionisme comme un mouvement national, ils ne se sont pas contentés de lui donner une étiquette l'affiliant à un «nationalisme», ils ne se sont pas satisfaits d'une classification, mais ont fourni une explication causale au développement de ce mouvement national.

Par opposition, Pappe nous propose d'examiner la question du sionisme et du colonialisme à la lumière d'une analyse des symboles du sionisme, c'est-à-dire par une critique de sa conscience symbolique. Il compare d'une part le langage symbolique des colons sionistes avec celui des «colonisateurs chrétiens» en Palestine ottomane et d'autre part le langage symbolique de la «mission de Bâle», venant s'établir en Afrique de l'Ouest. Pappe ne se donne pas la peine de comparer les sociétés réelles que ces groupes d'émigrés ont formées, de la société protestante allemande à celle des Juifs d'Europe de l'Est ; une telle comparaison dévoilerait le caractère superficiel de son analyse des symboles [28].

Pappe se contente donc d'un échantillon d'examen du discours sioniste et de la valeur de ses symboles, il y trouve des caractéristiques coloniales et cela lui suffit. Une telle attitude, on l'a vu, ne convient pas à la critique d'un phénomène fondamentalement matériel comme le colonialisme, et il est clair maintenant qu'elle est également déficiente pour qui veut comprendre les origines du sionisme, étant donné qu'elle se base sur «un oubli de l'Europe», un oubli des causes européennes du sionisme. L'on peut dire que Pappe et Shafir nous proposent deux manières différentes «d'oublier l'Europe», deux voies pour faire abstraction des causes concrètes du sionisme, de ses motivations politiques, économiques et culturelles telles qu'elles se sont développées parmi les Juifs d'Europe de l'Est : l'une se focalise sur le discours symbolique du sionisme et y trouve des caractéristiques colonialistes, l'autre se concentre sur le conflit israélo-palestinien et y trouve les mêmes caractéristiques. Les deux sont d'essence énumérative, or on l'a vu, il ne s'agit pas de dresser un inventaire pour lui-même, mais d'aller au-delà de cette démarche. Les deux historiens se contentent de désigner des caractéristiques sans tenter d'évaluer le poids de chacune d'entre elles, ni d'essayer de proposer ne serait-ce qu'un début d'explication causale exhaustive.

Cette démarche des chercheurs de «l'école colonialiste» est une déficience explicative évidente et est fondamentalement irrationnelle. Ils réus-

---

28. Pappe, le sionisme en tant que colonialisme, p. 348-363.

sissent soi-disant, et uniquement soi-disant, à isoler l'objet de ses causes, alors que l'objet et ses causes ne font qu'un et ne sont pas séparables. Détacher une chose de ce qui l'a motivée, produit quelque chose de différent, une fiction que son créateur désigne d'un nom trompeur. C'est ce qui distingue le sionisme, du « sionisme » détaché de ses causes. Séparer un phénomène de ses causes s'oppose à l'intérêt essentiel de la pensée. De toute manière une telle démarche nuit gravement à toute explication scientifique, qu'elle soit historique ou sociologique[29]. Les motivations du phénomène sioniste se trouvent en Europe, dans la vie des millions de Juifs, surtout à l'Est, non pas seulement à partir de la Choa, mais bien avant.

5

« L'école colonialiste » pèche donc par « palestinocentrisme ». Chez les chercheurs de cette école, ce trait est particulièrement grave parce qu'il déforme la plupart de leurs arguments. Mais pour être honnête, il faut préciser qu'ils n'ont pas le monopole de ce travers ; de nombreux autres chercheurs israéliens, ayant une approche toute différente et même opposée, tombent à des degrés différents dans un tel écueil.

Un exemple intéressant à ce propos est le livre de Idith Zertal, *L'or des Juifs*. Cet ouvrage est significatif parce que l'un des arguments principaux invoqués par Zertal dans sa recherche empirique est que le mouvement sioniste utilisa les rescapés de la Choa pour atteindre ses objectifs, dans un rapport qui variait entre l'indifférence, le patronage et l'orgueil[30]. Quand l'objet de son étude est justement « l'immigration juive clandestine » des rescapés de la Choa vers la Terre d'Israël et alors que c'est précisément l'un de ses arguments, avancé à la suite des données de sa recherche empirique, il est intéressant de voir que Zertal s'est presque totalement concentrée sur les agissements des institutions sionistes et des chargés de mission venant de la Terre

---

29. La structure logique de cette déficience de « l'école colonialiste » dans l'étude du sionisme, soit la séparation de l'objet étudié des motifs qui l'ont provoqué, ressemble à la structure de déficience décrite au début de cet article, étant donné qu'une telle séparation caractérise aussi la tendance examinant le colonialisme hors de son contexte essentiellement matériel. Il est intéressant de voir le même modèle logique dans la tendance d'Edward Said dont l'étude du colonialisme se limite à une analyse culturelle et également dans celle tendant à couper l'étude du sionisme de ses racines européennes et à placer le phénomène uniquement en Terre d'Israël-Palestine. Bien que Shafir ait une attitude matérialiste évidente, il n'adhère nullement à la thèse de Said ; cependant il ne fait pas remonter le sionisme à ses causes « européennes », matérialistes qui en sont les motivations essentielles.

30. Idith Zertal, *L'or des Juifs : l'immigration clandestine juive vers la Terre d'Israël 1945-1948 (de : Catastrophe to Power, Jewish Illegal Immigration to Palestine 1945-1948)*, Tel Aviv 1996, surtout p. 489-501.

d'Israël et ne s'est quasiment pas donné la peine d'examiner la part des rescapés eux-mêmes, leurs actes et leur conscience d'immigrants illégaux en Terre
d'Israël. Elle proteste contre le fait qu'on ne prit pas en considération la
conscience des rescapés alors qu'elle-même ne l'analyse pas du tout, tandis
que le sujet de sa recherche ou ses thèses principales l'y obligeraient. Elle
traite soi-disant des «causes européennes» du sionisme à l'époque la plus
dramatique des rapports des Juifs avec l'Europe mais élève (ou plus exactement abaisse) les rescapés-immigrants clandestins au niveau de victimes du
sionisme, en fait, uniquement pour les faire taire. Ceux qui dans sa recherche
«ont droit à la parole» sont uniquement des habitants de Terre d'Israël, les
«sujets» et non pas les «objets» de recherche, selon les termes qu'elle emploie.
Ce n'est sans doute pas par hasard si Zertal se garde totalement de toute
analyse de la conscience des immigrants clandestins. Une telle analyse détrui-
rait sa thèse selon laquelle les immigrants clandestins furent manipulés et
révélerait l'existence d'une conscience sioniste active chez nombre d'entre
eux et certainement chez leurs dirigeants [31].

Zertal ne traite pas de la question du colonialisme et l'exemple de «palestinocentrisme» caractérisant son étude n'a été donné ici que pour montrer
que cette pierre d'achoppement pour l'étude du sionisme, héritée de «l'école
colonialiste», touche un mouvement intellectuel et scientifique bien plus
large et très varié pour ce qui est de ses sources. Mais il ne suffit pas de se
contenter de cette constatation de déficience. Il faut s'informer de ses causes
et nous ne pourrons ici que le faire brièvement. Cette tendance à «oublier
l'Europe» repose entre autres sur le caractère de toute société d'immigration. Les Israéliens souffrent d'un manque de continuité identitaire collectif, d'un fossé culturel et d'un écart entre l'environnement où ils ont grandi
et celui de leurs parents ou de leurs grands-parents. Il leur est pénible d'être
dans l'obligation de se considérer comme des dérivés de quelque chose
d'étranger et de bizarre pour eux. Telle est la conséquence irrémédiable de
l'immigration et également de la révolution sioniste, c'est-à-dire de la modernité, du fait de s'habituer à une vie indépendante, de la laïcité et des changements radicaux de mode de vie. L'un des remèdes à cette détresse est de
nier ses origines ou plus modérément, de les ignorer, de les marginaliser.
Ceci caractérise de nombreux Israéliens (et peut-être est-ce un trait commun
de la société israélienne et d'autres sociétés d'immigration). Nous avons vu
ici certaines manifestations théoriques de cette tendance «d'oublier
l'Europe», mais celle-ci en comprend également d'autres, qui ne sont pas
seulement théoriques, étant donné que son origine est structurelle ou exis-

---

31. Comme tout chercheur traitant de cette époque et de ce sujet le sait bien, le matériel de documenta-
    tion et les sources historiques pour déterminer l'état d'esprit des rescapés, ne manquent pas.

tentielle, qu'elle se développe à partir des racines de la société israélienne, à partir des conditions fondamentales de sa formation.

«La conception hébraïque» ou cananéenne était, dans les années cinquante, une expression évidente de cette tendance. Le désir de l'Israélien de se dégager de cette rupture, de ne pas se voir comme la résultante de quelque chose auquel il ne se sent pas lié et qui pourtant le touche dans ses profondeurs les plus intimes, ces modes de conscience expliquent entre autres l'attirance particulière qu'avait la conception cananéenne pour ceux qui se trouvaient depuis une génération dans le pays, ceux qui étaient nés dans le pays et leurs émules. Une certaine dissonance cognitive s'est créée, à cause de la tension entre le sentiment d'étrangeté par rapport à l'origine et le lien intime par rapport à lui. Cette dissonance «se résolva» donc sous différentes formes et dans différentes mesures de négation de l'origine et même par des tentatives de développer une conscience nationale territoriale-hébraïque et non pas juive. Des formes relativement modérées se caractérisèrent par une négation de l'origine ethnique (ashkénaze, séfarade etc.) et sont donc restées dans le domaine du nationalisme sioniste. Par opposition, le cananéisme, sous toutes ses formes, s'est caractérisé par la négation de toute origine juive ou de sa description en tant qu'origine ethnique dont il faut se libérer. Les détenants de ce point de vue tendaient également à nier l'existence d'un peuple juif moderne qui s'est développé en Europe de l'Est et qui a fondé entre autres le mouvement sioniste. Ils voyaient dans la conscience sioniste et dans ses sources historiques une sorte d'arrière-fond sans importance particulière pour l'immigration vers le pays d'Israël, et l'essentiel à leurs yeux était la constitution d'un nationalisme territorial autour de la langue hébraïque.

Cette conception n'est pas éloignée de la vue étroite qu'adoptèrent les membres de «l'école colonialiste». «L'oubli de l'Europe» ou l'oubli résolu est commun aux cananéens et aux membres de «l'école colonialiste». Il se peut tout à fait que les motivations de l'oubli se ressemblent. De toute manière, il est clair que nous sommes en présence de deux expressions de cette tendance «palestinocentriste» très répandue parmi les Israéliens.

Le contexte cananéen apparaît également sous un autre angle. La description du sionisme que font Shafir et Pappe n'est pas appropriée, du point de vue le plus élémentaire de l'adéquation : il ne traite pas de ses causes ; par contre il convient beaucoup mieux à la description du cananéisme de droite d'Ouriel Shelah (le poète Jonathan Ratosh) et du chercheur de l'Orient ancien, A.G. Horon[32]. Celui-ci lui va comme un gant, étant donné qu'il était très agressif par rapport aux Arabes, tendait à les dominer brutalement, à les asservir, les hébraïser ou les assujettir, c'est-à-dire les déposséder et les priver de leur culture et de leur langue. Il se basait sur une idéologie nationale forgée de façon totalement arbitraire, bien plus que le degré d'invention existant dans toute idéologie nationale, et ce qui est encore plus important, le cananéisme était totalement dissocié des besoins concrets, matériaux et culturels, des Juifs et des Arabes dont il devait construire la vie politique, religieuse et culturelle.

« L'école colonialiste » crée donc une fiction historique qu'elle désigne par le terme de « sionisme », mais c'est un sionisme entre guillemets. Sa description aurait eu plus de valeur si les cananéens avaient dirigé la politique des Juifs (c'est-à-dire des Hébreux) en Terre d'Israël (c'est-à-dire en Orient). L'origine du cananéisme a beau être dans le sionisme, s'être développé dans le cadre sioniste, c'est un développement négatif extrême qui heurte le sionisme de front.

La description que fait « l'école colonialiste » passe à côté de ce qui est essentiel dans le sionisme, du fait de son adoption d'une attitude semblable, d'essence cananéenne « d'oubli de l'Europe ». Or cette école a également ses sources dans la société israélienne, dans le monde mental qui s'est créé dans la société politique qui est le produit du mouvement sioniste. De plus, « l'école colonialiste » est apparue entre autres en tant qu'expression d'un désarroi résultant des conséquences de la réalité historique qu'avait provoqué le sionisme, détresse du fait même d'être une société nouvelle qui ne se sent pas à l'aise avec ses racines historiques et qui a tendance à les nier. De toute façon, quelles que soient les origines de la déficience palestinocentriste qui ont fait trébucher les chercheurs de « l'école colonialiste », elle les a dépourvus de toute faculté de fournir une explication adéquate sur la portée historique du sionisme ou d'éclairer les origines de sa force et de ses faiblesses.

---

32. Sur leurs points de vue, voir Jonathan Ratosh, *Après 1967 ? Paix hébraïque*, Hermon, Tel Aviv 1967 ; Jonathan Ratosh (éd.), *De la victoire à la chute, Hadar, Tel Aviv 1976* ; Jonathan Ratosh, *Le début d'une époque : ouvertures hébraïques,* Tel Aviv 1982 ; A.G. Horon, *East and West, A History of Canaan and the Land*, Dvir, Tel Aviv 2000. Le livre de Horon (du fait qu'il fut édité après sa mort, on ne peut faire la distinction entre la part de l'auteur de celle des éditeurs) n'exprime pas directement l'idéologie cananéenne, mais il aide à la comprendre. Voir aussi : Yehoshua Porat, *Shelah écrit : La vie de Ouriel Shelah (Jonathan Ratosh),* Cahiers de littérature, Tel Aviv 1989 ; Yaacov Shavit, *From Hebrew to Canaanite, chapitres de l'histoire et de l'utopie de « la renaissance hébraïque » : du sionisme radical à l'antisionisme,* Domino, Jérusalem 1984.

Que reste-t-il de l'oignon ?
Écrit « postmoderne »
contre le « post-sionisme »*

Yisrael BARTAL

« C'est pourquoi je vous dis de vous accrocher vous aussi à tous ces fondements qui ont fait de nous un grand peuple : la liberté d'opinion, l'esprit de tolérance et l'amour du prochain. Ce n'est qu'alors que Sion vivra ! »

Théodore *Herzl*, Altneuland [1]

« Aux yeux des fondateurs du sionisme, l'État juif n'était pas un but en soi mais un instrument obligatoire du renouveau de l'esprit juif, de la vie juive et de sa culture. Les premiers sionistes ne se lassaient pas de répéter combien le judaïsme mondial s'enrichirait de l'établissement d'un État et non le contraire. »

Max Nordau, 1902 [2]

D ANS SON ESSAI « Politique et mémoire collective », qui parut à la suite du congrès scientifique tenu en novembre 1994, Anita Shapira écrit :

Ces trente dernières années, l'historiographie israélienne œuvra à se libérer de tendances idéologiques pour écrire l'histoire et l'analyser. L'historiographie scientifique s'est développée sous le signe de la libération du poids de l'hagiographie et de la politisation qui avait caractérisé la littérature historique des années trente, quarante et cinquante. En aspirant à une attitude libérée de tout joug idéologique, l'écriture historique se plie à des méthodes de documentation et d'analyse de sources, comme c'est l'usage pour d'autres époques ou d'autres lieux. Elle adopte

---

(*) À propos de l'ouvrage de Yoram Hazony, The Jewish State : The Struggle for Israel's Soul, Basic Books, New York 2000, 432 p.

(**) Cet article est une reprise élargie d'un article du même nom, qui fut publié pour la première fois dans le périodique *Katedra* de Yad Ben Zvi, Jérusalem. Nous remercions la direction de *Yad Ben Zvi* et la rédaction de *Katedra* de nous avoir permis d'utiliser l'article.

1. Cité par Rachel Elboim-Dror, *Le lendemain de la veille, vol. 2 : Choix de l'utopie sioniste* (en hébreu) Jérusalem 1993, p. 128-129.

2. Citation tirée de Arthur Hertzberg, L'idée sioniste (en hébreu), Jérusalem 1970, p. 187.

un professionnalisme méthodologique, une attitude critique, un scepticisme sain et rafraîchissant et une conception ouverte où l'histoire racontée, telle qu'elle se dégage des sources, est présentée avec une intégrité toute scientifique, sans blocages politiques. Aucun historien raisonnable ne pense qu'il faille arriver à une recherche de la vérité absolue. Il est unanimement admis, que tout historien est le produit de son époque et de son cadre, qu'il amène à sa table de travail tous les préjugés, que son éducation, la société dans laquelle il vit et son histoire personnelle ont enracinés en lui. […] Aujourd'hui la tendance a changé. Certains « révisionnistes » ont donné une nouvelle justification de la politisation de la recherche. La justification de cette démarche s'est faite par la vulgarisation du postmodernisme : il n'existe pas de réalité objective, mais seulement celle que voit l'observateur. Ainsi, on ne peut parler de faits absolus, ni à plus forte raison de vérité historique. […] Cette attitude doit servir de fondement à la légitimation du retour de l'idéologie en historiographie. Chaque historien a son agenda politique, ouvert ou latent, et par conséquent, son attitude idéologique dans son analyse du matériel historique est légitime. Dans cette optique, l'histoire est un narratif, c'est-à-dire un récit inventé par les historiens en vertu de leurs besoins idéologiques. On en conclut qu'aucun récit n'est plus crédible qu'un autre, puisque l'objectif de chacun est de faire progresser les buts politiques de son auteur ou du groupe d'intérêts qu'il représente [3]. »

Ces critiques sévères furent écrites sur le phénomène appelé chez nous « les nouveaux historiens ». Elles furent dirigées contre le caractère a-historique des arguments émis du côté gauche de l'écriture politique sur le sionisme et l'histoire de la population juive en Terre d'Israël.

---

3.   A. Shapira, « Politique et mémoire collective – débat sur les « nouveaux historiens », dans : Weitz Y. (éd.), *De la vision à la révision : Cent ans d'historiographie sioniste* (en hébreu), Jérusalem 1997, p. 384-385. J'ai écrit des choses très semblables sur l'évolution de la recherche historique israélienne dans un article publié en 1976 : « L'étude de l'histoire de la population juive en Terre d'Israël, au XIXe siècle ne parvint que ces dernières années, au stade de l'écriture historique méthodique. Cela, malgré la grande quantité de livres et d'articles publiés dans ce domaine, pendant des dizaines d'années. De larges domaines concernant la société ou l'économie n'ont pas encore été étudiés comme il se doit. Mais même quand ce fut le cas, les descriptions faites jusqu'à il y a peu de temps, souffrent de plusieurs défauts : elles ne se basent pas sur des sources d'archives, elles sont partielles et l'étude n'est pas basée sur une critique de textes. Des souhaits résultant de tendances idéologiques ou autres ont façonné une vision qu'on peut aujourd'hui facilement réfuter. Ceci d'autant plus que n'ont pas toujours été prises en considération, les conceptions et la vision du monde de l'époque. Souvent, le sujet des Juifs de Terre d'Israël fut totalement déconnecté du contexte de la Terre d'Israël ou du Moyen-Orient d'une part, ou du système politique international d'autre part. Cette attitude eut une très forte influence sur la recherche. » (Y. Bartal, *L'exil dans le pays, le yichouv de Terre d'Israel avant le sionisme, essais et études* (en hébreu), Jérusalem 1995, p. 100.) Comme nous le montrerons plus loin, il semble à l'auteur de « l'État juif », que ce changement survenu dans l'historiographie israélienne est significatif de la conspiration d'universitaires du pays et qu'il s'agit là d'une étape dans le plan de suppression du caractère juif et sioniste de l'État d'Israël ! En d'autres termes, ce sont les chercheurs appartenant « au courant central » de l'écriture historique et non les « nouveaux historiens », qui sont les plus dangereux !

Curieusement, ces propos s'appliquent aussi parfaitement à la façon dont est traitée l'histoire du sionisme, dans la branche de l'extrême droite. Il y a déjà cinq ans, l'historien américain Michael Stanislawsky, dans un article publié dans *The Weekly Standard*, a voulu défendre le sionisme que des auteurs du courant néo-conservateur avaient complètement déformé. Le professeur Stanislawsky, chercheur éminent dans le domaine de l'histoire des Juifs en Russie tsariste et aux États-Unis, un des spécialistes les plus insignes de l'histoire du sionisme à ses débuts, signale un phénomène étonnant : soi-disant au nom du sionisme, des auteurs d'orientation néo-conservatrice mettent en doute les principes de base du mouvement ! Ils vont même plus loin. Ces néo-conservateurs dans leurs écrits inventent de toutes pièces, un récit historique qui n'eut jamais lieu. Ainsi par exemple, fut totalement occultée de la version néo-conservatrice du sionisme, la grande production intellectuelle d'auteurs, de poètes et de penseurs politiques appartenant à la droite sioniste (comme le célèbre historien de l'Université hébraïque, Yossef Klauzner). Ceci, pour servir l'argumentation bizarre et sans fondement que les intellectuels juifs furent de tout temps, les ennemis du nationalisme juif. Nous avons maintenant devant nous un nouveau genre de texte politique, s'appliquant exactement à la critique d'Anita Shapira et de Michael Stanislawsky. Il s'agit d'un produit révisionniste, venant de la branche droite conservatrice. Le livre de Yoram Hazony, *L'État juif, lutte pour l'âme d'Israël* est sans doute l'expression la plus complète et la plus développée du « révisionnisme historique » post-sioniste de droite [4]. Les noms de Ahad Haam, Martin Buber, Gershom Scholem, Jacob Talmon, Joshua Prawer ainsi que ceux du Professeur Eliezer Schweid, du Professeur Assa Kasher et de l'écrivain Aharon Appelfeld y apparaissent pour avoir combattu (ou pour combattre) pour la création d'un « État post-juif »… [5] Ce sont tous des conspirateurs infatigables. Des sortes de sabbatiens cachés se prétendant ouvertement sionistes, mais agissant en coulisses de manière déloyale. Ils extirpent le judaïsme de l'État d'Israël et accélèrent la fin de l'État [6]. Je ne parlerais pas du livre « L'État juif », si je ne reconnaissais pas qu'il présente des idées susceptibles de convaincre certains. Ceci d'autant plus, qu'elles sont soi-disant le fruit d'une recherche approfondie, s'appuyant sur de nombreuses sources et que le livre est riche en citations.

Le livre de Yoram Hazony est à première vue le premier essai d'envergure sur l'histoire du « post-sionisme ». Après plusieurs générations de

---

4. Je voudrais tout d'abord signaler que mon nom apparaît une fois dans le livre « L'État juif », p. 45. Pour la convenance du lecteur, je signale précisément les lignes : 10-11 et 14 et 17. Voir aussi note 15 p. 356.

5. L'État juif (en hébreu), p. 39.

6. Comparez *l'État juif*, p. 14 : « une lutte méthodique est menée par des savants israéliens contre l'idée d'un État juif, son récit historique, son institution et ses symboles. »

recherche sur l'histoire du sionisme, nous avons enfin droit à une œuvre monumentale et détaillée sur ce sujet. Le livre comprend quatre parties. La première dévoile l'influence du post-sionisme sur les institutions de l'État d'Israël et explique la menace de cette influence pour l'existence d'Israël en tant qu'État juif. Entre autres symptômes de l'influence nuisible et destructive du post-sionisme, l'auteur traite du système scolaire israélien et des programmes scolaires de l'État d'Israël[7]. La deuxième partie du livre revient sur le début du mouvement sioniste et se focalise sur l'idée de « l'État juif », telle qu'elle s'est constituée chez Théodore Herzl. La troisième partie décrit le combat titanesque qui se déroula sous le mandat britannique entre ceux qui, comme Ben-Gourion tout d'abord, prônaient un « État juif » et le groupe de professeurs d'université, originaires d'Allemagne qui œuvra dans le cadre de l'Université hébraïque. La quatrième et dernière partie traite de la victoire des intellectuels sur Ben-Gourion et de la manière dont l'esprit des pontes de l'Université hébraïque s'est imposé dans la politique israélienne actuelle.

La conclusion de cette étude est claire : une ligne droite mène de l'opposition de Ahad Haam au « sionisme politique » tel qu'il fut formulé par Herzl, aux opposants de « l'idée d'un État juif » dans la société israélienne contemporaine. Martin Buber et Yehudah Leib Magnes s'opposaient ouvertement. Leurs continuateurs le font de manière latente, que ce soit consciemment ou sans comprendre où entraînent leurs menées déplorables. Selon les termes exacts de *L'État juif* :

> Ainsi, même si le terme explicite de « bi-nationalité » n'est que sous-jacent pendant les années qui suivirent la naissance d'Israël, tout l'arsenal idéologique qui conduisit à cette conclusion politique est resté tel qu'il était. En fait, l'examen de quelques sujets fondamentaux, mis en évidence par des professeurs des facultés de sciences humaines et sociales de l'Université hébraïque, permet de distinguer la structure idéologique sur laquelle se base la tendance survenue ensuite, annonçant le « post-sionisme » et la négation de la légitimité de l'idée d'un État juif – chez les élèves de ces professeurs[8].

---

7. L'auteur consacre à l'incrimination des programmes scolaires du système éducatif national, une part importante de sa lutte politique. Le chapitre du livre que nous avons maintenant sous les yeux, a été développé dans une revue, « The New Republic », le 17 avril 2000 et la presse israélienne et américaine se sont fait l'écho de nombreuses réactions là-dessus. J'ai publié une réponse détaillée à cet article, sous le titre « Éducation et mensonges : deuxième round de l'attaque des nouveaux historiens » (en hébreu), dans un article paru sur le site internet officiel du Ministère de l'éducation de l'État d'Israël (www.education.gov.il). Pour la commodité du lecteur, je noterai que le texte de l'article de « New Republic » figurant sur le site internet du « Centre Shalem », n'est pas exactement identique au texte originel publié en avril. Le lecteur devra se reporter au texte imprimé pour avoir une version intégrale et non corrigée.

8. *L'État juif*, p. 288.

Une idée maîtresse traverse tout le livre : « l'État des Juifs » est menacé par un « universalisme », étranger au judaïsme, qui l'affaiblit et rapproche sa fin. Il n'y a rien de plus antinomique au sionisme, sous toutes ses formes, qu'une telle conception extrémiste. Nous sommes là en présence d'une large révision généralisée de l'histoire du mouvement sioniste. Cette révision est elle-même *anti-sioniste*. Théodore Herzl, voulait établir sur la terre ancienne-nouvelle, une société universaliste par excellence. Zéev Jabotinsky, le libéral nationaliste, chanta les louanges des cultures européennes et en tira son inspiration pour sa pensée nationale. David Ben-Gourion, décrivit toujours la révolution sioniste comme partie intégrante de la révolution mondiale. Le rabbin Yehuda Haï Alcalay et le rabbin Zvi Hirsch Kalisher pensaient que l'émancipation allait de pair avec la vision de rédemption d'Israël. Le rabbin Avraham Yitshak Hacohen Kook voulait prendre le meilleur de la culture des nations et l'intégrer à l'esprit d'Israël[9].

Pour peser la valeur scientifique de cette révision, ses formes d'argumentation et la validité de ses conclusions, il nous faut examiner minutieusement autre chose. J'ai choisi l'argument présentant les sciences du judaïsme en Israël comme une arme utilisée contre l'État[10]. Pour cela, il faut se reporter au chapitre dans lequel l'auteur de « L'État juif » examine l'œuvre scientifique de quelques-uns des plus grands maîtres de l'Université hébraïque. Entre autres, il parle de Martin Buber, de Gershom Scholem, de Joshua Prawer et de Jacob Talmon. En quoi Gershom Scholem a-t-il fauté pour que ses recherches mettent en danger la sécurité de l'État ? L'auteur écrit :

> Sans rentrer dans la question de savoir si cette explication du Hassidisme [la neutralisation de l'idée messianique – I.B.] est vraie – et une étude parue dernièrement montre qu'elle ne l'est pas[11] – on peut immédiatement comprendre le secret de la fascination d'une telle idée pour les milieux juifs allemands. Après

---

9. Dans son discours, à la cérémonie d'inauguration de l'Université hébraïque de Jérusalem au printemps de l'année 1925, le rabbin Kook dit : « La deuxième démarche de l'esprit de la nation ne lui sert pas seulement à approfondir le sacré de la Tora, qui lui est immanent mais veut également le transcender et le rendre immanent. Faire sortir les concepts et les valeurs du judaïsme du domaine de notre propriété personnelle vers celui de la propriété publique du monde en général, est la raison pour laquelle nous sommes la lumière des peuples. Et intégrer des sciences appartenant à l'ensemble de l'humanité, adapter leur bien et leur propagation dans toute leur pureté, à la lumière de notre vie, puisqu'en fin de compte cette intégration s'ouvrira logiquement vers l'extérieur et ira de notre monde à nous, vers le monde en général ». (« Discours du rabbin A.Y. Hacohen Kook », dans : S. Katz, M. Heyd (eds.), *Histoire de l'Université hébraïque de Jérusalem* (en hébreu), Jérusalem 1996, p. 312). Voir également : I. Bartal, « Qu'il n'arrive par moi aucun accident », discours du rabbin A.Y. Hacohen Kook : Commentaires » (en hébreu), *ibid.*, p. 315-319.

10. *Ibid.*, p. 77 : « Avec l'impossibilité de donner [à l'État juif] une essence positive, le rejet de l'objectif, des valeurs historiques, des héros et des symboles qui ont créé Israël, a amené l'idée de l'État juif au seuil de l'effondrement [...] et il n'est nul besoin de dire que la perte de cette idée entraînera tôt ou tard, la fin de l'État juif lui-même ».

tout, il attribue à la tradition mystique juive, centenaire (si pas millénaire), les mêmes idées qui furent le fondement du judaïsme de l'émancipation au XIXᵉ siècle :

« Sion est fondamentalement, une métaphore. La rédemption peut être le fait d'un homme. Il n'est plus besoin d'attendre un certain dirigeant ou un mouvement (le Messie) pour atteindre un salut historique et politique en Palestine (sic !), cet objectif n'étant plus « à l'ordre du jour » pour le judaïsme [12].

Le danger politique est tout à fait clair pour notre auteur : La pensée de Scholem peut amener l'étudiant à la conclusion que « les rois hasmonéens, Massada, Bar-Kohva, Shabbtaï Zvi et même Herzl, […] se trouvaient du côé sombre de l'histoire juive » [13]. Le cas d'un chercheur comme Joshua Prawer, spécialiste de l'histoire du royaume croisé en Terre d'Israël, a de quoi déranger ceux qui sont allés jusqu'à « accepter » la signification du livre en question, sur les dangers des études de Scholem. En quoi cet historien a-t-il fauté ? Revenons là aussi au texte lui-même :

En essayant de résoudre ce problème [le problème du parallélisme entre les croisés et les sionistes – I.B.], Prawer fut un pionnier de la discipline universitaire qui voulait comprendre l'histoire de la Palestine (sic !) du point de vue des Arabes. « J'ai tenté de considérer les croisades, non d'un point de vue européen, écrit Prawer, mais de celui du côté adverse ». Et en effet, dans ses écrits scientifiques, il n'hésita pas à traiter les colons croisés de « destructeurs, […] cette tendance à une perspective historique arabe – dont il faut rappeler qu'elle fut l'un des principaux objectifs idéologiques de Magnes au moment où il fonda l'Université hébraïque – eut une influence directe sur la manière dont les élèves de Prawer considérèrent le sionisme. Un des meilleurs exemples en est Meron Benvenisti, aujourd'hui journaliste connu. […] Il n'est pas étonnant que la faculté de Meron Benvenisti de considérer la politique actuelle dans une perspective arabe, a marqué sa politique et aujourd'hui, il est l'un des porte-parole les plus éminents de ceux qui prônent la transformation d'Israël en un État bi-national, arabe et juif [14].

Selon l'auteur de notre livre, Prawer, même s'il ne s'opposait pas lui-même à l'État juif, a consacré sa carrière de chercheur à susciter une identi-

---

11. Ici, l'auteur se reporte au livre de Arié Morgenstern, *Mysticisme et messianisme* (en hébreu), Jérusalem 1999, p. 180-208.
12. *L'État juif*, p. 289.
13. *Ibid.*, Selon cette méthode, les conclusions du chercheur en Kabala, Yeshayahu Tichbi, sur la place du messianisme dans la pensée hassidique, les dernières recherches d'Emmanuel Etkes, de Moshe Idel et de Moshe Rosman, sur l'histoire du mouvement hassidique et sur la pensée hassidique, semblent même encore plus « subversives » pour l'État juif ! Du point de vue des études juives, la signification est claire : si les résultats de tes recherches ne peuvent servir de but politique digne (en l'occurrence, le but de l'auteur de « L'État juif »), il faut te fixer des barrières. Ou bien au contraire, il te faudra falsifier les résultats de tes recherches afin qu'elles puissent plaire au censeur politique, connaissant tout sur tout.
14. *L'État juif*, p. 294-295.

fication émotionnelle avec le narratif historique anti-sioniste qui fut adopté par la propagande politique arabe. «En agissant ainsi, il transmit le bi-nationalisme de son maître, Koebner à une nouvelle génération d'étudiants [15].

De la même manière, Samuel Hugo Bergman, Jacob Talmon et Nathan Rotenstreich se voient doter du rôle de passeurs du flambeau anti-sioniste, de la génération des fondateurs de l'Université hébraïque à celle de l'intelligentsia israélienne post-sioniste contemporaine. Le lecteur critique se demandera s'il est possible d'être en même temps un historien honnête, professionnellement et d'adhérer à une vision de fidèle sioniste ? Se peut-il que la critique «postmoderne» laisse un peu d'espoir à l'existence de vérités historiques non dépendantes de commentaires politiques dé-constructivistes ? La réponse donnée par le livre est clairement négative. Il n'y a pas de pitié ! Tout est relatif, tout est soit mensonger soit vrai, c'est selon. Ne seront d'aucun secours pour Rotenstreich, toutes ses années de grand sioniste, tout comme Prawer ne pourra bénéficier de ses actes, ni Buber de ses écrits. Vive le «postmodernisme» qui est le grand tyran de notre époque. Dès lors que le discours «post-sioniste» se relie à une politique extrémiste dans son uni-dimension et son manque de pitié dans la façon dont elle détruit la discipline historique, où allons-nous tous ?

L'histoire et la politique furent depuis toujours liées l'une à l'autre. Les historiens de mouvements nationaux n'ont jamais caché le lien entre leur travail de recherche et leurs conceptions politiques. C'est également le cas pour l'historiographie sioniste. Cependant, la dissertation que nous avons devant nous sort de l'ordinaire sous trois aspects : le dosage, les voies de l'argumentation et les conclusions.

Le dosage est exagéré et décuplé de manière extrême. Se concentrer sur un certain détail du champ de recherche de Prawer, en le déconnectant de l'ensemble de l'œuvre scientifique et publique, que mena cet homme pendant de longues années, ne peut servir de vraie argumentation. L'extension de la signification de l'idée messianique dans les écrits de Scholem, sans examiner le sujet dans le large contexte de l'ensemble de sa théorie sioniste, n'est pas convaincante. Qualifier l'attitude de Talmon de «post-sioniste» du fait son opposition politique à David Ben-Gourion, tout en oblitérant l'attitude libérale et conservatrice de ce grand historien, est un acte exceptionnel de bizarrerie [16]. Il faut regretter que de nombreuses conclusions du livre «L'État juif» se basent sur un dosage exagéré de cette sorte. Ce dosage exagéré est ce qui fait la différence d'écriture, quand on traite de mouvements nationaux, entre «le nationalisme» et «le chauvinisme» ou entre une recherche scientifique et un manifeste idéologique.

---

15. *Ibid.*, p. 295.
16. L'État juif, p. 295-298.

Les voies de l'argumentation dans l'essai que nous jugeons dépassent, elles aussi, les limites des convenances et de ce qui est admis dans la rédaction scientifique du monde occidental. Examinons la manière dont l'auteur lie les théories « pernicieuses » des grands professeurs aux « pernicieux » de la génération suivante. L'écrivain Aharon Appelfeld parle avec beaucoup d'admiration de ses maîtres d'Université : « J'ai étudié chez Buber et Scholem à l'Université hébraïque… Buber et Scholem m'ont ouvert de nouvelles portes. C'était là une nouvelle vie » [17]. Cette simple affirmation fait immédiatement de Appelfeld, un continuateur du chemin idéologique et politique des deux professeurs. Ainsi, Appelfeld devient-il un des ennemis les plus caractéristiques de l'État des Juifs [18]. Il semble que l'auteur ne se rende pas compte de la complexité de l'âme humaine et n'imagine pas qu'il est possible d'admirer une certaine qualité chez un conférencier d'université, tout en en repoussant d'autres… L'historien Benny Morris (qui n'est pas à proprement parler un ami de notre auteur) dit avoir entendu Prawer, dont il suivait les cours, parler de son maître, Koebner [19] et dire qu'il l'influença beaucoup. Une telle phrase est suffisante pour lier deux générations de « subversifs » ! L'historien Mordehaï Bar-On (lui aussi « post-sioniste subversif » ?) « compte parmi ceux qui l'ont le plus influencé, Koebner, Talmon, Prawer et l'économiste Dan Patenkin » [20]. Et je ne fatiguerai pas le lecteur avec la liste complète de la chaîne de transmission « post-sioniste ». Je ne dirais qu'une chose, puisque nous sommes là en présence d'une espèce passionnante de maccartisme culturel. A. dit qu'il aime parler avec B, parce qu'il a entendu que B. continue la voie idéologique et politique de A. La dernière fois que je me suis heurté à des conclusions de ce genre, fut quand j'étudiais la critique soviétique des années trente sur les « écarts » idéologiques des historiens, des écrivains et des poètes, de la « ligne » marxiste-léniniste. De tels « écarts » étaient très souvent des citations de lettres d'auteurs ayant cessé de plaire, et souvent une inadaptation du style par rapport aux directives du parti. Dans tous les cas, ces « écarts » étaient décrits comme un terrible danger pour le jeune État des ouvriers, obligé de se défendre contre de puissants ennemis.

---

17. L'État juif, p. 305.
18. L'État juif, p. 304.
19. *Ibid.*, p. 304. Richard Koebner, un des fondateurs du département d'histoire de l'Université hébraïque est lui aussi présenté dans le livre « L'État juif » comme un membre du groupe qui s'opposait à l'idée d'un État juif (p. 257, 290, 295).
20. *Ibid.*, p. 304. Aux pages 25-27, le lecteur trouvera une grave accusation contre l'écrivain Appelfeld parce que sa pensée est « tout à fait contraire à la leçon que la plupart des Juifs ont tirée de la Shoah […] soit que ce qui le sauva fut *sa faiblesse* : J'ai survécu à la guerre, non parce que j'étais fort ou parce que j'ai combattu pour ma vie ». Cette conclusion idéologique de Aharon Appelfeld et ses expériences d'écrivain pendant son service militaire, semblent à l'auteur de *L'État juif* défier les fondements essentiels du sionisme !

Les conclusions du livre que nous avons devant nous sont particulièrement exceptionnelles en regard de l'énorme littérature qui constitue l'historiographie sioniste. Une lecture attentive de ce livre monumental montre qu'il
traite en fait de l'ennemi intrinsèque du sionisme. Malheureusement, cet
ennemi intrinsèque n'est autre que le sionisme lui-même ! Je ne parle pas ici
de ce que l'auteur décrit comme les ennemis de l'idée d'un État juif, mais
justement de ceux qu'il présente comme des fidèles de cette idée. Herzl, qui
dans ce livre est devenu le père d'un nouveau conservatisme de style américain, imagina un État diamétralement opposé à la vision de l'auteur de notre
livre. Que fait-on pour vaincre un tel ennemi intérieur, adepte d'universalisme et éloigné de toute idée de repliement et de xénophobie ? On invente
un nouveau Herzl, qu'on peut toujours tenter de vendre au lecteur ignorant
de l'histoire de l'idée sioniste, mais qu'il est impossible de faire accepter à
tous ceux qui ont sur Herzl, des connaissances acquises par l'étude scolaire
du programme d'histoire de l'État d'Israël. Le visionnaire de l'État, écrivit
comme chacun sait, une gentille utopie sioniste qui parut au début du
XXᵉ siècle. L'utopie « Altneuland » (Pays ancien-nouveau) raconte un voyage
en Terre d'Israël, en l'an 1923. Un État juif futur, selon Herzl, est décrit
comme une société universaliste, ouverte et tolérante. La culture européenne
y règne et le judaïsme y est très mineur. Dans le livre dont nous faisons la
critique, l'utopie d'Herzl est présentée comme n'ayant aucun rapport avec la
vision de son État ! S'il en était ainsi, pourquoi Herzl se serait-il donné la
peine de faire une description si détaillée de l'État futur ? À cette question,
l'auteur répond :

> Quand Herzl comprit que son public commençait à manifester de l'impatience
> dans l'attente de résultats de son action diplomatique, il entreprit d'écrire une
> utopie, à l'usage des masses. Celle-ci, espérait-il, lui conférerait un peu de
> confiance, d'enthousiasme et de patience de la part de son public qui avait du mal
> à comprendre les actes de ses dirigeants[21].

Ceci veut dire que « Altneuland » ne dévoilait pas les intentions de l'auteur mais se bornait à présenter aux masses juives ce que Herzl pensait qui
leur ferait plaisir. En bref, « Altneuland » était un texte de propagande, destiné
à gagner un soutien et non à exprimer la vérité profonde de Herzl. Cette affirmation est des plus étranges, pour employer un euphémisme. Qui connaît les
circonstances de l'écriture du roman « Altneuland », se souvient certainement
que Herzl eut l'idée d'écrire ce livre alors qu'il hésitait à rédiger le fascicule
L'État des Juifs[22]. Il mit trois ans à écrire ce livre, entre juillet 1899 et

21. *Ibid.*, p. 145.
22. Rachel Elboim-Dror ; *Le lendemain de hier, vol. 1 : L'utopie sioniste* (en hébreu), Jérusalem 1993, p. 70.

avril 1902. Certaines parties en furent publiées dans la revue sioniste « *Die Welt* », alors que l'œuvre de rédaction du roman était en cours [23]. L'argument selon lequel le livre aurait été écrit à des fins de propagande, pour les masses juives, semble encore plus bizarre. Une bonne part de la description du nouveau pays, dans le roman d'Herzl, présente une réalité culturelle extrêmement « non-juive ». Il est vraiment difficile de croire que le caractère non-juif évident de la culture de l'État futur, aurait pu s'attirer un quelconque soutien de la part des masses juives. Au contraire, si l'auteur de l'étude dont nous parlons, pense que Herzl en écrivant « *Altneuland* », voulut flatter le goût des masses juives traditionnelles, il devrait nous expliquer pourquoi l'universalisme et l'ouverture culturelle lui semblent aujourd'hui s'opposer au judaïsme de l'État. La critique que fait le livre que nous avons devant nous de « *Altneuland* », est comparable aux propos que Jabotinsky écrivit à David Ben-Gourion :

> Herzl n'a jamais eu l'intention d'écrire une utopie ou de dresser un tableau de la réalisation de ses rêves civils. L'objectif de « *Altneuland* » est tout autre. Herzl voulait présenter le « *Judenstadt* » (*L'État des Juifs*), que dans certaines conditions on pourrait créer très rapidement, presque « l'année prochaine » [24].

Un examen des quelques pages consacrées dans le livre au roman « Altneuland », fait craindre que l'auteur n'ait pas eu sous les yeux l'utopie d'Herzl, au moment où il rédigeait son livre. Selon lui, il s'agit du rêve d'un jeune avocat de Vienne qui « s'est endormi et rêve de ce qui se passera dans vingt ans, après le retour des Juifs en Palestine (sic !). Ce rêve est une adaptation contemporaine de la vision d'Isaïe » [25]. Comme le savent tous les lecteurs de l'essai passionnant de Herzl, le jeune avocat ne s'est pas endormi ni n'a rêvé, mais a répondu à une annonce, l'invitant à se joindre à un voyage hors d'Europe. Ce détail a son importance, puisque le voyage vers le pays ancien-nouveau en 1923, contient de nombreux détails touchant les circonstances qui provoquèrent le départ d'Europe dudit héros en 1903. Faut-il en conclure que l'auteur de notre livre avait d'avance décidé que « Altneuland » était sans importance et donc qu'il était inutile de le consulter ? Ou y avait-il là une opposition intrinsèque à la découverte éventuelle d'un Herzl différent, universaliste, ouvert, novateur, démocrate et fermement opposé au nationalisme extrémiste ? Par honnêteté, nous ne ferons pas ici, ce que le livre *L'État juif* a fait à Talmon, Prawer, Rotenstreich et nous ne poursuivrons pas l'explication de la signification de la transformation du voyage en « rêve ». Nous

---

23. *Ibid.*
24. Lettre de février 1935, citée *ibid.*, p. 200.
25. *L'État juif*, p. 144.

nous contenterons d'adresser le lecteur critique à deux études récentes, consacrées à «*Altneuland*», qui le considèrent comme un texte d'importance essentielle, dans la pensée sioniste de Herzl[26].

Comparer la manière dont sont traités deux grands dirigeants sionistes, Zéev Jabotinsky et David Ben-Gourion est des plus passionnants. Il ne fait aucun doute que Ben-Gourion est le héros principal du livre. Cependant, son personnage, comme sa pensée sont nettement mobilisés vers la direction nationale, l'élément universel de sa pensée étant dramatiquement réduit. Zéev Jabotinsky par contre, reste en marge. Il n'apparaît jamais dans le livre comme l'acteur principal. Pourquoi le livre ne dit-il pas un mot de la pensée, pourtant très vaste et explicite de cet homme, pour qui l'idée d'un État était tellement essentielle, dans sa pensée comme dans sa politique ? Jabotinsky aussi rédigea une théorie de l'image future de l'État ? Il ne fait aucun doute aujourd'hui, que Jabotinsky était le fidèle continuateur de Herzl. Mais en tant que libéral, athée et grand admirateur de la culture européenne, il semble que l'auteur ait eu du mal à se confronter au fait, que quelqu'un ait continué la vision de Herzl dans une direction autre que nationale et repliée sur elle-même. Il s'agit ici de l'invention d'un nouveau récit de l'histoire du sionisme. C'est pourquoi il fallait réinventer Herzl, puisqu'il est le fondateur et qu'on ne peut occulter sa personne. Par contre, la suite de ce récit inventé pouvait très bien se dérouler sans Jabotinsky, dont les conceptions, les idées, l'œuvre littéraire et même le rapport au mouvement national arabe, sont diamétralement opposés à l'idée de «L'État juif» présentée dans le livre que nous avons devant nous. S'agit-il du même Jabotinsky qui voulait changer l'écriture hébraïque en remplaçant les lettres hébraïques par des lettres latines ? De celui qui écrivit un roman biblique d'esprit cananéen, intitulé « Samson » ? Il valait certainement mieux faire oublier la part primordiale qu'il prit en ce qui concerne l'idée de l'État.

On s'interroge, en lisant le livre, sur la part de judaïsme de *L'État juif*. Ce judaïsme est-il *la force juive*, à laquelle s'opposait Buber, Scholem et Appelfeld ? Le judaïsme se révèle-t-il, selon l'auteur, dans l'existence de l'État en tant qu'entité organique, idée que repoussent tous les détenants de l'idée d'un contrat social ? S'agit-il d'un État géré par la loi religieuse (halaha), dont il n'est fait aucune mention dans le livre ? La grande force de ce livre est de montrer ce que «L'État juif» *n'est pas* (selon l'auteur bien sûr !). La vision cachée du livre ressemble à un oignon, que l'on épluche couche après couche, jusqu'au vide émincé de la dernière strate du bulbe. On arrive à la dernière page sans avoir lu la moindre affirmation positive sur le judaïsme

---

26. Avineri, Shlomo, «L'utopie sioniste de Herzl. Un rêve et sa cassure » (en hébreu), *Katedra* 40 (été 1986), p. 189-200 ; Rachel Elboim-Dror (note 20 ci-dessus).

de *L'État des Juifs*. La raison en est la suivante : que peut proposer un livre qui dénie si absolument la majorité des aspects du sionisme ? Si Herzl lui-même est revu et censuré, Jabotinsky, coupé et castré et Ben-Gourion recréé sous une forme néo-conservatrice, que reste-t-il à innover ? Si la riche création littéraire, l'œuvre variée et la réalité sociale complexe du yichouv, qui s'est développée dans le pays du fait du sionisme, ne sont pas des points de départ pour parler de l'État juif, de quoi peut-on parler ?

La tentative stupide de faire de Herzl, le libéral européen voulant établir un État de caractère occidental, ayant de grandes réserves par rapport à la théocratie et au cléricalisme, un conservateur néo-orthodoxe rigoureux, est une déformation mensongère. L'est également le fait d'affilier le mouvement travailliste sioniste au camp néo-conservateur en effaçant son caractère novateur et universel. Aucun vœu pieux ne pourra apporter un quelconque secours aux « post-sionistes » de droite. Le mouvement sioniste était, est et sera toujours un mouvement moderne dont toutes les tendances se rapportaient, se rapportent et se rapporteront positivement à la culture du monde. Même quand prévalut un sentiment de déception par rapport à l'émancipation et que la culture occidentale se révéla dans toute sa laideur, les sionistes ne se démarquèrent jamais totalement d'elle, mais voulurent préserver ce qu'il y avait de meilleur en elle. Yoram Hazony ne reconnaît pas l'importance de ce point pour le sionisme, il le repousse et le présente comme « post-sioniste ». En vérité, il ne rejette pas le « post-sionisme », mais se dresse contre le sionisme lui-même. C'est une attitude qui rappelle les propos d'un rabbin israélien, appartenant au courant désigné aujourd'hui par le terme « national et ultra-orthodoxe », sur la culture occidentale : « Nous étions en exil pendant 1930 ans et beaucoup de déformations morales de cette culture maudite nous ont pénétrés » [27]. Hazony, comme ce rabbin national et ultra-orthodoxe, invoquent en vain le nom du sionisme. Ce que les deux ont en commun, est qu'ils ont complètement abandonné la voie du sionisme, tout en prétendant que leur chemin « post-sioniste » est sioniste. Appelez cette voie de n'importe quel nom, mais au nom de Dieu, laissez en paix une fois pour toutes, le sionisme que vous avez renié !

L'État juif est un excellent écrit de propagande politique. Il est très lisible et passionnant. Cependant, en tant que recherche sur l'histoire du sionisme, il a surtout une valeur de document historique de l'histoire de l'extrémisme. C'est un document passionnant qu'il faudrait enseigner dans les séminaires universitaires, pour comprendre les grands dommages que cause le « post-modernisme » aux sciences juives.

---

27. A. Pepper, « La Tora prônait le transfert, mais est-ce encore valable ? » (en hébreu), *Haaretz*, 25 mars 2002, p. 3/B (propos du rabbin Shmuel Eliahu, défini dans l'article comme un des plus éminents de la jeune génération de « rabbins sionistes »).

Herzl souhaitait-il
un État « juif » ?*

Yoram HAZONY

D E MANIÈRE GÉNÉRALE, on peut affirmer que l'œuvre et les idées de
Théodore Herzl ne suscitent pas grand intérêt au sein de l'intelligentsia israélienne. Cependant, il existe un point, dans le large corpus
de ses écrits qui ne cesse, ces quinze dernières années, de faire l'objet de
polémiques. Des intellectuels israéliens s'entêtent à affirmer que le petit livre
de Herzl, *Der Judenstaat* (1896) n'avait pas pour vocation de promouvoir
l'établissement d'un État juif. L'auteur visait plutôt, prétendent-ils, à instaurer une entité appelée « l'État des Juifs », comme le nom du livre dans sa
version hébraïque, soit un État avec une majorité juive, mais sans autres caractéristiques « juives » particulières. Il serait donc erroné de croire que Herzl
fut le père de l'État juif – expression qui apparaît plusieurs fois, dans la
Déclaration d'Indépendance.

Cette thèse n'aurait pas mérité qu'on s'y attarde, si ce n'était la portée
idéologique considérable que lui accordent certains de ses propagateurs. Parmi
eux, on compte des juristes, des universitaires et des éducateurs de premier
ordre, des personnes capables d'utiliser leurs interprétations de Herzl pour
modifier le caractère national de l'État d'Israël. Pour illustrer notre propos,
nous citons ici les déclarations suivantes, émanant d'une série de personnalités israéliennes.

L'ancienne ministre de l'Éducation, Shulamit Aloni :

> Je n'accepte pas le terme d'« État juif ». C'est « l'État des Juifs », si nous voulons
> être précis. Herzl a écrit un livre intitulé *l'État des Juifs* [1].

(*) Cet article a été rédigé avec la collaboration d'Evelyne Geurtz. Il est basé sur un article du même
nom, publié pour la première fois dans *Azur [Thelet]*, revue israélienne de réflexion pour la nation
juive. Nous remercions la direction du Centre Shalem de nous avoir permis d'utiliser cet article.
1. Shulamit Aloni, *Sionisme ici et maintenant*, film produit par le Musée de la diaspora, 1977 (en
hébreu).

Moshe Zimmermann, chef du département d'histoire de l'Université hébraïque et président de la commission responsable de la rédaction des manuels d'histoire des classes de collège, au ministère de l'Éducation (1995) :

> En Israël... le concept herzelien d'« État des Juifs » s'oriente de façon flagrante vers un « État Juif » ethnocentrique... [2]

L'écrivain Amos Oz :

> Le livre de Herzl s'intitule *l'État des Juifs* et non « *L'État Juif* ». Un État ne peut être juif, pas plus qu'une chaise ou un autobus ne peuvent être juifs... [3]

Des thèses semblables sont fréquemment avancées par un nombre impressionnant d'autres intellectuels réputés [4]. Même le nouveau manuel d'instruction civique du ministère de l'Éducation, actuellement utilisé dans toutes les écoles secondaires du pays, souligne : « le titre du livre de Herzl : *L'État des Juifs* (et non *L'État juif*) » [5].

Dans ce contexte, il est impossible de ne pas évoquer Claude Klein, professeur de Droit à l'Université hébraïque. Persuadé que Herzl souhaitait établir un « État des Juifs » – et qu'il est important que le monde entier le comprenne – il publia en 1990 à Paris, une nouvelle édition française de l'ouvrage où il a modifié le titre original du livre. Ainsi, après avoir été publiée pendant 94 ans

---

2.   Moshe Zimmermann, « Polémiques d'historiens : tentative allemande et expérience israélienne » (en hébreu), in *Théorie et Critique* 8, été 1996, p. 102.

3.   Amos Oz, « Charrette pleine et charrette vide ? Réflexions sur la culture d'Israël » (en hébreu), in *Yahadout Hofshit* 11-12, octobre 1997, p. 5. (en hébreu)

4.   Pour d'autres thèses similaires, voir : David Kretzmer, « État juif et démocratie : entre le paradoxe et l'harmonie » (en hébreu), in *Ravgoni* 2, juillet 1998, p. 22 ; Michael Harsegor, « La révolution sioniste a-t-elle échoué ? » (en hébreu) in *Al Ha-michmar*, 4 décembre 1987 ; Gideon Shimoni, *The Zionist Ideology*, Hanovre, Brandeis, 1995 ; David Vital, « A Prince of the Jews », in *Times Literary Supplement,* June 7, 1996 ; David Vital, « Zionism as revolution ? Zionism as Rebellion ? » in *Modern Judaism*, October 1998, p. 206 ; introduction de Claude Klein à *L'État des Juifs* de Theodor Herzl, éd. Claude Klein, Paris, Editions de la Découverte, 1990, p. 10-11 ; Noah Lucas, « A Critique : Alan Dowty's *"The Jewish State", A Century Later* », *Israel Studies* 4 : 2, automne 1999, p. 247-250. Voir également Ahad Haam, « L'État des Juifs et l'infortune des Juifs », *Ha-shiloah* 1 : 3, janvier 1898 et Ahad Haam, *Œuvres complètes*, Tel-Aviv, Dvir, 1947.

     Parfois, ces auteurs tentent de présenter l'orientation globale qu'Herzl avait de l'État, par une lecture conjuguée de son programme pratique exposé dans *L'État des Juifs* et de la société qu'il décrit dans son roman utopique *Altneuland*. Mais il serait erroné de penser que l'on peut lire ces deux livres comme s'ils étaient de la même nature. Dans son livre, Herzl présente « l'État juif » comme une proposition pratique destinée à être appliquée selon des moyens en cours dans le monde actuel, Ceci est totalement différent de la vision eschatologique de « la nouvelle société » exposée dans *Altneuland*, qui n'est même pas un « État » au sens habituel du terme.

5.   Hanna Eden, Varda Achkenazi et Bilha Alperson, *Être citoyens en Israël : dans un pays juif et démocratique* (en hébreu), Jérusalem, Ministère de l'Éducation, Département des programmes scolaires, 2000, p. 34.

sous le titre *L'État juif*, l'œuvre de Herzl peut désormais être acquise sous le nom de *L'État des Juifs*, grâce à l'édition de Claude Klein. « Il n'y a aucun doute, affirme Klein dans son introduction, qu'il est assurément question d'un État des Juifs et non d'un État juif »[6]. Depuis, un éditeur américain a également adopté cette innovation et depuis 1996, on peut acheter une édition en langue anglaise de l'œuvre de Herzl arborant pour la première fois le titre : *The Jews'State*[7].

De telles discussions sémantiques n'attireraient évidemment pas tellement d'attention, si la question de terminologie ne reflétait pas une lutte beaucoup plus profonde sur la signification historique et les valeurs qui en ressortent. Dans ce sens, le cas n'est pas exceptionnel. Ce qui motive le débat est la volonté de mettre hors d'usage l'expression « État juif », qui jusqu'à présent jouissait d'un consensus pratiquement absolu. Ce terme était utilisé par les sionistes dans le monde entier, y compris en Israël, des dizaines d'années avant la création de l'État. Quand enfin, fut proclamée l'Indépendance juive en mai 1948, tous les partis juifs du pays, des communistes à l'Agoudat Israël, signèrent la Déclaration d'Indépendance où le terme d'« État juif » apparaît non moins de cinq fois[8]. Herzl lui-même est évoqué dans la Déclaration comme celui qui fut « le visionnaire de l'État juif »[9].

Qualifier l'État d'Israël d'« État juif » n'était pas seulement un consensus du temps de l'établissement de l'État. Après également, cette idée fut au cœur de la tradition politique israélienne du pouvoir et bénéficia du soutien de la majorité des Juifs du monde entier, pendant des dizaines d'années. En effet, encore en 1988, une personne aussi radicale que Yeshayahu Leibowitz, qui n'avait que très peu en commun avec Ben-Gourion sur le plan politique-public,

---

6. Theodore Herzl, *L'État des Juifs*, éd. Claude Klein, Paris 1990, Éditions de la Découverte, p. 10-11. Klein ne cite aucune nouvelle recherche historique prouvant que Herzl n'était pas satisfait du titre français originel. En fait, la seule preuve qu'il apporte pour justifier le changement de titre, est le célèbre passage à propos de la théocratie, où Herzl compare le rôle des rabbins dans l'État à celui de l'armée (voir Klein, *l'État des Juifs*, p. 96).

7. Theodor Herzl, *The Jews'State*, éd. Henk Overberg, Northvale, N.J., Jason Aronson, 1997.

8. L'identité entre le terme « État juif » et État d'Israël était si évidente que la Déclaration d'Indépendance utilisa ce terme comme s'il constituait la définition même du nouvel État : « Nous déclarons ici l'établissement d'un État juif en Terre d'Israël, l'État d'Israël… L'administration du peuple fera fonction de gouvernement provisoire de l'État juif qui s'appellera l'État d'Israël. » Dans ce contexte, est particulièrement frappant le discours de Méir Wilner, représentant du parti communiste, devant l'assemblée qui ratifia le texte de la Déclaration d'Indépendance. Il dit : « Nous sommes tous unis pour estimer qu'il s'agit d'un grand jour pour le *yichouv* et pour le peuple juif, jour de l'annulation du Mandat et de la proclamation d'un indépendant ». Protocole de l'Assemblée du peuple et du Conseil provisoire de l'État, Jérusalem : L'État d'Israël, 1948, vol. I, p. 13.

9. De plus, la Proclamation emploie trois fois une variation du terme : « l'État du peuple juif » ». Le terme « l'État des Juifs » n'est pas employé du tout.

pouvait employer ce terme, exactement de la même façon dont il servit les fondateurs de l'État, quarante ans plus tôt, pour désigner la vocation de l'État :

> Un État juif... [est] la canalisation de l'essentiel des ressources pour s'occuper des problèmes du peuple juif, dans le cadre de l'État et en diaspora : les problèmes culturels, ethniques, éducatifs et économiques, les rapports de l'État avec la diaspora, avec le judaïsme etc. [10]

Ce qui veut dire qu'Israël est par essence un État juif, du fait que sa vocation est de servir à orienter les énergies étatiques, pour les consacrer au « traitement des problèmes du peuple juif ». Ce principe a amené à l'établissement d'un large système de lois et de traits politiques « juifs », parmi lesquels la loi du Retour, la loi sur l'éducation nationale, qui oblige les écoles à enseigner à leurs élèves les « valeurs culturelles d'Israël » et à promouvoir un « loyalisme envers l'État d'Israël et le peuple juif » [11]. A cette catégorie appartient aussi, la participation de Tsahal [l'Armée de Défense d'Israël, N.D.T.] et des services de sécurité à des opérations dont l'objectif est de sauver à l'étranger, des Juifs qui ne sont pas Israéliens ou également l'intervention de cours de justice israéliennes dans le jugement de criminels de guerre nazis pour « crimes contre le peuple juif » de même que des lois accordant un statut national aux symboles du peuple juif, en particulier les fêtes juives et le Chabbat et de nombreuses autres lois. Il est évident que l'on peut discuter sur tel point ou tel autre de cette politique « juive » des premiers gouvernements israéliens. Cependant, presque tous les Juifs – en Israël comme en diaspora – ont toujours accepté le principe qu'Israël fut fondé en tant qu' « État juif », non seulement du point de vue démographique, mais aussi par sa vocation, ses valeurs, sa politique et ses institutions.

La tentative de promouvoir la conception nouvelle selon laquelle Israël serait « un État des Juifs » – plutôt qu'un État juif » – et de l'attribuer à l'histoire sioniste depuis Herzl – représente donc un choix de se séparer de l'idée centrale de la tradition politique israélienne, et de la transformer en quelque chose de différent. Ces derniers temps, cette tendance fut décrite par l'historien Mordehai Bar-On :

---

10. Voir par exemple, Jacob Talmon, « *L'État des Juifs* de Herzl au bout de soixante-dix ans », in *L'ère de la violence* (en hébreu), Tel-Aviv 1974, Am Oved, p. 143-184 ; Yeshayahu Leibowitz, « Au bout de quarante ans » (en hébreu), in *Politica* 20, Automne 1988, p. 19.

11. Tels sont les termes originels de la loi. Selon un amendement qui fut voté en 2000, l'objectif de l'école est entre autres « d'éduquer chacun à aimer l'être humain, aimer son peuple et son pays, être un citoyen loyal de l'État d'Israël, honorer ses parents et sa famille, sa tradition, son identité culturelle et sa langue... enseigner la Tora d'Israël, l'histoire du peuple juif, la tradition d'Israël et l'héritage juif, de perpétuer la mémoire de la Shoah et de l'Héroïsme et d'éduquer à les respecter ».

Dans le débat sur la judaïté d'Israël… nombreux sont ceux qui préfèrent éviter d'appeler Israël un « État juif ». Ils préfèrent employer le terme plus neutre d'« État des Juifs ». Cette préférence insinue… qu'Israël est décrit du point de vue des faits, au mieux comme un État où les Juifs représentent la majorité… [12]

Comme l'explique Bar-On, le terme « État juif » est repoussé, suite à une incommodité idéologique croissante, découlant des conséquences normatives d'un État qui serait « juif » dans sa vocation profonde. Le terme « État des Juifs » par contre, est descriptif et se rapporte presque uniquement au fait qu'Israël soit « un État où les Juifs forment la majorité ». Tous les prôneurs du nouveau terme ne l'utilisent pas de la même façon. Cependant, ce qu'ils ont en commun est une opposition à l'idée – ou du moins l'incommodité qu'ils ressentent par rapport à celle-ci – que l'État d'Israël a pour objectif prioritaire de s'occuper des intérêts et des aspirations du peuple juif. Ils préfèrent considérer que la vocation de cet État est identique à celle des autres pays du monde, telle qu'ils se l'imaginent, soit des États « neutres » sans mission particulière, et en fait sans autre mission que celle du souci du bien-être des gens qui habitent à l'intérieur de ses frontières. Comme l'a formulé Amos Oz : « L'État n'est qu'un instrument… devant appartenir à tous ses citoyens, juifs, musulmans, chrétiens… le concept d'"État juif" constitue en fait un obstacle [13]. »

La réticence actuelle par rapport à l'idée d'un « État juif » conditionne dans une grande mesure l'obstination à penser qu'Herzl n'avait jamais songé à un tel État et que son *Judenstaat* devait seulement être un « État des Juifs ». En effet, si Herzl lui-même, le fondateur de l'Organisation sioniste, n'avait demandé qu'à établir un « État des Juifs » – un État neutre où les Juifs formeraient la majorité mais qui, sous tous les autres aspects serait essentiellement un État non juif – alors ceux qui aujourd'hui sont partisans d'un « État des Juifs », peuvent prétendre être les porte-parole de la vraie tradition sioniste, sur laquelle est basée la vie publique israélienne contemporaine. En d'autres termes, la thèse selon laquelle Herzl compte parmi les opposants d'un État juif devient une arme dans la lutte contre l'intention évidente des auteurs de la Déclaration d'Indépendance de faire d'Israël un « État juif », et plus particulièrement contre les idées de Ben-Gourion et du courant central du sionisme qu'il représentait.

---

12. Mordechai Bar-On, « Zionism Into Its Second Century : A Stock-Taking », in Keith Kyle and Joel Peters, éds., *Whither Israel ? The Domestic Challenges,* New York 1993, Royal Institute of International Affairs and I. B. Tauris, p. 34. Selon Bar-On, le terme « l'État des Juifs » admet cependant le maintien de la Loi du Retour, destinée à préserver une majorité démographique juive.

13. Amos Oz, « Charrette pleine et charrette vide ? », p. 5.

Bien entendu, c'est le droit des détracteurs de l'idée d'un État juif, de tenter d'exclure cette idée de la tradition politique israélienne. Mais il est plus difficile de trouver un fondement à la tentative de mobiliser Herzl pour cet effort. Même si tel est le désir des activistes d'aujourd'hui en faveur d'un « État des Juifs », ils ne peuvent compter Herzl parmi les leurs. La vérité est que, comme il est écrit dans la Déclaration d'Indépendance, Herzl était « le visionnaire de l'État juif » – celui même qui a inventé le terme d'« État juif », celui qui a choisi ces mots parce qu'ils décrivaient exactement l'État qu'il souhaitait établir.

Pour justifier cette argumentation, je traiterai de trois points. Premièrement, j'examinerai la question sémantique, à savoir si Herzl avait eu ou non l'intention d'intituler son livre *L'État juif*. Deuxièmement, je passerai à la question essentielle de savoir si l'État que Herzl propose dans son livre, comme idéal politique, était sur quelque point significatif, un État « juif ». Et troisièmement, étant donné que de nombreux partisans de l'« État des Juifs » ces dernières années, lient ce terme à la conviction, attribuée à Herzl, qu'il fallait « séparer » la religion juive de l'État, j'examinerai si Herzl prônait vraiment une telle doctrine. Je préconise qu'un effort honnête d'approfondir ces questions, ne pourra nous conduire qu'à repousser l'argumentation selon laquelle le *Judenstaat* de Herzl était destiné à être un « État des Juifs » à caractère neutre.

I

Commençons par la question sémantique. Herzl voulait-il, comme on le prétend souvent, que le terme *Judenstaat* du titre de la version allemande de son livre, soit compris « État des Juifs » et non « État juif » ?

Herzl écrivit *Der Judenstaat* pendant l'année 1895. Le texte devait être l'objet d'un exposé qu'il devait faire devant des banquiers et d'autres importantes personnalités juives d'Europe occidentale. Herzl espérait que ces gens joueraient un rôle essentiel dans la direction de négociations avec les puissances impérialistes, en vue de l'établissement d'un État juif indépendant. En novembre de cette année-là, Herzl présenta son programme politique devant un groupe de Juifs anglais influents, appartenant à la « Maccabean Society ». A la suite de cette conférence, on lui demanda de remettre un article sur le sujet au *Jewish Chronicle* londonien et cet article, qui parut le 17 janvier 1896 sous le titre « Une solution à la question juive », fut en fait la première publication de son idée. Il contient les principales lignes de pensée de son livre et le terme anglais de Jewish State (« État juif »), que Herzl utilisa continuellement pour décrire l'État indépendant qu'il voulait établir pour le peuple juif.

Le 19 janvier, après la parution de l'article en Angleterre, Herzl signa un accord pour la parution de la version complète du livre. Il nota dans son journal qu'il avait l'intention de changer le titre, trop lourd, en *Der Judenstaat*, beaucoup plus simple [14]. L'édition allemande parut le 14 février 1896. En même temps, Herzl fit paraître à ses frais une édition française puis une autre, anglaise [15]. Pour le titre de l'édition française, Herzl employa l'expression *L'État juif* et il intitula l'édition anglaise *A Jewish State* [16].

Il est difficile d'affirmer que le choix de Herzl de ces titres fut accidentel. Herzl parlait très bien français. Son anglais, qui était moyen, était cependant assez bon pour comprendre la signification des mots « Jewish State ». De plus, les éditions du fascicule en anglais et en français étaient essentielles pour ses plans politiques. Les principales personnalités qui soutenaient la tentative d'installer les Juifs en Terre d'Israël et dans d'autres pays, que Herzl espérait mobiliser pour son œuvre, parlaient le français et leur plus importante organisation, La Société de colonisation juive (JCA), avait son siège à Paris. Par contre, Herzl pensait établir sa propre organisation en Angleterre et son livre fut écrit avec l'idée que les Juifs d'Angleterre seraient le principal soutien du plan [17]. C'est pourquoi, en ce qui touche ces deux éditions, on n'a aucune raison de supposer que Herzl était prêt à falsifier ses intentions politiques et de donner un titre qui était à ses yeux problématique, du point de vue idéologique. De la même manière, quand Herzl agréa la publication de l'édition en yiddish en 1899, elle portait aussi un titre, qu'en tant que germanophone il était tout à fait capable de comprendre : *Die Yiddishe Medina* (« L'État juif ») [18].

Ainsi, dans toute langue que Herzl possédait, le titre de son livre fut traduit par *L'État juif* et non par *L'État des Juifs* [19]. En outre, Herzl employa de façon

---

14. Journal de Herzl, 19 janvier 1896, in Theodor Herzl, *Briefe und Tagebuecher,* Berlin, Propylaeen, 1983-1996, vol. II, p. 289. Cf. Theodore Herzl, *La Cause des Juifs, Journal,* traduction de Josef Wenkert, Jérusalem 1997, Mossad Bialyk, vol. U, p. 265.

15. Journal de Herzl, 10 juillet 1896, in Herzl, *Briefe und Tagebuecher*, vol. II, p. 399. Voir aussi : Herzl, *La Cause des Juifs*, p. 359.

16. Des éditions plus tardives de la version anglaise devinrent *The Jewish State* pour s'accorder avec les versions allemande et française.

17. Les principaux partisans de la colonisation juive que Herzl voulait mobiliser en faveur de l'idée d'un État juif indépendant étaient le baron Maurice de Hirsch et le baron Edmond de Rothschild, tous deux de Paris. Sur la centralité du judaïsme anglais, voir : Théodore Herzl, *L'État Juif, Tentative de solution moderne à la question des Juifs,* traduit en hébreu par Mordehaï Yoeli, Jérusalem, Ha-sifria ha-tsionit, 1978, p. 63, trad. Harry Zohn, New York, Herzl Press, 1970, p. 94

18. Ce n'est qu'en 1915, quinze ans après la mort de Herzl, qu'on adapta le titre yiddish au titre allemand. L'édition yiddish s'appela alors : *Der Yiddenstot*.

19. Du vivant de Herzl, sont parues trois autres éditions du livre, en russe (le 26 juillet 1896), en roumain (en 1896) et en bulgare (en 1896). Le titre du livre en russe et en bulgare est : « L'État juif » ; en roumain il est intitulé « L'État des Juifs ».

constante, au cours des années suivantes, le terme d'«État juif», non seulement pour son livre, mais aussi pour décrire l'État qu'il voulait fonder. Ce fait est particulièrement évident pour qui vient étudier ses lettres, qu'il écrivait d'habitude en allemand ou en français. En allemand, il continua à employer le mot *Judenstaat*, alors qu'en français, exactement à la même époque, il parlait toujours de l'État qu'il voulait créer comme d'un *État juif*[20]. Il est donc clair que c'est au terme «État juif» en anglais et en français qu'on doit le grand succès du mot. Pendant plus de cent ans après que Herzl eut fixé le terme, des politiciens, dans le monde entier ont continué à parler pour ou contre l'idée d'un «État juif». Tel fut le cas de la Commission royale britannique qui en 1937, recommanda pour la première fois l'indépendance juive en Palestine, et ce fut aussi le terme utilisé dans la résolution sur le partage adoptée par l'ONU en 1947, qui apporta une justification internationale à cette idée.

La thèse des partisans du concept d'«État des Juifs» aujourd'hui est que tout cela n'est qu'une erreur. Selon eux, ceux qui emploient le terme d'«État juif» pour parler du *Judenstaat* de Herzl, ne sont pas conscients que le préfixe allemand *Juden* – signifie «Juifs», alors que l'adjectif «juif» est *juedisch* en allemand. On ne peut comprendre l'intention réelle de Herzl que par le titre allemand de son livre, qui est *Judenstaat* et non un *juedischer Staat*. Si Herzl avait voulu parler d'un État juif, il aurait intitulé son livre *Der Juedische Staat*.

Mais cette thèse est entièrement fondée sur une incompréhension de l'utilisation du préfixe *Juden-* («Juifs») dans l'allemand de Herzl. En examinant ses écrits, on trouve quantité de mots comprenant ce suffixe, se rapportant clairement à quelque chose de «juif». Par exemple, Herzl se référant à un «journal juif» (ou plus exactement à une «feuille de chou juive») écrit *Judenblatt*. Il écrit *Judenroman* pour parler du «roman juif» qu'il espérait écrire. De même, il écrit *Judenkinder* pour «enfants juifs» et *Judenkongress* pour «congrès juif». La manière la plus simple de traduire de tels termes en hébreu tout comme en anglais ou en français est d'utiliser l'adjectif «juif». Il est évident que personne ne demanderait à remplacer des expressions comme «congrès juif» ou «journal juif» par des expressions lourdes comme «congrès de Juifs» ou «journal de Juifs». De même, venant à traduire le mot *Judenstaat* en hébreu, le plus naturel et le plus juste est de choisir l'expression «État juif», qui est parallèle à la terminologie de Herzl («Jewish State» en anglais, «État juif» en français).

Cependant, même si le terme «État juif» était la meilleure traduction du mot *Judenstaat* dans des langues étrangères, peut-être est-ce le terme alle-

---

20. Voir par exemple, Herzl à Solomon Joseph Solomon, 12 mai 1896 et Herzl à Zadoc Kahn, 26 juillet 1896. Les deux lettres figurent dans Herzl, *Briefe und Tagebuecher*, vol. IV, p. 103, 124.

mand qui reflète le plus fidèlement les *véritables* intentions de Herzl ? Se peut-il qu'il ait préféré utiliser le préfixe *Juden-* (« Juifs ») au lieu de l'adjectif *juedisch* (« juif ») dans sa langue maternelle, parce qu'il sentait que la seconde option avait une certaine signification, moins souhaitable – du moins en allemand ?

Mais cette éventualité est, elle aussi contredite par les faits. En fait, l'examen des écrits de Herzl montre qu'il utilise plus ou moins alternativement les termes *Juden* et *juedisch* et que probablement, il ne voyait aucune différence significative entre les deux. Ainsi, quand il parle de la « question juive » il dit tant *Judenfrage* que *juedische Frage* ; pour « communauté juive », il utilise à la fois les termes de *Judengemeinde* et *Juedische Gemeinde* ; l'expression « esprit juif » est chez lui aussi bien *Judengeist* que *juedischer Geist* ; de même, le célèbre terme *Judenblatt* (« feuille de chou juive ») apparaît aussi dans son journal sous la forme de *juedisches Blatt*. Même la langue yiddish apparaît dans ses écrits, tant comme *Judendeutsch* que comme *juedisch-deutsch*. De plus, le mot *juedisch* sert pour lui à décrire les institutions du mouvement sioniste comme *Juedische Colonialbank* (« Banque coloniale juive »), qui fut fondée à Londres pour accorder les services financiers de soutien à son action diplomatique. S'il l'avait voulu, il aurait facilement pu choisir un autre nom, s'exprimant par l'adjectif « juif », comme *Judencolonialbank*. Mais Herzl ne le fit pas, pour la simple raison que le préfixe *Juden-* était chez lui synonyme de *juedisch*. Donc les termes *Judenstaat* et *juedischer Staat* étaient au fond, pour Herzl, des synonymes.

Herzl cependant devait choisir entre ces termes. On ne peut donner à un livre qu'un seul titre. Il savait que le terme qu'il choisirait deviendrait un mot d'ordre, un symbole et qu'on l'utiliserait peut-être pendant des centaines d'années. C'est pourquoi, si *Judenstaat* et *juedischer Staat* étaient pour Herzl essentiellement des synonymes, pourquoi préféra-t-il le premier terme au second ?

Bien qu'on ne puisse le démontrer de manière certaine, il semble que ses considérations aient été essentiellement littéraires. On ne peut faire abstraction par exemple, du fait que le mot *Judenstaat* est, des deux options qui s'offraient à lui en allemand, le plus court et le moins lourd. De même que *Jewish state* et *État juif* sont les options les plus courtes et les moins lourdes, en anglais et en français. De plus, il est assez probable que Herzl fut attiré par le mot *Judenstaat* à cause de sa valeur en tant que jeu de mot, chargé du point de vue idéologique et sioniste. De telles considérations ont certainement agi pour le choix du titre du roman qu'il publia plus tard, *Altneuland* (« Pays ancien-nouveau »), qui trace un portrait utopique de la Terre d'Israël future. Comme on le sait, le titre du livre forme un même genre de jeu de mot. C'est un rappel conscient de la célèbre synagogue de Prague, la Altneuschul (« synagogue ancienne-nouvelle ») [21]. Ce titre était bien sûr censé être amusant mais il voulait aussi mettre l'accent sur un point idéologique important : les Juifs d'Europe centrale avaient considéré la Altneuschul pendant six cents ans comme un centre spirituel et Herzl les appelait gentiment à renoncer à leur ancienne-nouvelle synagogue et à la remplacer par quelque chose de plus sublime, leur pays ancien-nouveau, la Terre d'Israël. Ce jeu de mot, sa sonorité un peu amusante et sa signification profonde et significative, firent qu'il considéra *Altneuland* comme un bon titre. Dans son journal, il dit du terme *Altneuland* : « Il est appelé à devenir célèbre » [22].

Herzl cherchait-il un jeu de mot semblable quand il créa le terme *Judenstaat*? Il y a de bonnes raisons de le penser. On sait que du temps de Herzl, dans les villes d'Europe centrale, une partie des Juifs habitaient un quartier spécifique qui souvent était appelé *Judenstadt* (« ville des Juifs »). La Altneuschul elle-même se trouve dans le *Judenstadt* de Prague. En appelant son livre : *Der Judenstaat*, Herzl voulait transmettre exactement le même message qu'il mit en valeur plus tard dans le titre de son roman. Il appelait les Juifs à quitter leur ville, leur quartier juif et à les remplacer par quelque chose de ressemblant, du moins à l'oreille, mais de bien plus grand : l'État juif.

En résumé, dire que Herzl souhaitait que le terme *Judenstaat* soit compris comme « L'État des Juifs » et non « L'État juif », n'est pas fondé. Herzl lui-même créa le terme « État juif » et il l'utilisa constamment pendant toutes les années où il dirigea le mouvement sioniste, comme sa traduction préférée du mot *Judenstaat* dans toutes les langues qu'il possédait. De plus, il y a de fortes chances que le choix du terme en allemand ait découlé de raisons littéraires compréhensibles, n'ayant aucun lien avec une opposition idéologique au terme « État juif », qu'on attribue aujourd'hui à Herzl.

Il reste bien sûr la question de la version hébraïque de son livre, intitulé *Medinat Hayehoudim* (« L'État des Juifs ») depuis qu'il a été traduit pour la première fois en 1896, à l'initiative des éditions « Touchia » à Varsovie. Le titre hébreu est évidemment le facteur le plus clair poussant des intellectuels israéliens à la conclusion que Herzl s'opposa au terme « État juif ». Mais étant donné que Herzl lui-même n'avait aucun problème à utiliser le terme « État juif », il est difficile de croire qu'il voulut s'en démarquer, précisément dans la version hébraïque. Il est plus probable que Herzl – dont les connaissances en hébreu à cette époque se résumaient à quelques mots – n'ait pas trop approfondi la question du titre hébreu. Si la question s'est posée, on peut suppo-

---

21.   Journal de Herzl, 30 août 1899, in Herzl, *La cause des Juifs*, vol. 2, p.139.

22.   Journal de Herzl, 30 août 1899, in Herzl, *Briefe un Tagebuecher*, vol. III, p. 53. Cf. Herzl, *La cause des Juifs*, vol. II, p. 139.

ser qu'il l'a résolue en demandant au traducteur, l'écrivain viennois Michael Berkowicz, de choisir un titre sonnant bien.

De plus, il suffit de consulter l'édition de Berkowicz, pour se rendre compte que le traducteur lui-même ne savait pas que le terme *medinat hayehoudim* (« L'État des Juifs ») était la traduction « correcte » du terme allemand *Judenstaat*. Au contraire, il y a dans la traduction de Berkowicz, plusieurs expressions différentes pour traduire le mot en hébreu. L'une d'elles est le terme *medina yehoudit* (« État juif ») [23].

II

Jusqu'ici, j'ai analysé ce qui prouvait que Herzl avait accepté l'expression « État juif » comme juste traduction du mot *Judenstaat*. Cependant il est clair qu'un examen sémantique ne peut répondre à l'essence de l'argumentation concernant l'intention de Herzl. Car même si Herzl préférait le terme « État juif » qu'il avait créé, il est théoriquement possible qu'il entendait par là ce qu'aujourd'hui on désigne par l'« État des Juifs », soit un État neutre par essence, ressemblant à celui décrit par Rousseau dans *Le Contrat Social*. Même si la majorité de ses habitants étaient juifs, de tous les autres points de vue, ce ne serait en rien un État juif. Une éventualité allant encore beaucoup plus loin – elle aussi très populaire parmi les intellectuels israéliens – est que l'intention de Herzl n'était même pas que les Juifs habitant « l'État des Juifs », restent « juifs » sous quelque point culturel que ce soit, mais qu'ils s'assimilent (soient anciennement juifs), qu'ils vivent quelque part, libérés de l'antisémitisme, et de ce point de vue, plus facilement. Il est inutile de dire que selon ce scénario – selon lequel les Juifs de l'État juif auraient perdu leur caractère et leurs idées juives spécifiques – il ne se passerait que peu de temps jusqu'à ce qu'un tel État cesse d'être « juif », sous quelque plan que ce soit.

Donc, il vaut mieux examiner d'abord la thèse que les Juifs, habitant le *Judenstaat* de Herzl n'étaient pas censés être des Juifs « juifs ». Nous reviendrons ensuite à la question de l'essence juive de l'État.

La thèse selon laquelle Herzl aurait soutenu la création d'un État « non-juif » habité par des Juifs assimilés, remonte presque au début du mouvement sioniste lui-même. Elle a ses racines dans les violentes attaques de Ahad Haam contre Herzl et contre son second, Max Nordau qu'il accusait de vouloir établir un « État d'Allemands ou de Français de race juive » [24]. D'autres

---

23. Théodore Herzl, *L'État juif*, traduction de Michael Berkowicz, Varsovie 1896, Touchia, p. 67.
24. Dans le texte original, il est écrit « ashkénaze » au lieu de « allemand ». Ahad Haam, « *L'État des Juifs et l'infortune des Juifs* », p. 138.

variantes de cette même thèse continuent à être exprimées jusqu'à aujourd'hui. Par exemple, l'ancien ministre de la Justice, Yossi Beilin, a dernièrement écrit sur Herzl que :

> Si le monde avait accepté les Juifs comme des êtres humains et si par conséquence les Juifs avaient renoncé à leur judaïté, il n'y aurait pas eu plus heureux que lui... Le véritable rêve de Herzl est le rêve américain, c'est-à-dire la possibilité pour les Juifs de vivre comme des êtres humains – et de s'assimiler du fait de cet excès de bonté ! Sous de nombreux aspects, il annonce la vie des Juifs en Amérique, bien plus qu'il n'annonce l'État des Juifs... [25]

Une telle exégèse des conceptions de Herzl n'est pas le seul fait de Beilin. De tels points de vue sur Herzl apparaissent très fréquemment dans le débat public en Israël[26].

Cependant, il est important de reconnaître que l'argument selon lequel Herzl voulait établir « un État d'Allemands ou de Français de race juive » n'est pas de Herzl. Lui-même n'a jamais dit ou écrit une chose semblable. Pour trouver une telle description de ses objectifs, il faut se reporter aux écrits de Ahad Haam, son amer ennemi politique, qui publia ces propos afin de dénigrer le statut de Herzl parmi les Juifs traditionalistes de Russie, qui constituaient le camp le plus important et le plus nombreux de l'Organisation sioniste[27]. Ce qui ne veut pas dire que ceux qui aujourd'hui reviennent sur cette accusation, le font pour des motifs intéressés. Il est cependant important de rappeler que beaucoup de ce qui est dit aujourd'hui sur le judaïsme de Herzl, se base sur ce qui fut avancé pour des motifs politiques et partisans[28], qu'il s'agisse de dires émis du vivant de Herzl ou de règlements de comptes après sa mort[29].

Pour prendre un exemple frappant, il n'est pas possible, avec une certaine connaissance des conceptions de Herzl, de l'accuser d'avoir voulu d'un État dont les habitants auraient été uniquement « de race juive ». Ceci pour la

---

25. Yossi Beilin, *La mort de l'oncle d'Amérique : les Juifs au XXIe siècle* (en hébreu), Tel-Aviv 1999, Yediot Aharonot, p. 45-48. Au contraire, Herzl dit spécifiquement qu'il ne veut pas d'une assimilation en tant que solution pour les Juifs, parce que « le caractère national de notre peuple, du point de vue historique, est trop célèbre... et trop élevé, pour qu'on puisse demander sa perte ». Herzl, *L'État Juif*, p. 21.

26. Cf. Tom Segev, « Le premier post-sioniste », *Haaretz*, 3 avril 96 et Interview de Rachel Elboim-Dror in *Kol ha-Ir*, 22.3.96.

27. Les chercheurs qui ont dernièrement étudié les attaques de Ahad Haam contre Herzl ne pouvaient pas ne pas discerner l'influence de ses objectifs politiques sur sa façon de juger les actes de Herzl. Voir : Steven Zipperstein, *Elusive Prophet : Ahad Ha'am and the Origins of Zionism*, Berkeley, University of California, 1993, p. 128 et suiv. ; Joseph Goldstein, *Ahad Haam, biographie* (en hébreu), Jérusalem 1992, Keter, p. 243 et suiv.

28. Dans le cas des jeunes admirateurs de Ahad Haam de la « fraction démocratique », il s'agit vraiment d'un parti politique d'opposition.

simple raison que Herzl a toujours repoussé toute tentative d'attribuer aux Juifs une identité collective ethnique ou biologique. Il pensait que les Juifs ne sont unis *que par une tradition et une culture communes*. Il considérait cette identité culturelle comme la pierre angulaire du nationalisme juif[30].

Donc pour comprendre les idées de Herzl sur ce sujet, il faut examiner ses conceptions sur ce qu'il appelait « le retour vers le judaïsme ». Par exemple, il déclara devant le premier Congrès sioniste, que « le sionisme est un retour vers le judaïsme, bien avant d'être un retour vers la terre des Juifs »[31]. Comme on sait, Herzl débuta sa carrière sioniste en tant que Juif assimilé, mais ceci ne veut pas dire que la maison où il avait grandi était détachée de tout lien avec son peuple. Dans son enfance, Herzl est allé à la synagogue le vendredi soir, avec son père. Il a même étudié quelques années à l'école primaire juive. Son grand-père faisait partie de la communauté du rabbin Yehuda Alcalaï, un des principaux porte-parole du nationalisme juif, vers le milieu du XIXe siècle. Il se peut que l'idée d'une restauration de l'indépendance juive ait été transmise à Herzl par ce grand-père. Cela dit, il ressort clairement de ses journaux intimes et d'autres sources, qu'avant d'adopter le nationalisme juif à l'âge de trente-cinq ans, Herzl était très éloigné de toute chose « juive ». Il suffit de rappeler que la veille de Noël 1895 – après que Herzl eut parlé pendant des mois au grand-rabbin de Vienne, Moritz Guedemann, de l'établissement d'un État juif – le rabbin est entré dans le salon de Herzl et l'a surpris en train d'allumer un arbre de Noël. Dans son journal, Herzl rapporte :

> Juste au moment où j'allumais les lumières du sapin pour mes enfants, est entré le rabbin Guedemann. Je crois que son esprit s'affligea à cause de cette coutume « chrétienne ». Bon ! Je ne permettrai pas qu'on fasse pression sur moi ! Quant à moi, qu'on appelle cela l'arbre de Hanoucca ou le solstice d'hiver[32].

Cette volonté que les rabbins ne « fassent pas pression » sur lui est caractéristique de ses conceptions personnelles et politiques. Mais en même temps,

---

29. Un exemple en est les célèbres propos de Martin Buber, immédiatement après la mort de son adversaire, à savoir que « ce serait une erreur de considérer Herzl comme une personnalité juive… Herzl n'avait en lui rien de la nature juive élémentaire ». Martin Buber, *Herzl und die Historie*, Ost und West, août 1904. Imprimé chez Martin Buber, *Die Juedische Bewegung : Gesammelte Aufsatze und Ansprachen*, Berlin 1920, Judischer Verlag, pp. 152-173, particulièrement pp. 166, 169.

30. Journal de Herzl, 21 novembre 1895, in Herzl, *La cause des Juifs*, vol. I, p. 258. Voir aussi : Théodore Herzl, « Judaïsme », in Théodore Herzl, *Écrits de Herzl*, Alex Bein et Moshe Shaerf (éd.), Jérusalem 1961, Ha-sifria ha-tsionit, vol. VII, p. 33 ; Herzl, « Le judaïsme national » du docteur Guedemann », *id.*, vol. VII, p. 48 ; Herzl, « Les Juifs, peuple colonialiste », *id.*, vol. VII, p. 339 ; Herzl, « Sionisme », *id.*, vol. VIII, p. 43.

31. *Protokoll des I Zionistenkongresses in Basel*, 29-31 août 1897, Prague 1911, Barissa, p. 16. Comparer avec le protocole du premier Congrès sioniste, traduction en hébreu de Haïm Orlan, Jérusalem 1947, Reuven Mass, p. 12.

32. Journal de Herzl, 24 décembre 1895, in Herzl, *La cause des Juifs*, vol. I, p. 264.

le lien croissant de Herzl avec la tradition du peuple juif supplanta sa prudence devant les rabbins. « Je viens cicatriser la tradition déchirée de notre peuple », note-t-il dans son journal[33], et à mesure qu'il refermait cette plaie, il éprouvait plus de sympathie envers les coutumes des Juifs. En effet, deux ans après cet incident avec Guedemann, il publia un récit intitulé « Le Chandelier »[34]. Dans ce récit, il raconte la joie ressentie quand il cessa de fêter Noël et alluma pour la première fois les bougies de Hanoucca avec ses enfants. Le héros de l'histoire, un Juif allemand cultivé, qui est Herzl lui-même, est un homme qui « depuis longtemps est indifférent à son origine juive ou à la religion de ses pères ». Cependant, malgré cet éloignement, il a toujours été – c'est ainsi que Herzl écrit – « un homme ressentant profondément le besoin d'être juif ». Quand il fut témoin de l'antisémitisme grandissant autour de lui, ce besoin commença à se révéler. Il décrit le processus de ce changement dans « Le chandelier » :

> Peu à peu, son âme devint une plaie sanglante. Ses tourments secrets s'exprimaient maintenant du fait qu'il les orientait vers leur source, soit vers son judaïsme, et c'est ainsi qu'il subit un revirement, qui en des jours meilleurs ne se serait peut-être jamais produit... Il commença à aimer le judaïsme avec enthousiasme. Au début, il ne l'avoua pas... Mais à la fin cet amour fut si fort... qu'il ne lui resta plus d'autre issue... celle de revenir vers le judaïsme[35].

Herzl raconte comment il lutta avec lui-même et à la fin, arriva à la conclusion que même s'il était lui-même éloigné de toute chose juive, il pouvait cependant donner à ses enfants une éducation juive. Il décida de commencer cette éducation à Hanoucca :

> Les années précédentes, il avait laissé passer la fête... sans y prêter attention. Mais maintenant c'était l'occasion de donner à ses enfants un bon souvenir pour l'avenir... on acheta un chandelier... le son du nom de l'objet, qu'il prononçait maintenant tous les soirs devant ses enfants, lui procurait du plaisir. Il lui était particulièrement agréable de l'entendre dans la bouche d'un enfant.

> On alluma la première bougie, on raconta à nouveau l'origine de la fête. Le miracle de la petite fiole d'huile... De même l'histoire du retour de l'exil de Babylonie, le deuxième Temple, les Maccabées. Notre ami raconta à ses enfants tout ce qu'il savait. Il ne savait pas grand-chose, mais cela suffisait pour eux. Quand il alluma la deuxième bougie, ils répétèrent ce qu'il leur avait raconté. Même s'ils avaient

---

33. Journal de Herzl, 10 juin 1895, in Herzl, *La cause des Juifs*, vol. I, p. 101.

34. C'est ainsi qu'à l'époque de Herzl ou dans les langues autres que l'hébreu, jusqu'à nos jours, on désignait la lampe de Hanoucca. Le mot hanoukia est un néologisme hébraïque moderne.

35. 31 décembre 1897, Théodore Herzl, « Die Menora », in *Die Welt*, [Le chandelier] Cf. Herzl, *Le chandelier* Théodore Herzl, *Écrits de Herzl*, Alex Bein et Moshe Shaerf, ed., Jérusalem, 1961, Ha-sifria ha-tsionit, vol. VII, p. 188.

entendu tout cela de sa bouche, les choses lui parurent belles et nouvelles. Les jours suivants, il attendit impatiemment le soir. Les soirées étaient de plus en plus illuminées…

Vint le huitième jour, où on allume la rangée de bougies tout entière… Une grande splendeur rayonnait du chandelier, les yeux des enfants brillaient. Pour notre ami, cet instant devint le symbole de l'illumination de tout un peuple. D'abord, une seule bougie… puis une autre et encore une autre… Quand toutes les bougies seront allumées, tout le monde sera forcément ébloui et sera heureux de ce qui a été créé [36].

Ce récit ne peut être l'œuvre de quelqu'un qui se démarque du caractère juif des Juifs. Au contraire, le « retour au judaïsme » qui était à la base du sionisme, était pour lui « une grande splendeur » et il crut toujours, comme il l'écrivit ailleurs, que « le plus grand succès du sionisme est de ramener au judaïsme un jeune garçon perdu pour son peuple » [37].

De plus, son journal montre que son attitude positive envers la tradition de son peuple ne se limitait pas à l'allumage des bougies de Hanoucca. Il révèle aussi une relation de respect – quelquefois de plaisir – envers d'autres coutumes juives qu'il suivait, comme la prière de vendredi soir, l'appel à la Tora, le Séder de Pessah, les bénédictions après le repas, la lecture de la prière du soir avant le coucher par ses enfants [38]. Il parle avec sympathie du Chabbat et avec bienveillance du symbolisme de l'étoile de David [39]. Il considérait le sionisme comme la réalisation de la prière traditionnelle « l'an prochain à Jérusalem » et nota que la Bible était la base de la revendication juive sur la Terre d'Israël [40]. Son scepticisme par rapport à la possibilité de faire renaître la langue hébraïque s'est lui aussi transformé en soutien. Non seulement il prit des cours d'hébreu, mais tint à ce que ses enfants apprennent cette langue.

---

36. Herzl, *Le chandelier*, version allemande. Cf. *Écrits de Herzl*, vol. VII, p. 189-190.
37. Herzl à Chaïm S. Schor, 30 janvier 1900, in Herzl, *Briefe un Tagebuecher*, vol. VIII, p. 302-303.
38. Journal de Herzl, 2 juin 1895 ; 23 novembre 1895 ; 29 mars 1896 ; 8 septembre 1897 ; 10 janvier 1901, in Herzl, *La cause juive*, vol. I, p. 61, 259, 288, 487 ; vol. II, p. 261.
39. Theodor Herzl, « Der Congress », in *Die Welt*, 26 août 1898, réimprimé in *Écrits de Herzl*, vol. VII, p. 227-230 ; Herzl aux sionistes d'Amérique, 5 juillet 1901, in Herzl, *Briefe un Tagebuecher*, vol. VI, p. 241-242. Cf. *Écrits de Herzl*, vol. VIII, p. 108-109.
40. Theodor Herzl, « The Jewish State », in *The Jewish Chronicle*, 10 juillet 1896. Cf *Écrits de Herzl*, vol. VII, p. 14. Discours inaugural du deuxième Congrès sioniste, 28 août 1898, réimprimé in *Écrits de Herzl*, vol. VII, p. 234-235. Discours inaugural du quatrième Congrès sioniste, 13 août 1900, réimprimé in *Écrits de Herzl*, vol. VIII, p. 74. Comparer avec la description du retour des Juifs en Terre d'Israël : « l'heure sacrée ». Herzl aux sionistes d'Amérique, 5 juillet 1901, in Herzl, *Briefe un Tagebuecher*, vol. VI, p. 241-242. Cf *Écrits de Herzl*, vol. VIII, p. 108-109. Voir aussi son attitude sur le statut de la femme dans le judaïsme traditionnel, dans son discours devant des femmes viennoises le 12 janvier 1901. Réimprimé dans l'article : « Les femmes et le sionisme », *Écrits de Herzl*, vol. VIII, p. 97.

Ses articles sionistes dans *Die Welt* parurent sous le pseudonyme hébraïque
Benjamin Seff (« Benjamin Zéev ») [41].

Herzl n'était pas non plus athée, comme on le dit souvent. Très tôt dans
son Journal, se reflète son combat pour expliquer pourquoi il faut préserver
l'idée de Dieu, tout en critiquant le Dieu de Spinoza, trop « inerte » selon lui :

> Je veux éduquer mes enfants dans l'esprit de ce qu'on peut appeler le Dieu histo-
> rique… Je peux m'imaginer une volonté partout présente, puisque je vois qu'il
> agit dans le monde matériel. Je le vois, comme je distingue l'action d'un muscle.
> Le monde est le corps et Dieu est son action. Je n'en connais pas la finalité et je
> n'ai pas besoin de la connaître. Il me suffit que ce soit quelque chose de supé-
> rieur… [42]

En effet, dans le Journal de Herzl, où il nota minutieusement le développement de ses sentiments, on peut trouver plusieurs références à Dieu. Bien
que ces références ne soient pas toujours conséquentes, qu'elles manquent
d'assurance et qu'elles soient en général confuses, elles sont parfois très
directes dans la foi qu'elles expriment :

> Au moyen de notre État, nous pourrons éduquer notre peuple pour des missions
> qui sont encore au-delà de notre horizon. En effet, Dieu n'aurait pas préservé
> notre peuple si longtemps, s'il ne nous réservait pas une vocation dans l'histoire
> de l'humanité [43].

Tout ceci ne veut pas dire évidemment, que Herzl était devenu un Juif
orthodoxe, ni dans sa façon de vivre, ni du point de vue de ses croyances.
Jusqu'à sa mort à l'âge de quarante-quatre ans, Herzl garda son indépendance
par rapport à tout courant religieux. Mais son besoin de se mesurer à la tradition au lieu de la rejeter totalement, rendit le rapport de Herzl au judaïsme,
très différent des conceptions anti-traditionalistes qu'on lui attribue. Il est
certain qu'il ne lui fut pas facile d'accepter les coutumes et la tradition de

---

41. Michael Berkowicz, « Herzl and Hebrew », in Meyer Weissgal, éd., *Theodor Herzl : A Memorial*,
     New York, The New Palestine, 1929, p. 74 ; Shlomo Haramati, « L'an prochain en hébreu », in
     Haaretz, 26.3.1996.

42. Journal de Herzl, 18 août 1895, in Herzl, *Briefe un Tagebuecher*, vol. II, p. 241. Cf Herzl 18 août
     1895, in Herzl, *La cause juive*, vol. I, p. 225. C'est la première occurrence où Herzl parle des résul-
     tats du sionisme comme d'un « don de Dieu » ; il s'arrête immédiatement pour expliquer : « Quand
     je dis Dieu, je ne veux pas blesser les libres penseurs dans leurs convictions. Pour ma part, ils peuvent
     parler de "l'esprit du monde"… ». Journal de Herzl, 12 juin 1895, in Herzl, *Briefe un Tagebuecher*,
     vol. II, p. 124. Cf Herzl, 12 juin 1895, in Herzl, *La cause juive*, vol. I, p. 125-126.

43. Journal de Herzl, 14 juin 1895, in Herzl, *Briefe un Tagebuecher*, vol. II, p. 128-129. Cf *La cause
     juive*, vol. I, p. 175, 189. D'autre part, dans son action politique, il affirmait n'être pas un « homme
     religieux », mais un « homme libre dans ses pensées ». Voir Herzl à Guedemann, 21 juillet 1895, et :
     Journal de Herzl, 26 novembre 1895, in Herzl, *Briefe un Tagebuecher*, vol. II, p. 218, 286. Cf Herzl,
     La cause juive, vol. I, p. 206, 263.

son peuple, mais il fut loin de s'y opposer. Au contraire, Herzl était persuadé que sa trop grande ouverture à la culture non-juive lui avait volé « l'équilibre spirituel qui était celui de nos pères ». Il était décidé à ne pas revenir sur cette faute, dans l'éducation de ses propres enfants, comme il l'écrit dans « Le chandelier » :

> Il était imprégné de la culture des peuples qu'il rencontra au cours de ses recherches intellectuelles et ces fondements resteront toujours en lui… Ceci faisait naître de nombreux doutes… La génération qui avait grandi sous l'influence d'autres cultures n'est peut-être plus capable d'effectuer ce retour [vers le judaïsme] qui lui apparaissait comme la solution. Mais la génération suivante, pour autant qu'elle reçoive assez tôt une juste formation, le pourra. Il leur donnera une éducation juive dès le départ [44].

D'un homme pour qui il est primordial de « conduire ses enfants dans une voie juste » et de leur donner une éducation juive dont lui-même n'a pas bénéficié, on peut dire beaucoup de choses. Mais on ne peut certainement pas penser qu'il ait voulu élever « des Allemands ou des Français de race juive ». Non, Herzl croyait que ses enfants devaient grandir en tant que Juifs. Ainsi, ils ne souffriraient pas de l'infortune due à l'assimilation dans « les civilisations des peuples » qui pouvait aller jusqu'à l'impossibilité de s'identifier à la tradition de leur propre peuple.

De plus, Herzl pensait que bâtir une nation d'enfants juifs qui seraient dotés d'un caractère juif *unique* était l'une des principales raisons de fonder un État juif. Comme il l'écrivit dans un essai intitulé « Le judaïsme », qu'il publia peu de temps après la parution de *L'État juif*, le seul moyen de développer un tel caractère juif est d'atteindre à nouveau la sécurité interne qui était celle des Juifs des générations précédentes :

> Les actes cruels du Moyen Âge étaient sans précédent et les gens qui résistaient à ces tortures avaient sans aucun doute en eux quelque chose de très fort, une sorte de perfection interne que nous avons perdue. Une génération qui n'a pas grandi avec le judaïsme ne possède pas une telle perfection… Elle n'est pas en mesure de s'appuyer sur notre passé et ne peut regarder vers notre avenir… Nous recouvrerons ainsi cette perfection interne perdue et avec elle, un peu de caractère, de notre caractère particulier. Non un caractère forcé, emprunté, faux, mais un caractère qui nous est propre [45].

Ces mots furent écrits au début de la carrière de Herzl comme personnalité juive publique. Mais cette croyance caractérisera la conception de Herzl

---

44. Herzl, *Le chandelier*, version allemande. Cf *Écrits de Herzl*, vol. VII, p. 188-189.
45. Theodor Herzl, « Judentum », in *Oesterreichische Wochenschrift*, 13 novembre 1896 [Judaïsme]. Cf Herzl, « Judaïsme », *Écrits de Herzl*, vol. VII, p. 38-39.

tout au long de son action en tant que dirigeant sioniste. Il fit une déclaration
dans cet esprit en 1902, devant le parlement britannique : « Je suis persuadé
qu'ils [les Juifs dans leurs pays] développeront une culture juive particulière,
des caractéristiques et des ambitions nationales [46]... » Un an avant sa mort,
il revint à ce sujet dans une lettre où il critiquait la vie juive dans les pays
occidentaux. Il disait que celle-ci ne souffrait pas tant de l'antisémitisme, que
du fait de la négation de la faculté de développer un caractère juif spécifique
et de pouvoir apporter une contribution au monde, en tant que Juifs. Il écrit :

> Quelle influence politique, culturelle ou morale ont les Juifs sur... les peuples
> d'Europe ?... Il arrive sans doute que des gens d'origine juive aient une certaine
> influence... Mais ils n'agissent qu'en tant qu'individus, niant tout lien avec les
> vraies traditions de leur peuple. Les Juifs du présent... n'ont pas de plus grand
> objectif que de ne pas être identifiés parmi les autres peuples... Ce sont de meilleurs
> anglo-saxons que les Anglais, ils sont plus gaulois que les Français, plus germains
> que les Allemands. Seuls, mes amis sionistes demandent à être des Juifs juifs [47].

III

Comme il ressort de ses écrits, Herzl souhaitait un « retour » des Juifs occidentaux vers leur tradition, « d'abord une lumière, puis encore une autre »,
jusqu'à ce que cette résurrection devienne « une grande clarté ». Cependant,
contrairement à Ahad Haam, Herzl ne se considérait pas comme celui qui
dicterait le contenu de cette renaissance juive. Au contraire, il ne cessait de
répéter, que tant les « libres penseurs » que les plus traditionalistes avaient
leur place dans le mouvement national juif [48].

C'est l'une des raisons pour lesquelles l'État des Juifs, si riche en détails
sur les sujets politiques et économiques, n'explique presque pas comment
s'exprimera le retour à la tradition juive, après l'établissement de l'État. Même
quand Herzl a quelque chose d'important à dire sur la culture juive de l'État,
il parle en termes flous pour éviter toute polémique superflue. Ainsi, parlant
de l'établissement de grands « centres religieux » pour satisfaire les « besoins

---

46. Au sujet de cette déclaration de Herzl devant la Commission royale britannique sur l'émigration
d'étrangers, le 7 juillet 1902, où il témoigna sur les Juifs du territoire national juif qui était proposé,
voir : Theodor Herzl, *Zionist Writings : Essays and Addresses*, trad. Harry Zohn, New York, Herzl
Press, p. 186, vol. 2, 1973 (sera cite ici sous le titre : *Écrits sionistes*). Cf *Écrits de Herzl*, vol. VIII,
p. 170.
47. Herzl à anonyme, 9 juin 1903, in Herzl, *Briefe un Tagebuecher*, vol. VII, p. 148-149. Cf Herzl,
Lettres, Tel-Aviv 1937, éditions Medina, vol. V, p. 278.
48. Théodore Herzl, *L'État juif*, p. 55.

religieux profonds de notre peuple » [49], il ne fait que faire allusion au rôle primordial de La Mecque dans le monde musulman et prend garde de ne pas poursuivre l'analogie. « Je ne veux blesser le sentiment religieux de personne en employant des mots susceptibles d'être interprétés de manière non appropriée », écrit-il [50]. Mais nous savons par son journal, que plus tard, quand il se rendit à Jérusalem il était toujours décidé à faire de la ville, un centre religieux puissant, qui serait pour les Juifs ce que La Mecque est aux musulmans [51].

Mais la retenue qui fut celle de Herzl pour tout ce qui touchait à la description du caractère spécifique de la culture juive au sein de l'État, ne l'empêcha pas de parler en faveur de sa particularité juive de principe. En effet, dans *L'État juif*, Herzl repousse clairement l'État universel de citoyens de Rousseau (ce qu'on appelle aujourd'hui « l'État de tous ses citoyens »). Il avance pour cela qu'en fait, aucun État ne tire sa justification politique et morale d'un contrat social établi entre tous ses citoyens. En vérité, écrit-il, un État se crée toujours quand des individus, poussés par « un impératif supérieur », décident d'agir pour défendre la liberté de leur peuple, qui n'est pas capable de se défendre [52]. Dans le cas des Juifs, il proposa de réunir une « assemblée de Juifs », composée de dirigeants juifs influents, qui s'engagerait à négocier avec les puissances la création d'une nouvelle entité politique juive. Selon Herzl, une telle assemblée serait appelée à devenir un État juif indépendant :

> Les Juifs reconnaissant l'idée d'un État nous appartenant, s'uniront autour de l'assemblée de Juifs. Ainsi, celle-ci aura de l'autorité aux yeux des gouvernements, pour parler au nom des Juifs et négocier pour eux. Cette assemblée sera reconnue, pour employer un langage juridique international, en tant qu'autorité constituante d'un État. Ce sera donc déjà, en quelque sorte, un État en constitution [53].

---

49. Sur le débat de la Théorie des Centres de Herzl, voir : Yoram Hazony, *The Jewish State : The Struggle for Israel's Soul*, New York 2000, Basic Books and The New Republic, p. 110-113

50. Theodor Herzl, *Der Judenstaat,* Wien 1896, Breitenstein, p. 62 Cf Théodore Herzl, *L'État juif*, p. 55. Voir aussi : Journal de Herzl, 15 juin 1895, in Herzl, *Briefe un Tagebuecher*, vol. II, p. 139 ; et : Herzl, *La cause juive*, vol. I, p. 131. Dans une lettre, Herzl explique qu'il décida de ne pas développer ce point dans *L'État juif*, parce qu'un rabbin (le rabbin Moritz Guedemann) lui a dit qu'un débat supplémentaire sur le sujet pourrait blesser les Hassidim. Voir : Herzl à Ahron Marcus, 8 mai 1896, in Herzl, *Briefe un Tagebuecher*, vol. VII, p. 607-608.

51. Journal de Herzl, 31 octobre 1898, in Herzl, *La cause juive*, vol. II, p. 53-55.

52. Theodor Herzl, « A Solution of the Jewish Question », in : *The Jewish Chronicle*, 17 janvier 1996. ; Herzl, *L'État juif*, p. 61 et suiv. Cf *Écrits de Herzl*, vol. VIII, p. 1-12. Voir aussi : Journal de Herzl, 7 et 11 juin 1895, in *La cause juive*, vol. I, p. 63, 113-114.

53. Herzl, *L'État juif*, p. 23. De la même manière, le drapeau de l'assemblée des Juifs deviendrait le drapeau du nouvel État. Journal de Herzl, 12 juin 1895, in *La cause juive*, vol. I, p. 122.

Ce nouvel État souverain, l'État juif, n'aura pas un régime « neutre » comme celui que préconise Rousseau. Au contraire, l'État juif sera créé pour un objectif particulier :

> Aujourd'hui, le peuple juif, du fait de sa dispersion, ne peut diriger lui-même ses affaires politiques. Avec cela, il se trouve, en divers lieux dans une situation de détresse plus ou moins grave. Plus que tout, il a besoin d'un tuteur[54]... et ce tuteur sera l'assemblée des Juifs... à partir de laquelle se développeront les institutions publiques de l'État juif... [55]

Le nouvel État de Herzl est donc caractérisé par un objectif particulier, juif par essence, qui fait de cet État, par principe, un État « juif » : Être « le tuteur » du peuple juif, s'identifier à lui et agir pour le faire sortir de son marasme. Il est clair qu'un tel État développera aussi, avec le temps, différentes caractéristiques culturelles « juives ». Par exemple, il pourra agir pour construire Jérusalem, comme centre religieux juif, selon la proposition de Herzl. Mais il ne faut pas chercher dans ces quelques caractéristiques, l'essence juive de l'État. Elles ne peuvent être que les conséquences de sa vocation juive, qui est d'être le gardien du peuple juif, tant à l'intérieur de ses frontières qu'à l'extérieur.

Pour voir comment un tel principe devait fonctionner dans la réalité, il faut consulter le protocole de la déposition de Herzl devant la Commission royale britannique sur l'émigration des étrangers, réunie à Londres en juillet 1902. Cette commission devait traiter de la proposition de limiter l'immigration juive de Russie – limitation dont Herzl pensait qu'elle porterait un coup dur aux intérêts juifs, puisqu'elle constituerait aux yeux du monde la preuve que même un État libéral comme l'Angleterre ne pouvait tolérer qu'un certain nombre de Juifs[56]. C'est pourquoi, dans son intervention devant cette commission, Herzl dit que l'Angleterre pourra éviter une telle législation anti-juive, en aidant à l'établissement d'une colonie juive autonome, dont la politique attirerait naturellement de nombreux Juifs russes, « puisqu'ils émigreraient là-bas avec le statut de citoyens, en vertu de leur judéité, et non en tant qu'étrangers »[57]. Bien que l'Organisation sioniste, la version concrète de « l'assemblée des Juifs », n'avait encore acquis aucune emprise sur le sol de la Terre

---

54. Herzl utilise le terme « *gestor* », utilisé en droit romain, qui signifie : tuteur, soit celui qui veille au confort et aux biens de quelqu'un. Le mot parallèle en hébreu est « gardien », au sens des paroles de Caïn, « Suis-je le gardien de mon frère ? » (Genèse IV : 10).

55. Herzl, *L'État des Juifs*, p. 69-71. Cf Herzl, *L'État juif*, p. 53-64.

56. Avec le recul, nous savons que le sentiment de Herzl était juste. L'institution d'un quota sur l'immigration en Angleterre marqua le début de « l'abandon des Juifs », qui atteint son paroxysme avec la politique rigoureuse de l'Occident pendant la Shoah.

57. Voir les propos de Herzl devant la Commission royale. Herzl, *Écrits sionistes*, vol. II, p. 186. Cf Herzl, *Écrits de Herzl*, vol. VIII, p. 170.

d'Israël, Herzl agit déjà là, en tant que gardien des intérêts du peuple juif. Du fait qu'il annonçait son intention d'accorder une nationalité autonome aux émigrés juifs, il montrait comment son État juif embryonnaire pouvait être bien plus qu'un « abri sûr » pour les Juifs fuyant les persécutions. Il pourrait aussi aider le judaïsme britannique, ainsi que les Juifs d'autres pays, en relâchant la pression exercée sur les divers gouvernements d'adopter « des solutions » radicalement anti-juives. En même temps, les Juifs russes qui voudraient émigrer en Angleterre pourront continuer à jouir du droit de le faire. L'intervention de Herzl auprès du gouvernement britannique concrétisa donc la façon dont un État juif pourrait mener une politique qui serait utile pour les Juifs du monde entier, qu'ils choisissent d'immigrer dans l'État juif ou pas.

L'action de Herzl et de ses pairs en tant que « gardien des Juifs » était évidente également dans les documents qu'ils avaient préparés comme base de négociations avec les puissances impériales. Presque dès la constitution de l'Organisation sioniste, Herzl s'est employé à développer diverses ébauches de ce document, qu'on appela de son temps une « Charte », soit un document constitutionnel expliquant les objectifs et les pouvoirs de gouvernement, agissant dans un territoire donné, en vertu de larges pouvoirs qui lui auront été conférés par l'une des puissances européennes. Sur la base d'une telle charte, Herzl voulait établir une colonie ou un établissement juif comme étape précédant celle d'une pleine indépendance juive. Etant donné que ces ébauches décrivaient le gouvernement autonome concret que Herzl et les sionistes voulaient établir par leurs contacts avec les puissances, elles touchent au plus près le débat sur l'image désirable de l'État juif, tel que l'avait conçu Herzl et ses associés.

Parmi ces ébauches, la plus importante est la proposition de charte soumise par Herzl au gouvernement britannique le 13 juillet 1903. Celui-ci amena le ministère des Affaires étrangères britannique à une proposition de négocier l'établissement d'une colonie juive en Afrique orientale anglaise. (Les sionistes avaient espéré convaincre les Anglais de leur permettre d'établir une colonie dans la péninsule du Sinaï, mais cette possibilité s'était soldée par un échec, deux mois auparavant, suite à l'opposition du gouverneur britannique du Caire). Cette ébauche, préparée par les dirigeants sionistes anglais, Leopold Greenberg, Joseph Cowen et Israël Zangwill, avec la collaboration de l'avocat et parlementaire britannique David Lloyd George – plus tard Premier ministre qui contribuera à l'établissement du foyer national juif en Terre d'Israël – stipulait que :

1. Une « colonisation » juive sera établie, permettant l'installation de Juifs dans des conditions utiles pour le maintien et le développement de l'idée nationale juive.

2. La colonisation juive se basera sur des lois et des règlements qui seront adoptés pour le bien-être du peuple juif.
3. La colonie juive aura un « gouvernement populaire... de caractère juif et son gouverneur sera juif... ».
4. La colonie suivra la loi anglaise, sauf pour des cas où il fera intervenir des « changements et des amendements basés sur la loi juive ».
5. La colonie aura un nom juif et un drapeau juif [58].

Donc, la colonie que Herzl voulait établir, afin qu'elle devienne plus tard indépendante, n'était pas destinée à être une entité politique neutre, où il y aurait par hasard, une majorité de Juifs. Au contraire, elle avait des objectifs juifs déclarés, qui étaient de promouvoir « l'idée nationale juive », de se soucier du « bien-être du peuple juif » dans son ensemble. Pour cela, la colonie aurait des dirigeants juifs, un gouvernement de caractère juif et une capacité d'adopter des éléments de la loi juive. Ces caractéristiques juives seraient représentées par des symboles juifs spécifiques comme le drapeau juif. Dans cet esprit, Herzl écrivit à Max Nordau, quelques jours après que l'ébauche de charte fut présentée au gouvernement britannique : « Nous colonisons sur une base nationale [juive], avec un drapeau... et un gouvernement autonome. L'ébauche de charte que nous présentons aujourd'hui en ce 13 juillet rue Downing contient ces exigences [59]. »

Dans cette affirmation, la certitude de Herzl qu'un gouvernement autonome juif et un drapeau juif sont les toutes premières conditions au développement d'un État juif souverain, est évidente. Les jours de désespoir qui suivirent le pogrom de Kichinev au printemps de 1903, il est certain que Herzl était prêt à accepter ces conditions, là où on les lui accorderait. Mais il faut noter également que même alors, il n'y eut aucun changement dans ses conceptions sur le fondement culturel du nationalisme, et ses démarches sur l'éta-

---

58. Presque toutes les conditions juives, explicitées dans l'ébauche de charte soumise au gouvernement britannique le 13 juillet, furent incluses dans les ébauches de chartes sur lesquelles Herzl et ses pairs avaient déjà travaillé pendant des mois. Voir par exemple, l'ébauche de la charte de Greenberg, du 10 février 1903, pour une colonisation juive du Sinaï. Archives Sionistes Centrales, H 842.

59. Herzl, à Nordau, 13 juillet 1903, in Herzl, *Briefe un Tagebuecher*, vol. VII, p. 208.
Le gouvernement britannique ne s'engagea pas dans les détails du plan, mais le ministère des Affaires étrangères accepta de considérer avec bienveillance des propositions de « colonie ou d'installation juive », dont l'objectif serait de permettre aux Juifs « de maintenir leurs coutumes nationales ». L'idée d'un gouverneur juif ainsi que celle d'une législation juive pour « les affaires religieuses et certains domaines limités aux affaires internes » furent également considérées comme acceptables. Sir Clement Hill à Leopold Greenberg, le 14 août 1903. Michael Heymann, éd., *The Uganda Controversy*, Jérusalem, 1997, Hasifria hatsionit, vol. II, p. 124-125. Suite à l'opposition au sein de l'Organisation sioniste à une quelconque négociation avec l'Angleterre sur une colonisation ailleurs qu'en Terre d'Israël, les discussions avec les Anglais furent suspendues jusqu'en 1914, quand il s'avéra que la Grande-Bretagne pourrait envahir le pays.

blissement d'une colonie juive en Afrique orientale ne l'empêchèrent pas de saisir l'absolue infériorité d'une telle colonie, du point de vue de sa valeur en tant que levier de l'élaboration d'un nationalisme juif sain, par rapport à toute colonie proche de la Terre d'Israël. « Un tel territoire », dit-il devant le sixième Congrès sioniste, « est dépourvu de toute valeur historique, romantique, religieuse et sioniste qui existe [dans l'idée de colonisation juive] de la péninsule du Sinaï »[60].

En conclusion, l'État juif de Herzl était destiné à être le gardien du peuple juif du point de vue juridique et politique et cette vocation – diriger ce que Herzl définit comme « une politique juive »[61] – est ce qui rendit « juif », l'État théorique qu'il décrivait. Dans son action pratique également, Herzl resta fidèle à cette ligne. Le principe du « gardien des Juifs » est ce qui dicta la politique de l'Organisation sioniste « pour le bien-être du peuple juif ». Par contre, « L'État des Juifs » neutre du genre dont on parle aujourd'hui – qui, du point de vue des lois et des symboles, des institutions et de la politique, serait un État « non-juif » presque en toute chose – n'aurait pas servi du tout les objectifs de Herzl. Il est donc possible d'affirmer que pour lui, un tel État n'aurait pas eu de valeur.

IV

Pour preuve que Herzl avait l'intention d'instaurer un « État des Juifs » de caractère neutre, certains Israéliens se réfèrent en général à ce qu'il affirme dans *L'État juif*, notamment que les Juifs n'ont pas l'intention de créer un État théocratique. Suite à l'utilisation incessante de cet argument, il semble que ce passage soit devenu le plus connu de tous les écrits de Herzl. Il est continuellement revendiqué comme preuve que Herzl ne voulait pas d'un État juif ou aspirait à une « séparation » absolue entre l'État et la religion juive. Ou encore, on le cite pour montrer qu'il s'opposait à l'intervention des rabbins dans la politique. Cependant, *aucun* de ces arguments n'a de base dans la pensée de Herzl et aucun ne peut se fonder sur une lecture attentive du passage en question.

Herzl parle en ces termes de la « théocratie », dans le fameux passage :

Donc, aurons-nous à la fin une théocratie ? Non !... On ne permettra pas aux instincts théocratiques de nos gens de religion de relever la tête. Nous saurons

---

60. Theodor Herzl, Opening Address at the Sixth Zionist Congress, 23 août 1903. *Stenographisches Protokoll des 6 Zionistenkongresses in Basel,* 23-28 août 1903, Vienne, Industrie, 1903.

61. Herzl, « Judaïsme », version allemande.

les limiter au domaine de leurs synagogues, comme nous limiterons nos militaires de carrière à leurs casernes. L'armée et le rabbinat seront honorés dans la mesure où leurs fonctions élevées le demandent et sont dignes de l'être. Cependant, ils ne jouiront pas de privilèges dans l'État, de peur qu'ils entraînent des méfaits externes ou internes [62].

Herzl compare ici le rabbinat aux officiers militaires et prétend que les deux corps ont des fonctions « élevées » dans la vie de l'État. Cependant, il ne faut permettre à aucun d'eux d'élargir son pouvoir au-delà de son domaine propre. Malgré cela, il n'est besoin de nul effort particulier pour s'apercevoir que ce passage ne traite pas de « la séparation entre la religion et l'État ». Aucun État européen ne tenta d'effectuer une « séparation entre l'armée et l'État ». Or, si la place du rabbinat dans l'État juif doit être semblable à celle de l'armée, ce que Herzl dit en fait, est tout le contraire d'une telle « séparation ». Il envisage un gouvernement comme ceux qu'on connaissait de son temps en Angleterre, en Allemagne ou en Autriche. Dans ces pays, la religion, comme l'armée, était soumise politiquement au gouvernement, tout en étant partie intégrante de l'État [63]. La véritable signification du passage de *L'État juif* est que le droit de fixer la politique des gouvernements est aux mains des dirigeants politiques élus pour cela et qu'il faut absolument éviter toute tentative de la part de ceux qui occupent d'autres fonctions officielles – y compris des généraux ou des grands-rabbins – de s'arroger ce droit.

Quelle était donc la conception de Herzl sur le rôle de la religion et de ses représentants dans l'État juif ?

On ne peut répondre à cette question sans comprendre la place de la religion dans la pensée de Herzl sur le nationalisme. Dans *L'État juif* et ailleurs dans ses écrits, Herzl a présenté sa conception selon laquelle des peuples apparaissent sur la scène de l'histoire suite à un affrontement en période difficile. La lutte contre l'ennemi commun est ce qui unit un grand nombre d'individus et en fait un peuple [64]. Cette théorie fut assez critiquée parce qu'elle fut considérée comme uniquement « négative », mais la vérité est tout autre. Comme on le voit clairement dans le récit « Le chandelier », Herzl croyait que le combat commun est dans une grande mesure, le catalyseur amenant la création du contenu *positif* de chaque culture et la révolte des Maccabées et la fête de Hanoucca qui la commémore illustrent bien ce phénomène.

Une conclusion importante découlant de cette théorie est que si les peuples se forment en luttant contre un adversaire commun, il ne peut y avoir de

---

62. Herzl, *L'État des Juifs*, p. 75. Cf Herzl, *l'État des Juifs*, p. 67-68.
63. Journal de Herzl, 15 juin 1895, in *La cause juive*, vol. I, p. 134.
64. Herzl, *L'État juif*, p. 21.

formule simple – ni territoire, ni langue, ni race, ni même combinaison de tous ces éléments – qui décrive à fond les caractéristiques unifiant tous les peuples. Ce qui veut dire que tout peuple n'a pas forcément dans sa culture, les mêmes fondements positifs. Le peuple allemand, par exemple, peut atteindre un très haut niveau du point de vue religieux ou géographique, et son essence peut s'exprimer dans la langue allemande. Les Suisses, par contre, qui n'ont pas de langue commune, sont pourtant unis autour de leur histoire commune. La pierre angulaire de la civilisation unissant le peuple juif n'est pas, selon Herzl, sa langue ou son pays, mais sa religion. « Nous nous identifions en tant que peuple d'après la religion » [65].

Ceci ne veut pas dire que Herzl se soit opposé aux efforts de renforcer la culture juive au-delà du domaine de la religion, que ce soit en regard d'une renaissance de la langue hébraïque, de l'art juif, de la littérature juive et d'une université juive. Herzl soutint tous ces derniers, et voulut lui-même contribuer à la renaissance de la culture juive. « Si je vis jusque là… je voudrais commencer à travailler à ce renouveau spirituel », écrit-il [66], et souvent il explique : Il espère écrire une pièce biblique, qui s'appellerait Moïse [67]. Il raconta à ses collègues son rêve de développer dans leur nouvel État, un style architectural « néo-juif », en leur dessinant des croquis pour qu'ils puissent voir ce qu'il entendait [68]. Mais contrairement à Ahad Haam, qui pensait avoir la capacité de créer une culture juive « moderne » qui puisse remplacer la religion en tant que noyau essentiel du peuple juif, Herzl adopta comme principe politique, le point de vue que le sionisme devait « sanctifier la tradition » [69] (ou comme il le disait, « je n'ai pas l'intention de faire quoi que ce soit contre la religion, mais exactement le contraire… [70] »). Chacun peut apporter quelque chose à la civilisation juive, mais cependant, l'architecture néo-juive ne sera pas le centre de l'identité nationale juive, mais bien la tradition religieuse des Juifs.

L'importance de cette idée fut sensible après la fondation de l'Organisation sioniste en 1897. Herzl fonda l'Organisation sioniste comme mouvement démocratique avec une participation de masse et des élections annuelles. Celle-ci accorda le droit de vote aux femmes, à une époque où presque aucun

---

65. Journal de Herzl, 9 juin 1895, in *La cause juive*, vol. I, p. 95.
66. Herzl à Carl Friedrich Heman, 11 octobre 1899, in Herzl, *Briefe un Tagebuecher*, vol. V, p. 226-227. Voir aussi : Herzl à Emil Eisner, 25 septembre 1900, in Herzl, *Briefe un Tagebuecher*, vol. VI, p. 46.
67. Herzl, 26 mars 1898, in *La cause juive*, vol. I, p. 512-513. Herzl signale aussi un style « néo-juif » au théâtre. Voir ses notes du 25 avril 1897, in Herzl, *Briefe un Tagebuecher*, vol. VI, p. 46.
68. Journal de Herzl, 8 juin 1895 ; 10 juillet 1898, in *La cause juive*, vol I, p. 87, 528-529.
69. Journal de Herzl, 11 et 14 juin 1895, dans : La cause juive, vol. I, p. 104. Cf *La cause juive*, vol. I, p. 107, 164.
70. Herzl à Guedemann, 16 juin 1895, *Briefe un Tagebuecher*, vol. II, p. 135. Cf *La cause juive*, vol. I, p. 107, 164.

État démocratique ne l'avait encore fait[71]. Le soutien de Herzl à d'autres principes libéraux, en particulier la liberté de conscience, est très connu. Sur le rapport souhaitable aux non-Juifs, il écrit dans *L'État juif* : « Si c'est le cas et qu'habitent parmi nous des personnes d'autres confessions et d'autres nationalités, nous leur accorderons entière protection et tout le respect, ainsi que l'égalité devant la loi »[72].

Néanmoins, malgré le souci pour l'étranger qu'il avait déjà manifesté au début de sa carrière de dirigeant juif, Herzl ne pouvait accepter des Juifs convertis au christianisme. Il les considérait comme des traîtres, non seulement à la religion juive mais aussi au peuple juif[73]. C'est pourquoi, bien qu'il persiste à penser que le mouvement sioniste et l'État juif doivent accueillir n'importe quel Juif – « tous les mendiants, tous les colporteurs »[74] –, Herzl parlait avec une animosité ouverte des Juifs qui avaient trahi la foi de leurs ancêtres :

> Que les Juifs peureux, assimilés, baptisés restent… Mais nous, les Juifs fidèles, nous retrouverons à nouveau notre grandeur[75].

Ce n'était pas seulement de la rhétorique. C'était une politique. L'Organisation sioniste n'accepta pas des Juifs baptisés comme membres[76]. Quoiqu'elle fut établie sur une base démocratique, elle conserva cependant ce fondement essentiel de la république aristocratique que Herzl préconisait depuis le début : l'Organisation sioniste était le gardien politique des Juifs et était appelée à devenir un jour, le gouvernement de l'État juif[77]. On ne pouvait s'attendre à ce qu'un homme soit le gardien des Juifs, s'il n'était pas capable de comprendre qu'en se convertissant, il avait trahi son peuple. Pour Herzl, même si tel Juif n'est pas un Juif traditionaliste dans sa foi ou son mode de vie, la fidélité à la religion de ses ancêtres est au cœur de sa nationalité. Et de là, l'importance que Herzl attribuait à cela, comme il l'écrit dans son journal, « Je n'ai jamais songé sérieusement à me convertir ou à changer mon nom »[78].

---

71. *Protokoll des 2 Zionistenkongresses in Basel,* 28-31 août 1898, Vienne, 1898, Industrie, p. 239.
72. Herzl, *L'État des juifs,* p. 75-76. Voir : Herzl, *L'État juif,* p. 68. Herzl, 15 juin 1895, *La cause juive,* vol. I, p. 180. Et de même : « Construisez votre État de telle manière que l'étranger se sente bien parmi vous.» Herzl, *Briefe un Tagebuecher,* vol. III, p. 43. Cf Herzl, 26 août 1899, *La cause juive,* vol. II, p. 131.
73. Voir par exemple, Journal de Herzl, 10 août *1895,* in *La cause juive,* vol. I, p. 223.
74. Journal de Herzl, 8 juin 1895, in *La cause juive,* vol. I, p. 86. Voir aussi : Journal de Herzl, 6, 7, 9, 13, 15 juin 1895, in *La cause juive,* vol. I, p. 78, 80, 94, 154, 172.
75. Journal de Herzl, 7 juin 1895, in *Briefe un Tagebuecher,* vol. II, p. 72. Cf *La cause juive,* vol. I, p. 79.
76. Max I. Bodenheimer, *Prelude to Israel,* trad. Israel Cohen, New York, 1963, Yoseloff, p. 140.
77. Comme il le dit aux délégués du Congrès sioniste : « Notre Congrès doit vivre éternellement, non seulement jusqu'à ce que nous sortions de nos anciennes souffrances, mais même et dans une plus grande mesure, après. » Discours devant le premier Congrès sioniste, 29 août 1897. *Protokoll des I Zionistenkongresses,* p. 19.
78. Journal de Herzl, mai 1895, dans : Herzl, *Briefe un Tagebuecher,* vol. II, p. 44.

Cette opinion de Herzl sur la place de la religion dans le nationalisme juif, si essentielle dans sa pensée et dans ses inclinations politiques, dicta également le statut de la religion établie dans l'État juif qu'il envisageait. En effet, au lieu d'attendre des rabbins qu'ils s'éloignent de la vie publique, Herzl voyait dans les rabbins de tous les courants (« Je veux coopérer avec les rabbins, avec tous les rabbins », écrit-il[79]) un facteur essentiel de la vie de l'État juif, tant dans l'effort d'amener à l'immigration des Juifs vers la Terre d'Israël qu'après, pour l'effort de construire la patrie juive. C'est ce qu'il écrit dans son journal :

> Les rabbins seront le support de mon organisation, et je les respecterai pour cela. Ils éveilleront les gens, leur enseigneront… et ouvriront leurs yeux…[80]

Herzl espérait que les rabbins – qu'il espérait voir devenir « les dirigeants du peuple juif »[81] – joueraient un rôle politique vital, au sens où chaque juif se joindrait à un « groupe local », réuni autour d'un certain rabbin, président de la commission élue pour diriger le groupe. Ainsi, les rabbins seraient les dirigeants de communautés qui feraient leur immigration. Dans leurs discours, ils diffuseraient l'annonce du grand événement, soit le retour en terre d'Israël :

> L'appel [à l'émigration] sera incorporé à l'office religieux, à juste titre. Nous reconnaissons notre unité historique uniquement par la foi de nos pères… Les rabbins recevront alors régulièrement les annonces de la Société [des Juifs]… et ils les feront entendre à leurs communautés et les expliqueront. Israël priera pour nous… »[82]

De la même manière, les prières constitueront une partie importante de la préparation des immigrants au voyage vers le Pays[83]. Herzl espérait même que les rabbins feraient pression pour influencer les Juifs riches et récalcitrants, de choisir la juste voie et de retourner dans leur patrie, avec les gens de leur peuple[84].

---

79. Herzl à Guedemann, 16 juin 1895, in Herzl, *Briefe un Tagebuecher*, vol. II, P. 135. Cf Herzl, 16 juin 1895, in *La cause juive*, vol. I, p. 135.

80. Journal de Herzl, 15 juin 1895, in Herzl, *Briefe un Tagebuecher*, vol. II, p. 130. Cf Herzl, *La cause juive*, vol. I, p. 131.

81. Herzl, *L'État des juifs*, p. 57 ; voir : Herzl, *L'État juif*, p. 50. Herzl, 14 juin 1895, *La Cause Juive*, vol. I, p. 165 ; Herzl à l'Association théologique des étudiants de l'institution éducative théologique juive de Vienne, 7 décembre 1901, in Herzl, *Briefe un Tagebuecher*, vol. VI, p. 379.

82. Herzl, *L'État des Juifs*, p. 57. Voir : Herzl, *L'État juif*, p. 50-51 ; Journal de Herzl, 14 juin 1895, in *La cause juive*, vol I, p. 165.

83. Herzl, *L'État juif*, p. 40.

84. Journal de Herzl, 15 juin 1895, in *La cause juive*, vol. I, p. 131

La religion institutionnalisée jouerait un rôle dans l'État juif lui-même. La théorie sur les centres religieux qu'on a évoquée plus haut, faisait partie d'une conception plus générale. Comme l'affirme Herzl dans *L'État juif,* « Nous ne renoncerons pas à nos chères coutumes, mais les redécouvrirons. » [85] D'après Herzl, l'État juif doit faire tout ce qui est en son pouvoir pour encourager ce processus. Dans son Journal, par exemple, il revient plusieurs fois sur son intention que l'État nomme des personnalités rabbiniques importantes, comme rabbins de villes ou de régions. Il note d'ailleurs qu'ils recevront leur salaire de l'État [86]. De même, chaque localité aura sa synagogue, qui sera construite par les autorités juives afin que « la synagogue puisse être vue de loin, puisque seule la foi antique nous a maintenus ensemble ». [87] Le Temple, lui aussi sera reconstruit [88] et Jérusalem, « la ville sainte », selon ses propres termes – sera reconstruite et retrouvera sa splendeur, qu'il compare à celle de Rome [89]. Jusqu'à la fin de sa vie, Herzl continua de s'intéresser à d'autres projets susceptibles d'augmenter la force d'attraction religieuse du nouvel État. Par exemple, les missions archéologiques à la recherche de l'arche de l'Alliance [90].

Cette orientation pro-religieuse avait aussi des conséquences sur les positions de Herzl en tant que dirigeant de l'Organisation sioniste. À la stupéfaction des jeunes radicaux comme Chaïm Weizmann et Martin Buber, la ligne politique de Herzl se caractérisait, dès les premiers jours de l'Organisation sioniste, par une alliance stratégique avec la religion en général et avec le judaïsme orthodoxe d'Europe de l'Est en particulier [91]. Cette alliance s'exprime, par exemple, dans son discours devant le troisième Congrès sioniste, où il dit que les Juifs pauvres de l'Empire russe seront « les

---

85. Herzl, *L'État des Juifs*, p. 16. Voir : Herzl, *l'État juif*, p. 13.
86. Journal de Herzl, 6 et 15 juin 1895, in *La cause juive*, vol. I, p. 76, 80, 180.
87. Herzl, *L'État des Juifs*, p. 36. voir : Herzl, *l'État juif*, p. 31-32.
88. Herzl, « Solution ». Cf Théodore Herzl, « La solution de la question juive », *Écrits de Herzl*, vol. VII, p. 1-12 ; Theodor Herzl, « Zionismus », in : Leon Kellner, éd., *Theodor Herzl's Zionistische Schriften,* Berlin, 1920, Jüdischer Verlag, p. 255-266 ; « Sionisme », *Écrits de Herzl*, vol. VIII, p. 42-52.
89. « Il y eut aussi d'autres moments, touchants et émouvants, comme par exemple quand nous sommes arrivés, par une nuit de pleine lune dans la ville sainte de Jérusalem. Des contours des murs anciens se dégageait une odeur nostalgique qui montait au ciel. Et d'un seul coup, nous avons compris qu'outre le lien mystique, vibrait sans doute une nostalgie terrestre, dans la vieille prière des Juifs de retourner à Jérusalem. C'est une ville splendide, bâtie en hauteur, s'élevant dans les montagnes. Et quand un autre jour, nous nous sommes rendus au Mont des Oliviers, nous avons contemplé la vue de la ville tout entière, étendue à nos pieds, de la même manière qu'on observe Rome du Gianicolo. Nous nous sommes dit que Jérusalem pourra redevenir belle et splendide dans les temps vers lesquels nous nous préparons. » Herzl, « Zionismus », p. 263.
90. Ernst Pawel, *The Labyrinth of Exile : A Life of Theodor Herzl*, London, Collins Harvill, 1989, p. 361
91. Sur le statut de la religion dans l'Organisation sioniste, voir Hazony, *L'État juif*, p. 137-143 ; Ehud Luz, *Parellels Meet : Religion and Nationalism in the Early Zionist Movement (1882-1904),* Philadelphia, The Jewish Publication Society, 1988.

meilleurs sionistes, parce que chez eux, la tradition nationale ancienne n'a pas encore été oubliée [et] parce qu'ils sont animés par un sentiment religieux très fort... [92] » Il fut même mêlé à la fondation du Mizrahi, le parti sioniste orthodoxe dirigé par le rabbin Yitzhak Yaakov Reines. Il y voyait un contrepoids à la force grandissante des partisans radicaux de Ahad Haam, au sein de l'Organisation sioniste [93].

En résumé, la thèse selon laquelle le *Judenstaat* de Herzl tendait à une « séparation » de la religion et de l'État n'a aucun fondement. Herzl ne se considérait pas comme un homme pieux, mais sa foi dans le rôle vital que remplit la religion dans le cadre de l'État – et plus particulièrement sa foi dans l'importance du judaïsme pour l'État juif, ont fait de lui un allié de la religion tout au long de sa carrière politique. Du fait qu'il croyait fermement en la liberté de conscience, il était sans doute favorable à une grande mesure de pluralisme entre les détenteurs des postes rabbiniques. Mais malgré ceci, il est établi que Herzl croyait que le judaïsme serait la religion institutionnelle de l'État juif.

V

La thèse selon laquelle Herzl n'avait pas l'intention de créer un État juif, mais seulement un « État de Juifs » neutre, est loin de n'être qu'une simple question académique. Elle fait partie de l'effort idéologique continu d'amener à une délégitimation de l'idée d'un État juif en tant qu'idée fondatrice de l'État d'Israël. Ceci ne veut pas dire, bien sûr, que tous ceux qui pensent ainsi acceptent automatiquement toutes les conséquences idéologiques qui s'y sont liées ces dernières années. Cette idée fut tellement acceptée que même ceux qui veulent la continuation de l'existence d'Israël en tant qu'État juif, reviennent sur celle-ci et ainsi, collaborent sans en être conscients à la bataille visant à extirper de la tradition politique israélienne l'idéal d'un État juif.

Il se peut que ce remaniement de l'histoire sioniste soit le fait de motifs désintéressés. Mais en fin de compte, il ne sert qu'un seul but : il apporte une contribution non négligeable à la lutte continue pour ébranler la conviction de l'idée d'un État juif, au sein de la population juive d'Israël et dans le

---

92. Discours inaugural du troisième Congrès sioniste, 15 août 1899. *Protokoll des 3 Zionistenkongresses in Basel, August 15-18, 1899,* Vienne 1899, Eretz Israel Verein, p. 8. Cf *Écrits de Herzl,* vol. VIII, p. 6. Sur le débat concernant les liens de Herzl avec le judaïsme religieux, voir : Luz, *Parellels Meet,* p. 141-142 ; Michael Berkowitz, *Zionist Culture and West European Jewry Before the First World War,* Chapel Hill, University of North Carolina, 1966, p. 15.

93. Joseph Adler, « Religion and Herzl : Fact and Fable », in *Herzl Year Book* 4, New York 1961-1962, Herzl Press, p. 298-300 ; Pawel, *The Labyrinth of Exile,* p. 453.

monde. Il est certain que ceux qui veulent un tel changement ont le droit d'exprimer leurs références politiques. Mais un examen honnête des idées de Herzl ne peut en aucun cas conduire à mêler son nom à cet effort. Non seulement le fondateur du sionisme créa lui-même le terme « d'État juif », le choisissant comme titre de son livre mais il œuvra durant les dernières années de sa vie, pour diffuser cette expression à travers le monde. Ce n'était pas seulement un choix sémantique. Herzl était clairement engagé pour la création d'un État d'essence juive. Il ne voulait pas d'un État ayant uniquement une majorité démographique juive, mais un État qui soit juif dans sa constitution, dans ses objectifs et ses institutions, dans ses liens avec le peuple juif et avec la religion juive. En effet, l'examen des écrits de Herzl et de son action politique, prouve clairement que l'idéal d'un État juif, au sens où l'entendait David Ben-Gourion et le courant central du mouvement sioniste et tel qu'il trouve son expression dans la Déclaration d'Indépendance, s'accorde entièrement avec la vision du fondateur de l'Organisation sioniste.

Nous le ferons
et l'écouterons

Ofir HAIVRY

Contenu et forme

Dans son célèbre essai *Contenu de la forme* [1], le spécialiste de la méthodologie de l'histoire, Hayden White, se donne pour tâche d'examiner à quel point la structure littéraire d'une œuvre historique détermine la manière dont l'information transmise est reçue. En d'autres termes, quelle est l'influence de la forme d'un essai sur son contenu.

Il est évident et normal que, s'agissant d'un essai littéraire – comme par exemple une comédie ou une tragédie – la forme est alors un facteur essentiel d'influence sur le lecteur. Mais l'essai historique, qui tente d'établir la vérité, est-il également une histoire où le prestige de la forme dépasse l'importance de l'information ? La réponse de White à ce propos est catégorique. Comme il l'affirme dans son livre, White est persuadé que la forme d'un essai historique constitue l'essentiel de son contenu.

Une conception comme celle de White est lourde de conséquences. Serait-il légitime de décrire, par exemple la Deuxième Guerre mondiale comme une tragédie dans laquelle le peuple allemand serait la victime ? Ou bien, y a-t-il dans le contenu des événements un plan essentiel, incontournable, limitant les formes potentielles qu'il est légitime de leur donner. Il ne s'agit pas là de falsification des faits, mais de l'interprétation différente qu'on peut leur donner. Pour exprimer les choses différemment, toute interprétation formelle est-elle légitime ou y a-t-il entre le contenu et la forme des choses, un lien essentiel, impliquant une échelle de valeur ?

(*)   Cet article fut publié pour la première fois dans « Tehelet, périodique de pensée israélienne ». Nous remercions la direction du Centre Shalem pour nous avoir permis de faire usage de l'article. Toutes les traductions figurant dans l'article original en hébreu, sont de l'auteur.

1.   Hayden White, *The Content of the Form* (Baltimore : John Hopkins, 1987).

La conception de White n'est évidemment pas unanimement partagée. Notre intention n'est pas ici de développer la problématique s'y rapportant, et de traiter du droit d'affirmer une vérité ou une morale historiques, quand la forme de l'essai est plus importante que son contenu. Nous nous contenterons d'ouvrir par cette affirmation, la discussion sur la question du rapport existant entre le contenu des choses et leur forme, ainsi que leur influence réciproque.

Intention et action

Ce n'est pas un hasard si le livre du *Couzari* de Judas Halevi[2], l'un des essais philosophiques les plus beaux de l'histoire d'Israël, commence par une question du roi des Khazars sur la signification d'une phrase, revenue plusieurs fois dans son rêve : «tes intentions sont [it would be better to find a French word that means «desired» instead of «good»] mais tes actes ne le sont pas». C'est ainsi en effet que Halevi envisage le fondement de toute explication sur la spécificité du judaïsme – l'importance combinée de l'intention et de l'action.

Dans son essai, Judas Halevi montre qu'il est conscient de l'existence dans l'histoire humaine de deux courants généraux de pensée, totalement séparés, pour ce qui est de la manière d'accéder à la vérité ou au salut. Dans le courant occidental – s'exprimant dans des conceptions comme la philosophie grecque ou la philosophie moderne ou encore les religions chrétienne et islamiste – la révélation de la vérité découle d'un seul principe ou d'une seule idée abstraite, très clairs. Par contre, dans le courant oriental – comme le bouddhisme, le confusionnisme ou le taoïsme – la révélation de la vérité relève des actes[3].

---

2.   Judas Halevi, Le Livre du Couzari (approximativement 1140 de notre ère).
3.   La difficulté de définir ces conceptions comme des religions, des philosophies ou des manières de vivre est leur caractéristique essentielle. En effet, elles n'ont pas de principe supérieur général les guidant, du fait du caractère éclectique essentiel de leurs différentes révélations au cours des temps. Il est en tout cas important de noter que la primauté de l'aspect cérémonial et cultuel en Orient n'implique pas un manque de spiritualité, mais une voie de recherche où les actes du culte ont valeur transcendantale.
      Le bouddhisme croit qu'il y a à peu près 2 500 ans, vivait dans le Nord de l'Inde un homme ayant eu une révélation spirituelle lui découvrant la sagesse éternelle (cet homme est devenu Bouddha – l'éclairé). Après cette révélation il rédigea un message dont le but était de combattre les trois maux dont souffrait, selon lui, l'humanité : la violence, la conscience du moi et la mort. Il est important de rappeler que Bouddha ne rédigea pas une doctrine, une religion ou l'énoncé d'une foi définie, mais des moyens pratiques de surmonter ces maux comme la méditation, la pensée philosophique ou comment vaincre une impulsion.

Dans la tradition occidentale, le salut se trouve dans la vraie foi. Les actes du pire pécheur chrétien ne pourraient constituer pour lui un obstacle, s'il croit en la sainte Trinité. Cette croyance lui suffira pour sauver son âme. L'essentiel est donc l'adoption pure et simple du contenu et de l'intention de cette vérité unique. Dans les traditions orientales par contre, le salut de l'homme ne peut résulter que d'une forme de conduite équitable et c'est la répétition continuelle d'un mantra qui mènera le bouddhiste au Nirvana. L'essentiel est donc d'accomplir les actes qu'il faut[4].

Le judaïsme, par opposition à tout cela, est la seule religion ou philosophie à avoir mis l'accent sur la combinaison permanente entre la foi et l'action. Comme l'explique le sage juif au roi des Khazars, ses intentions sont bonnes et son cœur est pur, mais cela n'a aucune valeur si ses actes ne sont pas justes. Toutefois, de bonnes actions, qui ne seraient accompagnées d'aucune intention, ne seraient qu'une bénédiction inappropriée et par conséquent inutile.

Même si le fondement du judaïsme repose sur la foi en une alliance avec un Dieu infini et tout-puissant, cette foi ne saurait faire d'un homme un juif et à la limite, la religion d'Israël n'exige pas de croire[5]. Cependant, même si le judaïsme peut se définir tout entier par un culte détaillé et des règles de conduite, ce culte et ces règles tendent à exprimer la croyance dans le Dieu d'Israël.

Il est nonobstant important de noter que ceci ne signifie pas qu'il y ait un rapport d'égalité entre l'intention et l'action. Dans le judaïsme, la place de la foi est des plus réduite et depuis la révélation du Sinaï jusqu'à aujourd'hui, le poids de l'action est prédominant dans la pensée et la création du peuple

---

Le Confucianisme est un ensemble de traditions, de conceptions et de croyances, dont l'origine est dans la pensée de Kong-Ku, appelé «le Maître» (Po-Zi), qui vivait en Chine il y a 2 500 ans. Les élèves de Kong-Ku, connu en Occident sous le nom de Confucius, ont établi un mode de conduite basé sur un ordre social dans lequel chacun a un rôle à remplir avec fidélité et obéissance. Cette conception fut et est encore la base des valeurs de la société chinoise.

Le Taoïsme est composé d'une variété de traditions, de croyances et de conceptions, qui se sont formées en Chine à partir de différentes sources et indiquent le chemin (Tao) à suivre pour adopter un juste comportement. Le cadre des différentes attitudes taoïstes est que la nature est l'ordre idéal des choses, la culture humaine étant l'expression d'une déviation par rapport à celle-ci. C'est pourquoi les conceptions admises de morale ou de connaissance sont relatives et déficientes. Le «*Tao*» est supposé conduire à la réalité d'équilibre harmonieuse et originelle, souvent décrite par le symbole de la combinaison du ying et du yang, les deux aspects de toute chose. L'un des livres taoïstes les plus importants, *Y Ching*, l'énonce ainsi : «Une fois *yin*, une fois *yang*, c'est le *Tao*».

4. «L'essentiel» est dans le christianisme, «le saint Esprit», dans l'islam, «Allah» et en philosophie, le «logos». Sur le salut par la foi dans le christianisme, voir par exemple : «… Celui qui croira et qui sera baptisé sera sauvé, mais celui qui ne croira pas sera condamné» (le Nouveau Testament, Marc, XVI, 16).

5. Voir par exemple : Talmud de Jérusalem, Traité de *Haguigua* XXXCI, loi I

d'Israël[6]. La raison de cette évidente supériorité de l'action sur l'intention a ses racines dans le fondement du judaïsme – dans le besoin d'affronter les conséquences de la croyance en un seul Dieu.

Principe et culte

En plaçant la proposition : « nous accomplirons » avant : « nous comprendrons », au moment du don de la Thora, la religion mosaïque exprime dès le départ la supériorité de la forme du culte sur le contenu de la foi. Par deux fois ensuite, dans le livre de l'Exode, le peuple d'Israël se contente du seul engagement : « nous accomplirons »[7], sans du tout rappeler le : « nous comprendrons », comme pour réduire le plus possible ce nouveau principe de l'histoire du monde, existant dans la nouvelle loi reçue – le principe de généralité. Celui-ci, qui nous semble aujourd'hui une composante évidente de la civilisation humaine, de la science et de la pensée ne l'est en fait pas du tout. Son origine exacte n'est pas claire. Les civilisations anciennes de l'Antiquité – Sumer, l'Égypte, Babylone, l'Assyrie ou la Perse – ne connaissaient pas la généralité. Ces civilisations, qui ont inventé l'écriture, la roue et le calendrier, étaient entièrement fondées sur l'éclectisme – le rassemblement de détails en un tout – et ne songeaient nullement à affirmer des principes universels ou à rechercher des règles abstraites[8]. Même si pratiquement, il est évident qu'il existe une certaine mesure d'abstraction et de généralisation dans la pensée humaine, le concept de généralisation fut inconnu pendant les premiers milliers d'années de l'histoire.

Soudain, il y a 2 500 ans, dans la pensée grecque, nous nous heurtons à ce principe de généralité, en tant que concept central de civilisation. Celui

6. La ressemblance de valeur entre la signification des termes *Halaha* [loi juive – NdT], « *Ran* » et « *Tao* » est intéressante.
7. « Nous accomplirons et nous comprendrons » – Exode XXIV : 7, « Nous accomplirons » – Exode XIX : 8, XXIV : 3.
8. Un excellent exemple de ceci est « le code d'Hammourabi » – recueil de lois du royaume du puissant dirigeant babylonien Hammouraphi (appelé Hammourabi), au XVIIIᵉ siècle avant l'ère chrétienne. C'est un recueil de lois d'injonctions et d'interdictions, dont de nombreuses se retrouvent dans les lois de la Thora. Cependant, la différence entre les deux codes est colossale : Les lois d'Hammourabi sont un ensemble de lois traditionnelles et techniques, sans aucune tentative de présenter des valeurs, une justice ou une cohérence constituant leur base ; les lois de la Thora, par contre, ont pour caractéristique la cohérence, du fait qu'elles découlent d'une conception exhaustive de valeurs uniques de justice et d'ordre, d'inspiration divine.
Le style éclectique des civilisations classiques du Moyen-Orient ancien fut longtemps conservé par les civilisations de l'Inde et de la Chine, qui ne s'ouvrirent que tardivement à la généralisation et purent donc perpétuer jusqu'à aujourd'hui une tradition – déjà évoquée – dans laquelle les actes et les coutumes sont supérieurs aux principes généraux et absolus (qui très souvent n'existent pas).

qui est considéré comme le premier philosophe, Thalès, affirme déjà que
« tout est eau ». Dans cette généralisation il définit les concepts de l'intelligence, de la vérité et de la science, comme nous les entendons encore aujour-
d'hui ; non plus comme un recueil de détails et d'idées, mais comme l'expression de principes généraux et absolus [9].

Toutefois, si la généralisation en tant que concept défini, est née dans la
Grèce classique, ce principe était déjà apparu sur la scène de l'histoire, un
millier d'années plus tôt, au mont Sinaï, avec l'apparition de la conception
de la divinité israélite – unique, exhaustive et entière. On peut étudier l'influence qu'eut cette apparition, en considérant de quelle façon la religion
mosaïque prit soin de recouvrir et d'entourer le contenu de ce principe – au
moyen de la forme du culte.

Verger et chemin

Le terrible danger que voit la tradition juive dans la découverte du principe
absolu, est bien concrétisé par la célèbre histoire talmudique des quatre sages
de la génération de rabbi Aquiba, qui sont « entrés dans le verger » [10] – c'est-
à-dire qui s'exposèrent au secret caché. L'un regarda et mourut, le second
regarda et en fut atteint (il perdit la raison), le troisième coupa les plants
(devint incroyant) et seul rabbi Aquiba en sortit indemne.

La tradition juive, tout au long de son histoire, a insisté sur le danger de
s'exposer directement à la présence divine, qui aveugle l'observateur, – comme
c'est le cas quand on regarde directement le soleil – et peut entraîner une
cécité absolue. Pendant des milliers d'années, cela fut un fondement significatif et constant, depuis l'affirmation claire et précise de la Thora, selon
laquelle quiconque en viendra à scruter directement Dieu mourra, en passant
par la stricte conformité, à l'époque du Temple, aux règles explicitant jusqu'où
il est permis de s'approcher du Tabernacle et jusqu'à la réticence traditionnelle à s'adonner à la *kabala* (la tradition mystique juive, N.D.T.) sans préparation adéquate [11].

---

9.   « Tout est eau », Thalès de la ville de Milet (vécut approximativement de 625 à 545 avant l'ère chré-
     tienne), est cité dans *Les Mathématiques* d'Aristote : 11, 17-27. Voir aussi : Jonathan Barnes, *Early
     Greek Philosophy* (London : Penguin, 1987), p. 61-70. Il est intéressant de noter ici que la famille
     de Thalès est venue à Milet de Phénicie, côte de l'ancien pays d'Israël.
10. « Quatre hommes sont entrés dans un verger » – Talmud babylonien, traité *Haguigua,* XIV : b. On
     notera que le concept de « verger », dont la source est le nom des jardins du palais des rois de Perse,
     est devenu synonyme d'un lieu de connaissance et de présence divine, pas seulement en hébreu. Il
     fut même identifié avec le paradis, par exemple dans sa forme anglaise de « paradise ».
11. Par exemple : « … car nul homme ne peut me voir et vivre » (Exode XXXIII : 21).

La vérité unique, qu'elle s'appelle la vraie foi ou l'intelligence pure, peut être très dangereuse, parce que du fait de sa généralité ou de son absolu, elle ne peut que plier ou nier tout ce qui l'entoure – telle est la nature de tout principe absolu. Le heurt entre ce principe et la réalité est inévitable, la réalité ne pouvant intégrer éternellement un pur idéal.

Dans la rencontre des anciennes civilisations avec le principe de généralisation, celles-ci se sont toutes effondrées, à l'exception d'une seule, après qu'apparurent l'évidence des contradictions internes sur lesquelles étaient basées leurs conceptions éclectiques et leur manque de cohérence, dès que celles-ci furent confrontées à la généralisation, qui est la cohérence même. Non seulement l'Égypte et Babylone ne pouvaient affronter la généralisation, mais même en Grèce et à Rome, où était pourtant née la version philosophique de la généralisation, la société et la civilisation s'effondrèrent peu à peu, à mesure que les coutumes et les divinités sur lesquelles elles étaient basées apparurent comme vides de sens, du fait de la généralisation.

Ainsi, progressivement, se révéla la tension entre l'action et le principe. Il s'avéra que le seul fait de se baser sur une tradition et des coutumes ne pouvait résister au défi du principe. Cependant, même quand des sociétés voulurent se baser sur les règles de la raison philosophique, elles ne réussirent pas à vaincre la contestation incessante apparaissant dans tout cadre social ou par rapport à toute norme de société, quand ceux-ci sont régis par des principes abstraits, vu la cruauté qu'il y a toujours à suivre un principe jusqu'au bout.

Ces deux mille dernières années, la civilisation humaine tenta d'affronter ce problème, par une série de solutions visant à trouver un juste équilibre entre la réalité et le principe. A commencer par le christianisme et l'Islam, jusqu'au rationalisme et au marxisme, il y eut continuellement des tentatives de trouver une voie, menant de la réalité au verger sublime.

La solution proposée par le judaïsme à ce problème, se trouve dans l'accent mis sur la valorisation du chemin à parcourir. Le judaïsme refuse de voir l'application de son essence, dans la concrétisation dans « le monde futur », d'une valeur abstraite et supra-historique mais il lie toujours celle-ci à « ce monde-ci ». Contrairement à d'autres conceptions, dans lesquelles ce monde-ci n'est qu'un corridor menant vers l'absolu ou au contraire, constitue la seule chose existante – dans le judaïsme, le chemin n'est pas seulement une voie pour arriver au verger, mais est une part significative de celui-ci. Le chemin a, dans le judaïsme, un poids spécifique irremplaçable. Il ne permet d'atteindre le verger, que dans le cadre d'un mode de vie, situé dans un contexte historique et géographique particulier : un mode de vie devant réaliser la vocation historique du peuple d'Israël et se concrétisant tout entier en terre d'Israël.

Le lien significatif du peuple d'Israël avec la terre d'Israël n'a certainement pas besoin de documentation. Même ceux qu'on ne peut suspecter d'entretenir une trop grande sympathie envers le judaïsme, le reconnaissent [12]. Mais dans ce contexte, il ne s'agit pas de la sainteté que confère le judaïsme – comme le font de nombreuses autres religions – à certains sites géographiques, mais avant tout du fait que la terre et la présence sur celle-ci, constituent un principe de l'identité et de l'existence juives.

Horeb et Moria

Dès qu'est exposé dans la Bible, le lien avec la terre – dans « Éloigne-toi de ton pays [...] et va au pays que je t'indiquerai » et dans « l'alliance des morceaux » [13] – et tout au long de son récit, la Bible explicite clairement que le lien avec la terre est une condition préalable de la pratique des injonctions religieuses. Au-delà du fait chronologique révélateur que la présence des patriarches en terre d'Israël fut antérieure au don de la Thora, l'ensemble du culte religieux juif s'adresse aux habitants de cette terre.

L'existence nationale, le culte religieux et la terre d'Israël sont inextricablement liés dans la Bible. Il suffit de rappeler la primauté du Temple, les fêtes liées à l'agriculture du pays, le lien entre les amendements religieux et les amendements politiques, etc. Le signe le plus probant en est peut-être qu'alors que le mont Horeb, lieu du don de la Thora, qu'on pouvait s'attendre à devenir un foyer religieux primordial, est toujours resté un site éloigné et abstrait, le mont Moria, lié au sacrifice d'Isaac et à la promesse de la terre aux descendants d'Abraham, devint le centre du culte et de l'identité du peuple d'Israël quand le Temple y fut édifié.

Toutefois, après la destruction du premier Temple, le rapport du peuple avec la terre, change de manière significative. Même si moins de soixante-dix ans plus tard, est construit le deuxième Temple, commence à se créer un écart capital entre la forme d'existence juive et le contenu que cette existence

---

12. Même l'Islam par exemple, reconnaît la particularité du lien du peuple d'Israël avec sa terre. Ainsi, aux seuls endroits du Coran où cette terre est spécifiquement mentionnée, c'est en corrélation avec la promesse divine de la terre d'Israël et du retour à Sion : « Souviens-toi des paroles de Moïse à son peuple. Il a dit : Souviens-toi, mon peuple, le bien que t'a fait Dieu. Il éleva de ton sein des prophètes, des rois et vous donna ce qu'il ne donna à aucune autre nation. Entre, mon peuple, dans la terre sainte que Dieu t'a destinée. Ne reviens pas en arrière car tu te détruirais » (Coran, Sourate 5, 20-21). « Nous avons dit alors aux Israélites : habitez le pays. Quand la promesse du monde futur se réalisera, nous vous rassemblerons tous ensemble » (Coran, Sourate 17, 104). Et d'une époque plus tardive : « ... Qui peut nier les droits des Juifs sur la terre d'Israël ? Mon Dieu qui est au ciel, du point de vue historique, il est évident que c'est votre pays... » (Extrait d'une lettre à Théodore Herzl de Yossef Zia El-Haldi, qui était maire de Jérusalem puis député de Jérusalem au parlement ottoman et s'opposa au sionisme. 1899. Cité par Amos Eylon, *Herzl* (Tel-Aviv : Am Oved, 1979), p. 242-243.

13. « Éloigne-toi de ton pays... » – Genèse XII, 1 ; Alliance des morceaux – Genèse XV, 7-11.

était supposée revêtir. Cet écart existe et influe jusqu'à aujourd'hui – alors qu'une partie non négligeable du peuple d'Israël ne vit pas dans le pays.

Hillel et Shamaï

On peut mesurer les conséquences destructrices de cet écart par l'histoire talmudique sur un étranger qui demanda aux deux plus grands sages d'Israël de la génération, de lui enseigner toute la Thora alors qu'il se tiendrait « sur un pied » [14] : Shamaï le repoussa tandis que Hillel accepta et lui dit : « Ce dont tu as horreur, ne le fais pas à ton prochain », le reste n'est que commentaires. Cette anecdote concrétise l'origine de la menace qui pesait sur le judaïsme, alors que le lien avec la terre s'était relâché. L'exigence de l'étranger de connaître la Thora « sur un pied » exprime clairement la quête « grecque » d'un principe unique, abstrait, existant à la base de toute chose. L'étranger exprime très bien la conception hellénistique, déjà prépondérante, du temps de Hillel et Shamaï, de l'Inde à l'extrême Occident, selon laquelle ce qui prime est ce principe unique, succinct et exhaustif.

Au sein du peuple juif également, certains adhéraient à cette conception, plus particulièrement ceux qui vivaient à l'étranger ou qui avaient adopté des points de vue hellénistes. Ceux-là commencèrent à mettre en cause l'importance des détails du culte et le lien avec la terre, par rapport à l'importance du principe pur – qu'il ait pour nom « vérité », « paix » ou « foi ». La confrontation avec une telle conception fut et est encore un grand défi pour le judaïsme. Ceux qui prônent la priorité du principe veulent reléguer à un rang secondaire, tout ce qui est forme ou culte et arriver à la base, à la foi. Les sages d'Israël, pour leur part, ont tout fait pour freiner cette tendance, qu'ils ont toujours considérée comme destructrice.

La différence de réaction des deux sages reflète deux attitudes totalement différentes concernant cet affrontement – tant par rapport au point de départ que du point de vue cérémoniel. En effet, Hillel et Shamaï représentent deux attitudes différentes, existant à l'époque, en regard de la loi juive. Shamaï, né dans le pays et pur produit de sa tradition politique et culturelle, exprime la tradition de la loi ancienne dont l'origine remonte au premier Temple. Cette tradition est tout entière ancrée en terre d'Israël, dans le nationalisme juif et la lutte pour l'indépendance. Le point de départ de l'école de Shamaï est la

---

14. Talmud de Babylone, traité de *Shabbat*, XXXI : a. [L'expression hébraïque employée dans le texte signifie littéralement « sur un pied » et équivaut à : très vite, en vitesse. Elle peut quelquefois se traduire par l'expression française : « en deux mots » – NdT]

stricte observance des règles de la Thora et de ses lois pratiques, telles qu'elles sont formulées. Selon l'exégèse de l'école de Shamaï, un interdit est un interdit et une permission est une permission et ce qui prime est l'acte et non l'intention [15].

Par contre, Hillel, venu de Babylonie dans le pays d'Israël, exprime le changement qui commençait à survenir, avec l'existence d'une diaspora et l'acceptation de celle-ci. Etant donné qu'en diaspora, il est difficile, voire impossible, d'appliquer à la lettre de nombreuses lois de la Thora, la *Halaha* qui se forma en Babylonie, s'affranchit de sa base et tenta de retrouver l'intention des lois, afin d'en tirer des conséquences pour les injonctions applicables. Cette attitude a l'avantage de permettre une certaine souplesse. Elle comprend cependant un danger, du fait qu'elle accorde moins d'importance à l'aspect politique et national du lien avec la terre et par les conséquences qui en découlent.

Ces différences de points de vue s'expriment aussi, comme on l'a déjà vu, dans la tactique adoptée par les deux sages, par rapport à l'étranger. Shamaï se refuse à discuter du judaïsme « sur un pied » et repousse d'emblée une telle éventualité. Hillel par contre, essaie de faire face intelligemment à l'étranger, de manière à conduire en fin de compte le questionneur à accepter pleinement et entièrement le judaïsme. La fin du récit talmudique est que l'étranger se convertit, ceci devant être un enseignement sur la supériorité de la patience de Hillel face au fanatisme de Shamaï. La source de cette histoire est bien sûr le Talmud de Babylonie. Elle signifie un choix de principe, apparaissant dans le judaïsme après la destruction du second Temple. Tant que les Hébreux constituaient dans le pays une majorité et le centre du peuple, régnait indiscutablement la loi ancienne, qui avait engendré les révoltes hasmonéennes, les zélotes et « Bar-kokhba ». Toutefois, dès que la terre d'Israël cessa d'être le centre pratique du judaïsme, la loi de l'école de Shamaï ne pouvait plus se maintenir en Exil et celle de l'école de Hillel prima et depuis, guide le judaïsme.

Cependant, en considérant les choses une seconde fois, la réponse de Hillel est assez déconcertante. Quel est ce tableau prétendant décrire l'essentiel de la Thora, dans lequel n'est pas mentionnée l'exclusivité de Dieu ou l'attachement du peuple d'Israël à celui-ci ? On se serait attendu à ce que pour énoncer une courte et bonne définition, Hillel choisisse le début du livre de la Genèse, le premier commandement ou la prière « Shema Yisrael… » [Écoute Israël, N.D.T.], mais ce ne fut pas le cas. Hillel, l'un des sages les plus éminents

---

15. Voir : Israel Ben-Shalom, *L'école de Shamaï et la lutte des Zélotes contre Rome* [en hébreu] (Jérusalem : Yad Ben-Zvi, 1994), p. 84, 97-98, 185-188.

du judaïsme, ne mentionne pas du tout l'existence de Dieu, ni ses commandements et au lieu de cela, il choisit de présenter à l'étranger un principe pratique de conduite, précepte rationnel et utilitaire, totalement concret.

Il est évident qu'on ne peut soupçonner Hillel de ne pas discerner l'importance de l'existence de Dieu, dans la Thora d'Israël. C'est pourquoi, on ne peut manquer de considérer sa réponse comme une tentative de se mesurer au défi de la généralité, de manière à essayer de freiner le danger de débordement qui s'y trouve. En d'autres termes, en réponse à la question « philosophique » sur l'essence, Hillel fait exprès de donner une réponse conduisant à une direction opposée. Il continue de rester fidèle à la tradition juive évitant de traiter directement le sublime – le transcendant – et au lieu de cela, préfère se limiter au chemin à suivre, à l'action. Ainsi, la réponse de Hillel se rapproche indirectement de celle de Shamaï – garde-toi « d'aller trop vite » – et elle comprend un avertissement par rapport au danger existant dans la réponse directe. En effet, une réponse directe menant à l'essentiel, supprime la nécessité du chemin à parcourir – et c'est là que réside le plus grand danger.

À l'époque de Hillel et Shamaï, lors de la troisième décade du premier siècle de l'ère chrétienne, et peut-être le jour même de cette fameuse conversation avec l'étranger, un jeune homme arriva de Galilée. Celui-ci vint vers un groupe de sages pharisiens à Jérusalem – et peut-être Hillel et Shamaï se trouvaient-ils parmi eux ? Il discuta avec eux et voulut remettre en question l'importance du chemin à suivre. Ce qui se passa ensuite est décrit en ces termes par ses disciples :

> Un des scribes, qui les avait entendus discuter, sachant que Jésus leur avait bien répondu, s'approcha et lui demanda : Jésus répondit : voici le premier : « Écoute Israël, l'Éternel est notre Dieu, l'Éternel est Un » ; et : Tu aimeras l'Éternel, ton Dieu, de tout ton cœur, de toute ton âme, de toute ta pensée et de toute ta force ». Voici le second : « tu aimeras ton prochain comme toi-même ». Il n'y a pas d'autre commandement plus grand que ceux-là. Le scribe lui dit : Bien, maître : tu as dit la vérité que Dieu est unique et qu'il n'y en a point d'autre que lui. Et que l'aimer « de tout son cœur, de toute sa pensée, de toute son âme et de toute sa force » et aimer « son prochain comme soi-même », c'est plus que tous les holocaustes et tous les sacrifices [16].

Là, se concrétise le danger de la généralisation. On donne une réponse directe et tout de suite après, vient la conclusion qui en découle – l'essence est plus importante que toutes les coutumes, comme les holocaustes et tous les sacrifices. Ayant touché l'essentiel, qu'avons-nous besoin du chemin ? La raison pour laquelle Shamaï s'est fâché et pour laquelle Hillel donna une

---

16. Le Nouveau Testament, Marc XII : 28-33.

réponse prudente, est maintenant claire. Le jeune homme venu de Galilée, en donnant une réponse directe, ne fit à première vue, que franchir un petit pas de plus. Hillel et Shamaï s'en étaient bien gardés. La version du Galiléen dit en fait, que selon lui, en deux mots, l'amour est l'essence essentielle et l'identité divine. Mais d'aller trop vite, précipite souvent la chute.

La réponse de Hillel à l'étranger était une tentative de se mesurer indirectement à l'acceptation du principe de généralité, qui à cette époque, était courante parmi nombre de Juifs. Très vite, le judaïsme apprit à quel point cette voie était dangereuse, puisque même une prudente tentative de répondre « en deux mots » [littéralement : « sur un pied », N.D.T.] par une généralité sur l'essence, devait conduire au terrible danger du messianisme.

« Jésus » et « Bar-kokhba »

Une expression du caractère de ce que devait subir le judaïsme est rapportée par l'historien romain Cornélius Tacite dans son ouvrage *Histoires*, écrit vers la fin du premier siècle de l'ère chrétienne. Il y affirme que « la foi juive est paradoxale et méprisable » [17]. À cette époque, le judaïsme faisait partie de la polémique culturelle, philosophique et religieuse du monde romain. Un monde qui bien qu'attiré par le principe du Dieu unique des enfants d'Israël, rejetait les pratiques religieuses pointilleuses, astreignantes et incompréhensibles qui accompagnaient la croyance en un seul Dieu. La combinaison entre un Dieu abstrait et les strictes observances du culte, était généralement perçue comme contradictoire. D'où l'affirmation violente de Tacite.

À cette époque, les croyances païennes étaient déjà gravement ébranlées. L'ordre social, basé sur la tradition et des croyances illogiques, s'effritait lentement, d'autant que les anciens usages ne résistaient pas à la critique de l'utilité rationnelle et la croyance en des divinités comme Apollon ou Jupiter était présentée par les philosophes comme vide de sens. Les fondements de toute société, que sont les valeurs morales ou la nécessité d'un espoir, s'étaient ébranlés et on était en quête de quelque chose susceptible de remplacer tout cela.

Même le rationalisme philosophique ne pouvait plus relever le défi de l'idée de généralité – le besoin de trouver un principe sur lequel on pourrait baser ce qui est bon et ce qui est mauvais. Il s'avéra que la tentative de baser une société sur des principes philosophiques était sans espoir, étant donné que ces principes sont toujours sujets à controverse – du fait même qu'ils sont à l'origine des instruments de pensée et de mise en question de tout.

---

17. Cornélius Tacite, *Histoires* (à peu près 120 de notre ère), Livre V, chapitre 5.

Des philosophies comme celle affirmant que nous ne pouvons rien connaître vraiment (le scepticisme) ou que rien n'a de valeur éternelle et donc qu'aucune valeur ne peut être vraiment significative (l'épicurisme), conduisent obligatoirement à un désespoir existentiel et à la poursuite de quelque chose qui ne saurait être mis en cause.

C'est ainsi que progressivement, les masses ignorantes qui cherchaient un appui en cette période difficile, tout comme les disciples sophistiqués aristotéliciens et néo-platoniciens, qui avaient accepté l'existence d'un fondement supérieur et abstrait, étaient prêts à adopter une foi monothéiste, mais non l'obligation des pratiques minutieuses du judaïsme. Ils trouvèrent ce qu'ils cherchaient dans le christianisme, tel qu'il fut à ses débuts, soit une religion de foi pure.

Il est courant de croire aujourd'hui que le christianisme est une invention tardive de Saül (Paul) de Tarse, de penser que Jésus était en fait un juif pieux, fidèle en gros à la tradition d'Israël, menuisier galiléen ne voulant pas réformer le judaïsme, et de considérer que ses vues furent déformées après sa mort. Les choses ne sont pas ainsi. Bien entendu, Saül de Tarse a joué un rôle important dans la formation du christianisme – élaboration de la conception de la sainte Trinité, par laquelle tout chrétien est divinisé par la fusion de l'esprit divin dans sa chair – mais le fondement du christianisme est sans aucun doute le réveil religieux extraordinaire remontant à Jésus lui-même – l'identification de Dieu avec « l'amour »[18].

Avec cette décision, qui semble toute simple et qui a priori ne dépasse que d'un pas, celui qu'avait franchi Hillel, le christianisme s'éloigne de beaucoup du judaïsme, puisque l'identité de Dieu avec l'amour donne à ce dernier une valeur suprême, totale et qu'il suffit alors d'accepter l'amour de Dieu pour être sauvé. La vérité, la justice ou la morale et évidemment le culte, n'ont plus vraiment d'importance puisque, qu'on s'y attache ou non, le croyant chrétien sauvera de toute façon son âme, par l'amour de Dieu.

Les conséquences de cette décision furent inévitables. Elles mettent en évidence le danger pour le judaïsme, de se plier à la volonté de l'identifier à

---

18. Par exemple : « … Je leur ai fait connaître ton nom et je le leur ferai connaître, afin que l'amour dont tu m'as aimé soit en eux et que je sois en eux » (Nouveau Testament, Jean XVII : 26). Ou : «… Je vous donne un commandement nouveau : Aimez-vous les uns les autres ; comme je vous ai aimés, vous aussi, aimez-vous les uns les autres. À ceci tous connaîtront que vous êtes mes disciples, si vous avez de l'amour les uns pour les autres » (*Ibid.*, XIII : 34-35). Cependant même le christianisme lui-même n'aurait pu résister longtemps à la menace interne que représentait ce principe et il fut contraint de construire progressivement des règles pratiques, un culte et des limites à « l'amour » absolu qui en était le cœur. Il finit par s'en éloigner beaucoup – souvent jusqu'à un point de contradiction absolue avec l'Évangile original. Sur la limite du fondement monothéiste dans le catholicisme, voir : Michael Sutton, *Nationalism, Positivism and Catholicism* (Cambridge : Cambridge University Press, 1982) p. 20-21, 30.

un principe général. En effet, l'identification de Dieu avec une valeur comme « l'amour » entraîne automatiquement la suppression de toutes les autres valeurs ou principes. Même si Jésus et les premiers croyants ne pensaient pas annuler le judaïsme et ses coutumes, par leur message, mais au contraire les renforcer [19] – et c'est d'ailleurs pourquoi ils furent appelés dans un premier temps : les « Juifs messianiques » – à partir du moment où ils décidèrent de renoncer au chemin à parcourir, il ne s'agissait plus du judaïsme mais de quelque chose de totalement différent.

Cette libération de la foi des chaînes du culte – charme de la généralité pure – s'est reproduite plusieurs fois au cours des générations suivantes, chez ceux qui voulurent donner une explication différente, une interprétation de principe, directe et libératrice, du destin de l'homme – et il est intéressant de noter que se distinguèrent en la matière, certains hommes, comme Marx, Lomboroso, Freud et Lévy-Strauss, qui bien que coupés du judaïsme, avaient gardé une brûlante nostalgie pour le verger, connu aussi comme concept de « messianisme ». Ce concept vient du terme originel de « messie », mais aujourd'hui il a plutôt le sens de « Messie » – et ceci est déploré par nombre de Juifs, sans parler des autres.

Le messie est un dirigeant biblique politique, militaire et religieux. Même si son inspiration est de source divine, il est totalement humain et toutes ses actions, ses forces, ses échecs et ses réussites se placent dans la lignée de l'histoire. Les rois d'Israël, tels Saül et David, ont été décrits comme des « messies », mais ce fut aussi le cas de Coresh, le roi de Perse et également à l'ère post-biblique, celui du patriarche d'Israël, Simon Bar-Kosiba, dénommé « Bar-kokhba ». Presque à la même époque se forme le concept de « Messie », personnage apocalyptique dont l'action et les forces dépassent notre entendement et dont la venue annonce la fin des temps et la fin de l'histoire.

« Le Messie » apocalyptique fut et est encore un personnage fondamentalement non juif, incorporé au judaïsme et menaçant à tout instant de l'ébranler de l'intérieur. La non-judéité du personnage du « Messie » découle, tant du fait qu'il revêt des attributs surhumains, sorte de demi-dieu dont l'existence est en complète contradiction avec l'unité et l'unicité de Dieu, que parce qu'il est censé résoudre d'un seul coup tous les problèmes, permettre tous les interdits et annuler l'importance de la forme pour introduire l'ère du contenu, sautant les étapes pour atteindre le lieu où le judaïsme ne serait que ferveur pure.

---

19. Par exemple – « Ne croyez pas que je sois venu pour abolir la loi ou les prophètes ; je suis venu non pour les abolir, mais pour les accomplir. Car, je vous le dis en vérité, tant que le ciel et la terre ne passeront point, il ne disparaîtra pas de la loi un seul iota ou un seul trait de lettre, jusqu'à ce que tout soit arrivé » (Nouveau Testament, Matthieu, V : 17-18).

Quelques sages d'Israël, tentèrent de s'attacher au terme « messie » originel. Pour Maimonide, il s'agit clairement d'un dirigeant politique, militaire et religieux, agissant dans l'histoire. Cependant, la plupart des commentateurs ont préféré surmonter le danger du messianisme en reléguant le personnage du « Messie » à la fin des temps, au sens d'un avenir très éloigné. Toutefois, de temps à autre, il se trouva des gens pour décider que la fin des temps était précisément arrivée. Ce fut le cas de ceux qui crurent au messianisme chrétien – comme nous l'avons déjà mentionné, on les dénommait les « messianiques ou en grec *christianos* – et pendant de nombreuses années, ils attendirent à chaque instant le retour du Messie et la fin des temps. Ce fut aussi le cas des adeptes du faux messie du dix-septième siècle Sabbtaï Zvi qui crurent qu'il les conduirait sur un nuage vers le pays de la rédemption. De nos jours, c'est le cas de certains dirigeants israéliens qui sont persuadés et veulent persuader que l'ordre premier est rétabli et qu'à présent, le monde ayant changé, l'heure était venue où « le loup habiterait avec la brebis » de même qu'était advenu «... le temps d'un examen profond, pour sortir le peuple juif de son passé et lui donner un nouvel avenir » [20].

Pour bien souligner la différence essentielle entre messie et « le Messie », il suffit de noter la tendance évidente des messianiques à annuler allégrement des identités, des interdits et des règles de conduite, en vigueur jusque là, car dans un monde complètement différent, tout cela n'est plus nécessaire. Chez les chrétiens, c'est la suppression des lois de la Thora du fait du « nouveau Testament » ; chez les sabbatiens, cela va de la suppression des jeûnes à celles des interdictions sexuelles, puisque l'ordre du monde avait changé ; et de nos jours, prime la croyance que « c'est le monde qui a changé et le processus de changement historique oblige à adapter les anciens points de vue et concepts à la nouvelle réalité », car «... le jour viendra où la conscience de l'homme, son identité personnelle, se basera sur cette réalité nouvelle... », dans laquelle la vieille identité juive disparaîtra au profit « ... d'une identité personnelle supranationale » nouvelle, selon les dires du huitième Premier ministre de l'État d'Israël, Shimon Pérès [21].

Combien différent de tout cela est un « messie » comme « Bar-kokhba ». Simon Bar-Kosiba, aux alentours de Soukot de l'an 134 de l'ère chrétienne, assiégé par les Romains à Bet-tar et voyant sa fin venir, dépêche à ses hommes, en poste près de la mer Morte, une épître (trouvée dans une grotte en Judée)

---

20. « Le loup habitera avec la brebis », Isaie, XI : 6 ; « Le temps d'un examen » : extrait de l'oraison de Shimon Pérès à Rabin, devant la fraction travailliste à la Knesseth, *Yediot Aharonot*, 6 novembre 95, p. 18. Pour ce qui est de l'opposition au messianisme – Épître du Yémen de Maimonide, Chapitre IV, p. 50.

21. Shimon Pérès, *Le nouveau Moyen-Orient* (Bné-Braq, Stematsky, 1993), p. 37, 78.

ne parlant que de son attachement aux règles de conduite, même au bord du précipice :

> Simon [Bar-kokhba] à Judas Bar-Manassé dans la ville kiriat arvia Je t'ai envoyé deux ânes, pour que tu expédies avec eux deux hommes chez Jonathan Ben-Baya et Masbella, afin qu'ils les chargent et fassent parvenir à ton camp des branches de palmier et des cédrats. Et toi, envoies-en d'autres de chez toi et on t'apportera des myrtes et des saules de rivière, que tu ajusteras et expédieras au camp, car l'armée est grande. Sois en paix [22].

Judaïté et Hébraïcité

Le danger que représentait pour le judaïsme la généralisation s'aggrava encore beaucoup en diaspora, où la séparation d'avec la terre d'Israël suscita – et suscite encore – une tentation particulière d'écourter le chemin vers le verger. Contre cette envie de brûler les étapes, s'exprimant de manière extrême lors des réveils messianiques et qui du fait de ses tendances universalistes et cosmopolites, représente une menace constante pour la connaissance juive, les sages d'Israël ont de tout temps œuvré en mettant en avant l'affirmation qu'« il n'existe pas de Thora comme celle de la terre d'Israël » [23].

La primauté de la terre d'Israël dans le judaïsme est telle, que la Thora n'a d'existence que si elle est liée à celle-ci. Pour maintenir ce lien après la destruction du Temple et l'Exil, le culte juif s'est construit autour de ce qu'on peut considérer comme une « terre d'Israël virtuelle », imaginaire, où les synagogues, orientées vers le Temple, seraient une restitution miniature du Temple, les fêtes et les jours commémoratifs, fixés selon le calendrier de terre d'Israël. De plus, il est constamment souligné que l'existence en Diaspora est temporaire et n'a qu'une importance marginale, jusqu'au retour à Sion. Ceci implique une extension du judaïsme au-delà de la géographie et de l'histoire vers le plan extraterritorial et supra-temporel de l'étude talmudique. Cette attache comporte cependant un autre danger – qui plus d'une fois s'est réalisé – soit que la terre d'Israël virtuelle devienne pour de nombreux Juifs, un monde intégral et qu'ils s'y attachent, même en cas de véritable occasion de retour à Sion.

---

22. Yigal Yadin, *Bar-kohba* (Tel Aviv : Massada, 1976), p. 129.
23. « Il n'existe pas de Thora comme celle de la terre d'Israël » (Vayikra Rabba XIII, 5). Il est intéressant de voir des expressions de profond mépris envers les rabbins de Babylonie et leur Talmud, par exemple : « Qu'est-ce que "Babylone" ? dit rabbi Yohanan : un mélange de Bible, un mélange de Michna et un mélange de Talmud » (Sanhedrin XXIV : a). « Rabbi Yirmia dit : les Babyloniens sont sots car ils habitent un endroit obscur et disent des ragots confus » (Minhot CII : a). « Rabbi Zira, quand il est monté en terre d'Israël s'est astreint à cent jeûnes, afin d'oublier le Talmud de Babylonie, qu'il ne le trouble plus » (Baba Metsia XXXXCV : a).

Telle est la réalité qui se reflète déjà dans une œuvre antique comme le Livre d'Esther. Bien que le livre se termine soi-disant par la victoire de Mardoché, d'Esther et des autres Juifs puisqu'ils vainquirent leurs ennemis, il est difficile pour le lecteur de se dégager d'un certain sentiment de déception et de comprendre qu'il s'agit là d'une victoire à la Pyrhus. Quelque chose de fondamental ne va pas si le *happy end* laisse la Juive Hadassa, mariée à un non-juif alcoolique et inconséquent, si la grandeur de Mardoché ne s'appuie sur rien et dépend d'un roi tyrannique et si les Juifs restent là, à habiter Suze et tout l'empire, en attendant la prochaine mauvaise passe. C'est pourquoi la joie, dans le Livre d'Esther ne saurait être complète et le message de l'histoire semble à la fin stérile. L'histoire de ce livre se déroule au temps d'un roi perse. Quoique son identité chronologique et précise soit douteuse, il est clair que l'époque fut obligatoirement celle du retour à Sion et de la reconstruction du Temple. Mais, non seulement le Livre d'Esther ne mentionne aucune tentative de Mardoché ou d'autres Juifs, d'agir pour promouvoir le retour à Sion, mais il ne comporte pas la moindre expression de nostalgie et la terre d'Israël n'y est même pas évoquée.

Tout cela est très certainement lié au fait que le Livre d'Esther soit le seul livre de la Bible où il n'est plus question de la nation des enfants d'Israël ou du peuple d'Israël – même le Dieu d'Israël n'y est pas mentionné – mais des Juifs. Ce n'est déjà plus un peuple, ni même un peuple juif, mais un ensemble de communautés, de sujets, de gens vivant sous la protection d'un souverain. Il est évident qu'il existe un lien entre la séparation d'avec la terre d'Israël et le changement d'identité. En dehors de la terre d'Israël, les enfants d'Israël deviennent des Juifs et au lieu de s'appeler « le Livre d'Hadassa », l'histoire se nomme « le Livre d'Esther ». En regard de cela, on pourrait placer les Livres d'Ezra et de Néhémie, qui traitent du retour à Sion – plus ou moins l'époque où se passe ce qui est relaté dans le livre d'Esther. Bien que ceux qui reviennent soient surtout des exilés de Judée et qu'ils reviennent en Judée, ils sont constamment dénommés « enfants d'Israël » et non « Juifs » [24].

Deux mille cinq cents ans plus tard, Théodore Herzl vit comment l'affaire Dreyfus exposa les Juifs à la haine et à l'incitation à la haine et mettait en danger leur existence. La fin de l'Affaire rappelle celle du Livre d'Esther. Dreyfus fut blanchi de toutes les accusations qui pesaient sur lui et l'affaire contribua à un réveil des Juifs et à un renforcement de leurs droits. Mais la leçon qu'en tira Herzl est à l'opposé de ce qui est décrit dans le Livre d'Esther.

Herzl arrive à la conclusion que toute victoire en Diaspora n'est que temporaire et ne peut avoir d'assises sérieuses. En effet, selon lui, la présence même des Juifs en diaspora est la racine du danger menaçant leur existence. Donc

---

24. Par exemple : Ezra III, 1 ; Néhémie IX, 1.

on peut, et on doit agir pour retourner à Sion, sinon, l'avenir sera mauvais et amer. Ce n'est pas le dernier, et certainement pas le premier, à arriver à la conclusion que la présence des Juifs en diaspora est un danger spirituel et existentiel. C'est la raison pour laquelle Judas Halévi termine le *Couzari* par la déclaration du sage juif sur sa montée vers la terre d'Israël (Judas Halévi lui-même est venu en terre d'Israël, vers la fin de sa vie). De même, certaines traditions juives, relatent qu'après les événements racontés dans le Livre d'Esther, Mardoché lui aussi vint s'installer en terre d'Israël[25].

La spécificité de l'activité de Herzl n'est pas un soutien dans l'installation d'individus ou de groupes en terre d'Israël, mais sa vision visant à résoudre politiquement « le problème des Juifs ». Herzl refuse l'équation jusque-là admise : D'une part, l'existence de la Diaspora est une situation immuable et d'autre part, une solution fondamentale aux problèmes des Juifs ne se trouvera qu'à la fin des temps. Il ne mettait aucun espoir dans l'action si celle-ci n'était confinée qu'à elle-même et considérait la spiritualité en tant que telle comme dangereuse. Il préférait la combinaison de l'intention et de l'action, tout en veillant à respecter un rapport de force inégal entre les deux – le poids essentiel étant mis sur l'action sioniste, tandis que le traitement des affaires spirituelles fut intentionnellement relégué à plus tard. Herzl choisit le retour dans l'histoire et propose une solution pratique, politique, militaire et religieuse aux menaces pesant sur son peuple. En d'autre termes, ce qu'il y a de particulier dans la conception de Herzl est la mutation de l'identité « des Juifs » en « peuple juif », le renouvellement d'identité nationale du peuple d'Israël[26].

La création d'une organisation nationale dont l'objectif serait le retour du peuple juif en terre d'Israël, est le résultat de l'examen que fit Herzl des conditions de la politique et de la civilisation du monde moderne. Il comprit qu'il n'y avait plus de place pour des groupes se tenant en dehors de l'histoire – même s'il s'agit de groupes jouissant de la protection de tel dirigeant ou de

---

25. Michna, traité de Shekalim, XXCV, 41.
26. Sur la focalisation du principal courant du sionisme, sur une solution des problèmes pratiques, sur l'abstention (en général) de tout caractère messianique – ce qui donna la possibilité de collaborer avec d'autres idéologies (comme le socialisme), voir Amos Funkenstein, *Perceptions of Jewish History* (Los Angeles : University of California Press, 1993), p. 341-344. Sur Herzl, Nordau, Weizmann et autres ; et chez Jabotinsky par exemple : Shmuel Katz, *Lone Wolf* (New York : Barricade, 1996), vol. I, p. 170. Il est intéressant de noter à ce sujet les remarques de cinq rabbins, sortis rayonnants de leur rencontre avec Herzl, lors du premier congrès sioniste. À la question, s'ils étaient contents parce que Herzl leur a promis de respecter la cacherout (les lois alimentaires, N.D.T.) et le shabbat, ils répondirent : « Pas particulièrement. Ceci nous aurait beaucoup inquiétés. S'il était devenu pieux tout d'un coup et respectait la tradition, nous n'aurions pas pu nous joindre au mouvement, de crainte que nous ne devions l'accepter comme messie. Il vaut mieux que ce soit ainsi ». Dans : Amos Eylon, *Herzl*, p. 263.

tel chef historique. La culture aussi bien que l'État moderne ne permettent plus à des groupes ou à des communautés nationales d'exercer une véritable autonomie. C'est pourquoi, le peuple juif se doit d'établir son propre État, s'il ne veut s'anéantir en tant que peuple.

Il est important d'insister sur le fait que Herzl et les autres dirigeants du courant central du sionisme ne tentèrent pas de mettre la charrue avant les bœufs en formant d'abord une conscience ou une identité juive nouvelle, mais qu'ils considéraient tout d'abord leur mouvement comme un instrument de sauvetage du peuple, l'amendement spirituel de ce dernier ne venant que plus tard. Nombre d'entre eux désiraient élaborer une conscience totalement nouvelle, mais considéraient que la création d'un État et le processus de retour à Sion en était une condition préalable.

En diaspora, jusqu'à Herzl, le judaïsme évoluait sur une route étroite, entre le danger de « messianisme » et l'isolement volontaire dans l'étude, loin du monde. D'importants mouvements du judaïsme ont été accusés (très souvent, à raison) de trop glisser vers l'une de ces extrémités : le hassidisme, fondé par le Baal-Shem-Tov, tenta de réveiller la foi, mais fut plus d'une fois accusé (et l'est encore) de trop flirter avec le « messianisme ». Le mouvement d'opposition au hassidisme, [dénommé en hébreu par le seul terme « opposition », N.D.T.], fondé par le Gaon de Vilna, mit l'accent sur l'étude de la loi juive et fut souvent accusé (et l'est encore) de trop investir dans un culte sec et aliéné, ne laissant aucune place à la foi ou au sentiment.

La particularité du sionisme fut de rompre l'équation entre le fait de se trouver en dehors de l'histoire et l'existence en diaspora, par le retour des Juifs dans la réalité de la terre d'Israël et dans l'histoire, en tant que peuple. Dans le Livre d'Esther – qui plane quelque part en dehors de l'histoire – les Juifs, qui jusque-là avaient été le peuple d'Israël, apparaissent pour la première fois et ils sont déjà sur le point de se situer en dehors de l'histoire.

Le sionisme est une tentative de revenir dans l'histoire et la transposition d'une l'existence en tant que Juifs en existence de peuple – le peuple d'Israël – dans le pays d'Israël.

Connaissance et existence

Depuis le début du troisième retour à Sion, ses chances étaient hasardeuses, vu la tradition de la diaspora. Selon un aphorisme sioniste connu, « il est plus facile de faire sortir les Juifs de diaspora que de faire sortir la diaspora de l'esprit des Juifs »[27].

En parlant de la création « du nouveau Juif », qui serait coupé de l'expérience de la diaspora et au lieu de cela s'enracinerait à nouveau dans son pays, les dirigeants du sionisme voulaient en fait parler de « l'ancien Juif » du temps où il habitait à Sion, c'est-à-dire pas du Juif mais de l'Hébreu. Les Juifs qui sont nés dans un contexte de diaspora doivent, une fois revenus dans leur pays, devenir des Hébreux, comme il en ressort d'une série de décisions, que prit le nouveau *yichouv* dans le pays : la langue d'expression du pays ancien-nouveau, sera l'hébreu ancien-nouveau qui vainquit les langues juives (le yiddish) ou autres (l'allemand ou l'anglais) qui furent proposées ; les noms étrangers, souvent même des noms juifs, furent souvent abandonnés en faveur de noms hébreux de juges, de Rois ou de princes Asmonéens ; le nom de l'État qui fut créé ne fut pas Judas mais Israël.

Toutefois, ceux qui retournaient à présent à Sion savaient dès le début qu'il ne serait pas facile de transformer une conscience juive de diaspora en nouvelle conscience hébraïque. Ils craignaient de ce fait, non sans raison, que ces Juifs venus dans le pays, risquaient de créer non pas un peuple juif, mais une communauté juive supplémentaire, imprégnée de cet esprit de diaspora, qui bien que vivant à Sion ne s'y sentirait pas vraiment ancrée.

Le courant central du sionisme, dès Herzl et Nordau, considérait le retour à Sion comme un moyen et une condition préliminaire à la formation d'une nouvelle conscience et il prit ses distances par rapport aux dérives du mouvement vers des tendances romantiques, irrationnelles et messianiques qui y apparurent. L'objectif final était d'amender la conscience juive, qui selon les sionistes était en diaspora, mutilée et menacée. Cet amendement ne pouvait s'effectuer en diaspora, celle-ci étant la cause de la détérioration. Ce n'est qu'en s'installant en terre d'Israël, que le peuple d'Israël retrouvera sa vitalité et sa vocation et que pourra de ce fait, se construire une nouvelle conscience. Puisque cette nouvelle conscience s'élaborera en vivant dans le pays, on ne peut en présumer d'avance. Il faudra attendre que des générations de natifs du pays la développent. C'est dire que le sionisme classique se considérait bel et bien comme l'instrument d'une réhabilitation de l'existence hébraïque, condition préalable de cette conscience israélienne future.

Ce point de vue des dirigeants de la génération des fondateurs se basait sans doute surtout sur le fait que nombre d'entre eux étaient à ce point moulés dans l'existence juive et pétris de ses connaissances (même si, souvent, comme

---

27. Il faut également noter à ce sujet qu'il existe tout un courant juif de pensée anti-sioniste, aussi bien religieux que non-religieux, qui considère que le mal réside dans la tentative de sortir les Juifs de diaspora et de les attacher à la terre d'Israël. Ils considèrent que le sionisme s'oppose au judaïsme, car selon eux, celui-ci est un facteur meta-histoirque, qui tire sa puissance du fait qu'il n'est connecté à aucun pays, étant sans racines et « étranger » partout. Parmi ces penseurs, on compte des personnalités comme Franz Rosensweig, Herman Cohen et George Steiner. Voir par exemple Funkenstein, p. 248, 264, 291. Sur le mouvement de la réforme et sa volonté d'omettre la relation avec la terre d'Israël et le nationalisme juif de certaines prières, voir *ibid.* p. 222, 254-256.

c'était le cas pour Herzl, c'était surtout malgré eux) et que celles-ci étaient dans leur conscience si primordiales – même s'ils luttaient contre leurs aspects religieux – qu'ils avaient certainement du mal à imaginer que pourrait surgir une génération de natifs du pays, aliénée au judaïsme et même au pays où ils ont grandi.

Certains proposaient un parcours opposé. Ils pensaient que ce qui était nécessaire était tout d'abord un centre spirituel et non un abri matériel. Des gens comme Ahad-Haam et Martin Buber se démarquaient du caractère politique et matériel de la solution proposée par Herzl. Ils pensaient qu'il fallait commencer par « un renouvellement moral » et une renaissance de la culture nationale juive, avant d'entreprendre une action politique. L'importance de la formation d'une conscience juive et d'une culture juive était à leurs yeux une obligation devant précéder les efforts réels de construction du Foyer national. Se rangeaient aussi de leur côté des gens qui ne croyaient pas du tout que la terre d'Israël puisse devenir un Foyer national pour les masses juives, et qui ne l'envisageaient, même à long terme, que comme un centre spirituel[28].

Donc, parmi ceux qui prônaient de rétablir le lien avec la terre, il y avait deux courants : le courant central, qui prônait de renouveler le lien entre le destin du peuple juif et sa terre, qui voulait d'abord changer l'existence juive afin de favoriser l'existence d'une nouvelle-ancienne connaissance israélienne ; un courant secondaire, où se mêlaient sionistes et non-sionistes, voulant d'abord façonner une connaissance et une culture nouvelles pour les Juifs, avant de construire une nouvelle existence juive.

De facto, les partisans de la primauté d'un centre culturel ont perdu. L'installation de la population juive en terre d'Israël s'est faite selon le modèle préliminaire d'un abri matériel. On peut émettre des suppositions sur ce qui se serait passé si la deuxième attitude avait prévalu. Dans ces conditions, l'État serait-il né ? Il me semble qu'en fait il n'y avait pas d'autre voie que celle qu'emprunta le mouvement sioniste : Les Juifs d'Europe de l'Est et plus particulièrement les jeunes, constituaient la principale réserve humaine du sionisme. La majorité d'entre eux, sous l'influence du socialisme, avaient à l'époque des tendances activistes. Il est difficile d'imaginer une voie différente qui les aurait attachés à la lutte nationale.

On prétend ces derniers temps qu'au sein du mouvement sioniste-socialiste tout entier, les dirigeants sionistes n'avaient fait qu'utiliser de manière manipulatrice et orientée, des concepts socialistes, pour obtenir le soutien de la majorité du peuple juif à des objectifs nationaux et aux efforts exigés pour établir un État juif. Ceux qui s'identifient avant tout au socialisme voient là évidemment un phénomène blâmable, mais pour ceux pour qui le sionisme

---

28. Par exemple, Eylon, *ibid.*, p. 385-386 et : Funkenstein, *ibid.* p. 342-343.

prime, la façon d'agir de Ben-Gourion et de ses pairs semble justement très louable, avec le recul historique [29].

Il est indéniable que de toute façon, la réalité du repeuplement de la terre d'Israël a complètement changé (et change encore) progressivement la conscience juive, non seulement dans le pays, mais dans le monde entier. Des langues « juives » comme le yiddish ou le ladino disparaissent et l'hébreu renaît ; la communauté vivant en terre d'Israël grandit constamment alors que les autres sont tôt ou tard, en danger de disparition physique ou spirituelle. C'est ainsi que l'État d'Israël, dont la langue est l'hébreu, est devenu pour le monde entier, le centre de la pratique juive – il remplace la communauté et en est sa prolongation pour la priorité de l'identité du peuple juif.

De nos jours, l'expression sans doute la plus probante de réussite, pour ce qui est du changement de conscience du peuple, se trouve chez ceux qui pendant longtemps furent réticents à l'effort sioniste – les ultra-orthodoxes. L'engagement croissant, ces dernières années, dans le destin du pays et de l'État, d'une grande partie de la communauté ultra-orthodoxe, est un signe non-équivoque de la modification de conscience que subit cette partie de la population. Ce changement est la conséquence de la mutation historique que suscita le sionisme dans l'existence juive. Si fait que le judaïsme ultra-orthodoxe se retrouve maintenant, dans une grande mesure malgré lui, de plus en plus absorbé par l'histoire.

Cependant, les conséquences de la lutte contre la mentalité de diaspora n'ont pas été sans équivoques. Même s'il y eut nombre de succès pour ce qui est de l'élaboration du creuset social d'une société à identité et identification israéliennes, il s'avère que la lutte exagérée contre la tradition, qui souvent se para d'un enthousiasme socialiste, entraîna aussi, chez certaines parties de la population israélienne, une aliénation et une séparation exagérées par rapport à son passé proche, sans que se soit suffisamment établi de lien avec son passé lointain.

Il semble que de nombreux dirigeants de la première génération étaient conscients de ces problèmes, mais pensaient sans doute que, vu les condi-

---

29. Par exemple : Zéev Sternhell, « Chers amis, il est temps de surmonter » (en hébreu), *Supplément du Haaretz*, 7.7.95, p. 45-46 ; et également : Zéev Sternhell, *Construction d'une nation ou réforme de la société ?* [en hébreu] (Tel Aviv, Am Oved, 1995). On peut voir un exemple passionnant venant de la direction opposée, pro-sioniste, de la primauté de l'identité juive chez les dirigeants « socialistes » du *yichouv*, dans une histoire qu'on racontait dans les années quarante dans ces milieux, sur Enzo Sireni, fondateur du kibboutz Guivat Brener et éminent dirigeant sioniste-socialiste. Sireni rencontra un jour l'écrivain Shlomo Grodzenski et lui demanda : « Que ferais-tu si le sionisme échouait ? Te tournerais-tu vers l'Agoudat Yisrael ou vers le communisme ? » L'écrivain répondit sans hésitation : « Vers l'Agoudat Yisrael, bien entendu. Sireni (dont le frère était un chef communiste en Italie) tapa sur l'épaule de Grodzenski et dit : « Maintenant, je sais que tu es sioniste ! » Shmuel Dotan, *Rouges* (Kfar-Saba, XXX, 1991), p. 348.

tions du temps et du lieu, il n'y avait pas le choix. De toute façon, ils estimaient que le temps et surtout le fait d'habiter à Sion, agiraient et que tôt ou tard, la nouvelle réalité en terre d'Israël façonnerait la conscience. Ben-Gourion a clairement exprimé ce point de vue, en évitant délibérément, quand il fut au pouvoir, de trop définir le caractère de l'État d'Israël ou ses lois – parce qu'il pensait que ceux-ci ne se détermineraient qu'à terme, quand se stabiliseront les frontières et les composantes de la population.

Il jugeait qu'il ne serait pas pratique ni valable de façonner la nouvelle conscience israélienne, tant que la réalité géographique et démographique n'était pas formée. Depuis sa création, l'État d'Israël a toujours vécu dans l'attente de vagues d'immigration et de changements territoriaux à venir – et ceux-ci advinrent effectivement.

Il faut toutefois se demander pourquoi jusqu'à ce jour, en dépit des changements considérables intervenus dans l'existence juive et israélienne, la conscience que certaines parties de la population en Israël ont d'elles-mêmes, est aliénée et divisée. Pourquoi Israël se trouve-t-il dans une situation où certains – et peut-être sont-ils la majorité – affirment que la phase du chemin à suivre et de l'attente est arrivée à terme, que l'existence israélienne ne fait qu'un avec sa conscience et que le temps est venu de dire : nous avons agi, essayons maintenant de comprendre.

Sacré et profane

Le grand poète italien, Dante Alighieri, ouvre sa *Divine Comédie* par une description de l'égarement : « Au milieu de la vie, je me suis trouvé dans une forêt sombre, loin du droit chemin »[30]. Cette phrase décrit assez bien le sentiment d'égarement dans lequel est plongée depuis quelques années, la population d'Israël. Les mesures politiques et surtout la signification qui leur est conférée, concernant le caractère de l'existence et de la conscience israélienne à long terme, suscitent chez beaucoup – qui ne sont pas à proprement parler des opposants à ces mesures – des angoisses quant à l'avenir. L'origine de cette sensation est le mode particulier dans lequel aujourd'hui se mêlent l'existence et la conscience israélienne.

La question du caractère de la conscience juive en Israël est assez problématique. D'une part, il semble qu'il existe chez une grande partie de la population, une existence et une identité juive de base. Aucune communauté juive dans le monde n'a et sans doute n'a jamais eu, autant d'attaches évidentes

---

30. Dante Alighieri, *La Divine Comédie* (1320 approximativement) I, 1-3.

aux attributs juifs et à l'histoire juive – qu'il s'agisse du calendrier juif, de l'action quotidienne ou des menaces et des chances existentielles.

D'autre part, il existe diverses manifestations prouvant un éloignement et même une aliénation, par rapport aux traditions et aux symboles culturels : une animosité grandissante envers les instances rabbiniques, englobant tous les cadres religieux, une ignorance flagrante de concepts et de sujets en rapport avec l'histoire juive et surtout un éloignement croissant du sentiment existentiel de communauté de destin avec la partie d'Israël vivant en diaspora et un sentiment d'indifférence de plus en plus fort par rapport aux territoires sur lesquels il existe une controverse. Les raisons de cet état sont des plus complexes. On y distingue cependant deux tendances principales, découlant de la même origine connue, qui est la volonté de sauter les étapes pour atteindre directement le verger.

La première tendance, qui accorde un grand poids aux traditions culturelles de diaspora, qu'elles soient juives ou autres, est la réapparition avec d'autant plus de vigueur, dans certains secteurs de la population, de l'espérance messianique directe, de la nostalgie d'une « vraie » essence, supprimant les atermoiements du chemin à suivre, qui lui, paraît éreintant et étroit.

Pendant toute l'entreprise sioniste, malgré la supériorité de l'aspect pratique que nous avons déjà exposé, il existe un courant rhétorique fort et continu – sans doute manipulateur dans une certaine mesure – portant au pinacle des idéaux ou une spiritualité (par exemple, l'élaboration du mythe autour du personnage de A.D. Gordon), devant servir à apporter un réconfort moral pour affronter les difficultés du chemin.

Selon les dirigeants sionistes traditionnels, il y avait une nette différence entre l'action, qui elle est fondamentale et la rhétorique, belle mais dénuée d'importance. Ils définissaient ces deux pôles comme « la loi orale » et « la loi écrite ». De cette manière, on pouvait officiellement et publiquement faire toutes sortes de grandes déclarations « écrites » – comme le plan Alon, de conception minimaliste – mais ce qui déterminait vraiment, était « la loi orale » – l'établissement de faits sur le terrain – la réalisation des intérêts sionistes.

Mais quand ces dernières années, apparut un relâchement dans la nécessité de se mesurer à des besoins pratiques brûlants – comme la construction de l'État ou des guerres pour l'existence – les affaires de l'esprit commencèrent peu à peu à être considérées comme l'essentiel, annulant de plus en plus la valeur des choses pratiques. Les nouvelles générations de dirigeants israéliens ont oublié « la loi orale » et de là, il était naturel que « la loi écrite » également leur semble déficiente et incompréhensible. Ainsi par exemple, « le nouvel homme » que voulait créer le sionisme était en fait un homme nouveau ancien, lié au rêve de restaurer l'antique personnage de l'Hébreu. Mais en même temps, le concept était implicitement lié (intentionnellement) à la symbolique socialiste, mobilisée pour promouvoir l'effort sioniste. Il n'est pas étonnant qu'une fois écarté l'aspect pratique du chemin sioniste, nombreux furent ceux qui pensèrent que le nouvel Israélien devait être l'annulation de tout ce qui est ancien, la réalisation de l'indomptable idée messianique – quelqu'un pour qui les choses matérielles seraient secondaires par rapport à l'essence, l'idéal pur, la paix sacrée.

La deuxième tendance résulte directement de la réalité israélienne imparfaite. Celle-ci en effet a modelé la conscience telle qu'elle existe aujourd'hui. Mais il s'agit d'une réalité israélienne tronquée. C'est la réalité de villes maritimes comme Ashkelon ou Hedera, détachée pratiquement ou émotionnellement de Hébron ou d'autres localités du cœur du pays, réalité s'éloignant toujours davantage de tout lien pratique ou émotionnel avec le destin du peuple d'Israël vivant en dehors du pays. En effet, si l'homme est comme l'a dit le poète Tchernichovsky, « le moule du paysage de sa patrie », sa conscience elle aussi, s'est moulée dans ce même paysage [31].

La patrie, dans la conscience israélienne d'aujourd'hui, est un lieu comme Afoula, Raanana ou Rehovot, une ville de quotidienneté israélienne, dont la réalité est faite de fondements tels qu'un spectacle du chanteur Avihou Medina, une librairie Stematsky [32], une succursale de la chaîne de *fast food* Burger-Ranch, une grève de sans logis près de la mairie, deux villages agricoles et deux kibboutzim voisins, dont l'un est en difficulté financière.

Ces expériences si connues sont beaucoup plus près de la réalité israélienne que le tombeau de Rachel, situé quelque part dans la conscience (et encore pas toujours). C'est pourquoi, l'Israélien ne peut s'imaginer que Afoula ou Hedera ne fassent plus partie d'Israël, mais dans son esprit, il n'en est pas du tout de même pour Hébron ou Shavei Shomron. C'est pourquoi, il a de plus en plus de difficulté à s'imaginer avoir une responsabilité pratique envers ses compatriotes habitant à Buenos Aires, New York ou Paris ou à

---

31. « L'homme n'est que le moule du paysage de sa patrie », dans : Tchernichovsky, *Morceaux choisis de Shaoul Tchernichovsky* (Tel Aviv : Dvir, 1965), p. 28. Tchernichovsky est souvent considéré comme un poète « hellénisant » à cause de ses expressions de réticence par rapport au monde rabbinique, dont la plus marquante est certainement : «… Et ils l'attacheront avec les bandes des phylactères… » dans le poème « Devant la statue d'Apollon » (tous les poèmes et extraits sont de ce livre). Je pense cependant que sa principale caractéristique est d'être le représentant d'un courant en quête du Juif ancien-nouveau, lassé de ce qui lui paraissait « une agonie pour des générations » en diaspora et à la recherche de la nouveauté de l'esthétique et du caractère juif biblique des « dieux conquérant en tempête le pays de Canaan » et de l'amour du pays. Parallèlement, il garde un lien et ne cache pas son amour pour le monde du judaïsme traditionnel et de ses symboles, comme cela s'exprime par exemple dans « La Porte du loup » ou « Les Trois ânesses ». Donc, son propos littéraire et culturel se situe dans un contexte évident de conscience juive.

32. Avihou Medina est un chanteur-compositeur populaire oriental. Les magasins Stematsky sont la plus grande chaîne de librairies du pays – NdT.

considérer qu'ils ont une responsabilité pratique par rapport à ce qui se passe dans le pays.

Maintes parts du nouvel établissement juif ne se sont pas encore moulées dans la réalité israélienne – ou peut-être faut-il dire dans l'expérience israélienne. Ce sont celles qui sont les plus éloignées de la conscience publique. Celle-ci affirme un soutien bien plus grand à la pérennité de nouvelles implantations comme Ariel ou Katsrin, qui ont d'ores et déjà l'aspect de villes israéliennes connues, qu'à des lieux comme Shilo ou Bethléem, malgré leur incontestable valeur historique et symbolique. Même par rapport à Jérusalem, depuis toujours la prunelle du peuple d'Israël, se font à présent entendre des voix, demandant de l'extirper des cœurs et de la découper, selon la ligne de partage des quartiers juifs en son sein.

Il s'avère que la majorité de la population israélienne ressent si un morceau de terre fait partie de son existence, non pas, d'abord, en vertu de ses lieux saints, mais à cause des choses quotidiennes qui lui sont proches. Les lieux saints et ceux qui se battent pour eux, semblent à tel point déconnectés, qu'ils deviennent très souvent la cible d'une animosité et d'un mépris, alors que la quotidienneté d'Afoula ou de Hedera et la menace qui pèse sur ces localités, sont source d'identification. De même, l'affaiblissement des liens pratiques avec les Juifs de diaspora et des soucis existentiels à leur égard, contribue à un relâchement de la conscience d'unité de destin du peuple d'Israël. Dans le passé, ces liens se nourrissaient surtout de facteurs comme le souci israélien pour des Juifs en danger – des exemples de cet ordre furent l'exigence d'ouvrir les portes de l'immigration aux juifs d'Union soviétique et l'immigration des Juifs d'Ethiopie par plusieurs opérations de grande échelle – de même que la disponibilité de la part des communautés du monde à se mobiliser pour assurer un soutien pratique aux objectifs du mouvement sioniste ou de l'État d'Israël – de tels exemples sont l'aide politique afin que l'ONU accepte l'établissement d'un État juif en 1947 – et la mobilisation financière pour le financement de l'intégration de grandes vagues d'immigration. La disparition presque absolue de communautés juives en danger de disparition physique, l'extinction des attentes quant à une immigration significative dans le futur et l'éloignement de nombreux soucis quotidiens des Israéliens de ceux de leurs frères en diaspora – rongent maintenant le sentiment de vitalité du lien avec les Juifs du monde et contribuent à l'affaiblissement de la conscience d'unité de destin du peuple juif. Le modèle d'action sioniste classique pour emporter la lutte sur la terre s'avère encore juste – et construire des maisons est, pour la majorité des Israéliens, une voie décisive pour s'attacher à leur pays et à leur nation.

Donc, les deux tendances décrites plus haut, affaiblissent le lien des Israéliens à leur peuple et à leur pays. La première s'exprime dans le sentiment que l'action (sioniste) est dépassée et qu'il est temps que s'accomplisse l'homme nouveau israélien et la deuxième la complète, en définissant ce nouvel homme comme le moule du paysage du pays d'aujourd'hui, le temps des actes qui ont transformé ce paysage étant révolu. Les deux tendances se rejoignent en un sentiment largement partagé que l'ère du chemin et du profane est achevée : nous sommes arrivés au bout de nos peines, et nous pouvons à présent nous consacrer à l'essentiel, c'est-à-dire au sacré. Toutefois, il s'agit d'une essence découlant d'une réalité tronquée, où la semaine se termine le mardi (le troisième jour – duquel il est dit deux fois qu'il est bon) et est venu le temps du Shabbat.

On remarquera que même si au sommet de la société israélienne, certains ont subi une transformation totale et ont adopté la nouvelle foi, la majorité des Israéliens – même quand elle soutient des mesures politiques sans précédents – n'accepte pas encore facilement ce raccourci. Certains dirigeants politiques n'ont que mépris pour la signification de sites historiques ou religieux et se permettent même de prendre des mesures lourdes de conséquences, au nom du peuple d'Israël tout entier, sans prendre du tout conseil de ceux qui ne vivent pas à Sion. De même, des pontes de l'establishment culturel et universitaire en arrivent à présenter tout lien au territoire comme fétichiste ou fasciste [33]. Toutefois, le public hésite et oscille, il se sent perdu devant l'intention déclarée de le couper du cœur de son pays et du reste de son peuple, devant la volonté de changer le chemin historique emprunté ces cent dernières années et de le remplacer par un autre.

Malgré l'échec de la plupart des dirigeants politiques, sociaux, ou culturels – et cet échec et son ampleur mériteraient une réflexion à part – le peuple d'Israël ne se laisse pas entraîner facilement par la promesse de sauter les étapes ou celle d'un « nouveau Moyen-Orient ». Il considère même ce genre de propos comme des expressions d'illusions messianiques. Il n'est pas étonnant que certains dirigeants ressentent le besoin de convaincre que leur action n'est pas l'expression d'un tel messianisme, comme le fit le premier ministre Yitshak Rabin, s'exprimant sur sa politique, quelques mois avant sa mort : «... Je suis convaincu que ce que nous faisons reflète le véritable sionisme et non le sionisme messianique » [34].

---

33. Exemple, le mépris de Shulamit Aloni envers Jéricho, « la ville de Rahav, la prostituée, et les propos de Aharon Meged sur la haine de soi grandissante chez les écrivains et les historiens. Dans : *Supplément de Haaretz*, 10.6.94. et également dans : Hillel Halkin, « Israel Against Itself », in : *Commentary*, November 1994, p. 34-35.

34. *Yediot Aharonot*, 31.7.95. Sur une tentative ressemblante de la part de Shimon Pérès, voir : son article : « Même si ce n'est pas un raccourci, nous nous en contenterons » (en hébreu), *Haaretz*, 3.4.96.

Bien entendu, les gens ne peuvent pas continuellement résister à un lavage de cerveau continu de la part de leurs dirigeants. Cependant, jusqu'à présent, la résistance populaire à ce phénomène est étonnante. Les Israéliens ont toujours un sentiment d'appartenance à leur pays et surtout à ces régions – comme le Golan et la Samarie de l'ouest – où s'est fondée une réalité israélienne connue. Ils ont encore le sentiment de leur identité en tant que peuple d'Israël, qui s'oppose à ceux qui veulent créer une nouvelle identité civile, amputée de tout lien avec les Juifs de diaspora. Il semble que si l'occasion se présentait d'incorporer les régions du pays sur lesquelles il y a un contentieux et les parties du peuple qui ne sont pas encore avec nous, à la réalité israélienne, les Israéliens prouveraient encore qu'ils sont prêts à se les attacher. Telle chose se produisit déjà dans le passé, quand les dirigeants, oubliant le bon chemin, c'est le peuple qui le lui rappela, comme il est dit dans le Talmud : «... Laissez Israël, s'ils ne sont pas prophètes, ils sont fils de prophètes » [35].

La réalité dépasse la fiction

Sur le chemin de Damas, Saül de Tarse eut une vision messianique mystique, à la suite de laquelle il commença à croire dans le nouveau Testament, qui changeait l'ordre des choses dans le monde et annulait ce qui existait jusque là. C'est ainsi qu'au lieu du Juif qu'il avait été (qui poursuivait les disciples de Jésus), il devint chrétien. Depuis, « le chemin de Damas » est devenu l'appellation traditionnelle de la révélation d'une vision directe s'ensuivant d'une conversion subite et extrême, d'une voie ancienne vers une nouvelle foi [36].

Aujourd'hui, le chemin de Damas, aux deux sens du mot, passe par Oslo et représente le moment de choix décisif qui marquera l'avenir d'Israël. Il nous faut insister sur ce point : le principal processus politique dans lequel se débat maintenant Israël, n'est pas tel ou tel accord territorial ou sécuritaire – mais les effets découlant d'une décision beaucoup plus profonde. L'essentiel est dans la vision messianique que le processus recouvre et selon laquelle, ce n'est pas le chemin à suivre mais la foi, qui doit se trouver au centre de notre existence, selon le point de vue de l'architecte du processus, l'ancien Premier ministre Shimon Pérès : « ... Pour moi, dit-il, le judaïsme est au-dessus de toute croyance, et prime même la religion [37]... »

---

35. Talmud de Babylonie, traité Pessahim, CXVI : a.

36. Nouveau Testament, Actes des Apôtres IX : 1-6. Voir aussi : «Comme tout homme repentant ayant été éclairé par la grâce, Rabin s'enthousiasma pour une croyance qu'il avait toujours combattue », *Haaretz*, 18.8.95.

37. Shimon Pérès, dans l'émission télévisée : *Rubrique hebdomadaire*, chaîne 33 de la télévision israélienne, 28 avril 1995.

Même si dans ce processus politique, la conception du raccourci a une importance primordiale – et est partagée par la plupart des dirigeants politiques et culturels – l'explication de l'insupportable légèreté qui fit qu'on ne mit aucun frein au principe d'une paix messianique, tient dans le caractère de la réalité israélienne d'aujourd'hui. Celle-ci est devenue pour nombre de gens, l'objectif en soi, l'étape terminale.

La réalité est qu'une partie seulement du peuple juif habite dans son pays et une partie infime et marginale de celui-ci habite le cœur de la patrie ; la réalité est que de grandes parties de la population n'ont aucune affinité significative – qu'elle soit d'ordre géographique, politique ou culturel – avec le judaïsme ; la réalité est que ne s'annonce aucun espoir d'immigration importante en provenance de pays riches – où habitent la majorité des Juifs aujourd'hui. Il est naturel dans de telles circonstances, que la majorité des citoyens ne veuille pas lutter pour conserver le cœur de son pays, que l'élite culturelle soit indifférente à l'histoire juive et accepte que la majorité du peuple juif reste en dehors du pays.

La majorité du peuple juif, en Israël et dans le monde, bien qu'elle ne soit pas enthousiaste pour ce processus, l'accepte cependant parce qu'il lui semble s'accorder avec la réalité israélienne. Même parmi les religieux ou les ultra-orthodoxes, qui sont traditionnellement plus attachés au symbolisme du lien avec la terre, nombreux sont ceux qui seraient prêts, d'une façon ou d'une autre, à accepter une telle mesure, du fait de ce qu'ils considèrent comme une conscience de la réalité.

Plus étonnant encore, est le bouleversement qui s'empara de ceux qui étaient justement supposés diriger l'opposition à cette tendance. Une bonne partie de ces dirigeants étaient eux-mêmes imprégnés de nombre de concepts, de points de vue et de symboles, qui inspiraient les initiateurs du processus. Tant pendant les mois d'illusion qui suivirent les accords d'Oslo, que pendant les jours d'agitation politique où Ehud Barak était Premier ministre, rares furent ceux qui ne se laissèrent pas aller au désespoir ambiant, et il était courant d'entendre des propos chimériques sur la situation d'impasse ou le manque d'espoir de continuer la lutte. C'est la raison pour laquelle, dans de telles circonstances de perte de contrôle et de désarroi, ne s'érigea pas, pour s'opposer au processus, de leadership décidé, si bien que la réticence générale – en l'absence d'un tel leadership – ne pouvait avoir de grande influence.

Soudain il s'avérait que tout ce qui primait depuis toujours dans la conscience du peuple d'Israël, s'était évanoui en un clin d'œil. Quatre mille ans de lien avec la terre, deux mille ans de nostalgie de retour à Sion, cent ans d'histoire sioniste, tout cela subitement n'était plus rien et il semblait que le seul et unique obstacle important à un retrait total et rapide, était – et est encore – l'état de l'implantation de la population juive au cœur de la terre d'Israël.

Ce ne sont pas des valeurs, des principes ou des conceptions qui empê-
chaient pour l'instant le retrait, mais la difficulté quotidienne, petite et marginale de choses matérielles visibles : des maisons, des enfants, des dunams et
des chèvres. La difficulté – d'ordre pratique – d'évacuer des implantations
eut sur le gouvernement de gauche des effets surprenants. Là où il y avait des
juifs, même en plein cœur de la bande de Gaza, il y a toujours une présence
israélienne.

Mais il s'agit là d'un obstacle inexplicable, et il est probable que tôt ou
tard tel ou tel gouvernement essayera d'évacuer des implantations. On ne sait
pas si on commencera par Netsarim ou par Hébron, mais ce qui est important ici est de comprendre que cette réalité matérielle – les difficultés qu'im-
pliquera tout démantèlement – constitue le seul obstacle face à l'enthousiasme
de la foi. Cet état d'esprit amena même des partisans à la création d'un État
palestinien, comme l'ancien ministre gauchiste Yossi Sarid, à présenter au
gouvernement une carte d'accord de paix, où la région de Gouch Etsion et la
Samarie de l'ouest restent sous domination israélienne.

Donc, malgré l'impuissance des opposants devant le processus et l'enthousiasme messianique de ses exécutants, restait une difficulté de taille, celle
d'imposer à la réalité des conditions imaginaires. Il est évident qu'il existe des
moyens de changer une telle réalité – comme de ronger les localités juives du
cœur du pays et de les étouffer – mais le recours à ces moyens ne fait que prouver une fois de plus que ce sont les actes qui trancheront et non les intentions.

Cette difficulté permet de souligner comment on peut revenir au droit
chemin. Des mesures sont nécessaires pour assurer le lien pratique du peuple
d'Israël tout entier avec sa terre. On en proposera deux, parmi plusieurs possibilités. Une première démarche serait de renouveler un véritable lien institutionnel de toutes les parties du peuple d'Israël avec son État. Le lien qui
existait officiellement avant la création de l'État, par le biais des institutions
du mouvement sioniste et de l'Agence juive, ne fut pas remplacé institu-
tionnellement depuis qu'existe un gouvernement israélien. C'est pourquoi,
ce lien devint progressivement plus occasionnel et ponctuel, dépendant surtout
des anciennes institutions qui dans le meilleur des cas, n'ont qu'un vague
rapport avec la vie de la plupart des Israéliens. La création d'une institution
officielle l'État – comme par exemple une chambre haute législative – où
seraient représentés les intérêts de l'ensemble d'Israël, dans le pays et à l'étranger et qui serait partie intégrante du système de gouvernement constituerait
une voie de liaison courante, profonde et pratique entre le peuple d'Israël et
la réalité, au sein de son État. Des problèmes comme la composition ou les
prérogatives d'une telle institution, seraient sans doute encore à définir, mais
les conséquences de la création d'une telle institution sur la réalité israélienne
seraient indéniables. Une deuxième mesure serait de faire un nouvel effort

pour d'augmenter le nombre d'Israéliens habitant au cœur du pays. Des centaines de milliers d'habitants en deçà de la ligne verte rendent déjà maintenant très difficile, un retrait du cœur du pays. Tout accroissement de population, le rendrait progressivement impossible. Il ne s'agit pas ici de l'impact qu'aurait une poussée numérique (bien que celle-ci eût également son poids), mais tout d'abord de la signification qu'impliquerait le fait que ces lieux deviennent partie intégrante de la réalité israélienne. Quand, grâce au Burger-ranch ou à la grève en face de la municipalité, Hébron sera comme Affoula ou Hedera, il sera «inconcevable» de l'éliminer de notre vie.

Dans une réalité où Israel serait doté d'une chambre législative haute, représentant l'ensemble du peuple et où il y aurait également un peuplement massif du cœur du pays, les conséquences seraient plus significatives encore que celles qu'engendra la chute de Paul de Tarse sur le chemin de Damas. Ainsi, commencerait à s'élaborer sur une grande échelle, une conscience israélienne. Une réalité si forte refaçonnerait l'imaginaire collectif d'Israël, de manière encore inimaginable.

Raccourci et droit chemin

Nous pouvons constater aujourd'hui le rapport négatif du lien obligatoire entre la forme des choses et leur contenu, quand une réalité abîmée produit une conscience altérée. Pour parer à cette situation, il faut tout d'abord renoncer à sauter les étapes, selon les paroles du sage chinois Kong-Kiu (Confucius) : «Qui peut sortir sans passer par la porte ? Comment peut-on marcher sans prendre ce chemin [38] ?» Il existe un chemin incontournable qu'il faut emprunter pour atteindre le verger – il faut justement façonner les choses, afin qu'elles soient investies d'un sens.

Ceci n'est pas seulement une réponse à un problème brûlant actuel. Bien qu'étant également juste à l'heure actuelle, son importance primordiale vient du fait qu'elle se mesure à la question posée en début de ce propos, sur la nature du lien entre le contenu et la forme : il existe un lien essentiel et significatif entre la forme des choses et leur sens ; on ne peut donner n'importe quelle version aux choses ; il faut trouver le juste rapport entre l'action et l'intention ; d'autre part, l'ordre des choses et leur mesure ont aussi leur importance – la forme précède le contenu et l'action pèse plus que l'intention. En d'autres termes, le vrai chemin rassemble l'intention et l'acte, mais évalue toujours le politique et le matériel en fonction du spirituel abstrait. Comme le disait Shamaï : «Parle peu et agis beaucoup [39]... »

---

38. Confucius, *Paroles* (vᵉ siècle avant l'ère chrétienne), Livre VI, parole 15.

Ainsi, de même que le deuxième accord de paix, tombé dans l'oubli, que signa l'État d'Israël avec un pays arabe – le Liban, en 1982 – ne valait pas le papier sur lequel il fut écrit, car lui manquait le lien avec la réalité, cette année-là, échoua également la tentative d'arrêter le retrait des localités juives du Sinaï, car celles-ci étaient devenues marginales pour l'existence du peuple d'Israël. Dans une réalité où il n'y avait que peu de localités et peu d'habitants juifs, le Sinaï était devenu un endroit secondaire pour la conscience israélienne – un lieu de vacances, éloigné. Dans un tel contexte de marginalité d'existence et de conscience, il n'était pas possible d'empêcher d'y renoncer, comme le dit l'un des opposants, le député Hanan Porat, peu de temps après la destruction des localités de la région de Yamit – « Il n'y a pas de raccourci » [40].

Par conséquent, l'avenir d'Israël se trouve dans la réponse pratique que notre génération donnera à deux questions, liées l'une à l'autre : Qu'est-ce que le peuple d'Israël et qu'est-ce que la terre d'Israël. Il ne s'agit pas de réponses de principe, absolues, à ces questions, mais de la forme pratique qu'elles revêtiront de nos jours : quelle partie du peuple d'Israël participera au peuplement du pays et en fixera la destinée et est-ce que les Israéliens n'habiteront que dans les limites de la ligne verte ou également dans d'autres régions du pays ?

La façon dont nous affronterons ces deux questions déterminera notre existence pour les générations à venir. Il est aisé de voir que la carte de l'existence géographique des Israéliens influence leur conscience. Dès aujourd'hui, ce qui se passe à Césarée ou à Ashkelon est beaucoup plus proche de cette conscience, que les Juifs de diaspora ou les communautés du cœur du pays et se dessine dans cette conscience une coupure par rapport au pays, au peuple, au passé. Si les communautés du peuple juif en diaspora, tout comme Hébron et Shilo deviennent de façon constante, des lieux éloignés, leur voix ne se fera plus entendre. Alors, des lieux comme Césarée et Ashkelon s'établiront en tant que seuls centres israéliens d'existence, et on acceptera tout naturellement la coupure de conscience par rapport à l'histoire juive. Plus grave encore, ceci entraînera simultanément un affaiblissement du lien des Israéliens habitant le pays avec leurs compatriotes de l'étranger – et ne se fera plus ressentir la rentabilité ou le besoin d'une immigration significative, puisqu'il n'y aura plus de pays à peupler. Donc, ce serait là l'acceptation d'une situation où en une génération, l'assimilation réduirait de moitié, le nombre de Juifs dans le monde.

---

39. Michna, *Traité des Principes*, I, 15.
40. *Nekouda*, 21.5.82.

Par opposition à ceci, un lien véritable, concret et institutionnel de toutes les parties du peuple d'Israël avec son État, ainsi qu'un effort considérable dans les domaines du peuplement et de l'immigration, créeraient dans le pays une réalité qui ne pourrait que contribuer à établir une conscience des choses totalement différente de celle qui a cours aujourd'hui. Une terre d'Israël tronquée et une immense diaspora en voie d'assimilation, engendrent une conscience radicalement opposée à celle que créerait un pays indivisible dont ferait partie la majorité du peuple d'Israël.

En d'autres termes, les errements idéologiques et la perte de valeurs ne sont pas aujourd'hui la source des problèmes d'Israël, mais le résultat de la réalité dans laquelle nous vivons. Toute tentative en vue d'établir à l'avance, une conscience idéologique nouvelle, sans base aucune, est vouée à l'échec si le contenu de cette conscience ne s'accorde pas avec l'aspect que prendront le peuple et le pays. Anticiper l'action permettra à notre nouvelle forme de vie de se donner un contenu, qui sera le commencement de la formation d'une nouvelle conscience.

Il n'y a donc pas d'autre choix que de repousser pour l'instant toute initiative visant à établir les lignes d'un programme imaginaire. Il est impératif de se concentrer sur les maisons, d'accélérer la métamorphose de l'aspect du pays et de tenter d'établir une nouvelle conscience. Comme il est dit : «... le savoir-vivre passe avant la loi » [41].

---

41. Vayikra Rabba IX, 3.

Sionisme et post-sionisme en Israël
Contexte historique et idéologique*

Shlomo ARONSON

L A SIGNIFICATION DU POST-SIONISME est la négation du nationalisme juif, la suppression de son lien avec Israël ou l'émission d'un doute profond quant à leur légitimation. Les plus extrémistes parmi les post-sionistes considèrent que le sionisme est le fruit d'une naissance coupable, qu'il s'agit d'un phénomène qui a fait son temps et qui n'a aucun avenir devant lui. D'autres proposent différents correctifs au sionisme historique, entre autres l'exigence toujours répétée de se dégager du mal inhérent au judaïsme, en particulier de sa prétention à l'élection, symbolisée par le verset : «Tu nous as choisis». En d'autres termes, selon ces post-sionistes, le sionisme a échoué à fomenter une véritable révolution du mode de vie et de l'essence de la civilisation religieuse particulariste et problématique. D'après eux, Israël doit maintenant évoluer et devenir un État libéral, rationnel, éclairé, comme l'est devenue la France ou toute autre société multinationale ou «multiculturelle». D'autres poussent encore plus loin et vont jusqu'à imaginer une société dans laquelle le nationalisme juif, qui selon eux n'a aucun avenir, serait éradiqué, dissipé dans l'immensité arabe. Ceci est une thèse géopolitique, s'appuyant sur des hypothèses idéologiques et culturelles.

Parmi les arguments idéologiques et culturels, une thèse des plus populaires prétend que le sionisme ne serait qu'une forme de colonialisme européen qui se serait appuyé sur les intérêts de l'impérialisme anglais. On accuse

(*) Cet article est basé sur deux articles précédents : «le «post-sionisme» et la tradition antisémite en Occident» et «Sionisme et post-sionisme, contexte historique et idéologique» qui parurent conjointement dans : *Sionisme, débat contemporain* et dans : *Cent ans d'historiographie sioniste*. Nous tenons à remercier la direction du Centre de Promotion du Patrimoine de Ben-Gourion, l'Institut Haïm Weizmann de recherche sur le sionisme, l'université de Tel Aviv, les éditions de l'Université Ben-Gourion, le Centre Zalman Shazar et la rédaction de *Études sur la renaissance d'Israël*, pour nous avoir permis d'utiliser ces articles.

également le sionisme de n'être qu'un vulgaire nationalisme, habillé à l'époque en socialisme et qui maintenant, se serait transformé en société capitaliste pathologique. Ses maux viendraient de ses origines nationalistes dont le couronnement obligatoire fut la conquête de 1967 et ses conséquences.

Ces arguments ne sont pas nouveaux. Ils ont été avancés dès la naissance du sionisme et l'ont toujours accompagné. Aujourd'hui, ils sont adaptés au langage et aux conditions de notre époque. Nous allons tenter d'examiner dans cet article, dans quelle mesure il s'agit d'une critique historique du judaïsme *per se,* qui aurait évolué et s'applique maintenant au sionisme. En Israël, il s'agit d'un symptôme auquel participent des hommes politiques, des scientifiques qui sont des hommes politiques, des scientifiques prétendant faire de la recherche pure et des journalistes ayant des prétentions de chercheurs.

Les hommes politiques du groupe aspirent à une révision générale du sionisme parce que selon eux, le processus d'Oslo offre la possibilité pratique d'une telle démarche. Ils attaquent en bloc l'identité sioniste et israélienne. Parmi eux, on trouve des orientalistes comme Ilan Pappé, des sociologues comme Uri Ram et des psychologues du langage comme Yosef Grodzinsky [1]. Ces hommes prétendent avoir droit au titre de scientifiques, du fait qu'ils ont étudié dans des universités anglaises et américaines et furent influencés par des écoles de recherche françaises diverses. À leurs côtés, des gens comme Ilan Gur-Zéev utilisent les outils critiques de l'école de Francfort pour analyser ce qui à leurs yeux, est une appropriation de la Shoah par les sionistes. Ils objectent contre l'utilisation de la Shoah en tant qu'instrument de justification de la spoliation – a priori consciente – des Arabes chassés de Palestine et comme outil de discrimination contre les Orientaux, amenés en Israël uniquement en tant que substitut des victimes de la Shoah. De même, ils s'élèvent contre la transformation de la Shoah en un mythe nationaliste étroit permettant à une société capitaliste, aliénée et imbue de ses besoins, de justifier son existence [2].

---

1.   Voir : Ilan Pappé, « Nouvelle histoire du sionisme, la polémique universitaire publique » (en hébreu), 9 (mai 1995), p. 23-27 ; comparer à : Uri Ram (éd.), *La société israélienne, Perspectives critiques* (en hébreu) {en anglais : *Israeli Society : Critical Perspectives*}, Tel Aviv, 1993 ; Ilan Pappé, « Sociologie post-sioniste » (en hébreu), *Haaretz,* Culture et Littérature, 28.1.1994 (il s'agit d'une note critique sur le recueil compilé par Ram) ; Uri Ram, « L'avant-garde de la fin du sionisme », *Haaretz,* Livres, 16 mars 1994 (sur le périodique *Théorie et Critique,* 4). Grodzinsky a publié quelques rubriques dans la section « culture et littérature » du journal Haaretz (voir par exemple : « Combattre la *"sionisation"* de la Shoah » *ibid.,* 15.7.1994), dans lesquelles il attaquait le sionisme pour ses fautes et selon lui ses prétentions pendant la période de la Shoah. Voir aussi la lettre de Pappé, qui développe les arguments de Grodzinsky en une critique de tous les aspects du sionisme, comparant celui-ci aux autres alternatives qui d'après lui, existaient pendant et après la Shoah, *Haaretz,* Culture et Littérature, 11 août 1995.

Parmi les historiens, on trouve Yigal Elam qui prône depuis longtemps un « autre sionisme ». Elam lance de lourdes accusations contre le leadership du *yichouv* en rapport à ses insuffisances en matière de sauvetage pendant la Shoah et son comportement violent et indigne, alors. Il dénonce également le manque de probité publique des dirigeants du *yichouv,* aussi bien envers les Juifs que les Arabes, aux premiers jours d'existence de l'État[3]. À première vue, Elam voudrait amender le sionisme et non le dénigrer complètement. Cependant, sa critique porte sur le judaïsme et plus particulièrement sur son caractère « d'élection ». Elam reproche violemment au sionisme d'avoir adopté ce « Tu nous as choisis » – selon lui, odieux. En fait, il le critique de n'être pas suffisamment parvenu à s'éloigner du judaïsme historique et de ses valeurs.

Aux scientifiques prétendant faire œuvre de véritable recherche, s'est joint dernièrement, le spécialiste du fascisme français, Zéev Sternhell[4]. Celui-ci mit à contribution sa méthodologie, pour apporter sa collaboration à ceux-là. Il mit au service du symptôme post-sioniste la méthode de recherche textuelle et soi-disant archiviste, établissant ses arguments sur une analyse des écrits et des discours publics des dirigeants du mouvement travailliste de l'époque ainsi que sur des travaux prétendument historiques de l'époque étudiée. Ses conclusions sont moins graves que celle de Pappé et de ses collègues – qui eux, ont utilisé des documents d'archives et des faits, choisis dans les sources de manière sélective, en fonction de ce qu'ils cherchaient – mais elles n'en demandent pas moins à être examinées. Ses arguments n'ont aucun lien avec le contexte historique et la réalité historique dans laquelle se sont déroulés les événements[5].

---

2. Amnon Raz Krakotzkin, « L'exil dans la souveraineté : critique de la "négation de la diaspora" dans la culture israélienne », *Théorie et critique* (en hébreu) [*Theory and Cricism, An Israeli Forum*] 4 (1993), première partie, p. 23-56 ; deuxième partie p. 113-123 ; Ilan Gur-Zéev, « Entre "notre" Shoah et celles des "autres" » (en hébreu), *Davar* (« Essai »), 20.1.1995.

3. À ce propos, voir : Yigal Elam, Les exécutants (en hébreu) [The Executors], Jérusalem 1990, Dans ce livre, Elam propose une théorie historique sur l'esprit criminel émanant des dirigeants, que leurs subordonnés reçoivent et appliquent concrètement sans que les dirigeants ne soient considérés comme responsables de l'application de ces ordres. L'auteur établit un parallèle entre Ben-Gourion et Hitler, ceci, sans avoir de véritable connaissance sur la Shoah et la profonde implication de Hitler dans ses plus menus détails.

4. *Zéev Sternhell,* Construction d'une nation ou réforme de la société ? Nationalisme et Socialisme du mouvement ouvrier israélien 1904-1940 *(en hébreu),* [*Building a Nation or a New Society ? The Zionist Labor Movement (1904-1940) and the Origins of Israel],* Am Oved, Tel Aviv 1995 ; voir aussi l'interview de Sternhell dans Haaretz (supplément), 9.6.1995 ; et comparer : Sternhell, « Le sionisme de demain », Haaretz, 15.9.1995.

5. Voir la critique de Neri-Avner Horowitz, « Des fautes à droite et à gauche » (en hébreu), *Davar*, (Essai), 11.8.1995, ainsi que la réaction personnelle et détaillée de Sternhell au sein du même forum, « Réactions de colère et de frustration », ibid., 18.8.1995. De cette réaction, le lecteur objectif comprendra à quel point il est du devoir de l'historien professionnel de se dominer.

Parmi les journalistes s'essayant à la recherche historique, le plus éminent est Tom Segev, auteur du livre « Le septième million », paru il y a une dizaine d'années[6]. Segev fit aussi des films pour la télévision, qui furent projetés en 1995, suite à la polémique que souleva le livre en question. Il est intéressant de citer les propos que tint Segev après l'accord d'Oslo. Il affirma qu'il n'y avait pas de rachat possible pour la faute que constitue le bannissement des Arabes en 1948, si ce n'est leur retour et la transformation d'Israël en une société multinationale équitable. Il ne revint cependant pas trop sur cette phrase par la suite. Dans le livre intitulé *La Palestine sous les Anglais*, Segev reprend l'argument selon lequel les sionistes réussirent à pousser l'empire britannique à établir pour eux un État, au détriment des Palestiniens, tandis que dans son dernier livre, il déplore le regain de vitalité du sionisme face au défi que représente l'Intifada El Aktsa.

L'attaque du judaïsme

Le dénominateur commun de l'ensemble du groupe des post-sionistes, toutes fractions confondues, est une ignorance du judaïsme historique, une non-reconnaissance de ses valeurs et des crises que celui-ci a traversées depuis le début de l'émancipation. Rappelons que celles-ci ont produit entre autres le sionisme laïc. De cette insuffisance, il résulte une non-reconnaissance profonde du sionisme lui-même depuis ses débuts. Cette aversion pour ce que l'on ne connaît pas découle elle-même d'une situation de crise de la société traditionnelle, du processus de laïcisation et de modernisation auquel le sionisme voulait participer en alliant l'ancien et le nouveau et non par une révolution ou l'abandon en bloc du passé juif. Il est vrai que ces procédures vont obligatoirement de pair avec la montée d'un nationalisme laïc, de l'urbanisation et de l'industrialisation. Parmi ceux à qui le sionisme répugne, nombreux sont ceux qui détestent aussi le nationalisme, l'urbanisation et l'industrialisation qui sont ses corollaires obligatoires. Ceci, malgré le rêve socialiste, agraire, égalitaire et universaliste des pères fondateurs, qui ne voyaient eux, aucune contradiction entre ces valeurs et le particularisme national juif auquel ils voulaient donner une expression laïque. C'est ce rêve – sur les bases duquel s'édifia forcément un État national et industriel, qui n'était pas forcément celui dont les pères fondateurs avaient rêvé – qui est présenté par Sternhell et ses semblables comme une falsification scientifique et comme une manipulation des valeurs socialistes et humanistes par des nationalistes froids et

---

6.   Tom Segev, *Le septième million* (en hébreu), Jérusalem 1991, et *La Palestine sous les Anglais* (en hébreu), [Palestine Under the British], Jérusalem 1999.

des politiciens professionnels insensibles. Lui-même, languit la société agraire, égalitaire, celle du travail physique et proche de la nature, promise aux naïfs qui croyaient ce que leur disaient les militants du parti. Cependant, Sternhell et ses semblables sont en désaccord avec l'histoire et la tentative d'en rompre le cours. Comme l'a prouvé Ernst Gellner, celle-ci débouche obligatoirement sur la création d'un Etat-nation industriel dont le territoire recouvre celui de la culture nationale et où les minorités qui y vivent, doivent accepter l'autorité de cette culture [7].

Il est assez caractéristique que la plupart des post-sionistes en Israël portent beaucoup moins d'attention à la question de l'occupation des territoires palestiniens depuis 1967 et à la domination exercée par Israël sur une partie de ses habitants, que ne le font de nombreux sionistes. Les attaques des post-sionistes sont dirigées contre la légitimité même de l'État juif, tel qu'il s'est constitué, tel qu'il s'est développé et est devenu, dans une grande mesure, une société capitaliste moderne.

La plupart des post-sionistes voudraient une autre culture ou du moins certains éléments de culture, qui ne peuvent aujourd'hui pleinement prédominer, dans aucun Etat-nation industriel. Sternhell prend pour modèle les Lumières du XVIIIe siècle pré-industriel, qui engendrèrent aussi, ne l'oublions pas, l'antisémitisme laïc. Gur-Zéev lui, se sert de la critique de l'école de Francfort sur les Lumières, comme base méthodologique de sa critique de l'État sioniste.

Pappé et ses semblables utilisent un amalgame de néo-marxisme, provenant de l'École de l'historien anti-sioniste Eric Hobsbawm et d'instruments postmodernes. Ces historiens ont fait leurs études dans des universités étrangères et ont fini par s'intégrer aux réseaux sociaux et intellectuels existant dans certaines universités anglo-américaines et françaises. Je veux parler des théories culturelles postmodernes de l'école de Michel Foucault et de Jacques Derrida, qui voient dans toute culture, un « discours ». Ce qui signifie que chaque affirmation de groupes dominants ou toute image sans importance en soi et sans base objective a son importance. En même temps, Pappé utilise aussi des méthodes de l'École française des Annales, en la sortant du contexte historique français spécifique où elle est née, de telle façon qu'il est difficile de savoir sur quelle méthodologie il base ses attaques contre l'État juif. Uri Ram, par contre, utilise les méthodes de la critique sociologique, tout en se servant aussi de la critique postmoderne.

---

7.   Ernst Gellner, *Peuples et nationalisme* (en hébreu), Tel Aviv 1994.

Critique de la critique

Dans son article, « Sociologie post-sioniste » [8], Pappé exalte de louanges le recueil *Société israélienne : aspect critiques* [9] compilé par son ami, le sociologue post-sioniste Uri Ram. Pappé affirme que l'origine de la conception post-sioniste exprimée dans le recueil de Uri Ram, est la théorie de la critique de l'École de Francfort et de son chef de file, Max Horkheimer, ainsi que la version plus nouvelle de l'École des Annales française, dont le principal apport à l'historiographie fut l'élargissement des objets de recherche, des élites vers des couches plus larges de la société. Pappé fait ici le lien entre deux disciplines, la sociologie et l'histoire et se réfère à l'une ou à l'autre selon ses besoins.

Horkheimer ou des historiens français comme Emmanuel Le Roy Ladurie, cités par Pappé, avaient bien sûr des objets de critiques. Le Roy Ladurie exigeait de l'historien d'être « engagé dans la vie politique de sa société puisque c'est à lui que revient le rôle de forger la conscience humaine du groupe auquel il appartient ». Cette formule s'éclaircit quand Pappé nous raconte que ce sont les disciples de ces écoles en Angleterre qui ont écrit l'histoire de la classe ouvrière ou que leurs collègues en Amérique ont écrit celle des femmes. Ces deux domaines de la recherche historique avaient jusque-là, été délaissés. Ceux qui les traitèrent affirmaient que « la volonté de critique sociale est une motivation légitime tant pour le choix du domaine d'étude historique ou sociologique, que celui de l'attitude méthodologique qui présidera à l'étude de ce domaine ». Cette affirmation catégorique, n'oblige aucun chercheur, si ce n'est Pappé lui-même, autant qu'il s'agisse de méthodologie : « la motivation » en elle-même est légitime. Par contre les instruments d'une recherche scientifique ordonnée – du moins, quand il s'agit de rassembler du matériel – sont toujours les mêmes et le chercheur n'est pas habilité à laisser ses envies, ses objectifs politiques ou ses instincts, influer sur le choix de la manière dont il mènera sa recherche.

Par ailleurs, Pappé cite des chercheurs comme Horkheimer, les continuateurs de l'École française des Annales, l'historien marxiste anglais Eric Hobsbawm ou le chercheur néo-marxiste Francis Michael Longstreth Thompson, également anglais. Ces savants se sont penchés sur des sociétés complexes, élaborées et problématiques. Le nazisme est apparu dans la société allemande à l'époque de Horkheimer. La société française fut le vivier du fascisme. De même, la société anglaise, objet de l'intérêt de Hobsbawm et de Thompson, où les classes sont nettement différenciées et qui eut au

---

8.   Voir note 1.
9.   Voir note 1.

XIXe siècle ses « lois des pauvres », n'est pas, elle non plus, un sujet d'étude très simple. Pour ce qui est du XXe siècle, que Hobsbawm tenta d'étudier, il n'était pas sûr d'avoir « assez de perspective » pour pouvoir le faire comme il se doit (entre autres il craignait de ne pas pouvoir trancher au sujet des crimes de Staline).

Selon Pappé, ces chercheurs furent une « source d'inspiration » pour Uri Ram et ses semblables. Au stade où nous sommes, il s'avère donc que la « sociologie post-moderne » et « l'histoire post-moderne » sont dans une grande mesure, une importation d'une méthodologie de recherche, appliquée à des sociétés étrangères et menée d'un point de vue néo-marxiste. Cette importation aurait pu être légitime, s'il y avait eu un quelconque coordinateur commun entre ces sociétés européennes et celle du *yichouv* ou la société israélienne au cours des premières années de l'existence de l'État, s'il y avait eu une ressemblance entre l'Allemagne, la France et l'Angleterre – par exemple, au niveau de leurs problèmes, de leurs élites, de leurs situations historiques, de leurs cultures, de leur politique intérieure et extérieure – et la société où furent inventées les injustices morales contre lesquelles Pappé et Uri Ram s'insurgent. Mais il n'y a aucune ressemblance entre la tentative des socialistes juifs de revenir dans le pays de leurs ancêtres ou au moins une partie de ce pays et d'y instaurer une utopie agraire, y créer des villages communautaires et un maximum d'égalité sociale dans les conditions de vie du Moyen Orient de l'époque et entre ce qui existait dans les vieilles sociétés industrialisées et nationales d'Europe pendant la crise de la fin du XIXe siècle et du début du XXe siècle.

Horkheimer et Thompson sont des néo-marxistes. Ils traitent de sociétés ayant traversé de graves crises d'adaptation avant d'arriver au stade d'un État national industriel moderne, dont la culture nationale — comme le dit Gellner – recoupe plus ou moins le territoire souverain. Au point de vue marxiste, s'associe nécessairement la négation de l'Etat-nation hautement industrialisé, que Gellner considère comme un produit obligatoire de l'histoire et que Hobsbawm, par contre, abhorre. C'est dire qu'il y a ici une discussion de valeur sur le nationalisme moderne, dont les racines remontent à Marx lui-même et aux idéaux que Marx puisa dans l'ère des Lumières, avec le doute horkheimerien pour les Lumières elles-mêmes et leurs prix.

Horkheimer lui-même ne participe plus aujourd'hui à cette discussion. Son ami Herbert Marcuse, vers la fin de sa vie, parla d'Israël et du sionisme en termes positifs. Par contre, les post-sionistes eux, appliquent le point de vue marxiste pour dénigrer l'État national sioniste élaboré. Ils espèrent du fond du cœur que le processus de paix qui commença à Oslo et qui selon eux impliquait l'effacement des frontières et le déclin du nationalisme, aboutira à l'annihilation de l'État national sioniste par son absorption dans l'aire du Moyen-Orient.

Hobsbawm lui-même a une idée totalement négative du nationalisme juif.
Il n'y a pas très longtemps, il donna à Budapest une conférence sur le nationalisme dans laquelle il dénigrait l'État sioniste et la manière dont celui-ci
utilisait la Shoah pour servir des besoins nationalistes étroits. Cette conférence fut publiée dans le *New York Review of Books.* Sa thèse s'appuyait sur
un article publié dans cette même revue libérale de gauche, article élogieux
de Amos Elon sur *Le septième million*, ce même ouvrage controversé de Tom
Segev, déjà évoqué plus haut. Hobsbawm n'est spécialiste ni de la Shoah, ni
du sionisme. Ayant son idée sur le nationalisme juif, il utilise sans nullement
chercher à le vérifier, tout argument susceptible de porter atteinte à ce phénomène, pour conforter sa thèse.

En vérité, ce n'est pas le sionisme qui «utilisa la Shoah à des fins nationalistes», comme l'affirme Hobsbawm, mais bien la Shoah qui dans une
grande mesure poussa les rescapés, à se tourner vers le sionisme. Elle eut
pour effet de rallier à l'État juif et sioniste, des gens qui ne se considéraient
pas comme un peuple et d'en faire un peuple. Une autre conséquence de la
Shoah fut la baisse considérable de l'influence des Juifs assimilés, ceux qui
auraient voulu voir ce peuple évoluer ou disparaître dans le cadre d'une classe
universelle ou au sein des peuples parmi lesquels il vivait avant la Shoah.
D'où l'extrême focalisation de gens comme Hobsbawm sur la Shoah. De la
même manière, comme nous nous proposons de le montrer dans cet article,
les historiens post-sionistes ne pouvaient eux non plus, en faire abstraction.

Gelber, qui est un historien non moins important que Hobsbawm, voit
dans le sionisme un phénomène plus complexe et particulièrement intéressant. Il renverse les idées de Marx en affirmant que le nationalisme est le
produit final de l'histoire économique moderne. Il raille la sociologie néo-
marxiste qui refuse de reconnaître le phénomène sioniste ou l'abhorre. Pappé
suit de manière sélective quelques spécialistes de l'étude du nationalisme,
dont Anthony Smith, Benedict Anderson et Eric Hobsbawm. Toutefois, à
Smith et à Anderson, Pappé ne fait qu'emprunter quelques citations choisies,
pour les utiliser selon ses exigences. Hobsbawm, par contre, est son grand
modèle. Et ce, pourquoi ? Parce que, du fait de la conception théorique marxiste
universelle qu'il a toujours proférée, Hobsbawm est hostile au nationalisme
juif. Pappé n'intervient pas dans la controverse des grands, opposant Gelber
à Hobsbawm, mais s'appuie sur ce qui lui convient, pour des raisons idéologiques et politiques. Ainsi, Pappé l'orientaliste, explique-t-il les actes de
son ami, le sociologue Uri Ram, en affirmant que le recueil que celui-ci dirige
«est un défi lancé à la sociologie israélienne, née pour être un instrument de
l'establishment et fournir un alibi idéologique à l'Etat-nation et à l'idéologie qui la guide – le sionisme».

Cet argument général, courant et politique n'a aucun fondement, ni dans le domaine de la sociologie ou des sciences sociales israéliennes, ni dans celui de la discipline historique israélienne. Regardant par exemple, les fondateurs de la sociologie scientifique en Israël, et tout d'abord Shmuel Noah Eisenstadt, Jacob Katz, Moshe Lissak et d'autres, il s'avère qu'ils n'ont absolument servi personne. C'étaient des gens énergiques et indépendants au plus haut degré, qui ont acquis leur réputation scientifique en respectant les plus sévères critères en vigueur dans le monde occidental. Ils n'ont pas craint à l'époque de mener des combats politiques contre « le père fondateur » d'Israël, David Ben-Gourion, celui justement qu'ils étaient supposés servir, d'après Pappé ou Ram. Dans leurs universités, se sont intégrés des chercheurs qui se sont opposés à eux et c'est ainsi que s'est créé un pluralisme scientifique digne de ce nom.

Moi-même, j'ai appris de quelques-uns d'entre ces maîtres, à adopter sur n'importe quel sujet, une attitude des plus critiques et tout à fait impartiale, à baser la recherche sur des documents, qu'il faut ensuite confronter à d'autres sources. Cette tâche ardue exige la connaissance des langues et des cultures étudiées. J'ai également appris à éviter de trancher dans les cas où l'état de la recherche et la disponibilité des sources ne le permettent pas.

L'un des rares du groupe à avoir eu une position idéologique éminemment et clairement sioniste, fut le Professeur Ben-Zion Dinur (Dinaburg) de l'Université hébraïque et de ce fait, Pappé et quelques autres tentent de médire de la majorité de ses collègues. Selon Gelber, des intellectuels comme Dinur précèdent souvent l'acte lui-même de l'établissement et de l'élaboration de l'Etat-nation. En son temps, l'Etat-nation industriel adopte une « supra-culture », au sens anthropologique du terme. Soit, Dinur n'entre pas dans la question de savoir si tel processus et ses conséquences sont bons ou mauvais et il n'est ni pour ni contre son adoption. Il se contente d'affirmer qu'une « supra-culture » de ce genre est nécessaire au fonctionnement normal d'un État industriel développé. Un tel État – dont l'existence oblige un développement économique, qui assure à ses citoyens un niveau de vie de plus en plus élevé par une répartition de travail de plus en plus spécialisé – ne peut exister qu'en tant qu'Etat-nation. Sur ce point, Pappé s'élève contre les résultats des recherches que fit Gelber sur des cultures nombreuses et variées – et n'opte pas en faveur de « la nouvelle sociologie ». Les soi-disant « sociologues institutionnels » qui traitent de la « supra-culture » sioniste, étudient effectivement ce que Gelber considère comme naturel et obligatoire, soit les sources et le développement de l'idéologie sioniste jusqu'à la création de l'Etat-nation israélien élaboré et les difficultés de la société nationale juive en terre d'Israël. Mais ils le font avec une intégrité intellectuelle absolue.

Il me semble que la clé de la pensée de Hobsbawm se trouve quelque part au XVIIIe siècle, puisqu'il adopte le caractère universel des Lumières, leur nature non-nationale ou même antinationale. C'est dire qu'il adopte le courant des Lumières qui rejetait le nationalisme. D'après Hobsbawm, les phéno-mènes multi-nationalistes du XIXe siècle manifestent une ouverture ou donnent la possibilité historique de réaliser les rêves des penseurs éclairés d'une société universelle, dont les composantes se développeraient mutuellement par des liens réciproques, sans que la propriété ne soit une valeur suprême et sans les abus caractéristiques de la civilisation occidentale. Selon Hobsbawm, on aurait pu mener cela avec le défi de l'industrialisation, avec le processus qui conduit obligatoirement, selon Marx, au pouvoir du prolétariat en tant que classe universelle.

Selon le point de vue de Gelber, il s'agit là d'une contradiction dans les termes. Le défi de l'industrialisation va de pair avec la propriété. L'absence de propriété ne peut aller de pair avec la prospérité et la lutte contre la corrup-tion. Les individus ne se développent pas mutuellement par un pur lien de réciprocité ou du fait qu'ils appartiennent au prolétariat, bien au contraire ! Ils arrivent au summum de leurs capacités dans l'État national industrialisé, tel qu'il existe de nos jours. C'est justement celui-ci qui donne aux hommes la prospérité, l'aisance des possibilités de connaissances qu'ils n'avaient jamais connues jusque-là.

Hobsbawm met dans le même sac le libéralisme – qui vient d'un des courants des Lumières du XVIIIe siècle – le marxisme du XIXe siècle et le néo-marxisme du vingtième. On comprendra l'origine de l'horreur de Hobsbawm pour le judaïsme en général et pour le mouvement national juif – c'est-à-dire le sionisme – en particulier, si on se réfère à la critique antisémite de Voltaire ou d'autres pères des Lumières, décrivant le judaïsme comme la source du particularisme, du « tribalisme » et de l'irrationalité nationaliste. Il s'agit là d'une répulsion toute particulière au nationalisme juif, au point qu'un autre mouvement national – le mouvement national arabe qui combat le sionisme – a lui, droit au soutien de Hobsbawm et de ses semblables.

Pappé et ses pairs ont adopté la haine de Hobsbawm envers le judaïsme et le nationalisme juif. Ils suivent son point de vue de l'histoire et ignorent la contradiction entre l'idéologie préindustrielle et pré-nationale, vieille de plus de deux cents ans, sur laquelle repose cette conception et son aspect marxiste, datant du XIXe siècle, avec tous les rebondissements de l'époque. Avec cela, Pappé et ses semblables sont des hommes politiques, en quête de soutien public au sein de certains groupes en Israël. Au nom de la critique, ils arguent contre le sionisme dans sa totalité, mais insistent également sur l'injustice historique concrète faite aux Palestiniens, aux Orientaux et aux femmes du pays, lors de la naissance d'Israël. Ces groupes, très différents les uns des autres et dont chacun mérite une recherche historique particulière, ont en effet souffert, pour des raisons restant à examiner minutieusement.

Cependant, ces groupes sont réduits et amenuisés, comme s'ils ne représentaient qu'une seule et même expression de toutes les injustices de l'État sioniste. Ils prennent en quelque sorte, la place traditionnelle du prolétariat de la pensée marxiste classique.

De plus, si Pappé et ses semblables partent en guerre contre l'État national sioniste, objet de la haine de Hobsbawm, peut-être se devraient-ils aussi de combattre l'État palestinien, avant que celui-ci ne naisse ? Après tout, n'est-il pas lui aussi l'expression d'un « nationalisme étroit » des Arabes ou de l'ensemble du Tiers-monde, remplaçant le prolétariat industriel mondial de l'époque de Marx. Il est donc fort probable que leurs objectifs soient purement idéologiques et néo-politiques : Ils veulent renverser Israël et construire la Palestine sur ses ruines. Pour eux, il n'y a pas de peuple juif ayant droit à une souveraineté, ne serait-ce que sur une partie de la terre arabe. D'ailleurs, même s'il existait, ce peuple n'aurait aucune chance d'assurer longtemps sa souveraineté. Les réfugiés de 1948 se joindront au monde arabe et obligeront Israël à s'effriter de l'intérieur. Ou bien, ils feront en sorte qu'un tel processus ait lieu grâce à une aide adéquate extérieure.

Si telle est l'intention des post-sionistes, on est en droit de se demander, pour autant qu'il s'agisse d'un orientaliste professionnel comme Pappé, pourquoi ce dernier ne milite-t-il pas en faveur d'un Etat-nation kurde dans cette région qui lui est si chère ? Il semble que pour Pappé, le nationalisme kurde n'a aucune espèce d'importance. A lui d'accepter l'autorité de la civilisation arabe. Cette civilisation – arabe – peut-elle agir en tant que civilisation multinationale dans l'esprit de Hobsbawm et exercer un pouvoir « éclairé » sur des minorités vivant à l'intérieur de ses frontières, comme le faisaient les États multinationaux du XIXe siècle, tant aimés de Hobsbawm ou comme ce fut le cas de l'expérience multinationale soviétique, que Hobsbawm est incapable de critiquer, même après son effondrement obligé ? La réponse pour l'instant est non, du fait du stimulus sioniste, qui soi-disant interfère sur le développement du monde arabe tout entier et le détériore. C'est pourquoi la seule solution est un État binational israélien-palestinien, selon le modèle belge. Pourtant, les Kurdes ont une civilisation millénaire, une langue et une culture particulières, une population bien plus grande que celle des Palestiniens. Mais il semble que leur triste destin n'exige aucune sensibilité morale de la part des post-sionistes d'Israël.

Le problème moral se relie aux propos de Uri Ram lui-même sur la nature du « post-modernisme actuel », dans la somme de ses arguments.

« L'avant-garde de la fin du sionisme »

Tel est le titre que donna Uri Ram à l'article élogieux qu'il accorda dans le *Supplément littéraire du Haaretz* au numéro 4 de la revue *Théorie et critique* publiée par Adi Ophir [10]. Ram commence de manière très nuancée, mais très vite il fait le lien entre la méthodologie postmoderne et la critique, selon lui légitime, de la mémoire collective israélienne, de l'identité israélienne et de la culture sioniste. Il commence par décrire la méthode de déconstruction postmoderne et la dépeint rapidement et précisément comme une « contestation ». « Il n'y a pas de thèse formant un tout, mais des associations d'idées. Il n'y a pas de grande déclaration, mais un point de vue personnel ».

Pour cette raison, affirme-t-il, le but de ceux qui critiquent le « discours » sioniste (par « discours », il entend narratif, « texte, sorte de déroulement de récit… encadrant le domaine de perception » de ce qui lui est révélé et ne l'est qu'à lui seul, par les instruments du gouvernement, de l'éducation et de la culture de l'État sioniste et qui alors devient « un supra-narratif » sioniste – S.A.) n'est pas de dénigrer l'idéologie sioniste au nom d'une autre idéologie, par exemple au nom de l'idéologie néo-marxiste. A priori, ces critiques ne demandent qu'à dévoiler des « schémas cognitifs » (« discours ») qui au nom de toutes sortes d'autorités (« la science », « l'égalité », « la morale ») imposent un tableau d'ensemble de la réalité, impose « une vérité » ayant des identités aux limites définies, qui nie ou réprime la simplicité populaire, le courant, le différent et l'altérité, existant pour une grande part dans la réalité sociale.

Il y a donc là une sensibilité morale au sort des « autres », des opprimés, de ceux qui restent dans l'ombre. Cependant, mettre l'accent sur la voix de certains ou leur faire justice plus qu'à d'autres, peut devenir un sujet politique. Tout dépend qui est « l'autre » auquel on s'intéresse. Et dire politique, prouve bien qu'il ne s'agit pas là de science. Il s'agit d'une méthodologie n'exigeant ni vraie recherche, ni preuves. C'est un « discours », alors que la science occidentale repose sur la recherche, les faits et sur le lien logique entre eux, dans la mesure où le chercheur réussit à le trouver.

Le problème commence avec les faits, qui sont le cœur de la recherche et se complique encore plus quand il s'agit de les expliquer. Le fait est que toute société a ses élites, ses groupes, ses minorités. On peut étudier chacune de ces catégories et tenter d'approcher la vérité unique la concernant, en tant que partie ou que minorité ayant sa propre conscience, dans une société nationale ou une société pluraliste comme il en existe aux États-Unis. Mais l'étude sociale et historique de ces phénomènes devient impossible et trancher entre

---

10. Uri Ram, « L'avant-garde de la fin du sionisme » (en hébreu), *Haaretz, Supplément littéraire*, 16.3.1991 ; *Théorie et critique* (en hébreu), 4 (1993).

les différentes versions devient impraticable si on admet la thèse selon laquelle chaque élément de la société a sa propre « vérité », que toutes ont des vérités ou des discours qui ensemble les servent et qu'il n'y a pas moyen, scientifiquement, de préférer une « vérité » à une autre.

Le terme « préférence » signifie ici : décider quels sont les faits historiques, où il y eut injustice et pourquoi, si cette injustice était délibérée, comme ce fut le cas pour les actes des nazis ou si elle ne fut que la conséquence d'autres processus, sans mauvaises intentions conscientes et sans idéologie s'y rapportant. Il est évident que même l'étude de phénomènes moins graves que le nazisme oblige l'historien ou le sociologue à examiner ceux-ci avec l'austère humilité et la rigueur découlant de sa profession. Très souvent, il se retrouvera devant un gouffre, vu l'absence de sources, l'existence de sources secondaires et contradictoires, de brouillard et d'interférences découlant du caractère de sa recherche. Cependant, il sera de son devoir de rendre compte fidèlement à ses lecteurs de ses difficultés, des limites de son étude et du caractère temporaire de ses conclusions, jusqu'à ce qu'il soit en mesure d'élargir sa recherche.

Il est évident qu'une telle attitude n'évite pas les polémiques et crée différentes écoles parmi les historiens et les sociologues israéliens. Uri Ram les balaie toutes, d'un coup de main. Selon lui, tous produisent la même marchandise. Ram prétend, délaissant logiquement sa thèse précédente, que la sociologie israélienne, divisée elle-même en plusieurs écoles, n'est qu'un instrument aux mains des « élites… adoptant… un moyen… de mobiliser les foules et de les mouler dans des cadres politiques homogènes » [11]. En conséquence de quoi, il s'avère que les historiens et les sociologues qui soi-disant servent ces élites, déforment simplement l'histoire afin de construire une nation. Il n'y a ici aucun rappel des « différentes vérités légitimes apparaissant simultanément » sans qu'on puisse trancher entre elles, comme on aurait pu le comprendre de l'argument postmoderne. Par contre, réapparaît bien la vulgaire thèse marxiste affirmant que les dirigeants inventent le « cadre » idéologique, l'édifice idéologique de la conscience servant leurs intérêts et pour cela activent les intellectuels, qui les servent de gré ou de force.

À ce propos, surgit une question essentielle de recherche qui aurait dû préoccuper Pappé et Uri Ram dès le début et leur faire investir de nombreuses années de recherche pour tenter de trouver une solution à cette seule question. Les fondements intellectuels du sionisme ont en effet été posés par des gens de tradition et de religion, des hommes d'esprit et des gens de lettres, des intellectuels et des savants, au cours du dernier quart du XIXᵉ siècle. La question est de savoir s'ils ont créé un véritable « canon » national » ou seule-

---

11. *Ibid.*

ment posé des couches, des échafaudages et des éléments pour permettre à l'avenir l'élaboration d'un tel canon. Ce, pour les besoins d'un peuple qui n'en est pas un, qui traversait alors une série de bouleversements et de crises graves, différentes les unes des autres, dans les pays où il vivait.

Parmi ceux qui posèrent les bases de cet échafaudage, peu sont venus dans le pays au début du siècle pour commencer à y édifier ce qu'on appela « le *yichouv* organisé », soit la société juive du pays, dont la base était un certain état d'esprit, l'appel à la mobilisation et à l'engagement personnel. Le « *yichouv* organisé » en terre d'Israël vécut en tout et pour tout vingt-cinq ans environ ; jusqu'à la prise de pouvoir de Hitler, qui l'entraîna ainsi que le peuple au nom duquel il prétendait parler, dans un horrible tourbillon. Pendant cette courte période, les élites du *yichouv*, qui n'étaient pas faites d'une seule pièce, se sont en effet efforcées de créer leurs propres « canons », qui étaient un mélange – savamment dosé – d'éléments de la culture juive traditionnelle et d'influences extérieures.

A quel point était-il possible de créer ici un « supra-narratif », au sens européen et américain du terme – canon ordonné de valeurs, de symboles, de conscience historique et de « règles du jeu » communes, développées à partir de tous ceux-ci – après qu'Hitler prit le pouvoir, alors que les élites du pays observaient ce qui se passait en Europe et assistaient à l'effondrement instantané et sans lutte aucune, de la sociale-démocratie allemande ? À l'heure également où ces élites devaient relever le défi interne du révisionnisme sioniste, sous toutes ses formes – comme sa politique de terreur, ses éléments semi-fascistes, ses composantes sociales et ses symboles nationalistes comme le rêve d'un grand Israël s'étendant sur les deux rives du Jourdain – et face à l'obligation de s'adapter autant que possible, aux besoins de l'ensemble du peuple dans des circonstances de plus en plus catastrophiques, sous le Mandat britannique et des affrontements de plus en plus graves avec les Arabes ?

L'attaque de la Bible

Un « supra-narratif » ou une « culture nationale » sont une affaire complexe quand il s'agit du judaïsme et de l'Etat-nation juif laïc. Une telle culture n'existait pas dans le judaïsme, au sens laïc du terme, au moment de la naissance du sionisme. Le judaïsme traditionnel lui-même se distinguait par ses polémiques déchaînées, sa manière de critiquer sévèrement, toujours en termes moraux, les différentes composantes du judaïsme, souvent les chefs de ses partis et était constamment occupé à se chercher des péchés originaux – que les Juifs voyaient toujours chez d'autres Juifs, jamais chez eux-mêmes. C'est pourquoi il n'est pas étonnant que le processus de laïcisation de gens sans tradition – tradition qui obligeait ceux qui y participaient, à un débat public sur les sujets qu'ils avaient à cœur – ne les ait pas dispensés d'adhérer à une des traditions juives caractéristiques de l'objet de leur critique, soit justement cette critique incisive elle-même.

Le processus de laïcisation des valeurs juives de la tradition commença cinquante ans environ après que la crise de la société traditionnelle ne touche le judaïsme. Contrairement à d'autres sociétés et plus particulièrement la société anglaise ou la société américaine, il ne s'établit pas au sein du judaïsme de base laïque, réunissant dans un même amalgame, des valeurs traditionnelles, des valeurs s'y opposant et des valeurs nouvelles, sur la base de «règles de jeu» publiques admises. Jusqu'à l'époque moderne le judaïsme réussit à maintenir ses traditions, qui s'étaient constituées de manière définitive au Moyen Âge. C'est alors que d'un seul coup, il fut gravement atteint, du fait des nouveautés sociales, économiques, technologiques et scientifiques.

Le judaïsme n'a pas passé par une sorte de renaissance européenne, qui aurait englobé la tradition, la religion et sa propre réforme, la science et une culture laïque s'appuyant sur un passé ayant précédé le passé religieux. Il ignore la tension obligatoire entre le prêtre et le prophète et entre le roi et le prêtre, tension qui engendra le début de l'État national et de l'église nationale en Europe, si on fait abstraction des tensions de ce genre évoquées dans la Bible et celles ayant toujours existé entre les rabbins et les hommes riches des communautés. La Bible elle-même cessa d'être le livre essentiel de philosophie du judaïsme, pour devenir la source de la loi qui le régissait et l'une des sources de la mystique religieuse qui entretint son imaginaire de différentes façons. Cependant, la Bible étant aussi la source du christianisme, les Français cultivés du XVIIIᵉ siècle, ennemis de la tradition chrétienne, devaient l'attaquer comme ils se devaient d'attaquer le judaïsme. C'est pourquoi ils lancèrent contre la Bible une offensive laïque antisémite virulente, reposant sur l'ignorance, laquelle est depuis toujours et jusqu'à aujourd'hui, la caractéristique des antisémites.

Les bases de l'antisémitisme laïc moderne furent posées par Voltaire, le grand homme des Lumières. La France et l'Allemagne ne connurent pas cette merveilleuse fusion au caractère de renaissance, qui s'était produite en Angleterre et de là avait atteint l'Amérique, conduisant progressivement de la tradition au changement. Régnait en France une aristocratie religieuse, en partie corrompue et surtout réactionnaire. L'essence de la foi catholique de cette classe paraissait aux philosophes éclairés une atteinte non seulement aux droits, mais également à l'intelligence et à la réussite des hommes qui les entouraient. Ces philosophes, d'abord fortement influencés par les Anglais, prirent par la suite leur propre voie. Quelques-uns commencèrent par attaquer les fondements de la religion dominante, en avançant l'argument que

Dieu avait créé le monde puis s'en était retiré. C'est pourquoi il était selon eux, absurde d'affirmer que Dieu est impliqué dans les affaires du monde – comme le prétendait le christianisme – en accordant la grâce à ses sujets par le biais de ses prêtres. De même, il leur paraissait évident que Dieu ne se révèle pas à son soi-disant peuple élu, à qui il a donné « sa loi ». Il n'existe pas de « contrat » entre l'homme et Dieu, pas plus que Dieu ne met ses fidèles devant des épreuves avant de leur faire atteindre la vie paisible et méritée qui leur revient. La Bible et le peuple du Livre leur semblaient – eux qui haïssaient le christianisme et ses fondements – une sorte d'horreur ennuyeuse. Ils y avaient lu avec la stupéfaction de gens ayant délaissé la religion, prenant connaissance du livre qui pendant de nombreuses générations fut le livre sacré d'un peuple et ont jugé cette œuvre – ou plus précisément quelques extraits de celle-ci particulièrement révoltants – selon leurs critères « éclairés ». C'est également ce que font aujourd'hui l'historien israélien Elam et d'autres, dont l'étonnement peut paraître sincère. Pour eux, l'histoire juive, depuis le temps de Moïse, est l'histoire d'un peuple non civilisé, cruel, présomptueux alors qu'il n'a aucune raison de l'être, d'un peuple haïssant les autres et justement détesté par eux. Comme l'affirmait Voltaire il y a plus de deux cents ans, les Juifs ont toujours réclamé des privilèges ou des égards particuliers, ils n'ont eu que mépris et haine pour les autres peuples et les ont exploités autant qu'ils pouvaient. Il est donc normal qu'ils durent supporter les conséquences obligées de leur conduite barbare, leur exil étant devenu leur juste punition.

Voltaire avait jugé tous les peuples et toutes les civilisations en se prenant pour une sorte de juge suprême. Il avait même trouvé de nombreux défauts à l'œuvre de Shakespeare. Il aurait donc été plus sage d'ignorer ses attaques contre la Bible. En effet, celles-ci sont un exemple d'authentique accusation, émanant d'un « ignorant cultivé » et d'un courant particulier du mouvement des Lumières, contre le peuple d'Israël et la Bible. Cette diatribe est menée au nom de « la raison » – concept fondamental de ce courant des Lumières – de la rationalisation qui tient en horreur les ténèbres, le fanatique et ce qui est soi-disant limité, le mystique et le religieux, qui selon ce mouvement ont régné sur les hommes et lui ont enlevé tant ses droits que sa raison. L'étude de la Bible a de quoi choquer les hommes cultivés. Elle les met hors d'eux et suscite chez eux le dégoût. Cette réaction se répète chez ceux qui vinrent après Voltaire et s'en réclamaient et ce, jusqu'à nos jours, à cause des processus de laïcisation et l'adoption de valeurs de culture étrangères. A ceci on doit ajouter le fait que des hommes cultivés non religieux prirent connaissance de textes religieux, sans posséder aucune compréhension historique de leur signification et plus particulièrement d'une signification différente – où il aurait fallu savoir déceler l'évolution, la finesse et l'humanisme qui pouvaient se construire et se développer à partir de ces mêmes textes [12].

Toutefois, les Lumières n'étaient pas un mouvement monolithique et d'ailleurs, il n'était certainement pas aussi rationnel qu'il paraissait. Il y existait bien une telle branche, mécaniste et ayant tendance à la simplification, mais il y avait également une branche sophistiquée, dont Jean-Jacques Rousseau était le représentant le plus éminent. Cette branche-là aspirait à un changement universel de valeurs, sur la base de l'égalité sociale et du retour à la nature. L'hypothèse fondamentale était que ces valeurs pourraient se réaliser dans des cadres nationaux, comme l'explique Rousseau dans sa célèbre épître aux Polonais. Et voici que justement parce que les pères fondateurs d'Israël tentèrent de réaliser à leur manière cette aspiration, on les accuse aujourd'hui de ne pas y avoir réussi et de là, on prétend qu'ils ne voulaient en fait pas y réussir, comme si le but pouvait être atteint et comme s'il avait été atteint en France, en Union Soviétique ou dans un quelconque endroit du monde.

Hébraïsme et hellénisme

Le poète Heinrich Heine, une génération plus tard, se montra très sensible à la critique du judaïsme de Voltaire. Heine choisit parfois d'écrire en français et comme Voltaire, lui aussi exerça une grande influence sur l'intelligentsia de la génération qui le suivit, particulièrement en Angleterre. Heine défendit le judaïsme en tant que religion de la loi, de la justice et de la croyance en Dieu, de l'accomplissement inconditionnel de ses préceptes, tout en étant aussi une religion tenant compte de ce qui se passe dans le monde, avec ses difficultés et ses exigences. Le choix juif avait une véritable signification, morale et astreignante, dont les ennemis ne comprenaient pas la profondeur et les obligations. Ce choix ne garantissait que peu de droits, alors que les multiples devoirs qu'il impliquait pour les Juifs justifiaient leur fierté. Il était aisé d'abhorrer cet orgueil, de proférer une haine relevant de l'ignorance, envers cette tribu à la nuque raide, aversion faite d'une incompréhension des devoirs envers Dieu [13]. Malgré tout, Heine contribua énormément à la sévère distinction entre « hébraïsme » et « hellénisme », qui commençait alors à se répandre dans l'Europe du XIXe siècle. Les conservateurs pré-victoriens considéraient cette distinction – qui cahota le judaïsme par rapport au christianisme et attaqua les deux en tant que religions non naturelles – comme un sacrilège. Heine lui-même était à leurs yeux le type même de l'intellectuel juif libéral ne connaissant pas de limites, qui blasphémait toute valeur, du fait

---

12. Allan Bloom, *L'appauvrissement de l'esprit en Amérique* (en hébreu), Am Oved, Tel Aviv 1989.
13. Voir ce que Heine dit dans ses œuvres sur le judaïsme : Hugo Bieber, *Confessio Judaica*, Leipzig 1926 et comparer à la version plus détaillée : *Juedisches Manifest*, Frankfurt am Main 1946.

de sa tradition particulière, apatride, déracinée, soi-disant stérile et entièrement faite de polémiques. Cet homme de lettres mordant était pour ces conservateurs anglais, comparable à l'écrivain et historien influent Thomas Carlyle,
symbole de légèreté, de méchanceté et de cynisme. Cette image se prolongea
d'ailleurs au XXe siècle. Dans le cadre de « la guerre de culture » de l'époque,
Heine passait pour les libéraux du milieu de l'époque victorienne, pour un
héros de culture et ses arguments furent consacrés ou firent partie de leur
« discours ». Celui-ci trouvait de nombreuses facettes au judaïsme et n'était
pas obligatoirement antisémite et critique comme celui de leurs successeurs
de la fin du XIXe siècle et du XXe siècle [14].

D'après le spécialiste en littérature anglaise, Bryan Cheyette [15], l'antisémitisme libéral se cache déjà dans les œuvres de l'un des maîtres du libéralisme victoriens, Matthew Arnold, poète, critique, essayiste et éducateur très
influent dans l'Angleterre de l'époque. Arnold adopta la distinction établie
par Heine entre « hébraïsme » et « hellénisme ». L'*hébraïsme* étant la coupure
meurtrière par rapport à la nature, sa beauté, sa grandeur, sa sensualité, sa
grâce et la joie de vivre que celle-ci apporte à l'homme, coupure que les Juifs
eux-mêmes, et ceux qui ont suivi leur voie, ont provoquée. L'*hellénisme* étant
synonyme de beauté, de sensualité, de fondement avec la nature, de créati-
vité et d'art. Sous divers aspects, tout israélien non religieux ressentira la
même répulsion qu'Arnold envers le judaïsme traditionnel. Mais pour ma
part, je ne suis cependant pas du tout aussi certain que le judaïsme fut si éloigné de la nature et de ses attributs. Il est vrai que les étudiants des *yeshivot*
ont passé par un endoctrinement de l'esprit et de l'âme, des plus sévères.
Toutefois, les fêtes juives et les liens constants avec la terre qu'on y célébrait
à l'époque, l'intérêt du Talmud pour les lois de la vie, de même que le traitement de la mystique juive du monde imaginaire qu'elle créa – tout cela est
plus complexe et plus compliqué que ce que Heine connaissait. Lui-même
s'était déjà éloigné de la civilisation millénaire qui en était issue ou plus exactement il était déjà très à l'écart de la ramification allemande du judaïsme.

En effet, dans ces sociétés juives influencées par les Lumières et les
nouveautés de la science, ouvertes aux changements politiques, économiques,
technologiques et scientifiques, qui mettaient au défi la religion et contredi-
saient ses dires, les arguments libéraux anti-judaïques pesaient beaucoup.
Cependant, dans ces sociétés, non seulement pesaient les thèses de Heine,
mais aussi son appréciation que les Juifs se heurteraient à un affrontement
inévitable entre les Lumières et l'aspiration des peuples à la liberté et entre

---

14. Voir : Solomon Liptzin, *The English Legend of Heinrich Heine,* New York 1954.
15. Bryan Cheyette, *Construction of « The Jew » in English Literature and Society : Racial Representation
     1875-1945,* Cambridge 1993, où il traite aussi de l'influence de Heine sur Arnold.

les forces qui surgiront contre ces ambitions. Les Juifs, selon lui, devront alors faire face à des problèmes sociaux et à la question nationale. Heine pensait que les Juifs seront pris entre ces facteurs et qu'ils n'auront aucune issue. De là, pouvait poindre la solution sioniste, née une génération après Heine. Pour les sionistes allemands eux-mêmes, celle-ci se nourrissait d'arguments des grands philosophes allemands – Kant et Fichte – qui ouvrirent la voie au nationalisme juif laïc [16]. L'influence de philosophes allemands plus modernes et selon eux révolutionnaires, comme Schopenhauer et Nietzsche doit être étudiée dans toutes ses formes, dans l'œuvre de Micha Yosef Berdechevski. Ce dernier fut un personnage-clé de la pensée sioniste. Il vécut presque toute sa vie en Allemagne, à la fin du XIXe siècle et au début du vingtième. Etant un grand philosophe, mais aussi un écrivain doué, réellement versé dans le judaïsme traditionnel, il incarnait une rare alliance de talents et de savoir. Il n'influença pas moins ses contemporains que Ahad-Haam. Il demandait au judaïsme de revenir à la religion pré-biblique – la Bible ayant selon lui une morale et des lois sévères et soi-disant inhumaines – à la religion archaïque, naturelle « helléniste » de terre d'Israël, que chante Tchernichovsky dans sa poésie.

Berdechevski lui-même était déchiré entre la tradition et la critique acerbe qu'il faisait de celle-ci. Il ne parvint jamais à combler les écarts entre les deux. Cependant, la réunion même des deux mondes dans sa pensée – le monde de la tradition et celui de la libération par rapport à celle-ci du fait de la volonté humaine – eut une influence considérable sur les pères fondateurs d'Israël, sur leur pensée et leur conduite. La source de cette influence reste encore à étudier et à approfondir. Elle n'est en tout cas pas connue des post-sionistes ni de Sternhell et de ses émules, du fait de ses racines tant très juives qu'allemandes [17].

Les pères fondateurs du mouvement travailliste sioniste – Berl Katznelson, David Ben-Gourion et d'autres – étaient issus du judaïsme et y avaient grandi. Ce que Sternhell désigne avec mépris comme « des petites bourgades oubliées de Dieu » en Pologne, d'où étaient issus les gens de la deuxième vague d'immigration, était en fait le cœur de la vie juive de l'Europe de l'Est. Ces pion-

---

16. S'agissant de Heine et de son influence sur des intellectuels juifs et sur leurs continuateurs sionistes, il faut aussi rappeler la grande influence de G.W.F. Hegel sur Heine lui-même. Pour une analyse des influences d'Écoles étrangères du XIXe siècle sur le sionisme, dans toutes ses tendances, et parmi celles-ci, le courant fondé par Ahad-Haam, il faut bien sûr prendre en considération l'influence du disciple de Darwin, Herbert Spenser et peut-être également l'influence directe de l'évolutionnisme scientifique remontant à Darwin lui-même. Voir Yaakov Reuveni, « Pensées sur l'histoire juive » (en hébreu), *Guesher* 131 (1995), p. 36-50.

17. Voir mon article : « La doctrine allemande de la volonté et son influence sur Berdechevski et sur les dirigeants de la deuxième vague d'immigration influencés par lui », dans : Avner Holtzman (éd.), *Micha Yosef Berdichevski : Études et documents* (en hébreu), Mossad Bialik, Jérusalem 2002.

niers ne songeaient pas à renoncer totalement au judaïsme, à sa morale, à ses lois, à ses prophètes et à sa prétention « d'élection ». Ils voulaient donner un véritable contenu à tout cela, après que l'ancien selon eux, s'était épuisé en diaspora. Dans cet esprit, ils désiraient l'adapter en lui donnant un contenu laïc. Ils voulaient lier le judaïsme historique à l'amalgame idéologique actuel de libéralisme, de nationalisme laïc et surtout de socialisme démocratique. Il s'agit en fait d'une sorte de renaissance tardive, que le poète national Haïm Nahman Bialik appela d'ailleurs « la renaissance juive ». Comme pour toute Renaissance, les contemporains de celle-ci se sentirent le droit de traiter l'histoire selon leur bon plaisir, soit de ne pas s'en couper complètement, mais du fait qu'ils la faisaient renaître, ils se permirent de lui donner une nouvelle essence, comme ils l'entendaient. Il est naturel qu'après la renaissance vienne la réaction et qu'après la réforme apparaisse la contre-réforme. Les post-sionistes ne se rendent pas du tout compte à quel point leur critique hargneuse de la renaissance sioniste ressemble à celle d'un Savonarole – ce moine fanatique incarnant la réaction à la Renaissance – en version laïque, elle-même venant en même temps que d'autres Savonarole, de genre ultra-orthodoxes. Il est facile aujourd'hui de critiquer ce cocktail impossible que représente le sionisme, au nom d'une de ses composantes comme le rêve de la réalisation du retour à la nature ou la création d'une société de travail égalitaire. Une telle attaque serait celle de l'histoire elle-même, qui rendit possible, en son temps, ce mélange. Cet assemblage n'a aucune valeur théorique, il a celle de la vie elle-même.

Le « colonialisme » et le « militantisme » sionistes

Le terme même de « critique » dont se pare la revue *Théorie et critique* l'obligerait à en faire un usage approprié. Selon l'un de ceux qui étudièrent l'utilisation de ce terme, le philosophe Jean-François Lyotard, il faut voir dans le sionisme une partie de ce qu'il nomme « un supra-narratif de la modernité », dont les premières manifestations commencèrent sous Saül de Tarse, soit Paul, qui répandit le christianisme dans le monde ancien. D'après Lyotard, depuis cette époque et jusqu'aux « Lumières » marxistes, l'histoire est la même et a le même objectif humain, qui est d'extirper la pauvreté, la souffrance, le malheur, l'indifférence et la bêtise. D'être sauvé, en quelque sorte. Dans le christianisme, le but est le salut. Pour les Lumières, c'est l'émancipation, la libération. Dans la tradition marxiste, cela s'appelle « communisme ». Le supra-narratif moderne garde en fait toujours la même forme. Lyotard, lors d'une récente visite en Israël, n'eut aucune difficulté à accorder les principes du judaïsme avec les aspirations des Lumières du XVIIIᵉ siècle et l'émancipation ou la libération de ces mêmes aspirations que le mouvement travailliste sioniste adopta et intégra dans le socialisme sioniste, toutes formes confondues.

Le traitement du sionisme en tant que « supra-narratif dans la revue précitée, dirigée par Adi Ophir, s'exprime entre autres par un mépris pour « la négation de la diaspora » du mouvement travailliste sioniste en son temps. Pour cela, Amnon Raz Krakotzkin utilise la méthodologie déconstructionniste postmoderne. Krakotzkin se sert de façon très superficielle de la définition de la thèse et de l'anti-thèse en affirmant que le sionisme fondit sa « souveraineté » sur la négation de la diaspora et se voulut « autre ». En fait, la négation de la diaspora était authentique, profonde et inhérente au judaïsme traditionnel lui-même, bien avant l'apparition du sionisme, non moins que la justification de la diaspora caractérisa le judaïsme traditionnel antérieur au sionisme. Donc, tant la justification de la diaspora, que sa négation, existaient au sein du judaïsme traditionnel en tant que deux composantes opposées.

Le sionisme greffa sur la négation traditionnelle de la diaspora, le caractère libérateur et combatif des Lumières, pour arriver à une véritable libération et non pas seulement se contenter de la désirer jusqu'à la fin des temps. Ce n'est pas pour rien que Ben-Gourion défendait la révolution française, alors que ses ennemis l'accusaient de monisme, de robespierrisme et des autres tares de cette révolution [18]. Ce « colonialiste » se considérait comme l'héritier des Lumières et pensait que les attaques de ses ennemis de l'époque contre la révolution française, dans son ensemble – comme s'il était lui, l'un de ses chefs révolutionnaires devenus dictateurs – étaient un grave manquement envers le message prépondérant que celle-ci avait apporté à l'humanité tout entière. Il ne voyait donc aucune contradiction entre les Lumières et le nationalisme juif, tout comme de nombreux héritiers de la révolution française, n'avaient vu aucune contradiction entre celle-ci et le nationalisme français. Au contraire, le nationalisme et l'État national paraissaient à ces sionistes des instruments légitimes et essentiels pour réaliser l'aspiration juive à l'émancipation et à la libération, dans la réalisation de la vision socialiste égalitaire des prophètes d'Israël.

Deux voies – et non pas une seule, soit celle de Hobsbawm et d'autres néo-marxistes – avaient donc leur origine dans les Lumières du XVIIIᵉ siècle. Celles-ci pouvaient également justifier le nationalisme libéral et socialiste, enrichi des leçons de la révolution française elle-même et des applications du XIXᵉ siècle. Le sionisme s'y rattachait en ce sens et se servit de celles-ci pour ses propres besoins.

---

18. Je veux parler des accusations lancées contre Ben-Gourion à propos de « l'affaire Lavon », l'accusant d'être un tyran, incapable d'accepter les idées légitimes des autres.

Bien que le sionisme socialiste niât la diaspora, il s'inspirait cependant de la tradition juive. Il n'a jamais voulu renoncer à la tradition tout entière, mais seulement lui conférer un contenu réel en terre d'Israël. C'est la raison pour laquelle il emprunta des éléments de « la négation de la diaspora » existant dans cette tradition et les transforma en composantes opérationnelles, grâce à l'esprit des Lumières qu'il avait puisé à des sources étrangères à cette tradition. La « négation de la diaspora » servait les besoins politiques. Il est clair que l'expression fut employée par une minorité d'avant-garde qui était dans l'obligation d'aiguiser son message. Le concept existait cependant depuis longtemps et avait pris de l'élan grâce aux idées des Lumières et du socialisme démocratique, propre au courant principal du mouvement travailliste sioniste de l'époque. Ce courant était suffisamment pragmatique pour prendre en considération tant les exigences d'une société où germaient les graines de l'industrie et de la propriété privée, que la présence des Arabes en terre d'Israël.

La Bible fut le document fondamental du sionisme social-démocratique de Ben-Gourion. C'est pourquoi, il se mit à dos le courant des Lumières remontant au XVIIIe siècle et issu de Voltaire qui voyait la Bible et le peuple du Livre comme un document et un peuple nationalistes, racistes et anti-humanitaires. Cependant, comme on l'a déjà noté, les Lumières étaient un mouvement spirituel aux tendances multiples et parmi ses champions, certains niaient la continuité que Lyotard voyait entre le christianisme, principalement celui des premiers temps et les Lumières. Ils choisirent d'attaquer latéralement le christianisme dans son ensemble en fustigeant le livre de base que celui-ci avait hérité du judaïsme, méprisé et détesté.

Le sionisme pour sa part, ne tint pas compte de ces démarches, qui se rattachent à la politique et à la société de France d'il y a deux cents ans. Il créa sa propre intégration entre la Bible, ses idées nationales et humanistes et ces aspects des Lumières qui l'intéressaient. Lyotard lui-même, français de gauche par excellence et penseur contemporain critique, maintenant disparu, y prêta attention quand il affirma au cours d'une interview donnée il n'y a pas longtemps, que les Juifs sont encore le peuple du Livre. Il blâme les Israéliens de se dépêcher d'oublier le Livre – et par ce terme, il entend également le Talmud et pas seulement la Bible – et le passé glorieux qui s'y rattache. Ceci est une forme de critique de « la négation de la diaspora », existant dans la recommandation d'étudier à nouveau le Talmud en tant qu'expression légitime de l'altérité juive délaissée. En fait, certains représentants les plus illustres de l'intelligentsia sioniste, comme Bialik en son temps, firent un effort continu afin de puiser dans le Talmud des valeurs qui leur semblaient obligatoires pour la création d'une culture juive laïque. Cependant, cet effort cessa avec l'arrivée de Hitler au pouvoir. Il ne put se développer, vu le peu de temps dont ces gens disposèrent jusqu'à cette date fatidique.

En même temps, Lyotard reconnaît la synthèse particulière que créa le judaïsme entre une terre, un passé commun et une langue. Selon lui, le concept juif de « nation » a son origine dans la « le Livre » – soit la Bible et le Talmud. Ce fait selon lui explique l'énorme différence existant entre ce terme et le concept allemand *Volk*, signifiant également « peuple ». *Volk* est un concept à la fois organique, mystique, biologique et historique, basé sur la conception selon laquelle le peuple allemand est le produit de la nature, des forêts allemandes, de ses sombres lacs, de ses montagnes, le produit de mythes nordiques barbares, cruels et guerriers. Dans le judaïsme, il n'existe pas de lien soi-disant biologique entre la terre et le sang. Il existe un lien entre ce qui est raconté dans le Livre des livres sur cette terre et ce qui s'y passa, sur les hommes de chair et de sang qui y vivaient et qui l'ont perdue, sur leurs rêves messianiques d'y retourner, de même qu'il existe un lien entre la terre elle-même et les lecteurs du Livre.

Là, Lyotard aurait dû approfondir les avertissements de Heinrich Heine concernant la libération des instincts sauvages enfouis en Allemagne, suite à « l'éclatement de la croix, ce talisman modérateur » que le judaïsme donna autrefois à l'Europe. En effet, Heine était un sceptique et pas seulement un libéral optimiste ou un romantique incapable d'autocritique. Il critiqua violemment le judaïsme et le christianisme parce qu'ils s'étaient tous deux éloignés de la nature et du soi-disant naturel, mais n'était absolument pas certain que les Lumières elles-mêmes ne contribuent pas à la destruction du talisman chrétien et de cette manière, libèrent des forces qui se révolteront contre elles et les détruiront. Celles-ci se défendront bien sûr et il en résultera des combats titanesques compliqués, entremêlés de révolution sociale et de problème national, qui acculeront les Juifs au cœur du tourbillon, sans leur laisser aucune issue ou les pousseront vers un nationalisme de retour à la nature, dans leur patrie antique.

Les tentatives des sionistes d'échapper à ce tourbillon avant qu'il ne se referme sur les Juifs, sont désignées dans le recueil de Adi Ophir comme un « colonialisme » aux graves caractéristiques militaristes, sévissant à l'époque du *yichouv* et de l'État. Ce que je sais par contre est que toutes les fractions du mouvement travailliste sioniste créèrent des manifestations pratiques et des symboles de réussite sociale et militaire, touchant l'établissement des Juifs dans le pays. Ils tinrent à maintenir une alliance avec l'Occident et avec la coalition anti-fasciste qui se renforça encore quand Hitler et ses alliés assénèrent leurs coups. Les Palestiniens, par contre, changeaient de protecteurs : alors qu'au début, ils s'appuyaient beaucoup sur le Ministère britannique des Colonies et ses représentants dans le pays, ils ont ensuite cherché l'appui de « l'Axe » fasciste. Ils obtinrent des résultats politiques grâce à leurs menaces sur les arrières de l'Occident, à la veille de la guerre, en même temps qu'ils subirent une défaite dans leur guerre frontale contre les Anglais au cours des années 1936-1939. Enfin, leur chef se rendit chez Hitler et devint ouvertement son allié. Le « narratif » présentant les Palestiniens comme les victimes de l'impérialisme et du colonialisme occidentaux ou des sionistes, en tant qu'agents de cet impérialisme, ne dit évidemment pas mot de tout cela.

Selon les collaborateurs de la revue *Théorie et critique*, s'établit ici ce qu'ils appellent le « supra-narratif » sioniste, version pernicieuse de l'establishment colonialiste et militariste. Il y a là un usage étrange de la critique pour une bonne part justifiée de l'École intellectuelle néo-marxiste, soit l'École de Frankfort, qui s'est développée sur le terrain empoisonné d'Allemagne et avait des comptes à régler au sujet de la montée du capitalisme et du militarisme de ce pays dans les années trente, cette élite allemande qui finalement participa à la Shoah. Utiliser ce règlement de compte justifié de Max Horkheimer avec les nazis et leurs collaborateurs en Allemagne pour attaquer leurs victimes et les sionistes, est une manipulation que même Horkheimer n'aurait pas justifiée, après la Shoah. Certainement pas après que fut révélée la part essentielle de l'antisémitisme dans le processus de la Shoah, part que ni lui ni ses collègues ne stigmatisèrent comme il se doit, en son temps.

Pour Lyotard, la Shoah joue un rôle essentiel dans l'histoire de l'humanité en général et dans les voies qu'empruntèrent le christianisme, Les Lumières et le marxisme. Par contre, les émules manipulatrices israéliennes de l'École de Frankfort ignorent la Shoah, la mettent entre parenthèses, la banalisent ou s'en servent à des fins manipulatrices pour promouvoir leurs exigences d'émancipation palestinienne, détruire les acquis du mouvement juif de libération en terre d'Israël et supprimer sa présence, même partielle, sur cette terre. L'Occident fut certes à l'origine de graves difficultés, qu'on n'énumérera pas ici, pour les Juifs en général et pour les sionistes en particulier. Cependant, il nous faut avant tout affirmer que la Shoah fut un facteur important, bien que ce ne fut pas le seul, de l'étouffement de la critique antisioniste et antisémite en Occident. Après la Deuxième Guerre mondiale, la critique « éclairée » du judaïsme en général et du sionisme en particulier, de mode français, fut momentanément réprimée. S'écoula un certain temps jusqu'à ce que les post-sionistes de nos jours, la ressuscitent. Toutefois, la naissance de l'État d'Israel et le fait qu'il soit devenu, non intentionnellement, un Etat-nation industriel moderne sont à considérer comme un phénomène historique qui se produisit du fait de circonstances tragiques et de fautes commises par leurs ennemis, pas moins qu'à cause des actes de fondation des sionistes.

Notre propos nous conduit donc à l'analyse de ces « circonstances tragiques » que les post-sionistes reconnaissent à leur manière. Je veux parler bien sûr de l'analyse de l'influence de la Shoah. Comme je l'ai déjà dit, les horreurs de la Shoah ont pour une bonne part influé la critique libérale anti-juive et anti-sioniste en Occident et après la Shoah, il y eut une période de répit, du moins dans le développement historique continu de cette critique. La Shoah posa même un problème aux néo-marxistes et fit ombrage à leur façon d'analyser les processus historiques. À première vue, elle justifiait même rétroactivement la solution nationale sioniste du problème juif.

Le problème de la Shoah

La Shoah pose aux post-sionistes un problème crucial, étant donné qu'il peut sembler que celle-ci justifia la victoire du sionisme, au sens où de nombreux Juifs se rassemblèrent derrière la bannière du sionisme et où celui-ci fit taire ses détracteurs en Occident. Après la Shoah, il est certain qu'une situation nouvelle se soit créée, situation obligeant à aiguiser les armes libérales ou néo-marxistes et à les accorder au défi que celle-ci posait.

C'est pourquoi, il faut faire la distinction entre les post-sionistes qui luttent pour exclure la Shoah du « supra-narratif » sioniste et ceux qui la considèrent comme un problème politique, qui de leur point de vue peut être surmonté par une critique des actes des dirigeants du *yichouv* pendant la Shoah, en dévoilant les fautes du leadership sioniste, en affirmant que le sionisme échoua à cette période et après se servit sans en avoir le droit et sans leur permission, des victimes de la Shoah, pour promouvoir ses objectifs « nationalistes étroits ». Le deuxième mode d'action cité ici est celui de Eric Hobsbawm, venant à la suite de Tom Segev.

L'article de Ilan Gur-Zéev, de l'École post-sioniste, « Entre *notre* Shoah et celles des *autres* » [19], tente de se mesurer au problème de la Shoah d'un point de vue néo-marxiste adapté à ses besoins, en se servant de la terminologie postmoderne. La phrase suivante est un phrase-clé de l'article :

La Shoah n'est pas seulement un événement historique, mais tout d'abord l'expression du fondement de l'historicité de l'expérience se réalisant dans la dialectique entre Éros et Thanatos, que nous répliquons dans une extase domestiquée au point d'être une « normalité » satisfaite.

Gur-Zéev exploite la terminologie freudienne que l'École de Francfort avait à l'époque adaptée au néo-marxisme, pour faire de la Shoah un événement cosmique, universel, pas spécialement juif, particulariste ou restreint. La Shoah exprime la tension fondamentale existant chez l'homme en tant que tel, une tension entre Éros et Thanatos – c'est-à-dire entre l'instinct de

_____

19. *Davar*, « *Essai* », 20 janvier 1995, p. 21.

vie et l'attraction de la mort, qui selon Freud existe chez tous les êtres humains. Cependant, les sionistes ont utilisé la Shoah de manière extatique. Ils ont « dansé face aux cheminées d'Auschwitz pour justifier le sionisme en tant qu'Etat-nation normal, ressuscité des cendres d'Auschwitz, tout en en tirant une leçon historique spécifique, la leçon juive et sioniste, qui n'est qu'une compréhension étroite et particulariste, capitaliste et inhumaine ». Comme je l'ai déjà dit plus haut, il ne fait pas le moindre doute aujourd'hui – après que les chefs de file de l'École de Francfort se rendirent compte du sens de la Shoah en tant qu'action intentée aux Juifs et à eux seuls et après qu'ils eurent pris conscience du rôle-clé que joua l'antisémitisme raciste dans le déroulement de la Shoah – qu'aucun d'entre eux n'accepterait cette utilisation de leur méthodologie.

En effet, transformer la Shoah, comme le fait Gur-Zéev, en expression d'inhumanité des Juifs apparaît bel et bien comme de la folie pure. Cependant, cet argument est explicité par la suite, quand il affirme :

> L'étude de la question de la Shoah doit commencer par une métaphysique de la Shoah. Elle doit faire le détail des contextes historiques englobant la Shoah du peuple juif, celles d'autres peuples, la spécificité de chacune et ses caractéristiques universelles [20].

Quelle est la « métaphysique » de la Shoah et quelle sa « physique » ou sa politique ? La « métaphysique » est la tentative de créer une théorie abstraite, non agencée dans le temps ou l'espace pas plus qu'elle n'est liée à des sujets spécifiques comme l'antisémitisme, la théorie de la race, Hitler, etc. – une théorie « de Shoah » inhérente à l'homme en tant qu'être humain. L'envers de cette médaille existe cependant, selon Gur-Zéev : « On ne peut séparer la question de la Shoah de la production de mythes faite par l'atelier sioniste du mal, qui n'est autre qu'un organe du progrès du rationalisme instrumental et de ses représentations dans les technologies du capitalisme avancé ». Ce qui en d'autres termes veut dire : le sionisme a besoin du mal, des souffrances et des tourments infligés aux Juifs et il les utilise rationnellement, de manière instrumentale, consciemment malveillante, selon les moyens du capitalisme avancé.

Cela se rapproche beaucoup des propos lancés par le journaliste Tom Segev contre David Ben-Gourion, ce colonialiste militariste nationaliste qui n'eut aucune pitié pour les victimes de la Shoah et fut indifférent à leur souffrance. Gur-Zéev poursuit et affirme dans le langage qui lui est propre et qui n'a ni la clarté, ni la simplicité de celui de Tom Segev, que :

> La totale instrumentalisation du savoir et la dissolution du sujet autonome en un objet, se reflètent dans l'industrie de la mort de la pensée réflexive, qui doit à tout

---

20. *Ibid.*

prix se nourrir de mythes. Tout cela se déroule dans le cadre de la création de l'homme nouveau de la culture occidentale. Il s'agit de la création d'un nouvel homme, dépourvu d'objectivité et d'autonomie, imperméable à la spiritualité, dont toute l'essence se trouve dans sa qualité de consommateur ou de producteur, avide de mythes et de nouveaux désirs [21].

Quels sont ces « nouveaux désirs » ? Ce sont l'étude de la Shoah, le besoin qu'on a de s'y référer, sa transformation en un mythe nationaliste, créé aux dépens des Palestiniens. L'alliage philosophique exprimé ici tend soi-disant à établir une distinction, qu'ont faite différents philosophes, entre « sujet » et « objet » – c'est-à-dire la transformation de l'homme en objectif, en instrument, au lieu qu'il soit une essence par lui-même. Les développements néo-marxistes de cette contradiction viennent du désir de se relier autant que possible à l'École néo-marxiste de Francfort. « Le savoir », cet instrument intellectuel de l'homme libre, est transformé en instrument de manipulation qui se reproduit, comme l'avait affirmé Herbert Marcuse dans son livre *L'homme unidimensionnel* [22]. Selon Marcuse, un tel homme est incapable d'émancipation ou de spiritualité. C'est un être purement « consommateur ou producteur », qui a constamment besoin de nouveaux stimulants que la société de consommation capitaliste produit, soi-disant pour lui, mais en fait pour ses propres besoins, pour ses bénéfices et par égoïsme matérialiste de domination.

Cette renaissance du langage de « la nouvelle gauche » des années soixante (en vérité des années trente) et son insertion dans la théorie psychique de Freud est un tour de magie philosophique compliqué et éclectique. Il ne s'agit pas là de critique véritable, d'ordre scientifique, sur la place de la Shoah dans la pensée et le comportement sioniste, pas plus qu'il n'existe le moindre rappel du fait que la pensée sioniste socialiste critiqua en son temps la société capitaliste.

Pire, ce que Gur-Zéev appelle « mythes », dont certains ont leur source dans la Bible, sont d'après l'éminent philosophe américain Allan Bloom, des sujets ayant une essence et une profondeur morales qui nous rapprochent de la vérité. « Je ne tiens pas une argumentation vide de sens, dit Bloom, prétendant que la vie est plus remplie quand les gens ont des mythes en vertu desquels ils dirigent leur vie. Ce que je veux dire est plus exactement, qu'une vie basée sur la Bible est plus près de la vérité, celle-ci fournissant un matériel de recherche plus approfondi sur la réelle nature des choses, et permet d'y avoir accès » [23].

---

21. *Ibid.*
22. Herbert Marcuse, *L'homme unidimensionnel*, Sifriat hapoalim, Merhavia 1971.
23. Allan Bloom, *L'appauvrissement de l'esprit en Amérique*, p. 64.

Cette épopée du judaïsme inspira plus d'un des « pères fondateurs » de la société israélienne en tant qu'instrument positif, profond et moral pour la construction d'une société intègre autant que possible en terre d'Israël, alors que la Shoah était une trop horrible catastrophe, liée de toute part à un piège historique et politique. Ni les victimes, ni leurs frères à l'extérieur, ne pouvaient rien faire pour les sauver. C'est pourquoi pendant de nombreuses années, les pères fondateurs eurent tendance à refouler ce sujet de la Shoah et à éviter de scruter le fond de ce gouffre. De toute manière, il est clair que ce n'est pas sur la Shoah qu'ils tentèrent de construire les bases de la nouvelle société socialiste démocratique en terre d'Israël, société dont la religion laïque était une religion de vie et non de mort, comme le prétend faussement Gur-Zéev.

Avec tout cela, comme le dit Bloom, des gens comme Gur-Zéev « n'ont aucune idée de la nature du mal. Ils mettent en doute son existence. Hitler n'est qu'une abstraction… un détail servant à remplir une catégorie vide » [24]. Bloom explique les racines de ce développement intellectuel par la pénétration dans les universités occidentales, de la philosophie et de la sociologie allemande et tout d'abord celle de « la relativité des valeurs », remontant au sociologue allemand Max Weber.

Totem du sionisme dégénéré

Il se peut que Gur-Zéev et ses semblables s'indignent contre les voyages de jeunes Israéliens à Auschwitz ou des voyages organisés à destination d'autres camps de concentration. A ce propos, il considère les sionistes, toutes tendances confondues, de la même manière. Sans avancer de preuve, il affirme que tous, depuis longtemps sont identiques, conformément à sa théorie. Dans son langage postmoderne, il s'attaque au programme scolaire, en ces termes :

> A ce niveau, on peut rencontrer le méta-narratif sioniste dans toute sa pureté. Il s'agit d'un individu dont l'identité tribale est absolue, qui est manipulé par de multiples symboles, de mythes, de désirs et de peurs, dont un des principaux est la Shoah. La production de mythes sionistes voudrait avoir l'exclusivité, non seulement de la représentation de la Shoah, mais de cet avoir lui-même [25].

Lui-même par contre, pense que cet « avoir » appartient à la « métaphysique » humaine en général, à la « dialectique entre Éros et Thanatos » et non aux victimes et aux descendants de ceux qui furent assassinés et que les sionistes ont persuadés – selon les dires de Tom Segev et Yosef Grodzinsky – de venir dans un pays arabe.

---

24. *Ibid.*, p. 73.
25. Gur-Zéev, Entre la Shoah.

Pour Gur-Zéev, il est évident qu'un enfant israélien qui la nuit, rêve qu'il est dans un wagon allant vers Treblinka et qui se réveille couvert de sueur, parce qu'il lui apparaît clairement dans son rêve qu'il ne pourra sortir de ce wagon, est « le produit tribal » d'un « essaim de symboles », même si ce rêve a été provoqué par un film documentaire anglais, français ou allemand, vu à la télévision. Pourtant, la Shoah n'appartient pas seulement au système scolaire israélien. Nombreux sont ceux qui dans le monde croient, on ne sait pourquoi, que « la tribu » qui y fut tuée était l'ensemble des groupes et des personnes que les nazis appelaient « Juifs ». Nombre d'entre eux ne se considéraient pas comme Juifs. C'est la Shoah qui en fit des Juifs, presque malgré eux. Ils devinrent sionistes à cause de la conscience de la Shoah et non du fait d'une conscience idéologique nationale de « tribu » ou parce qu'ils se rendirent à la propagande des dirigeants de cette « tribu », de ce peuple à qui, avant la Shoah, ils avaient tourné le dos. Et Gur-Zéev poursuit :

> La désastreuse décision de faire reposer la justification du sionisme sur la Shoah est lourde de conséquences jusqu'à nos jours… En tant qu'instrument manipulateur, non réflexif et fondamentalement conservateur, le système scolaire recycle cette attitude mythique par rapport aux questions concernant la Shoah. Celle-ci est devenue le totem d'un sionisme dégénéré et sa caractéristique de principe [métaphysique], ce qui en fait sa spécificité à la lumière d'autres haines et la critique de ses formes de représentation traditionnelles – tout cela est devenu tabou… : La reproduction des formes de relation mythologiques à la Shoah n'est qu'un organe de légitimation de l'information intellectuelle qui est le fondement de l'établissement du narratif sioniste. Il n'y a aucune place pour le développement de conceptions critiques concernant des intérêts, des hypothèses et des buts qui seraient à la base des formes de représentation des « faits » dans l'histoire officielle. Et bien entendu, dans cette production de mythes, les secrets des mécanismes de dénégation de l'histoire des « autres » sont des plus cachés. Le projet sioniste ne pouvait réussir que grâce aux forces de dénégation de ses historiens et de leurs agents fanatiques – les foules d'enseignants et d'enseignantes dévolus à la religion de la vérité. Il était important de combattre la mémoire du judaïsme oriental, celle des Palestiniens et de leurs quatre cents villages délibérément détruits, de même que la mémoire non-sioniste et les holocaustes des autres [26].

En réponse à tout cela, il faut bien sûr dire que la Shoah a évidemment une dimension universelle, qui souvent est sujette à des manipulations. Mais la pire manipulation et celle qui va le plus loin (qui est aussi une sorte « d'universalisation » de la Shoah), est celle que firent principalement les soviétiques et le monde communiste, dans les formes de représentation des « faits » de leur histoire officielle, dans le but de cacher la vérité, soit que les victimes

---

26. *Ibid.*

de la Shoah étaient des Juifs. Il fallait une certaine dose de courage, même du temps de Kroutchev, pour dire que Babi-Yar, ce lieu du massacre par les nazis des Juifs de Kiev, était un lieu de symbole où des Juifs, et seulement des Juifs, furent assassinés.

Mais les Soviétiques n'ont pas été les seuls à agir ainsi. Des intellectuels et des bureaucrates occidentaux firent de même pendant la Shoah, pour ne pas parler de la tendance dominante des institutions gouvernementales et intellectuelles arabes, après la Deuxième Guerre mondiale, à nier la Shoah. Le prolongement de cette orientation des Arabes fut, comme on le sait, leur succès à amener l'arène internationale qu'est l'assemblée générale de l'ONU à adopter la résolution selon laquelle le sionisme équivaut à une sorte de racisme. Et une fois cette résolution annulée, il y eut encore une tentative palestinienne et arabe, soutenue par l'Iran et le Pakistan, d'imposer de semblables décisions à la conférence de l'ONU sur le racisme, réunie en septembre 2001 à Durban, en Afrique du Sud. La signification de tout cela est évidemment une délégitimation de l'État d'Israël et une démonisation des Juifs en général. Ce mensonge écœurant de ceux qui excluent les Juifs de l'histoire de la Shoah, amena obligatoirement les Juifs à mettre en valeur sa dimension juive ou si l'on veut, sa dimension « tribale ».

Les racines de l'anti-sionisme en Angleterre

S'opposant à la forme de discussion présentée plus haut, l'objectif de cet essai est de montrer que l'antisémitisme et l'anti-sionisme ont des racines très anciennes qui ont continué à se maintenir pendant la Shoah, tant au sein de la gauche qu'au sein de la droite.

Si avant la Première Guerre mondiale, on s'occupait si intensivement des Juifs, en Angleterre, c'était surtout à cause de deux événements : la guerre des Boers en Afrique du Sud – entre les colons hollandais et l'Empire britannique au début du XXe siècle au cours de laquelle des intérêts financiers juifs contribuèrent grandement à la victoire britannique dans ce qui était considéré comme une « sale guerre » – et « le scandale Macaroni », scandale financier dans lequel des ministres juifs étaient impliqués. L'écrivain antisémite (mais cependant pro-sioniste) Jack Chersterton s'opposait à la guerre des Boers et donc au gouvernement, sur cette question et il attaqua les Juifs d'un point de vue conservateur, les considérant comme un groupe cosmopolite, dépourvu de racines, de patrie n'ayant pas de langue propre et par conséquent manquant de « cerveau national ». Bref, les Juifs étaient pour lui un groupe de libéraux « rongé par les vers », qui ne pensaient qu'à leur argent, comme l'affirmait le professeur de littérature anglaise, Patrick Parrinder[27].

Après la Première Guerre mondiale, le poète et dramaturge T.S. Eliot lui-même suivit les traces de Chersterton. Bryan Cheyette, cité plus haut, analysa les dires de Eliot – qui lui-même était un déraciné, un homme sans attaches, un Américain qui tenta de devenir Anglais – et en premier lieu l'expression de son dégoût pour « un grand nombre de Juifs qui pensent librement »[28] et ne sont liés à aucune tradition, à aucune histoire ou à aucune terre chrétienne. Parmi les Anglais conservateurs de ce genre, sévit couramment un vague antisémitisme particulier, non formulé dans des catégories scientifiques, comme le font en général les conservateurs anglais. Celui-ci considère le libéralisme, le radicalisme, la gauche et son « ingénierie sociale », ainsi que sa prétention à tout savoir, dont Marx est un exemple frappant, comme une impudence juive insupportable. Ceci se rapproche assez de la critique de Carlyle sur Heine, en son temps. Il n'est pas étonnant que de tels gens aient pu rêver de la solution sioniste, puis ensuite l'abandonner comme le firent leurs amis libéraux et les ressortissants du groupe socialiste « Fabian » au début du XXᵉ siècle (le « Livre Blanc » du Baron Passfield, soit Sidney Webb, fut publié en octobre 1930), puis au cours des années trente et jusqu'à la publication de « Livre Blanc de mai 1939, où la Grande-Bretagne se dégagea de son engagement envers les sionistes, pris au moment de la Déclaration Balfour.

Il y a pire : ces gens pouvaient expliquer l'ascension de Hilter au pouvoir par la grave provocation des Juifs envers la société allemande après la défaite de la Première Guerre mondiale et donc, considérer l'antisémitisme allemand comme l'une des raisons de cette prise de pouvoir[29]. Quand échouèrent leurs tentatives d'apaiser le troisième Reich et de trouver un langage commun avec celui-ci, cette élite britannique n'eut plus d'autre choix que de l'affronter sur le champ de bataille. Mais justement, il ne fallait pas que cet affrontement, dont les Juifs du monde entier se félicitaient et qu'ils considéraient comme leur guerre contre le nazisme, soit considéré comme une « guerre juive ». En effet, les Juifs n'étaient pas aux yeux de ces Anglais, très éloignés des nazis puisqu'ils ne songeaient qu'à eux-mêmes, qu'à leur groupe et à leur race. Les sionistes, ces socialistes qui s'étaient établis en pays arabe, étaient des « nationaux-socialistes ». La Deuxième Guerre mondiale n'était pas une guerre pour un quelconque intérêt particulier. Au contraire, c'était une guerre pour la liberté, valeur fondamentale de la tradition anglo-américaine, afin de repousser l'asservissement païen nazi et empêcher la domination d'une nouvelle

---

27. Patrick Parrinder, « Rachel and her Race », *London Review of Books*, 18 août 1994.
28. Gur-Zéev, entre la Shoah.
29. Sur ce sujet grave, voir les chapitres historiques du livre de Antony Robin Jeremy Kushner, *The Persistence of Prejudice : Antisemitism in British Society during the Second World War,* Manchester 1989 (sera cité : Kushner, Antisémitisme en Angleterre). Je traite aussi le sujet dans une recherche qui est en cours et qui sera publiée : « Jew's War : The Quadruple Trap of the Jews 1919-1945 ».

super-puissance sur l'Europe centrale et orientale. L'intérêt des Juifs devint ainsi subalterne, dérangeant et même dangereux, étant donné que le but était de conserver un consensus interne garantissant le soutien du peuple à l'élite combattante et de conserver l'appui des arrières arabes et musulmanes, du Moyen-Orient à l'Inde.

La séparation artificielle faite par les historiens et les orientalistes britanniques entre la politique de leur gouvernement à cette époque et les actes des sionistes en Palestine (en terre d'Israël), comme si les sionistes agissaient dans une bulle et étaient libres de déposséder les Arabes, de représenter des intérêts impérialistes, de préparer des plans pour les expulser quand l'heure y sera propice etc., ne résiste pas à un examen sérieux. Les sionistes agissaient dans un cadre où existaient encore d'autres facteurs, dont les Palestiniens et leurs dirigeants. Ceux-là s'efforçaient, avec l'aide du ministère britannique des Colonies de limiter la liberté d'action des sionistes et d'ailleurs y parvinrent. Dès le début, les Anglais tinrent compte des Arabes, dans une grande mesure. Au fil du temps, ils délaissèrent l'engagement envers les sionistes, par lequel ils s'étaient engagés dans la Déclaration Balfour. Ceci eut lieu, après la révolte des Palestiniens contre eux, suite à l'immigration vers la terre d'Israël de réfugiés – pas très nombreux – échappés aux nazis, alors que les dirigeants palestiniens désiraient établir un lien politique et idéologique avec le fascisme et le nazisme pour combattre tant le judaïsme que les Anglais. Les Anglais réprimèrent cette révolte palestinienne par la force et espérèrent apaiser les Arabes avec « le Livre Blanc ». Ainsi, ils pourraient combattre Hitler – pour qui les Juifs étaient les principaux ennemis – en faisant des concessions cruciales aux Arabes, aux dépens des Juifs. Ils agirent ainsi alors que Hitler n'avait pas encore pris la décision d'anéantir tous les Juifs, mais les expulsait aux quatre coins du monde, y compris en Palestine (la terre d'Israël). Mais à ce stade, les portes de ce pays se fermaient devant l'immigration juive, ceci justement à l'heure où les Juifs d'Europe avaient le plus besoin d'un abri. A l'étape suivante, les nazis empêchèrent la sortie d'Europe des Juifs et entreprirent leur génocide. Ils le firent – de manière complètement paradoxale – incités et encouragés par le dirigeant palestinien, Hadj Amin Al-Husseini, qui s'était installé à Berlin pour établir une alliance idéologique et politique entre l'Islam et le nazisme.

La politisation du sionisme socialiste

Le problème essentiel d'historiens comme Sternhell, qui ont du mal à faire revivre le passé et à en étudier les moindres détails et leur essence, est le manque de compréhension de la politique du passé. Sternhell affirme que le parti travailliste sioniste agit dans le pays, à l'époque étudiée, dans « des conditions de laboratoire ». Par conséquent, selon lui, ce parti aurait pu agir à sa guise et établir une société beaucoup plus égalitaire et intègre que celle qui y fut instaurée en fin de compte. Cette affirmation est fausse, vu les conditions économiques qui régnaient alors dans le pays et le manque de ressources indispensables à la création de purs instruments égalitaires, si tant est qu'il est possible de créer de tels instruments et de les maintenir, en terre d'Israël ou dans un quelconque endroit. Les dirigeants du parti travailliste devaient non seulement se mesurer au gouvernement britannique, qui n'était pas très encourageant par rapport à leur entreprise, mais également affronter la réaction arabe, de plus en plus hostile au projet sioniste. L'accession de Hitler au pouvoir, en Allemagne et la victoire du fascisme dans d'autres pays d'Europe, signifiait une politisation de l'antisémitisme, qui ne se bornait plus alors à une simple discussion idéologique, mais passa aux actes, des actes qui ne feront qu'empirer. Les dirigeants du parti travailliste sioniste ne devaient donc plus se contenter d'être des colons et des pionniers, mais ils se devaient de devenir eux-mêmes des hommes politiques. Ceci, sans oublier les obligations idéologiques du passé, qui devaient être adaptées à la nouvelle réalité politique.

Sternhell est conscient de la politisation de quelques-uns d'entre eux. Ils voient dans leur aspiration à établir un État – et en fait dans leur engagement à devenir des hommes politiques, occupés par les objectifs politiques des différentes composantes du mouvement travailliste de l'époque – la preuve que l'établissement d'un État était à leurs yeux l'essentiel. Sur ce point également, il ne voit aucune différence entre les différents dirigeants. Il ne saisit pas que de nombre d'entre eux, bien que s'intéressant surtout à la construction d'une nouvelle société égalitaire, passèrent par une politisation obligée, du fait qu'à partir de cette époque, ils appartenaient à un peuple méprisé, oppressé et problématique du point de vue politique, tant en terre d'Israël qu'en Occident. Ils se retrouvaient tout à coup au bord d'un précipice, lequel s'était ouvert au moment de la prise du pouvoir par Hitler, avec les conséquences que ce fait impliquait pour le monde entier. L'une de ces conséquences était l'argumentation que sans État leur appartenant et étant donné leur dispersion parmi les peuples, vu leur « tribalisme », leur particularité, et leur exigence d'être le « peuple élu », les Juifs étaient incapables de relever le défi que leur lançait Hitler, si ce n'est par une tentative de mobiliser l'Occident pour détruire son régime. Par conséquent, l'absence d'État, pour ces sionistes au sein du mouvement travailliste, était essentielle et il fallait absolument parer à cette situation. Le fait de n'avoir pas d'État était saisi comme la preuve même de l'isolement juif, lequel ne demandant qu'à satisfaire des intérêts particuliers par la mobilisation d'autres peuples au service des besoins particularistes des Juifs. Tout cela, sur fond de leur conspiration pour exercer leur influence sur le monde entier. Cette conju-

ration découlait soi-disant de leur dispersion dans le monde et des postes importants qu'ils occupent partout, grâce à leurs dirigeants vicieux et à leur argent.
Il faut bien dire qu'en Occident, dans des cercles nombreux et très différents
les uns des autres, cette haine des Allemands envers les Juifs, pour ces raisons-
là, était couramment admise.

Quand les dirigeants du parti travailliste sioniste comprirent ces circonstances – et David Ben-Gourion en prit conscience aux alentours de la prise
du pouvoir par Hitler – certains d'entre eux et tout d'abord Ben-Gourion,
cessèrent d'être des sociaux-démocrates hésitants et cherchèrent à tout prix
un compromis entre leurs rêves et la réalité du Moyen-Orient. Ils pratiquèrent une véritable *real-politique*. Cependant, leur politique fut fortement
influencée par ce qui se passait alors en Europe : depuis l'effondrement sans
combat de la sociale-démocratie allemande avec tous ses projets, ses nombreux
succès historiques, toutes ses institutions, ses appuis et leur disparition en
une nuit, effacés par la nouvelle droite. Etant donné que cette droite commençait également à gagner du terrain dans le *yichouv* juif de la Palestine mandataire, sous différentes formes, une lutte acerbe s'imposait contre la droite
sioniste révisionniste. Après la victoire aux urnes, il fallait parler avec son
dirigeant Zéev Jabotinsky, pour l'empêcher de glisser vers le fascisme. Cette
tentative ne fut pas couronnée de succès parce que le mouvement travailliste
sioniste lui-même n'était pas uniforme et toutes les fractions n'acceptèrent
pas la position de Ben-Gourion – lui-même n'étant à l'époque que l'un des
dirigeants – ni sur cette question, ni sur d'autres. Cela signifiait qu'il fallait
devoir renforcer l'unité et le leadership du mouvement travailliste, afin que
celui-ci puisse devenir un véritable instrument politique, dans un monde politique, où on ne peut échapper à la politique. Au stade suivant, quand il s'avéra
que Jabotinsky lui-même s'était laissé séduire par des idées fascistes, dont
une partie venaient de la Pologne du maréchal Pilsudsky – ce dictateur semi-
fasciste qui gouvernait d'une main de fer pendant les années vingt et la moitié
des années trente – ou plus précisément de ses partisans polonais qui avaient
adopté ces idées, la politique du *yichouv* du mouvement travailliste, malgré
certaines nuances entre ses différentes composantes, s'obligea à une lutte
contre la droite révisionniste, en terre d'Israël comme en diaspora.

Les sociaux-démocrates sionistes prônèrent une politique de « retenue »
au moment de la révolte arabe de 1936-1939. Ils furent stupéfiés par la reddition des Anglais, qui conduisit au « Livre Blanc », face aux défis politiques
de cette révolte. Malgré tout cela, la sociale-démocrate sioniste ne quitta pas
le camp qui avant tout, combattait le fascisme. Au contraire, elle voulait simultanément combattre le nazisme et relever le défi de la politique anglaise en
terre d'Israël, en obligeant les Anglais – contrairement à leurs intérêts – à
aider les Juifs d'Europe à émigrer et à se révolter. Les « nationalistes », de la

deuxième vague d'immigration, voulaient depuis toujours être partie intégrante de la tradition humaniste universelle. Ce n'était pas une simple affaire.
Apparurent à ce propos des divergences de vues entre deux branches du
Mapaï, la branche radicale marxiste dirigée par Itzhak Tabenkin et le groupe
de Ben-Gourion. S'opposaient ceux qui considéraient dès le début, la droite
révisionniste comme un fascisme et qui refusaient toute tentative de trouver
un langage commun avec elle et Ben-Gourion, qui tenta d'arriver à un compromis avec Jabotinsky au moment de l'accord de Londres [30].

Avec cela il faut encore dire que des Anglais et des Américains très influents
ont adhéré à la thèse selon laquelle il n'y avait pas de différence entre le nationalisme socialiste sioniste et le nazisme. C'est ce qu'affirma le Haut-
Commissaire britannique en Palestine, Sir Harold Mac Michael. Sternhell ne
fait que revenir aujourd'hui là-dessus de manière plus délicate. Cette réalité
historique complexe, faite de nombreux détours et de compromis impossibles,
engendra la politique de « retenue ». Puis – quand le groupe Stern, soit *Lehi*,
fournit des preuves de l'existence d'un fascisme sioniste – il donna lieu à « la
Petite Saison » menée contre le *Lehi* puis à « la Grande Saison » dirigée contre
le *Etzel*. Ceci, peu après que son nouveau commandant, Menahem Begin,
lança une révolte contre les Anglais, alors que ceux-ci combattaient les nazis
et laissaient enfin un petit nombre de Juifs, sortis par leurs propres moyens
d'Europe, entrer dans le pays. La Shoah, tenait une place essentielle dans
cette réalité complexe ; elle eut pour conséquence la « sionisation » des rescapés et contribua finalement à ce que les sionistes établissent une séparation
morale et politique entre les États-Unis et l'Angleterre du parti travailliste
(qui trouva son expression dans le soutien américain à l'établissement de
l'État d'Israël, contrairement à la position des Anglais). Parallèlement, elle
ébranla le pouvoir du leader des Palestiniens, le Mufti de Jérusalem, du fait
de la collaboration de ce dernier avec Hitler et contribua à l'affaiblissement
de la cause palestinienne, celle-ci n'ayant pas estimé à sa juste valeur la signification de l'influence des sionistes en particulier et des Juifs en général.

H.G. Wells, Arnold Toynbee et Simone Weil

En 1942, en pleine Shoah, le célèbre écrivain britannique H.G. Wells publia
un livre intitulé *The Future of Homo Sapiens* (« L'avenir du genre humain »).
Wells reprend le vieux rêve libéral et radical de l'avènement d'un monde
unifié, dirigé par un gouvernement mondial, idée qui avait séduit en son temps

---

30. Voir Méir Avizohar, *Dans un miroir brisé : les idéaux sociaux et nationaux et leurs reflets dans le
     monde du Mapaï* (en hébreu), Am Oved, Tel Aviv 1990, p. 164-169.

Albert Einstein et pouvait s'affilier sans difficulté aux idées marxistes. Cependant, Wells était conscient des énormes obstacles qui pourraient surgir sur la voie de la réalisation de cette idée. « L'influence juive », sous la forme du concept biblique de « peuple élu », en était un. Wells décrit ce concept – dont comme Yigal Elam, il ignorait l'histoire et la signification dans l'histoire du peuple d'Israël, toutes générations confondues – comme « une conspiration agressive et vengeresse » des Juifs contre « le reste du monde »[31]. Il faut dire cependant qu'il considérait tant le christianisme que le nazisme, comme des produits de ce même concept. Wells justifiait « l'intolérance des Gentils » envers les Juifs – non par les divergences de vues entre le christianisme et le judaïsme, dont il était issu, ni par la science semi-raciste qui s'était développée dans son pays au XIXᵉ siècle, suite à la théorie de Darwin, ni dans les arguments de Marx sur « le capitalisme juif » – mais précisément par la juste réaction du « reste du monde » au « Tu nous as choisis entre tous les peuples » dont se prévalaient les Juifs.

Wells était bien entendu un anti-sioniste patent. L'un de ses disciples aujourd'hui, P. Parrinder reprend quelques-uns de ses arguments. Parrinder reprend à son compte quelques affirmations de Cheyette sur l'apport du libéralisme anglais à l'abandon des Juifs à leur sort, durant la Shoah. Cependant, il élargit ironiquement le cercle des antisémites à d'autres catégories. Il y englobe les conservateurs anciens et modernes qui haïssaient le judaïsme et rappelle que la gauche européenne également exécrait en fait ce dernier, pour ne pas parler des marxistes de tous genres. Parrinder affirme ensuite que même si les Juifs ont souffert à l'époque, du fait des libéraux, ils n'ont plus aujourd'hui le monopole de la souffrance alors que ce sont justement eux qui font souffrir les autres, devenus aujourd'hui les victimes des sionistes. Pour étayer cette affirmation, Parrinder se réfère à l'occupation israélienne de la Bethléem arabe chrétienne, après la guerre des Six-Jours, sur la base d'une émission télévisée de la BBC, sans tenter aucunement de discerner les causes de cette occupation, les démarches palestiniennes successives et leurs exigences, depuis le temps de Hadj Amin Al-Husseini jusqu'à nos jours. S'il l'avait fait, il aurait vu que les dirigeants palestiniens s'étaient rangés à l'époque aux côtés de Hitler et avaient adopté à fond l'antisémitisme nazi – c'est-à-dire prônaient l'anéantissement des Juifs, non pas seulement en terre d'Israël, mais dans le monde entier. Par la suite, les leaders palestiniens utilisèrent – sans l'avoir intériorisée – la terminologie occidentale des Droits de l'Homme, pour leurs besoins nationalistes. Ceci, dans une société où l'individu arabe ne jouit pas de droits démocratiques, même après avoir obtenu une indépen-

---

31. Voir : Kushner, *L'antisémitisme en Angleterre*, particulièrement p. 93-94 et comparer avec : H.G. Wells, *The Future of Homo Sapiens*, London 1942.

dance politique. Il s'agit là d'une étroitesse d'esprit arrogante, existant chez quelques intellectuels anglais, comme lui. Parrinder est professeur d'anglais à l'université de Reading et annote quelques écrits de Wells.

Le reproche que fait Wells au christianisme et au judaïsme, qu'il voulait tous deux améliorer dans le cadre de son utopisme scientifique, n'a pas satisfait la génération qui lui succéda. L'utopisme scientifique – soit la mise à contribution de la science pour transformer le monde entier en société heureuse, juste et prospère – était un produit du XIXe siècle, tout comme d'ailleurs le sionisme socialiste lui-même qui s'y référait également pour ses propres besoins. Le XXe siècle lui, donna naissance à des philosophies profondes, sévères et sceptiques – qui elles aussi s'interrogeaient à propos du judaïsme et abhorraient tout naturellement le sionisme. En Angleterre, l'historien Arnold Toynbee adopta la pensée de Osvald Shpengler – ce penseur allemand qui publia ses principales réflexions sur l'histoire, au début du XXe siècle – sur la montée et le déclin de la civilisation. Toynbee développa la pensée de Shpengler à sa manière, non sans réflexions antisémites sur le judaïsme. Il manifeste une répugnance par rapport au sionisme, qui avait établi un État – soi-disant suite à la Shoah – dans lequel les Juifs se comportaient envers les Arabes, comme les nazis s'étaient comportés envers eux. Ces observations ont poussé l'historien Jacob Talmon à déplorer l'ignorance de non-Juifs traitant d'une civilisation ancienne dont ils méconnaissent totalement l'essence. La pénétration d'idées allemandes dans le monde anglo-américain n'a certainement pas commencé du temps de Toynbee et n'est d'ailleurs pas terminée[32].

De telles idées raillaient le christianisme – et par là également le judaïsme – en tant que tradition insensée et que « morale admise » cachant des injustices sociales ou le partage du monde en peuples et en États, division ayant fait son temps. L'apport de ces idées allemandes à l'esprit postmoderne a été analysé dans le livre de Alan Bloom sur l'appauvrissement de l'esprit en Amérique et sur le développement d'arguments à la fois anciens et nouveaux, niant la tradition occidentale tout entière, et par conséquent aussi l'apport du judaïsme à cette tradition. Le linguiste Noam Chomsky, dont l'Israélien Yosef Grodzinsky est le disciple, est l'un des plus saillants détracteurs de l'Occident, de sa culture et de ses élites. Il voit dans le nationalisme industriel et dans le sionisme qui en est un prolongement, l'origine de tous les vices.

Et voici qu'à la fin de la Deuxième Guerre mondiale, le christianisme connut en Europe un nouvel éveil. La Shoah pesait sur sa conscience et pour un certain temps, les héritiers du radicalisme anglais furent réduits au silence. Ce fut ainsi jusqu'à ce qu'ils redécouvrent le sionisme pour le dénigrer. On

---

32.   Voir : Jacob Talmon, « La signification universelle de l'antisémitisme moderne », dans : *ibid.*, *Unité et spécificité* (en hébreu), Shoken, Jérusalem et Tel Aviv 1995, p. 280.

peut ainsi expliquer le peu d'influence d'une des plus grandes philosophes de l'antisémitisme chrétien du XXᵉ siècle, Simone Weil. Weil était une juive française, dotée d'un sens profond de l'injustice et de l'iniquité sociale, qui ne croyait cependant pas à la possibilité pratique d'éliminer ces maux. C'était une personne très sérieuse qui voulait agir et non pas seulement écrire. Elle fut enseignante, ouvrière en usine et combattit pendant la guerre d'Espagne. De retour en France, elle se consacra à la théologie du christianisme en insistant sur ce qui distinguait celle-ci du judaïsme. Pendant la guerre, elle quitta la France et se réfugia en Angleterre, où elle mourut avant d'apprendre les atrocités de la Shoah et l'anéantissement délibéré des Juifs.

La théologie chrétienne de Weil n'est pas l'objet de cet article, si ce n'est le lien que Weil établit entre la religion – qu'elle voyait de manière pessimiste et sans espoir de véritable salut ou de changement messianique pour la vie des hommes dans la réalité telle qu'elle est vraiment – et sa foi en l'être humain, en tant que tel et son refus d'accepter aucune séparation ou discrimination entre les hommes, même pour des raisons religieuses. Cette conception libérale de gauche de l'homme, amena Weil à ce que Samuel Hugo Bergman[33] appela un « socialisme utopique humaniste » et à la critique du marxisme. Du fait de son pessimisme et de sa croyance en un déterminisme, obligation réelle de la nature – Weil acceptait les hypothèses de Marx sur le pouvoir des processus de production dans l'histoire. Mais, contrairement à Marx, cette croyance en un déterminisme lui fit comprendre qu'il était impossible d'effacer l'injustice du monde et d'accomplir la justice, à partir de ces processus de production. Ce profond pessimisme des années trente la conduisit même à la conviction profonde que cette injustice existante sera remplacée par quelque chose de pire, par un pouvoir bureaucratique qui se substituera au pouvoir de la bourgeoisie matérialiste.

Sur ce point, Weil se trompa lourdement, comme on a pu le constater de nos jours. L'injustice des années trente fut remplacée par une économie de marché en croissance, dans le cadre de « l'Etat-nation industriel développé », tel qu'il a été décrit par Gellner, de l'Europe occidentale de nos jours, alors que la bureaucratie de l'ensemble du bloc de l'Est s'est effondrée au profit d'un groupe problématique d'États nationaux et son rôle historique s'est sensiblement réduit, même dans la France d'aujourd'hui. De la même manière, on ne saurait faire preuve d'aucune indulgence pour la thèse de Weil – selon laquelle le judaïsme n'est que la « religion d'un groupe racial », c'est-à-dire une déformation de la véritable religion, « celle qui s'adresse à l'individu et à son âme et ne connaît aucune barrière entre les hommes ». Le fait d'ignorer d'une part, la vision d'Isaïe, et de l'autre, le caractère du judaïsme en tant

---

33.   Voir : S.H. Bergman, « Weil Simone », *Encyclopédie hébraïque*, tome XVI, p. 126-127.

que religion nationale, annonçant l'établissement d'Églises nationales en Europe et le développement d'États nationaux, entre autres du fait de la lutte entre l'Église et la royauté et entre le prêtre et le prophète, signifie une incompréhension totale de l'histoire européenne et un discrédit du nationalisme dans son ensemble pour des raisons religieuses.

Il était permis de penser ainsi avant la Shoah et même comme le fit Weil, d'accuser le judaïsme, d'avoir transformé la religion en un intérêt national, de dénoncer sa cruauté envers les non-Juifs et l'incriminer d'avoir créé un terrain spirituel qui justifia toutes les cruautés de l'Église – dont l'Inquisition et le massacre d'hérétiques – dont les Juifs eux-mêmes furent les victimes. On revient toutefois ici à la terrible ignorance de ceux qui critiquent le judaïsme et parmi ces derniers, celle de Juifs qui ont abandonné leur religion. Il s'agit d'une méconnaissance totale du fondement humaniste qu'apporta le judaïsme à la culture occidentale, fondement dont l'essence est le changement, l'affinement et l'amélioration des valeurs traditionnelles du judaïsme, en tant que religion de la vie, qui au cours des générations développa, en s'éloignant de certaines parties plus primitives de la Bible, une répugnance à verser le sang et une horreur de la guerre et transforma des commandements touchant le culte en injonctions religieuses spirituelles – qualités qui firent que le judaïsme sortit totalement de l'histoire. Le judaïsme était devenu passif et sans défense à tel point que la vie des Juifs n'eut plus aucune valeur, précisément à l'époque de Weil, pour des raisons auxquelles sa pensée avait en quelque sorte préparé le terrain et avait donné une légitimation partielle et dont le sionisme venait relever le défi.

L'héritage juif du christianisme et plus particulièrement la reconnaissance par l'Église d'une continuité entre la Bible, soi-disant barbare, nationaliste et raciste et le Nouveau Testament – tout entier miséricorde, pardon et amour, empêcha Weil d'adhérer formellement à l'Église catholique. A l'évolution de ces concepts, de la Bible elle-même au Nouveau Testament, évolution que Weil refusa d'admettre, s'ajoute un rapport bienveillant envers la civilisation grecque, que Weil considérait comme un préambule à l'apparition de Jésus. Il est évident que depuis l'époque de « l'hellénisme » de Heine, les distinctions à ce sujet se sont compliquées. Weil ne s'intéressait pas tant à l'élitisme de la culture grecque et à sa prétention « d'élection », vu les cultures « barbares » et inférieures qu'elle voyait. Son attitude est totalement a-historique. Elle mesura une réalité de milliers d'années à l'aune morale du pessimisme stérile, désespéré et sévère des années trente et quarante du XXe siècle.

Signification de la Shoah

Les Juifs d'Europe, qu'ils se soient eux-mêmes considérés comme Juifs ou qu'ils aient quitté le judaïsme, devaient – du fait de caractéristiques de religion, de race ou de conduite politique que leur prêtaient les nazis – être anéantis. Après la Shoah, le christianisme, toutes tendances confondues, abandonna son antisémitisme traditionnel. Il apparaît donc que c'est bien la Shoah, dirigée exclusivement contre les Juifs, qui fut à l'origine de ce relatif changement d'attitude, lequel aboutit à la reconnaissance du droit des Juifs qui le voulaient, à établir leur propre État, sur une partie de la terre d'Israël. La conséquence de ce changement d'attitude est que les Juifs qui ne veulent pas vivre dans cet État, peuvent cependant le considérer comme une garantie de l'existence de leur judaïsme pour l'avenir, non pas en tant qu'abri d'urgence, mais en tant qu'entité historique conceptuelle. Ils peuvent en effet considérer qu'ils ont une patrie dans leur pays historique, ne serait-ce que dans une partie de celui-ci. En même temps, la Shoah fut à l'origine d'un changement d'attitude envers le racisme et le nationalisme à outrance en général. Il se produisit un processus d'universalisation, qui influa certainement à cette époque, sur l'attitude envers les Noirs aux États-Unis et sur le rapport envers le colonialisme, sous toutes ses formes. A partir de là, on pouvait aussi se servir de la Shoah pour critiquer le sionisme.

Aux yeux du groupe politique des post-sionistes, qui auraient voulu supprimer le nationalisme juif sur la terre des Arabes et qui croient que le processus de paix qui commença à Oslo ouvrit une brèche permettant d'attaquer l'identité sioniste et israélienne précaire, obligatoirement superficielle, nationaliste et donc forcément vouée à quitter la scène de la civilisation arabe, la Shoah a une signification particulière. Etant donné que la Shoah marqua à l'époque une croisée de chemins historique qui changea le rapport au judaïsme et au sionisme dans une bonne partie de l'Occident et certainement dans les cercles de la gauche modérée – de toute façon suspecte de nationalisme aux yeux des piliers du post-sionisme – celle-ci pose problème. L'un des représentants de ce groupe, Ilan Pappé, au début de sa carrière, affirma même dans une émission de radio qu'il « n'y avait pas de preuve de la Shoah ». Pappé en cela voulait suivre les traces de l'historien Yigal Elam et insinuer qu'avec les méthodes historiques admises de recherche, on pouvait affirmer n'importe quoi et que par conséquent, ces méthodes n'ont aucune valeur. Etant donné qu'il n'existe pas d'ordre écrit de Hitler concernant « la solution finale » – hypothèse sans fondement de Elam, découlant de sa méconnaissance des sources allemandes et de son ignorance sur l'implication de Hitler dans les plus petits détails de « la solution finale » – on peut également affirmer ce que l'on veut à ce propos. C'est pourquoi il faudrait travailler selon la méthode du narratif postmoderne et traiter de ceux qui sont aujourd'hui opprimés, de problèmes non encore résolus et de leur solution politique et morale.

Ce qui importe à Pappé, est en fait le narratif palestinien, celui des exilés de 1948, que les sionistes ont selon lui chassés de leurs terres, créant ainsi un problème qui, toujours selon lui, ne sera résolu qu'à leur retour et avec la suppression de l'entité nationale juive, qui n'a pas droit d'existence. Dans une autre phase, Pappé présenta la Shoah comme une catastrophe ressemblant à celles d'autres contemporains ou à celle du peuple cambodgien. Ceci relève d'une ignorance coupable pour ce qui concerne le judaïsme et son caractère historique et culturel aux facettes multiples. Uri Ram propose d'exclure la Shoah du débat sur la naissance dans le péché de l'État d'Israël, parce que l'y intégrer, brouillerait et abîmerait le tableau auquel Ram est intéressé. Zéev Sternhell achève son livre sur le nationalisme juif et les fautes du mouvement travailliste sioniste, à l'année 1940. Il évite ainsi de parler de la Shoah, sans pour autant manquer d'encenser le *Septième million* de Segev, à la fin de son livre. Cependant, Segev lui-même, tout comme Elam, reprit à son compte la thèse ultra-orthodoxe et anti-sioniste en son temps ainsi que d'ailleurs celle que prônait alors la droite révisionniste, soit que le leadership social-démocrate du *yichouv* était alors surtout préoccupé de lui-même, voulant asseoir son pouvoir en terre d'Israël et donc de ce fait, fauta envers le peuple juif assassiné.

Comment cette avant-garde de renaissance du peuple juif pouvait-elle ignorer le peuple qu'il espérait sauver et qu'il considérait comme son fer de lance, alors qu'elle venait apporter une nouvelle vitalité à ce peuple sur la terre de ses ancêtres ou du moins sur une partie de celle-ci ? Les post-sionistes de toutes sortes nous l'expliqueront selon leurs méthodes, que nous avons déjà évoquées. Ce qu'ils ont en commun est leur manque de conscience de la longue et très ancienne tradition d'antisémitisme de leurs arguments.

David Ben-Gourion et la Shoah
Racines et évolution d'un stéréotype négatif *

Tuvia Friling

1

L E DÉBAT sur ce que firent le *yichouv* et ses dirigeants pour sauver les Juifs d'Europe pendant la Shoah a, depuis les années cinquante, largement dépassé le cadre de discussion d'un problème historique, ancré dans un contexte défini et dans des circonstances bien particulières. Il a rapidement débordé de ce cadre et est devenu un instrument dans la lutte idéologique pour le façonnement de l'image de l'État d'Israël. Pour le public aussi bien que dans la recherche, cette question fut assimilée à celle de la mesure « d'honnêteté » de la révolution sioniste, au degré de légitimité de l'État et de la façon dont s'est concrétisée cette révolution [1].

L'éventail de ce qui fut soutenu à ce propos va de ceux qui pensent que le *yichouv* n'a rien fait, parce qu'il avait compris que cette tâche dépassait ses possibilités et qu'il valait donc mieux se concentrer sur celle de la construction du pays, à ceux qui affirment que les habitants de la Terre d'Israël et leurs dirigeants se sont délibérément et *de facto*, désolidarisés de la diaspora en ses jours de malheur. Entre autres fut avancé l'argument selon lequel ils abandonnèrent les Juifs d'Europe afin de recevoir la récompense politique promise

---

(*) Cet article se base sur le résumé de mon livre *Flèche dans les ténèbres* (en hébreu) (Arrow in the Dark, Ben Gurion, the Yishuv Leadership and Rescue Attempts during the Holocaust), ainsi que sur deux articles publiés dans deux livres d'or : Tuvia Friling, *Le triumvirat officieux et le système parallèle – Du pouvoir décisionnel à l'application des résolutions concernant les actions de sauvetage du yichouv durant la Shoah*, Livre d'or en l'honneur du Prof. Yehuda Bauer et du Prof. Israël Gutman, Dalia Ofer et David Bankir (éd.) ; Tuvia Friling, *Palestinocentrisme ? Ben-Gourion et la négation de la Diaspora pendant la Shoah*, livre d'or en l'honneur du Prof. Oppenheim, Zéev Tzahor, Hanna Yablonka et Eli Tsur (éd.).

1. Un premier article à ce propos fut publié par le soussigné en 1987, voir : « Examen d'un stéréotype : Ben-Gourion et la Shoah des Juifs d'Europe 1939-1945 », *Cahiers de Yad Vashem*, 17-18, p. 330-351.

par la Grande-Bretagne au mouvement sioniste à l'issue de la guerre, à condition que les sionistes ne la « gênent » pas pendant la guerre. Bien d'autres arguments ont été avancés, qui se résument tous à l'affirmation que le *yichouv* abandonna la Diaspora. De telles affirmations furent déjà soutenues pendant la guerre et le sont encore à l'heure où j'écris ces lignes.

Ces affirmations se nourrissent de trois sources principales. La première sont des dires de fonctionnaires ou de personnalités publiques de tout l'éventail politique du *yichouv*, y compris des personnes qui furent elles-mêmes actives dans les opérations de sauvetage et des personnalités des cercles dirigeants. Certains propos furent tenus au moment des événements, d'autres, plus tard [2]. La deuxième source est alimentée par des propos de journalistes, d'intellectuels et de quelques chercheurs qui ont traité la question pendant la

---

2. *Propos de personnalités qui prirent part aux événements* : Anshel Reiss, membre du *Mapaï*, Archives du Centre de Promotion du Patrimoine de Ben-Gourion (ci-dessous : ABG), département de témoignages oraux, interview avec Anshel Reiss, interviewers : Yigal Donyets, Eli Shaltiel, cassette 147, p. 18 ; Avraham Haft, secrétariat du *Mapaï* : « … je suis inquiet non pas tellement de la position de l'Agence Juive que de celle de nos camarades de l'Agence Juive à ce sujet. Je suis inquiet que Monsieur Ben-Gourion ne s'angoisse pas au maximum à ce sujet. Ce n'est pas seulement Ben-Gourion, c'est pareil à Londres, et en Amérique. Tel est mon sentiment. Il y a une sorte d'intelligence et de sagesse qui ne sont pas adaptées à cette immense catastrophe et qui la contredit ». Archives du parti travailliste (ci-dessous : APT), Beit Berl, Protocoles du secrétariat général de *Mapaï*, 10 février 1943, Haft ; et à cette même réunion, lors de la discussion sur la question d'allouer des fonds pour les opérations de sauvetage, Golda Meir dit : « Il y a dans le pays, cent juifs qu'on pourrait réunir sans faire de bruit et leur dire : que chacun de vous donne maintenant… mille livres… et je n'ai pas le moindre doute que ce serait faisable ! La question est de savoir qui appellera ces Juifs : Si c'était Ben-Gourion, Kaplan et encore deux ou trois autres avec eux, ce serait très facile… » Voir aussi Zisling et Heshel Froumkin, Beba Idelson et Shprintzak, tous membres du *Mapaï*. Archives du parti travailliste-Institut Lavon (ci-dessous ATIL), secrétariat de comité exécutif de la *Histadrout*, 11 février 1943 ; Heshel Froumkin, ibid., séance du comité exécutif de la *Histadrout*, 26 mai 1943, vol. 68M ; Beba Idelson, ibid., 18.11.43 ; Shprintzak APT, Secrétariat de *Mapaï*, 15 décembre 1943, après le rapport de Zéev Schind ; Meïr Yaari, « Face à la catastrophe », article dans l'hebdomadaire du *Hashomer hatsaïr*, le 6 janvier 1943, critique de la façon dont on a traité l'information sur l'extermination, parvenue à l'Exécutif longtemps avant que celui-ci ne décide de la publier officiellement en novembre 1942 : « … et entre temps Ben-Gourion était à Washington et s'occupait de l'armée juive et de la proposition de Biltmore. Frappés de stupeur, vous pouvez vous demander : "qu'est-il arrivé au mouvement sioniste ? Ont-ils tous perdu toute conscience ?" » ; l'écrivain Moshe Smilansky, printemps 1944, et la réponse de « *Davar* » dans son éditorial du 19 avril 1944 : « Ouvertement et en secret, sont émis de temps en temps des propos critiquant nos actions de sauvetage, les institutions et les dirigeants qui œuvrent pour notre bien à tous. Il se trouve de bonnes gens, surtout parmi ceux qui ne sont pas nos alliés, qui demandent pourquoi nous avons mis tous nos efforts et toute notre énergie dans l'*Alya* des Juifs vers la Terre d'Israël et nous ne nous sommes pas efforcés de sauver ces Juifs des griffes des nazis en les faisant passer dans n'importe quel lieu possible. Une telle politique de sauvetage n'était-elle pas bonne ? insistent-ils, et ne nous sommes-nous pas tous engagés dans ce sens quand nous avons décidé de lier le sauvetage et l'*Alya* ? N'y a-t-il pas ici, clament-ils, "une sorte d'exploitation de la détresse juive au profit du sionisme" ? Étant donné que ceux qui posent ces questions ne le font pas tous par méchanceté ou par amertume, mais que certains ne parlent ainsi que par manque d'information, on peut espérer que si on les informe comme il faut, ils comprendront et ne reviendront pas sur le sujet… » Itzhak Gruenbaum, membre éminent →

guerre, à l'issue de celle-ci ou au cours des premières décennies de l'existence de l'État[3]. La troisième source est fournie par des politiciens, des journalistes et des intellectuels appartenant au courant post-sioniste, qui ont ajouté

→ de l'Exécutif de l'Agence Juive et président du comité de sauvetage, dit de Ben-Gourion, après l'affaire Brener, qu'il «ne veut même pas entendre ce qu'on dit, qu'il s'en tient à ses idées et qu'on ne peut pas l'en faire changer». Archives Sionistes Centrales (ci-dessous ASC), Protocoles de l'Exécutif de l'Agence Juive (ci-dessous DAJ), 23 juillet 1944. Même si Gruenbaum reconnut plus tard au cours de la séance qu'il a dit ce qu'il avait dit pour des raisons «tactiques» afin d'obliger Ben-Gourion à l'écouter, et a par la suite mitigé ses propos à ce sujet, ce que dit ensuite Gruenbaum au cours de cette même séance reste impressionnant ; Quinze jours après que l'affaire Brener fut ébruitée dans la presse occidentale, le *Machkif* (l'Observateur, N.D.T.) écrivit le 6 août 1944 : «De la droite : Que fera la population juive de Terre d'Israël au dernier moment, en voyant les survivants de son peuple lutter contre des vagues malfaisantes les entraînant vers l'abîme ? Nous sommes fatigués de lancer des appels et d'exiger matin et soir, pendant des jours et des années. Des dirigeants ratés veulent étouffer notre lutte et détourner constamment l'opinion en faisant courir de faux bruits sur différents programmes de sauvetage. Par ses stratagèmes, elle contribue à conduire nos frères de Hongrie à leur perte. Le *yichouv* se laissera-t-il aussi entraîner au dernier moment, alors que la mort le contemple, à travers les yeux du dernier de ses frères, dans les manœuvres d'endormissement de la direction officielle ?» Nahum Goldman, *A posteriori*, Souvenirs, Weidenfeld et Nicolson, Jérusalem, 1972, à partir de p. 186.

3. Deuxième source – *Propos de journalistes, d'intellectuels ou de certains chercheurs, qui ont traité la question pendant ou après la guerre ou au cours des premières décennies d'existence de l'État* exemple : Shabtai Beit-Zvi, *The Post-Ugandian Zionism in the Crucible of the Holocaust*, étude sur les causes des erreurs du mouvement sioniste pendant les années 1938-1945, Bronfman, Tel Aviv, 1977, par exemple p. 104, 105, 119, 133, 139, 143 ; Yigal Elam, *An Introduction to Zionist History*, éditions A. Levin-Epstein, Jérusalem, 1972 ; M. Vazelman, *Le signe de Caïn*, sur l'affaire des échecs des tentatives de sauvetage, l'impuissance et l'insensibilité des dirigeants du sionisme mondial et de l'Agence Juive pendant la Shoah 1939-1945, Menahem Gerlich (éd.), Tel Aviv, sans mention de l'année de parution ni de la maison d'édition ; Weissmandel Dov Ber, *Min Hametzar* (Des Profondeurs de l'abîme, N.D.T.), Souvenirs des années 1942-1945, édité par la famille de l'auteur, Jérusalem, 1960 ; Abraham Fuchs, *J'ai appelé et personne n'a répondu*, le cri du rabbin Weissmandel au temps de la Shoah, édité par l'auteur, Jérusalem, 1983 ; Moshe Shenfeld, (éd.), *Les enfants de Téhéran accusent*, Faits et Documents, Tel Aviv, 1943.

Les Chercheurs : Mordechai Fridman, *The Political Public Response of American Jewry to the Holocaust* 1939-1945, Dissertation de doctorat, Université de Tel Aviv, 1985, vol. 1, p. 47, selon lui, Ben-Gourion et Silber établirent à Biltmore les fondements de la conception «palestinocentriste» et n'ont cherché aucune alternative pour sauver les Juifs d'Europe. Ainsi, cette tâche resta celle du Congrès Juif ; Hava Eshkoli (Wagman), «La position des dirigeants juifs de Terre d'Israël sur le sauvetage des Juifs d'Europe», *Yalkout Moreshet*, 24, octobre 1977, p. 87-116. L'essence de la position de Ben-Gourion était que : «… Seule la concrétisation rapide de l'objectif du sionisme constitue une réponse à la Shoah. Une immigration de masse vers la patrie juive indépendante de Terre d'Israël – telle est la réponse de Ben-Gourion à la catastrophe des Juifs d'Europe» (ibid., 98). Ben-Gourion adhérait à l'hypothèse politique que «si on n'exploitait pas la période de la guerre mondiale pour améliorer les chances politiques du sionisme en Terre d'Israël, il était inutile de tenter le sauvetage du peuple juif, puisqu'il n'y aura pas où l'accueillir après la guerre. Ce sont des considérations de ce genre qui ont poussé l'Exécutif de l'Agence Juive à poursuivre sa collaboration avec l'Angleterre malgré les obstacles évidents et cachés, qu'elle mettait au sauvetage des Juifs d'Europe…» (*ibid.*, 95) ; et également Amos Elon, *Timetable*, Idanim, Jérusalem, 1980, qui présente Ben-Gourion comme un homme que le problème de Hongrie ne concerne absolument pas. En vérité, ce fut l'opération de sauvetage où Ben-Gourion s'est le plus engagé.

ces derniers dix ou quinze ans, une couche supplémentaire à l'image négative déjà existante[4].

Dans ce débat, tint tout naturellement une place primordiale et particulière, la question de savoir quelle fut la place que Ben-Gourion accorda aux
Juifs d'Europe à l'époque de la Deuxième Guerre mondiale, dans sa perception des faits, sa politique et son action. Cette question est digne de faire l'objet d'un débat spécial, vu l'affirmation que Ben-Gourion, « le nationaliste »,
« le colonialiste », « le militariste » et « le manipulateur », le dirigeant cruel,
« l'homme d'une seule tâche », comme il fut qualifié par ses détracteurs, voyait
dans l'œuvre d'aide et de sauvetage, une contradiction avec ses objectifs
touchant à l'entreprise sioniste, et que de toute façon il se débattait alors avec
d'autres devoirs et était en prise à de sérieux problèmes[5].

Un exemple flagrant, peut-être l'un des plus patents, de ce stéréotype négatif et de la plupart de ses composantes a été fourni par le journaliste Tom

---

4.   La troisième source – *Politiciens, journalistes et intellectuels appartenant au courant post-sioniste
     – qui ajoutèrent une couche supplémentaire à l'édifice de cette image négative, ces derniers dix ou
     quinze ans.* exemple : Tom Séguev, *The Seventh Million : The Israelis and the Holocaust*, Keter,
     Jérusalem, 1991 ; Roman Frister, *No Compromise*, Zmura-Bitan, Tel Aviv, 1987, ses propos sur les
     rapports entre Ben-Gourion et Gruenbaum ; Shalom Salmon, *Les crimes du sionisme par rapport à
     l'extermination dans la Gola*, quatrième édition élargie, édité par l'auteur, Jérusalem : « Cela fait
     plus de quarante ans que les sionistes réussissent à cacher leurs crimes et leur responsabilité dans
     l'extermination de la Shoah… », p. 3. Voir d'autres expressions de ce genre chez Shabtai Teveth,
     « Le trou noir », *Alpaim*, revue 10, Nitza Drori-Perman (éd.), Am Oved, Tel Aviv, 1994. Des gens
     de lettres ont exprimé d'autres propos de ce genre – plus ou moins résolument et délibérément, ainsi
     par exemple : Jim Allen, dramaturge anglais qui écrivit une pièce intitulée « Perdition », dans laquelle
     il attaque avec fiel Ben-Gourion et les dirigeants sionistes sur leurs positions au sujet du sauvetage
     pendant la Shoah. Il prétend que Ben-Gourion et Hitler avaient un intérêt commun. Ni plus, ni
     moins ! : vol. 2, Jim Allen, *Perdition*, Ithaca Press, London, 1986. Propos acerbes sur Ben-Gourion
     et son rapport avec la Shoah et les enfants qui en étaient revenus, voir le poème du Prof. Binyamin
     Harshav, note 65 plus loin ; pour exemple supplémentaire voir : Moshe Zuckerman, *Cinquante ans
     plus tard* ou *Après cinq ans, cinquante ans ou jamais*, la Shoah dans le cinéma israélien et la place
     qu'elle tient dans la culture nationale, Introduction, extrait d'un manuscrit que Moshe Zuckerman
     fit parvenir à l'auteur.
     On peut trouver d'autres exemples dans la presse, voir : Igal Elam, dans une interview à Yona Hadari-
     Ramage, *Haaretz*, 18 janvier 1995, « Protéger l'image mythologique de Ben-Gourion ».
     Voir également les propos du parlementaire Shlomo Benizri, qui accusa violemment les dirigeants
     sionistes de l'époque de la Shoah et des premiers temps d'existence de l'État : « Gruenbaum distri-
     bua des certificats d'immigration vers la Palestine. Les Sépharades, par exemple ne pouvaient pas
     venir, parce qu'ils n'en avaient pas assez fait ». Benizri ajoute encore : « On n'a laissé venir dans le
     pays ni les révisionnistes, ni les gens du *Etzel* ou de *Lehi*, ni d'ailleurs les ultra-orthodoxes. Ce n'est
     pas croyable comme ils étaient cruels. Ce n'est pas croyable de quels actes cruels ils étaient capables »,
     Globus, 23 août 2000.
5.   Voir à ce sujet : Shlomo Aronson, « Sur le post-sionisme et la tradition antisémite en Occident »,
     « Réflexions sur la renaissance d'Israël », *Zionism : A Contemporary Controversy*, Pinchas Ginosar,
     Avi Bareli (éd.), Centre de Promotion du Patrimoine de Ben-Gourion, Kiriat Sdé Boker, 1996, p. 160-
     202. Et aussi : Ilan Gur-Zéev, « Entre notre Shoah et celle des "autres", le poids », *Davar*,
     20 janvier 1995, p. 21.

Séguev dans son livre *Le septième million*[6], paru au début des années quatre-vingt-dix. Le livre fut un best-seller en Israël, il fut l'objet d'une émission de télévision très importante de la chaîne publique, et fut traduit en anglais, en allemand et en français. C'est un livre intéressant, bien écrit et qui se lit facilement, une sorte de « guide sur les Israéliens et la Shoah en huit chapitres » ou selon l'esprit du livre, un manuel sur « tout ce que vous vouliez savoir sur les Israéliens et la Shoah et que vous n'avez jamais osé demander »[7].

Avec beaucoup de zèle et un talent incontestable, Tom Séguev entraîne ses lecteurs dans un périple d'une soixantaine d'années, depuis la prise du pouvoir par Hitler jusqu'à la guerre du Golfe, alors que les Israéliens se terraient dans leur chambre-abri hermétique, à travers presque toutes les profondeurs et les courbes du stéréotype négatif. Dans ce long et douloureux voyage, destiné surtout à un public non versé dans l'abondance d'informations relatées et qui s'accompagne de regards dérobés et de clins d'œil continuels à des lecteurs non-israéliens, l'auteur survole tout ce qui d'après lui, touche à ce sujet (et souvent aussi ce qui ne le touche pas du tout, dans la mesure où c'est intéressant ou pimenté). Nous y trouvons donc : le rapport de la population juive en Terre d'Israël, toutes tendances politiques confondues, à la prise du pouvoir par Hitler ; les tentatives de mener des négociations avec l'Allemagne et l'élaboration de « l'accord de transfert » ; la réaction du *yichouv* quand la guerre éclata et sa position par rapport aux informations venant d'Europe, dans la première phase du processus d'extermination ; de quelle manière le *yichouv* se mesura avec cette information et quelle fut sa position par rapport aux possibilités de sauvetage et surtout quelle fut son attitude relativement aux trois plans de rançon qui furent à l'ordre du jour, soit le plan de Transnistrie, le plan de Slovaquie et le plus fameux d'entre eux, la proposition que rapporta Joël Brand d'échanger « des camions contre du sang ». L'auteur aborde également des sujets comme l'attitude du *yichouv* face aux rescapés de la Shoah, « l'Exode d'Europe », les plans de vengeance, l'enrôlement de jeunes rescapés de la Shoah dans la « *Hagana* », à la veille et au cours de la guerre d'Indépendance. Il traite également du rapport des dirigeants du yichouv à l'immigration clandestine avant, pendant et au cours de la guerre ; de la relation du jeune État à la vague d'immigration venue d'Europe et de son attitude discriminatoire, selon lui, par rapport aux immigrants des pays du Moyen-Orient et d'Afrique du Nord ; de la question de

---

6. Tom Séguev, *Le septième million : les Israéliens et la Shoah*, 1991.
7. Voir également à ce sujet, de façon plus élargie, Tuvia Friling, « Le septième million en tant que suite de bêtises et de méchanceté du mouvement sioniste », *Réflexions sur la renaissance d'Israël*, vol. 2, Avi Bareli (éd.), Centre de Promotion du Patrimoine de Ben-Gourion, Kiriat Sdé-Boker, 1992, p. 317-367 ; Yehuda Bauer et Tuvia Friling, « Réponse à Tom Séguev – le septième million et le plan Joël Brand », *Iton 77*, numéro 160-161 (mai-juin 1993).

« l'autre Allemagne » et de celle des réparations allemandes ; de la vente
d'armes israéliennes à l'Allemagne, de l'affaire des savants allemands en
Égypte, tout cela dans le contexte de l'État d'Israël et des guerres que celui-
ci mena – la guerre d'Indépendance et celle du Sinaï, la guerre des Six-Jours,
la guerre d'usure et la guerre de Kippour. Il ne manque pas non plus de
mentionner la guerre du Liban et le massacre de Sabra et Chatila. Une place
d'honneur est accordée à l'affaire Kastner (qui était en fait le procès Malchiel
Gruenewald), à son influence sur le procès Eichmann qu'il relia au procès
Kastner et au poids de ces deux procès dans l'histoire de l'État. Chacun de
ces sujets pourrait remplir un livre à lui seul. La conception sécuritaire d'Israël
et son application pratique, sa relation à la Shoah et la lutte pour l'établissement de l'État ont également leur place dans l'histoire de ces soixante années,
ces sujets étant accompagnés d'une abondante documentation, de témoignages personnels touchants et de « grands effets pyrotechniques ». Aux
lecteurs désireux de comprendre l'entreprise sioniste il propose un code :
toute réussite relève du hasard alors que les échecs graves sont dus à la bêtise
ou à la méchanceté, tous deux grands manipulateurs [8], à de nombreux
« hommes petits » comme Séguev les dénomme et à une grande dose de « politique » chez tous les personnages de cette histoire.

La conception de base ou la thèse fondamentale du livre est l'affirmation
que le *yichouv* et ses dirigeants ne furent pas à la hauteur du défi que représentait pour eux la Shoah, ceci ni sur le plan théorique ni sur le plan pratique.

Ainsi, n'apparut à cette époque aucun changement pour remplacer le
concept de négation de la diaspora, en tant que fondement idéologique de la
pensée sioniste. Plus, à la répulsion « naturelle » des enfants du *yichouv* par
rapport au « type *galoutique* » s'ajouta pendant et après la Shoah, un mépris
allant jusqu'au dégoût pour ces Juifs qui « allèrent comme du bétail à l'abat-
toir » et qui « n'opposèrent aucune résistance ». Selon l'auteur, il ne fut pas
non plus question, pour le *yichouv*, de changer les priorités. Rien ne fut modifié au niveau de l'apport de ressources financières ou humaines. Et surtout,
on ne manifesta aucune envie de participer à des tentatives de sauvetage dont
l'objectif aurait été un autre havre que la Terre d'Israël. Le *yichouv* vivait sa
vie, comme à l'habitude, et ses dirigeants se révélèrent être « des gens petits »,
sans imagination dont l'image qu'ils se faisaient d'eux-mêmes, en tant que
dirigeants, freinait toute disposition à tromper et à dissimuler [9].

Le concept de « négation de la diaspora », selon Séguev, passa donc du
plan idéologique à la pratique, à l'aliénation et à l'abandon de la *gola* à ses

---

8.   David Ben-Gourion et Menahem Begin.
9.   Tom Séguev, *Le septième million : les Israéliens et la Shoah* (en hébreu), 1991. Traduction fran-
     çaise : Le septième million, L. Lévi, Paris, 1993.

heures les plus terribles. Le livre reprend l'argument d'une « conspiration » tramée entre les dirigeants du *yichouv* et les Anglais, selon laquelle le *yichouv* obtiendrait une compensation politique à la fin de la guerre, c'est-à-dire que les Anglais appuieraient la revendication sioniste d'un état, à condition que le *yichouv* s'abstienne de faire pression sur les Alliés et se garde de faire du « bruit superflu » en exigeant de sauver les Juifs d'Europe pendant la guerre. L'auteur ici n'innove en rien. Il revient sur une longue série de faits déjà avancés avant lui, et il les mobilise pour établir sa thèse qui est en gros celle d'un abandon criminel, venant surtout d'une répugnance du *yichouv* pour le Juif de diaspora, d'un cinglant sentiment de culpabilité qui rongea progressivement l'identité douteuse de « l'homme nouveau israélien », de la faillite de cette identité qui n'eut d'autre choix que de se réconcilier avec le passé au point d'effectuer un retour obligé vers une identité juive, dont la *gola* et la Shoah font intégralement partie. Remplaçant la religion, qui a cessé d'être une constituante de l'identité de nombreux Israéliens laïcs, s'installe un culte de mémoire de la Shoah, allant jusqu'à une disposition bizarre à se rouler dans l'arène de la mort et du kitsch. Les lecteurs se voient offrir un cercle tragique – le drame étant un élément-clé de ce livre – où il y a des bons et des mauvais, du cynisme et de l'ironie, des hommes politiques et des intellectuels (indépendants ou mobilisés), un combat et une réconciliation.

A priori, nous sommes là en présence d'une conception passionnante et d'une courageuse tentative de se confronter sans ambages à des points sensibles, embarrassants et même très douloureux de l'existence israélienne. Il semble tout d'abord que nous sommes là devant une percée vers l'essence même des problèmes – se peut-il qu'il y en ait de plus importants que ceux soulevés dans ce livre ? – et cela grâce à une capacité admirable de se libérer de tout loyalisme intellectuel, que ce soit envers un establishment, un mouvement ou une allégeance nationaliste, sans aucun compte à rendre, sans craindre d'éclabousser à tout venant par des découvertes ou des vérités, des hommes d'état ou des politiciens, des hommes d'affaire, des membres de parti ou des hauts fonctionnaires, sans oublier les juges, le conseiller juridique, les chercheurs, les intellectuels et même les collègues, grands journalistes du passé ou d'aujourd'hui. Tout cela, à première vue, d'un regard superficiel.

Au-delà de ce qu'il en paraît, on peut stigmatiser une volonté de s'enfermer dans les limites assez étroites de ce qu'il est convenu de nommer « l'élite israélienne », qui se nourrit des mêmes méthodes d'examen que celles que Séguev dénonce chez les « politiciens » qu'il fustige. De ce point de vue, l'utilisation que fait Séguev de la Shoah à des fins politiques et autres, ancrées dans l'expérience de ce temps, n'est pas moins manipulatrice ni grave que celle qui fut de mise jusque-là.

Ce livre est donc un exemple de plus et représente même un phénomène, dans la série de tentatives d'élaborer une «culture du souvenir» d'Israël et des Israéliens ; c'est une oscillation supplémentaire, plus actualisée, plus consciente, peut-être plus élaborée, que ce qui a été proposé jusqu'ici, dans ce même espace que Séguev lui-même définit. Laslie Epstein aussi, dans son livre *Le roi des Juifs* [10], traite de données très sensibles et choisit de faire vaciller ses lecteurs entre deux pôles, pour ce qui est des questions morales complexes que devait affronter le *Judenrat*. Mais contrairement à Epstein, Séguev «résout» les problèmes – qu'il nous incombera de démontrer – différemment, de façon à aplanir la complexité inhérente de presque chacune des questions qu'il touche et à proposer la seule solution alternative globale à toutes les questions, soit le retour des Israéliens vers le judaïsme par la voie latérale et douteuse de la mémoire de la Shoah.

L'édifice que tenta d'édifier Séguev n'aurait pu s'élever sans la pierre de fondation qu'il adopta et fignola jusqu'à en faire un poids à la charge du *yichouv* et du mouvement sioniste, je veux parler de l'abandon de la diaspora pendant la Shoah. La recherche dans ce domaine est soi-disant achevée – en fait tel n'est pas le cas du tout – et les «vérités ultimes» élaborées, sont connues de tous. La recherche la plus exhaustive qui fut publiée sur cette question avant la parution de l'ouvrage *Le septième million*, ainsi que son auteur, furent qualifiées par Séguev de «manquant d'objectivité» et de «trop complaisants» [11], mais il n'appuie pas ses dires sur d'autres données, dans le cadre d'une recherche indépendante ayant affronté la critique.

Au lieu d'opposer une recherche sérieuse, il glane ici et là une série de données, de récits et de cas de conscience de personnes ayant participé aux opérations de sauvetage, et ordonne le tout de manière à lui donner une certaine signification aux yeux du lecteur peu versé dans les secrets de ces opérations. En résulte-t-il une représentation équilibrée de l'expérience historique complexe et multidimensionnelle ? Cela n'a pas d'importance. Des témoignages sont rapportés, sans en examiner l'authenticité. De simples sous-fifres du parti, parmi les plus fades, sont présentés comme si c'était eux qui prenaient les décisions. Des citations soi-disant innocentes sont rapportées avec la mention : «venant d'un des mémoires» ou «tel que c'est marqué dans le protocole», sans vérifier quels en sont le poids ou la véritable mesure de celui qui les rédigea. Elles apparaissent à côté de témoignages personnels, qui peuvent être révoltants ou touchants si l'argumentation s'affaiblit. Le livre

---

10. Laslie Epstein, *King of the Jews*, Zmura-Beitan, Modan, Tel Aviv, 1981.
11. Séguev dans une interview accordée à Yaron London, *Yediot Aharonot*, magazine du samedi 20.9.91. Séguev fait allusion au livre de Dina Porat, *An Entangled Leadership The Yishuv and the Holocaust, 1942-1945* (en hébreu), Am Oved, Tel Aviv, 1986.

abonde en conclusions non démontrées et en allusions à des scandales mais il ne donne cependant pas une image complète et ne se base pas clairement sur des faits, susceptibles d'être soumis au jugement du lecteur.

Le septième million est truffé d'imprécisions, de fautes embarrassantes, de contradictions internes, d'affirmations et de contre-affirmations. Parmi les milliers de documents, de livres de mémoires et de recherches que l'auteur prétend avoir lus, et il les a effectivement lus, se trouvent des exemples absolument contraires aux exemples donnés dans le livre, mais pour cause, ils n'ont pas été jugés dignes de figurer dans l'ouvrage. Ce qui manque, en gros, relève d'une même caractéristique : cela ne convient pas à l'hypothèse émise par l'auteur et à la passionnante structure provocatrice qu'il conçut. Le principal avantage de cette structure se trouve dans sa capacité à servir de plate-forme élaborée pour la présentation des éléments du stéréotype négatif, qui faute de l'obligation qui nous est faite de ne pas nous étendre, auraient été dignes d'être examinés et rejetés l'un après l'autre [12].

2

Avant de plonger dans l'examen de la tension existant entre ce stéréotype négatif, ses sources, ses métamorphoses au cours des temps et les résultats des dernières recherches, consacrons quelques mots à l'examen de l'objet de ce stéréotype négatif, la population juive en Terre d'Israël et ses dirigeants à l'époque de la Shoah.

Pendant la Deuxième Guerre mondiale, la population juive en Terre d'Israël était peu nombreuse, très hétérogène dans ses caractéristiques sociales et politiques et dès la confirmation officielle de la nouvelle de l'anéantissement des Juifs, en proie à une sérieuse confusion. Pour elle comme pour le reste du monde libre, la pleine compréhension de ce qui se passait en Europe, constituait un défi sans précédent ; elle aussi, était incapable de saisir ce qui se passait là-bas et quelles en seraient les conséquences [13].

---

12. Voir la note 7 plus haut et aussi : Tuvia Friling, *The Zionist Movement's March of Folly and The Seventh Million*, in : The Journal of Israeli History, Tel Aviv University – Frank Cass, London, vol. 16, n. 2, p. 133-158.
13. Sur le processus épistémologique de la prise de connaissance de ce qui se passait en Europe à partir du début de la guerre jusqu'en novembre 1942, voir : Tuvia Friling *Arrow in the Dark*, David Ben-Gourion, the Yishuv Leadership and Rescue Attemts during the Holocaust, Centre de Promotion du Patrimoine de Ben-Gourion, Kiryat Sdé Boker, Institut Abraham Herman du Judaïsme Contemporain, Université Hébraïque de Jérusalem, éditions de l'Université Ben-Gourion 1998, chapitre 1 : «les étapes de la conscience : information, conscience, assimilation cérébrale et assimilation émotionnelle», p. 17-110.

Selon les données du département de statistiques de l'Agence Juive et ses évaluations, il y avait dans le pays à peu près 485 000 Juifs à la fin de 1942, soit 31 pour cent de l'ensemble de la population de Terre d'Israël à cette époque. D'après ces mêmes données et cette évaluation, en 1943, plus de cinquante pour cent de la population juive du pays avait moins de 29 ans. Trente pour cent avait de 30 à 44 ans, c'est-à-dire que plus de quatre-vingts pour cent de toute la population juive en Terre d'Israël avait moins de 44 ans. C'était donc selon tout critère, une population très jeune. Près de cinquante pour cent de toute la population juive de cette époque venait d'Europe, dix pour cent étaient originaires d'Asie ou d'Afrique du Nord et le reste était né dans le pays [14].

La structure politique de cette population était à cette époque compliquée et complexe et reposait presque entièrement sur un engagement volontaire.

De nombreuses institutions de gouvernement autonome fonctionnaient dans le *yichouv*, toutes en vertu de la confiance qu'accordait la population à ses élus et sans aucun des moyens habituels de coercition étatique. L'institution la plus importante était la « *Knesset Yisrael* » (le parlement pré-étatique, N.D.T.), qui représentait quatre-vingt-dix pour cent du *yichouv*, révisionnistes inclus et *Agoudat Yisrael* non inclus. La *Knesset Yisrael* comprenait deux organismes principaux : à «l'Assemblée des Élus», large corps représentatif, siégeaient les délégués d'organismes locaux ou ethniques, d'organes de partis ou d'organisations économiques; le «Comité national» était le pouvoir exécutif agissant selon les directives de l'Assemblée des Élus. À l'époque qui nous occupe, Izhak Ben-Zvi en était le président et il comptait quatorze membres.

Parallèlement à la « *Knesset Yisrael* » (le parlement pré-étatique), existait «l'Organisation sioniste mondiale», une institution commune aux partis sionistes du pays et au mouvement sioniste de diaspora, exception faite du mouvement révisionniste qui s'en était retiré en 1935. Là aussi, il y avait deux organismes : l'exécutif sioniste, corps exécutif comme son nom l'indique et le comité d'action sioniste, corps législatif et représentatif, élu par les Congrès sionistes tous les deux ans. À partir de 1929, quand fut fondée l'Agence Juive, et que des personnalités non-sionistes portant de l'intérêt au Foyer national se joignirent à l'Exécutif, il s'appela désormais «l'Exécutif de l'Agence Juive».

L'Organisation sioniste confia à «l'Exécutif de l'Agence Juive» la construction du foyer national et son développement. C'est pourquoi, elle s'occupa de l'organisation de l'immigration et donc de l'action sioniste en diaspora,

---

14. Les données : David Gurevich, Gertz Aron, Roberto Bachi, *Immigration ; the Yishuv and its Population*, Département de Statistiques de l'Agence Juive, 1945, p. 77-104 ; Population, Démographie, *Encyclopedia Hebraica*, vol. 6, Jérusalem, 1966, p. 675.

de l'intégration des immigrants, de l'achat de terres et du développement de l'implantation dans le pays, du rassemblement de ressources pour les fonds nationaux qui la finançaient. L'Exécutif se considérait également comme le représentant des sionistes du pays et de la diaspora, devant le régime mandataire, le gouvernement britannique et les grandes puissances.

L'Exécutif était une coalition. Elle comprenait différents départements et les partis qui formaient cette coalition se partageaient les fonctions et les postes influents. Inutile de préciser que les postes les plus importants restèrent aux mains d'hommes du parti le plus fort du *yichouv*, le parti des ouvriers de Terre d'Israël ou *Mapai*, dont le président était David Ben-Gourion, le chef du département politique, Moshe Shertok (sera désigné dans cet article sous son nom hébraïsé de Sharett) et le trésorier et président du département des finances, Eliezer Kaplan. Izhak Gruenbaum (des sionistes généraux A) était à la tête du département du travail. Émile Schmorak (des sionistes généraux B) et le rabbin Leib Yehuda Fishman (*Hamizrahi*) étaient à la tête du département du commerce, de l'industrie et de l'artisanat. Eliyahu Dobkin (*Mapai*) et Moshe Shapira (H*a-poel Hamizrahi*) membres adjoints de l'Exécutif et directeurs du département de l'immigration [15].

L'Exécutif avait des branches en Angleterre et aux États-Unis. À la question où est le centre – qui décide et oriente – et où sont les branches, il y avait au moins deux réponses. Celle de Ben-Gourion, affirmait que le centre était à Jérusalem et que c'était donc là que se décidait la politique et celle de Haim Weizmann qui était la plupart du temps à Londres ou aux États-Unis. La division des fonctions et des pouvoirs entre Jérusalem et les branches de Londres ou des États-Unis n'était pas sans équivoque et dans la mesure où elle était claire, il n'y avait pas d'accord pour autant. C'est pourquoi, il y eut plus d'une fois des dissensions entre Jérusalem et Londres et ce dissentiment s'exprimait par une tension croissante entre Ben-Gourion et Weizman, des démissions de Ben-Gourion de son poste de Président de l'Exécutif sioniste et enfin par une lutte ouverte pour le leadership. Ce combat venait de la conscience qui s'était développée dans le *yichouv* que les branches n'étaient pas libres d'agir selon les véritables intérêts du mouvement sioniste par crainte d'être accusées de « double appartenance », symptôme qui tend à s'aiguiser plus encore en temps de guerre.

---

15. Dina Porat, *The Role played by the Jewish Agency in Jerusalem in the Efforts to Rescue the Jews in Europe, 1942-1945* (en hébreu), dissertation de doctorat, Université de Tel Aviv, 1983, p. 4-5. La division des forces au sein de l'Exécutif reflétait les résultats des élections pour le vingt et unième congrès sioniste, qui se tint en août 1939 et fut le dernier avant la guerre. À ce congrès, le *Mapaï* obtint quarante-sept pour cent des voix en diaspora et soixante-cinq pour cent dans le pays. Les sionistes-généraux A obtinrent trente pour cent en diaspora et six pour cent dans le pays et les sionistes-généraux B dix et huit pour cent respectivement. « *Mizrahi* » obtint quatorze pour cent en diaspora et dix pour cent dans le pays.

D'autres désaccords provenaient du fait que les rôles entre la «*Knesset Yisrael*» et «l'Organisation sioniste» n'étaient pas clairement définis et même si c'était le cas, cela n'était pas toujours appliqué de toutes parts. Avec la création du «comité de sauvetage» et le fait qu'il devint un organisme important et lourd, s'ajouta un facteur de dissension supplémentaire au système des forces agissant dans le *yichouv*, qui cette fois, touchait directement le domaine du sauvetage [16].

Le *yichouv* était des plus hétérogènes, il l'était certes sur le plan des partis et des mouvements [17], mais il était aussi divisé selon d'autres critères, entre religieux et non-religieux, toutes nuances confondues, résidents urbains et habitants d'implantations rurales de toutes sortes, vétérans et nouveaux immigrants, sefardim et majorité ashkénaze ; il existait d'autre part une quarantaine d'organisations d'immigrants, basées sur l'appartenance au pays d'origine – les associations de *landsmannschaft* – qui œuvraient pour leurs membres. Avec tout cela, le gouvernement autonome n'avait aucun moyen de coercition, outre la pression publique. Cet état de fait accentue encore la question dont traite cet article, soit celle du leadership et de la faculté d'agir ou l'exercice de l'autorité de celui qui se trouve au sommet de cette hiérarchie problématique et en désaccord.

Tant Ben-Gourion que ses partenaires à l'exécutif de l'Agence Juive, puisaient leurs forces de leurs partis et de leur popularité. Ainsi Ben-Gourion tirait sa force du M*apaï*, le parti central et dominant du *yichouv* à cette époque. Le M*apaï* comptait 5 000 membres à sa fondation en 1930 (avec l'union des deux principaux partis sionistes-socialistes du *yichouv*, «A*hdout ha-avoda*» et «H*apoël hatsaïr*»), selon une progression continue, il atteignit les 20 000 membres en 1942 et devint le parti le plus puissant au sein de toutes les institutions centrales du *yichouv*.

Le *Mapaï* s'était donné deux objectifs – tous les deux très ambitieux – la renaissance de l'indépendance juive d'une part et parvenir à élaborer en Terre d'Israël, une société exemplaire basée sur les valeurs socialistes, d'autre part. Ce parti fit pendant la guerre la difficile expérience d'une scission. Au congrès

---

16. Sur le comité de sauvetage voir : Tuvia Friling, *Arrow in the Dark* (en hébreu), chapitre trois : «le paratonnerre : la création du comité de sauvetage», p. 184-204 ; Dina Porat, *An Entangled Leadership* (en hébreu), chapitre trois : «La création du comité de sauvetage tardif, sa constitution et ses pouvoirs», p. 101-116 ; et également Arié Morgenstern, «Le comité de sauvetage tardif de l'Agence Juive et ses activités dans les années 1943-1945», *Yalkout Moreshet*, 13, juin 1971, p. 60-103.

17. Changements supplémentaires de la carte politique et sociale du *yichouv* à l'époque traitée : en septembre 1942 fut créé le «*ihoud*» (unité, N.D.T.), héritier du «*Brit Chalom*» (alliance de la paix, N.D.T.) ; en 1944 le *Hachomer Hatsair* s'unit à sa branche urbaine, «la ligue socialiste» et devint un parti. Les communistes du mouvement revinrent à une activité ouverte au début des années quarante ; le parti «*Alya Hadacha*» (nouvelle immigration, N.D.T.) fut créé et représenta des ressortissants d'Allemagne et d'Autriche. En 1940 des dissidents de l'*Etzel* créèrent le *Lehi*.

du parti tenu à Kfar Vitkin en 1942, la branche de gauche du *Mapaï* fonda
« la fraction B », qui s'appuyait surtout sur le *Kiboutz meouhad* dirigé par
Yitshak Tabenkin. « La fraction B » se sépara du *Mapaï* au printemps 1944.
La scission provoqua un choc et une profonde fissure dans le parti. Les balan-
cements, les pressions, les tensions à l'intérieur du mouvement entre séparation et réconciliation qui s'exercèrent pendant la période allant du congrès
à la scission ainsi que les considérations quant au prix à payer dans chacun
des cas, s'ajoutaient aux autres difficultés existant en arrière-fond de l'action
de Ben-Gourion. L'une des expressions les plus dramatiques du fait que Ben-
Gourion s'appuyait principalement sur son parti, mais que celui-ci ne le soutenait pas automatiquement et qu'en fait plus d'une fois il se retrouva seul,
furent les menaces répétées de démission et sa démission *de facto*, de la
Présidence de l'exécutif sioniste pendant la guerre [18].

Parmi les forces agissantes du *yichouv* et du monde juif en général, deux
autres organisations pour le moins, doivent être évoquées ici puisqu'elles participèrent aux opérations de sauvetage. Il s'agit du Congrès juif mondial et du
Joint, deux organisations juives des plus importantes pour ce qui touche au
sujet qui nous occupe. Les deux entretenaient des liens divers avec l'Agence
Juive, également en ce qui concerne l'aide et le sauvetage, les deux étaient
des organisations « patronnesses » qui se situaient en dehors du *yichouv* et qui
ne dépendaient pas de l'Exécutif. Le Congrès juif mondial n'avait que six-
sept ans quand la question de l'aide et du sauvetage, dans toute sa gravité,
s'inscrivit à l'ordre du jour du peuple juif. Parmi les ténors actifs de cette organisation mondiale qui avait pour but « d'assurer l'existence du peuple juif et
de travailler à son unité », se trouvaient entre autres Julian Mack, Stephan Wise
et Nahoum Goldman. Wise était président de l'exécutif et Nahoum Goldman
était président du comité directeur. En même temps les deux étaient également membres actifs d'organes de l'Agence Juive aux États-Unis, organisations sionistes par définition. Un tel phénomène, que certaines personnalités
soient membres de plusieurs organisations qui souvent s'opposaient sur le plan
idéologique et opérationnel, était très courant à cette époque.

Contrairement au Congrès juif mondial, le Joint avait déjà beaucoup d'expérience quand éclata la Deuxième Guerre mondiale. Le Joint, organisation
philanthropique juive américaine, était déjà à l'œuvre durant la Première
Guerre mondiale, il avait continué à agir avec énergie entre les deux guerres
et pendant toute la durée de la Deuxième Guerre mondiale. Des personnali-

---

18. Sur les démissions de Ben-Gourion, voir : Tuvia Friling, *Arrow in the Dark* (en hébreu), vol. 1 :
p. 157, 352, 478, vol. 2 : p. 808, 863-864, 928 ; Meïr Avizohar, *Dans un miroir brisé*, National and
Social Ideals as Reflected in *Mapaï*, The Israeli Labour Party 1930-1942, Sifriat Ofakim, Am Oved,
Tel Aviv, 1990, p. 314-362.

tés comme Paul Baerwald, président du Joint à cette époque, Jo Schwartz, directeur de la branche européenne du Joint et Y.L. Magnes, président de l'Université Hébraïque et de la branche hyérosolémite de Joint travaillaient dans les domaines d'assistance et de sauvetage, à partir de différents centres, New York, Lisbonne, Genève et Stockholm, Jérusalem et Istanbul. Certains agirent en étroite collaboration et en harmonie avec les directeurs de l'organisation et leurs délégués, d'autres avaient avec ceux-ci des rapports de tension et étaient en butte avec eux [19]. Ces deux organismes, rappelons-le, représentaient une communauté juive plus riche et plus grande que le jeune *yichouv* qui venait de se créer en Terre d'Israël.

La position de Ben-Gourion à cette époque se renforçait en tant qu'autorité centrale du mouvement sioniste, cependant, Ben-Gourion des années de la guerre n'était pas le Ben-Gourion des années cinquante. Juger de sa stature dans les années quarante par le prisme d'un Ben-Gourion charismatique, au summum de sa puissance politique, tel qu'il était après la proclamation de l'État et la victoire de la guerre d'indépendance, après qu'il fut déjà considéré comme le «père de l'État», son fondateur et l'homme qui le façonna, déforme la vision des choses. Il y a donc lieu d'examiner comment agit Ben-Gourion, avec le pouvoir réel qu'il avait au moment des événements et comment il manœuvra en tant que leader démocratique en temps de crise, dans la réalité complexe existante, celle d'un *yichouv* petit et hétérogène dont les institutions s'appuyaient sur des fondements basés sur le volontariat, entité placée sous la tutelle d'un gouvernement étranger et cela pendant une guerre mondiale, alors que son peuple était sous le coup d'une catastrophe qui le détruisait.

Un autre point qu'il est bon de rappeler est que le régime de gouvernement du pays était depuis la fin de la Première Guerre mondiale, celui du mandat britannique et que son caractère dépendait de la ligne politique générale anglaise, de son application par ses émissaires et ses délégués et surtout du Haut-Commissaire. Pendant la plus grande partie de la Deuxième Guerre mondiale, Sir Harold MacMichael était Haut-Commissaire (1938-1944). MacMichael était connu pour sa dureté et son animosité envers le *yichouv* et pour le soin qu'il prenait à appliquer méticuleusement la politique du «Livre blanc». Quand la guerre éclata et qu'entrèrent en vigueur les mesures d'exception, son hostilité envers le *yichouv* augmenta encore.

Les principaux sujets de tension et de friction entre les dirigeants du *yichouv* et les autorités mandataires pendant la Deuxième Guerre mondiale tournaient surtout autour de trois points : les limites qu'avait imposées le gouvernement

---

19. Sur la collaboration entre le Joint et l'Agence Juive voir : Tuvia Friling, *Arrow in the Dark*, vol. 2, p. 856-873, 905,936.

sur l'achat de terres, la politique britannique d'expulsion appliquée aux bateaux d'immigrants illégaux qui avaient réussi à parvenir jusqu'aux côtes du pays et les perquisitions de cachettes d'armes de la « *Hagana* ». Quand la nouvelle de l'anéantissement systématique des Juifs en Europe fut officiellement publiée, l'interdiction pour les réfugiés d'accéder à la Terre d'Israël prit une signification supplémentaire : rester en Europe signifiait être voué à la mort.

Mais la ligne politique britannique envers le *yichouv* pendant la guerre fut tout d'abord façonnée par le « Livre blanc » de 1939, qui affirmait que la plupart des engagements pris par les Anglais pour contribuer à l'établissement d'un Foyer national juif étaient déjà remplis. Cet écrit politique comprenait un calendrier précis des quotas d'immigration et de terre, afin de garantir que le nombre de Juifs du *yichouv* ne dépasse pas un tiers de la population.

La signification numérique précise de ce décret était l'octroi de 75 000 certificats à des immigrants juifs pour une période de cinq ans entre 1939 et 1944, à un rythme de 15 000 immigrants par an. Ces 15 000, comme cela fut prévu et appliqué, furent programmés selon des quotas proportionnels et périodiques, calculés par trimestres, ceci pour assurer de près la régulation du rythme d'immigration des Juifs – les réfugiés – en Palestine. Selon cette distribution, sur une totalité de 75 000 certificats il ne restait fin novembre 1942, lorsque l'extermination fut un fait officiellement connu, que 29 000 certificats. Malgré cela, jusqu'à la fin de la guerre, la Grande-Bretagne ne modifia en rien sa politique du Livre blanc [20].

« Le Livre blanc » découlait à la veille de la guerre, de la politique britannique générale qui voulait voir dans le monde arabe un facteur essentiel pour assurer le calme au Moyen-Orient. Ce calme serait troublé en cas de tension dans l'arène internationale et ensuite en cas de guerre, si l'Angleterre ne se conciliait pas les Arabes et ne prouvait pas son « objectivité », par une limitation de l'immigration et en l'abandon, pour le moins temporaire, de l'idée de permettre la création d'un Foyer national juif en Palestine. Cette crainte par rapport aux positions des Musulmans s'étendit aux contrées sous domination britannique, en Inde. Les Anglais craignaient de devoir payer en Inde leur générosité envers les Juifs au Moyen-Orient. La signification immédiate de cette politique pour ce qui est du sujet qui nous concerne ici, fut que la Terre d'Israël fut interdite d'accès, aux heures cruciales de la Deuxième Guerre mondiale [21].

---

20. Sur la signification pratique de cette politique en ce qui concerne le sauvetage des enfants, voir par exemple : Tuvia Friling, *Arrow in the Dark*, chapitre six : « Entre le marteau et l'enclume en 1944, suite des tentatives de sauvetage des enfants et combat pour l'immigration », p. 350-380. Sur les quotas d'immigration voir : Tuvia Friling, *Arrow in the Dark*, Introduction, p. 5.

Il faut également rappeler que les états occidentaux étaient eux aussi presque entièrement fermés aux Juifs désirant émigrer d'Europe au cours des années trente ou quarante. Les États-Unis, grand pays d'immigration, étaient en fait déjà fermés à l'immigration massive de Juifs, depuis le début des années vingt. Ni la « conférence d'Évian » (en juillet 1938), ni la traversée frustrante du bateau « Saint-Louis » (en 1939), les naufrages du « Salvador » (en 1940), du « Struma » (en 1942) et du Mefkura (en 1944) pendant la guerre, ni même « la Conférence des Bermudes » en avril 1943, cinq ou six mois après que fut connu l'anéantissement méthodique des Juifs d'Europe et que la signification de la fermeture des pays occidentaux à l'immigration juive soit claire pour chacun, il n'y eut aucun changement réel dans la politique d'immigration des Juifs vers ces pays [22].

Ainsi, même après novembre 1942, quand plus personne en Occident ne pouvait plus prétendre ne pas connaître le sort des Juifs en Europe, les deux

---

21. Sur la politique britannique relative à la question de la Palestine à la veille de la Deuxième Guerre mondiale et pendant la guerre, voir : Bernard Wasserstein, *Britain and the Jews of Europe 1939-1945* (en hébreu), Sifriat afekim, Am Oved, Tel Aviv, 1982, p. 9-42 ; Amitsur Ilan, *L'Amérique, l'Angleterre et la Palestine : Prémisses et développement de l'engagement des États-Unis dans la politique britannique en Palestine, 1938-1947* (en hébreu), Yad Yitshak Ben Zvi, Jérusalem, 1979 ; R.W. Zweig, *Britain and Palestine During the Second World War*, Boydell Press for Royal Historical Society, London, 1986.

22. *Conférence d'Évian* – La conférence d'Évian s'est réunie à l'instigation des États-Unis. Son objectif principal était de discuter du problème des réfugiés et de leur trouver des pays d'accueil sur les territoires de pays ayant exprimé leur accord. La Conférence s'est ouverte le 6 juillet 1938 dans la ville d'Évian-les-Bains en France et dura une semaine. L'idée de réunir cette conférence était de Sumner Welles, sous-secrétaire d'État américain, qui traça les principaux points à examiner : 1) l'examen des possibilités de réinstallation de masses de réfugiés ; 2) le besoin de se concentrer sur le problème présent des réfugiés d'Autriche et d'Allemagne ; 3) l'examen des moyens de collaboration avec les agences de réfugiés existantes ; 4) la préparation d'un programme d'assistance immédiate pour ceux qui en ont un besoin urgent ; 5) garantir une méthode discrète permettant à chaque état de s'exprimer sans crainte sur les quotas qu'il était prêt à accorder, au cas où il donnerait son accord de principe ; 6) trouver le moyen de fournir des papiers aux réfugiés n'en ayant pas ; 7) le besoin de créer une organisation intergouvernementale pour la continuation de l'aide aux réfugiés. A priori, c'était donc un programme prometteur, cependant un examen des démarches proposées montre que le sérieux des intentions d'assistance aux réfugiés n'allait pas de pair avec les engagements réciproques qu'avaient pris les États-Unis et l'Angleterre. Alors que les États-Unis s'étaient engagés devant la Grande-Bretagne à ne soulever sous aucune forme, le problème de la Palestine devant la conférence, le président F.D. Roosevelt déclara que « les quotas d'immigration pour les États-Unis ne seraient en aucun cas augmentés ». Ainsi, furent en fait réduites à néant les principales possibilités d'émigration pour les réfugiés juifs.
Une délégation de la fédération sioniste, à la tête de laquelle se trouvaient Arthur Rupin et Nahum Goldman participa également à cette conférence. Elle ne comparut devant une sous-commission qu'une dizaine de minutes et sa mission n'alla pas plus loin. La conférence elle-même se termina par l'élection d'un comité intergouvernemental ayant pour tâche de trouver des pays qui seraient prêts à intégrer des immigrants et par le vote d'une résolution d'entreprendre des pourparlers avec le gouvernement allemand pour tenter de l'amener à collaborer et de permettre aux réfugiés de sortir une partie de leurs biens.

principales options, de sauvetage à grande échelle pour les Juifs, étaient inaccessibles : celle de la Terre d'Israël, par le Livre blanc de 1939 et celles des pays occidentaux par des quotas d'immigration des plus sévères. Pratiquement, il n'y avait pour les Juifs, qu'on aurait dû faire sortir d'Europe en masse dans le cadre de chacun de ces grands plans de sauvetage, qu'une seule issue d'émigration libre, la lune. Il est bon de rappeler cela, en tant qu'élément de la situation de fait, avant de poursuivre notre discussion sur ce qui entrava les tentatives de sauvetage des Juifs pendant la Shoah.

→ Arieh L. Avneri,, *From « Velos » to « Taurus », the First Decade of Jewish « Illegal » Immigration to Mandatory Palestine (Eretz Israel) 1934-1944* (en hébreu), Yad Tabenkin, Ha-kiboutz ha-meouhad, Tel Aviv, 1985, p. 62-63 ; Henri Feingold, La politique de Roosevelt et les problèmes d'immigration juive à partir de la troisième constitution, *Tentatives et opérations de sauvetage,* Yad Vashem, Jérusalem, 1076, p. 26 et 28. Voir également Eliahu Ben-Elissar, *Le plan d'extermination – La politique extérieure du troisième Reich et les Juifs, 1933-1939,* Idanim, Jérusalem, 1978, p. 109 et 111, tous deux cités par : Tuvia Friling, « Quelles étaient les véritables intentions des États-Unis à la Conférence d'Évian », *La Nation* (en hébreu), Cahier 68, septembre 1982, p. 217-228.

St-Louis – le dernier bateau à avoir quitté l'Allemagne nazie avant que n'éclate la Deuxième Guerre mondiale. Il partit du port de Hambourg en mai 1939, à destination de Cuba, ayant à bord 937 passagers. Cuba ayant refusé d'accueillir ces réfugiés, ils furent rapatriés en Europe après avoir en vain tenté de débarquer dans plusieurs ports du continent américain. Ils furent répartis dans quatre États qui avaient accepté de les accueillir : la Belgique, la Hollande, la France et l'Angleterre. On ne sait combien de personnes parmi ses passagers survécurent aux foudres de la guerre. Ce bateau est devenu l'un des symboles de ces tentatives stériles, frustrantes et amères des Juifs, à trouver, avant et pendant la Deuxième Guerre mondiale, une terre où ils pourraient se réfugier. Voir aussi : Idit Zartal, *From Catastrophe to Power, Jewish Illegal immigration to Palestine 1945-1948,* Am Oved, Tel Aviv, 1996, p. 93. Zéev Vania Hadari, *Against all Odds, Istanbul 1942-1945*, Éditions du Ministère israélien de la Défense, Tel Aviv, 1992, p. 296-310.

« *Salvador* » – Navire de petite taille (20-25 mètres de longueur, 5-6 mètres de largeur). Bateau vétuste, sans moteur, en très mauvais état. Vu les difficultés du moment, on n'y fit pas les réparations prévues. Malgré cela, 350 passagers s'y embarquèrent et se serrèrent à bord. Il n'y avait pas de barques en état de servir ni de bouées de sauvetage, de même que boussole et carte d'orientation manquaient aussi. Le bateau fut remorqué de Varna en Bulgarie le 3 décembre 1940 et arriva à Istanbul, poussé par le vent. De là, le navire fut entraîné en haute mer le 11 décembre 1940. Une forte tempête se déchaîna et le « Salvador » fut coupé en deux et coula dans la mer de marbre. La plupart des passagers périrent. Voir : Dalia Ofer, *Illegal Immigration during the Holocaust*, Yad Yitshak Ben-Zvi, Jérusalem, 1988, p. 155-157.

« *Struma* » – Le Struma était un rafiot délabré, bondé, impropre à une longue traversée en mer, qui quitta le port de Constance le 12 décembre 1941 à destination d'Istanbul. A bord, il y avait 769 passagers, aisés pour la plupart, qui avaient demandé à un capitaine d'examiner préalablement l'état du bateau. Mais ce délégué-spécialiste, soudoyé par le propriétaire du bateau qui ne demandait qu'à gagner de l'argent, les trompa. Dès qu'il eut quitté le port, son moteur cessa de marcher et l'électricité fut coupée. Le bateau fut plongé dans l'obscurité et ne put poursuivre sa route qu'à l'aide du vent. Le 13 décembre, il échoua à Tulcea, sur la côte roumaine et là, contre un million de livres, il fut réparé par un capitaine roumain qui le fit sortir des eaux territoriales roumaines. Le lendemain il atteignit le Bosphore alors que son moteur ne fonctionnait que de façon discontinue. De là, il fut conduit par les Turcs au port d'Istanbul et fut mis en quarantaine, ses passagers n'ayant pas l'autorisation de faire escale. Le « Struma » ancra pendant dix semaines au port d'Istanbul (du 15 décembre 1941 au 23 février 1942) sans qu'aucun contact ne soit autorisé. Shimon Brod, citoyen turc natif de Pologne et représentant du Joint en Turquie, fit parvenir aux passagers une quantité limitée de nourriture par colis hebdomadaires.

Les agissements du leadership du *yichouv* pour ce qui concerne les actions de sauvetage pendant la Shoah furent influencés par la politique des alliés, par la façon dont l'Angleterre mena la guerre et plus particulièrement par quatre principes qui influencèrent directement les efforts de sauvetage du *yichouv* et le destin du peuple juif. Premièrement, la conception d'une concentration des efforts de guerre dans le but de vaincre Hitler. C'est ainsi qu'on explique pourquoi on ne dispersa pas les forces et les ressources et on n'investit pas de moyens dans des tentatives de sauvetages. Deuxièmement, le fait de poser comme condition de ne terminer la guerre qu'à la capitulation sans conditions de l'Allemagne, ce qui rendit illégale jusqu'à en devenir une trahison, toute tentative de négocier ouvertement ou secrètement avec l'ennemi. Troisièmement, le refus de considérer que le destin des Juifs pendant la guerre était particulier, ce qui entraîna un refus d'entreprendre des opérations spéciales pour sauver les Juifs dont le destin, contrairement à celui des autres peuples d'Europe dans les territoires conquis, était scellé aussi bien en tant que collectivité qu'en tant qu'individus. Quatrièmement, l'interdiction de transférer des fonds dans les territoires conquis par l'Allemagne. Or, toute opération de sauvetage, quelle qu'en soit l'envergure, était fonction d'argent.

→   Au bout de dix semaines de quarantaine, les passagers étaient affamés. L'incertitude pesant sur leur destin, le bateau fut entraîné hors du port par un bateau garde-côte turc. Quand il fut à dix kilomètres de la côte, on entendit une violente explosion et le Struma coula. Il fallut attendre vingt-quatre heures après l'incident pour que des navires turcs lui viennent en aide mais ils ne purent sauver qu'un seul passager. Des recherches montrent que le bateau fut coulé accidentellement par un sous-marin russe. Dalia Ofer, *La traversée de la mer* (en hébreu), p. 235-244.

La Conférence des Bermudes – Conférence anglo-américaine sur les réfugiés qui s'ouvrit le 19 avril 1943 aux Bermudes. Les délégations de Grande-Bretagne et des États-Unis se réunirent dans le but d'apporter une solution au problème des réfugiés juifs. Dans le cadre de cette conférence furent émises plusieurs propositions, fantaisistes pour la plupart, qui furent abandonnées par la suite, n'étant pas réalisables. En fait, les deux délégations agirent pour honorer l'accord selon lequel les Américains se montreraient compréhensifs envers l'attitude des Britanniques quant à l'immigration en Palestine et les Britanniques feraient de même pour l'immigration vers les États-Unis.

Les recommandations de la Conférence, publiées dans un rapport spécial de treize paragraphes qui fut remis aux deux délégations, avaient pour objet de redonner vie au comité international et de l'élargir, de disperser les réfugiés en Espagne et d'en faire passer temporairement une partie en Amérique du Nord, de permettre une intégration limitée en Angleterre et aux États-Unis. Les maigres résultats de cette Conférence suscitèrent la critique de l'opinion publique et outre le fait qu'ils soulevèrent un certain espoir quant au règlement du problème des réfugiés juifs, ils n'eurent en fait aucune valeur. Les camps de réfugiés qui furent créés en Amérique du Nord à la suite d'âpres luttes diplomatiques, n'accueillirent pas les cinq ou six mille réfugiés à qui ils étaient destinés. Les recherches d'autres havres pour ces réfugiés juifs n'eurent que peu de succès. Bien que le comité international renaquit, il ne servit à rien.

La plupart des chercheurs pensent aujourd'hui que cette conférence ne fut qu'une « manœuvre » de relations publiques.

Voir par exemple : Tuvia Friling, *Arrow in the Dark* (en hébreu), vol. 1 : p. 131 et Bernard Wasserstein, *L'Angleterre et les Juifs d'Europe 1939-1945*, p. 159-184.

La signification de ces quatre principes politiques fut que toutes les grandes opérations de sauvetage se révélèrent être en contradiction avec la politique déclarée et secrète des alliés. C'est pourquoi il fallait les garder secrètes. Cependant chaque grande opération de sauvetage nécessitait une aide politique, financière et logistique des alliés, et on ne pouvait donc pas envisager de pouvoir les leur dissimuler.

Outre la structure sociale et politique complexe du *yichouv* et la dualité de ses rapports avec les alliés, qui après tout portaient le fardeau principal de la guerre contre Hitler mais à cause desquels, il fallait cependant compartimenter les plans de sauvetage des Juifs en Europe, deux autres raisons obligeaient à cacher tous les grands plans de sauvetage massif de Juifs, à la population, en Israël ou ailleurs. L'une était la politique de l'Allemagne et de ses pays satellites. Même s'il y eut à certains stades de la guerre, quelques prétextes dont certains étaient justes, pour négocier la libération de Juifs ou pour afficher d'ignorer leur sauvetage, personne ne pouvait cependant garantir que tous les cercles impliqués dans une telle démarche participent effectivement à cette politique. Quand il s'agit par exemple de négocier des plans de rançon, personne ne savait exactement qui, dans la hiérarchie nazie, les avait émis ou s'ils n'étaient pas en fait un complot, une imposture ou une sorte de ballon d'essai pour révéler des forces infidèles à l'intérieur du camp nazi lui-même ou des pays satellites [23]. L'autre raison était la réaction des Arabes palestiniens à l'éventualité qu'un grand nombre de Juifs arrivent d'Europe en Terre d'Israël. Tout ce que fit le grand Mufti de Jérusalem, Hadj Amin El Husseni, avant et pendant la guerre, prouve qu'il voulait établir une alliance ouverte du mouvement national palestinien avec Hitler et l'Allemagne nazie pour collaborer à l'application de la solution finale non seulement des Juifs d'Europe mais aussi de ceux vivant en Terre d'Israël [24].

---

23. À ce propos voir : Tuvia Friling, *Arrow in the Dark*, chapitre 8 : « S'il y a une chance sur un million », la tentative de sauver les Juifs de Hongrie et la négociation à la fin de la guerre, p. 657-750.

24. Sur ce que fit le Mufti, Hadj Amin El-Husseni voir : Tuvia Friling, *Arrow in the Dark* (en hébreu), vol. I, p. 24-25 : Au département politique de l'Agence Juive se sont accumulées des données sur l'intervention personnelle du Mufti Hadj Amin El-Husseni et sur les liens qu'il tissa avec le parti nazi et l'Italie fasciste et ces indications ne portent absolument pas à équivoque. Shiloah (Zaslani) Reuven, un des ténors du renseignement du *yichouv* rend compte des efforts du Mufti pour lever des fonds en Allemagne. Une information prouve même une étroite collusion entre le Mufti et ses proches et les nazis, pour ce qui concerne l'éventualité d'une guerre en Europe et au Moyen-Orient. En juillet 1938 un convoi d'armes allemand fut découvert et saisi à Constance en Roumanie. Il était destiné aux hommes du Mufti en Palestine. Plus tard, les liens entre le Mufti et les chefs du parti nazi se resserrèrent encore au point que certains plans de rançon en vinrent à comprendre la condition explicite que les Juifs ne soient libérés qu'à la condition qu'ils ne viennent pas s'installer en Terre d'Israël. L'origine de cette condition était la promesse explicite qu'avaient donnée au Mufti les dirigeants du parti nazi à la veille de la Deuxième Guerre mondiale. Là-dessus voir : Yoav Gelber, *Growing a Fleur de Lys, The Intelligence Services of the Jewish Yishuv in Palestine 1918-1947* (en hébreu), Éditions du Ministère de la Défense, Tel Aviv, 1992, vol. I, p. 278-279.

Il est donc évident que ceux qui dans le *yichouv* œuvrèrent au sauvetage furent obligés de cacher leur activité du fait du facteur palestinien et également de cloisonner tant que possible cette activité.

3

Un examen des actions de sauvetage du *yichouv* pendant la Deuxième Guerre mondiale nous montre qu'à partir de fin novembre 1942, quand fut officiellement connue la nouvelle de l'extermination systématique qui avait lieu en Europe, le *yichouv* agit principalement sur trois plans pour ce qui est de l'aide et le sauvetage.

Tout d'abord, « le sauvetage en grand » ou « les grandes entreprises » – actions destinées à sauver des Juifs en les faisant sortir de pays conquis. Dans ce cadre se placent les programmes de sauvetage des enfants et le développement de tous les autres plans de rançon : « le plan de Transnistrie », « le plan de Slovaquie » (et sa dérivée qui fut le plan-Europe ou « Europa-Plan ») et enfin le plan de « marchandises contre du sang » ramené par Joël Brand de Hongrie.

Le plan de sauvetage des enfants, consistait à tenter de faire sortir autant d'enfants juifs qu'il était possible des pays conquis. On parlait de dizaines ou de centaines de milliers d'enfants. Pour le plan de Transnistrie on espérait faire sortir 70 000 Juifs parmi les 148 000 qui avaient été déportés vers cette région. Le programme de Slovaquie tournait autour de la tentative de faire échapper tous les Juifs de cette région d'Europe à la déportation vers l'Est. Plus tard il fut élargi et devint une tentative de sauver tous les Juifs qui avaient survécu jusque-là, soit fin 1942-début 1943. Le plan de Brand était le plus élaboré. Il comprenait la proposition nazie de vendre un million de Juifs contre dix mille camions et autres marchandises. Chacun de ces plans, qu'ils reposent ou non sur quelque chose, était très compliqué tant du point de vue politique, que pour son coût financier et également bien sûr du point de vue logistique. Chacun d'entre eux se situait au-delà des possibilités réelles du *yichouv*, à plus forte raison l'ensemble des trois [25].

La deuxième voie fut appelée « le petit sauvetage » ou « les petites entreprises » – Il s'agissait des efforts divers visant principalement à aider les juifs à survivre à la guerre en territoire occupé : envoi d'argent, de nourriture, de

---

25. Voir à ce sujet : Tuvia Friling, *Arrow in te Dark* (en hébreu), chapitre IV : « "Sans cela il n'y avait pas de pardon" : les plans de sauvetage des Juifs », p. 211-285 ; chapitre V : « Relations avec le démon : les plans de rançon de 1942 et de 1943 », p. 286-349 ; chapitre VI, p. 350-380 et chapitre VIII, p. 657-750.

vêtements et de médicaments, de faux papiers et de « voyages » comme on désignait l'action de faire passer des Juifs d'un endroit dangereux vers un autre où le danger était relativement moindre.

Dans la troisième voie opérationnelle l'action du *yichouv* se fit sur deux plans. L'un fut l'enrôlement de plus de trente mille jeunes gens et jeunes filles dans l'armée britannique [26]. L'autre consista à établir un dispositif ramifié de collaborations secrètes entre les branches opérationnelles, paramilitaires et des services de renseignement du *yichouv* et de différents facteurs des services de renseignement – militaires ou civils – des Anglais et des Américains. Différentes actions furent dirigées à partir de leurs centres et de leurs embranchements de Jérusalem, du Caire, de Londres, de Washington, d'Ankara et d'Istanbul et fin 1944 également de Bari en Italie. Cette collaboration fut la base de ce qui engendra aussi le « plan des parachutistes » qui constitue une part infime de l'ensemble des tentatives que fit le *yichouv* pour établir cette coopération secrète [27].

Pour comprendre la signification opérationnelle du terme de « sauvetage », il faut rappeler que le sauvetage consistant à faire sortir les Juifs d'une région dangereuse impliquait l'accord formel ou tacite du pays dont ces Juifs étaient censés sortir. Un tel accord était obtenu, après des démarches politiques et bureaucratiques auprès des instances de l'État en question (il fallait imprimer des certificats de transport à l'intérieur du pays ainsi que des visas de sortie de ce pays). La signification pratique de cet accord était l'octroi de permis de traverser le pays et d'en sortir. Pour cela, il fallait transmettre les noms des candidats à la sortie et d'autres coordonnées personnelles obligatoires, payer des droits et souvent soudoyer pour « accélérer » les choses. Tout ceci prenait du temps. Le processus dépendait de nombreux fonctionnaires, plus ou moins bienveillants, dont certains étaient seulement paresseux et d'autres paresseux et malveillants. Quelquefois, on ne pouvait transmettre directement les demandes de visas de sortie et il fallait le faire par le biais d'ambassades de pays neutres qui représentaient les intérêts de différents États en Allemagne ou dans ses pays satellites. Cette voie contournée prenait encore du temps supplémentaire et risquait facilement d'être entravée du fait de la multiplication des personnes traitant chaque demande.

La sortie dépendait dans une grande mesure d'une autorisation des pays d'origine. Un passage de frontière est une opération compliquée même en

---

26. Yoav Gelber, *Le noyau d'une armée régulière juive,* l'apport des ressortissants de l'armée britannique à la création de *Tsahal* (en hébreu), éditions Yitshak Ben-Zvi, Jérusalem, 1986, p. 3-5 et également Tuvia Friling, *Arrow in te Dark* (en hébreu), volume II, p. 927.

27. À ce propos, voir : Tuvia Friling, *Arrow in te Dark* (en hébreu), chapitre VII : « La colaboration secrète », p. 381-530.

temps de guerre, où le désordre règne. Peut-être est-il possible de faire passer une frontière à des dizaines ou à des centaines de personnes, mais il est très difficile de la faire passer à des milliers ou à des dizaines de milliers. En fait, c'est absolument impossible.

Presque dans tous les cas, que la sortie se fasse avec ou sans l'autorisation de l'État d'origine ou des nazis, il fallait s'occuper du rassemblement des candidats à cette sortie et les loger dans un abri adéquat jusqu'à l'achèvement complet de cette opération complexe de rassemblement. Les accompagnateurs devaient eux aussi convenir du point de vue de leur statut légal, leur âge, leur expérience et leur crédibilité, surtout quand il s'agissait de sauver des enfants. S'il s'agissait d'enfants qui étaient encore avec leurs parents, ceux-ci demandaient à savoir à qui leurs enfants seraient confiés. La situation étant en général trouble, il fallait que les dirigeants locaux sachent faire oublier les hésitations et renforcer les esprits.

Il n'y avait pas toujours de leadership naturel. Nombre de dirigeants communautaires avaient fui les régions dangereuses quand il en était encore temps. Parmi ceux qui étaient restés, certains furent parmi les premiers à être exécutés et d'autres étaient tiraillés entre des partis adverses qui n'arrivaient pas à s'entendre et à collaborer pour exploiter les possibilités de sauvetage, forcément limitées.

Les accompagnateurs de ces groupes avaient également besoin de papiers adéquats, vrais ou faux. De plus, il fallait veiller à se procurer des moyens de transport, d'abord terrestres, pour atteindre le port de départ d'Europe, puis maritimes, à partir de là. Convoyer par camions une centaine de personnes n'était pas une affaire facile. Il fallait passer par tous les points de vérification d'identité et les barrages existant en temps de guerre et traverser des routes et des ponts étroits et chargés, comme il en existait alors. Une sortie légale exigeait aussi souvent des laissez-passer dans des pays qu'il fallait traverser pour arriver au port d'embarquement.

Il fallait bien entendu obtenir des visas pour les pays de destination comme la Terre d'Israël, les pays d'Occident, les pays neutres. Sans cela, le voyage pouvait se terminer par une attente au large des côtes du pays de destination ou par un retour forcé vers le port de départ [28].

Les bateaux non plus n'étaient pas faciles à trouver. Non seulement ils coûtaient cher mais il fallait aussi obtenir des sauf-conduits, qui étaient une

---

28. Sur l'attitude des pays neutres par rapport au sauvetage des Juifs, l'écart entre la « neutralité hostile » et la « neutralité amicale » et dans cette rubrique, sur la politique de la Turquie à ce propos, voir : Tuvia Friling, « Between Friendly and Hostile Neutrality : Turkey and the Jews during World War II », dans : *The Disintegration of the Ottoman World and the Fate of the Jews in Turkey and the Balkans (1808-1945)*, Minna Rozen (éd.), p. 301-417 (à paraître).

sorte de garantie d'immunité pour les bateaux, par rapport aux Soviétiques et aux Allemands. De tels certificats ne se donnaient pas facilement et n'étaient pas toujours respectés. À la suite de tragédies comme le naufrage du « Salvador » en 1940 et le torpillage du « Struma » en 1942 et du « Mefkura » en 1944, les craintes d'une traversée en mer où les sous-marins et les destroyers étaient légion augmentèrent encore [29]. C'est pourquoi, il était préférable de battre pavillon d'un pays neutre, ce qui constituait une garantie contre une attaque éventuelle et dispensait d'obtenir des « sauf-conduits ».

Il fallait également s'assurer de la sécurité qu'offraient les bateaux et de leur niveau d'hygiène. Tout d'abord, pour fournir les besoins élémentaires. Deuxièmement les catastrophes maritimes entravaient la disposition des gens à entreprendre de tels voyages quand il en était encore temps, c'est-à-dire avant que ce ne soit la fin de tout. Troisièmement, si un bateau ne répondait pas aux critères fixés par la « convention de Montreux » [30], les Turcs pouvaient l'empêcher de traverser les détroits des Dardanelles et du Bosphore. Plus d'une fois, les Anglais leur demandèrent d'empêcher la traversée pour des raisons politiques (opposition à une immigration importante vers la Terre d'Israël) en invoquant le mauvais état du bateau. Il fallait prévoir la nourriture et les autres besoins élémentaires pour toute la traversée, pour ceux qui avaient la chance de l'entreprendre. Si on avait réussi à les faire sortir, encore fallait-il de l'argent pour les entretenir. Quelques pays d'accueil mettaient une condition à leur aide et exigeaient un financement extérieur.

Chaque maillon de la chaîne de sauvetage nécessitait beaucoup d'argent, ce qui manquait en temps de guerre et dans les conditions d'incertitude propres à ces périodes. De plus, le financement du sauvetage était très compliqué parce qu'il était absolument interdit de transférer des fonds des pays occidentaux vers les territoires occupés.

Pour les plans de sauvetage basés sur une rançon, il était question de sommes énormes qui allaient bien au-delà de la capacité économique du *yichouv* et il fallait convaincre les communautés juives du monde libre et les grandes organisations juives de donner l'argent nécessaire. Comme il a déjà été mentionné, elles non plus n'avaient pas le droit de transférer des fonds à destination des territoires conquis par les Allemands.

---

29. Dalia Ofer, *La traversée de la mer* (en hébreu), p. 155-157.
30. La « Convention de Montreux » fixa le 22 juillet 1936 le statut international des détroits entre la mer Noire et la mer Méditerranée et rendit de ce fait à la Turquie sa souveraineté sur ces détroits. L'accord traite des droits de passage et de navigation dans les détroits, des règlements de passage de navires marchands et des limitations s'appliquant au passage des navires de guerre. Cet accord fut valable jusqu'au début des années soixante-dix. Voir Shaul Hareli, *Turkey – The Land, History and Politics* (en hébreu), éditions Reuven Mass, Jérusalem, 1941, p. 268-270.

L'action de sauvetage consistait donc en une chaîne de maillons dont nombre d'entre eux étaient sensibles. Il suffisait qu'un seul maillon faillît pour que tous les efforts soient perdus.

Reconstituer ou décrire ces plans dépasse le cadre de cet article. Pour approfondir le sujet des tentatives de sauvetage, le lecteur peut se référer aux études parues ces dernières années[31]. Cependant, ce que l'on peut dès à présent affirmer ici, est que tous les plans de « grand sauvetage », ceux qui constituaient la voie principale de sauvetage de Juifs en grand nombre, malgré tout ce qu'ont pu prodiguer le *yichouv* et ses dirigeants, ont échoué. Le projet d'expédier des dizaines et peut-être des centaines de parachutistes en territoire conquis, pour organiser la résistance et l'autodéfense des Juifs, avorta également en fin de compte. Les Britanniques et les Américains s'opposèrent à toute extension notable des dimensions du plan. En général, ils s'y opposèrent pour des raisons politiques et opérationnelles, surtout quand ils s'aperçurent qu'on pouvait acheter ce genre de services à des Grecs qui sont Grecs, des Tchèques qui sont Tchèques, des Hongrois qui sont Hongrois et non des Juifs avec qui la signification d'une collaboration pouvait être double : Qu'il s'agisse du besoin de s'occuper de réfugiés rescapés quand personne ne voulait le faire ou du prix politique que le mouvement sioniste exigera le moment voulu. Vu le jeu du monde musulman sur ce terrain et l'aspect pétrolier de la chose, là non plus on préférait ne pas s'en mêler.

La présentation au lecteur de l'ensemble de ces variables en tant que fondement du débat – et peut-être y a-t-il là de quoi éclairer le caractère de celui-ci – portant sur la question de ce qu'a fait ou plus précisément ce que pouvait faire le *yichouv* et ses dirigeants pendant la Shoah, ne constitue pas le point fort de l'ensemble des écrits et des dires de ceux qui établirent le stéréotype négatif sur la part de Ben-Gourion et des dirigeants du *yichouv* dans le sauvetage de Juifs durant la Shoah.

4

Quelle fut la part de Ben-Gourion dans les opérations d'assistance et de sauvetage ? D'après une recherche que nous avons entreprise, dont les prémisses furent publiées dès le début des années quatre-vingt-dix[32], il s'avère

---

31. Par exemple : Dina Porat, *Un leadership pris au piège* (en hébreu), note 11 ci-dessus ; Yehiam Weitz, *Aware but Helpless : Mapai and the Holocaust, 1943-1945* (en hébreu), Yad Yitshak Ben – Zvi, Jérusalem, 1994 ; Hava Eshkoli (Wagman), *Silence : Mapai and the Holocaust, 1939-1942* (en hébreu), Yad Yitshak Ben – Zvi, Jérusalem, 1994 ; Yehuda Bauer, *Jews for Sale ? Nazi-Jewish Negotiations, 1933-1945*, Yale University Press, New Haven, 1994 et Tuvia Friling, *Arrow in the Dark* (en hébreu), note 13 ci-dessus.

que Ben-Gourion fut un collaborateur et un protagoniste important au niveau
de la réception des informations sur ce qui se passait, pour ce qui est des
plans et des opérations, de même qu'il l'était aussi au niveau de l'examen
des données et des décisions à prendre. Les principales informations sur les
actions de sauvetage et d'aide étaient d'abord déposées sur son bureau et il
décidait de leur orientation. Aux carrefours de décision relatifs aux grands
plans de sauvetage, il jugea qu'il fallait tout faire, même ce qui semblait
relever de l'imaginaire.

Ben-Gourion participa aux discussions sur le financement du sauvetage
et avec Kaplan, qui était le trésorier de l'Agence Juive et son bras droit, il
développa une politique de financement partiel pour chaque plan. Ensemble
ils établirent la règle selon laquelle aucun plan ne serait rejeté faute d'argent.
Ben-Gourion était prêt à payer un prix politique en appliquant une tactique
risquée et répéter des déclarations inflexibles destinées à forcer la population
et les organisations la représentant, à en supporter le financement. En fait, il
paya le prix. Certains des propos cités plus haut, furent le fait soit de cercles
d'opposition par rapport à l'exécutif, soit de membres subalternes de la direction du *Mapaï* pendant ces années. Même les dires de quelques activistes du
sauvetage de l'époque, découlent de leur incompréhension et de leur désaccord par rapport à cette tactique.

Ben-Gourion planifia et participa à des campagnes de ramassage de fonds.
Sa participation alla jusqu'à rédiger des invitations pour des levées de fonds
en cercles fermés[33]. Il participa à de nombreuses manifestations, même s'il
ne croyait pas à leur efficacité, outre le fait de satisfaire ses propres besoins
psychiques et ceux du *yichouv*. « Même s'il n'y a pas de remède, il n'est nul
besoin de s'en remettre à des remèdes magiques » écrit-il à l'un de ses correspondants. Il dirigea lui-même la négociation pour fonder le comité de sauvetage, participa à différentes discussions qui s'engagèrent au sein du *yichouv*
à propos de l'aide et du sauvetage et dirigea la collaboration avec les services
de renseignement d'Angleterre et des États-Unis[34].

---

32. Tuvia Friling, *David Ben-Gurion and the Catastrophe of European Jewry 1939-1945* (en hébreu),
    dissertation de doctorat, Université hébraïque, Jérusalem 1991.
33. Voir sur ce point : Tuvia Friling, *Arrow in te Dark* (en hébreu), chapitre X : « Manœuvres de Ben-
    Gourion et de Kaplan au bord du précipice : Tâtonnements dans la politique financière entre fin 1942
    et 1943 », p. 775-809 ; chapitre XI : « Financement des opérations en Europe au moment de sa libé-
    ration », p. 810-823 ; chapitre XII : « Budget de l'Agence Juive et collecte d'argent dans le pays »,
    p. 824-855 ; chapitre XIII : « Levée de fonds à l'étranger », p. 856-883 ; chapitre XIV : « Transferts
    de fonds », p. 884-910 ; chapitre XV : « Financement du sauvetage et de l'aide, conclusion », p. 911-919.
34. Tuvia Friling, *Arrow in the Dark*, chapitre II : « Même quand il n'y a pas de solution, il ne faut pas
    croire à des remèdes-miracle » : la protestation du *yichouv* est-elle une arme politique ou un succé-
    dané d'action », p. 111-183.

Pour s'engager dans ce domaine – dans les conditions existantes d'un *yichouv* aux structures compliquées, quand les alliés n'étaient pas très portés à assumer la signification pratique du sauvetage, qui était de s'occuper pendant la Shoah de centaines de milliers de réfugiés juifs, ce qui impliquait de devoir changer la politique du Livre blanc et les quotas d'émigration vers l'Occident – l'activité principale dans le domaine de l'aide et du sauvetage fut déviée vers une zone camouflée, sous couvert de ce que l'on pourrait appeler un « système parallèle », créé et mis en œuvre par Ben-Gourion. Ce système lui était inféodé et avait toute sa confiance, il jouissait d'une liberté d'action et agissait en souplesse pour promouvoir les actions de sauvetage, loin des pressions de l'opinion et de ses institutions élues. Le système comprenait deux composantes essentielles : le trio de direction ou la direction et la branche opératrice.

Outre Ben-Gourion, le trio de direction comprenait le trésorier de l'Agence juive, Eliezer Kaplan et le directeur du département politique Moshe Sharett, soit les trois délégués les plus importants du *Mapaï* à la direction de l'Agence Juive. Ce trio fut au cœur des principales actions de sauvetage. C'est là que furent arrêtées les plus importantes décisions et c'est là que s'écoulèrent les informations essentielles concernant ces affaires secrètes [35]. Souvent, en cas de besoin, ce cercle clandestin de pouvoir fut élargi pour comprendre également le président du comité de sauvetage, membre de la présidence de l'Agence Juive, Itzhak Gruenbaum, le collaborateur de Ben-Gourion à la direction du *Mapaï*, Berl Katznelson et parfois quelques rares autres. Il n'y a pas lieu d'examiner quantitativement la participation de Berl Katznelson, dans les décisions, selon le nombre de fois qu'on lui demanda son avis. L'accord moral et politique qu'il donna à Ben-Gourion et au trio dirigeant jusqu'à sa mort en août 1944 fut primordial.

Reuven Shiloah (Zaslani), Teddy Kollek et Ehud Avriel, qui étaient directement soumis au trio dirigeant ou seulement à Ben-Gourion [36], étaient préposés à la branche opérationnelle du « système parallèle ». À leurs côtés, et ici nous ne connaissons pas à fond la nature des subordinations hiérarchiques, il y avait également Elyahu Golomb et Shaul (Meïrov) Avigur qui jouissaient d'un statut politique indépendant. Golomb était l'un des dirigeants du *Mapaï* et de facto le commandant de la « *Hagana* » jusqu'à sa mort en 1945. Meïrov

---

35. Ceci est surtout évident pour ce qui concerne la façon d'agir de ces trois personnalités et le système opérationnel qu'ils mirent en œuvre. Voir également les propos de Shertok au comité politique du *Mapaï* du 3 mai 1943, APT. Parmi les missions secrètes de Kaplan, on compte ses périples à Istanbul pour des opérations de sauvetage, en février-mars 1943, en juillet 1944, sa mission au Caire et ses contacts avec des hauts dignitaires britanniques en Palestine. Dans tous ces cas, furent examinés des plans de rançon, des plans de sauvetage d'enfants et des domaines de collaboration secrète avec certains dispositifs de services de renseignement britanniques ou américains.

dirigeait l'immigration clandestine, il était un des chefs de la « *Hagana* » et un personnage central du *Mapai* et du *Kiboutz-meouhad*[37].

Des trois hommes, Zaslani, Kollek et Avriel, Zaslani était alors le vétéran, le plus expérimenté et le plus proche de Ben-Gourion. Le statut de Kollek se renforça progressivement, mais il fut toujours l'adjoint de Zaslani. Avriel était alors en début de carrière. Aux côtés de ces hommes ou sous leur commandement agissaient aussi Eliahu Elath (Epstein), Zéev Shind, Zvi Shechter-Yehiel, Vania Pomeranz-Hadari et Menahem Bader. Ces hommes avaient également des relations directes, plus ou moins intensives, avec Ben-Gourion.

Une grande partie des gens de ce groupe appartenaient au département politique de l'Agence Juive, à ce que l'on pouvait désigner comme « l'unité des missions spéciales » du département. D'autres appartenaient au département de l'immigration clandestine. Souvent, se joignaient aussi à eux des émissaires d'autres branches du mouvement ouvrier. Il est impossible de donner un profil exact de la chaîne précise des responsabilités et des subordinations. Celle-ci n'était sans doute pas nette. Un fait est cependant évident : tous, sauf quelques exceptions, agissaient sous les ordres de Ben-Gourion,

---

36. Des exemples frappants de mise en place d'une sorte de « groupe de commandement de première ligne » sous la direction de l'un des trois dirigeants sont liés aux grands plans de sauvetage. Ce fut le cas lors de l'examen des trois plans de rançon de même que pour les tentatives de sauvetage d'enfants. Comme on le sait, Kaplan est allé à Istanbul au cours des mois de février-mars 1943 au moment où ont été soumis les deux premiers plans de rançon et un plan de sauvetage d'enfants. L'ont accompagné Elyahu Epstein et Teddy Kollek, tous deux appartenant à l'unité des missions spéciales du département politique. Sur place, se trouvaient déjà Zéev Schind, Menahem Bader et Vania Pomeranz. En 1944 accompagnèrent également Kaplan, Shaul Avigur, Ehud Avriel et Reuven Shiloah (Zaslani) et d'autres. Ils partirent examiner les possibilités de sauvetage pour les Juifs de Hongrie, les plans qu'avait apportés Brand et la proposition faite à Bader de négocier directement avec les nazis. Pour les mêmes objectifs, Shertok partit pour Alep, accompagné par un groupe similaire.

37. Sur ces relations, voir Haggi Eshed, *One Man « Mossad » – Reuven Shiloah ; Father of Israeli Intelligence* (en hébreu), Idanim, Tel Aviv, 1988, p. 56-95 : «... Kollek réussit à être loyal envers les deux (Ben-Gourion et Shertok) et il entretient aussi des relations correctes avec leurs entourages. Avec Ehud Avriel et Reuven Shiloah, Kollek devait appartenir à une sorte de "trio", où régnait des relations d'estime, d'amitié et même de jalousie et de concurrence larvée dont l'enjeu était "l'écoute du vieux".... C'était un trio d'hommes d'action, pleins de ressources, doués d'initiatives et de faculté d'improvisation, des sortes "d'entrepreneurs" d'opérations "dans l'esprit du commandant" et pas seulement des hommes soumis répondant "oui" à n'importe quel ordre... Grâce à ces qualités, ils acquièrent un statut spécial aussi bien auprès de Ben-Gourion que de Sharett. Au sein de ce trio, Shiloah (Zaslani) était le premiers parmi ses pairs... », voir aussi, Zeev Hadari (Vania Pomeranz), « Ehud Avriel et son époque », dans : *Eastern-European Jewry – from Holocaust to Redemption 1944-1948* (en hébreu), Binyiamin Pinkus éd., Centre de Promotion du Patrimoine de Ben-Gourion, Kiryat Sdé Boker, 1987, p. 272, 273 : « Ehud était l'un des protégés de Ben-Gourion. En toute occasion, il lui dépêchait une lettre, quand il était à Istanbul, et même des années après... Ben-Gourion aimait Ehud et l'estimait beaucoup... » ; sur les relations particulières de Avriel avec Ben-Gourion voir aussi le protocole de la réunion de l'exécutif sioniste, 6 août 1944 ASC, p. 5 et : A Shaul (Meirov-Avigur) et ensuite : lettre à Elyahu (Golomb), 12 juillet 1937, ABN, : Golda Meir, *My life* (en hébreu), Sifriyat Maariv, Tel Aviv, 1975, p. 124-126.

Kaplan et Sharett. Quelques-uns parmi eux rendaient « discrètement » des comptes aux secrétariats de leurs partis.

Dans « le système parallèle », s'exprimait une dualité intéressante. D'une part, il faisait partie intégrante de la hiérarchie formelle des institutions du *yichouv*. D'autre part, il contournait le système formel. « Le système parallèle » faisait partie du système formel puisqu'il était dirigé par le président de l'exécutif sioniste en personne, le trésorier et le dirigeant de département politique. Les dirigeants de l'exécutif avaient tout simplement développé un système de subordination, de rapport et d'opérations qui n'étaient soumis à aucun contrôle de la plénière de l'exécutif. Il semble que le financement de ses activités se fit sous couvert de rubriques figurant dans le budget, délibérément floues que l'on appelait caisse B et de sources extérieures au budget courant. Ainsi, même le financement du « système parallèle » était si bien camouflé qu'il est difficile aujourd'hui d'entreprendre une enquête à ce sujet.

« Le système parallèle » n'a pas été inventé pour les seules affaires de sauvetage. Il fonctionnait d'une façon ou d'une autre pour les questions de « défense », d'immigration illégale et d'achat d'armes. Il se peut qu'il existât également pendant les premières années d'existence de l'État d'Israël jusqu'à ce que soient mis en place des mécanismes plus organisés. Ceci reste à étudier. En tout cas, les années trente et quarante furent le cadre de traitements clandestins. Ce cadre n'était pas entièrement coordonné et « organisé ». Il fonctionnait dans le brouillard et lui-même était nébuleux. Une relative discipline y régnait, mais il se caractérisait souvent par un certain désordre et même par des contradictions dues aux différentes allégeances. De plus, jouaient aussi des différences de caractères entre les personnes et se développa une concurrence naturelle pour le statut et le prestige opérationnel dans les cercles de pouvoir existant autour de Ben-Gourion.

« Le système parallèle » s'est développé du fait d'une existence minoritaire face à une majorité hostile et sous domination étrangère, dans une existence de pluralisme idéologique et structurel, une inexpérience opérationnelle et une absence de culture administrative. Il fut appliqué quand il fallait affronter une guerre mondiale et la Shoah, face à des services de renseignement étrangers qui suivaient les démarches du leadership « rouge » et examinaient jusqu'à quel point les habitants de la Terre d'Israël pouvaient nuire à leurs intérêts dans la région[38]. Parallèlement, il fut appliqué à la direction de la collaboration avec ces mêmes services. C'est pourquoi, des « improvisa-

---

38. Sur le pistage serré des services de renseignement occidentaux, des faits et des évaluations des dirigeants du *yichouv* voir : Tuvia Friling, « Surveillés à la loupe », *recherches sur la renaissance d'Israël* (en hébreu), vol. IV, Pinchas Ginosar (éd.), Centre de Promotion du Patrimoine de Ben-Gourion, Kiryat Sdé Boker, 1996, p. 592-604.

tions », des « contournements » et des agissements « dans des zones grises » étaient nécessaires. Souvent, « le système parallèle » traitait d'opérations auxquelles la majorité des membres de l'exécutif sioniste s'opposait.

Ce modèle d'action secrète a étiré les frontières du jeu démocratique du *yichouv* jusqu'à le mettre en danger d'éclater et il semblerait que Ben-Gourion et ses deux collaborateurs aient justifié ces débordements pour trois raisons. Tout d'abord, ils craignaient les fuites et les résultats des suivis des services de renseignement étrangers [39]. Deuxièmement, ils sentaient que la démocratie du *yichouv* n'était pas encore vraiment ancrée, que tous les facteurs ne respectaient pas ses règles. La terminologie de l'époque le prouve très bien. D'importants cercles du *yichouv* créèrent des organisations clandestines indépendantes et furent désignés du nom de « dissidents », et ceux qui se détachèrent de ces derniers furent appelés les « irréguliers ». Ceci nous enseigne que l'on pouvait ne pas accepter les règles du jeu si la décision prise ne convenait pas à celui qui s'excluait. Ces phénomènes existaient aussi bien à gauche qu'à droite, chez les religieux ou chez les non religieux. Les dirigeants de l'exécutif ne pouvaient en faire abstraction et agir de manière unilatérale selon les règles du jeu démocratique. Ils adoptèrent une ligne médiane, ils mirent en œuvre un système de gouvernement, de conscription démocratique-volontariste tout en faisant marcher parallèlement un système de gouvernement et d'opérations qui leur devait une obédience directe. Une méthode semblable, peut-être même encore plus compliquée fut adoptée également par la « *Hagana* ». Troisièmement, Ben-Gourion, Kaplan et Sharett étaient tout à fait conscients des sentiments acerbes qui intervenaient tout naturellement dans les questions de sauvetage. Ainsi par exemple, il n'y avait que très peu de chances que, s'agissant d'opérations de sauvetage, la représentation d'un mouvement, d'un parti ou celle d'une quelconque organisation d'immigrants accepte avec compréhension la décision de donner la préférence à un certain groupe plutôt qu'à un autre avec lequel elle avait des liens,

---

39. *Mapaï*, commission politique, 3 mai 1943, APT, Ben-Gourion : «… La situation n'a pas été explicitée en Amérique, de ce point de vue, peut-être est-ce parce qu'il y a de bonnes raisons de ne pas raconter devant l'exécutif, car moi non plus je n'ai rien raconté à l'exécutif… » ; Shertok, Comité d'Action Sioniste, 1.9.43, APT, p. 12 : « Je voudrais terminer par une remarque : le comité exécutif exige fort justement de savoir ce qui se passe. J'ai beaucoup hésité en rédigeant le rapport. J'ai demandé conseil à Ben-Gourion. Et je vois que je ne peux rapporter les faits vaguement. Il y a quelquefois des choses que l'on ne peut rapporter… et nous devons tous faire en sorte que ce danger ne se réalise pas ». Les activités de l'exécutif et de ses dirigeants étaient suivies de très près par les services de renseignements, britanniques et autres. Voir par exemple le commandant adjoint CID de Jérusalem au secrétaire général du gouvernement de Palestine, 11 novembre 1943, rapport sur la démission de Ben-Gourion. Le rapport se base sur des données très précises ; 11 novembre 1943, ABN ; par exemple : Ira Arthur Hirschmann, *Life Time in the Promised Land* (en hébreu), Ahiassaf, Jérusalem, 1948, p. 61-62.

même s'il existait des raisons opérationnelles évidentes en faveur d'une telle décision. Ils n'avaient aucun doute qu'une discussion ouverte sur ces questions soulèverait un tollé qui ferait échouer toute opération [40].

Ben-Gourion, Kaplan et Sharett préférèrent en général étendre les limites du jeu démocratique plutôt que de rater une chance de sauver des Juifs. Cependant, ils eurent du mal à défendre ces violations étant donné que si peu de Juifs furent finalement sauvés. Face aux attaques contre le soi-disant laisser-faire des dirigeants, les attaques contemporaines aux événements aussi bien que celles plus tardives, qui furent à la base du développement du stéréotype négatif, le leadership ne pouvait se défendre par un vote sur ses actions secrètes, celles-ci n'étant pas légitimes selon les règles de la démocratie sioniste ou de celle du *yichouv*. Ces actions impliquaient des collaborateurs douteux, dont il était difficile de se « vanter » et des agissements éprouvants, qui auraient paru « cruels » et dont les causes étaient trop complexes pour pouvoir être expliquées au grand public. Et surtout, ces actions secrètes ne réussirent pas en fin de compte à sauver beaucoup de Juifs. On aurait pu les présenter pour prouver que le leadership n'est pas resté les bras croisés et essaya d'agir. Mais vu l'échec, sur un fait si terrible, il était difficile de prouver que la réussite n'était pas de l'ordre du possible. La charge de cette preuve se heurta à de profondes inclinations psychiques. C'est pourquoi, dès la fin de la Deuxième Guerre mondiale et à partir des années cinquante, Ben-Gourion et ses gens renoncèrent à toute tentative, d'avance destinée à l'échec, d'expliquer la nature de ces opérations secrètes.

5

Si les choses sont ainsi comme le prouvent les dernières recherches sur les actions de sauvetage du *yichouv* et de ses dirigeants pendant la Deuxième Guerre mondiale, quelles sont les origines et les causes de cette image négative qui se développa dans le public par rapport à l'action sioniste et à celle de Ben-Gourion autour des tentatives du *yichouv* de sauver les Juifs d'Europe pendant la Shoah ?

Il semble qu'une réponse partielle à cette question se trouve dans la « négation de la diaspora », élément de base des écrits et des actes sionistes de Ben-Gourion. Il est certain que toute sa vie, Ben-Gourion ne voyait qu'une seule solution fondamentale à la détresse des Juifs et du judaïsme : la fin de l'anomalie existante où les Juifs n'avaient pas de cadre étatique souverain à eux

---

40. Sur la tentative d'arriver à un accord avec les rédacteurs en chef des journaux du *yichouv* à propos de ce qui sera publié, voir : DAJ, 24 octobre 1943, p. 1.

et donc n'avaient pas la possibilité ou l'occasion d'avoir une emprise sur leur sort.

Pour atteindre ce but, Ben-Gourion agit toute sa vie pour d'abord atteindre un cadre étatique souverain où les Juifs pourraient réaliser cette opportunité, et ensuite, construire une puissance leur permettant de conserver cet État obtenu. Pour lui, une véritable émancipation est celle qui donne aux Juifs la possibilité de réaliser leur droit naturel d'autodétermination et le droit à leur propre État, non plus seulement par l'invitation plus ou moins cordiale de s'intégrer dans les pays de diaspora où ils vivent. Si Clermont-Tonnerre proclama à la veille des débats sur l'émancipation des Juifs de France qu'il faut donner aux Juifs « tous les droits en tant qu'individus et aucun en tant que nation », Ben-Gourion agit pour que les Juifs, en tant qu'individus et en tant que nation, indépendante et souveraine, aient tout[41].

Pour Ben-Gourion, la Shoah était la démonstration la plus tragique de l'aspect dialectique de l'émancipation : c'était la plus terrible expression de rejet des Juifs de la société générale. Il en tirait la justesse de sa conception sioniste implacable. C'est ce que pensait Ben-Gourion avant la Shoah, c'est ce qu'il pensa après.

De même, les principaux éléments dont il s'inspira pour construire l'identité du nouveau Juif ou Israélien, de ce peuple qu'il voulait conduire vers son pays, étaient composés des mêmes matériaux relevant de la négation de la diaspora : ainsi par exemple, son fanatisme pour l'utilisation de l'hébreu. Il faut voir à ce sujet la polémique sur ce qu'il aurait ou n'aurait pas dit à propos du yiddish en 1945, ses remarques devant la fédération des rabbins d'Amérique en 1952, comme quoi il serait digne « qu'ils s'adressent aux gens vivant en Israël dans leur langue et dans la vôtre, l'hébreu » ; son changement de nom patronyme de « Grin » en « Ben-Gourion », du nom d'un héros hébreu antique. Il demanda et souvent exigea un tel changement de nom, de nombreuses personnes de son entourage et des hauts fonctionnaires de l'administration, aux affaires étrangères et dans l'armée ; le nom symbolique qu'il donna à sa fille aînée, « Gueoula » ; l'épitaphe qu'il ordonna de graver sur sa tombe, quand viendrait son heure : « est monté en Israël en 1906 », pour bien marquer quel était l'acte le plus important parmi tous, de sa vie bien remplie, « sa deuxième naissance », comme il avait l'habitude d'expliquer ; son attachement pour des gens nés dans le pays, les sabras, comme Moshe Dayan et

---

41. *Clermont Tonnerre* – député aux États généraux français (1789) qui prônait d'accorder l'égalité des droits aux Juifs. Il s'exprima dans ces termes : « Il ne faut rien accorder aux Juifs en tant que nation, mais il faut tout leur accorder en tant qu'individus » ; « On ne peut accepter que les Juifs constituent une corporation politique particulière ou une classe à part dans l'état. Chacun d'entre eux doit devenir citoyen et s'ils ne le veulent pas, qu'ils le disent et dans ce cas nous serons obligés de les chasser. Il n'est pas concevable qu'il existe dans notre pays, une nation dans la nation ».

d'autres. Tout cela montre qu'il pensait que rien dans la diaspora ou dans l'Exil ne doit être objet de nostalgie[42].

De même, son profond amour pour la Bible, et surtout pour les parties de la Bible mettant en évidence le lien avec la Terre d'Israël et les applications qu'il en fit pour approfondir les racines de sa conception nationale-sioniste, prouvent à quel point il rejetait la Diaspora. Ainsi par exemple, il adopta la question qui était et qui est toujours un fondement moral du sionisme, de savoir pourquoi Abraham avait quitté Haran, pays riche et fertile, ayant développé une haute civilisation pour un pays pauvre et peu développé ; les pérégrinations du peuple à des vagues différentes, vers la terre promise ; la conquête du pays et son amour pour Josué, qui conduisit cette entreprise ; le passage du peuple d'un état où il n'était qu'un ensemble de tribus à celui de la constitution d'une nation, la formation de cadres étatiques et politiques et la formation d'un peuple. Il tira également de la Bible des arguments de discussion pour fonder ses positions sur des sujets comme la question des frontières et le droit à cette terre ; les biens universels que légua ce petit peuple à l'humanité il y a deux mille ans, bien avant la révolution française, avant les grands réformateurs américains, anglais ou russes, avant l'époque des Lumières. Les idéaux sociaux de la tradition juive qu'il voulait mouler dans des moules laïcs, qui étaient la base idéologique de cette nouvelle réalisation et de cette nouvelle identité d'avant l'émancipation ; ces idéaux qui concordaient aux idées socialistes, et même utopiques, d'une société basée sur les principes de justice et d'égalité, d'une « société modèle » à laquelle il voulait aboutir ; ces idées dont l'origine se trouvait enracinée dans la terre ancestrale de Judée, à une époque où le peuple d'Israël vivait sur sa terre, dans sa patrie[43].

Les versets qu'il aimait et qu'il plaça sous verre, sur sa table de travail, comme par exemple « Tu aimeras ton prochain comme toi-même », « Tu seras mon peuple privilégié », « Un peuple ne tirera plus l'épée contre un autre peuple et on n'apprendra plus l'art des combats », comme d'autres versets qui l'ont accompagné à différentes occasions et à ses heures difficiles, ne venaient pas des œuvres qui s'étaient forgées pendant les deux mille ans de diaspora. À la fin de la Deuxième Guerre mondiale, par exemple, alors qu'il était à Londres et voyait défiler les Londoniens joyeux dans la rue, de la fenêtre de son hôtel, Ben-Gourion, le laïc par excellence, choisit de stigma-

---

42. Shabtai Teveth, *Ben-Gurion : The Burning Ground, 1886-1948* (en hébreu), vol. III, Shoken, Jérusalem et Tel Aviv, 1987, p. 438-441 ; Shabtai Teveth, « Le trou noir » (en hébreu), *Alpaim*, numéro 10, p. 117-122. Ben-Gourion à la congrégation des rabbins d'Amérique, 5 octobre 1952, Archives du Centre de Promotion du Patrimoine de Ben-Gourion (désigné plus loin par ABG), Correspondance. Sur ses propos en 1945, voir plus bas les remarques 57 et 58. Selon le biographe de Ben-Gourion, Michael Bar-Zohar, *Ben-Gurion* (en hébreu), vol. I, Am Oved, Tel Aviv, 1975, p. 80-81 ; sur la diaspora et les « *sabras* », voir Anita Shapira, *New Jews Old Jews* (en hébreu), Sifriyat Ofakim, Am Oved, Tel Aviv, 1997, p. 221-225, 242.

tiser la situation précisément par un verset de la Bible qu'il inscrivit dans son journal : « Israël, garde-toi de te livrer à aucune joie bruyante comme font les nations » (Osée IX, 1). Aux heures difficiles des premières années cinquante, à la veille d'une de ses décisions les plus difficiles, celle de faire venir dans le pays une immigration de masse, le rassemblement des exilés, alors que ses experts et ses conseillers lui disaient qu'il n'y avait pas assez de nourriture et d'habitations pour tous, il se référa au prophète : « Je dirai au Nord : "Donne" – au Midi : "Ne les retiens pas. Ramène des pays lointains mes fils, et des confins de la terre mes filles" » (Isaïe XLIII, 6) [44].

Ainsi, Ben-Gourion tirait de la Bible des paramètres pour construire sa personnalité et celle du jeune peuple en formation. De la Bible, écrite dans le pays, l'y reliant et l'y attachant et non pas de la longue suite de ses commentaires rabbiniques, Œuvres de Diaspora indignes à ses yeux de la mission dont il s'était chargé.

C'est ainsi qu'en dépit des atténuations et des transformations politiques survenues chez Ben-Gourion dans sa conception de « négation de la diaspora », celle-ci constituait le fondement de sa conception sioniste. Il ne s'en démit jamais, ni avant, ni pendant la Shoah, ni même après [45].

43. Sur la société modèle de Ben-Gourion, voir : Michael Keren, *Ben Gurion and the Intellectuals* (en hébreu), Université de Ben-Gourion, Kiryat Sdé Boker, 1988, p. 96-102, 90-95 ; Shabtai Teveth, *Les Lamentations de David – la terre brûle* (en hébreu), vol. I, p. 94-104 ; sur son appréciation du personnage de Josué et l'utilisation de versets de la Bible, voir : Haim M.Y. Gavrihu, « Souvenirs du cercle de Bible que tenait Ben-Gourion chez lui », *Ben Gurion and the Bible, The People and its Land* (en hébreu), Centre de Promotion du Patrimoine de Ben-Gourion, Kiryat Sdé Boker, 1989, p. 70-74 ; les biens universels : par exemple, son discours à la cérémonie de pose de la première pierre de la Maison Mondiale de la Bible en septembre 1975 : « Je n'ai pas besoin de vous raconter ce que nous enseigne la Bible ou quelle est la vision des prophètes. Je ne soulèverais que trois points qui pour beaucoup, sont essentiels dans le judaïsme : l'un est l'idée de divinité, c'est-à-dire la grande force spirituelle créatrice. Notre peuple fut le premier et le seul qui sentit et qui accepta cette idée et qui continue à y croire jusqu'à ce jour. Il existe maintenant d'autres peuples qui ont accepté partiellement cette idée, mais qui ne sont pas encore allés au fond des choses. La deuxième idée est celle de : "Tu aimeras ton prochain comme toi-même" et la troisième est celle de la vision de la fin des temps, "un peuple ne tirera plus l'épée sur un autre peuple et ils n'enseigneront plus la guerre" » ; sur les idées universelles du judaïsme voir « *Particularité et Vocation* » (en hébreu), Maarahot, éditions du ministère de la Défense, Jérusalem, 1971, p. 118-120.

44. Journal de Ben-Gourion, 7, 8 mai 1945 ; voir également : David Ben-Gourion, *Biblical Reflexions* (en hébreu), Am Oved, Tel Aviv, 1976, p. 94 ; et aussi : « La Bible et le peuple juif », *Davar*, 28 juillet 1964. Sur la Bible en tant que formatrice de l'identité de tout Juif et d'Israël, voir par exemple : David Ben-Gourion, *L'éternité d'Israël*, Réflexions, Tel Aviv, 1964, p. 186 ; Allocution prononcée au Congrès National de la Bible, 31 mars 1958 ; « La Bible – certificat d'identité du peuple d'Israel » Yehoshua Bitsur, *Maariv*, 14 avril 1959.

45. Dans le cadre des alliances politiques qu'il voulut établir à différents stades de son œuvre sioniste, il fit certains compromis avec des « personnalités de diaspora » Ce fut le cas, à la veille de la « Convention de Biltmore » (voir à ce sujet, les accords établis avec les Juifs d'Amérique avant la conférence) et c'est également vrai pour les charges qu'il imposa au mouvement sioniste après la Deuxième Guerre mondiale et le « calcul sioniste » qu'il établit alors immédiatement ainsi que pour l'accord avec Jacob Blaustein, président du comité juif américain, pendant les années cinquante, etc.

La « négation de la diaspora » était-elle un « abandon de la diaspora » ?

Pour répondre à la question si la « négation de la diaspora » pendant la Shoah signifiait également « son abandon », il nous faut d'abord évoquer les opérations de sauvetage entreprises par les dirigeants sionistes pendant la Shoah. Ceci, surtout à partir de fin novembre 1942, après ce que l'on pourrait nommer « le saut de l'esprit », c'est-à-dire après que fut intégrée la signification réelle du processus d'extermination en Europe et qu'on comprit qu'il s'agissait d'un génocide systématique, industriel et absolu, n'ayant rien à voir avec ce qu'avait connu jusque-là le peuple juif, pourtant saturé de pogroms.

Comme nous l'avons déjà évoqué brièvement, le *yichouv* et ses dirigeants ont fait ce qu'ils purent dans le cadre du « sauvetage à petite échelle ». Ils firent de même pour ce qui fut appelé « le sauvetage à grande échelle ». Ils tentèrent de le faire dans le cadre des relations secrètes qu'ils essayèrent d'établir entre des branches opérationnelles quasi-militaires et les services de renseignement du *yichouv* et les différents facteurs des services de renseignement – militaires ou civils – britanniques et américains. La logique de ces opérations était de chercher à exploiter les canaux que promettait la collaboration secrète, pour pénétrer dans les territoires occupés et de tâcher de sauver des Juifs. Quiconque étudie ces opérations dans les centres et les annexes de ces organisations à Jérusalem, au Caire et à Londres, à Washington, Ankara et Istanbul et vers fin 1944 également à Bari en Italie, peut trouver les marques de cette collaboration et également voir les échecs, ce qu'aurait voulu faire le *yichouv* mais qu'il ne put réaliser. Ce concours engendra aussi des attaches avec des émissaires à Istanbul, en Suède et dans une certaine mesure en Suisse, avec des chargés de mission en territoires ennemis en Europe. Ces relations permirent de passer des informations et de l'aide financière en territoire conquis et d'établir l'infrastructure nécessaire pour accueillir les parachutistes et d'autres personnes envoyées en mission qu'on projetait de faire pénétrer par voie de terre ou de mer[46]. Les actions du « triumvirat » et du « système parallèle » que nous avons déjà évoquées sont particulièrement connues dans ce domaine.

Dans le cadre global de l'aide que prodigua le *yichouv* aux Juifs d'Europe pendant la Shoah, il faut également rappeler son effort financier, les méthodes complexes de transmission de fonds des communautés juives du monde occi-

---

46. Tuvia Friling, *Arrow in the Dark* (en hébreu), chapitre VII, troisième partie, « le canal américain » : Sur les intermédiaires et le réseau Dogwood ; voir aussi de façon détaillée : Yehuda Bauer, *Jews for Sale ? Nazi-Jewish Negociations 1933-1945*, 1994 ; Barry M. Rubin, *Istanbul Intrigues*, Pharos Books, New York, 1992.

dental en territoires occupés, passant ou non par le *yichouv,* le système élaboré de transactions financières mis en œuvre, soit pour une part en utilisant les différents réseaux de renseignement occidentaux soit pour une autre part, en exploitant certaines brèches dans les interdits imposés par les règlements monétaires stricts, en vigueur pendant ces années. Là également, comme dans d'autres domaines, la recherche actuelle démontre irrévocablement que la trame des efforts entrepris par le *yichouv* est considérablement large, profonde et bien plus complexe que ce qu'il apparaissait jusqu'ici[47]. Ceci, envers et malgré le principe de la « négation de la Diaspora ».

La thèse de ceux qui élaborèrent le stéréotype selon lequel les dirigeants du yichouv ne s'activèrent pour sauver les Juifs d'Europe qu'à condition que les rescapés arrivent en Terre d'Israël, est-elle vraie ?

Quiconque se penche sur les paroles dramatiques de Ben-Gourion à « l'Assemblée des Élus », réunie une semaine après la publication du fait de l'extermination, voit qu'il appela le monde libre et les pays neutres à ouvrir leurs portes pour accueillir des réfugiés juifs. Pour cet objectif, il ne mentionne la Terre d'Israël que comme troisième alternative. Les raisons de ce fait étaient

---

47. Sur la transmission de fonds aux émissaires du *yichouv* dans les différentes ambassades, voir : *Arrow in the Dark* (en hébreu), chapitre XIV. Des sommes furent transférées en Hongrie, en Roumanie et en Pologne, tout au long des années 1943 et 1944 et jusqu'à la fin de la guerre en mai 1945. L'ensemble des émissaires d'Istanbul organisa leur transfert par un réseau de passeurs : Vania à Moshe, Dov David, 18 mars 1945, Archives de la « *Hagana* », dossier 14/a61. Sur les transferts en Suisse, voir : Shalom à Ehoud, 3 mai 1945, ASC S25/22516 ; en Roumanie : Ehoud à Miriam, 12.5.45, ASC S25/22516 ; Dov à Zvi, 25 mai 1945, ASC S25/10118. Sur les calculs et conclusions de fin 1945, voir : Y. Kadmon à l'Agence Juive, 31 octobre 1945, ABN S25/8909, et l'appendice : compte des dépenses du comité *P* (initiale de *pénétration*, qui était le nom de code de ce genre d'opérations, N.D.T.) pour les mois d'août-septembre 1945, somme de l'ordre de grandeur de 7 797 574 livres israéliennes ; Zvi à Dov, 2.3.45, ABN S25/10118.
Des reçus de passation de fonds en territoires conquis parvinrent également, à un certain stade, en Pologne, le pays qui à l'époque, était le plus réfractaire à la pénétration. Des fonds furent couramment transférés d'Istanbul et de Genève vers d'autres pays également, comme la Roumanie, la Slovaquie, la Bulgarie, l'Autriche, la Hongrie : Ehoud à Reuven, 18.12.43, ABN S25/22685 : « … Nous pouvons garantir le crédit dans tous les pays éventuels puisque nous y faisons passer des fonds pour d'autres objectifs et nous pouvons donner des instructions pour ces fonds-là… » Reçu de Pologne pour l'argent perçu : Aux membres du secrétariat du kibboutz, 14 septembre 1943, Archives de la « *Hagana* », dossier 50/9, du fonds Yisrael Galili ; aux amis, 18 septembre 1943, dossier 50/9, Fonds Yisrael Galili ; Bader aux membres du secrétariat du kibboutz, 1er octobre 1943 : reçu de Pologne sur 225 000 francs ; transfert à partir de Genève, exemple : S25/22465, compte rendu hebdomadaire du 25 juin 1944 au 1er juillet 1944, Bader : « Étant donné que Gnf (Genève) ont annoncé qu'un émissaire partait de là-bas dans les jours prochains pour Hgr (Hongrie) et pour Neumi (Slovaquie) nous leur avons fait passer 120 000 nathans (francs suisses) pour ces deux pays. Par l'émissaire qui partira d'ici la semaine prochaine, nous ferons passer une certaine quantité de stefans (dollars) ». →

pratiques : ce qui importait était de faire sortir les Juifs, immédiatement, vers n'importe quel endroit possible. Ben-Gourion tint des propos semblables, quelques jours plus tard, à une assemblée de son parti[48]. Après qu'il s'avère que l'Angleterre, les États-Unis et également la Terre d'Israël ne sont pas accessibles pour les enfants juifs d'Europe, les dirigeants de l'Exécutif sioniste cherchèrent pour eux une terre d'asile, jusqu'en Afrique du Sud, dans la presqu'île ibérique et même en Afghanistan[49]. Quand l'Agence Juive dépêcha Shalom Adler-Rudel pour agir afin d'évacuer des Juifs vers la Suède, elle n'ignorait pas la distance géographique de la Scandinavie à la Terre d'Israël. L'exigence d'Adolphe Eichmann, partie intégrante du plan de rançon qu'avait présenté Brand, soit que les Juifs qui seraient rachetés par rançon ne soient pas dirigés vers la Terre d'Israël, mais bien vers la presqu'île ibérique ou vers toute autre destination, n'effraya pas du tout Sharet quand il l'entendit au cours de la rencontre qu'il organisa à Alep avec Joël Brand. Elle n'empêcha pas non plus Ben-Gourion et ses pairs de l'exécutif sioniste de faire d'incessantes tentatives pour faire progresser ce plan de rançon jusqu'à ce qu'il ne soit plus d'actualité à cause des fuites émises par les États-Unis et la Grande-Bretagne[50].

L'immigration vers la Terre d'Israël (*alya*) était pour Ben-Gourion un moyen essentiel de la réalisation du sionisme, mais il n'était pas exclusif pour ce qui concerne le sauvetage pendant la Shoah. Avant et pendant la guerre, aussi bien

---

→ Sur la politique de transfert de fonds, voir : Kaplan, 14 mars 1944, ASC, Décisions de séance : entre autres, procuration du comité exécutif « pour faire les efforts nécessaires » pour rassembler des fonds « que ce soit dans le cadre du budget ou en obtenant des fonds d'autres sources ». Il s'agissait de financer ce qui était défini par le terme de « sécurité ». Cette décision confirma la politique de Kaplan et de Ben-Gourion relative au financement du sauvetage et de l'aide. Zaslani à Reed, 28 mars 1944, ASC S25/8909 : « Accuse réception de votre papier n. 761/620 du 27 mars 1944 nous annonçant que votre organisation a mis à la disposition de nos hommes en Italie (les parachutistes à Bari) 2 000 livres sterling. Nous réglerons le paiement dans quelques jours par la voie habituelle. En attendant, nous vous serions reconnaissants de demander à votre bureau du Caire d'annoncer rapidement à nos hommes en Italie que nous avons envoyé cette somme au Cap. Hooker SR., le rabbin juif près de Bari par d'autres voies... ».
Dov à Zvi, 25 mai 1945, ASC S25/10118 ; Ces documents reflètent les méthodes de transfert de fonds et montrent de quelle manière se faisaient les comptes entre les gens du *yichouv* à Jérusalem, à Istanbul et en Roumanie et ceux des services de renseignements britanniques (ici, les hommes du colonel Toni Simons).

48. Ben-Gourion à l'assemblée du comité exécutif, le 30 novembre 1942, journal de Ben-Gourion, discours et articles ; Assemblée du Mapai, 8 décembre 1942, *ibid.*

49. Martin Gilbert, *Auschwitz and the Allies* (en hébreu), Am Oved, Tel Aviv, 1988, p. 125-126 : sur les contacts de Yossef Linton et de l'agence londonienne de l'Agence Juive avec le ministère des affaires étrangères britannique pour le programme afghan. Sur l'action à Lisbonne, voir nos propos sur l'action de Zilfried Israël, Tuvia Friling, *Arrow in the Dark* (en hébreu), chapitre IV, et ensuite sur les réflexions de Jérusalem et d'Istanbul à propos de l'éventualité d'ouvrir aussi une agence à Lisbonne.

50. Sur la rencontre d'Alep, voir : Tuvia Friling, *Arrow in the Dark* (en hébreu), chapitre VIII, p. 681-687 ; sur l'adresse à l'Afrique du Sud et l'action de Shalom Adler-Rudel, voir : *ibid.*, chapitre IV, p. 265-267, 270-278.

au début de celle-ci qu'après que la nature de la catastrophe sévissant en Europe fut évidente, Ben-Gourion développa une démarche conjuguée : d'une part, il lança un appel pour tenter d'évacuer les Juifs d'Europe vers tout endroit possible du monde, et en même temps, il insistait sur le fait que la Terre d'Israël est le pays principal pouvant proposer un asile permanent pour la masse des réfugiés juifs. Le *yichouv* de Terre d'Israël et le mouvement sioniste initièrent et dirigèrent des actions dont l'objectif était d'évacuer des Juifs vers n'importe quel lieu qui ne soit pas sous la poigne des nazis, ceci tout en se préparant politiquement à une intégration massive en Terre d'Israël. Des plans pratiques furent établis dans ce but. La « double formule » de Ben-Gourion se devait d'affronter en urgence la crise du peuple juif et également lui préparer une solution profonde et durable. Telle était la réponse intégrale de Ben-Gourion à la catastrophe. Et, ô miracle ! il la développa au moment des événements, alors qu'il n'avait ni la connaissance ni l'expérience de l'historien ou du journaliste, qui se penchera plus tard et *a posteriori* sur l'histoire de cette période.

La population juive de Terre d'Israël et ses dirigeants agirent donc pendant la Shoah énergiquement afin de sauver leurs frères d'Europe. Ils le firent en dépit du fait qu'ils ne se départirent jamais de leur conception de « négation de la diaspora ». La population du *yichouv* et principalement ses dirigeants, comprirent non seulement la responsabilité naturelle qui pesait sur eux – les Juifs d'Europe étant leurs frères, leurs parents, leurs amis – et la grande question morale qu'ils devaient affronter, mais même et aussi les significations politiques intervenant dans le concept de « négation de la diaspora », susceptibles d'entraîner un abandon de la Diaspora à l'heure de la Shoah.

L'explication de ce phénomène est double : l'une est que le mouvement se considérait lui-même comme une avant-garde, une sorte d'unité d'élite guidant le peuple et en tant que tel et afin d'être en mesure de continuer à servir de guide au peuple juif, il ne pouvait se permettre d'échouer à cet examen moral en restant passif [51] ; l'autre est que le peuple juif et également le mouvement sioniste se sont trouvés lors de la Shoah devant la situation tragique que leur avait réservée « le Destin » : justement en ce temps-là, alors que se construisait le « Foyer national » en Terre d'Israël, qu'un État indépendant ne constituait plus un rêve lointain, se profilait la crainte que cet État n'ait plus de *peuple*. Cette compréhension poussa Ben-Gourion et ses pairs à faire tout ce qui était possible pour sauver les Juifs d'Europe [52].

Ben-Gourion et ses éminents compagnons au sein de l'exécutif ne prônaient donc pas une idéologie de « négation de la diaspora » dont la signification

---

51. À propos d'avant-garde, voir : Tuvia Friling, « Ben-Gourion, le *yichouv* et les rescapés de la Shoah, 1942-1945, d'assisté à assistant », *Rehabilitation and Political, 1944-1948, The Remnants Struggle* (en hébreu), Yisrael Gutmann (éd.), Yad Vashem, Jérusalem, 1994, p. 405-431 et surtout p. 413-419.

pratique lors de la Shoah aurait été « l'abandon de la diaspora ». Tout au contraire, les dirigeants sionistes firent tout ce qu'ils purent pour sauver les Juifs d'Europe. Ils agirent ainsi tout en continuant à rester fidèles, sur un plan idéologique, à l'idéologie de « négation de la diaspora ».

Structure conceptuelle « lisse »

Il semble donc que le premier élément de réponse quant à la source de cette image négative vienne du fait que celle-ci s'est facilement adaptée dans un cadre conceptuel que Ben-Gourion lui-même contribua à créer, qui s'inspirait des idées des Lumières et était un élément de base de la conception sioniste.

La négation de la Diaspora et en conséquence directe, immédiate et simple, **son abandon**, sembleraient *a priori* ne faire qu'un. Il est plus difficile d'expliquer comment il est possible de continuer à s'attacher au principe de « négation de la diaspora » tout en croyant qu'il faille faire tout ce qui est possible en faveur de Juifs qui ont choisi de continuer à vivre en diaspora. Dans une telle structure conceptuelle « uniforme » et simple il est relativement facile d'expliquer l'échec de la plupart des plans de sauvetage, et considérer qu'aucune mesure répondant à l'ampleur de la catastrophe ne fut prise. Et de manière encore plus extrémiste, estimer que tout plan de sauvetage non lié à la terre d'Israël et à la promotion du sionisme, ne bénéficia d'aucun soutien ni de la part du *yichouv,* ni de ses dirigeants ni surtout de Ben-Gourion [53].

D'autre part, le fait que la majorité du *yichouv* ait alors été jeune et ashkénaze [54], permet une autre lecture de la « négation de la diaspora ». Une des explications immédiates et pratiques découlant de ce fait est que nombreux furent ceux, parmi la population du *yichouv* qui avaient de la famille en Europe, frère, sœur, père, mère ou parent d'un autre degré. Pour nombre d'entre les habitants du *yichouv,* venus récemment d'Europe, de « là-bas », de diaspora, les différentes régions en Pologne, en Hongrie, en Roumanie et en Tchécoslovaquie, en Bulgarie ou en Grèce, n'étaient pas des lieux étrangers ou inconnus. Il s'agissait d'un souvenir encore vivant et frais, d'une vraie patrie, avec ses odeurs encore fraîches de petite ville, de maison, de rue.

---

52. Lors d'un rassemblement de jeunes devant les tombes de Trumpeldor et de ses compagnons, le 18 mars 1943, ABN, Discours, Ben-Gourion parla de la priorité du sauvetage dans l'ordre d'importance des batailles que devait mener le *yichouv* et il présenta la question de manière extrêmement précise et douloureuse : « En quoi ce pays, avec ses montagnes et ses vallées, nous est-il utile si le peuple juif n'y trouve pas son salut ? » ; le discours, « l'ordre de Tel Hai » fut publié dans *Kountrass* (en hébreu) I (381) et également dans *Maaraha*, vol. 3, éditions du parti des ouvriers de Terre d'Israel (*Mapai*), Tel Aviv, 1947-1949, p. 119. Voir également *Davar*, 5 février 1943, sur l'article de Ben-Gourion dans le dernier exemplaire de *Palestine and Middle East.*

Même l'enthousiasme de la réalisation de l'idéal sioniste, qui agissait chez certains, et même l'élément de « négation de la diaspora » de l'idéologie sioniste, ne pouvaient effacer d'un seul coup, automatiquement, tous les fils qui liaient les gens à leurs pays d'origine ou à leurs parents proches. Et même si ceux qui étaient restés en Europe l'avaient fait par choix et étaient considérés par les sionistes réalisateurs comme des « assimilés » complets ou pire, comme attachés sans espoir de retour à la diaspora, on peut supposer que cette jeune population du *yichouv* ne serait pas restée béatement sans réaction alors que leurs frères et leurs parents partaient en fumée dans les fours crématoires.

Un révolutionnaire cruel, asservi à un seul objectif

Un élément supplémentaire qui pourrait éventuellement expliquer l'apparition du stéréotype a sa source dans l'image d'un Ben-Gourion froid et pointilleux, pratique et sans chaleur, révolutionnaire cruel asservi à un seul but. Cette image sert à approfondir l'argument selon lequel les dirigeants du *yichouv* et Ben-Gourion plus particulièrement ont ignoré la Shoah et que Ben-Gourion « s'est fermé » à ce qui se passait en Europe et même s'est aliéné émotionnellement par rapport à ce qui transperçait [55].

La méthodologie à la base de cet argument se base sur deux composantes. La première, s'appuie sur deux propos de Ben-Gourion, tous deux malheureux et superflus, déjà à l'époque où ils furent prononcés. La deuxième est une tentative de quantifier la douleur, qu'exprima Ben-Gourion dans ces années-là.

---

53. À ce propos, voir ci-dessus les principes de la note 2 ainsi que les notes 60 et 66 plus loin. Sur les accusations qui furent portées par la suite, voir : Nahum Goldman, qui participa lui-même activement aux efforts de sauvetage. Nahum Goldman, *Souvenirs* (en hébreu), à partir de la p. 186 ; Tom Séguev, *Le septième million* ; sur la tentative de présenter une dichotomie entre le sionisme et le sauvetage, voir Yigal Elam, dans l'interview qu'il accorda à la journaliste Yona Hadari Ramage, *Haaretz*, 30.10.86, « Un verre d'eau de plus pour éteindre le village en flamme ». Il affirme là entre autres : « Question : même quand le comité exécutif de l'Agence Juive fait part en novembre 42 de l'extermination du peuple juif, il ne change pas sa ligne de conduite. Ne s'agit-il pas là d'insensibilité ou de dureté ? Elam : Non, le mouvement sioniste était révolutionnaire, c'est pourquoi il était condamné à adopter une conduite cruelle envers le peuple juif : toute révolution ne croit qu'en une solution unique. Les révolutionnaires sont imperméables à tout ce qui n'est pas une solution de salut du peuple et par un processus presque inévitable, se rompt le lien véritable de la révolution par rapport à la détresse fondamentale contre laquelle elle s'était élevée. Question : Ben-Gourion était-il un révolutionnaire du genre que vous avez décrit ? Réponse : Bien sûr. Si Ben-Gourion avait agi dans des conditions révolutionnaires violentes, comme ce fut le cas en Russie, Staline n'aurait rien été par rapport à lui… »
54. Voir note 14 plus haut.
55. Comme nous l'avons mentionné pour ce genre de discours, voir note 2 plus haut ainsi que les notes 60 et 66, plus loin.

La première composante s'appuie sur une phrase implacable et douloureuse de Ben-Gourion peu de temps après la « Nuit de Cristal », le 7 décembre
1938, sur dix mille enfants juifs d'Allemagne et d'Autriche dont les parents
avaient été assassinés ou déportés. Les Anglais leur interdirent l'entrée en
Palestine et fut évoquée l'alternative du transfert de ces enfants en Angleterre
et non en Terre d'Israël. Ben-Gourion dit alors : « Si je savais qu'il est possible
de sauver tous les enfants d'Allemagne en les faisant passer en Angleterre,
et seulement la moitié en les faisant venir en Terre d'Israël, je choisirais la
deuxième option. Ceci, parce que nous n'avons pas à considérer le sort de
ces enfants, mais le destin historique du peuple d'Israël[56]. » Même si ces
paroles furent prononcées avant que n'éclate la Deuxième Guerre mondiale,
avant que ne s'avère ce que cette guerre engendrera, de tels propos étaient
cruels et superflus.

Nous avons déjà évoqué la deuxième phrase. Elle est tirée des propos de
Ben-Gourion lors du sixième Congrès de la *Histadrout*, qui se tint fin 1945.
Selon certaines versions, Ben-Gourion prononça, au début de son discours,
parlant de la langue que parlait Rozka Korczak, une des leaders de la résistance juive pendant la Shoah, une phrase sur le yiddish, « langue étrangère
et discordante » qui suscita la colère. Certains prétendent que Ben-Gourion
ne prononça pas les propos qu'on lui attribuait et disent que leur ordre fut
inversé, ce qui déforma le contexte, mais ceci n'est pas le plus important.
L'essentiel est l'ambiance et comment on se servit de cette phrase ou d'une
autre [57] d'autant que Ben-Gourion ne cacha jamais son rapport à l'hébreu et
son sentiment qu'en Israël, dans l'État juif, il fallait parler et écrire en hébreu.
Nous avons déjà mentionné ce point en attirant l'attention sur la place de la
Bible dans le monde spirituel et national de Ben-Gourion.

---

56. Ben-Gourion, comité central du *Mapaï*, 7 décembre 1938, APT ; voir aussi là-dessus Shabtai Teveth,
    « Le trou noir », p. 164-165. Shabtai Teveth y critique les propos de Tom Séguev dans son livre *Le
    Septième Million* où il se sert de cette phrase pour attaquer Ben-Gourion : « Il (Séguev) rapporte
    intégralement les propos de Ben-Gourion, mais les dissocie de leur contexte et les rapproche de sa
    critique sur l'accord de "transfert" de 1933. Dans ce contexte bizarre, il fait le rapprochement –
    comme explication ou comme conclusion – avec une déformation de la réaction de Ben Gourion à
    la Nuit de Cristal et se forme ainsi une nouvelle adjonction choquante… » Voir aussi p. 156, où
    Teveth évoque les opposants de Ben-Gourion, de son propre parti ou d'ailleurs, qui firent déjà à
    l'époque, usage de cette phrase pour attaquer Ben-Gourion. Et aussi : Jim Allen, dramaturge anglais
    qui écrivit une pièce de théâtre intitulée « Perdition », où il attaque violemment Ben-Gourion et le
    leadership sioniste sur leur position sur le sauvetage pendant la Shoah. Il affirme que Ben-Gourion
    et Hitler avaient un intérêt commun. Ni plus, ni moins. Jim Allen, *Perdition*, cité par Teveth, *ibid.*,
    p. 141.
57. Sur l'attitude de Rozka Korczak pendant la Shoah, voir : « Rozka, combat, pensée et personnalité »,
    Yalkout Moreshet, Yehuda Tubin, Lévy Dror, Yossef Dov (eds.), Éditions Mordehai Anilevitch et
    Sifriyat ha-poalim, Tel Aviv, 1988, p. 212-214. Pour la version de Shabtai Teveth, voir : « Le trou
    noir », p. 158-160.

Le premier élément de cette mythologie est donc basé sur le lien qu'on établit entre ces deux propos très durs et la conclusion qu'on en a tirée sur ce que pensait, sentait et surtout comment agissait Ben-Gourion pendant toute cette période allant de l'époque de ces affirmations, soit fin 1938 à fin 1945 [58].

Quantification et déshumanisation

Le deuxième élément exprime ce que l'on peut appeler une tentative de « quantification de la douleur » de Ben-Gourion, c'est-à-dire l'examen du nombre de ses dires se rapportant à la Shoah par rapport à ce qu'il a exprimé sur d'autres sujets. Il est douteux que cette sorte de méthodologie puisse refléter l'attitude de Ben-Gourion sur ce point ou sur d'autres non moins essentiels. Ceci, à cause de la problématique inhérente à une interprétation qualitative d'une mesure quantitative en général, sur un tel sujet en particulier. En effet, un télégramme ne comprenant qu'un seul mot : « confirme/interdit » ou « en avant/attend » ou « agis/annule », a plus de poids devant l'Histoire que cent discours s'étirant sur de nombreuses heures. D'autre part, les pourcentages de cette méthode, ne parviennent pas à englober l'ensemble de la documentation existante, comme il se devait [59].

Il faudrait commencer par dire que celui qui compte des propos et en soupèse la dose d'émotion qui y transparaît – mais selon quels critères ? – risque d'être imperméable au monde de personnes réservées et peu expansives. Ceux-là aussi ont quelquefois des expériences émotionnelles très fortes et des enthousiasmes moraux des plus intensifs. La réserve ou le silence ne témoignent pas obligatoirement d'une pauvreté émotionnelle. Souvent, ils sont justement le résultat d'un tumulte exceptionnel obligeant à se contrôler.

---

58. Les citations : Sixième Congrès de la *Histadrout*, qui se tint fin janvier 1945 ; Ben-Gourion, comité central du *Mapaï*, 7 décembre 1938, APT. Comme nous l'avons déjà mentionné, les résultats de la recherche établie pour la rédaction de la dissertation de doctorat de l'auteur de cet article, son ouvrage *Arrow in the Dark* ainsi que nombre d'autres livres et articles traitant de ce sujet, présentent une vision différente : Tuvia Friling, *David Ben-Gourion et la Shoah, 1939-1945* (en hébreu), dissertation de doctorat, Université Hébraïque, 1991 ; Tuvia Friling, « Ben-Gourion, le *yichouv* et les rescapés de la Shoah, 1942-1945, d'assistés à assistants », *Les rescapés de la Shoah 1944-1948, réhabilitation et lutte politique* (en hébreu), p. 405-431 ; Tuvia Friling, « Le septième Million en tant que suite de bêtises et de méchanceté du mouvement sioniste », dans : *Réflexions sur la Renaissance d'Israël*, vol. 2, 1992, p. 317-367 ; Yehuda Bauer, Tuvia Friling, « Réponse à Tom Séguev – le septième million et le plan Joël Brand », *Iton 77*, numéro 160-161 (mai-juin 1993), p. 24-28 ; Tuvia Friling, « Surveillés à la loupe », *Recherches sur la Renaissance d'Israel* (en hébreu), vol. IV, 1994, p. 592-604 ; Dina Porat, *An Entangled Leadership The Yishuv and the Holocaust, 1942-1945 ;* Shabtaï Teveth, « Le trou noir », *Alpaïm*, Revue n. 10, p. 11-195 ; Shabtaï Teveth, *Holocaust*, Harcourt Brace & Company, New York San Diego London, 1996.

59. Tuvia Friling, « Les éléments émotionnels dans le rapport de David Ben-Gourion aux Juifs de Diaspora à l'époque de la Shoah », dans : *National Jewish Solidarity in the Modern Period* (en hébreu), Ilan Troen, Benjamin Pinkus (éd.), Centre de Promotion du Patrimoine de Ben-Gourion, Kiriat Sdé Boker, 1988, p. 195-220. Il y a là des références précises pour tous les exemples cités.

De plus, chez de telles personnes réservées, un profond engagement moral, l'est également au niveau émotionnel et ceci peut porter à attribuer un poids déterminant aux actes et à ce qui découle de la logique des faits, sur le compte de l'élaboration verbale de la réalité. Pour d'autres, les priorités sont différentes et l'essentiel pour eux est dans la présentation des choses et il se peut que ceci éclaire justement la nature de leurs engagements moraux.

Cependant, en étudiant la façon d'examiner des compteurs et des peseurs, afin de juger de la validité de leurs conclusions, selon leurs propres méthodes, on constate qu'ils omettent de compter de nombreuses références verbales expressives de Ben-Gourion sur la Shoah. Non seulement leur décompte n'est pas systématique, mais parmi ce qui y manque ou qui a été effacé, se trouvent des propos sur la Shoah et sur ceux qui y survécurent, où apparaît une dimension émotionnelle et expressive très forte.

Même si cet aspect n'est pas le plus manifeste de ses qualités personnelles et des caractéristiques de son leadership, Ben-Gourion n'ayant jamais été très compatissant – ceci, sans doute pour le bien de la révolution sioniste et le processus, inédit jusque-là, de l'élaboration de la nation – et même si cette méthode consistant à compter et quantifier soulève de graves problèmes pour ce qui est de sa nature, il faut cependant s'y référer, puisqu'elle servit entre autres de base « scientifique » à la déshumanisation de Ben-Gourion et de quelques-uns de ses pairs, à propos de la Shoah [60].

---

60. Sur l'un des exemples les plus frappants de cette méthode, appliquée par Tom Séguev dans son livre *Le septième million*, voir : Tuvia Friling, « Le septième Million en tant que suite de bêtises et de méchanceté du mouvement sioniste », Bauer et Friling, « Réponse à Tom Séguev ». Tom Séguev qui s'élève contre les différentes utilisations de la Shoah, fait de même pour construire l'argumentation de base de son livre. Un procédé semblable apparaît chez Shabtaï Beit-Zvi, *Le Sionisme post-Ougandais et la crise de la Shoah* (en hébreu), où il affirme que Ben-Gourion, comme la plupart des leaders du mouvement sioniste à cette époque, soutenait une politique qui ne comprenait aucun « retrait par rapport au principe de préférence du sionisme sur tout autre chose » (*ibid.*, p. 143), et que l'attitude tiède et de compromission des leaders sionistes relative au sauvetage des Juifs d'Europe ne s'est pas répétée quand il s'agissait d'affaires proprement sionistes (*ibid.*). Ben-Gourion ne savait rien sur la Shoah, dit l'auteur, et pour ce qu'il en savait, il savait moins que les autres. En effet, Ben-Gourion ne demandait pas à savoir, parce qu'il ne s'intéressait pas à ces « détails » (*ibid.*, p. 104). Outre son discours à l'assemblée (novembre 1942), consacré principalement à la Shoah, l'auteur n'a trouvé dans les déclarations de Ben-Gourion aucun autre cas où celui-ci aurait donné son avis sur l'extermination des Juifs, et s'y serait référé en tant que sujet angoissant en-soi. Les rares cas où il fit mention de la Shoah, il exprima l'angoisse qu'une extermination totale des Juifs nuise à l'entreprise sioniste ou bien il se contenta d'exprimer l'espoir que l'existence des rescapés après le grand massacre, contribue à la réalisation du sionisme (*ibid.*). Ou encore : Là où il y eut un débat approfondi sur la Shoah, Ben-Gourion resta curieusement silencieux (*ibid.*, p. 119) et « son inaction phénoménale par rapport au sauvetage » est particulièrement frappante. De plus, selon l'auteur, Ben-Gourion voyait dans la Shoah… « un cataclysme pour des millions » qui était en même temps « une force salvatrice pour des millions, et l'affaire du sionisme était de fondre cette calamité juive dans des moules de rédemption extraordinaires » (*ibid.*, p. 133). Voir aussi p. 139.

Nous ne pouvons ni ne voulons compter ici les nombreux propos que Ben-Gourion tint sur la Shoah et sur les Juifs qui la traversaient. Nous signalerons seulement que ceux-ci furent dits et écrits sur tous les registres : les plus intimes, comme son journal ou des lettres personnelles, dans des discours enflammés tenus en public, comme ce fut le cas à la réunion spéciale de l'Assemblée des Élus, le 30 janvier 1942, devant la jeunesse pionnière, à la réunion du comité des camps d'immigrants en avril 1943, devant les délégués du conseil du *Mapaï* en janvier 1944, devant d'autres assemblées et il est superflu de signaler le faîte qu'atteignirent ses dires le 10 juillet 1944 à l'assemblée annuelle de commémoration de la « journée Herzl ». Il parla de façon semblable dans des cadres exécutifs plus restreints, des organismes dont la principale caractéristique était d'être des lieux de rapport, de prise de connaissance, de planification en vue de décision et d'opération ou bien de renseignement, d'analyse et de conclusion tirée après de telles opérations[61].

De tels cadres sont, pour l'orateur, autant d'occasions de s'exprimer plus librement, de se libérer d'une rhétorique superflue, obligatoire pour créer une opinion intérieure ou extérieure. Là, préconisant que ses propos ne seront pas

---

61. Parmi les dires de Ben-Gourion sur la Shoah et les Juifs qui la vivaient, nous ne mentionnerons que ce qu'il dit, écrivit ou fut écrit, dans le même esprit, sur tous les registres :
– dans des cadres intimes, comme son journal et des lettres personnelles :
Helena (Halinka) Goldblum, aujourd'hui, Dr Judith Sinaï, était arrivée dans le pays dans le cadre d'échanges de ressortissants étrangers en janvier 1943. Elle était officieusement chargée par l'Organisation Juive de Combat de Varsovie et de Zaglembie de témoigner et de donner l'alerte., Dans son témoignage, Halinka raconte qu'un jour, on vint la chercher à Bat Galim pour rencontrer Ben Gourion. Elle ne connaissait pas le lieu où se tint la rencontre et ne se souvenait même pas s'il fut noté. Sur le rapport de quatre pages de son témoignage, voir : ABN, memos, non daté mais sans doute deuxième moitié de février. Avihou Ronen la cite dans « La mission d'Halinka », *Yalkout Moreshet*, 42 (décembre 1986), p. 76 : « Quand j'eus terminé de parler, j'ai vu des larmes dans ses yeux… Ben-Gourion était là et pleurait… » Voir la description de cette rencontre et les détails de la mission d'Halinka. Après cette entrevue, Ben-Gourion écrit à Miriam Cohen-Taub, sa secrétaire à Washington : « … Je ne peux me dégager du cauchemar qui nous a à nouveau été transmis… tu te sens totalement impuissant, sans même pouvoir devenir fou… et ce n'est pas facile, croyez-moi ». Ben-Gourion à Miriam Cohen-Taub, 15 février 1943, ABN, Correspondance. Je remercie Shabaï Teveth d'avoir attiré mon attention sur cette lettre. Voir aussi : Tuvia Friling, « Des lettres pleines d'émotion dans la relation de Ben-Gourion avec les Juifs de diaspora pendant la Shoah », dans : *Solidarité juive nationale à l'époque moderne* (en hébreu), p. 213. Sur la visite en Bulgarie, voir : Tuvia Friling, « Ben-Gourion en Bulgarie : première rencontre avec des rescapés de la Shoah », *Réflexions sur la Renaissance d'Israël*, vol. 1, Pinhas Guinossar (éd.), Centre de Promotion du Patrimoine de Ben-Gourion, Kiriat Sdé-Boker, 1991, p. 308-342.
– Propos tenus dans des discours enflammés sur des scènes publiques :
Tels furent ses propos à la réunion spéciale de l'Assemblée des Élus, le 30 novembre 1942, devant la jeunesse pionnière, à la réunion du comité des camps d'immigrants, les 2 et 3 avril 1943, devant les délégués du 21e conseil du *Mapaï* qui se tint du 5 au 10 janvier 1944, le comité du *Kibboutz Hameouhad* à Guivat Brener, le 19.1.44 et devant d'autres assemblées. Et je signalerai aussi ses dires, qui atteignirent un summum de puissance lors de « la journée Herzl » le 10 juillet 1944. Tous ces discours se trouvent aux ABN, Discours.   →

diffusés, il est permis d'y voir, consciemment ou non, un lieu sûr où il n'est nul besoin de «jouer» un personnage qui n'est pas le sien. Et malgré tout, Ben-Gourion n'agit pas ainsi.

Il est évident que dépister ce qui semble «anecdotique», poursuivre cette «sentimentalité», tenter de découvrir l'homme qui se cache derrière le leader, l'angoisse demeurant au-delà de la puissance, la douleur existant derrière la façade figée, ne saurait se faire en dehors du contexte général. Ceci ne saurait être légitime si ce n'est que parallèlement ou à condition d'être accompagné d'une description méthodique et ordonnée de l'engagement de Ben-Gourion dans les opérations de sauvetage, tant au niveau du principe qu'au niveau opérationnel, qui constituent évidemment l'essentiel. Il est évident que même si Ben-Gourion et ses collaborateurs avaient pris le deuil, s'étaient couvert la tête de cendres, étaient venus se lamenter sur les marches du palais du Haut-Commissaire et qu'il ne se passe pas de jour sans que ne soient publiées sept lamentations et neuf protestations contre ce qui se passe en Europe, tout cela n'aurait pu remplacer l'action et la direction exigées, face à un tel défi, dans une telle période.

En comptant et évaluant méthodiquement ce que dit Ben-Gourion dans toutes les circonstances que nous avons relatées, on en viendrait à évoquer une série non négligeable de propos qui prouveraient que Ben-Gourion ne considérait pas la Shoah ou la diaspora comme des concepts abstraits, lointains et aliénés mais comme des attributs collectifs désignant des frères et

---

→   Il s'exprima de manière semblable dans des cadres exécutifs plus restreints, des organismes dont la principale caractéristique était d'être des lieux de rapport, de prise de connaissance, de planification en vue d'opérations et de décisions ou bien des cadres de renseignement, d'analyse et de conclusions tirées après de telles opérations :
Ben-Gourion à Félix Frankforter par Arthur Louria, le 8 décembre 1942, ABN, Correspondance ; Réunions spéciales de commerçants et d'industriels, le 24 juin 1943, le 13.7.43 et le 23 septembre 1943, *ibid.*, Protocoles de réunions ; Journal de Ben-Gourion, 6.7.44, *ibid.* Voir aussi : Tuvia Friling, Dissertation de doctorat, Discussion sur le mode d'éducation et d'intégration des enfants, p. 79-104. Sur son entrevue avec les grands-rabbins Herzog et Ouziel, voir *ibid.* p. 92. et plus loin. Au cours de cette entrevue, il dit entre autres : «Peut-être un jour cette dispute... quand le peuple d'Israël ne sera plus en danger de se faire massacrer, quand la Terre d'Israël ne sera plus menacée de lui être enlevée, quand le peuple d'Israël vivra en sécurité sur sa terre, peut-être alors, y aura-t-il des controverses. Mais à l'heure présente, ce qui est prioritaire est comment sauver le peuple d'Israël, parce qu'il ne peut exister de judaïsme sans Juifs. Pour moi, c'est ce qui passe avant tout. Quand le peuple d'Israël est en danger, telle est selon moi la priorité. Si la totalité du peuple juif devient religieux comme le voudrait le rabbin Herzog, je donnerai tout pour le sauver, même s'il devient ce que veut le rabbin Herzog, le peuple d'Israël existera et c'est là le principal». Voir : Propos de Ben-Gourion aux rabbins, 24 juin 1943, ABG, Protocoles d'entrevues ; et également Tuvia Friling, «Facteurs affectifs dans la relation de Ben-Gourion à la diaspora, pendant la Shoah», p. 209. Lors d'une réunion avec des représentants du Centre Agricole, ABG, protocoles de réunions, 13 juillet 1944, Ben-Gourion dit : «J'ai été très attristé que les responsables de jeunes s'intéressent moins à la question de l'immigration des enfants qu'à celle de la répartition du butin... Combattre la religion ou s'y opposer ne m'intéresse pas du tout... »

des sœurs, des parents et autres proches menacés de disparaître. La Shoah ne « passa pas » devant lui sans l'affecter et il ne se déroba pas à l'examen ou à la discussion du sujet ou de ses conséquences. Son action, ses décisions et également les expressions de son angoisse, sa douleur et même ses cris de douleur en témoignent.

Pour ce qui est du nombre de propos exprimés en public, on rappellera aussi, comme nous l'avons déjà mentionné plus haut, que beaucoup de chaînons liés aux actions de sauvetage et d'aide pendant la Shoah étaient secrets. Le poids d'un mot superflu là-dessus pouvait se payer cher. Une des meilleures façons de garder un secret est de ne pas trop parler, de limiter le nombre de gens qui sont au courant de l'action, et il est superflu d'expliquer le lien entre ce principe et l'aspect quantitatif du sujet. Il est aussi important de rappeler que les Anglais exerçaient une censure et qu'ils étaient sensibles à ce qui selon eux, pouvait éveiller une agitation dans le *yichouv* et cela aussi influa sur la « quantité » de propos émis [62]. Tout cela, avant de dire quoi que ce soit sur la puissance du clin d'œil, du haussement d'épaule, de la caresse, du regard, du fait de rougir ou de trembler, pour refléter et exprimer ce que mille mots et mille documents ne sauraient rendre. En tant qu'historiens forcément limités, il est évident que nous ne pouvons rendre compte de toute expérience que par une documentation et autres traces limitées ayant laissé quelque empreinte dans la réalité, et il est évident que le mouvement de main, le clin d'œil, le sourire cynique et autres éléments du langage corporel ne passent pas automatiquement dans cette documentation.

Naissance coupable de l'État sioniste – entre « la vérité archéologique » et « la vérité historique »

Un élément de cette image négative est lié au phénomène de totale mystification ou de totale relativisation de la recherche et du « discours » public sur la Shoah, aussi bien en Israël que dans le monde. Ce phénomène est presque devenu « naturel » pour un événement si tragique de l'histoire du monde, de la culture de l'humanité et de l'existence juive et israélienne. D'autres circonstances moins dramatiques que la Shoah, ont d'ores et déjà suscité un ensemble de réactions du même genre [63].

Le débat sur la question du rapport des dirigeants du *yichouv* aux Juifs d'Europe pendant la Shoah s'inscrit également dans ce domaine. Dès le début des années cinquante, il devint un instrument dans la lutte pour l'image de l'État, il devint partie intégrante de la recherche et du « débat » sur la dose

---

62. Voir là-dessus : Tuvia Friling, *Arrow in the Dark* (en hébreu), chapitre VII et Yoav Guelber, *Growing a Fleur de Lys* (en hébreu), vol. I et II.

« d'intégrité » de la révolution sioniste, sur son degré de légitimité et sur la justification de l'État lui-même en tant que solution à une anomalie dans la forme d'existence du peuple juif [64].

Dans cet ensemble, où se situe le présent propos, des accusations sont lancées sur la conception coupable de l'État sioniste, sur son colonialisme, son militarisme, son particularisme, son tribalisme, son irrationalisme inhérent, son nationalisme, le manque de sensibilité et la méchanceté de ses dirigeants, les injustices que ceux-ci commirent envers les Palestiniens, les Orientaux, les femmes. Parmi tout cela, s'élève également le reproche que les pères de toutes ces fautes et de toutes ces déformations, qui se sont brisés et ont échoué, avaient eu une attitude semblable envers leurs frères pendant la Shoah, s'étaient imposés cyniquement aux rescapés et même se servirent d'eux comme levier militaire, social et politique pour atteindre leurs buts [65]. C'est pourquoi ils n'ont pas seulement collaboré directement ou indirectement à l'assassinat des six millions, mais ils sont aussi responsables, personnellement et exclusivement de l'assassinat du septième million.

Ce phénomène – qui place le débat sur un sujet hors de son contexte, le lie au présent, le projette sur l'avenir et le fait reposer sur des fondements mensongers – retire en fait toute base à une discussion significative du phénomène. Il augmente encore la tension naturelle entre la « vérité archéologique » et la « vérité historique », pour employer les termes de Ahad Haam, pour autant qu'il y ait de telles vérités. Il diminue de toute façon toute « exigence »

---

63. Sur la mystification de la Shoah, voir : Yehuda Bauer, *La Shoah, aspects historiques* (en hébreu), « contre une mystification – La Shoah en tant que phénomène historique », Sifriat hapoalim, Tel Aviv, 1982, p. 71-86. Sur la différence entre « Shoah » et « génocide », sur le négationisme et le traitement de la Shoah « de manière allégorique, symbolique ou en tant que « sujet académique ». Voir aussi : Shlomo Aronson, « Sur le post-sionisme et la tradition antisémite occidentale », dans : « Réflexions sur la Renaissance d'Israël », *Sionisme – controverse contemporaine* (en hébreu), Pinhas Guinossar et Avi Bareli (éd.), Centre de Promotion du Patrimoine de Ben-Gourion, Kiriat Sdé Boker, 1996, p. 160-202. Comme exemple de relativisme total, est cité l'article d'Ilan Gur-Zeév : « Entre "notre" Shoah et celles des "autres" », *Davar*, 20 janvier 1995, p. 21. Là, dit Shlomo Aronson, il « fait de la Shoah un événement cosmique, universel, et non spécifiquement juif au sens particulier et étroit », p. 175. Selon Aronson, Eric Hobsbawm dans sa conférence sur le nationalisme, parue dans *New York Review of Books,* « blâme l'État sioniste et l'utilisation qu'il fit de la Shoah à des fins nationalistes étroites », p. 163. Aronson cite également les arguments du journaliste Tom Séguev contre Ben-Gourion dans son livre *Le septième million* : « Ce colonialiste et militariste nationaliste qui n'eut pas pitié des victimes de la Shoah et se détourna de leur souffrance », p. 175 (voir Tom Séguev, p. 22-23, 72-75, 85-86, 91-93, 119). Aronson cite également Benny Morris qui prétend, selon lui, que ces mêmes victimes n'étaient « qu'un instrument entre les mains de ce même super-escroc » afin de voler la terre des Palestiniens et y établir un comptoir colonialiste du capitalisme », *ibid.* (Voir Benny Morris, *The Birth of the Palestinian Refugee Problem 1947-1949* (en hébreu), Sifriat Ofakim, Am Oved, Tel Aviv, 1991, p. 226, 232, 242, 348-349).

64. Voir aussi le large débat sur ce phénomène dans « Réflexions sur la Renaissance d'Israël », *Sionisme – débat contemporain* (en hébreu), 1996, *ibid.* et dans l'appendice bibliographique de ce recueil.

et toute référence aux faits, tant est que ceux-ci puissent être éclairés d'un commun accord, et d'ores et déjà atteint le domaine de l'interprétation des faits et des différentes utilisations politiques de la Shoah que font tous les camps de l'opinion israélienne, y compris les élites politiques et intellectuelles. De ce point de vue, il est étonnant de constater que les utilisations de données ont précédé les données elles-mêmes et on peut citer une grande variété de publications, de propos et d'utilisations de ce genre [66].

Ce phénomène est un exemple des plus manifestes de la présentation de la conception selon laquelle l'histoire est une sorte de « dialogue sans fin entre le présent et le passé », selon l'expression adéquate de E. H. Carr, B. Croce et d'autres. En effet, à mesure que le « présent » – ou le débat dans le présent sur l'image de l'avenir ou sur son idéal – se font plus pressants, à mesure qu'interfèrent dans le débat des questions sur la légitimité et la « pureté » de la révolution sioniste, des questions sur l'image de la nation etc., l'importance du débat sur les données diminue encore et l'objet du débat se déplace et va se porter sur l'utilisation qu'en firent les différentes parties participant à ce dialogue.

---

65. Un exemple frappant d'un tel argument est le poème de Benjamin Harshav, professeur au département de littérature hébraïque de l'université de Tel Aviv : Pierre le Grand / construisit sa capitale Peterbourg / sur les marécages du Nord / sur les ossements des paysans. / David Ben-Gourion pava une voie / vers la capitale Jérusalem/avec les ossements d'adolescents venus de la Shoah. / […] Ben-Gourion rassembla des loques / pour tromper son ennemi. / Sur les ossements de jeunes venus de la Shoah / nous avons pavé la route de déviation / montant vers Jérusalem. » Il publia ce poème sous son nom de plume, Gaby Daniel, dans *Recueil de poèmes* II, 1985-1986, Jérusalem, p. 199-200. Cité par Dina Porat, « Ben-Gourion et la Destruction des Juifs d'Europe », p. 293.

66. Sur la vérité archéologique et historique, voir l'article de Ahad Haam, « Moïse », dans : *Ahad Haam, Œuvres complètes* (en hébreu), Éditions Dvir, Tel Aviv et Édition Hébraïque, Jérusalem, 1965, p. 342-347. Sur les utilisations politiques, voir la biographie de Ben-Gourion écrite par Dan Kurzman, (Dan Kurzman, *Ben Gurion – Prophet of Fire*, N.Y., 1983), où l'auteur consacre un chapitre à Ben-Gourion pendant la Deuxième Guerre mondiale. Il écrit entre autres : en août 1942, arrivèrent différentes informations sur ce qui se passait en Europe. La plupart des dirigeants du *yichouv* ne savaient pas et ne voulaient pas savoir ce qui se passait en Europe. En octobre de la même année, tout de suite après son retour des États-Unis, Ben-Gourion se référa un peu aux nouvelles qui se répandaient dans le *yichouv* et se concentra sur l'obtention de l'appui des institutions du *yichouv* au programme de Biltmore (*ibid.*, p. 240-241). Selon l'auteur, il n'y a aucun témoignage d'une tentative de Ben-Gourion d'annoncer au peuple l'ampleur de la catastrophe qui se déroulait, ni à l'époque ni à un autre stade de la guerre (*ibid.*, p. 244). Si Ben-Gourion s'est adressé à la conscience du monde libre (comme il le fit à l'Assemblée des Élus, en novembre 1942), d'autant qu'il eut une attitude quelque peu « non sioniste » en proposant un sauvetage vers des pays autres que la Terre d'Israël, il lia toujours la catastrophe au besoin de fonder une armée juive et un État hébreu (*ibid.*, p. 245). L'enquêteur curieux qu'était Ben-Gourion, homme qui avait l'habitude d'aller au fond des choses, affirme l'auteur, ne s'est pas donné la peine de vérifier l'ensemble des faits se rapportant à la Shoah, ne fit pas d'efforts pour tenter d'arrêter la catastrophe et ne s'est pas proposé pour diriger une « croisade » qui obligerait le pape à user de son influence et de son ascendant sur les alliés afin qu'ils bombardent les camps d'extermination et leurs voies d'accès. L'auteur attribue à Ben-Gourion une série de fautes, entre autres celle de ne pas avoir fait agir les Juifs d'Amérique afin qu'ils fassent pression sur →

Les différentes phases du phénomène d'exigence de correction politique (politicaly correct) existant aux États-Unis, dont les conséquences semblent quelques fois quelque peu ridicules, même aux yeux des plus libéraux, dans la mesure où elles sont coupées de leurs liens réels et scientifiques avec les faits, sont un exemple d'une autre existence de discussion publique de ce genre. Cette comparaison est ici significative puisque dans cette polémique, les partis en arrivent à un point où quand les faits n'appuient pas leurs thèses,

---

→   leur gouvernement, celle de n'avoir pas monté une équipe spéciale de réflexion pour traiter des questions de sauvetage, d'avoir accepté les arguments des Anglais dans l'affaire Joël Brand et de s'être opposé au bombardement des camps de la mort. Pour tout ceci, selon l'auteur, Ben-Gourion ne fit pas preuve de la même détermination et de la même fermeté qui le caractérisaient généralement (*ibid.*, p. 246-248). C'est pourquoi, n'ayant pas agi pour freiner la Shoah ou pour minimiser son ampleur, (*ibid.*, p. 24), Ben-Gourion est placé sur le même plan que le pape et le monde libre. Comme le pape, Ben-Gourion plaça le bien de l'organisation qu'il présidait au-dessus du bien de l'individu : le pape, par crainte qu'Hitler ne mette à exécution sa menace d'envahir le Vatican et Ben-Gourion par crainte que les pays libres lui refusent la récompense de son silence, soit la permission de monter pendant la guerre, une armée juive et de fonder un État juif tout de suite après (*ibid.*, p. 249). Ben-Gourion, poursuit l'auteur, qui ne trouva ni le temps ni l'énergie pour les affaires relatives à l'aide et au sauvetage, se révéla dans toute sa forme quand il s'agit des rescapés de la Shoah qui constituaient eux, une immigration potentielle. Celui qui n'avait pas trouvé de temps pour les opérations d'aide et de sauvetage, en trouva assez pour affronter Weizmann et d'autres (*ibid.*, p. 248, 250, 251 et suite).

Un autre biographe de Ben-Gourion, Robert St. John, (*David Ben Gurion, Unordinary Biography* (en hébreu), Jérusalem, 1959) ignore délibérément cette affaire. Il se contente d'esquisser en quelques phrases la réaction de Ben-Gourion à la Shoah en décrivant la réaction d'aliénation du monde libre, et l'obtention de l'accord des puissances à la création de la Brigade juive (*ibid.*, p. 81).

Michael Bar-Zohar (*BenGourion*, Am Oved, Tel Aviv, 1977) traita au cours des chapitres sur l'action de Ben-Gourion pendant la guerre, des sujets suivants : Ben-Gourion et le programme de Biltmore, la confrontation avec Weizmann, la crise du *Mapaï* et la sécession du groupe B. La mort de Berl et la crise familiale de Ben-Gourion et enfin – la création de la Brigade, les actions de l'*Irgoun* et du *Lehi* et la « Saison ». Il décrit relativement abondamment l'action de Ben-Gourion à Paris après la guerre, en 1945 et au début de 1946. Par contre, il ne dit carrément pas mot des affaires du *yichouv* et de la Shoah ni de la question des rapports de Ben-Gourion à la Shoah. En « éludant » ainsi le sujet, il crée un vide que chacun peut remplir à sa guise, par exemple en disant : « Si on n'a rien écrit, c'est qu'il y avait quelque chose à cacher ».

Avraham Avichaï (*David Ben-Gurion : a State Shaper* (en hébreu), Keter, Jérusalem, 1974) – traite entre autres des différentes étapes de formation du leadership de Ben-Gourion, des origines de son autorité et de sa conception politique. Il se rapporte aussi dans son livre à la période de la Deuxième Guerre mondiale. L'auteur insiste sur « … l'importance suprême de l'immigration en Israël et du développement économique en tant qu'exigences juives de base » ainsi que sur l'affirmation de Ben-Gourion que «… la fondation de l'État doit devenir l'objectif immédiat » (*ibid.* p. 52), comme étant deux principes de la conception politique de Ben-Gourion à cette époque. Il décrit la part de Ben-Gourion au programme de Biltmore (*ibid.*, p. 26), son combat pour que celui-ci soit ratifié par le *yichouv* et le prix qu'il paya pour cela (ibid. p. 27). Il n'examine pas la part que prit Ben-Gourion dans les opérations d'aide et de sauvetage. Dans le cadre de trois sujets qu'il traite plus loin, la conception de Ben-Gourion dans les saffaires sécuritaires, Ben-Gourion et l'affaire des dédommagements allemands, Ben-Gourion et l'affaire Eichmann, se profilent, selon l'auteur, des éléments ayant trait à la relation de Ben-Gourion à l'Allemagne, à la Shoah et à la résistance des Juifs pendant cette période, ceci, sans que ces sujets soient eux-mêmes examinés. (voir : *ibid.*, p. 102, 159166, 192-193).

ils disent : « au diable les faits, nous traitons de « sentiments », « d'images »,
de « motivations » et non de leurs expressions réelles… [67]

Cette tension – entre « la vérité archéologique » avec tous les problèmes
qu'elle pose et « la vérité historique », encore plus subjective, comme la tension
liée au besoin de refléter les « faits » à partir du présent et à partir de ses
prismes – ternit également les chances d'assimilation et de compréhension
profonde de ce qui semble à la fois une explication de l'échec des opérations

---

→   Mordehai Fridman, (*La réaction politique publique du judaïsme américain à la Shoah de 1939 à 1945* (en hébreu), dissertation de doctorat, université de Tel-Aviv, 1984, vol. 1, p. 47) qui étudia l'attitude des Juifs d'Amérique par rapport à la Shoah, affirme que Ben-Gourion et Silver établirent à Biltmore le fondement de la conception « palestino-centriste » et ne parlèrent pas d'une alternative de sauvetage des Juifs d'Europe. C'est pourquoi, cette tâche resta-t-elle entre les mains du Congrès Juif. Hava Eshkoli Wagman (« L'attitude des dirigeants juifs de Terre d'Israël sur le sauvetage des Juifs d'Europe », *Yalkout Moreshet*, XXIV (octobre 1977), p. 87-116), affirme entre autres, que l'essentiel de l'attitude de Ben-Gourion était que « la seule réponse à la Shoah était la réalisation rapide de l'objectif sioniste, soit une immigration massive vers une patrie juive indépendante en Terre d'Israël. Telle était la réponse de Ben-Gourion à la catastrophe des Juifs d'Europe » (*ibid.*, p. 98). Ben-Gourion partageait l'hypothèse politique selon laquelle « si on n'exploitait pas la période de la guerre mondiale pour améliorer les chances politiques du sionisme en Terre d'Israël, il ne servirait plus à rien de sauver le peuple juif, puisqu'il n'y aurait plus où l'accueillir après la guerre. Cette considération guida l'exécutif sioniste à poursuivre sa "collaboration" avec l'Angleterre malgré les obstacles à la fois manifestes et latents mis par celle-ci au sauvetage des Juifs d'Europe… » (*ibid.*, p. 95). Cette proposition affirmative, en sous-entend une autre, négative.

Yehiam Weitz dans sa dissertation de doctorat (*Position et attitude du* **Mapaï** *par rapport à la Shoah des Juifs d'Europe 1939-1945* (en hébreu), Dissertation, Université hébraïque de Jérusalem), affirme que Ben-Gourion « malgré son appui aux plans de sauvetage qui n'avaient pas pour objectif principal le transfert immédiat des rescapés vers la Terre d'Israël, affirme pendant toute cette période que l'objectif principal du *yichouv* et de ses institutions ainsi que celui du mouvement sioniste, est de se concentrer sur les plans de sauvetage dirigés essentiellement vers la Terre d'Israël. Il convient de laisser aux mains d'autres organismes, comme le Congrès Juif Mondial, les autres plans, traitant exclusivement de sauvetage et qui ne sont pas liés à la Terre d'Israël ou au mouvement sioniste. ». (ibid. p. 318). C'est ce qu'il écrit sur les assez rares expressions de douleur de Ben-Gourion par rapport à la Shoah. Il présente comme une exception, l'intervention énergique de Ben-Gourion dans les tentatives de sauvetage des Juifs de Hongrie et il explique cela par le sentiment qu'avait Ben-Gourion que ces Juifs représenteraient un élément important parmi les rescapés, qui à l'heure qu'il est, vers la fin de la guerre, devinrent un élément de plus en plus déterminant dans la politique et dans les considérations sionistes » (*ibid.*, p. 318-319).

Amos Elon, *L'heure H* (en hébreu), Jérusalem, 1980), présente Ben-Gourion comme n'étant pas du tout affecté par le problème de la Hongrie. En vérité, ce fut l'affaire où l'engagement de Ben Gourion dans les opérations de sauvetage atteignit le maximum.

Voir aussi à ce propos les notes 2, 53 et 60 plus haut.

67. Moshe Zukerman, *Cinquante ans plus tard* (en hébreu, manuscrit), *ibid.* : « Qui suis-je pour entrer dans l'arène des lions où évoluent Bauer et Friling d'une part, Séguev d'autre part, dont même les opposants reconnaissent qu'il « connaît l'art d'écrire l'histoire » et « qu'il connaît les faits » (Bauer et Friling, 1993). Je suis prêt à reconnaître (que Tom Séguev me pardonne) que Bauer et Friling ont raison et que Séguev « a décidé de froisser » les faits « au profit du sujet » (soit, l'affirmation qu'il tente de démontrer) ; A. H. Carr, *What is History ?* (en hébreu), introduction de Shlomo Avineri, Modan sifriat Monitin, Tel Aviv, 1986.

de sauvetage durant la Shoah, et qui facilite le développement d'un stéréo-type négatif. Voici une partie des raisons éventuelles de cet état :

• **La surprise et la confusion**
Ce stéréotype se nourrit également de la difficulté de comprendre que tant le mouvement sioniste que ses dirigeants furent surpris par le changement des «règles du jeu» dans le monde, et qu'eux non plus n'étaient pas prépa-rés à la Shoah. Eux aussi, malgré les paroles de colère et «la prophétie» sur le manque d'espoir existant en diaspora et sur une catastrophe imminente, ne savaient pas que ce qui attendait les Juifs d'Europe était un anéantissement total épouvantable. Tant Menahem Begin que Nathan Yelin-Mor et Moshe Kleinbaum-Sné, comme certains éminents rabbins, au moment de quitter leurs communautés et de venir dans le pays ou d'immigrer vers d'autres lieux, pensaient que devant eux s'ouvrait une période de guerre et de séparation mais non une cassure existentielle, une ère d'anéantissement total de leur famille et de leur communauté. Car même s'ils croyaient fermement que la diaspora est un exil, ils eurent du mal à digérer l'ampleur de la catastrophe et ils n'en tirèrent pas de phrase du genre «nous vous l'avions dit», et si vous n'avez pas voulu entendre, partez en fumée !

• **L'impuissance du peuple juif pendant la Shoah**
La situation des Juifs sur cette «autre planète» était tout d'abord une situa-tion d'impuissance. Mais les Juifs du monde libre également, comme ceux du *yichouv*, étaient plongés dans une impuissance politique et opérationnelle qui ne leur permettait pas de diriger des opérations de sauvetage à des échelles différentes que celles qui furent exécutées en fin de compte. Ce n'étaient certainement pas des opérations proportionnelles à la mesure de l'anéantis-sement de six millions. Il n'est aucun instrument de simulation pouvant concré-tiser à des gens vivant de nos jours, l'entière complexité des opérations et l'entière signification de cette impuissance, sur tous ses niveaux. Il suffit de nous rappeler, en tenant compte de toutes les énormes différences de ces deux situations, que même une puissance comme les États-Unis eut bien du mal à faire sortir une poignée d'otages, ses ressortissants à l'ambassade de Téhéran en 1971.

• **La grande complexité des plans de grande envergure – complexité politique et logistique.**
Comme nous avons tenté de le montrer ci-dessus, toute opération de sauve-tage d'une certaine envergure était constituée d'une chaîne de dizaines de maillons. Il suffisait d'un seul pour casser la chaîne tout entière et pour que l'ensemble soit détruit. En fait, étant donné cette complexité, la logique «natu-relle» de ces opérations était justement leur échec et non leur succès.

- La représentation de l'échec et les conséquences du « trou noir »

Un fondement de l'explication se trouve dans le fait que les opérations sérieuses destinées à aboutir à un sauvetage devaient être secrètes. Etant donné que de telles opérations, comme leur nom l'indique, furent en effet secrètes, la documentation les concernant est également plus rare, plus codée et n'a été ouverte au public que ces dernières années. Ainsi par exemple, ce n'est qu'au cours de ces dernières années que fut dévoilée au public la documentation de ce qu'on désignait plus haut par « la section des missions spéciales » au sein du département politique de l'Agence Juive, aux Archives Sionistes Centrales de Jérusalem. Cette documentation révèle des parties importantes des actions de Shiloah, Kollek et Avriel, Avigur (Meïrov), Elath (Epstein), Yechieli (Shechter) et Menahem Bader, Zeév Shind, Zeév (Vania) Hadari (Pomeranz) et d'autres parmi les principaux activistes du sauvetage à Istanbul et d'une partie de la branche exécutive du « système parallèle ». De même, la documentation variée de services de renseignement américains et britanniques qui s'ouvre aux chercheurs ces dernières années aux États-Unis et en Angleterre, éclaire également ce qui nous intéresse ici et montre qu'on peut, peut-être, tenter de voir de là-bas ce qu'on ne voit pas d'ici [68]. Etant donné qu'une bonne partie de cette documentation, comme ceux qui l'ont produite, reste dans l'ombre, tant les actions que ceux qui y participèrent sont restées également dans l'ombre. Du fait tragique que la plupart des tentatives faites dans ce domaine échouèrent, – et qu'il n'y eut donc pas de « produit » auquel on aurait pu s'accrocher – il ne fut pas possible d'effectuer une « analyse de processus à rebours » pour parer aux « trous noirs » de la documentation et cela renforça d'autant plus la fausse impression que rien n'avait été fait. Qui n'a pas appris ou a appris mais a refusé d'accepter, que même une bonne historiographie n'est qu'une sorte de représentation de la réalité, aura du mal à comprendre qu'il y a dans la réalité des parties, que la meilleure historiographie ne saurait atteindre.

De plus, le fait que les véritables et les plus importants participants aux actions dans ce domaine soient restés anonymes et que celles-ci aient échoué, suscita lui aussi le sentiment que le *yichouv* n'avait délégué pour cette activité que des hommes de niveau inférieur, de « second ou troisième degré ». On a en général désigné Itzhak Gruenbaum et ses collègues du « comité de sauvetage », qui malgré son nom prometteur, n'était pas l'organe le plus impor-

---

68. Sur la « section des missions spéciales » au sein du département politique de l'Agence Juive, voir par exemple la documentation de la série S25 88 aux Archives Sionistes Centrales de Jérusalem, et une documentation du même genre aux Archives de la *Hagana* à Tel Aviv. Voir aussi la documentation de l'organisation centrale d'espionnage aux États-Unis pendant ces années, l'Office of Srategic Services OSS. Sur cette activité secrète, voir plus en détail : Tuvia Friling, *Arrow in the Dark* (en hébreu), chapitre VII, p. 381-530, basé sur cette documentation.

tant pour les affaires du sauvetage. L'explication donnée à cela liait l'évaluation de la « qualité » de ces hommes à l'argument du désintéressement palestino-centriste, de la manière suivante : puisque le *yichouv* était absorbé par ses besoins et ses affaires (la colonisation, la défense, la construction de sa puissance, l'élaboration de la nation), le sauvetage n'appartenant pas à ce cercle de préoccupations, il n'y impartit que des hommes de niveau inférieur. Les plus audacieux, les plus gradés, les plus entraînés furent alloués à ses besoins primordiaux.

En fait, l'image était totalement différente. Les hommes les plus audacieux, gradés et ingénieux que le *yichouv* dépêcha, Zaslani, Avigur et Golomb, Kollek, Avriel et leurs compagnons, étaient en fait des hommes de ce niveau qui traitaient avant la guerre de sujets très palestino-centristes, comme les armes, la sécurité et les renseignements. Ils firent de même après la guerre et pendant les premières années d'existence de l'État. Mais, et c'est ce qu'il y a d'inattendu, ce sont ces mêmes gens qui s'activèrent pendant la Shoah, dans le domaine du sauvetage.

Ceux qui appartenaient à des organes comme le « comité de sauvetage », Gruenbaum en tête, étaient en effet des hommes de second ou troisième rang. Le « comité de sauvetage », qui en deux ou trois mois, à cause de la pression exercée sur lui par ceux qui s'adressaient à lui (sans doute parce que le *yichouv* n'était pas indifférent à ce qui se passait en Europe), devint un organe de plus de soixante membres, un « parlement » selon l'expression méprisante qu'on lui colla et il n'était pas et ne pouvait être un organisme important et capable d'agir dans ce domaine [69]. Il est douteux qu'il ait pu remplacer des organismes comme le département politique de l'Agence Juive, les hommes de l'immigration illégale ou telle ou telle branche de la « *Hagana* », même s'il était resté plus limité. Le « comité de sauvetage » n'était donc pas l'organe le plus important pour ce qui est du sauvetage, malgré sa dénomination prétentieusement trompeuse, et il est donc inutile de tenter d'y trouver une réponse à la question de ce que fit le *yichouv* en matière de sauvetage pendant la guerre.

Les échecs des opérations de sauvetage ne découlaient pas du genre de personnes que le *yichouv* avait affectées à ces opérations, mais au contraire, ces opérations se soldèrent par des échecs *bien que* le *yichouv* leur ait affecté les meilleurs de ses hommes. Les hommes les plus expérimentés et les plus professionnels appartenaient à ses rangs, pour autant qu'on puisse désigner ainsi les jeunes gens créatifs, énergiques et souvent naïfs, qui s'activèrent dans les opérations de sauvetage et qui au mieux, sortaient des « académies supérieures de l'armée ou du renseignement » de Ein Guev ou de Ramat

---

69. Sur le comité de sauvetage, voir de façon plus détaillée : Tuvia Friling, *Arrow in the Dark* (en hébreu), chapitre III, p. 184-204. Et aussi Dina Porat, *An Entangled Leadership* (en hébreu), p. 101-116.

Rachel, de Neot Mordehai ou de Sdot-Yam. Il est difficile de comprendre et encore plus de digérer le fait qu'en dépit de cela et malgré tout, ces opérations aient échoué. [70]

Les historiens évitent en général de traiter de questions du genre : « que se serait-il passé si… » Cependant l'historien qui se heurte à un problème tel que ce stéréotype négatif stigmatisé ici, peut se permettre un instant de relâchement de pensée et poser malgré tout la question : Que se serait-il passé si les mêmes efforts, les mêmes investissements, les mêmes espoirs avaient abouti à autre chose ? Qu'une fois par an, chaque année, des centaines de milliers de Juifs de Hongrie, de Roumanie, de Slovaquie et de Grèce qui réussirent à s'échapper, remplissent les grandes places de Tel Aviv, de Jérusalem et d'autres villes ? Et qu'ils soient là, avec leurs enfants et leurs petits-enfants pour marquer le miracle du sauvetage ?

Il n'y a pas de doute que de tels rassemblements auraient paré aux lacunes de documentation et auraient produit une autre « historiographie ». Ceci malgré le fait que pour ces deux cas de figure opposés, celui des places publiques *imaginaires* pleines de monde, comme celui des *véritables* places publiques au silence criant, le *yichouv* investit exactement les mêmes efforts. Il faut insister là dessus : le maigre résultat ne reflète pas les efforts et la volonté qu'investit le *yichouv* dans les opérations de sauvetage. C'est pourquoi, il est quelquefois bon, dans des cas semblables, de considérer l'éventualité d'un élargissement de l'aire de « juridiction » historique et morale et de prendre aussi en considération, l'intention et l'espoir, l'effort et la disponibilité et non pas seulement le résultat.

Le chef fondateur et l'image négative

D'autres explications viennent, il nous semble, de la légèreté avec laquelle le stéréotype négatif s'est adapté dans le genre de « débat » que nous avons évoqué pus haut, quand cette fois, ce sont ceux qui adhèrent à ce stéréotype négatif qui tiennent ce débat avec Ben-Gourion. Dans ce cadre, ces gens ou du moins certains d'entre eux donnent leur signification et leur interprétation aux faits. Cette exégèse s'appuie sur des attitudes idéologiques ou des positions de principe de Ben-Gourion qui n'étaient pas obligatoirement liées à la Shoah. Elle se fonde également sur des principes d'action propres à son leadership. Nous avons vu un exemple d'un tel débat, à propos de ses deux malheureuses phrases sur les enfants et le yiddish. Elle s'appuie sur son image de dirigeant charismatique et tout-puissant, et fut également nourrie d'autres

---

70. À ce propos voir l'affaire de l'échec de l'opération d'Alfred Schwartz et du réseau Dogwood, tel qu'il est décrit dans *Arrow in the Dark*, chapitre III, p. 446-447, 452.

expériences traumatiques par lesquelles passa la nation lors de sa renaissance et dans les premières années d'existence de l'État. [71]

Concilier l'écart des chiffres

Sur ce plan, l'examen du sauvetage se fit d'après ses résultats. Tout le monde connaît bien sûr le proverbe « Sauver une seule âme équivaut à sauver le monde entier », mais il est cependant difficile de comprendre pourquoi si peu furent sauvés. Leur nombre ou le taux de réussite des efforts de sauvetage semblent sans rapport aucun face aux six millions. Le nombre d'enfants sauvés, assez difficilement d'ailleurs, est dérisoire jusqu'à l'angoisse. Le stéréotype permit et permet encore de combler cet écart terrible. Il fournit un alibi explicatif facile et approprié au malaise déchirant et désigne même en la personne de David Ben-Gourion le coupable responsable.

Quand Ben-Gourion le veut, il réussit

L'image de Ben-Gourion, chef pragmatique, fort et efficace, a également contribué à l'élaboration de ce stéréotype. Personne ne dément cela. Ben-Gourion était capable de prendre des décisions d'une cruauté tranchante. À la lumière de cette image on tend à attribuer à Ben-Gourion des décisions qui soi-disant furent prises pendant la Shoah. Selon ses critiques les plus véhéments, « cela lui convenait » de trancher froidement et ils en déduisent que cela fut donc le cas. L'insuffisance de l'argumentation est ici évidente et elle conduit ses détenteurs à attribuer à Ben-Gourion des positions qu'il n'eut jamais. Là où le *yichouv* devait faire un choix et soit se concentrer sur la construction d'un foyer national en Terre d'Israël ou consacrer le maximum de ses ressources et de son potentiel à des actes qui de toute façon n'avaient aucune chance d'aboutir, il « convenait » à un leader comme Ben-Gourion de prendre la décision difficile de ne pas gaspiller de forces en de telles démarches « vaines ». Comme nous l'avons dit plus haut, Ben-Gourion ne réfléchit pas de cette manière et lui-même le formula de la manière la plus claire : il faut tenter de sauver des Juifs même s'il n'y a qu'une chance sur un million [72].

---

71. Yakov Shavit, « Messianisme, Utopie et Pessimisme dans les années cinquante : Réflexion sur les critiques de « l'État Ben-Gourionien », *Réflexions sur la Renaissance d'Israël*, vol. II, 1992, p. 56-78.

72. Lors de la réunion spéciale de l'exécutif de l'Agence Juive du 25 mai 1944, Vania Pomeranz transmit la proposition « marchandise contre sang » qu'avait amenée Joël Brand de Hongrie. Ben-Gourion résuma sa position à ce sujet en disant, entre autres, « S'il y a une chance sur un million, nous devons nous y accrocher ». Sur sa position sur le « plan de Transnistrie », le « plan Europe » et le plan de sauvetage d'enfants, voir plus en détail : Tuvia Friling, *Arrow in the Dark*, chapitres IV et V.

La polémique sur les racines de la Renaissance

Contribuèrent également à l'élaboration et même au renforcement du stéréotype, les violents affrontements politiques au moment de la création de l'État
et pendant ses premières années de formation. Ces dissensions, au cœur
desquelles se trouvait Ben-Gourion, dépassaient le domaine politique, et dans
de nombreux cas furent déplacées, par lui-même ou par ses opposants de
droite ou de gauche, vers des sphères qui touchaient aux racines même de la
renaissance juive en Terre d'Israël, à son essence et à sa signification historique. Dans ce débat, on s'interroge sur les agissements tant des Juifs d'Europe
que de ceux du *yichouv*, dans la lutte contre les nazis. On s'enquit aussi des
relations du leadership avec les Anglais pendant la guerre, et on souleva des
questions morales sur ce qui était de l'héroïsme et ce qui était de la pusilla-
nimité ou de la collaboration, avec les nazis ou avec ceux qui restèrent passifs.
On sonda les mythes et les symboles s'attachant à des questions telles que
« la marque de paternité » de l'origine de la résistance armée « partisane », la
question de qui provoqua le départ du pays des Anglais et les séquelles de ce
qui fut appelé « la saison », soit les « saisons de chasse » où les rapports du
yichouv organisé et des organisations de droite atteignirent un point de crise
qui alla jusqu'à la dénonciation réciproque de clandestins à la police britannique. Tous ces paramètres, même s'ils ne créèrent pas le stéréotype, se sont
projetés sur lui et l'ont nourri.

L'un des paroxysmes de cette sourde confrontation sur différents niveaux,
fut la violente polémique sur la question de « l'autre Allemagne », l'accord
sur les dédommagements allemands et l'établissement de relations diplomatiques avec l'Allemagne, la vente d'armes etc. Un autre point fort fut le procès
Gruenwald-Kastner, qui fut peut-être le facteur le plus déterminant de la puissance et du fondement du stéréotype, et sans doute aussi l'un des traits les
plus importants de la ligne de partage de l'histoire de l'État d'Israël. La crainte
du *Mapaï* que le temps n'était pas encore venu de se confronter avec le passé
et avec les autres dans ces domaines, les fautes de Kastner au cours du procès,
dont s'empara l'avocat Shmuel Tamir, le livre de Ben Hecht, *La perfidie*, sont
autant d'éléments de ce dialogue entre le présent et le passé et une sorte de
préparation à la formation du stéréotype[73].

---

73. Yehuda Bauer, *Aspects historiques* (en hébreu), p. 22-51 ; Dina Porat, *An Entangled Leadership* (en
hébreu), p. 435-483 ; Shabtaï Teveth, *Le trou noir* (en hébreu), p. 141-143 ; Ben Hecht, *Perfidy* (en
hébreu), Tel Aviv, 1970 ; Shalom Rosenfeld, *Criminal Case 124/53* (en hébreu), le procès Gruenwald-
Kastner, Karni, Tel Aviv, 1955.

La séparation d'avec Ben-Gourion

Des éléments supplémentaires de ce stéréotype ne sont évoqués ici que comme une simple supposition et il se peut qu'ils soient liés au fait que le peuple se fatigua peu à peu de Ben-Gourion, le chef révolutionnaire, peu prêt à lâcher du lest et qui ne comprend pas ses ouailles, lassées de « la tension », « du stress », « de l'engagement révolutionnaire » et de « la mission » sioniste. Ce peuple qui désirait commencer à vivre et être « au lendemain » de tout ceci, « dans la banalité du quotidien » qui suit la révolution, avait tendance à trouver chez le leader vieillissant, dur et pointilleux, des « fautes » qui lui permettraient un processus de séparation douloureux mais cependant désiré.

L'opinion désirait rompre avec celui qui après la Shoah avait « imposé » un État, construit sur un douloureux « plateau d'argent » [74] et qui avait ensuite parlé d'une nouvelle guerre pour la formation, et la morale de cet État. Ce chef n'acceptait pas de passer et n'était pas fait pour passer d'une époque « glorieuse » à une autre, de stabilisation de la société, il n'était pas prêt à la transformation d'un mouvement révolutionnaire utopique en une société dépourvue d'un tel fondement significatif.

Sans doute les manières directes de Ben-Gourion, son pragmatisme et sa capacité de tourmenter l'opinion avec ses vérités, ont-ils contribué à susciter ce désir. Ces traits et ces positions gênaient ceux qui tendaient à raccourcir cette période où l'individu n'agit qu'en fonction de la collectivité et de ses objectifs et désiraient les remplacer par une focalisation sur la réalisation des intérêts individuels. Ben-Gourion fut donc apprécié « négativement » non seulement par ceux qui tout simplement voulaient rentrer chez eux, enfiler leurs pantoufles et se reposer après la révolution et la guerre afin de « penser à eux-mêmes » comme cela arrive souvent dans les périodes post-révolutionnaires, mais aussi par ceux qui voulaient donner à cette transformation, à ce retour à la normale, une légitimation ou une profondeur historique et philosophique. Il est clair que cette tension précéda la polémique actuelle, entre ceux qui demandent à soumettre à l'examen ce qui, dans la culture des nations, est digne d'être adopté et ceux qui craignent que si la société israélienne n'adopte pas tous les « acquis » de la société occidentale, elle ou la révolution israélienne risque de rester pauvre, miséreuse, dégénérée et arriérée [75].

---

74. Le plateau d'argent est un terme qu'employa Haïm Weizman et que le poète Nathan Alterman emprunta et utilisa dans son poème du même nom (La septième colonne, premier livre, Hakiboutz ha-meouhad, Ramat Gan, 1962, p. 154-155). L'expression devint un des symboles de la renaissance israélienne. L'idée est évidemment le tribut de sang que la guerre d'Indépendance fera et à fait payer, soit ces jeunes gens et jeunes filles qui ont payé de leur vie.

75. Voir par exemple : Eliezer Schweid, « le sionisme à l'époque du "post-sionisme" », *Davar*, 24 juin 1994.

Une autre exigence qu'un tel stéréotype remplit – participant là aussi à la procédure de séparation d'une nation enfantée dans la douleur par rapport à son père fondateur – était de faire de Ben-Gourion une de ces « victimes purificatrices » qui existent parfois et que les sociétés aiment consommer : victime d'un sacrifice dans le processus déchirant de quitter des ruines après l'expérience terrible de la Shoah et celle, également difficile de la guerre d'Indépendance, avec Latroun, *Metsoudat Koäh*, « *Altalena* », la dissolution du *Palmah* et le licenciement du commandant des forces terrestres et autres douleurs d'enfantement ainsi que la souffrance et la faiblesse qui suivirent[76]. Le souverain « manipulateur », qui avait sacrifié ses frères d'Europe à l'État,

---

76. Par exemple : Dan Meron, *Face the Silenced Brother. The Liberation War's Poetry* (en hébreu), Keter et l'Université Ouverte, Jérusalem, 1992, p. 379. Voir aussi sa réponse à Avi Katzman. On y lit ceci : « À première vue, il n'est pas clair pourquoi Avi Katzman présente son article comme une réponse à mon livre "*Face the Silenced Brother*" ou même comme une critique. Son objectif était d'écrire un article, en fait une chronique de journal, remplie de slogans et de belles phrases du genre "Nous sommes venus dans ce pays pour tirer et nous faire tirer dessus", sans aucune dimension profonde, sans exemple et sans preuves, sur une thèse dont on s'est déjà lassé, et qui est que le *yichouv* se désintéressa de la destruction du judaïsme d'Europe pendant la Deuxième Guerre mondiale. Qu'il refoula et étouffa, les nouvelles sur la Shoah pendant et après la guerre. Qu'il eut un rapport de mépris envers les nouveaux immigrants rescapés et se servit d'eux comme chair à canon dans ses combats, dès la guerre d'Indépendance. Qu'il fonda sa culture sur un ethos pionnier-viril local et étroit. Qu'il s'est détaché de la tradition juive historique. Qu'il extirpa le yiddish et sa culture. Qu'il transmit à ses jeunes un sentiment de démarcation et de répulsion physique et mentale par rapport à tout ce qui est "juif". L'État d'Israël hérita de tout cela, et à partir de là… va s'inscrire une longue série des lacunes de notre vie sociale et culturelle, qui sont évidemment toutes, le résultat de cette grande aliénation ». Voir : Dan Meron, « Face aux larmes de crocodile » (remarques sur l'article de Avi Katzman), dans *Efess Shtaïm*, journal littéraire, no. 2, hiver 1993, Keter, p. 106-124. Y voir aussi l'article de Avi Katzman : « Face au silence de Dan » (jeu de mot par rapport au titre de l'article de Dan Meron), *ibid.* p. 97-105.

Un exemple supplémentaire du « dialogue » actuel avec le passé sont les propos de Dan Meron p. 111 : « … Il existe un abîme entre une telle historiographie authentique et le large "scoop" journalistique qui se déguise en Histoire, où tout est clair et où toutes les preuves sont orientées vers un seul point, fixé d'avance (comme c'est le cas également dans le livre de Tom Séguev)… Des données dont cette "exclusivité" journalistique ne suppose même pas l'existence, étant donné qu'elle juge et traite de tout en fonction de son point de départ, dans le présent… alors que l'historien… s'efforce… de considérer également les choses telles qu'elles semblaient et furent comprises de leur temps et au regard de ceux qui les ont vues et les ont comprises à l'époque ».

Latroun – Position arabe dominante importante sur la route de Jérusalem pendant la guerre d'Indépendance. S'y déroula une bataille sanglante qui devint l'un des symboles de la guerre. La façon dont se déroula cette bataille et le prix qu'elle coûta, porta peu après la fin des combats et plus tard, des détracteurs à se poser des questions. Voir aussi à ce sujet le poème du professeur Benjamin Harshav (Hershovski) cité plus haut (note 65). Latroun fut aussi un camp d'arrêt anglais dans la vallée d'Ayalon.

Metsoudat Koäh (Nebi Yosha) – Bastion de police fortifié construit à la fin des années trente, dans le cadre de la construction par les Anglais des citadelles *Tagart* à travers le pays. *Metsoudat Koäh* servit comme poste de garde à la frontière de la domination arabe. Il fut conquis les 16 et 17 mai 1948 par les forces du régiment *Yiftah*. À cet endroit, se déroulèrent de violents combats et cette citadelle devint elle aussi l'un des symboles de la guerre. →

fut lui – même sacrifié par ses continuateurs, lors du combat pour établir les assises de cet État.

Ainsi donc, c'est la combinaison de puissants facteurs qui créa ce stéréotype négatif sur le *yichouv* de Terre d'Israël et sur Ben-Gourion et ses pairs. Un fondement idéologique, « la négation de la Diaspora », fut présenté de manière illusoire comme base idéologique prônant une non-intervention et comme une contradiction de principe, opposant le sionisme au sauvetage. Un facteur réel, l'impossibilité pour une société petite et faible comme l'était la population juive de Terre d'Israël, de soutenir simultanément deux projets de grande envergure, le sauvetage et l'établissement de l'État, conduisit à l'hypothèse que le *yichouv* choisit en fait de délaisser le sauvetage pour se concentrer sur la construction de l'infrastructure de l'État. Participèrent aussi à la création du stéréotype, l'existence d'un leader apparaissant comme une forte personnalité, un homme capable en temps de crise, de prendre des « décisions difficiles », le terrible écart entre le nombre de rescapés et celui des victimes, auquel il est difficile de trouver une explication rationnelle, l'anachronisme que fournirent à volonté ces « explications », les luttes politiques ultérieures et les blessures psychologiques accumulées lors du processus de construction de la nation ainsi que le dialogue avec le passé établi dans une ambiance de divergence de vues quant à l'avenir.

Ce stéréotype négatif aura-t-il la vie longue ? L'avenir nous le dira.

→ *Altalena* – navire qu'acheta le *Etzel* en 1947. En juin 1948, il quitta les côtes françaises ayant à bord 920 immigrants ainsi que des armes. A son arrivée, le *Etzel* exigea que lui soit remis un cinquième de l'armement. Sa demande fut refusée, étant donné que selon l'accord signé en juin 1948, il était entendu que les hommes du *Etzel* devaient remettre à *Tsahal* la totalité de l'armement ainsi que leurs sources d'approvisionnement. Le navire arriva aux larges de Kfar Vitkin où il fut vidé de son chargement et continua au large de Tel Aviv où il ancra. Son commandement n'ayant pas accepté de remettre le reste des armes en sa possession, il s'ensuivit des échanges de feu. Le 22 juin, le navire fut coulé par un bombardement de l'armée. Seize hommes de l'équipage furent tués et vingt autres, blessés. Cet épisode marque l'un des paroxysmes de la coupure entre ce qu'il est convenu d'appeler les « dissidents » et le *yichouv* organisé, et devint lui aussi l'un des symboles douloureux de l'ère de la renaissance.
Le limogeage de Yisraël Galili, qui était à la tête du commandement général des forces terrestres ainsi que le démantèlement du *Palmah* (unité de commando de la *Hagana*), opérations cette fois dirigées contre l'aile gauche du *yichouv*, qui devaient asseoir l'autorité de l'échelon politique et imposer sa suprématie par rapport aux forces armées du *yichouv*, furent elles aussi, tout comme *Altalena*, des points de quasi-éclatement de la fragile structure démocratique du *yichouv*, symboles du grand drame qui accompagna le passage de l'état pré-étatique à celui d'État.

Le sionisme,
une idée qui se renouvelle

Yosef GORNY

L E DÉBAT AUTOUR DU POST-SIONISME agite ces derniers temps la communauté scientifique des sciences humaines et sociales. Par les media, il
s'est ouvert à tous et est devenu l'un des points chauds de la réflexion
publique en Israël et en diaspora. Dans ce débat sont avancés des arguments
à la fois nouveaux et anciens et également d'autres relevant d'un post-sionisme
dépréciateur d'une part ou d'un post-sionisme valorisant d'autre part.

Les arguments du post-sionisme déprécieur ou négatif sont vieux et
connus ; ses racines remontent au débat historique d'il y a plus de cent ans,
entre les détenants du sionisme et ses opposants. Au fil des générations, à
différentes époques, apparurent une variété d'opposants au sionisme dont
l'orientation idéologique se manifesta par le port de différentes sortes de
chapeaux. Des *streimels* des orthodoxes en Europe de l'Est, aux feutres des
néo-orthodoxes ou des libéraux en Europe occidentale, en passant par la
casquette du « Bund » ou des « *yevsektsiya* » et de nos jours, la coiffe des
diplômés des universités occidentales qui sous la toge d'un libéralisme
utopique cachent un anti-sionisme.

Dans son sens négatif, ce terme englobe la formule de *l'Agoudat Israël*[1]
rejetant le nationalisme juif laïc ; la tradition universaliste du mouvement du
judaïsme libéral[2] au XIXᵉ siècle ; le radicalisme anti-sioniste du Bund[3] ; et

---

1. *Agoudat Israel* – Organisation voyant dans la Thora et la tradition la base de l'existence et de la
   pérennité du peuple juif. Fut fondée les 11 et 12 Sivan 5672 (1912) à Katowitz en présence de
   300 délégués de différents pays.
2. *Mouvement du judaïsme libéral ou réformé* – mouvement de réforme de la religion juive ; est né en
   Allemagne dans la deuxième décade du XIXᵉ siècle et de là, s'est répandu en Europe centrale et occidentale.
3. *Bund* – Parti socialiste juif de diaspora. Fut fondé en Russie en 1897 et prônait une autonomie nationale et culturelle juive dans le cadre d'un régime socialiste futur.

maintenant s'ajoute à tout cela un relativisme extrémiste, le «post-sionisme», qui se propose d'ébranler les justifications du sionisme en tant que mouvement national, au nom d'une atteinte générale à une causalité objective quelconque. Ce n'est donc pas un hasard si consciemment ou même sans y prêter attention, s'est créé un rapprochement entre le radicalisme laïc libéral et l'orthodoxie extrémiste, sur la base du dénominateur commun de la négation du sionisme et d'une réserve envers l'État d'Israël. La négation du sionisme chez ces deux groupes n'est pas seulement idéologique mais également morale et ce n'est pas un hasard si tous les deux se trouvent d'accord pour lancer de lourdes accusations dépourvues de toute base historique contre les dirigeants sionistes de l'époque de la Shoah. Paradoxalement, ils partagent également la négation du caractère juif de l'état sioniste. Les uns le récusent au nom d'un «état pour tous ses citoyens» et les autres au nom d'un «état réglementé par la juridiction religieuse (*halaha*)». Les deux camps, tout en sachant très bien que leurs propositions sont irréalisables, veulent saper les fondements idéologiques et moraux de l'État d'Israël.

Cette discussion est déjà vieille. Presque tous les arguments ont d'ores et déjà été avancés contre ces points de vue et d'autre part, l'évolution historique a miné les assises des anti-sionistes.

Par contre, je considère comme primordial le débat sur la conception «post-sioniste» positive, celle qui n'est pas anti-sioniste mais, justement parce que considérant le sionisme comme un mouvement national juif et justifiant ses objectifs, ses détenants en sont arrivés dialectiquement à la conclusion qu'étant donné ses acquis, le sionisme a achevé son rôle historique en tant que mouvement politique et est arrivé au bout de sa course au sens idéologique. Ce point de vue rappelle la position prise par David Ben-Gourion dans les années cinquante, en ce qui concerne le mouvement sioniste. Elle est renforcée par les développements centrifuges dans les rapports entre Israël et la diaspora d'une part et l'opportunité d'un accord de paix au moyen orient d'autre part.

Le post-sionisme négatif a une idéologie plus ou moins constante qui rejette le nationalisme juif et par opposition à celle-ci le post-sionisme positif constitue plus une tendance, politique et psychologique, pragmatique et réaliste. La conception négative est l'apanage d'un groupe d'intellectuels élitistes tandis que la conception positive est beaucoup plus populaire et répandue, et donc aussi plus significative du point de vue de l'idéologie sioniste de notre époque. Il est important d'examiner les questions chères aux post-sionistes positifs parce qu'un tel examen touche directement et indirectement au caractère de l'État d'Israël et à l'existence collective future du peuple juif. Cette étude peut être fertile du point de vue intellectuel et nourrir la réflexion publique, étant donné qu'elle repose sur la base d'une reconnaissance positive des buts qu'a atteints le sionisme et l'acceptation que le sionisme dans sa signification historique a atteint la plupart de ses objectifs et se trouve donc à un croisement de chemins. Ce développement oblige à examiner si le sionisme est encore nécessaire à l'État d'Israël et au peuple juif.

Mais avant tout, il importe d'analyser le mouvement sioniste dans toute son ampleur en tant que phénomène historique, étant donné que ce n'est qu'ainsi que l'on pourra aboutir à une conclusion sur une correspondance entre le présent et l'avenir. Une telle évaluation du sionisme doit se faire sur trois plans : la comparaison avec d'autres mouvements nationaux contemporains ; l'examen de ses différentes tendances internes, qui s'agitaient et s'opposaient en son sein ; et l'examen de la structure des liens entre l'État d'Israël et la diaspora. Un tel débat préalable nous permettra donc de considérer la signification de ces trois cercles du point de vue de la validité de l'idéologie sioniste à notre époque.

On peut examiner le premier cercle, de caractère comparatif, selon quelques critères ou caractéristiques.

1. Comme tous les mouvements nationaux d'Europe, le sionisme ne concernait qu'une minorité de gens au sein du peuple juif. Bien que cette minorité soit relativement importante parmi les courants politiques existants au sein du judaïsme d'Europe de l'Est, ce n'était tout de même qu'une minorité. Parmi tous les mouvements nationaux d'Europe, c'était certainement le moins puissant. Cette faiblesse particulière ne découlait pas de son statut parmi les masses – puisque c'est justement là qu'elle exerçait son influence la plus grande – mais de l'obligation dans laquelle elle se trouvait de se mesurer à des tâches qu'aucun autre mouvement national n'avait à affronter, comme l'obligation de créer un centre territorial et de transformer complètement la structure économique et sociale.

2. Les mouvements nationaux en Italie, dans les Balkans, en Tchécoslovaquie et en Pologne ont eu besoin, tout comme le sionisme, de l'aide de puissances ayant des intérêts impérialistes. Mais la dépendance du sionisme par rapport à l'empire britannique fut différente et revêtit un caractère particulier. La différence se trouve dans le fait que l'immigration vers la Terre d'Israël fut l'instrument majeur de la lutte pour l'autodétermination nationale et que cette immigration dépendait entièrement du gouvernement britannique. Le caractère particulier de cette lutte se base sur les liens spéciaux qui unissaient le mouvement sioniste et le gouvernement britannique, liens dont la caractéristique sera soit le respect soit la violation d'engagements, dans un contexte changeant.

3. En l'absence de concentration territoriale juive dans la patrie historique, le sionisme fut la plus abstraite de toutes les idéologies nationales d'Europe. Paradoxalement, c'est justement par lui que se réalisa la conception natio-

nale de Doubnov, qui n'adopta pas ses vues, bien qu'il ne fut pas opposé à la volonté d'établir un centre juif en Terre d'Israël. Mais contrairement à Doubnov, les sionistes comprirent que sans un centre territorial qui rayonnerait sur la diaspora juive, le peuple juif, dans une société de plus en plus laïque, n'a aucun avenir.

4. En l'absence de cadre territorial défini du point de vue national, le sionisme établit une relation particulière avec la religion juive, ce cadre communautaire autonome du peuple juif. D'une part en tant que phénomène historique et culturel, il avait par rapport à elle plus d'affinités qu'envers tout autre mouvement national, et d'autre part, il se définissait par son ambition d'opérer un bouleversement fondamental de l'existence juive. En conséquence de quoi, s'engagea une opposition violente intestine entre les tenants de motivations laïques radicales et les forces conservatrices traditionnelles.

5. Le radicalisme de certains cercles sionistes revêtait également un aspect optimiste. De ce point de vue, le sionisme prolongeait la tradition de l'Allemand Herder, de l'Italien Mazzini, du Polonais Mickiewicz ou du Tchèque Masaryk. Cette utopie nationale relève d'une essence universelle évidente, mais pour le sionisme, du fait de la situation historique du peuple juif, il revêtit une forme sociale et concrète. Ainsi, des appareils utopiques destinés à la construction de la société, comme la colonisation collectiviste, devinrent peu à peu des instruments de lutte nationale.

6. La spécificité du sionisme parmi les autres mouvements nationalistes européens fit que son système idéologique comprend à la fois des fondements de pensée modernistes et d'autres, que l'on désigne aujourd'hui sous le terme de post-modernistes. Le sionisme était moderniste par sa conception rationaliste, dans sa croyance dans une évolution objective de progrès. De là vient sa foi en la démocratie, le libéralisme, le socialisme et le nationalisme humain. Cet optimisme moderniste existait dans tous les courants du sionisme, depuis le révisionnisme, en passant par le parti ouvrier et jusqu'à « *Brit Chalom* ». En même temps, apparaissaient également les prémisses d'une attitude « postmoderniste » donnant une interprétation subjective à la réalité juive. A mesure qu'il devenait évident que les critères « objectifs » modernes d'identité nationale ne s'appliquaient que partiellement au contexte juif et de ce fait, accentuaient son caractère national, l'interprétation subjective de cette même réalité prit plus de poids. Ce courant de pensée fut plus significatif et plus important que ses parallèles dans tout autre mouvement national contemporain du sionisme et c'est la raison pour laquelle les drapeaux de la modernité, comme le marxisme ou le libéralisme radical, se sont si fanatiquement opposés au sionisme. Comme je l'ai déjà dit précédemment, ce genre de fanatisme revient aujourd'hui à la charge.

Une comparaison entre le sionisme et d'autres mouvements nationalistes européens nous enseigne deux choses : elle démontre l'ampleur du succès du sionisme et ce, malgré sa faiblesse objective, mais aussi cette comparaison ne fait que mieux apparaître le point faible du sionisme qui l'expose justement à la critique du post-sionisme négatif. De plus, cette comparaison permet de comprendre pourquoi le sionisme est un mouvement et une idéologie subissant des crises périodiques. Plus d'une fois au cours de l'histoire du mouvement sioniste, furent soulevés des points d'interrogation « post-sionistes » et des questions existentielles entraînant au sein du mouvement lui-même, des doutes internes profonds, qui contribuèrent à renforcer le camp des juifs s'opposant au sionisme.

Les annonciateurs du mouvement sioniste marquent en fait les points cruciaux de son histoire. La période des « Amants de Sion » (*Hovevei Sion*) s'est achevée par une crise au niveau de ses dirigeants et de son action, dont les prémisses s'annonçaient déjà dès les années quatre-vingt-dix. Pinsker[4] est mort en 1891, en proie à une sensation de désillusion quant aux chances d'une installation juive en Terre d'Israël. La lente extinction de la deuxième vague d'immigration, cette même année (à la suite des limitations imposées par le gouvernement turc) vint en sorte confirmer son approche pessimiste.

L'apparition enthousiaste de Herzl en 1897 se termina par l'âpre controverse sur l'idée de la colonisation en Ouganda[5] et la mort du leader du mouvement, après sept ans d'activité au sein de la fédération sioniste. Même pendant les beaux jours du sionisme weizmannien – de la déclaration Balfour[6] en 1917 à la fondation de l'Agence juive[7] en 1929 – une profonde crise poli-

---

4. *Yehouda Leib Pinsker* (1821-1891) – un des leaders du mouvement des « amants de Sion ». Au congrès des délégués des Amants de Sion, il fut élu président du mouvement en 1884.

5. *Le programme d'Ouganda* – (août 1903) – proposition anglaise faite à la fédération sioniste de fonder une colonie juive autonome en Ouganda.

6. *Déclaration Balfour* – Déclaration britannique marquant une compréhension pour les ambitions sionistes. Une lettre fut remise au Lord Lionel Walter Rothschild par Arthur James Balfour, en tant que ministre des Affaires étrangères de Grande-Bretagne, le 2 novembre 1917. L'Angleterre fut la seule parmi les grandes puissances qui montra un quelconque intérêt pour le mouvement sioniste, avant la Première Guerre mondiale, comme le prouve son intérêt pour la demande de Herzl d'accorder des facilités pour l'installation juive dans la presqu'île du Sinaï ou la proposition de 1903 de céder une partie du territoire de l'Ouganda pour y fonder une colonie juive. Quand éclata la Deuxième Guerre mondiale, et que la Turquie rentra en guerre comme l'alliée des puissances du centre, le gouvernement britannique arriva à la conclusion qu'il était de son intérêt de couper la Terre d'Israël de l'empire turc, en encourageant les ambitions sionistes qu'il prendrait sous sa protection. La combinaison de facteurs sympathisants au sein du gouvernement britannique comme Herbert Samuel, Loyd George et bien sûr Balfour lui-même et d'une action intensive des chefs du mouvement sioniste comme : Haïm Weizmann, Nahoum Sokolov, parallèlement à la décision de la Grande-Bretagne de débarquer en Terre d'Israël, a contribué à la réception de cette déclaration.

7. *L'Agence juive* – cadre d'organisation suprême, commun au mouvement sioniste, à la fédération sioniste mondiale et à des organisation non-sionistes.

tique éclata en opposition au gouvernement britannique et une grave polémique interne divisa le mouvement sioniste et en fin de compte, Weizmann fut obligé de démissionner de la présidence du mouvement.

Les années trente, suite à la montée du fascisme, virent une accélération de l'immigration et de la colonisation. Cet élan dura jusqu'au débat sur la partition[8], qui menaça l'unité du mouvement sioniste et la politique du « livre blanc » de 1939[9], qui résultait de la propension du gouvernement britannique à se démettre de ses engagements envers le mouvement sioniste et même, de sa velléité d'établir dans le pays un état palestinien. À la suite de tout cela, succéda l'impuissance objective dont fit preuve le mouvement sioniste à l'époque de la Shoah. Ni le mouvement sioniste, ni les autres organisations juives ne pouvaient sauver les Juifs, mais cette impotence était particulièrement grave pour le sionisme qui aspirait à représenter la question nationale juive dans son ensemble, sans avoir le moins du monde le pouvoir de la modifier.

Après la Deuxième Guerre mondiale, les Juifs des États-Unis se sont mobilisés en masse pour le combat en vue de l'établissement d'un état et pour soutenir financièrement l'intégration de la grande vague d'immigration, arrivée après la proclamation de l'État. Cependant, vers le milieu des années cinquante, cette mobilisation prit fin, avec un sentiment de déception réciproque et une ambiance de refroidissement des relations entre Israël et la diaspora. Cet état d'esprit dura jusqu'à la guerre des Six-Jours.

L'État a connu bien des crises périodiques pendant les quarante ans de son existence, cependant il existe une profonde différence entre celles-ci et celles qui furent antérieures à son existence. Les crises antérieures furent provoquées par la faiblesse du mouvement sioniste et dues à des causes politiques sur lesquelles le mouvement sioniste n'avait aucune emprise, tandis que les crises tardives découlent paradoxalement de ses acquis. De plus, cette crise tient justement au double acquis simultané, du sionisme et des juifs de diaspora.

Pendant les deux dernières générations, au moment où le sionisme se révéla être l'élément le plus rassembleur de toute l'histoire du peuple juif, les Juifs des pays libres atteignirent des degrés de réussite individuelle comme

---

8. *Débat sur la Partition* – Programme de partition dont les origines remontent aux événements de 1936 en Palestine ; ce programme est le fruit d'une décision du gouvernement britannique de soumettre le problème de la Palestine à l'examen d'un « comité royal » jusqu'au retour de l'ordre. Ce programme de partage suscita des réactions opposées au sein de la direction du *yichouv* et également parmi les juifs. La majorité de la fédération sioniste, conduite par Haïm Weizmann et David Ben-Gourion pensait qu'il fallait profiter de l'occasion afin d'établir un état juif. Une minorité importante, conduite par Oussichkin s'est opposée à la proposition, de même que Jabotinsky.

9. *Le Livre Blanc de 1939* – Le livre blanc de 1939 fut publié par le ministre britannique des colonies Malcolm Mc Donald, en mai 1939. Ses trois clauses principales tendent à limiter la présence juive en Terre d'Israël, à réduire au minimum les ventes de terres à des Juifs, et à établir dans les dix ans, un gouvernement indépendant composé des habitants du pays, soit de la majorité arabe.

on n'en avait jamais vu dans toute l'histoire de la diaspora juive. Ces deux phénomènes ne sont pas obligatoirement contradictoires mais peuvent se révéler comme tels dans certaines situations historiques. Ainsi par exemple, le succès collectif que représente la fondation de l'État et la lutte pour son existence face à des pays voisins ennemis, devint une charge pesante pour l'individu, alors que la réussite individuelle ne se confondait pas automatiquement avec les besoins de la collectivité et très souvent allait à leur encontre.

L'immigration massive des années cinquante [10] bouleversa les données et pour la première fois dans l'histoire d'Israël, les Juifs occidentaux et orientaux furent réunis ensemble au centre de l'activité historique juive ; mais ce bouleversement entraîna un changement culturel de la société d'Israël et cette réalité qui s'exprime dans la manière de vivre et dans la qualité de vie, inquiète en Israël et en diaspora, nombre de personnes qui voudraient que la société juive de l'État d'Israël soit ancrée dans la plus pure tradition culturelle occidentale.

De plus, l'État d'Israël est en quelque sorte un « abri ouvert », même s'il n'est pas toujours sûr, pour tout individu ou groupe juif en détresse et ceci le place continuellement devant l'épreuve de la valeur de l'immigration : si les Juifs aspirent à la réussite personnelle et préfèrent émigrer aux États-Unis au lieu de « monter » en Israël, l'éclat du sionisme se ternit et la renommée de l'État est touchée ; et ceci justement du fait que l'état sioniste perpétue la volonté commune du peuple juif en appliquant la loi du retour.

Enfin, c'est justement le succès du sionisme à redonner au peuple juif un centre politique et spirituel qui éveille des attentes colossales par rapport au sionisme et à l'État d'Israël, parmi ces Juifs qui réussissent en dehors des frontières d'Israël. Ces attentes entraînent obligatoirement de profondes déceptions.

Ces déceptions n'atteignent qu'une minorité parmi les Juifs de la diaspora. Elles s'expriment surtout sur le plan idéologique par une remise en question du principe de la centralité d'Israël dans l'existence juive. Pratiquement, cette tendance signifie un changement de direction de l'effort collectif juif, qui fut jusque-là centrifuge (soit dirigé vers et pour Israël), afin de développer d'autres centres juifs aux côtés d'Israël qui lui soient égaux du point de vue de leur statut. Ces idées, nous l'avons vu, ne caractérisent en fait qu'une minorité, mais il ne faut pas les traiter avec légèreté à cause du danger qu'elles représentent.

---

10. *Immigration (alya) de masse des années cinquante* – cette immigration débuta pendant les combats de la guerre d'indépendance et se prolongea en fait jusqu'au milieu des années cinquante. Entre mai 1948 et les derniers mois de 1951, 687 000 personnes sont montées en Israël, soit en moyenne 189 000 par an. Depuis la fin de la période du mandat (1948) jusqu'en 1951 la population juive se multiplia par 2,4 et passa de 650 000 à 1 591 000.

À ce stade, elles revêtent un certain charme à la Doubnov. Il semble que le processus historique confirme la thèse du grand historien pour ce qui concerne la multiplicité des centres juifs et leurs déplacements d'un endroit à l'autre au cours de l'histoire. Cependant aujourd'hui, les Juifs sont intégrés et participent dans une grande mesure à la culture des pays où ils habitent, et dans un tel contexte culturel, la dynamique de telles idées peut très vite évoluer vers un néo-doubnovisme ou une sorte de néo-bundisme, signifiant une atteinte progressive à la reconnaissance de l'existence d'un peuple juif unique existant sur une base mondiale, et en fin de compte, ce processus est destiné à se développer jusqu'à annuler tout fondement collectif-juif dans la vie des Juifs de diaspora, ce qui revient à une auto-destruction des diasporas en tant qu'entités juives. En d'autres termes, cette tendance idéologique n'entraînera pas, comme le pensait Shimon Doubnov [11] ou les dirigeants du Bund historique, l'épanouissement d'une autonomie culturelle juive dans la diaspora, mais provoquera une assimilation totale des groupes ethniques juifs dans la société pluraliste de leur pays de résidence, jusqu'à perte de leur dénominateur commun national. Ces idées, caractérisant essentiellement le post-sionisme négatif, ne sont l'apanage que d'une minorité d'intellectuels, qui les brandissent sciemment sur fond d'argumentation idéologique, mais elles expriment aussi une tendance latente et même inconsciente parmi les masses de Juifs de diaspora et d'Israël.

Etant donné le développement de cette tendance, dans un nouveau contexte historique juif, sous le signe d'une double réussite : l'État d'Israël souverain et la diaspora libre, la question de savoir si l'idéologie sioniste est encore nécessaire, s'impose.

Cette question nous amène vers l'un des problèmes primordiaux pour la compréhension des racines du mouvement sioniste et de son idéologie. Il serait bon de comprendre à quel point ce mouvement résulte des contraintes de la réalité et quelle y est la part de volonté et de choix. Le sionisme s'est développé à partir d'une situation historique particulière en Europe de l'Est, tous contextes juifs et généraux confondus et peut-être n'est-il que le fruit d'une telle situation ? C'est pourquoi se pose la question de savoir jusqu'à quel point est-il encore valable et significatif aujourd'hui, dans une réalité totalement différente.

Il ne fait aucun doute que le sionisme se développa à partir de la détresse politique et économique des Juifs d'Europe de l'Est et fut profondément influencé par les idéologies nationalistes et sociales qui eurent cours au XIXe siècle en Europe. Cependant, il n'y eut pas que la contrainte ou l'envi-

---

11. *Shimon Doubnov* (1860-1941) – historien juif, publiciste et mêlé aux affaires publiques. L'un des pères de la méthode de « l'autonomisme national ».

ronnement social qui déterminèrent son essence et son destin ; la preuve en est que la contrainte et la détresse ont conduit des masses d'immigrants juifs d'Europe de l'Est vers les États-Unis et non vers la Terre d'Israël. Le réveil national en Europe n'influa donc pas uniquement les Juifs dans un sens sioniste.

De plus, le nationalisme juif connut d'autres modes d'expressions, comme le territorialisme, dont le but était d'établir un état juif dans un lieu quelconque de la planète préférable à la Terre d'Israël. L'autonomisme, idéologie de Doubnov, appelait à fonder une autonomie culturelle juive dans les centres juifs de la diaspora. Même le parti du « Bund » (parti socialiste-démocratique juif anti-sioniste) avait sa propre conception nationale-socialiste.

La spécificité du sionisme parmi ces tendances historiques, ces idéologies et ces mouvements tenait dans le principe de l'option qu'elle offrait face à la détresse juive ; ce qui veut dire qu'il interprétait la situation, non sur la base d'une acceptation d'un processus objectif demandant quelques corrections, comme l'organisation d'une immigration incontrôlable, l'élaboration d'une autonomie organisée dans un processus national général ou le maintien de la culture juive dans la société qui émergera de la révolution socialiste, mais sur un choix volontaire. Pour affronter la misère juive, le sionisme proposait une alternative à toutes ces autres voies qui se basait sur la volonté de choix des Juifs.

Les principes de ce choix étaient le retour dans la patrie historique de la Terre d'Israël, l'enracinement dans la terre et la domination de tous les domaines de l'économie, l'effort de créer une majorité juive dans le pays et de refaire de l'hébreu une langue vivante afin qu'elle devienne la langue nationale du peuple. Tout ceci allait à l'encontre des processus qui se développaient objectivement dans la réalité du monde moderne : un courant d'immigration de masse se faisait alors des pays agricoles vers les pays industrialisés ; des masses de gens quittaient les villages pour aller vers les villes, et chez les Juifs les tendances d'intégration sociales et culturelles se faisaient de plus en plus fortes, que ce soit dans les pays où ils habitaient ou dans ceux où ils immigraient.

Ceci nous montre bien que par essence, le sionisme n'est pas le fruit de la seule réalité, mais est en même temps l'expression d'une révolte contre cette réalité. Cette rébellion s'exprime à la fois dans les idées et dans les actes. Les colons naïfs de la première vague d'immigration, étaient en fait des contestataires. Ils choisirent une voie difficile et fondèrent des villages agricoles (*mochavot*) et repoussèrent la voie plus facile de la vie citadine en marge de l'ancienne société juive établie dans différentes villes de Terre d'Israël. Après eux, sont venus les jeunes activistes de la deuxième vague d'immigration qui lancèrent le combat pour le « travail juif » (*Avoda ivrit*) en dépit de toute logique économique. Après eux et formés par eux, les membres de la troisième vague d'immigration ont tâté l'idée du socialisme constructif, à la fois en fondant le syndicat général des ouvriers [12] (*histadrout ha-ovdim ha-clalit*) qui se démarquait de toutes les autres organisations ouvrières du monde, et en établissant un mouvement de colonisation collective. Ce faisant, ils s'insurgeaient contre la réalité au nom d'une utopie et créaient un modèle d'utopie réaliste, qui devint une force sociale entraînante et constructive et qui en fin de compte contribua de manière décisive à l'établissement de l'État d'Israël. Parmi les contestataires sionistes affrontant la réalité, il faut compter les enseignants, novateurs de la langue hébraïque, qui ont par un effort continu, implanté la langue nationale parmi les gens du peuple, et également les dirigeants du mouvement sioniste, qui surent employer des moyens non conventionnels pour transformer une faiblesse objective en force politique subjective.

La révolte du sionisme fait ressortir un paradoxe : Le mouvement qui ramena le peuple juif à son histoire, le fit par une volonté et des moyens qui dans le contexte historique, étaient dans une grande mesure tout à fait spécifiques. C'est pourquoi, ce ne sont ni les changements d'époque ou de lieu qui en fin de compte déterminèrent le destin du mouvement sioniste, mais la volonté et les aspirations des Juifs. Cette affirmation ne répond pas à la question cardinale qui est de savoir si le sionisme est nécessaire aux Juifs dans leur situation actuelle. Il me semble que l'on ne pourra répondre à cette question qu'après avoir un peu plus approfondi et éclairé l'essence de l'idéologie de base du sionisme.

Dès le début, à l'époque des Amants de Sion [13], le sionisme fut un mouvement idéologique pluraliste qui parvint à rassembler dans son sein, sur la base d'un accord potentiel, des courants idéologiques contradictoires et des groupes politiques opposés : des croyants et des agnostiques, des politiques et des hommes d'action, des socialistes et des bourgeois, des libéraux et des tenants du totalitarisme. Les principes de la révolte sioniste furent à la base du compromis accepté par la majorité de ceux qui adhérèrent au mouvement : le retour en Terre d'Israël, patrie historique du peuple juif, l'élaboration d'une majorité juive en Terre d'Israël, exprimant à la fois un changement du statut historique du peuple et sa garantie, la création d'une économie juive normale afin

---

12. **Histadrout ha-ovdim ha-clalit**, *syndicat général des ouvriers* – organisation rassemblant la grande majorité des employés salariés et également une grande partie des travailleurs indépendants de l'État d'Israël, l'organisation syndicale juive de travailleurs la plus importante du monde. La *Histadrout* fut fondée en 1920 à la conférence générale des ouvriers de Terre d'Israël.

13. *Amants de Sion* – courant idéologique et mouvement social dont l'objectif était la renaissance nationale des juifs et leur retour en Terre d'Israël, leur patrie historique. Le mouvement fut établi au début des années quatre-vingt du XIXe siècle, et agit principalement dans les grandes zones de regroupements juifs de l'Europe de l'Est (Russie, Pologne, Roumanie).

de permettre l'indépendance et la non obédience de la société nationale, la renaissance de la langue hébraïque et de la culture juive.

Au-delà de tous ces éléments, les opinions divergeaient sur toutes les questions idéologiques et politiques. Même la question des rapports avec la diaspora juive et la valeur qu'il fallait lui accorder, ne faisait pas l'unanimité. De prime abord, étant donné que l'intention du sionisme était d'établir une société qui serait antinomique à celle de la diaspora, on aurait pu s'attendre à ce qu'il dénigre totalement celle-ci, mais ce ne fut pas le cas. Les sionistes clamaient que par elle-même, la diaspora ne saurait longtemps se maintenir en tant qu'entité identitaire juive ; cependant il n'existait pas d'opinion sioniste unique quant au destin de la diaspora. Sur ce point, divergèrent déjà les opinions de Ahad Haam [14] et Théodore Herzl. Ahad Haam cherchait le moyen de continuer le caractère juif de la diaspora, parce qu'il ne croyait pas en sa disparition physique, tandis que Herzl désespérait de l'idée de l'intégration des Juifs dans la société européenne et c'est pourquoi il jugeait qu'il serait souhaitable que la majorité d'entre eux la quitte.

Il est vrai que jusqu'à la création de l'État, le sionisme herzelien, dans ses différentes versions, dominait largement le mouvement sioniste. Pourtant en ce qui concerne l'avenir de la diaspora, c'est justement l'attitude de Ahad Haam sous toutes ses formes d'interprétations qui prévalu. C'est dire que les différents courants du sionisme, des plus mitigés aux plus activistes et aux plus radicaux, voyaient *la montée* (*alya*) en Terre d'Israël, c'est-à-dire l'immigration, comme une solution praticable pour seulement une partie du peuple juif.

De plus, l'exigence d'établir un centre territorial et une majorité juive en Terre d'Israël ne dépendait absolument pas de l'immigration de la majorité du peuple juif. L'attitude envers la diaspora, dans la conscience sioniste, fut toujours sélective. Les sionistes se référaient tout d'abord à la misère du judaïsme en Europe de l'Est. Les Juifs de l'Europe occidentale et plus particulièrement ceux des États-Unis n'étaient pas considérés comme candidats à l'immigration, tandis que les Juifs d'Asie et d'Afrique à la même époque ne couraient aucun danger ; selon les dirigeants sionistes et selon le statut de ces Juifs dans ces pays, c'était une estimation réaliste. Dans les années trente, quand augmenta la détresse des Juifs d'Europe, Weizmann et Grüenbaum [15] parlèrent de l'exode d'un à deux millions de Juifs du continent. Avant de mourir, en 1940, Jabotinsky prédit qu'il y aurait un état juif ayant une popu-

---

14. *Ahad Haam* (1856-1927) – publiciste et « philosophe moral » hébraïque. Instigateur dans le mouvement sionisme de l'idéologie du « centre sioniste ».

15. *Ytshak Grüenbaum* (1879-1970) - leader sioniste, l'un des chefs du judaïsme polonais et des dirigeants du *yichouv* en Terre d'Israël.

lation de cinq millions de citoyens juifs, vivant côte à côte avec deux millions d'arabes. Après la Conférence de Biltmore [16] en 1942, Ben-Gourion demanda de se préparer à l'immigration immédiate de deux millions de réfugiés de guerre juifs vers ce qui deviendra l'état juif. Mais au courant des années cinquante, il n'était déjà plus tellement certain de la réalisation de sa vision de rassemblement des exilés, en particulier pour ce qui est des Juifs des États-Unis.

En même temps, le sionisme impliquait une « négation de la diaspora » de caractère qualitatif, découlant d'une part de l'estimation sioniste fondamentale pour ce qui est de la vie en diaspora et d'autre part de l'alternative que le sionisme espérait leur présenter. Ahad Haam refusait l'assimilation culturelle et la qualifiait « d'esclavage dans la liberté » – c'est en ces termes qu'il désignait la situation des Juifs des pays libres d'occident. Weizmann critiquait le manque d'esthétique de l'expérience des juifs d'Europe de l'Est. Jabotinsky contestait la vie en diaspora, qu'il jugeait dépourvue de toute splendeur et d'amour-propre. Le mouvement ouvrier dénigrait l'essence parasite de la vie juive en diaspora, le manque de productivité et la dépendance déshonorante par rapport à l'entourage.

Mis à part Herzl, « la négation de la diaspora » qui caractérisa le sionisme n'était pas absolue ; elle variait selon le lieu et le temps. C'est pourquoi, on ne peut considérer l'inverse de « la négation de la diaspora », soit « la négation du sionisme » d'après l'argument selon lequel puisque la diaspora n'a pas disparu d'elle-même après la fondation de l'état, l'idéologie sioniste n'est plus valide. Cette opinion, qui oppose l'idéologie de la dispersion à l'idéologie sioniste, souligne les rapports négatifs réciproques existant entre elles. Cependant, il faut dire que le point de vue préférant la diaspora ne signifie en aucune façon une opposition à l'État d'Israël ou même un dénigrement de sa valeur ; au contraire ! Le lien avec l'état juif est devenu un fondement de l'argumentation anti-sioniste.

Depuis la création de l'État d'Israël, les liens entre les Juifs de diaspora et ceux d'Israël se sont renforcés, malgré les difficultés et les bouleversements qui caractérisèrent ces liens. Aujourd'hui encore, Israël constitue toujours le principal sujet d'intérêt des Juifs de la diaspora et pour eux, il est en fait une sorte de « religion ». Cependant, parallèlement avec cette profonde identification, sont toujours de mise la conception théorique et la tendance naturelle à distinguer la valeur de l'état de celle du sionisme du point de vue

---

16. *Convention de Biltmore* – réunion qui s'est tenue en mai 1942 à l'hôtel Biltmore de New York. A cette réunion fut présenté le programme d'action d'après guerre dont le cœur serait l'établissement à la fin de la guerre d'une « communauté juive » (Jewish Commenwealth) en Terre d'Israël selon l'objectif de l'Agence Juive et l'ouverture du pays à l'immigration juive libre.

des intérêts juifs. Et en fait, la distinction entre l'état souverain et la fédération sioniste (dont font partie des citoyens d'autres pays) est obligatoire pour des raisons politiques, mais la distinction entre l'état juif et l'idéologie sioniste est artificielle et inadéquate.

La combinaison juive-sioniste est compréhensible en ce qui concerne l'essence de l'état et elle trouve son expression dans la vie quotidienne ; c'est un cadre national-territorial qui assure une continuité de vie juive sous tous ses aspects, tant laïcs que religieux, et qui préserve la valeur de solidarité mutuelle, du fait qu'il constitue un abri ouvert pour tous les Juifs en détresse. La centralité de l'état dans la conscience des Juifs – dans leur souci pour son avenir et les reproches qu'ils lui adressent, dans l'aide qu'ils lui portent et dans leurs réserves – renforce l'unité et l'identité juive, et comme l'a défini Herzl en son temps, l'unité juive est la première base du sionisme. Il ne faut donc ni dédaigner les arguments des Juifs de diaspora puisque leur dévouement à l'état est une qualité sioniste, ni considérer ce fait comme de l'hypocrisie.

De prime abord, le soutien presque inconditionnel des Juifs de diaspora envers l'état d'Israël prouve encore aujourd'hui la validité de l'idéologie sioniste ; on peut supposer que dans le contexte général de l'évolution objective, cette identification découle d'un besoin interne. Il y a là une part de vérité, mais ce n'est pas entièrement vrai. Bien que ce besoin d'identification avec Israël provienne de l'expérience particulière des Juifs occidentaux, de leurs tergiversations sur la question de leur liberté qui encourage l'assimilation et les mariages mixtes, cette identification avec Israël ne repose pas sur le même fondement de révolte consciente et de libre arbitre qui fut le symbole et le drapeau du sionisme. Je veux dire par là que les Juifs occidentaux vivent aujourd'hui dans une société qui réserve une place d'honneur à la religion juive et qui accorde un statut légitime à divers groupes ethniques. Dans les pays libres, le pluralisme ethnique est devenu une norme culturelle et psychologique et c'est justement ainsi qu'il devint une voie vers l'assimilation dans la société générale, voie totalement différente de celle du passé. Point n'est besoin aujourd'hui de se convertir ou de nier son appartenance à la culture juive pour faire partie de la société. Au contraire, préserver une certaine particularité ethnique est un chemin admis et honorable pour une assimilation absolue. Cette tendance peut se poursuivre par la perte de tout caractère juif traditionnel.

La tendance ethnique parmi les Juifs est l'expression de processus objectifs ayant cours dans la société en général et non de révolte contre eux. Ces processus sont susceptibles de provoquer des déviations par rapport à la conscience de l'unité juive et de l'idée de la centralité de la Terre d'Israël, comme c'est le cas aujourd'hui, vers la théorie des centres de Doubnov et de là vers l'idéologie des groupements prônée par le Bund et jusqu'à l'assimilation quasi-totale des Juifs de diaspora. Quiconque veut se révolter contre cette éventualité, contre cette tendance, doit donc opter pour le sionisme.

Afin d'examiner à quel point le sionisme est nécessaire à l'existence de la collectivité juive mondiale, il nous faut voir dans quelle mesure il est adapté à cette tâche, et on peut faire ceci en examinant l'essence du «praxis sioniste» ou en étudiant le sionisme en tant que mouvement agissant dans l'histoire. Il faut tout de suite préciser que le sionisme n'a jamais été une croyance religieuse ou une doctrine idéologique, bien que de tels fondements aient caractérisé de nombreux groupes idéologiques du mouvement sioniste. Le sionisme a toujours été à l'opposé du fanatisme et du doctrinaire. Sa force se trouvait justement dans sa capacité d'adapter des idées à une réalité changeante et dans son pouvoir de choisir les moyens de traduire son idéologie dans la réalité et de produire des instruments adéquats. Tout cela, sans perdre de vue l'objectif principal auquel il aspire. Pendant trois générations – depuis les Amants de Sion jusqu'à la création de l'État – le sionisme s'est transformé et a évolué, sans toutefois dévier de son chemin. Ainsi, le sionisme politique a-t-il remplacé l'Amour de Sion ; le sionisme constructif sous l'égide de Haïm Weizmann, qui se concrétisa surtout dans le mode de vie du mouvement ouvrier socialiste, exerça son hégémonie sur le mouvement sioniste des années vingt ; ensuite, à la période critique qui s'ouvrit vers le milieu des années trente, le souci majeur du mouvement sioniste fut de se consacrer à la lutte pour l'existence du *yichouv*, qui devint la bataille en vue de la fondation de l'État ; et depuis l'établissement de l'État d'Israël, le sionisme est un mouvement dont l'objectif déclaré et clair a été atteint et c'est le caractère national juif qui est au centre de ses préoccupations.

À chacune de ces époques, a prédominé un état d'esprit particulier. La période des Amants de Sion se caractérisa par le romantisme d'intellectuels (*maskilim),* le sionisme politique, par l'aspiration à la normalité tandis que le sionisme constructif inclinait vers l'utopie sociale ; en temps de crise on était prêt à la guerre et à l'époque nationale on note le désir d'élaborer un modèle de vie propre à une société indépendante. Il me semble qu'actuellement, nous sommes sur le point d'élaborer une nouvelle tendance qu'on peut qualifier de «post-étatique» dont la signification est le développement du statut de l'État d'Israël en tant que symbole et facteur unificateur du peuple juif.

Au seuil de l'an deux mille, l'expérience juive mondiale se caractérise par deux traits de caractère définis. D'une part, jamais le judaïsme mondial ne fut aussi uni politiquement et d'autre part, jamais dans le passé, il ne fut si divisé culturellement. L'unité politique se focalise autour du soutien à l'État d'Israël, à un rassemblement contre des tendances néo-fascistes, etc. Cependant, tous ces sujets sont ponctuels et sporadiques tandis que la dimension culturelle est constante et on y note même un approfondissement des divisions. Le peuple juif est fractionné et divisé sur tous les plans, entre religieux et non religieux. Les religieux eux-mêmes sont partagés entre différents courants, ils sont séparés par un fossé de plus en plus profond sur les questions de conversion, de mariages mixtes et à propos de la loi du retour. Il existe un fossé entre les Juifs adhérant totalement à leur pays natal et ceux qui vivent dans leur pays souverain et national. Un écart sépare aussi les Juifs parlant des langues différentes, qui contribuent à la culture de leurs pays et ne font pas qu'en jouir. L'équilibre entre l'unité politique d'une part et la dissociation culturelle de l'autre, peut être ébranlé dans l'avenir, étant donné que les intérêts politiques changent plus vite que les tendances et les processus culturels. Ainsi par exemple, le temps du combat en faveur des Juifs d'Union soviétique, qui constituait un facteur unificateur à l'époque, est révolu.

Face à de telles tendances, si les Juifs dans le monde entier veulent conserver l'identité juive d'un peuple ayant sa propre spécificité, ils ont besoin d'une idéologie de révolte contre la réalité. De tous les courants et mouvements – parmi ceux qui sont apparus sur la scène du monde juif dans le passé et ceux qui aujourd'hui encore continuent à lutter pour une spécificité juive – le sionisme est la conception la plus globale. L'orthodoxie juive fanatique ne représente qu'une petite partie du peuple juif et elle accentue les divisions à mesure qu'elle devient plus extrémiste ; les courants religieux modernes que sont les libéraux et les conservateurs, ne rassemblent eux aussi qu'une partie des Juifs ; les Juifs laïcs parmi les Juifs de diaspora demeurent dépourvus d'idéologie et d'orientation si ce n'est leur soutien politique à l'État d'Israël. Le sionisme est un mouvement pluraliste qui sut dans le passé rassembler des courants différents et opposés, sur la base d'un dénominateur national commun, et aujourd'hui encore il peut réussir dans une telle entreprise ; pour ce faire cependant, il lui faudrait placer au centre de la conscience juive sioniste, une idée qui jusqu'alors fut refoulée, soit privilégier une certaine a-normalité.

Au cours de ses cent années d'existence le sionisme a souligné en théorie comme en pratique la tendance de normalisation nationale. Cette tendance se trouvait à la base de l'idéologie d'un retour vers la patrie historique, un retour vers le travail manuel et l'aspiration de rendre productives les masses du peuple ; c'est elle qui insuffla l'élan de fonder une société socialiste en Terre d'Israël, qui poussa à la lutte politique pour le droit à l'autodétermination et qui détermina la volonté de donner un cachet étatique au *yichouv*.

Le fondement d'a-normalité spécifique s'exprima principalement par les mesures prises pour réaliser ces vues. C'est ainsi que le retour à la nature se transforma en idéal et le travail manuel devint une valeur (la religion du travail), la lutte des classes s'est transformée en socialisme constructif, l'engagement national du mouvement ouvrier devint une utopie collectiviste et l'immigration aspira à devenir un rassemblement des exilés. Des moyens a-normaux furent appliqués pour atteindre les objectifs de normalisation sans lesquels ils n'auraient pu être atteints. L'État d'Israël n'aurait pas pu être créé et ne se serait pas maintenu, vu l'animosité dont il était l'objet, sans la colonisation agricole, la main-d'œuvre juive, le mouvement kibboutzique et l'idéologie du rassemblement des exilés.

Au cours de l'histoire, les tendances de normalité ont eu raison des moyens spécifiques et la société de l'état juif ressemble aujourd'hui de plus en plus à toutes les autres. Maintenant, étant donné la situation existante, il est temps de changer l'ordre des choses, c'est-à-dire de présenter au peuple juif des options de « non-normalité », de recherche de spécificité et de rejet de la normalité, et de les appuyer par des « actes normaux ».

Pour les Juifs de diaspora qui le veulent, le renforcement d'une conscience spécifique, dans une société de plus en plus uniforme, signifie l'élévation d'un sentiment ethnique à un degré de conscience nationale exhaustive. Une telle reconnaissance serait une sorte de proclamation séditieuse, que le peuple juif est un peuple unique, bien que la majorité de ses membres ne soit pas concentrée sur le territoire national ni ne soit religieuse et en dépit du fait que les membres de ce peuple parlent de nombreuses langues et vivent dans des cultures variées ; et du fait qu'il forme un peuple, il n'a nulle intention de se soumettre à un développement objectif. De même que nos ancêtres ont lutté au nom de commandements religieux, le peuple se révolte maintenant au nom de principes nationaux.

Une telle révolte exige d'intensifier la conscience de l'existence de la diaspora. Au sens politique et économique, la diaspora disparut dès que les Juifs eurent le choix entre venir s'établir dans leur pays national ou rester dans leur pays de naissance. Cependant, pour ceux qui optèrent pour la diaspora, la conscience d'être dans une situation de dispersion reste la condition même de leur judéité. Ce concept de dispersion n'est pas à prendre ici dans son sens social général, signifiant que « l'exil est tout lieu de préjudice et d'injustice » ; ni au sens religieux traditionnel de l'exil de l'esprit divin et de l'attente des temps messianiques ; étant donné que la pérennité du judaïsme, pour ceux qui choisissent de vivre en diaspora, ne peut être rendue possible que par la prise de conscience de cet état de dispersion, en tant qu'expérience historique générale d'un peuple exceptionnel qui se trouve partout en minorité et qui lutte pour son existence collective. Cette conscience d'être en situation de diaspora n'est pas universelle, elle est particulière et nationale.

La volonté rebelle des Juifs de vouloir conserver l'unité de la nation nous amène logiquement à penser que l'État d'Israël constitue le cœur de celle-ci, puisqu'il paraît évident qu'à une nation dispersée, sans cadre territorial ou culturel, il faut un centre qui établisse des liens entre ses différentes parties.

Aucune d'entre elles ne pourra jamais remplacer Israël dans cette fonction historique. Mais, selon le même principe unitaire, autant les Juifs de diaspora doivent faire prospérer le centre, autant Israël se doit d'encourager les tendances autonomes, culturelles et idéologiques des différentes dispersions. Ainsi, peut se créer un équilibre a-normal d'obédience et d'indépendance.

Reconnaître que l'État d'Israël constitue le centre de la nation, exige de faire une distinction entre l'état, en tant qu'organisation bureaucratique assurant des fonctions vitales normales et ayant des faiblesses naturelles (résultant de son action dans l'histoire) et l'état, en tant qu'organe qui perpétue les valeurs juives, préserve une tradition historique, renfloue l'unité du peuple et incarne du fait de son existence, le changement du statut des Juifs parmi les peuples.

La *alya (*l'immigration) en Israël est l'acte primordial de lien entre les Juifs de diaspora et l'État d'Israël, elle est l'expression la plus élevée de la rébellion par rapport à la réalité. Même quand l'immigration est limitée, et peut-être du fait même de sa réduction, elle doit être le joyau du «judaïsme rebelle». Parallèlement à l'immigration, il faut donner la priorité à l'étude de l'hébreu; l'effort investi dans l'étude d'une langue qui n'est ni à la mode et ni de grande utilité, est pour celui qui le fait, une expression nationale de premier ordre de sa volonté d'existence collective.

Enfin, le dernier principe d'a-normalité, qui est lié aux précédents et qui les réunit entre eux, est le droit égal d'intervention réciproque. Ceci touche à de nombreux domaines comme le statut de la religion dans la société, l'éducation juive, la croissance naturelle, l'immigration en Israël ou vers d'autres pays, le fait d'assurer le caractère juif de l'État d'Israël. Il est certain qu'une réflexion fertile dans ces domaines ne pourra être développée et avoir de l'influence que dans un cadre juif général.

Ce principe revêt une importance particulière, vu les développements politiques de notre région. Il faut espérer que le processus de paix s'achève à cette génération, et que du point de vue politique s'ouvre une ère «post-sioniste» dans l'histoire de l'État d'Israël. Avec les accords de paix, le sionisme atteindra l'un de ses objectifs les plus importants, auquel il aspira pendant plus d'une centaine d'années. Un accord avec le monde arabe ouvrira donc une nouvelle époque historique dans les rapports entre les peuples de la région, mais la conquête de cet objectif «post-sioniste» du point de vue politique soulèvera des questions quant à la signification nationale de la vie des Juifs dans l'État d'Israël et quant à son essence culturelle.

Au cours des cent dernières années, la société juive en Terre d'Israël s'est formée selon sa conscience idéologique, ses objectifs nationaux et ses besoins subjectifs en tant qu'organisme indépendant et différent de son environnement moyen-oriental. Ce choix fut renforcé par le sentiment d'être assiégé qui s'était forgé au sein de la société juive et qui ne se démentit pas pendant tout ce temps. L'opposition violente et catégorique des arabes à l'existence d'une entité juive-sioniste dans la région a toujours renforcé cette sensation de siège et a développé l'inclination à se séparer des peuples voisins.

Qu'on le veuille ou qu'on le croie, après le changement attendu dans le système des relations régionales, la société juive d'Israël s'ouvrira à un large éventail de contacts avec la société arabe musulmane qui l'entoure. Tôt ou tard l'influence de ce processus se ressentira dans l'économie, la société et la culture. Ce développement naturel sera l'une des expressions de la normalité de l'existence nationale juive au moyen-orient, mais il est également susceptible de plonger la société juive dans une crise d'identité, qui s'ajoutera à celles qui la caractérisent déjà maintenant. Ainsi, parallèlement aux questions touchant le caractère laïc ou religieux de l'état, l'image juive-nationale ou israélienne-civile, son statut en tant que centre du peuple juif dans le monde ou seulement comme entité territoriale, s'ajoutera aussi une tension concernant son identité occidentale ou orientale.

Cette question, qui n'est pas nouvelle, implique des errements concernant les directions culturelles et sociales de développement. Elle préoccupa le mouvement sioniste depuis le commencement de la colonisation et la construction d'une nouvelle société en Terre d'Israël à la fin du XIXe siècle. Dès lors s'engagea une polémique entre ceux qui voulaient rénover la culture juive par une intégration dans la culture orientale et ceux pour qui la préservation des caractéristiques juives-européennes de cette culture constituait la condition même de son renouvellement. À différentes époques, ont argumenté entre eux ou avec leurs opposants, des intellectuels de la première et de la deuxième vague d'immigration, tels Jabotinsky, Max Nordau, Arthur Ruppin, David Ben-Gourion, Berl Katznelson et d'autres. Cette polémique se prolongea jusqu'à la création de l'État et même plus tard, lors de la tempête que souleva l'apparition du mouvement des « Cananéens » [17] au début des années cinquante. Il est indéniable que cette controverse fut sérieuse mais elle n'eut pas de signification historique, du fait de l'état de siège quasi absolu où se trouvait la société juive à l'époque du *yichouv* et pendant près des cinquante premières années de l'État d'Israël.

Maintenant qu'il existe une chance que ces conditions changent, le débat qui dans le passé n'était qu'intéressant, pourrait à l'avenir devenir crucial du

---

17. *Cananéens* – mouvement idéologique politique qui apparut d'abord dans la nouvelle littérature hébraïque publiée en Terre d'Israël. Ses origines remontent au « mouvement des jeunes Hébreux » qui s'était constitué à l'époque du *yichouv* dans l'espoir d'établir en Terre d'Israël une entité nationale « hébraïque » qui serait une société territoriale culturelle ouverte à tous, sans distinction de race ou de croyance religieuse.

point de vue historique. Au cœur de cette discussion surgirait sans doute la question de savoir comment la société israélienne, vu les caractéristiques de sa culture et ses intérêts économiques et politiques, pourrait atteindre un juste équilibre entre l'insertion naturelle à l'orient, auquel elle appartient du point de vue territorial et culturel, et le lien indispensable avec l'occident, à qui elle se rattache du point de vue idéologique et sur le plan de sa structure sociale.

L'État d'Israël a été façonné selon des modèles de culture occidentaux, selon leurs versions d'Europe orientale. Celles-ci ne comprenaient sans doute pas une assimilation complète de la culture occidentale et de ses valeurs, mais même ainsi, s'enracinèrent dans la culture israélienne quelques-uns de ses principes essentiels. Construire le pays d'après les modèles de la culture occidentale était inévitable, mais leur adoption entraîna des déchirements et des ruptures internes qui ne se sont pas encore cicatrisés. De nos jours comme à l'avenir, le rapprochement obligatoire vers la culture orientale pourrait encore exacerber les tensions existantes. C'est pourquoi il nous faudra d'abord bien réfléchir afin de réussir à trouver un équilibre approprié et avantageux entre l'intégration à l'Orient et les attaches avec l'Occident. La société israélienne risque de partir à la dérive, entraînée dans le courant de la vie quotidienne, et c'est la raison pour laquelle elle a besoin d'une ancre solide qui puisse la stabiliser au milieu du courant de l'histoire.

L'ancre la plus sûre est le lien existant entre la société juive-israélienne et les communautés juives de diaspora. Ce lien n'est pas seulement sentimental, religieux ou historique, mais présente également un intérêt existentiel au sens national du terme. D'une part, sans lien avec l'État d'Israël, le judaïsme de diaspora aurait du mal à subsister dans les pays libres de l'Occident, en tant que collectivité ethnique-religieuse et également nationale. D'autre part, sans lien culturel avec les juifs de diaspora, la société israélienne se risquerait à un repliement sur elle-même et à une ghettoïsation.

Jusqu'à ces derniers temps, ce lien fut établi par l'Agence juive. Celle-ci rassembla sous son égide, le mouvement sioniste et les organismes juifs locaux des différents pays, préposés au rassemblement de fonds, qui adhérèrent aux principes de l'idéologie sioniste sans faire partie du mouvement sioniste lui-même. Dernièrement, furent évoqués différents plans afin de créer un nouveau cadre pour le peuple juif – soit un cadre «post-sioniste». Il n'est pas dans mon intention de donner mon avis sur ce sujet et je me contenterai d'affirmer que le peuple juif doit renouveler l'idéologie sioniste ou en d'autres termes, je dirai plutôt qu'il devrait susciter une renaissance du mouvement des «Amants de Sion», idéologie qui est encore porteuse d'un message en ce qui concerne notre époque.

Comme nous l'avons déjà souligné, le sionisme depuis l'époque des Amants de Sion jusqu'à ce jour, constitue à la fois une idée et une organisation des plus pluralistes qu'ait eu le peuple juif. Le mouvement sioniste est une organisation qui a résisté à l'épreuve de l'Histoire, face aux atermoiements de foi et de conceptions, aux difficultés politiques et aux accrocs de mise en œuvre. Cependant, la réalité juive a changé et c'est pourquoi le sionisme nécessite une nouvelle définition, comme c'est déjà arrivé dans le passé, en cas d'évolution de la réalité. Dans cette nouvelle situation historique, il est nécessaire de faire revivre l'idée de l'Amour de Sion, qui a fixé le destin national du peuple juif de la fin du XIXe siècle à la Première Guerre mondiale.

Les fondements de cette idée sont la formation d'une conscience nationale juive, basée autant sur ses racines historiques que sur des principes modernes ; transformer la Terre d'Israël juive en un centre mondial de l'expérience juive ; la conscience que paradoxalement les Juifs en tant que collectivité, sont plus en danger dans une société ouverte – alors que le Juif en tant qu'individu est sorti de sa condition d'exil, la collectivité juive s'y trouve encore, ce qui veut dire que ce n'est pas la détresse qui le menace mais justement la liberté et la prospérité ; mettre l'accent sur l'éducation juive et hébraïque comme facteur de liaison entre les différentes cultures juives ; poser la question de l'immigration en Israël (*Alya*) en tant qu'option individuelle, contrairement à l'immigration due à une situation d'adversité, sort de juifs rejetés, chassés ou qui ont fui le pays où ils habitaient, à l'heure où l'État d'Israël souverain est ouvert à tous.

Il semble *a priori* que je me suis laissé allé à un raisonnement fondamentalement a-historique. Le peuple juif vit aujourd'hui dans une réalité complètement différente de celle dans laquelle est né le mouvement des Amants de Sion dans les années quatre-vingt du XIXe siècle. Ces derniers cent ans, de grandes concentrations juives se sont constituées dans les pays libres d'occident, nous avons subi l'épreuve terrible de la Shoah, où furent exterminés la majorité des Juifs d'Europe et avec eux la plupart de leurs infortunes, l'État d'Israël est né qui conféra une dimension de normalité à l'existence de notre peuple.

Malgré tout il existe une certaine ressemblance entre ces différentes situations historiques, qui s'exprime par la possibilité de choix accordée aux masses du peuple juif. De la fin du XIXe siècle au milieu des années vingt du vingtième, les Juifs d'Europe de l'Est pouvaient choisir entre rester dans leur lieu de naissance ou émigrer vers les États-Unis ou même venir en Terre d'Israël, bien que l'éventualité d'une immigration de masse vers la Terre d'Israël n'existait pas à cette époque. Et qu'ont choisi les Juifs dans leur détresse ? La réponse est connue de tous.

Aujourd'hui aussi et bien plus encore qu'alors, les Juifs peuvent choisir. Ceci ne vaut pas pour les Juifs vivant dans des pays où ils sont encore en état de disgrâce mais pour ceux des pays libres d'Occident. Dans une telle situation où à côté de la liberté de choix s'ajoute la voie relativement facile de l'assimilation dans la société environnante, la « détresse des Juifs » diminue et la « détresse du judaïsme » augmente, selon l'expression classique de Ahad Haam. C'est en ce sens que nous disons qu'un nouvel Amour de Sion est nécessaire. Le premier mouvement des Amants de Sion est né tout d'abord afin d'apporter un remède au désespoir du judaïsme confronté au danger d'une assimilation au niveau personnel, d'une séparation entre les centres juifs et une dévaluation de l'amour-propre de l'individu et de la collectivité. Il semble qu'en ce qui concerne ces dangers, notre époque n'a pas de précédents dans l'histoire de notre peuple – ces dangers paraissent des plus concrets et les prévisions pour l'avenir n'annoncent rien de bon.

L'appel pour fonder « les nouveaux amants de Sion » se rapporte à l'idéologie et non au mouvement ; la société des Amants de Sion fut un mouvement qui échoua et une idéologie qui réussit. Elle échoua parce qu'aucun leadership international n'en émana ; étant donné qu'elle ne réussit pas à unir les Juifs d'Europe de l'Est et de l'Ouest dans un effort commun et parce qu'elle ne sut réunir les fonds nécessaires pour aider les colons de la première vague d'immigration, lesquels furent sauvés grâce au paternalisme national du baron de Rothschild. Par opposition, comme je l'ai déjà dit, l'idéologie des Amants de Sion réussit, et depuis la naissance du mouvement jusqu'à ce jour, ses principes nationaux sont valides et ils ont leur place au cœur du débat public juif. C'est eux qu'il faut à nouveau examiner en profondeur, aiguiser et consolider pour en tirer des conclusions pratiques au niveau de l'organisation.

Dans un tel contexte, seule une formule générale du nationalisme juif est susceptible de créer un cadre rassembleur de valeurs. Par opposition, la formule que clame aujourd'hui bien haut le radicalisme orthodoxe, et qui trouve un soutien parmi les activistes religieux-sionistes, selon laquelle la spécificité du peuple juif ne se trouve que dans sa foi et dans la Thora, est dangereuse étant donné que sa logique interne amènera une réduction numérique du peuple juif et sa division finale en catégories séparées. Le résultat ne sera pas seulement la suppression de l'existence du peuple juif en tant qu'entité mondiale, mais aussi la transformation de la foi juive en religion au sens chrétien ou musulman du terme, qui serait constituée de nombreux et différents courants de croyances. Au lieu de mettre en danger l'unité du peuple juif, il serait souhaitable que les Juifs nationaux non religieux d'un côté et les religieux sionistes de l'autre, cherchent un compromis politique pratique qui ne soit pas obligatoirement un compromis idéologique de principe. Dans ce sens, on peut tirer des conclusions de l'expérience du mouvement historique des Amants de Sion, qui fut certes difficile et très problématique mais qui eut cependant un certain succès.

Dans le nouveau contexte historique qui s'est créé cent ans après que le mouvement des Amants de Sion cessa d'exister en tant que mouvement, l'état sioniste se place au centre de l'expérience juive. L'État d'Israël est toujours en butte à plusieurs problèmes cruciaux avec lesquels le sionisme s'est mesuré, le plus important du point de vue sioniste étant son ampleur, sa qualité et son caractère symbolique, l'*alya* de Russie et des républiques de l'ancienne Union soviétique. L'intégration de ces immigrants et leur fusion dans la société juive israélienne est une tâche qui incombera pour le moins à une ou deux générations.

De plus, l'État d'Israël est un état sioniste puisqu'il constitue encore un point de référence nationale pour une grande majorité du peuple juif en diaspora, que ce soit pour le critiquer ou pour le soutenir. On peut cependant affirmer que la société israélienne, sous plusieurs points de vue, a atteint un stade « post-sioniste », en bien et en mal du point de vue sioniste, mais on ne peut ignorer que du point de vue de l'organisation sociale, Israël est un état juif et sioniste qui applique la loi du retour – exprimant ainsi une souveraineté juive – et qui tend à sauvegarder l'unité du peuple juif dispersé. De ce point de vue, les problèmes fondamentaux qui furent ceux du sionisme depuis ses débuts, que ce soit ses rapports avec le monde environnant ou le système de ses relations internes, sont toujours à l'ordre du jour de l'État d'Israël et du judaïsme de diaspora.

En conclusion l'on peut dire que le sionisme, depuis l'époque des Amants de Sion jusqu'à la fondation de l'État d'Israël, fut fondé sur un compromis et existe du fait d'un compromis. C'est ce principe qui l'a fait avancer d'étape en étape, tout au long de son histoire. De nos jours, l'existence collective juive a besoin d'un ethos d'unité, dont le fondement ne peut être qu'un « compromis de progrès », qui ne soit pas qu'une solution pratique pour un parallélogramme des forces ou des intérêts politiques, mais qui constitue un principe sur lequel s'organiserait la vie collective dans une société où l'adhésion est volontaire.

En effet, l'entité juive mondiale est l'expression par excellence du volontarisme, puisqu'elle est une association non coercitive s'appuyant surtout sur une appartenance volontaire, exprimant le désir de groupes variés de faire partie de la collectivité juive. Ce désir est en lui-même une réalité historique, et tant que celle-ci se perpétue, elle a besoin d'un cadre idéologique et de modèles culturels qui constituent un dénominateur commun pour la réalisation et le développement de l'unité de « la communauté d'Israël ». Afin que cette « communauté d'Israël » soit la plus grande et la plus large possible, il faut que ce dénominateur commun soit justement le plus étroit possible pour que moins de groupes en soient exclus et que soit cependant respectée une certaine mesure d'unité nationale.

Ainsi, l'on pourra conclure cet essai en affirmant que bien que les succès du sionisme l'aient mené à une étape « post-sioniste », c'est justement la raison pour laquelle, pour maintenir son unité, le sionisme est aujourd'hui plus indispensable que jamais au peuple juif. Le mouvement des Amants de Sion a donné au peuple juif une idéologie nationale ; « le sionisme étatique » a mis à son service une organisation politique mondiale ; le sionisme de « travail du présent » l'a éduqué pour la lutte pour ses droits nationaux ; « le sionisme palestino-centriste » a créé l'ethos des pionniers fondateurs combattants ; aujourd'hui les Juifs qui sont désireux de sauvegarder la « communauté d'Israël » ont besoin d'un ethos d'unité, qui soit basé sur le compromis entre la théorie centriste de Ahad Haam et celle des centres de Doubnov.

Le but de ce compromis sera de créer une sorte de « fédération juive-sioniste », composée de centres ethniques-religieux, autonomes et cependant liés au centre national de l'État d'Israël. La nécessité d'un centre national et de centres autonomes découle de la situation de dispersion du peuple juif et de son désir de perpétuer son unité. Le centre que constitue l'État d'Israël attirera l'attention et l'effort national pour toutes les questions touchant à la « communauté d'Israël », tandis que tout naturellement, les centres de diaspora se mesureront aux problèmes spécifiques de chacun d'entre eux. Ainsi par exemple, les questions touchant au rapport entre la religion et l'état, à la question de qui est Juif et au caractère juif de l'État d'Israël, concernent l'ensemble du peuple juif, soit également les communautés de diaspora ; tandis que des questions sur le caractère de la société juive en diaspora sont à la charge de chacune de ces différentes communautés, tant qu'elles sont soulevées dans des contextes sociaux-culturels particuliers ; mais les différents problèmes des communautés de diaspora constituent également un élément important de l'ensemble des questions auxquelles la collectivité juive doit répondre, et donc sont aussi l'affaire de l'État d'Israël.

Ainsi se créera une basse de réciprocité nationale venant d'une part de l'intérêt des Juifs de diaspora pour ce qui se passe dans l'État d'Israël et d'autre part, de celui des Israéliens pour les développements qui ont cours en diaspora. Cette réciprocité est le fondement du « travail du présent d'aujourd'hui » du sionisme. Son objectif, comme par le passé, est de maintenir la « communauté d'Israël » dans un contexte de changements dynamiques. C'est pourquoi comme par le passé, le recours à un « nouvel Amour de Sion » est nécessaire. Même s'il n'est pas certain de conserver l'unité, la spécificité et la pérennité du peuple juif, il n'y a aucun doute quant à l'obligation nationale de parvenir à cet objectif historique et nous ne pouvons donc en aucun cas, être dispensés de tenter de le réaliser.

Épilogue

Cet article est la troisième version du chapitre de conclusion de mon livre :
*Recherche de l'identité nationale : la place de l'État d'Israël dans la pensée
juive, de 1945 à 1987* [en hébreu], Tel Aviv, 1990. La seconde version élargie en fut un article intitulé : « Du post-sionisme au renouveau du sionisme »,
dans : *Sionisme, polémique contemporaine, réflexions sur la renaissance
d'Israël*, université Ben-Gourion 1996. Ceci est donc la troisième version,
écrite sept ans après, sur fond d'événements mondiaux ou particuliers aux
Juifs, demandant un réexamen des hypothèses principales sur lesquelles était
basé cet article. Sur le plan juif, je veux parler du déclenchement en 2000,
de « la deuxième Intifada », qui rapproche le conflit palestino-israélien d'un
tournant crucial et aussi de la Conférence de Durban de l'année 2001, où à
nouveau, les Juifs du monde affrontèrent un monde hostile, le monde musulman particulièrement, aidé de larges cercles de la population du « tiers monde »
et d'occidentaux radicaux de gauche. Sur le plan mondial, je veux parler de
l'effondrement à New York « des tours jumelles », le 11 septembre 2001. Cet
événement constitue sans aucun doute, symboliquement et essentiellement,
un tournant dans les relations entre « la culture occidentale » et le monde qui
l'entoure. Étant donné que le peuple juif aujourd'hui, vit presque tout entier,
dans le domaine de la culture occidentale, dans lequel l'État d'Israël est inclus,
ces événements touchant le plan mondial-universel et le plan juif particulier,
ont une influence certaine sur l'identité des Juifs en tant que « peuple du
monde » et sur la place du sionisme, selon cette même définition.

Par ailleurs, la société occidentale, dans laquelle il faut maintenant inclure
les pays d'Europe de l'Est, y compris la Russie, est loin d'être uniforme du
point de vue des différentes tendances qui y existent. Elle est ouverte à des
états d'esprit et même à des idéologies se heurtant les unes aux autres. D'un
côté s'affrontent la conception globale de l'économie de marché et ceux qui
s'y opposent au nom de la justice sociale générale. D'autre part les tenants
de l'idéologie et de la politique de multiculturalisme s'opposent à ceux qui
défendent une culture nationale originale, au sens historique de chaque nation.
Il va sans dire que le peuple juif est au confluent de ces tendances opposées.

De ce point de vue, la réalité actuelle est une sorte de croisée de chemins
supplémentaire dans l'histoire des Juifs. La première était l'émancipation qui
en principe, leur donna le choix entre l'intégration dans la société générale,
sur la base de l'égalité civile et la séparation d'avec celle-ci, en vertu de sa
foi religieuse et messianique. Une deuxième croisée de chemins fut l'idéologie nationaliste et les mouvements qui y participèrent. Celle-ci mit les Juifs
devant la question de savoir s'ils appartiennent à la nation au sein de laquelle

ils vivent ou s'ils forment une entité nationale séparée. La troisième croisée de chemins apparut suite à l'antisémitisme qui conduisit à la Shoah, et qui suscita la question de savoir si les Juifs sont capables, de quelque manière, de s'intégrer à la société générale. La quatrième croisée de chemins fut la création de l'État d'Israël, qui mit les Juifs devant le choix entre émigrer vers leur patrie ou rester dans les pays libres où ils habitent.

À présent, au début du troisième millénaire, le peuple juif se trouve devant une cinquième croisée de chemins, qu'on pourrait appeler celle de « la normalité ». Celle-ci s'exprime sous plusieurs aspects. Tout d'abord, les Juifs, comme la plupart des peuples du monde, ont un État. Deuxièmement, l'existence de diasporas ethniques et culturelles est devenue un phénomène mondial. Troisièmement, le lien dépassant les limites des États, entre les diasporas nationales et leur pays d'origine, est de plus en plus courant dans la société occidentale. Quatrièmement, la participation accélérée des Juifs à la mondialisation, dans les domaines de l'économie de marché, de la recherche scientifique et de la culture médiatique, donne maintenant une légitimation à ce qui, dans le passé, était présenté comme une sorte de « conspiration juive » contre la société chrétienne.

La participation des Juifs à ces tendances a deux significations. D'une part, cette sorte de « normalisation » universelle peut créer une séparation entre des parties du peuple juif dans les différentes diasporas où il vit et entre ces dernières et l'État des Juifs. D'autre part, c'est justement la légitimation des diasporas dépassant les limites des États et liées à leur « État d'origine », qui renforce le lien entre les diasporas et l'État d'Israël. En effet, les Juifs n'ont pas d'autre « État d'origine » que celui-ci. L'histoire démontre qu'à l'époque moderne, les Juifs tendirent à participer avec enthousiasme à toutes les tendances et les mouvements sociaux ayant un contenu idéologique de progrès, que ce soit les Lumières, la démocratie, le nationalisme, le socialisme, etc. C'est pourquoi, il n'y a pas de doute que le multiculturalisme à base ethnique, en tant que mouvement de progrès, attirera également les Juifs à lui.

De plus, le lien des Juifs de diaspora à l'État d'Israël n'est pas seulement le résultat de leur conscience interne, mais aussi de conceptions et de pressions extérieures. Le fondamentalisme chrétien qui va en se renforçant aux États-Unis, considère ce lien comme naturel et même comme obligé. Les opposants au sionisme, les ennemis de l'État d'Israël, soutenus par les adversaires de la mondialisation, font revivre une fois de plus le mythe mensonger des « Protocoles des Sages de Sion ». Cette fois, il s'agit de l'État d'Israël et du judaïsme mondial qui conspirent contre le tiers-monde pauvre et opprimé. Et la vague d'antisémitisme musulman qui balaya les pays européens ces

deux dernières années, avec la contribution intellectuelle des radicaux libéraux de gauche – le prouve bien.

Ces tendances bidimensionnelles par rapport aux Juifs, suscitent le lien
réciproque « intéressé » entre les Juifs de diaspora et l'État d'Israël. Les diasporas ont besoin d'une ancre nationale pour garder et développer leur essence
ethnique. L'État d'Israël, condamné à rester isolé dans un Moyen-Orient
musulman, même s'il y a des accords de paix, a besoin de compter sur un
allié permanent, lui donnant une dimension de profondeur pour son existence
nationale, au sens politique, économique et culturel. En effet, pendant ces
récents « jours difficiles », les Juifs de diaspora prouvèrent leur soutien, même
si quelquefois, cela leur en coûte beaucoup.

C'est pourquoi, on peut affirmer sans hésitation, que les hypothèses de
cet article, malgré tous les faits nouveaux qui se sont ajoutés l'un à l'autre
au cours de la dernière décennie, résistent à l'examen du temps pour tout ce
qui est du potentiel d'existence de « l'ensemble d'Israël » et de son besoin
d'un nouvel « ethos sioniste ». Cet ethos, on l'a vu, est irremplaçable au sens
de la vision du peuple juif tout entier – toutes diasporas, croyances et cultures
confondues. Il est également irremplaçable pour ce qui est des besoins d'un
peuple dispersé désirant une existence collective, exigeant un foyer national
et émotionnel. Or, le peuple d'Israël n'a de foyer alternatif semblable dans
aucun autre centre juif du monde.

Glossaire

CE GLOSSAIRE ne prétend ni être exhaustif ni résumer l'ensemble des connaissances concernant chaque article. Sa seule ambition est d'aider un tant soit peu le lecteur à comprendre le domaine évoqué.

Certaines définitions ont été données par les auteurs des articles de ce recueil, d'autres ont été complétées en s'appuyant sur la bibliographie qu'on trouvera en fin de volume.

Accord Blauchtein-Ben-Gourion – Déclarations complémentaires rédigées par Jacob Blauchtein, président du Comité Juif Américain et David Ben-Gourion, définissant le lien entre le judaïsme de diaspora et l'État d'Israël. Plus précisément, cet accord stipule que l'État d'Israël ne constitue pas l'objectif messianique du judaïsme, mais prend sur lui de constituer un foyer pour les Juifs qui le voudront. Il ne prétend pas non plus représenter ou parler au nom de Juifs ayant une autre nationalité, ni de s'immiscer dans les affaires internes des communautés juives à l'étranger. Ben-Gourion affirmait qu'il voulait que l'immigration des Juifs américains en Israël, dépendent du libre arbitre de chaque individu.

Accord de Londres – Accord signé à Londres en avril 1987, entre Hussein roi de Jordanie et le ministre des Affaires étrangères israélien, Shimon Pérès, sur l'établissement de la paix au Moyen-Orient. Les deux hommes décidèrent de réunir une conférence internationale dont l'objectif serait : « d'atteindre une paix globale dans la région, la sécurité pour les États et garantir les droits légitimes du peuple palestinien » ; d'établir « des commissions bilatérales régionales pour discuter des problèmes réciproques » ; ils optèrent également pour les formes de négociations et pour l'indépendance des commissions bilatérales par rapport à la commission plénière de la Conférence internationale. Il fut aussi stipulé que la Conférence ne pourra pas imposer d'accord de paix contre la volonté d'une des parties et enfin il fut décidé que le texte de cet accord de paix sera présenté et proposé aux États-Unis, afin que ceux-ci le transmettent aux parties comme une initiative américaine. Yitshak Shamir, le Premier Ministre de l'époque, s'opposa à cet accord. Le 13 mai l'accord fut discuté en cabinet et ne fut pas entériné.

Accord de réparations allemandes – Accord de dédommagement en vertu duquel durant les années 1953-1963, l'Allemagne occidentale versa au gouvernement de l'État d'Israël des dédommagements pour le vol ou la perte de biens juifs en Allemagne nazie et dans les pays occupés par les nazis pendant la Deuxième Guerre mondiale. Cet accord suscita en Israël une violente polémique.

« L'Affaire » ou l'Affaire Lavon – (1954). Nom donné à l'action de sabotage ratée que les membres du réseau d'espionnage juif activé à partir d'Israël, tentèrent de faire dans des institutions occidentales en Égypte, par mesure de provocation. Le réseau fut découvert, deux de ses membres furent exécutés et les autres passèrent de nombreuses années en prison en Égypte. Cet échec suscita une véritable tempête politique, centrée sur la question : « qui a donné cet ordre ? »

Agence Juive – Cadre administratif suprême commun au mouvement sioniste, à l'Organisation Sioniste Mondiale et à des organisations non sionistes. Fut établie en 1920 et jusqu'à la création de l'État servit de principal organisme politique exécutif du mouvement sioniste dans les domaines politique et diplomatique et pour le peuplement de la Terre d'Israël. L'Agence Juive comportait des départements de colonisation, d'immigration, un département politique etc. Après l'établissement de l'État, ses fonctions politiques furent prises en charge par des organes officiels. Aujourd'hui, l'Agence Juive est active dans le domaine de l'immigration et de l'intégration, participe à l'aménagement du pays et ramasse des fonds à l'étranger.

Agoudat Israël – Organisation considérant la Tora et la tradition comme la base de l'existence et de la pérennité du peuple d'Israël. Fut créée au printemps 1912 à Kattowitz, en présence de trois cents représentants, venus de plusieurs pays. A partir de 1951, devint aussi un parti politique qui depuis, obtient régulièrement aux élections deux à cinq pour-cent des voix.

Ah'dout Avoda – Parti existant en Terre d'Israël de 1919 à 1930. Était l'organisme dominant du mouvement ouvrier et de la *Histadrout Ha-clalit* (organisation syndicale).

Ahad Haam (1856-1927) – Nom littéraire de Asher Zvi Ginsburg, homme de lettres et l'un des dirigeants du mouvement des « Amants de Sion ». Père du « sionisme spirituel », courant jugeant que l'évolution des mentalités doit primer toute action politique ou pratique. Cette idéologie prônait donc qu'il fallait instaurer en Terre d'Israël un centre spirituel national, qui inspirerait les communautés juives de diaspora, ceci comme condition préalable à tout autre acte sioniste. Ahad Haam s'opposa au sionisme politique de Herzl.

Alcalay Yehuda Haï, rabbin (1798-1878) – Rabbin et écrivain. L'un des précurseurs du mouvement national et un des premiers à avoir œuvré au peuplement de la terre d'Israël au XIXᵉ siècle. Intercéda en Europe occidentale auprès des dirigeants des communautés juives, en faveur de l'idéologie sioniste.

Avoda ivrit – littéralement : travail juif. Un des objectifs du mouvement sioniste à ses débuts fut le renversement de la pyramide sociale et la création d'une situation où le nouveau Juif effectuerait tous les travaux, même s'il existe une alternative moins chère.

Barak Aharon (1936-) – Président de la Cour Suprême. A la réputation de promouvoir et d'appliquer dans le système judiciaire, des principes libéraux et de vouloir élargir les domaines de juridiction de la Cour Suprême.

Bauer Yehuda (1926-) – Historien israélien. Éminent chercheur sur l'époque de la Shoah et lauréat du prix d'Israël pour la recherche sur la Shoah (1998). Dirigea l'Institut du Judaïsme Contemporain à l'Université Hébraïque de Jérusalem.

Ben-Sasson Haïm Hillel (1914-1977) – Historien, professeur à l'Université Hébraïque de Jérusalem. Est né en Russie dans une famille qui depuis des générations avait compté des rabbins éminents. Vint en terre d'Israël en 1934 et se joignit à la *Hagana*. En 1949, commença à enseigner l'histoire du peuple d'Israël à l'Université Hébraïque de Jérusalem.

Berdichevsky Micha Yossef (1865-1921) – Éminent et influent penseur et écrivain hébraïque. Admirateur de Nietzsche, il transféra sa philosophie sur un plan juif, en particulier pour tout ce qui a rapport à l'individu, à l'activisme social, à la prééminence de l'homme et à sa libération des entraves de la religion.

Bilou Acronyme du verset : Maison de Jacob, allons, marchons (Isaie, II, 5) – Mouvement de jeunes Juifs fondé en janvier 1882 dont les objectifs étaient l'immigration et la colonisation agricole de la Terre d'Israël. Il comptait environ 500 membres dont seulement cinquante sont venus dans le pays à l'époque de la première vague d'immigration. Un groupe de 14 membres s'est installé dans le pays en été 1882 et a fondé la localité de Guédéra.

Bilouim, – Membres de l'organisation juive nationaliste Bilou, fondée en 1881 en Russie et prônant l'installation en Terre d'Israël

Birobidjan – En 1928, l'Union soviétique décida de créer une région nationale juive en Extrême-Orient. En 1934, il fut décidé de faire du Birobidjan une région autonome juive et le yiddish y fut déclaré langue officielle, en même temps que le russe. Cette expérience fut un échec.

Brand Haïm Yossef (1881-1921) – Écrivain hébraïque important. Influença beaucoup le mouvement ouvrier de Terre d'Israël. Critique acerbe de la vie juive en diaspora et en Terre d'Israël. Comme Berdichevsky, il s'inspirait des nombreux courants de pensées vitalistes de Russie du début du XXe siècle.

Brand Yoël (1909-1964) – Membre du « Comité d'aide et de sauvetage » créé par les Juifs de Hongrie pendant la Deuxième Guerre mondiale. En mai 1944, fut délégué par Eichmann et un groupe de hauts fonctionnaires nazis de Budapest, pour tenter de conclure un marché avec les Anglais. Ce marché stipulait qu'en échange de dix mille camions, les nazis n'anéantiraient pas les Juifs de Hongrie. Cette affaire fut désignée par les termes : « de la marchandise contre du sang ». Un autre émissaire, Bandi Grosz, partit avec Brand de Budapest avec une autre proposition de paix séparée entre un groupe nazi d'élite et l'Occident, dans le but d'établir une alliance contre le nouvel ennemi de l'Europe : la Russie soviétique. En mai 1944 Brand apporta une troisième proposition de rançon aux dirigeants du *yichouv*. Cette proposition fut écartée deux mois plus tard, après qu'elle fut rendue publique.

Brit Chalom, littéralement : Alliance de la paix – Nom d'un groupe idéologique du sionisme (1925-1940) qui prônait un rapprochement entre Juifs et Arabes et tendait à établir un État bi-national. Parmi ses fondateurs et ses membres, on trouve Shmuel Hugo Bergmann, rabbi Binyamin, Haim Kalvarisky, Yossef Luria, Jacob Thon et Hans Cohen. Son initiateur fut Martin Buber. Yehuda Leib Magnes l'influença beaucoup mais n'en fut jamais membre.

Buber Martin (1878-1965) – Philosophe et sociologue juif, écrivain et militant sioniste. Se joignit au mouvement sioniste en 1898 et un an plus tard, fut délégué au troisième Congrès Sioniste. Fut rédacteur des journaux *Die Welt* [Le monde] à partir de 1901 et *Der Jude* [Le Juif] à partir de 1916. S'adonna à l'étude du Hassidisme. L'essence de sa pensée philosophique est l'idée que la religion est un dialogue entre l'homme et Dieu. Il fut l'un des Juifs les plus célèbres du XXe siècle et reçut des prix importants dans de nombreux pays.

Bund – Mouvement ouvrier juif de gauche, né à Vilna en 1897 rassemblant des ouvriers juifs de Russie, de Lituanie et de Pologne. Il s'est opposé au sionisme (et à l'hébreu) en particulier parce qu'il prônait un nationalisme culturel basé sur le yiddish, langue des masses juives. Prônait une autonomie nationale culturelle juive dans le cadre d'un futur régime socialiste.

Bundiste – Membre du Bund.

Cananéens – Courant idéologique politique qui se manifesta d'abord dans la nouvelle littérature hébraïque de Terre d'Israël. Il débuta en tant que « Mouvement des jeunes Hébreux », qui s'organisa à l'époque du *yichouv* pour établir en Terre d'Israël, une entité nationale « hébraïque » qui soit une société territoriale ouverte à tous, sans distinction raciale ou confessionnelle.

Charrette pleine/charrette vide – Expressions littéraires désignant le bagage existant ou n'existant pas dans le camp laïc, d'après le camp religieux.

Commission Peel – Commission royale d'enquête sous l'égide de Lord Peel, nommée pour déterminer les causes des événements de 1936. Le rapport qu'elle remit recommanda le partage de la Palestine en deux États – plan qui suscita une violente polémique au sein du mouvement sioniste. En automne 1938, le gouvernement britannique retira sa proposition à cause de l'opposition des Arabes.

Convention de Biltmore – Convention tenue en mai 1942 à l'hôtel Biltmore à New York, qui se termina par la présentation d'une proposition pour un plan d'action basé sur la création d'un *Jewish Commonwealth* en Terre d'Israël. La réalisation de cette proposition et l'ouverture de la Terre d'Israël à une immigration juive libre, seraient les objectifs de l'Agence Juive à la fin de la guerre.

Davar – Quotidien, organe du parti travailliste (*Mapaï*).

Déclaration Balfour – Déclaration britannique de sympathie envers les ambitions sionistes, émise par le ministre des Affaires étrangères anglais, Arthur James Balfour, en novembre 1917. Quand éclata la Première Guerre mondiale et que la Turquie entra en guerre comme alliée des puissances des Empires Centraux (l'Allemagne, l'Autriche-Hongrie, la Turquie et la Bulgarie) le gouvernement britannique jugea qu'il fallait séparer la Terre d'Israel de l'Empire ottoman et encourager sous sa protection, la réalisation des aspirations sionistes. Des éléments sympathisants du gouvernement britannique comme Herbert Samuel, Lloyd George, Sir Marc Sykes et Balfour lui-même, d'une part, une intense activité de la part des chefs du mouvement sioniste, comme Haïm Weitzman et Nahum Sokolov, d'autre part et en même temps, la résolution d'une conquête britannique de la Terre d'Israël, contribuèrent à l'acceptation de cette déclaration.

Dounam – Unité de dimension utilisée en Israël de 10 × 100 mètres, soit mille mètres carrés. Les expressions : « un dounam par-ci, un dounam par-là » ou « encore un dounam », font allusion à la « rédemption de la terre », ou œuvre de possession du pays par étape, de manière pragmatique et sans déclaration de principes, prônée par le *Mapaï*.

Dubnov Simon (1860-1942) – Historien et sociologue juif russe. Prôna l'autonomie culturelle. Il considérait les Juifs comme une « nation de culture » pouvant exister en tant que nation moderne dans le cadre d'une concentration territoriale en Europe de l'Est. Il décrit l'histoire d'Israël comme celle du développement et du déclin de plusieurs centres successifs. Le centre peut changer, mais le peuple continue d'exister en tant qu'unité nationale, fût-ce dans le cadre d'une indépendance politique ou pas. Dubnov fut assassiné à Riga par un officier de la Gestapo.

Eisenstadt Shmuel Noah (1923-) – Éminent sociologue israélien et fondateur du département de sociologie de l'Université Hébraïque de Jérusalem. Ses recherches portent sur une variété de domaines, dont l'intégration des immigrants et la société israélienne en formation. Lauréat du Prix d'Israël en sciences sociales.

Élection directe du Premier ministre – En 1992, est entrée en vigueur la loi selon laquelle le Premier ministre serait élu au suffrage universel et au scrutin direct par l'ensemble des électeurs. Cette loi en remplaça une autre, selon laquelle le Premier Ministre était élu par la Knesset à la majorité des voix. Cette loi était censée renforcer le statut du Premier ministre et amoindrir sa dépendance envers les fractions de la Knesset. Du fait de cette loi, la représentation des petits partis augmenta sensiblement. Elle fut annulée en 2001.

Elkind Menahem Mendel (1897-1937) – Chef charismatique et aimé de *Gdoud Haavoda*. Fut d'abord sioniste et socialiste, mais lors de la crise économique et sioniste de la fin des années vingt, il cessa de croire en la possibilité de réaliser un sionisme socialiste en Terre d'Israël et émigra en Russie.

Fédération sémite – En 1956 se créa un petit organisme nommé « l'Action sémite ». Parmi ses fondateurs, se trouvaient quelques vétérans du *Lehi* (Nathan Yelin-Mor, Boaz Evron, Amos Kenan). Ce groupe prônait l'intégration d'Israël dans « l'étendue sémite » et la création d'une identité israélienne « sémite », qui ne soit ni uniquement juive ni uniquement sioniste.

Finkelstein Arthur – Conseiller en image, conseiller médiatique et stratégique de Benjamin Netanyahu lors de sa campagne en tant que candidat au poste de Premier Ministre et en tant que Premier Ministre en 1996-1999. Juif américain, symbole d'une certaine superficialité et de la création d'une réalité virtuelle.

Gdoud haavoda littéralement : escadron du travail – Commune générale sioniste socialiste, composée d'ouvriers de Terre d'Israël regroupés en 46 groupes (1920-

1926) qui s'adonna à diverses tâches pour la construction du pays. Groupement fondé à la mémoire de Yossef Trumpeldor

Gola – Mot hébraïque désignant la Diaspora, l'Exil (des Juifs de la terre d'Israël).

Gordon A.D. (1856-1922) – Dirigeant du mouvement travailliste en Terre d'Israël. Vint dans le pays à l'âge de quarante-huit ans, s'installa à Degania et malgré sa faiblesse physique, s'entêta à travailler dans l'agriculture. Prêcha le renouvellement de l'homme par le travail.

Gouch Emounim – littéralement : **Bloc de la Foi** – Mouvement religieux national extra-parlementaire, fondé en 1974, prônant l'idée du Grand Israël. Fut le noyau et le fer de lance de la colonisation des territoires.

Gruenbaum Itzhak (1879-1970) – Figure dirigeante du judaïsme polonais et du *yichouv*. Fut suppléant du président de l'Agence Juive pendant les années quarante et président du « Comité de sauvetage » de fin 1942 à 1947. Fut le premier ministre de l'Intérieur de l'État d'Israël.

Guerre des langues – Nom donné à la bataille publique sur le choix de la langue d'enseignement dans les établissements scolaires juifs en Terre d'Israël, qui se tint en 1913, suite à l'ouverture du Technicum [le *Tehnion*] à Haïfa. La société judéo-allemande « Ezra » décida que la langue d'enseignement y serait l'allemand, ce qui provoqua une grève des étudiants et des enseignants. Après la Première Guerre mondiale, le *Tehnion* fut inauguré et l'enseignement fut donné en hébreu.

Haaretz – quotidien israélien, considéré comme le journal des intellectuels ; de tendance centre-gauche.

Habiby Émile (1922-1996) – Écrivain et homme politique arabe-israélien. Siégea à la Knesset pendant de longues années, en tant que député du parti communiste. Il abandonna ce rôle à la fin de sa vie. Son roman *L'optimiste* (1984) le rendit célèbre dans le monde entier.

Hachomer – Corps de gardes, fondé à l'époque de la deuxième vague d'immigration (1909) pour assurer la protection des Juifs. Devint l'une des icônes légendaires du projet sioniste.

Hachomer Hatsaïr – Mouvement de jeunesse juif sioniste-socialiste. Fondateur du « *Hachomer* », mouvement scout fondé en Galicie en 1914 et qui en 1916 s'intégra au mouvement des « Jeunes de Sion » [*Tseïreï Sion*]. Développa une idéologie sioniste-marxiste : exigeait un engagement personnel dans le cadre du kibboutz, une fois dans la lutte des classes au sein du *yichouv* juif et la création d'une société socialiste. En 1927 fut fondé le « *Hakkiboutz Ha-Artzi-Hashomer Hatsaïr* ». En 1946 « *Hashomer Hatsaïr* » devint un mouvement politique et en 1948 il créa le *Mapam* avec « *Ahdout Ha-avoda-Poaleï Sion* ».

Hacohen Ben-Hillel Mordehaï (1856-1936) – Écrivain, l'un des premiers « Amants de Sion ». Vint en Terre d'Israël et y développa le commerce et l'industrie. Initia des projets culturels et les soutint. Compte parmi les fondateurs de Tel Aviv et fut l'un des dirigeants du *yichouv* pendant la Première Guerre mondiale. Fut membre du « Comité provisoire » et de la deuxième « Assemblée des Élus ». Publia des livres, des souvenirs et des articles.

Hahchara – littéralement : préparation – (Camp) d'initiation préparant aux travaux agricoles en Terre d'Israël

Haïm Ramon (1950-) – Député à la Knesset, membre du parti travailliste. Fut ministre dans plusieurs gouvernements, secrétaire général de la *Histadrout* et l'initiateur d'une réforme controversée des services de santé en Israël.

Hakibboutz Haartzi – Organisation nationale des kibbutsim *Hachomer Hatsaïr* affiliés au *Mapam* fondée en 1927.

Hakibboutz Hameouhad – Organisation nationale de kibboutzim. Mouvement kibboutzique qui agit durant la période 1927-1980, né après la scission de *Gdoud Ha-Avoda* (1923). En 1927, il réunit plusieurs organismes du mouvement kibboutzique. Lié historiquement au parti «*Ahdout Avoda*». En 1981, s'unit au «Ihoud Ha-kvoutsot Ve-ha-kibboutzim» pour former le Mouvement kibboutzique unifié (*Takam*).

Hamizrahi – Abréviation hébraïque de «Centre spirituel» – Mouvement sioniste religieux, fondé en 1902 à Vilna qui se joignit en 1907 à l'Organisation Sioniste Mondiale. Après la Première Guerre mondiale son siège passa en Terre d'Israël. Fut actif dans différents domaines, dont la fondation du Grand Rabbinat et la création d'un réseau scolaire religieux. En 1956, se joignit au *Poaleï Hamizrahi* pour former le *Mafdal*, le Parti National Religieux.

Ha-Poel Hamizrahi – Organisation de travailleurs nationaux religieux d'Israël. Fut fondée en 1922 à Jérusalem en tant que fraction du mouvement «Tora et travail» (*Tora ve-A*voda) mondial. Lui sont affiliés le mouvement de jeunesse *Bneï Akiva* et l'organisme de sport religieux «*Elitsour*». En 1956, s'est intégré au «*Mizrahi*» dans le cadre du Parti National Religieux (*Mafdal*).

Hever Hakevoutsot – Organisation nationale de kibboutsim en Israël. Fut fondée en 1925. Au début, elle rassemblait toutes les localités collectives du pays, mais dès la première année, le «*Gdoud Haavoda*» et les kibboutsim du *Hashomer Hatsaïr* s'en retirèrent pour fonder les organisations «*Hakibboutz Hameouhad*» et «*Hakibboutz Haartzi*». En 1951, le *Hever Hakvoutsot* se fusionna avec une fraction du *Mapaï* qui s'était scindé du «*Hakibboutz Hameouhad*» et ensemble, ils formèrent le «*Ihoud Hakvoutsot ve-Hakibboutsim*».

Hibat Sion (Amour de Sion) – Courant idéologique et mouvement social dont l'objectif était d'amener une renaissance nationale des Juifs et leur retour en Terre d'Israël, leur patrie historique. Le mouvement se forma au début des années quatre-vingt du XIXe siècle, principalement dans les grandes régions de peuplement juif d'Europe de l'Est (soit en Russie, en Pologne et en Roumanie).

Histadrout – Syndicat général des ouvriers. Organisation centrale qui fut fondée en 1920 à la Conférence générale des ouvriers de Terre d'Israël, rassemblant tous les travailleurs salariés et de nombreux travailleurs indépendants de Terre d'Israël et plus tard de l'État d'Israël. C'est le syndicat juif de travailleurs le plus important du monde. Remplit différentes fonctions, dans tous les domaines de la vie, au cours du processus d'élaboration de la société et de la nation.

Judenrat – En allemand : «Conseil juif». Comités ayant dirigé les communautés juives dans les ghettos des territoires occupés par les Allemands pendant la

Deuxième Guerre mondiale. Ce sont les nazis qui nommèrent les membres de ces comités et leur firent endosser la responsabilité d'exécuter leur politique dans les ghettos. Entre autres, ils devaient décider qui serait déporté vers les camps de concentration et les camps de la mort. Leur rôle est très controversé.

Kalisher Zvi Hirsch, rabbin (1795-1874) – Rabbin de Lituanie et l'un des précurseurs du sionisme. Croyait que le salut d'Israël serait d'abord l'œuvre des hommes, tandis que la rédemption dernière – soit la venue du Messie – viendrait après que le peuple d'Israël fut revenu vers la Terre d'Israël et y respecterait les lois s'y attachant.

Kastner Israël (1906-1957) – Juriste et journaliste, né en Roumanie. Pendant la Deuxième Guerre mondiale, négocia en tant que représentant du Comité d'aide et de sauvetage juif de Budapest. L'Agence Juive était au courant de ces pourparlers avec les Allemands sur le sauvetage des Juifs de Hongrie, en échange de matériel militaire et de produits d'Occident. Vint en Israël et fut fonctionnaire. En 1953, Malkiel Grundwald publia un article où il accusait Kastner de collaboration avec les nazis. L'État d'Israël intenta un procès à Grunwald pour calomnie et selon le verdict du tribunal, la plupart de ses dires furent déclarés vrais. Après le verdict, Kastner fut assassiné d'un coup de pistolet, par un groupe de nationalistes extrémistes. En janvier 1958, ses avocats ayant fait appel, la Cour suprême déclara que Kastner n'avait pas collaboré avec les nazis et le blanchit donc de cette accusation. Elle retint cependant contre lui, le fait qu'il avait aidé Kurt Becher par un faux témoignage, lors de son procès à Nürenberg. « L'Affaire Kastner » souleva une profonde polémique dans l'opinion israélienne.

Katz Jacob (1904-1999) – Historien israélien. Professeur d'histoire à l'Université Hébraïque de Jérusalem. En fut le recteur entre 1969 et 1972. Traita de l'histoire sociale du peuple d'Israël à l'époque moderne. Parmi ses livres : *Tradition et Crise – la société juive à la fin du Moyen Âge* (Jérusalem, 1958), *L'antisémitisme – de la haine religieuse à la négation de la race* (Tel Aviv 1979).

Katznelson Berl (1887-1944) – Dirigeant, enseignant et penseur du mouvement travailliste et des ouvriers de Terre d'Israël. Fut l'un des fondateurs de «*Ahdout Avoda*» (1919) et parmi les premiers à se joindre à la *Histadrout*. (1920). Fut le collaborateur et l'alter ego complémentaire de David Ben-Gourion à la tête du *Mapaï*. Représente le courant constructiviste et activiste du *Mapaï*. Fut l'un des fondateurs du journal *Davar* et des éditions «*Am Oved*». Durant les années quarante, il se consacra surtout à l'éducation idéologique, participa à de nombreux congrès du mouvement de la jeunesse pionnière, donna des conférences et écrivit des articles dans la presse. Sa mort subite frappa le mouvement ouvrier d'un grand deuil.

Keren Hayessod – Outil financier de l'Organisation Sioniste Mondiale. Fut créé en 1921. Jusqu'en 1948 ramassa près de 143 millions de dollars. Après la création de l'État, œuvre aux États-Unis en tant que Fonds Juif Unifié.

KKL – Keren Kayemet Leyisraël – Organe de l'organisation sioniste mondiale pour l'achat de terres en Terre d'Israël, leur adaptation à la colonisation juive et leur maintien en tant que propriété publique. Fut créé en 1901 selon une idée de Zvi

Herman Shapira. Jusqu'à la création de l'État, acquit plus d'un million de dounams. S'occupa aussi de propagande et d'éducation.

Klausner Yossef (1874 – 1958) – Historien, chercheur en littérature hébraïque moderne, rédacteur et critique. Rédacteur du journal *Hachiloah* (1903-1927). A partir de 1926, fut professeur de littérature hébraïque à l'Université Hébraïque de Jérusalem et à partir de 1945, enseigna l'histoire du deuxième Temple. Était proche du mouvement révisionniste et candidat du parti « *Herout* » à la présidence de l'État. Lauréat du prix d'Israël en sciences juives (1958).

Knesset Israël – Nom de l'organisation autonome des Juifs de Terre d'Israël sous le Mandat britannique. Fut créée en 1918 et fut reconnue par les autorités mandataires en 1927. Y était représentée la majorité des Juifs de Terre d'Israël, à l'exception de quelques fractions religieuses. Ses institutions furent « l'Assemblée des Élus » et « le Comité National ».

Kollat Yisrael (1927-) – Historien, grand spécialiste de l'histoire du sionisme et de la gauche. Professeur d'histoire du peuple d'Israël de l'Institut du Judaïsme Contemporain, à l'Université Hébraïque de Jérusalem.

Kook Avraham Yitshak Hacohen, rabbin (1865-1935) – Rabbin et penseur religieux. Premier rabbin ashkénaze de Terre d'Israël. Considérait le projet sioniste comme le début de la rédemption et par conséquent trancha sur des sujets religieux d'une manière qui contraria le monde ultra-orthodoxe. Au début des années vingt, il joua un rôle crucial dans la création du Grand-rabbinat d'Israël. Il fut élu grand Rabbin d'Israël et Président du tribunal rabbinique suprême. Il développa une pensée très approfondie sur des problèmes de morale, de rédemption et de repentir et sur le lien entre le sacré et le profane, qu'il consigna dans de nombreux livres. Fut le chef spirituel du sionisme religieux et le fondateur de la *Yechiva* « *Mercaz Harav* » à Jérusalem.

L'émigration de masse des années cinquante – Commença du temps de la guerre d'Indépendance et se poursuivit en fait jusqu'au milieu des années cinquante. Entre mai 1948 et les derniers mois de 1951, 687 000 personnes ont immigré dans le pays, soit en moyenne 189 000 personnes par an. De la fin de l'époque du Mandat britannique (1948) jusqu'à fin 1955, la population juive du pays se multiplia par 2,4 – soit 650 000 personnes pour une population de 1 591 000 habitants.

La Hagana – Organisation semi-militaire, clandestine ; la plus importante du *yichouv* de Terre d'Israël et du mouvement sioniste jusqu'à la fondation de l'État.

Latroun – Camp de transit anglais dans la vallée d'Ayalon et poste militaire stratégique arabe sur la route de Jérusalem pendant la guerre d'Indépendance. Une bataille sanglante y eut lieu et l'endroit devint l'un des symboles de cette guerre. Il y eut quelques temps après l'événement et surtout plus tard, des contestations sur la façon dont fut menée la bataille et le prix qui y fut payé.

Levkovitz Shlomo (1882-1963) – Vint dans le pays lors de la deuxième vague d'immigration. Type de l'agriculteur intellectuel. Père de l'idée du grand kibboutz, réunissant agriculture et industrie.

Livre Blanc de 1939 – Livre des règles publiées par le Ministre anglais des Colonies Malcolm Mac Donald en mai 1939. Les trois principales clauses devaient limiter la présence juive en Terre d'Israël, réduire autant que possible la vente de terres aux Juifs et établir en moins de dix ans une autonomie pour les habitants du pays, c'est-à-dire pour la majorité arabe.

Loi sur le KKL (loi fondamentale sur les Domaines fonciers) – Loi promulguée par la quatrième Knesset, le 25 juillet 1960. Cette loi est basée sur le rapport particulier existant entre le peuple d'Israël, le sol de la Terre d'Israël et l'attribution de ce sol à ce peuple. Cette loi veut assurer que les terres appartenant à l'État, qui représentent quatre-vingt-dix pour cent de l'ensemble des terres du pays, restent la propriété du peuple d'Israël.

Loi du Retour – Loi promulguée par la Knesset en 1950, selon laquelle tout Juif désirant s'installer dans l'État d'Israel, reçoit la nationalité israélienne et peut jouir des droits que l'État accorde aux immigrants.

Maabara/pluriel : maabarot – Campements provisoires où furent installés les nouveaux immigrants lors de l'immigration massive des années cinquante. Devint plus tard un symbole de discrimination de ceux qui durent y séjourner longtemps.

Magnes Judas-Leib (1877-1948) – Rabbin du mouvement réformé et sioniste américain très actif. Fut l'un des fondateurs de l'Université Hébraïque de Jérusalem en 1925 dont il fut le premier président. Prôna l'établissement d'un État binational en terre d'Israël et exerça une grande influence sur l'orientation du mouvement « Brit Chalom ».

Maki (parti communiste israélien). Parti communiste Israélien. Fut créé en 1952. Ses racines remontent à 1919 quand une fraction de gauche quitta *Poaleï Sion* de gauche, le « Parti Socialiste des Ouvriers » (*Mapas*). Après plusieurs scissions, fut créé le Parti Communiste Palestinien (*Pakap*). En 1965, Maki se divisa et se formèrent le *Rakah* (Nouvelle Liste Communiste) et le *Maki*. *Maki* disparut après les élections à la septième Knesset.

Mapaï – acronyme de : Parti ouvrier de Terre d'Israël. Parti sioniste-socialiste central d'Israël. Fut fondé en 1930 de l'union des partis « *Hapoel Hatsaïr* » et « *Ahdout Ha-avoda* ». En 1944 la « Deuxième fraction » fit scission et créa le mouvement « *Ahdout Ha-avoda* ». Continua d'être le plus grand parti du *yichouv*. Fut à la tête de la *Histadrout Haclalit*. Les mouvements des *mochavim* et de *Ihoud Hakvoutsot Ve-hakibboutsim* et également le mouvement de jeunesse *Hanoar Haoved ve-Halomed* lui sont affiliés. En 1968 se fondit dans le parti travailliste.

Mapaïnik (au pluriel : mapaïnikim). Membre du Mapai.

Mapam – acronyme de : Parti des Ouvriers Unis. Parti sioniste-marxiste d'Israël. Fut fondé en 1948 de l'union du *Hashomer Hatsaïr*, le mouvement *Ahdout Ha-avoda* et *Poaleï Sion* de gauche. Lui sont liés le *Kibboutz Haartzi-Hashomer Hatsaïr* et le mouvement *Hashomer Hatsaïr*. En 1954 il se scinda, suite à des divergences de vue sur le rapport à l'URSS : les gauchistes se joignirent à *Maki* tandis que les membres de *Ahdout Ha-avoda* et la majorité des gens de *Poaleï Sion* recréèrent leur ancien parti.

Méa Shéarim – Quartier ultra-orthodoxe de Jérusalem.

Mechek ha-ovdim – économie socialist. Branche de l'économie aux mains de la *Histadrout*, les travailleurs étant propriétaires des moyens de production. Représente une réalité spécifique à Israël. Association capital-travail.

Mizrahi – mouvement national-religieux.

Mochav – collectivité agricole d'agriculteurs privés.

Mochavot (pluriel de Mochava) – Localités créées par les premiers pionniers.

Mouvement de réforme – Mouvement visant à instaurer des réformes dans la religion juive. Naquit en Allemagne durant la deuxième décennie du XIXe siècle et de là se propagea vers l'Europe centrale et occidentale. Les hommes de la réforme se considéraient comme appartenant aux pays où ils vivaient et avaient renoncé à l'idée d'une rédemption nationale d'Israël et à la perspective d'un rassemblement des diasporas. Ils tiraient cependant une fierté de leurs origines juives et de la religion mosaïque. Au début, la plupart d'entre eux s'opposèrent au mouvement sioniste, mais après la Shoah et la création de l'État d'Israël, il y eut un revirement et ils se joignirent au Congrès Sioniste Juif Mondial (1972) et à l'Organisation Sioniste Mondiale (1975).

Mouvement kibboutzique – Cadre politique de l'ensemble des kibboutzim, toutes tendances confondues.

Nakba – « la catastrophe » de 1948. Dénomination des Palestiniens de la guerre d'Indépendance.

Netanyahu Benzion (1910-) – Historien israélien, l'un des rédacteurs de l'Encyclopédie Hébraïque. Actif au sein du mouvement révisionniste en Israël et aux États-Unis, auteur d'une Histoire des Juifs de l'Espagne chrétienne et des marranes. Père de Benjamin et de Jonathan Netanyahu.

Netourei Carta – Littéralement : Gardiens de la ville. Groupuscule d'ultra-orthodoxes anti-sionistes qui ne reconnaissent pas l'existence de l'État d'Israël.

Nordau Max (1849-1923) – Écrivain, penseur, médecin psychiatre et dirigeant sioniste d'origine hongroise. Fut l'un des collaborateurs de Herzl et l'un des chefs de file du courant du sionisme politique au premier Congrès sioniste. Soutint le plan de l'Ouganda. Durant la Première Guerre mondiale, prôna une politique sioniste neutre. Après la Déclaration Balfour, proposa d'établir en Terre d'Israël une majorité juive par l'émigration de masse de six cent mille immigrants, sans se soucier des conditions (« Programme Nordau »).

Nouvelle gauche – Désignation générale de groupes apparus en Occident dans les années soixante et dont la principale caractéristique fut leur opposition radicale aux institutions politiques existantes. En Israël, les groupes les plus saillants furent le « *Matzpen* » et « *Siah* » (Nouvelle gauche israélienne).

Nuit de Cristal – Nom donné au pogrom fomenté par les nazis contre les Juifs d'Allemagne et d'Autriche pendant la nuit du 9 au 10 novembre 1938, soi-disant en réaction spontanée à l'assassinat du troisième secrétaire de l'ambassade d'Allemagne à Paris, Von Ratt. Le nom « Nuit de cristal » vient des nombreux éclats de verre qui se sont répandus dans les rues d'Allemagne, suite aux dommages causés par les nazis. Trente-six Juifs furent assassinés, des dizaines furent blessés, trente mille furent arrêtés et envoyés dans des camps de concentration, plusieurs centaines de synagogues, de magasins et d'immeubles de Juifs furent incendiés.

Oslo – pourparlers et accord – Pourparlers tenus entre les Israéliens et les Palestiniens ente 1992 et 1993, qui furent la base d'une reconnaissance mutuelle des deux peuples. Selon cet accord, le gouvernement d'Israël s'est engagé à reconnaître l'OLP en tant que représentant du peuple palestinien et à négocier avec cet organisme, dans le cadre d'un processus de paix au Moyen-Orient. L'OLP s'est engagée à renoncer au terrorisme et aux actes de violence et à œuvrer pour modifier la Charte palestinienne.

Palmah – acronyme hébraïque de : Troupes de choc. Unité de commando de la *Hagana*, devint une des icônes de l'épopée pré-étatique.

Pinsker Yehuda Leib (1821-1891) – Dirigeant du mouvement de « *Hibat Sion* ». Il fut élu président du mouvement en 1884 au congrès des délégués des associations des « Amants de Sion » [*Hovevei Zion*].

Plan Alon – Plan d'accord politique dans les territoires de Judée et de Samarie proposé par Yigual Alon, vice Premier Ministre en juillet 1976. Le principe de ce plan était qu'Israël maintiendrait son autorité sur ce qui était vital pour établir des frontières de sécurité et que la majorité des territoires peuplés d'Arabes seraient annexés à la Jordanie.

Plan de Partage – Plan dont les racines remontent aux événements de 1936, époque où le gouvernement britannique décida de confier le problème de la Palestine à l'examen d'une « Commission royale » jusqu'à ce que soit ramené l'ordre. Le Plan de Partage souleva des opinions contradictoires parmi les dirigeants du *yichouv* et au sein du judaïsme en général. La majorité, au sein de l'Organisation sioniste, et surtout Haïm Weitzman et David Ben-Gourion, pensaient qu'il fallait profiter de l'occasion et établir un État juif. Une minorité importante, dirigée par Menahem Ussichkin s'opposait à cette proposition. Jabotinsky lui aussi était contre parce qu'il pensait qu'on ne pouvait renoncer à une partie de l'Israël historique et biblique.

Plateau d'argent – terme inventé par Haïm Weitzman. Le poète Nathan Alterman l'emprunta et l'introduisit dans son poème « Le plateau d'argent » (*La septième colonne*, Livre I, Tel Aviv 1962, p. 154-155), et il devint l'un des symboles de la renaissance israélienne. Il signifie évidemment le prix de sang exigé par la guerre d'Indépendance, par le sacrifice de jeunes gens et de jeunes filles.

Poalei Sion – Mouvement sioniste socialiste fondé en Russie au début du XXᵉ siècle dans le cadre de la Fédération sioniste. Plusieurs branches de ce mouvement se sont ensuite fondues dans le *Mapai*, l'*Ahdout avoda* et le *Mapam*.

Poalei Sion de gauche – Parti qui agit sous différentes formes entre 1920 et 1946. Il est issu de la scission du *Brit Haolamit* des *Poalei Sion* en 1920. Au début des années quarante, les membres de « Poalei Sion de gauche » s'opposèrent fermement au plan de Biltmore et prônaient un État binational.

Praver Yehoshua (1917-1990) – Historien israélien, spécialiste de l'histoire du Moyen Âge et de celle du Royaume des Croisés. Fut rédacteur en chef de l'Encyclopédie Hébraïque. Fut président du comité qui porta son nom, qui œuvra de 1963 à 1965 et recommanda une réforme de structure de l'enseignement en Israël. Suite à l'action de ce comité, furent créés les « cycles moyens » pour lesquels furent préparés des programmes d'enseignement spéciaux. Lauréat du prix d'Israël en sciences humaines en 1969.

Procès Eichmann – Procès de Adolf Eichmann, officier SS qui dirigea l'opération nazie d'extermination des Juifs d'Europe. Le procès se tint à Jérusalem d'avril à décembre 1961. Eichmann fut déclaré coupable de tous les chefs d'accusation dont il était l'objet. Sa demande en appel fut rejetée et il fut condamné à mort. Il fut pendu en prison et ses cendres furent éparpillées dans la mer.

Programme de Biltmore – Programme politique du mouvement sioniste. Fut énoncé lors de la Convention tenue à l'hôtel du même nom à New York les 8-11 mai 1942. Ce programme exigeait l'annulation du Livre Blanc et la création d'une communauté juive (dont la signification pratique était la création d'un État juif) en Terre d'Israël, qui s'inscrirait dans le nouveau monde démocratique qui s'instaurerait après la guerre. Fut ratifié dans le programme officiel de l'Organisation sioniste en 1945.

Programme de l'Ouganda – Proposition de l'Angleterre à l'Organisation sioniste en août 1903 d'établir une colonie juive autonome en Ouganda. Devint le symbole des « territorialistes » ayant rompu le lien entre le sionisme et « Sion ».

[La] Révolte arabe – Nom donné par les Arabes aux événements de 1936-1939.

Rupin Arthur (1876-1942) – Chef du Département de colonisation sioniste de l'Organisation sioniste. Initia des actions de colonisation de grande envergure en Terre d'Israël, dont la création de « fermes nationales » comme Kinnéret, Houlda et Ben-Shemen. Fondateur de la société « *Hahsharat Hayichouv* » qui constitua un instrument essentiel pour l'acquisition de terres. Soutint la société « *Ahouzat Baït* » – noyau fondateur de la ville de Tel Aviv – et la construction de nouveaux quartiers à Jérusalem et à Haïfa. Ecrivit de nombreux livres sur la Terre d'Israël.

Sadé Yitshak (1890-1952) – L'un des commandants de la « *Hagana* ». Servit dans l'armée du Tsar en tant que chef de compagnie. Après sa rencontre avec Joseph Trumpeldor, se rapprocha du sionisme. Aida Trumpeldor pour la création de l'organisation « *Hehaloutz* » [Le Pionnier] et en 1920, après la chute de Tel Haï, vint en terre d'Israël. Fut l'un des fondateurs de « *Gdoud Haavoda* ». Après le démantèlement du régiment, il rejoignit la « *Hagana* » et se distingua en tant que commandant, notamment par son savoir-faire ingénieux. Il créa les « Compagnies de campagne » et les « Compagnies spéciales ». Fut l'un des initiateurs du *Palmah* et son premier commandant (1941-1945). Quand éclata la guerre d'Indépendance, il créa le premier régiment blindé de *Tsahal* (le régiment n. 8) qu'il commanda durant « l'opération Dani » et la libération de Ramlé et de Lod. Après le démantèlement du *Palmah*, il quitta l'armée avec le grade de général.

Saison – abréviation de : « saison de chasse ». Nom donné aux opérations de la *Hagana* en hiver 1944-1945 contre le *Etzel* et le *Lehi* pour faire cesser les opérations de ces organisations clandestines qui n'acceptaient pas l'autorité du Comité exécutif de l'Agence Juive. Des hommes et des femmes du *Etzel* et du *Lehi* furent emprisonnés, interrogés et torturés. certains parmi eux, furent même remis aux Anglais.

Shalom Gershom (1897-1982) – Un des plus grands chercheurs dans les domaines de la mystique et de la kabbale. Président de l'Académie des Sciences israélienne (1968-1974). Lauréat du prix d'Israël en sciences juives (1958). Parmi ses livres : Sabbtaï Zvi et le mouvement sabbatéen du vivant de son chef (Tel Aviv 1957) ; Chapitres fondamentaux dans la compréhension de la kabbale et ses symboles (Jérusalem 1976) ; De Berlin à Jérusalem (Tel Aviv 1982).

Shohat Israel (1886-1961) – Vint dans le pays en 1904 et fut l'un des personnages clé de la deuxième vague d'immigration. Créa l'organisation «*Hashomer*» (1909), noyau sur lequel il espérait construire la force militaire du *yichouv*. Après la Deuxième Guerre mondiale, il participa à la création de «*Ahdout Avoda*» et à celle de la «*Histadrout Haovdim*». Dans les années vingt, éclata un grave conflit entre lui et les dirigeants de «*Ahdout Avoda*» et de la «*Hagana*» quand il refusa de dissoudre l'organisation «*Hashomer*» et de l'intégrer dans la «*Hagana*». Fut membre du «Comité national» et l'un des fondateurs du «*Hapoel*». Après la création de l'État, fut quelques années directeur général du Ministère de la Police.

Silver Abba Hillel (1893-1963) – Rabbin d'obédience libérale et dirigeant sioniste aux États-Unis. En 1938, fut nommé président de la Collecte de fonds en faveur de la Terre d'Israël. Durant la Deuxième Guerre mondiale, il se prononça ouvertement en faveur de la création d'un État juif et exigea de transférer aux États-Unis les centres d'action sioniste, pour pouvoir clairement adopter une ligne anti-britannique. Soutint l'action clandestine et les positions de droite du *yichouv* en terre d'Israël. De 1943 à 1948, il dirigea le «Comité d'urgence sioniste» et en fut le délégué à la commission de l'ONU qui discuta de la question de la Terre d'Israël.

Slutsky Yehuda (1915-1978) – Historien. De 1935 à 1945 il enseigna dans plusieurs écoles avant de devenir professeur d'histoire à l'université. Publia de nombreux livres pour enfants et adolescents sur des expériences et des aventures d'enfants du pays. Rédigea également des recherches historiques sur l'histoire des Juifs de Russie et sur celle du sionisme et du *yichouv*. Fut membre de la rédaction du **Livre de l'histoire de la *Hagana*** et rédigea la majorité des volumes de cette série. Fut rédacteur de la revue d'étude du judaïsme russe **Haavar**.

Sné (Kleinbaum) Moshe (1909-1973) – Dirigeant du judaïsme polonais entre les deux guerres. Venu dans le pays, il fut nommé chef de l'Etat-major central de la «*Hagana*». Ses tendances gauchistes lui firent abandonner le sionisme et il devint l'un des dirigeants du parti communiste israélien. Revint au sionisme vers la fin de sa vie.

Streimel – Chapeau de fourrure porté par les hassidim les jours de fêtes.

Tabenkin Yitshak (1887-1971) – Est venu dans le pays lors de la deuxième vague d'immigration. Important dirigeant du mouvement ouvrier en Terre d'Israël, il fut le fondateur du «*Hakibboutz Hameouhad*» et son chef incontesté. De 1942 à 1944 il entraîna la fraction B à se scinder du *Mapaï*. Dirigea la gauche du *Mapaï* puis fonda le *Mapam*, le parti des ouvriers de gauche.

Talmon Jacob (1916-1980) – Professeur d'histoire à l'Université Hébraïque de Jérusalem à partir de 1960. En 1967, il devint membre de l'Académie des Sciences israélienne. Sa trilogie sur la nature des régimes sociaux et l'influence des mythes nationaux et idéologiques sur le caractère de ces régimes, le rendit célèbre dans le monde entier. Il pensait que les régimes totalitaires et leur idéologie, de même que les théories démocrates et libérales provenaient d'une même source. Parmi ses livres : *Les origines de la démocratie totalitaire* (Tel Aviv, 1955), *Mythe de la nation et vision de la révolution – origines de l'opposition idéologique au xxe siècle* (Tel Aviv, 1981).

Terre d'Israël – Terme employé pour désigner le terme hébraïque : Etetz-Israël ou la Palestine, par opposition ou anticipation (avant 1948) à l'État d'Israël.

Théorie et critique – Revue éditée par l'Institut Van-Leer, Jérusalem. L'Institut est connu pour être l'un des bastions de la pensée critique israélienne et par là donc l'un des bastions du post-sionisme en Israël. Le premier rédacteur en chef et le fondateur de la revue fut Adi Ophir. Aujourd'hui Yehuda Shenhav en est le rédacteur.

Tora (loi juive, Pentateuque) – Base/noyau de la loi et du mode de vie juif.

« **Torah et travail** » – Concept des milieux religieux sionistes, prônant une intégration du monde de la foi et des lois religieuses avec le peuplement de la Terre d'Israël et sa construction.

Yaari Méir (1897-1987) – Dirigeant de « *Hakibbboutz Haartzi* », « *Hashomer Hatsaïr* » et *Mapam*. Fut député de la première à la septième Knesset.

Yalin-Mor (Fridman) Nathan (1913-1979) – Dirigeant du *Lehi*, député à la Knesset et journaliste. Officier de la délégation de *Betar* en Pologne. Après la création de l'État, il œuvra à l'intégration de l'État au sein de « l'étendue arabe ».

Yechiva (au pluriel : yechivot) – École talmudique.

Yevsektsiya – En russe : « section juive » du parti communiste soviétique. Fut créée en 1918 par des ressortissants de partis socialistes juifs qui s'affilièrent au parti communiste pendant la révolution. Réprima avec force le sionisme, la religion juive et ses institutions, l'hébreu et toute forme d'organisation juive non communiste. Institua un réseau scolaire et des projets culturels. Fut dissoute en 1930. Son nom est associé aux Juifs s'opposant au nationalisme et à la culture juive.

Yichouv – La population juive de Terre d'Israel à l'époque de l'entité politique et sociale, avant la création de l'État.

Liste des sources ayant servi à établir ce glossaire

Alan Bullock et R.B. Woodings (eds.), Dictionnaire Fontana des personnalités contemporaines (en hébreu), Am Oved, Tel Aviv 1996.

Dan Pines et K. Pines, Dictionnaire des mots étrangers en hébreu (en hébreu), Amihaï, Tel Aviv 1972.

David Kna'ani, Encyclopédie des sciences sociales (en hébreu), Sifriat Hapoalim, Éditions du Kibboutz Haartzi et Hashmer Hatsaïr, Merhavia, Tel Aviv 1970.

David Shaham, Nouveau lexique encyclopédique – Personnalités (en hébreu), Sifriat Hapoalim, Sifrei Hemed, Yediot Aharonot, Tel Aviv 1997.

Youval Kamrat (éd.), Lexique de Judaïca (en hébreu), Keter, Jérusalem 1976.

Yaacov Shavit (éd.), Le précieux (en hébreu), Lexique Stematsky, Stematsky, Bné-Brak 2001.

Amos Carmel, Tout est politique – Lexique de la politique israélienne (en hébreu), Dvir, Lod 2001.

Shaï Peri, Lexique philosophique (en hébreu), Éditions Rakéfet, Haïfa 2002.

Encyclopédie Hébraïque (en hébreu), Société de publication d'encyclopédie Ltd, Jérusalem et Tel Aviv

Elizabeth Sleeman (éd.), *The International Who's Who 2003, 66th edition, London and New York 2002.*

Simon Blackburn, *The Oxford Dictionary of Philosophy*, Oxford and New York 1994.

Ouvrages à consulter
pour plus d'informations

Friling Tuvia, L'arc dans le brouillard, le leadership du yichouv et les tentatives de sauvetage durant la Shoah, Centre de Promotion du Patrimoine de Ben-Gourion ; Institut Abraham Herman du Judaïsme Contemporain, Université Hébraïque de Jérusalem ; Éditions de l'université Ben-Gourion, Kiriat Sdé-Boker 1998. [Le livre doit paraître aux éditions de l'université du Winsconsin, USA au printemps 2003, les coordonnées bibliographiques seront alors modifiées]

Anderson Benedict, *Imagined Communities : Reflections of the Origin and Spread of Nationalism*, London, 1991.

Beard Charles A., « The Nobal Dream », *in* Fritz Stern (éd.), *The Varieties of History*, London 1970.

Becker Carl L., « What are Historical Facts ? », *in* Hans Meyrhoff (éd.), *The Philosophy of History in Our Time*, New York, 1959.

Berlin Isaiah, *Against the Current : Essays in the History of Ideas*, New York, 1979.

Bloom Allan David, *The Closing of American Mind*, New York, 1988.

Derrida Jacques, « On Forgiveness », *in* (Derrida) *On Cosmopolitanism and Forgiveness*, London and New York, 2001.

Dary William H., *Laws and Explanation in History*, Oxford, 1975.

Foucault Michel, *Anti-Œdipus : Capitalism and Schizophrenia*, Minneapolis, 1998.

Foucault Michel, *Histoire de la Folie à l'Age Classique*, Paris, 1972.

Greetz Clifford, *The Interpretation of Cultures*, New York, 1973.

Gellner Ernst, *Nations and Nationalism*, Oxford, 1983.

Kimmerling Baruch, *Zionism and Territory : The Socio-Territorial Dimensions of Zionist Politics*, Berkeley, 1983.

Le Roy Ladurie Emmanuel, *Le Carnaval de Romans*, Paitiers, 1979.

Morris Benny, *The Birth of the Palestinian Refugee Problem 1947-1949*, Cambridge, 1987.

Pappe Ilan, *The Israel/Palestine Question*, London and New York, 1999.

Pappe Ilan, *The Making of the Arab-Israeli Conflict, 1947-1951*, London, New York, 1992.

Pardes Ilana, *The Biography of Ancient Israel : National Narratives in the Bible*, Berkeley, Calif. 2000.

Porat, Dina, *The Blue and the Yellow Stars of David*, Cambridge Mass., 1990.

Said Edward W., *Orientalism*, New York, 1978.

Segev Tom, *The Seventh Million, The Israelis and the Holocaust*, New York, 1994.

Shafir Gershon, *Land Labour and Origins of the Israeli-Palestinian Conflict 1882-1914*, Cambridge, 1987.

Silberstein Laurence J., *The Post-Zionism Debates : Knowledge and Power in Israeli Culture*, New York, 1999.

Thompson E.P., « The Politics of Theory », *in* R. Samuel (éd.), *People's History and Socialist Theory*, London 1981.

Walsh W.H., *An Introduction to the Philosophy of History*, London 1967.

Zertal Idith, *From Catastrophe to Power : Holocaust Survivors and the emergence of Israel*, Berkeley Calif. 1998.

Dans la même collection

- Entre Auschwitz et Jérusalem. Shoah, sionisme et identité juive,
  Yosef Gorny

- Pour une historiographie de la Shoah
  Dan Michman

- Morale juive et morale chrétienne
  Élie Benamozegh

- Emmanuel Levinas. Philosophie et judaïsme
  Sous la direction de Danielle Cohen-Levinas et Shmuel Trigano

Dans la collection PARDÈS

- L'école de pensée juive de Paris (Pardès 23)
- Gueoula, Délivrance, Salut, Rédemption (Pardès 24)
- Où va le judaïsme ? La continuité juive face aux extrémismes (Pardès 25)
- Emmanuel Levinas. Philosophie et judaïsme (Pardès 26)
- Psychanalyse et judaïsme (Pardès 27)
- La mémoire sépharade (Pardès 28)
- Le Juif caché. Marranisme et modernité (Pardès 29)
- Y a-t-il une morale judéo-chrétienne ? (Pardès 30)
- L'idée de création (Pardès 31)
- La Bible et l'Autre (Pardès 32-33)
- L'exclusion des Juifs des pays arabes (Pardès 34)
- Le christianisme au miroir du judaïsme (Pardès 35)